Die

Novelle

Die Novelle

Edited by

Frank G. Ryder

Indiana University

HOLT, RINEHART AND WINSTON

New York   Toronto   London

PERMISSIONS AND ACKNOWLEDGMENTS

Permission by the following publishers to reprint and include copyrighted material in this textbook is gratefully acknowledged:

Bahnwärter Thiel by Gerhart Hauptmann, Verlag Ullstein GmbH, Berlin (HJJ)

Reitergeschichte by Hugo Hofmannsthal, taken from Hugo von Hofmannsthal Gesammelte Werke in Einzelausgaben DIE ERZÄHLUNGEN — © Bermann-Fischer Verlag AB, Stockholm, 1945 (IJJ)

Mario und der Zauberer by Thomas Mann, taken from Thomas Mann, Stockholmer Gesamtausgabe ERZÄHLUNGEN — © Katharina Mann 1958 S. Fischer Verlag, Frankfurt am Main (GJJ)

Die Portugiesin from DREI FRAUEN by Robert Musil, Rowohlt Verlag GmbH, Reinbek bei Hamburg (IJJ)

Literarische Chronik, 1914 (excerpt) from Robert Musil, TAGEBÜCHER, APHORISMEN, ESSAYS UND REDEN, Ed. A. Frise, Copyright Rowohlt Verlag, Hamburg, 1955. Used by permission (HE)

Foreword

The aim of this collection is to exemplify the most distinctive genre of German literature, the *Novelle*, and to facilitate access to and understanding of some of its finest works. The sole criterion of selection was greatness. No attempt has been made to avoid certain works because they were familiar, to seek lexical or syntactic simplicity, to favor one period over another. The collection is nonetheless unusual in several respects. It is based, originally, on a survey in which American teachers identified those *Novellen* they considered most important and most interesting to the student reader. (The editor also relied upon his own judgment, in selecting a different work from a given writer, in omitting an occasional favorite, or in adding less traditional but equally great examples of the genre.) No constraints were placed on length. The works range from 10 to over 100 pages, and the collection as a whole is unusually voluminous. Quite apart from the economy involved (compared to separately purchased texts) there is advantage in the uniform approach to the material, facilitating contrast and comparison. Rather than telling the student what to think, the editor has attempted to elicit understanding and discussion, even disagreement, through the use of leading questions. There are no merely factual questions. To reduce unproductive "vocabulary thumbing" and to reinforce learning of words that will be useful, page glosses take care of all unique words. What has to be looked up should be learned, because it will appear again. Such a distinction among lexical items, indeed the whole enterprise of constructing a vocabulary for so large a book, was in effect possible only because every text was punched onto computer cards and a concordance run for the entire volume. The editor is grateful to the publisher for this massive and generous assistance.

The principal distinguishing feature of the book remains its unqualified adherence to high literary merit and its unusual scope of representation within so important a genre. The apparatus is designed to make this level and compass of literature accessible to the earliest possible years of the undergraduate curriculum, and to advanced courses in secondary schools.

Bloomington, 1970

Table of Contents

Die

Novelle

INTRODUCTION

The *Novelle* as Genre

The *Novelle* is the genre par excellence of German literature. In the brief time of its flourishing, it enriched the Western literary tradition with new content and significantly widened the formal horizons of prose fiction. Yet its very existence as a separate and independent genre has often been denied. The present anthology speaks to both the evaluative question and the ontological one.

The qualitative claim made for the *Novelle* constitutes no derogation of German poetry. High achievement in the lyric, however, is a distinction shared with other literary traditions of the Western world. Rilke and Benn may be the equals of Yeats and Eliot, but it would be fruitless to argue that they are better. The German *Novelle*, by contrast, is both great and substantially unique. The genre is not unknown in other languages, indeed its origins are Romance. But it received its characteristic stamp at the hands of German, Austrian, and Swiss writers from the turn of the 19th century on, preeminently the authors represented in this book. And these writers have no rivals. The very awkwardness of naming the genre in any other language, and our consequent transfer of the German term, testify to its uniqueness. In a curious example of compensation, or compensatory distribution of effort, the weakness of the novel in 19th century Germany and the absence of counterparts for Flaubert, Dickens, and Dostoyevsky is itself a function of the prominence of the *Novelle*. Into this shorter and—as is urged here—by nature different class of fiction went the finest creative efforts of the artists of German prose. Only with the decline of the *Novelle*, and the blurring of its outlines as a genre, did German-speaking middle Europe begin to contribute its share of great novels to the Western tradition, in the works of Thomas Mann, Kafka, and Broch. For the *Novelle*, if it was developed in German-speaking lands into a major instrument of Western prose, also died or waned in the same context, never having established itself fully in other literatures. *Novellen*, sometimes called such by their authors, sometimes not, still appeared after World War I, even after World War II, but the battle for survival was essentially lost, to the novel and the short story. We are faced with a great genre of paradoxically brief existence, 125–150 years. Length of life is no measure of intensity, however. Greek tragedy flourished for as short a time.

There is another paradox in the waning of the *Novelle*. In significant ways it is not time-bound, but strikingly modern—or strikingly suited to be, in our time, a medium for the ordering, distillation, and interpreting of reality which is the task of literature. If the human condition is thought to be subject to the intrusions of the chaotic or the irrational, if sudden and often inexplicable change characterizes our lives, if things "happen" rather than being caused by our will to happen, if (in general) character is less decisive than event in the unfolding patterns of life, and if a dearth of final answers inheres in our questioning of existence, then the *Novelle*, at least in the stage of its full development, represents a particularly viable art-form, for these conditions would seem to characterize its representation of life. (To be sure, another and equally modern bias finds little reflection in the *Novelle*: the conviction that the universe is random and human existence absurd. For this, either the novel or the short story is doubtless a better vehicle.)

The other side of our initial paradox is the problem of categorization. It is acute. Attempts to establish the existence of an art form called "Novelle" are many, and they range from seemingly tight *a priori* definitions (Ernst Hirt), through virtual metaphysical systems (Fritz Lockemann), to characterization by what it isn't (Jonannes Klein). The shortcomings inherent in any attempt to define or categorize lead ultimately to the frustration of Emil Staiger's label "eine Erzählung mittlerer Länge." The skeptics are numerous and much that they say is true. An excellent recent summation of the skeptical view is available in English: Harry Steinhauer's foreword to *Ten German Novellas*. It is the present editor's suspicion that there is such a thing as *Novelle* and that critics and well informed readers, confronted by a given work, known or unfamiliar, and asked if it were a *Novelle* (rather, that is, than a short story, or anecdote, or novel, or *Erzählung*) would in most cases respond and would, not always but more often than not, agree with one another. If this is so, we may argue that we are dealing, to be sure not with a definable entity, but with one which can be characterized.

From the ontological-historical point of view, the idea of genre may be put this way: On several important spectra of major characteristics (such as length, structure, nature of content, use of symbol), the virtually innumerable works of prose fiction tend not to be distributed evenly but to cluster in various areas or ranges. Further, the different spectra, thus divided, tend to parallel one another. One of these clusters constitutes "Novelle," another "novel," and so on. The study of genre is really the identification and study of these constellations. The same phenomenon characterizes living organisms and the problem of classifying literary works is in significant ways related to the procedures of taxonomy in the life sciences. In other words, we need not refuse to distinguish novel from *Novelle* because certain boundary lines are vague and in dispute, any more than we deny substantial differences between plants and animals because of similar problems of delimitation at the important level of the one-cell organism.

The analogy with living organisms should serve to warn us against the assumption that the *Novelle* sprang full-formed from Boccaccio or from Goethe's *Unterhaltungen*. Walter Silz argued sensibly against limiting one's understanding of the genre by too close adherence to the theory or practice of early writers, even Goethe. If the *Novelle* had not transcended its early status it would still be a wittily told "happening" of modest trenchancy, designed to entertain but not disturb a cultivated audience. If, in what follows, we speak of *the Novelle*, we can do so only in a limited sense, and because the genre attained its full stature, and acquired many (if not all) its enduring features, in a remarkably short time.

The phenomenon of grouping or clustering may be viewed in yet another light. If the consciousness of "Novelle" is sufficient it becomes self-reinforcing. Authors write what they conceive of as (and sometimes call) *Novellen*, and these tend to be recognized as such by the reader. (By the same token, when the literate public, writers included, is no longer convinced of the reality or viability of a genre, the boundaries which define it are obscured, and it yields its place to other forms, with other constellations of features. Precisely this seems to have happened to the *Novelle* at some time in the early 20th century.) The numerous diagnoses which deny validity to the concept of "Novelle" end logically in K. Polheim's suggestion that the name be dropped from critical discussion. This cannot be meant only in retrospect. One gathers that there never was such a thing, in which case, generations of German writers were stubbornly addicted to error, in assuming that they were writing *Novellen*—and readers that they were reading them.

The task of the critic or student of prose fiction who believes that there probably is such a thing as a *Novelle* is to identify significant characteristics, in content and form, which will serve as touchstones of generic affiliation. These features are of course empirically derived, not Platonically conceived. Nor, once again, do they constitute a definition. We may not say, "A *Novelle* is such and such," but we may say, "A *Novelle* tends to have the following features." The pattern of "family resemblance" which permits the identification of the genre *Novelle* does not imply the sharing of all characteristics, even of all important characteristics. But if a given work has too few of these features, or if its representation of the features it does have is inadequately decisive or prominent, or if it exhibits strikingly contrary characteristics in one or two categories, it risks losing its membership in the group. Since judgments of this sort are inevitably to a degree subjective, even genre-oriented critics often diverge in their classifications. A case in point is Eichendorff's *Aus dem Leben eines Taugenichts*, which, for reasons to be adduced, is sometimes called a short novel, or a lyric *Erzählung*. The most drastic instance of such divergence is the occasional failure of works labelled by their authors as *Novellen* to qualify as such. Some critics deny the title to Paul Ernst's *Novellen*.

The works of this collection may not be the twelve greatest German *Novellen*—it is certain that other critics and editors would have selected differently—but there is virtually no chance that any sensibly chosen list of similar magnitude would fail to intersect this one at several points. The present selection is, as a matter of fact, derived in part from a survey of teachers and scholars in this country. In other words, literary excellence is the criterion, and not conformity with any preestablished characterization of the genre. The distinction is important. It is precisely the greatest works of any literary type that tend most vigorously to resist the bonds of classificatory systems. Writers of less genius are customarily more obedient to laws and tradition. Given the liberty of choosing works "good but not quite so good," it would have been possible to select twelve fine stories exhibiting nearly total conformity with the characteristic features we shall propose for the *Novelle*. As it is, there is not a single work in this book which accords in all features, nor a single feature which appears in all works. What is remarkable is not this incidence of exceptions or negations in the matrix of works and features but the far greater degree of affirmation. It is a tribute to the integrity of the genre and, in a circular way, some indication that the features proposed have validity.

It will be noted that length, the only criterion recognized by the skeptics, does not figure in what follows. The range is simply too great. No *Novelle* is as long as *War and Peace*, but *Der Schimmelreiter* and the *Taugenichts* are each about ten times as long as *Reitergeschichte*.

Distinctive Features of the *Novelle*

In the familiar domains of plot and character, the *Novelle* is marked by certain major external features, no less significant for being obvious. Almost without exception, the cast of characters is small. Even in the longest works of this collection, the number of characters centrally involved is drastically limited. Hauke Haien lives out his life—the *Novelle* is exceptional in taking him through his entire career—in the context of men in the mass, to be sure, but in real association with only four or five people. Even the seeming variety of persons in the *Taugenichts* is ironically reduced by the extensive pattern of mistaken identities. The historical sweep of *Scuderi* generates the largest body of named characters, from Olivier the apprentice to Louis XIV, the King of France, but even here the true action is restricted to Cardillac, Scuderi, Olivier and Madelon, while all the rest except perhaps the *deus ex machina* King are a sort of diversified backdrop of classes and occupations. In all the rest, the fingers of one hand will enumerate the personae of the story, and in *Reitergeschichte* individuals are hardly differentiated at all.

It is often said that the characters of the *Novelle* are not only few but also in significant degree out of the ordinary, exotic, even bizarre. Cardillac and the Kommandant, Cipolla and the Black Fiddler provide, at first glance, ample affirmative evidence. There is some doubt, however, whether the criterion can really be sustained: The children in *Bergkristall* are not only normal but intentionally typical. Aberrant as their fathers may be, Vrenchen and Sali are both ordinary and profoundly recognizable, and their tragedy touches us because they are young, in love, and hopeless—as truly and familiarly as are their more famous congeners. On one level, the "others" in Mann's story <u>must</u> be ordinary people, because the political allegory demands that they stand for all Italians, all Germans, in the lurid dawn of Fascism.

More subtle and significant is the question of static or developing characters. In contrast to the novel, which is said usually to show the growth, evolution, or alteration of character, the *Novelle* seems to involve <u>characters who are fixed</u>, who may encounter crisis and may suffer or be <u>destroyed, but who are in</u> essence the same from beginning to end. Obviously the question is elusive. Eckbert goes mad. Does his character change? His mind disintegrates, but perhaps it does so precisely because he cannot change. In some cases the static quality of personality is at the heart of the crisis, as in Thiel's dull enslavement to the animal power of Lene and his deep but fitful allegiance to the spirit of his first wife. At the other pole are stories in which the resolution, happy or tragic, can be understood only in terms of a fundamental change in nature. Rosalie always loves, but her love is powerless until she feels herself "nicht mehr schicksallos" and no longer "possessed," and is prepared to sacrifice her life. Is not the climb up the face of the cliff a symbol of a willed and permanent change in the Lord of Ketten?

Most genre-oriented critics find, paralleling the economy of characters, a <u>restriction of action to a single central happening.</u> Goethe's famous statement "Was ist die Novelle anders als eine unerhörte, sich ereignete Begebenheit?" may even imply emphasis on *eine*. The journey of the children in *Bergkristall* is as compelling a case as one could wish, and in a sense *Mario* consists of a single happening. A degree of caution is in order, because <u>being</u> a single incident is different from containing one. The terrible accident that takes the life of Thiel's son is a legitimate example of *novellistisches Geschehen*, but it is only the culmination of a developing situation of some length and complexity. The degrading rivalry of the fathers in *Romeo und Julia* intrudes with typical *Novelle*-like effect upon the world of Sali and Vrenchen, but the "event" in this case is a culmination of one action and the initial impulse for another. A famous instance, often cited in evidence of the "central happening," is the earthquake in Kleist's story. But here, as actually rather often, there are two such happenings. It has become conventional in Kleist criticism to point out the coexistence in the story of two cataclysmic changes, the one in nature, the other in the minds and hearts of men. The outburst of collective insanity under crisis is fully as central, and as destructive, as the upheaval of the earth. Other stories in this collection evidence a similar duality, and it would be instructive to examine them from this point of view.

In general, tenacious insistence on the single central happening as a touchstone of the *Novelle* ignores the fact of what might be called generic evolution. The *Novelle* may have started as little more than an anecdote, told as true (Friedrich Schlegel), a notion congenial to the "single event," but it changed and expanded rapidly. Schlegel's characterization, significantly antedates all but one of the stories of this collection. What remains of this earliest stage is the occasional explicit claim for veritable happening: the news item that is supposed to underlie *Romeo und Julia*, the memory of the magazine story Storm's narrator read as a child. Or, equally important, the prominence of a narrating figure, clear or implied, e.g. in *Eckbert* and *Mario*. The combination is important to a genre which prefers the extraordinary, as if all these narrators said, with Bertha in *Eckbert*, "Nur haltet meine Erzählung für kein Märchen."

Just as a quality of singularity is, with only modest justification, said to attach to the figures of the *Novelle*, so, with much greater logic and consistency (especially in light of what is to be said of the relationship between event and character), the happenings of the plot are often said to be extraordinary, unprecedented, even bizarre. The observation is subject to some restriction. The quality in question is a matter of degree, and it would have to be established that the events of *Novellen* are more uncommon or extraordinary than those of novels and short stories. Given the tighter scope and the thematic intensity of *Novellen* this is probably true—just as it is of the ballad (a cousin of the *Novelle*!) in comparison to the epic. The mad poisonings and compulsive criminality of Hoffmann's story, the eerie physical and psychological world of *Eckbert*, the ride through the repulsive village in *Reitergeschichte*—these are all cases in point. But it requires a certain procrustean determination (common in critics of the *Novelle*) to see anything odd about the journey of Konrad and Sanna (unless one accounts the seeming intervention of Providence or Nature as such), or about the fate of Sali and Vrenchen (except for the role of the Fiddler, and that is more symbolic than causative).

It is primarily to these aspects of central happening and the marked or even peculiar quality thereof that Heyse's famous "silhouette" or "Falkentheorie," so-called, addresses itself. In allusion to Boccaccio's story of the falcon, the content of which was summarized in a few words at the beginning, Heyse refers to the "Falke..., also das Spezifische, das diese Geschichte von tausend anderen unterscheidet," a "silhouette" capable of being delineated in a sentence. Here the concept of central happening and symbol obviously cross, but the emphasis is on the salient and compressed quality of the event, in Heyse's words, "daß dieser Fall im kleinsten Rahmen energisch abgegrenzt ist, ...macht den eigenartigen Reiz dieser Kunstform aus." This high visibility of plot line, or "profiled action," as Henry Remak calls it, is to some extent a function of compression; the skeptics imply that it is wholly so.

Verisimilitude of action, realism in the sense of claimed validity in or relationship to the "real world" is of such pervasiveness in great *Novellen* that Walter Silz made it his first criterion of the genre, warning against the effect of the purely fantastic or supernatural—or against assuming that such productions, e.g. certain Romantic tales, are really *Novellen* at all. Note that this criterion does not conflict with the notion of the extraordinary. Indeed, out of the combination of highly unusual, even eccentric happenings, with the claim of validity in the real world, may come a fair part of the *Novelle*'s trenchancy as a statement about the human condition. There is no better example than Musil's *Portugiesin*.

What is perhaps of greatest significance in the quality of persons and events in the genre lies precisely in the relative weight assigned to the two. It is a point which, in effect, underlies many of the summative characterizations of the *Novelle*: Goethe's "Begebenheit," Tieck's "großer oder kleiner Vorfall," Heyse's "nicht alltäglicher Vorgang." All of these terms are used in a context which explicitly or tacitly reduces the scope of character as distinguished from event. As Storm moves toward his equivalence of *Novelle* with drama and his concept of central conflict, or Paul Ernst toward his concentration on a "Schicksalsproblem," this balance—or imbalance— begins to change. For most of the period of its flourishing however, it seems justifiable to say of the *Novelle* that in the view of reality and the human condition which informs it there is a distinct sense of special balance: a priority of event over character.

Speaking of Kleist's *Kohlhaas*, Benno von Wiese says that even this story of a righteous and terrible man is not primarily the study of a character and what he did, but the report of what happened to him. Most of the twelve stories in this collection could be subsumed under that statement. In some, for example *Reitergeschichte*, the element of character is virtually absent, that is, there is no "hero" or anything approaching a truly individualized literary *persona*. In others the nature of the denouement is determined precisely by the priority of event over character. Kleist's *Erdbeben* is a story in point. In the ironic world of Eichendorff it looks (to the "hero" among others) as if character had something to do with determining events, but precisely the opposite is the actual case.

Needless to say, contrary examples exist, both early and late. So sweeping a generalization can hardly hold valid throughout the domain of a major art form. It is surprising, in a way, that the exceptions are so few—and so often partial, that is, evident in one aspect but not another. Since it is explicitly not the purpose of this introduction to be doctrinaire, it should suffice to indicate one work which the editor finds a substantial exception, and one which seems a partial exception, inviting extension of the argument, and agreement or disagreement. For the former: *Schimmelreiter*. For the latter: *Der tolle Invalide*.

Corollary to this important feature of the *Novelle* (the priority of event over character) is a striking phenomenon of negative occurrence, something, that is, which the *Novelle* appears not to do. The situation in this collection is symptomatic: there is not one "historical hero." Mlle. de Scuderi is the nearest approach, and she is not really the central figure of the story—or is so only in a special sense. Indeed, this single story exhausts the list of historically identifiable characters of even secondary role or importance in these hundreds of pages of the best in the genre. In the whole history of the *Novelle*, the number of great works centering on a substantial historical personage—leaders of men or of movements—is dramatically small. Only one major writer specialized in the historical *Novelle*: Conrad Ferdinand Meyer. In a sense, the very nature of the genre is at odds with at least the older, non-deterministic concept of the historically significant individual, the molder of men and events, the captain of the ship of state.

In particular contrast to the novel, the *Novelle* exhibits a strict and compact structure, with little episodic material and little amplification of background. The point is obviously related to that of profiled action and central event, but it concerns the entire range of structural elements. It would seem hazardous to apply to a diverse body of material a criterion so obviously open to subjectivity, but the procedure is both essential and revealing. The structure of works like *Eckbert, Erdbeben, Invalide*—or *Mario*—can be delineated with great precision, even "graphed" on the blackboard. A plot of extreme elaborateness, like that of *Scuderi*, can still be similarly delineated; the lines of action and the planes of time are simply more complex. What seems to the Taugenichts—and to us, unless we are cautious—a wide, wonderful, and diverse world, is in ironic retrospect once again the tightly structured world of the *Novelle*. What on the surface is a sort of novel of wandering and *Bildung* is in fact a *Novelle* of severely limited action.

It is almost more instructive to study the exceptions, the instances of "backgrounding" or milieu or expansive development. They are few. In the *Scuderi* there is considerable description of the debasement of Paris in the time of the poisoners. In *Bergkristall*, the strangely (and deceptively) leisured setting of church days, village, terrain, and characters furnishes a sort of paradoxically extended introduction to the exemplary tightness of the main narration. Once again, Storm's *Schimmelreiter* stands as the closest approach to the novel in all our collection. The world of the dike country is portrayed and is part of the workings of the narration. The whole life of the protagonist unfolds, in its effective entirety. The tightness of the *Novelle* is curiously restored (at least in part) when we realize that all of this is told in the space of one evening, as if it were an episode, not a lifetime. The ability of the *Novelle* to be drastically compact and selective and still to say all there is to say about a whole human life—almost as much as is revealed in the more expansive, less typical, narrative form of Hauke Haien—is manifest in the *Portugiesin* or in *Romeo und Julia* or in *Thiel*.

Within the compact structure of the *Novelle*, there tends to be a single crucial situation or complex of situations, usually a pattern of conflict, which not only unites the story and illuminates the characters but also exemplifies a far wider range of reality. This is particularly true as more scope is claimed for the *Novelle* by practitioners and writers like Storm:

Sie ist nicht mehr, wie einst, die kurzgehaltene Darstellung einer durch ihre Ungewöhnlichkeit fesselnden und einen überraschenden Wendepunkt dar- bietenden Begebenheit; die heutige Novelle ist die Schwester des Dramas und die strengste Form der Prosadichtung. Gleich dem Drama behandelt sie die tiefsten Probleme des Menschenlebens; gleich diesem verlangt sie zu ihrer Vollendung einen im Mittelpunkt stehenden Konflikt, von welchem aus das Ganze sich organisiert, und demzufolge, die geschlossenste Form und die Ausscheidung alles Unwesentlichen; sie duldet nicht nur, sie stellt auch die höchsten Forderungen der Kunst.

Or Heyse:

Von dem einfachen Bericht eines merkwürdigen Ereignisses oder einer sinnreich erfundenen abenteuerlichen Geschichte hat sich die Novelle nach und nach zu der Form entwickelt, in welcher gerade die tiefsten und sittlich- sten Fragen zur Sprache kommen.

Here too we are dealing with a criterion so broad as to be elusive—and with the critic's temptation to cut the cloth to fit the pattern. Yet all the psychological depth of adolescence and loss of innocence, all the dark predestination of guilt in *Eckbert* manifests itself in reaction to the single *Märchen*-like pattern of trial and temptation, in its original occurrence and subsequent recounting. Even with its more diffused quality, the central crisis of Hauke Haien is clearly discernible: the crushing responsibility of dealing with remorseless nature and human weakness and hostility, all con- centrated in the struggle against the sea. The only stories in which the case is hard to make—it may always be hard to specify—are the *Taugenichts*, where the ironic mode renders the seeming conflicts unreal, and *Scuderi*, where the struggle against irrationality and compulsive evil is won by enlightened authority and reason-cum-faith, but in a context so complicated that once again formulation is difficult.

To say, as we have just done, that a particular genre lays claim to the exemplification of a wider range of reality is to risk the counter-assertion that any piece of literature does so. But there is an issue of degree and of kind involved. A great novel certainly stands as surrogate for a considerable segment of human experience, but it does so with lavish means of character, plot, and structure. And a tale or short story, perhaps not much shorter than a *Novelle*, clearly stands more within its own domain, transcends its own bounds far less and is in general less profound and evocative than the *Novelle*. In the paradox of its relative brevity and its extensive implications the *Novelle* might be said to undertake the task of the novel within the scope of the short story or *Erzählung*. In this remarkable enterprise, it is aided by the elaborate and intense body of symbol and image (to be spoken of later), which in turn is a symptom of the necessity to say a great deal in short compass. The point is not strained. Two or three diverse worlds of reality and human existence are compressed in the few pages of the *Invalide*. In *Mario*, in the slow buildup and the devastating denouement, Mann draws a frightening parable of a whole nation's fate, even the fate of an epoch—and this is only one dimension of the story. Under the subtly simple, quiet surface of *Bergkristall* lies a profound sermon on alienation and love, on the perilous yet providential state of man. Each of the stories in this collection bears the mark of this claim of transcendent validity.

Classical among the attributes of the *Novelle* is the turning point or "reversal," Tieck's "Wendepunkt":

> . . . diese Wendung der Geschichte, dieser Punkt, von welchem aus sie sich unerwartet umkehrt, und doch natürlich, dem Charakter und den Umständen angemessen, die Folge entwickelt.

The concept is trenchant and succinct, and it has its consequent dangers. The literature on the *Novelle* abounds in *Wendepunkt*-hunting of an alarming ingenuity. Excessively facile identification of *Wendepunkt* simply opens the concept, by implication, to dozens of great novels on the one hand, and some anecdotes on the other. Part of the danger is removed if one makes more precise the concept of *Wendepunkt*, extending it to include the possibility of more than one turning point and modifying it to make it part of a segmentation of the narrative line, with sudden changes of direction. August Wilhelm Schlegel in effect did this when he wrote:

> Die Novelle bedarf entscheidender Wendepunkte, so daß die Hauptmassen der Geschichte deutlich in die Augen fallen.

Thus the characteristic progression of events in the *Novelle* becomes non-linear, a succession of blocks of time or event, marked not by gradual transitions but by sudden and largely unexpected developments against which the characters react in such a way as to reveal their true natures.

A single *Wendepunkt* between two major *Hauptmassen* thus characterizes *Bergkristall*, as the storm destroys the previous security of the children's existence; or *Reitergeschichte*, where the ride through the ghastly village disrupts all sense of place, individuation, time, sense of discipline, the very constraints and supports of ordinary reality. In *Bergkristall*, the "introduction" and the peaceful trip over the dividing *Hals* constitute the first block, while crisis, near death, miraculous salvation, and reconciliation constitute the second. In *Reitergeschichte* the precariously "ordered" military adventure is, by dint of the *Wendepunkt*, precipitated into illusory and mutinous "freedom" and the consequent bloody restoration of "stability." In some stories, like *Thiel*, the *Wendepunkt* comes so late as to merge with the denouement—unless one calls the appearance of Lene a turning point, in which case the *Novelle* becomes in a structural sense more complex.

Certainly the existence of two major turnings is common. A particularly clear-cut example is Arnim's *Invalide*. Its structure is tripartite: first, the exposition and the transfer to the fort, the action turning suddenly, with Basset's meddling intervention, into the second stage, Francoeur's mad banishment of his wife and his declaration of war on any who would threaten him. The second *Wendepunkt*, the salvation of Rosalie and her child by the "coincidence" of the fireworks, leads into the last segment of the story, the successful effort to rescue Francoeur.

Almost as important as segmentation of plot and the accompanying turning point(s) is the corollary fact of non-linear narration. The closer to continuity in narrated time (and, by implication, the world of cause and effect), the closer we are to the novel or the *Erzählung*. The frequent incidence of flash-backs in the *Novelle* and the shifting in levels of time and place, well exemplified in *Reitergeschichte*, accord with the attitude toward causality characteristic of the genre. Continuity and predictability tend to be minimized, chance or the unexpected prevails. *Wendepunkte* have, of course, the same effect. It is significant that the stories which constitute the greatest exceptions to this generalization—those, that is, in which the narration is most nearly linear and straightforward—are at the same time the ones which deal most nearly with "ordinary people" in conventionally realistic terms: *Schimmelreiter* (which has turning points, but relatively subdued ones) and *Mario* (where any earlier turning point is so subtle as to be arguable, the later one being coincident with the denouement). Perhaps *Romeo und Julia* belongs here, perhaps *Thiel*, but the case might be argued. The *Taugenichts* is once again a special and highly instructive case. If one views the sequence of events through the eyes of the "hero," the action is linear, though at times surprising and almost spasmodic, and the story, evolving naturally through character and coincidence, is indeed less of a *Novelle* and more of a tale (*Erzählung*). This assertion is frequently made. But if the action is viewed from the vantage point of those who actually control it, it ceases to be "open," its seeming world of cause and effect is wholly negated, and the *Taugenichts* moves in a line which has turning points to be sure but which comes full-circle upon itself. The adventurous traveler has, in a real sense, been nowhere.

Perhaps the broadest generalization that can be made about the content of the *Novelle* is an extension of the above: It seems to have a generic preference for exhibiting the intrusion of irrational or uncontrollable forces upon an ordered existence, however precarious. Although the *Wendepunkt* may incorporate this disruptive change, the force itself is generally far more pervasive. In *Eckbert*, for example, the turning point represented by the mention of the dog's name is only a trigger for psychic forces of submerged guilt on a scale which, in so brief a story, approaches the archetypal or mythic. The manifestations of this intrusion may vary, in nature or in intensity, but even at its least drastic, say in *Romeo und Julia*, it remains dominant. Sali and Vrenchen succumb, not to the intensity of their love, which could by itself have been accommodated into their personal world, but to the folly and antagonism of their fathers. Like the collective madness of the churchgoers in *Erdbeben*, individual madness can be as effective a representation of an irrational universe as is, for example, Cardillac's evil star or the complicated patterns of entrapment in *Thiel*.

Partly, no doubt, because it has so much to say in so short a space, the *Novelle* almost invariably exhibits a well-defined body of imagery and symbol which serves to unify and reinforce the meaning of the story. Sometimes such figurative devices are repeated until they become leitmotifs. Sometimes they appear in related clusters. It is to the credit of relatively recent criticism of Hauptmann's work (for example, by Benno von Wiese) to have shown in this supposedly naturalistic story the existence of an extensive and pervasive body of imagery. These images are consistent with the basic tenor of the whole narrative—indeed they are essential in creating it. Some attain, by repetition and reinforcement, the stature of symbols. Consider, for example, the remarkable representation, in this collection, of animals as bearers of metaphoric meaning. Concentration of such imagery is intense in *Die Portugiesin* or *Reitergeschichte*. Even in a work largely or apparently realistic, Storm's *Schimmelreiter*, such imagery is present though less concentrated. What would the story be—or mean—without the gull Klaus, the cat, and above all the strange horse? Wider symbolism is apparent in the extended meaning accorded to the encounter of sea and dike, Nature and man. The same sort of analysis is appropriate to most of our stories. The exceptions are curious. *Mario* is apparently a straightforward narration with only incidental imagery (though it exhibits a plethora of a different kind of leitmotif, Mann's typical shorthand of physical traits for given characters: the dipping gait, the discolored teeth). Yet on another plane the story is itself a metaphor, a complete and devastating political parable. Remarkably there is one story in our collection almost devoid of imagery, and with only peripheral or conventional symbolism, and that is a *Novelle* by a Romantic. Hoffmann's *Scuderi*, appropriately to its stature as one of our first mystery or detective stories, is astonishingly "realistic" in the daily sense of that word: the straightforward representation of real actions of real persons (though both may be odd in the extreme). Cardillac's jewelry may stand for the artistic ideal of the deranged artist, and the King may represent reason and goodness as *deus ex machina*, but these are such broad equivalences as to be of negligible counter-effect.

The mode of narration in the *Novelle* tends to depart from the norm of longer prose fiction, to be in striking ways dramatic rather than epic. When Storm called the *Novelle* "die Schwester des Dramas und die strengste Form der Prosadichtung" he seems to have been emphasizing more the increased scope of content ("die tiefsten Probleme des Menschenlebens" and "einen im Mittelpunkt stehenden Konflikt") than the auctorial mode. But his own technique in the *Schimmelreiter* is evidence of his basic intent to remove himself, the author, from the material, in the characteristic "distance" of the dramatic poet. And this is basically true of all our *Novellen*: The events and characters must speak for themselves and the interpretations and comments, the "author intrusions" common in great novels are relatively rare. The narrator of *Mario* comments extensively on his own motivation and on the situation itself, but he is not the author, and his comprehension of the devastating generality of the specific event and its background is only partial. The author makes us see it far more profoundly. Real "author intrusions" come most distinctly, though in scattered form, from the pen of a comic moralist, in what was for him an exceptional venture into tragedy. It has been the classic role of great comedy to speak to the issues and to take moral, often conservative stands, witness Aristophanes and Shaw. Perhaps Keller was so moved, so deeply appalled by the misery men impose upon others, even their children, in their mindless greed and folly, that he could not remain silent. His long commentary on the fathers as misguided "Mehrer des Reiches" (after the young people have explicitly recognized the hopeless conflict of their love and their vision of a decent life) is only one of many such intrusions. It is instructive to examine our *Novellen*, work by work, and see how rare such explanatory interventions are or, if anything of the sort occurs, how often they are veiled and ambiguous.

This observation is not meant to exclude the descriptions or statements of the "omniscient author," the factual observation of inner processes without which short prose fiction is probably unimaginable. Only the author can tell us, of Thiel, in this case, "Traum und Wirklichkeit verschmolzen ihm in eins," because this is a virtually clinical, psychiatric insight, accessible only to the creator of the figure, not to the figure himself. Even here the author and the protagonist may blend in an unstable, uncertain "mix" of viewpoints: "Das mochte Gott sein" (Musil speaking of the "other force" in Ketten).

The related statement is sometimes made that the mode of the *Novelle* is non-lyric. Compared to the assertion that the genre is at least in part non-epic, this comes as no surprise. What is meant is that the *Novelle* does not tend to present subjective moods or describe emotional and spiritual states for their own sake. The criterion is too general to be of much utility. It is occasionally used to point up the "exceptional" quality of the *Taugenichts*, which is then taken as lyric. This diagnosis of the story fails to take account of two central facts of Eichendorff's work: its irony and its undercurrent of peril (well documented by Egon Schwarz). In light of these two aspects of the work, the old notion of *dolce far niente* as the lyric tenor of the *Novelle* becomes indefensible.

The characteristics here suggested for the *Novelle* as a genre are basically the result of empirical observation, at first and second hand, of a very large number of prose works. Occasionally these conclusions have been supported by observations of the writers themselves, but most of their observations turn out to be empirical too, or prescriptive. One writer, represented in this collection, has given us rare insight into the meaning, in the psychology of creativity, of the *Novelle* as "expression,"—as a genre determined by one particular mode of creative selection from the possible kinds of reality and corresponding to one particular type of creative impulse. Significantly, his analysis tends to confirm the validity of some of the characteristics adduced on the basis of empirical observation. Robert Musil wrote in his *Literarische Chronik* (1914):

> *Die Novelle als Problem.* Ein Erlebnis kann einen Menschen zum Mord treiben, ein anderes zu einem Leben fünf Jahre in der Einsamkeit; welches ist stärker? So, ungefähr, unterscheiden sich Novelle und Roman. Eine plötzliche und umgrenzt bleibende geistige Erregung ergibt die Novelle; eine langhin alles an sich saugende den Roman. Ein bedeutender Dichter wird jederzeit einen bedeutenden Roman schreiben können (und ebenso ein Drama), wenn er über Figuren und eine Erfindung verfügt, die gestatten, daß er seine Art zu denken und fühlen ihnen eindrückt. Denn die Probleme, die er entdeckt, verleihen nur dem mittleren Dichter Bedeutung; ein starker Dichter entwertet alle Probleme, denn seine Welt ist anders und sie werden klein wie Gebirge auf einem Globus. Aber man möchte denken, daß er nur als Ausnahme eine bedeutende Novelle schreiben wird. Denn eine solche ist nicht er, sondern etwas, das über ihn hereinbricht, eine Erschütterung; nichts, wozu man geboren ist, sondern eine Fügung des Geschicks. In diesem einen Erlebnis vertieft sich plötzlich die Welt oder seine Augen kehren sich um; an diesem einen Beispiel glaubt er zu sehen, wie alles in Wahrheit sei: das ist das Erlebnis *Novelle.* . . .

Conclusion: Some General Remarks

If the characteristics here suggested for the *Novelle* are in the main valid—an assumption which of course not all critics would grant—and if the *Novelle* proceeds, as Musil claims, from a special interaction of creative imagination and experienced reality, then the individual features marking the genre should be to a substantial degree interrelated and consistent one with the other. It may, in other words, be possible to move to a higher level of abstraction. At this level, perhaps, individual characteristics can be grouped together under large rubrics, as manifestations of larger selective and compositional principles, the standards by which, as it were, the writer sifts reality and his imagination for the material of his writing. This dimension fails to appear in conventional criticism of the *Novelle*, where broader abstraction, if it appears at all (as it does, *e.g.*, in the work of Lockemann) amounts virtually to *a priori* limitation of the contentual world of the genre.

An examination of the separate elements in our catalog of features may already have revealed the related quality of pairs or sets of characteristics, common denominators on this higher, more abstract plane. From the empirical point of view we have observed the presence of distinguishing features, in several aspects of form, content and meaning. If now we discern shared attributes among these characteristics, we can legitimately and accurately speak of features of features. This runs the risk of sounding critically pretentious but it does show what we are trying to do. The greater risk is that of carrying an already debated critical approach to a level which cannot be sustained. The possible gain in understanding may be worth the risk.

For the purposes of this brief summation it may be useful to divide our examination of the work of art, here the literary genre "Novelle," into questions of existence—the way it is or appears—and of essence—the way it means.

The conventional divisions, or interrelated aspects of a work's existence, in this sense, are familiar: form and content. It is wise to remember the injunction of modern criticism that the two cannot be separated and that form is also content, but the division is still useful. Almost everything we have said of the formal characteristics of the *Novelle* can be subsumed under the general principle of concentration (the opposite of which is diffusion or abundance). In this sense the *Novelle* may be like the short story but distinct from the novel. Its cast of characters is small, its action centers in one or two events, or clearly related complexes of event, its structure can be plotted with economy and clarity, the "turns" of action which mark this structure and correspond to or delimit these events are few. Exceptions certainly exist, but there is in the works of this collection and among *Novellen* in general a centripetal tendency toward the one pole of compactness or concentration.

In that aspect of content apart from form, that is, in the nature of the persons and events of its fictional world, the *Novelle* is equally distinctive. We may speak of both primacy and singularity of event (as distinguished from parity or less, and from typicality)—and of primacy in two aspects. The kinds of "persons" that populate this world and, more important, the sorts of things that happen to them are, by and large, different from those of either novel or short story. They tend to be less normal, common, predictable and farther away from the "slice of life" that was once (long ago) the battle-cry of the new writer. Although there may be many exceptions, there are few *Novellen* which are exceptional in both respects. The persons of Hauptmann's story or Stifter's or Hofmannsthal's may be ordinary but what happens to them is not. The events of Eichendorff's story are essentially commonplace, but the nature of the actors and their relationship to one another and to the events is singular indeed. This combination, ordinary character—extraordinary happening, is the one more often found in the *Novelle*, as has been suggested, and this has to do with another generalization.

As between character and event (or milieu), the *Novelle* assigns priority, in both prominence and causation, to the latter. This means, as we have seen, that our attention is drawn more strongly to what happens to people and how unfolding events impinge upon and reveal character, than it is to character molding event. It means that the *Novelle* has few memorable, individualized characters (and fewer historical ones) compared to its wealth of highly distinctive situations and "plots." *Novellen* tend, in a word, to be remembered for event, action, circumstance, surprise. This is their "profile" or silhouette.

In its mode of meaning, or the way it "means," the *Novelle* tends to be paradigmatic, not neutral, detached, or random. Despite this claim to exemplification of deeper reality, to meaning beyond the immediate situation, it does not in general offer final answers. It is problematic rather than unambiguous. This is not to say that other genres or types tend to random illustrations of the human condition on the one hand or anagogical guidance on the other. But the problematic, the mode of the open-ended question, tends to be associated with neutrality or randomness, in people and in literature. Even partially programmatic messages need the paradigmatic assertion: this is a pattern of man's life, a parable of the way it is. The *Novelle* prefers the paradoxical combination: this case is meaningful beyond its isolated context, but the meaning is obscure. This generalization subsumes the features of crucial, illuminating situation or conflict in the *Novelle*, and of density and consistency of symbol. It also has something to do with the priority of event over character. A genre which shows the individual as hero or protagonist, responsible for and shaping events whether for good or bad, whether in fact or in irony, is more apt to reveal its "meaning" and to encourage judgments concerning the rightness of a course of action, or the author's view of his character. The *Novelle* seems to say that the human condition has meaning and that the remarkable things which happen to the characters of its story are significant beyond their isolated context. At the same time, however, it gives no covering interpretation or ultimate answer. The writer does not identify his vision. The reader is wiser, but he is not in possession of the whole truth.

Works on the *Novelle* Mentioned in the Introduction

HIRT, E., *Das Formgesetz der epischen, dramatischen und lyrischen Dichtung.* Leipzig, 1923.

KLEIN, J., *Geschichte der deutschen Novelle.* Wiesbaden, 1954.

LOCKEMANN, F., *Gestalt und Wandlungen der deutschen Novelle.* Munich, 1957.

POLHEIM, K., *Novellentheorie und Novellenforschung.* Stuttgart, 1965.

REMAK, H., "Novella" in *Encyclopedia of World Literature in the Twentieth Century* (New York, 1969).

SCHWARZ, E., "Nachwort" to McGraw-Hill edition of Eichendorff's *Taugenichts* (New York, 1969).

SILZ, W., "The Achievement of the German *Novelle*" in *Quantity and Quality in American Education* (Philadelphia, 1959).

STEINHAUER, H., Introduction to *Ten German Novellas* (New York, 1969).

WIESE, B. VON, *Novelle.* Stuttgart, 1964.

Other Works in English

BENNETT, E., *A History of the German Novelle.* 2nd edition, revised and continued by H. Waidson. Cambridge, 1961.

LANGE, V., Introduction to *Great German Short Stories and Novels* (N.Y., 1952).

SILZ, W., *Realism and Reality : Studies in the German Novelle of Poetic Realism.* Chapel Hill, 1954.

Works on the *Novelle* Mentioned in the Introduction

HIRT, E., *Das Formgesetz der epischen, dramatischen und lyrischen Dichtung.* Leipzig, 1923.

KLEIN, J., *Geschichte der deutschen Novelle.* Wiesbaden, 1954.

LOCKEMANN, F., *Gestalt und Wandlungen der deutschen Novelle.* Munich, 1957.

POLHEIM, K., *Novellentheorie und Novellenforschung.* Stuttgart, 1965.

REMAK, H., "Novella" in *Encyclopedia of World Literature in the Twentieth Century* (New York, 1969).

SCHWARZ, E., "Nachwort" to McGraw-Hill edition of Eichendorff's *Taugenichts* (New York, 1969).

SILZ, W., "The Achievement of the German *Novelle*" in *Quantity and Quality in American Education* (Philadelphia, 1959).

STEINHAUER, H., Introduction to *Ten German Novellas* (New York, 1969).

WIESE, B. VON, *Novelle.* Stuttgart, 1964.

Other Works in English

BENNETT, E., *A History of the German Novelle.* 2nd edition, revised and continued by H. Waidson. Cambridge, 1961.

LANGE, V., Introduction to *Great German Short Stories and Novels* (N.Y., 1952).

SILZ, W., *Realism and Reality : Studies in the German Novelle of Poetic Realism.* Chapel Hill, 1954.

1

LUDWIG TIECK

Der blonde Eckbert

In einer Gegend des Harzes[1] wohnte ein Ritter, den man gewöhnlich nur den blonden Eckbert nannte. Er war ohngefähr vierzig Jahr alt, kaum von mittler Größe, und kurze, hellblonde Haare lagen schlicht und dicht an seinem blassen, eingefallenen Gesichte. Er lebte sehr ruhig
5 für sich und war niemals in den Fehden[2] seiner Nachbarn verwickelt, auch sah man ihn nur selten außerhalb den Ringmauern[3] seines kleinen Schlosses. Sein Weib liebte die Einsamkeit ebensosehr, und beide schienen sich von Herzen zu lieben, nur klagten sie gewöhnlich darüber, daß der Himmel ihre Ehe mit keinen Kindern segnen wolle.
10 Nur selten wurde Eckbert von Gästen besucht, und wenn es auch geschah, so wurde ihretwegen[4] fast nichts in dem gewöhnlichen Gange des Lebens geändert, die Mäßigkeit[5] wohnte dort, und die Sparsamkeit[6] selbst schien alles anzuordnen. Eckbert war alsdann heiter und aufgeräumt, nur wenn er allein war, bemerkte man an ihm eine gewisse Verschlossen-
15 heit, eine stille, zurückhaltende Melancholie.
Niemand kam so häufig auf die Burg als Philipp Walther, ein Mann, dem sich Eckbert angeschlossen hatte, weil er an diesem ohngefähr dieselbe Art zu denken fand, der auch er am meisten zugetan[7] war. Dieser wohnte eigentlich in Franken,[8] hielt sich aber oft über ein halbes Jahr in
20 der Nähe von Eckberts Burg auf, sammelte Kräuter und Steine und beschäftigte sich damit, sie in Ordnung zu bringen; er lebte von einem kleinen Vermögen und war von niemand abhängig. Eckbert begleitete

[1] *Harz (hilly region in Thüringen, now E. Germany)*

[2] *feuds*
[3] *circular walls*

[4] *for their sake*
[5] *moderation*
[6] *frugality*

[7] *inclined*

[8] *Franconia (in Central Germany, south of the Harz)*

With what degree of specificity are locale and characters identified?
The social level of the characters is clearly specified. Watch to see whether it becomes a significant feature of the story.
In both of the beginning paragraphs the verb *scheinen* appears. What is the effect or possible purpose?
Does the author in any way encourage the suspicion that all is not well with Eckbert?
From a "real life" point of view, one might wonder what Eckbert and Walther do for a living. Is the question germane? What effect on the interpretation of the story does this indeterminate quality, plus the social niveau, tend to have?

ihn oft auf seinen einsamen Spaziergängen, und mit jedem Jahr entspann sich zwischen ihnen eine innigere Freundschaft.

Es gibt Stunden, in denen es den Menschen ängstigt, wenn er vor seinem Freunde ein Geheimnis haben soll, was er bis dahin oft mit vieler Sorgfalt verborgen hat; die Seele fühlt dann einen unwiderstehlichen 5 Trieb, sich ganz mitzuteilen, dem Freunde auch das Innerste aufzuschließen, damit er um so mehr unser Freund werde. In diesen Augenblicken geben sich die zarten Seelen einander zu erkennen, und zuweilen geschieht es wohl auch, daß einer vor der Bekanntschaft des andern zurückschreckt.

Es war schon im Herbst, als Eckbert an einem neblichten Abend mit 10 seinem Freunde und seinem Weibe Bertha um das Feuer eines Kamines saß. Die Flamme warf einen hellen Schein durch das Gemach und spielte oben an der Decke, die Nacht sah schwarz zu den Fenstern herein, und die Bäume draußen schüttelten sich vor nasser Kälte. Walther klagte über den weiten Rückweg, den er habe, und Eckbert schlug ihm vor, bei 15 ihm zu bleiben, die halbe Nacht unter traulichen Gesprächen hinzubringen und dann noch in einem Gemache des Hauses bis am Morgen zu schlafen. Walther ging den Vorschlag ein, und nun ward Wein und die Abendmahlzeit hereingebracht, das Feuer durch Holz vermehrt und das Gespräch der Freunde heitrer und vertraulicher. 20

Als das Abendessen abgetragen war und sich die Knechte wieder entfernt hatten, nahm Eckbert die Hand Walthers und sagte: „Freund, Ihr solltet Euch einmal von meiner Frau die Geschichte ihrer Jugend erzählen lassen, die seltsam genug ist.“ — „Gern“, sagte Walther, und man setzte sich wieder um den Kamin. 25

Es war jetzt gerade Mitternacht, der Mond sah abwechselnd durch die vorüberflatternden Wolken. „Ihr müßt mich nicht für zudringlich halten“, fing Bertha an, „mein Mann sagt, daß Ihr so edel denkt, daß es unrecht sei, Euch etwas zu verhehlen. Nur haltet meine Erzählung für kein Märchen, so sonderbar sie auch klingen mag. 30

Ich bin in einem Dorfe geboren, mein Vater war ein armer Hirte. Die Haushaltung bei meinen Eltern war nicht zum besten bestellt, sie wußten sehr oft nicht, wo sie das Brot hernehmen sollten. Was mich aber noch weit mehr jammerte, war, daß mein Vater und meine Mutter sich oft über ihre Armut entzweiten und einer dem andern dann bittere Vorwürfe 35 machte. Sonst hört' ich beständig von mir, daß ich ein einfältiges, dummes Kind sei, das nicht das unbedeutendste Geschäft auszurichten wisse, und

---

The paragraph *Es gibt Stunden* . . . is a marked instance of "author intrusion" or commentary. It is also an example of the psychologizing to which the Romantics were much given. On the other hand, it is not without subtlety. Note the author-narrator's analysis of the purpose of self-revelation (central to the story): *damit er um so mehr unser Freund werde.* Doesn't the very inadequacy of this explanation suggest other speculations? What? What does such ambivalence have to do with "point of view" and the concept of "omniscient narrator"?

Narration resumes, with instances of personification, as well as of the "pathetic fallacy" (conditions of nature corresponding to states of mind, or mood). Explain.

The psychological interest of the Romanticists is well exemplified in the description of the family background of Bertha. Comment.

wirklich war ich äußerst ungeschickt und unbeholfen, ich ließ alles aus
den Händen fallen, ich lernte weder nähen noch spinnen, ich konnte
nichts in der Wirtschaft helfen, nur die Not meiner Eltern verstand ich
sehr gut. Oft saß ich dann im Winkel und füllte meine Vorstellungen
5 damit an, wie ich ihnen helfen wollte, wenn ich plötzlich reich würde,
wie ich sie mit Gold und Silber überschütten und mich an ihrem Erstaunen
laben[9] möchte: dann sah ich Geister heraufschweben, die mir unterir-   [9] *rejoice*
dische Schätze entdeckten oder mir kleine Kiesel gaben, die sich in
Edelsteine verwandelten, kurz, die wunderbarsten Phantasien beschäftig-
10 ten mich, und wenn ich nun aufstehn mußte, um irgend etwas zu helfen
oder zu tragen, so zeigte ich mich noch viel ungeschickter, weil mir der
Kopf von allen den seltsamen Vorstellungen schwindelte.

Mein Vater war immer sehr ergrimmt[10] auf mich, daß ich eine so ganz   [10] *angry*
unnütze Last des Hauswesens[11] sei; er behandelte mich daher oft ziemlich [11] *household*
15 grausam, und es war selten, daß ich ein freundliches Wort von ihm vernahm. So war ich ungefähr acht Jahr alt geworden, und es wurden nun
ernstliche Anstalten gemacht, daß ich etwas tun oder lernen sollte. Mein
Vater glaubte, es wäre nur Eigensinn oder Trägheit von mir, um meine
Tage in Müßiggang hinzubringen, genug, er setzte mir mit Drohungen
20 unbeschreiblich zu;[12] da diese aber doch nichts fruchteten, züchtigte er   [12] *set upon*
mich auf die grausamste Art, indem er sagte, daß diese Strafe mit jedem
Tage wiederkehren sollte, weil ich doch nur ein unnützes Geschöpf sei.

Die ganze Nacht hindurch weint' ich herzlich, ich fühlte mich so außerordentlich verlassen, ich hatte ein solches Mitleid mit mir selber, daß
25 ich zu sterben wünschte. Ich fürchtete den Anbruch des Tages, ich wußte
durchaus nicht, was ich anfangen sollte, ich wünschte mir alle mögliche
Geschicklichkeit und konnte gar nicht begreifen, warum ich einfältiger
sei als die übrigen Kinder meiner Bekanntschaft. Ich war der Verzweiflung
nahe.
30 Als der Tag graute, stand ich auf und eröffnete, fast ohne daß ich es
wußte, die Tür unsrer kleinen Hütte. Ich stand auf dem freien Felde,
bald darauf war ich in einem Walde, in den der Tag kaum noch hinein-
blickte. Ich lief immerfort, ohne mich umzusehen, ich fühlte keine
Müdigkeit, denn ich glaubte immer, mein Vater würde mich noch wieder
35 einholen und, durch meine Flucht gereizt, mich noch grausamer behandeln.

Als ich aus dem Walde wieder heraustrat, stand die Sonne schon ziem-

---

Oft saß ich dann im Winkel ... Bertha's fantasies are psychologically valid on several levels.
Consider: guilt feelings, helpless love (for her parents), alienation from reality.
Bertha begins her life story with the explicit warning not to consider it a *Märchen*. The Roman-
ticists were partial to "folk-art" and wrote *Kunstmärchen*. There are many folk-tale aspects
to *Eckbert*. Explain the paradox.
Bertha is a classic instance of the rejected and maltreated child. In what ways?
Why, symbolically, does Bertha fear the dawn? (The literal reason is obvious.)
In what state of consciousness does she run away? Is this psychologically consistent?

lich hoch; ich sah jetzt etwas Dunkles vor mir liegen, welches ein dichter Nebel bedeckte. Bald mußte ich über Hügel klettern, bald durch einen zwischen Felsen gewundenen Weg gehn, und ich erriet nun, daß ich mich wohl in dem benachbarten Gebirge befinden müsse, worüber ich anfing, mich in der Einsamkeit zu fürchten. Denn ich hatte in der Ebene 5 noch keine Berge gesehen, und das bloße Wort Gebirge, wenn ich davon hatte reden hören, war meinem kindischen Ohr ein fürchterlicher Ton gewesen. Ich hatte nicht das Herz, zurückzugehen, meine Angst trieb mich vorwärts; oft sah ich mich erschrocken um, wenn der Wind über mir weg durch die Bäume fuhr oder ein ferner Holzschlag[13] weit durch 10 den stillen Morgen hintönte. Als mir Köhler[14] und Bergleute endlich begegneten und ich eine fremde Aussprache[15] hörte, wäre ich vor Entsetzen fast in Ohnmacht gesunken.

Ich kam durch mehrere Dörfer und bettelte, weil ich jetzt Hunger und Durst empfand; ich half mir so ziemlich mit meinen Antworten 15 durch, wenn ich gefragt wurde. So war ich ohngefähr vier Tage fortgewandert, als ich auf einen kleinen Fußsteig geriet, der mich von der großen Straße immer mehr entfernte. Die Felsen um mich her gewannen jetzt eine andre, weit seltsamere Gestalt. Es waren Klippen,[16] so aufeinander gepackt, daß es das Ansehn hatte, als wenn sie der erste Windstoß 20 durcheinanderwerfen würde. Ich wußte nicht, ob ich weitergehen sollte. Ich hatte des Nachts immer im Walde geschlafen, denn es war gerade zur schönsten Jahrszeit, oder in abgelegenen Schäferhütten; hier traf ich aber keine menschliche Wohnung und konnte auch nicht vermuten, in dieser Wildnis auf eine zu stoßen; die Felsen wurden immer furchtbarer, 25 ich mußte oft dicht an schwindlichten[17] Abgründen vorbeigehen, und endlich hörte sogar der Weg unter meinen Füßen auf. Ich war ganz trostlos, ich weinte und schrie, und in den Felsentälern hallte meine Stimme auf eine schreckliche Art zurück. Nun brach die Nacht herein, und ich suchte mir eine Moosstelle aus, um dort zu ruhen. Ich konnte nicht schlafen; in 30 der Nacht hörte ich die seltsamsten Töne, bald hielt ich es für wilde Tiere, bald für den Wind, der durch die Felsen klage, bald für fremde Vögel. Ich betete, und ich schlief nur spät gegen Morgen ein.

Ich erwachte, als mir der Tag ins Gesicht schien. Vor mir war ein steiler Felsen; ich kletterte in der Hoffnung hinauf, von dort den Ausgang 35 aus der Wildnis zu entdecken und vielleicht Wohnungen oder Menschen gewahr zu werden. Als ich aber oben stand, war alles, soweit nur mein

---

[13] sound of wood-chopping
[14] charcoal burners
[15] accent
[16] crags
[17] dizzy

Into what sort of a landscape does she enter? Note *dichter Nebel, Einsamkeit, Gebirge, Angst, fremde Aussprache.* Is the location specified?

What is the possible symbolic meaning of the fact that she strays farther and farther *von der großen Straße?*

How does the landscape change? Note what signs of life there are, what sounds, what things to be seen.

Auge reichte, ebenso wie um mich her, alles war mit einem neblichten
Dufte überzogen, der Tag war grau und trübe, und keinen Baum, keine
Wiese, selbst kein Gebüsch konnte mein Auge erspähn, einzelne Sträucher
ausgenommen, die einsam und betrübt in engen Felsenritzen[18] empor-
geschossen waren. Es ist unbeschreiblich, welche Sehnsucht ich empfand,
nur eines Menschen ansichtig zu werden, wäre es auch, daß ich mich vor
ihm hätte fürchten müssen. Zugleich fühlte ich einen peinigenden Hunger,
ich setzte mich nieder und beschloß zu sterben. Aber nach einiger Zeit
trug die Lust zu leben dennoch den Sieg davon, ich raffte mich auf und
ging unter Tränen, unter abgebrochenen[19] Seufzern den ganzen Tag
hindurch; am Ende war ich mir meiner kaum noch bewußt, ich war müde
und erschöpft, ich wünschte kaum noch zu leben und fürchtete doch den
Tod.

Gegen Abend schien die Gegend umher etwas freundlicher zu werden,
meine Gedanken, meine Wünsche lebten wieder auf,[20] die Lust zum Leben
erwachte in allen meinen Adern. Ich glaubte jetzt das Gesause[21] einer
Mühle aus der Ferne zu hören, ich verdoppelte meine Schritte, und wie
wohl, wie leicht ward mir, als ich endlich wirklich die Grenzen der öden
Felsen erreichte; ich sah Wälder und Wiesen mit fernen, angenehmen
Bergen wieder vor mir liegen. Mir war, als wenn ich aus der Hölle in ein
Paradies getreten wäre, die Einsamkeit und meine Hülflosigkeit schienen
mir nun gar nicht fürchterlich.

Statt der gehofften Mühle stieß ich auf einen Wasserfall, der meine
Freude freilich um vieles minderte; ich schöpfte mit der Hand einen
Trunk aus dem Bache, als mir plötzlich war, als höre ich in einiger Entfernung ein leises Husten. Nie bin ich so angenehm überrascht worden
als in diesem Augenblick, ich ging näher und ward an der Ecke des Waldes
eine alte Frau gewahr, die auszuruhen schien. Sie war fast ganz schwarz
gekleidet, und eine schwarze Kappe bedeckte ihren Kopf und einen großen
Teil des Gesichtes, in der Hand hielt sie einen Krückenstock.

Ich näherte mich ihr und bat um ihre Hülfe, sie ließ mich neben sich
niedersitzen und gab mir Brot und etwas Wein. Indem ich aß, sang sie
mit kreischendem Ton ein geistliches Lied. Als sie geendet hatte, sagte
sie mir, ich möchte ihr folgen.

Ich war über diesen Antrag sehr erfreut, so wunderlich mir auch die
Stimme und das Wesen der Alten vorkam. Mit ihrem Krückenstocke
ging sie ziemlich behende, und bei jedem Schritte verzog sie ihr Gesicht

18 crevices

19 convulsive

20 revived

21 whirring and swishing

Bertha's state is one of intense anxiety. Is there, in addition, any element of guilt (real or
imagined) which torments her?

The psychological crisis is at least temporarily overcome, and the landscape changes. Explain.

What are the particular attributes of the old woman, and what associations do they call up?

so, daß ich im Anfange darüber lachen mußte. Die wilden Felsen traten immer weiter hinter uns zurück, wir gingen über eine angenehme Wiese und dann durch einen ziemlich langen Wald. Als wir heraustraten, ging die Sonne gerade unter, und ich werde den Anblick und die Empfindung dieses Abends nie vergessen. In das sanfteste Rot und Gold war alles 5 verschmolzen, die Bäume standen mit ihren Wipfeln in der Abendröte, und über den Feldern lag der entzückende[22] Schein, die Wälder und die Blätter der Bäume standen still, der reine Himmel sah aus wie ein aufgeschlossenes Paradies, und das Rieseln der Quellen und von Zeit zu Zeit das Flüstern der Bäume tönte durch die heitre Stille wie in wehmütiger 10 Freude. Meine junge Seele bekam jetzt zuerst eine Ahndung[23] von der Welt und ihren Begebenheiten. Ich vergaß mich und meine Führerin, mein Geist und meine Augen schwärmten nur zwischen den goldenen Wolken.

Wir stiegen nun einen Hügel hinan, der mit Birken bepflanzt war, von 15 oben sah man in ein grünes Tal voller Birken hinein, und unten mitten in den Bäumen lag eine kleine Hütte. Ein munteres Bellen kam uns entgegen, und bald sprang ein kleiner behender Hund die Alte an und wedelte;[24] dann kam er zu mir, besah mich von allen Seiten und kehrte mit freundlichen Gebärden zur Alten zurück. 20

Als wir vom Hügel hinuntergingen, hörte ich einen wunderbaren Gesang, der aus der Hütte zu kommen schien, wie von einem Vogel; es sang also:

> ‚Waldeinsamkeit,
> Die mich erfreut, 25
> So morgen wie heut
> In ew'ger Zeit,
> O wie mich freut
> Waldeinsamkeit.'

Diese wenigen Worte wurden beständig wiederholt; wenn ich es 30 beschreiben soll, so war es fast, als wenn Waldhorn und Schalmeie ganz in der Ferne durcheinander spielen.

Meine Neugier war außerordentlich gespannt; ohne daß ich auf den Befehl der Alten wartete, trat ich mit in die Hütte. Die Dämmerung war schon eingebrochen, alles war ordentlich aufgeräumt;[25] einige Becher 35

[22] *enchanting*

[23] *premonition*

[24] *wagged his tail*

[25] *neat and tidy*

The ecstatic experience of the sunset exemplifies several things: *Naturliebe* (of the Germans and the Romantics), the pathetic fallacy in operation, the creation of a pastoral Utopia. Comment. *Waldeinsamkeit* is a word of Tieck's own coinage—friends said it ought to be *Waldeseinsamkeit* —and the concept became a shibboleth of Romanticism. What sort of a world and life does it apparently denote?

What is the relationship of Bertha's new existence to reality?

standen auf einem Wandschranke, fremdartige Gefäße auf einem Tische, in einem glänzenden Käfig hing ein Vogel am Fenster, und er war es wirklich, der die Worte sang. Die Alte keichte[26] und hustete, sie schien sich gar nicht wieder erholen zu können, bald streichelte sie den kleinen
5 Hund, bald sprach sie mit dem Vogel, der ihr nur mit seinem gewöhnlichen Liede Antwort gab; übrigens tat sie gar nicht, als wenn ich zugegen wäre. Indem ich sie so betrachtete, überlief mich mancher Schauer, denn ihr Gesicht war in einer ewigen Bewegung, indem sie dazu wie vor Alter mit dem Kopfe schüttelte, so daß ich durchaus nicht wissen konnte, wie
10 ihr eigentliches Aussehn beschaffen war.

    Als sie sich erholt hatte, zündete sie Licht an, deckte einen ganz kleinen Tisch und trug das Abendessen auf.[27] Jetzt sah sie sich nach mir um und hieß mir einen von den geflochtenen Rohrstühlen nehmen. So saß ich ihr nun dicht gegenüber, und das Licht stand zwischen uns. Sie faltete
15 ihre knöchernen Hände und betete laut, indem sie ihre Gesichtsverzerrungen[28] machte, so daß es mich beinahe wieder zum Lachen gebracht hätte; aber ich nahm mich sehr in acht, um sie nicht zu erbosen.

    Nach dem Abendessen betete sie wieder, und dann wies sie mir in einer niedrigen und engen Kammer ein Bett an; sie schlief in der Stube.
20 Ich blieb nicht lange munter, ich war halb betäubt, aber in der Nacht wachte ich einigemal auf, und dann hörte ich die Alte husten und mit dem Hunde sprechen, und den Vogel dazwischen, der im Traum zu sein schien und immer nur einzelne Worte von seinem Liede sang. Das machte mit den Birken, die vor dem Fenster rauschten, und mit dem Gesang einer
25 entfernten Nachtigall ein so wunderbares Gemisch,[29] daß es mir immer nicht war, als sei ich erwacht, sondern als fiele ich nur in einen andern, noch seltsamern Traum.

    Am Morgen weckte mich die Alte und wies mich bald nachher zur Arbeit an. Ich mußte spinnen, und ich begriff es nun auch bald, dabei
30 hatte ich noch für den Hund und für den Vogel zu sorgen. Ich lernte mich schnell in die Wirtschaft finden, und alle Gegenstände umher wurden mir bekannt; nun war mir, als müßte alles so sein, ich dachte gar nicht mehr daran, daß die Alte etwas Seltsames an sich habe, daß die Wohnung abenteuerlich und von allen Menschen entfernt liege und daß an dem
35 Vogel etwas Außerordentliches sei. Seine Schönheit fiel mir zwar immer auf, denn seine Federn glänzten mit allen möglichen Farben, das schönste Hellblau und das brennendste Rot wechselten an seinem Halse und

[26] =keuchte *panted*

[27] *served*

[28] *grimaces*

[29] *mixture*

References (for the third or fourth time) to prayer make a curious contrast to the other aspects of this world. Comment.

The bird sings words, and the old woman talks with the dog. What ordinary boundaries are here transcended?

Arbeit occupies an important place in Bertha's new life. Why is this particularly significant? How well does she do?

Leibe, und wenn er sang, blähte er sich stolz auf, so daß sich seine Federn noch prächtiger zeigten.

Oft ging die Alte aus und kam erst am Abend zurück, ich ging ihr dann mit dem Hunde entgegen, und sie nannte mich Kind und Tochter. Ich ward ihr endlich von Herzen gut, wie sich unser Sinn denn an alles, ⁵ besonders in der Kindheit, gewöhnt. In den Abendstunden lehrte sie mich lesen, ich fand mich leicht in die Kunst, und es ward nachher in meiner Einsamkeit eine Quelle von unendlichem Vergnügen, denn sie hatte einige alte geschriebene Bücher, die wunderbare Geschichten enthielten. ¹⁰

Die Erinnerung an meine damalige Lebensart ist mir noch bis jetzt immer seltsam: von keinem menschlichen Geschöpfe besucht, nur in einem so kleinen Familienzirkel einheimisch, denn der Hund und der Vogel machten denselben Eindruck auf mich, den sonst nur längst gekannte Freunde hervorbringen. Ich habe mich immer nicht wieder auf ¹⁵ den seltsamen Namen des Hundes besinnen können, so oft ich ihn auch damals nannte.

Vier Jahre hatte ich so mit der Alten gelebt, und ich mochte ohngefähr zwölf Jahr alt sein, als sie mir endlich mehr vertraute und mir ein Geheimnis entdeckte. Der Vogel legte nämlich an jedem Tage ein Ei,³⁰ ²⁰ in dem sich eine Perl' oder ein Edelstein befand. Ich hatte schon immer bemerkt, daß sie heimlich in dem Käfige wirtschafte, mich aber nie genauer darum bekümmert. Sie trug mir jetzt das Geschäft auf, in ihrer Abwesenheit diese Eier zu nehmen und in den fremdartigen Gefäßen wohl zu verwahren. Sie ließ mir meine Nahrung zurück und blieb nun länger ²⁵ aus, Wochen, Monate; mein Rädchen schnurrte, der Hund bellte, der wunderbare Vogel sang, und dabei war alles so still in der Gegend umher, daß ich mich in der ganzen Zeit keines Sturmwindes, keines Gewitters erinnere. Kein Mensch verirrte sich dorthin, kein Wild kam unserer Behausung³¹ nahe, ich war zufrieden und arbeitete mich von einem Tag ³⁰ zum andern hinüber. — Der Mensch wäre vielleicht recht glücklich, wenn er so ungestört sein Leben bis ans Ende fortführen könnte.

Aus dem wenigen, was ich las, bildete ich mir ganz wunderliche Vorstellungen von der Welt und den Menschen, alles war von mir und meiner Gesellschaft hergenommen: wenn von lustigen Leuten die Rede war, ³⁵ konnte ich sie mir nicht anders vorstellen wie den kleinen Spitz,³² prächtige Damen sahen immer wie der Vogel aus, alle alte Frauen wie meine wunder-

³⁰ *egg*

³¹ *dwelling*

³² *spitz (Pomeranian)*

Comment on the similar function of *Sie nannte mich Kind und Tochter*, and the relationship implied.

Remembering the psychological perceptiveness of the Romantics, ask yourself about the fact that Bertha has forgotten the dog's name.

Bertha's age is important. It is this time that the old woman chooses to tell her a secret, and to increase her responsibility. It is also the time when Bertha begins to dream of the world out-

liche Alte. Ich hatte auch von Liebe etwas gelesen und spielte nun in meiner Phantasie seltsame Geschichten mit mir selber. Ich dachte mir den schönsten Ritter von der Welt, ich schmückte ihn mit allen Vortrefflichkeiten[33] aus, ohne eigentlich zu wissen, wie er nun nach allen meinen
5 Bemühungen aussah: aber ich konnte ein rechtes Mitleid mit mir selber haben, wenn er mich nicht wiederliebte;[34] dann sagte ich lange, rührende Reden in Gedanken her, zuweilen auch wohl laut, um ihn nur zu gewinnen. — Ihr lächelt! wir sind jetzt freilich alle über diese Zeit der Jugend hinüber.

10 Es war mir jetzt lieber, wenn ich allein war, denn alsdann war ich selbst die Gebieterin im Hause. Der Hund liebte mich sehr und tat alles, was ich wollte; der Vogel antwortete mir mit seinem Liede auf alle meine Fragen, mein Rädchen drehte sich immer munter, und so fühlte ich im Grunde nie einen Wunsch nach Veränderung. Wenn die Alte von ihren
15 langen Wanderungen zurückkam, lobte sie meine Aufmerksamkeit, sie sagte, daß ihre Haushaltung, seit ich dazu gehöre, weit ordentlicher geführt werde, sie freute sich über mein Wachstum[35] und mein gesundes Aussehen, kurz, sie ging ganz mit mir wie mit einer Tochter um.

‚Du bist brav, mein Kind!' sagte sie einst zu mir mit einem schnarren-
20 den Tone; ‚wenn du so fortfährst, wird es dir auch immer gut gehen: aber nie gedeiht es, wenn man von der rechten Bahn abweicht, die Strafe folgt nach, wenn auch noch so spät.' — Indem sie das sagte, achtete ich eben nicht sehr darauf, denn ich war in allen meinen Bewegungen und meinem ganzen Wesen sehr lebhaft; aber in der Nacht fiel es mir wieder
25 ein, und ich konnte nicht begreifen, was sie damit hatte sagen wollen. Ich überlegte alle Worte genau, ich hatte wohl von Reichtümern gelesen, und am Ende fiel mir ein, daß ihre Perlen und Edelsteine wohl etwas Kostbares sein könnten. Dieser Gedanke wurde mir bald noch deutlicher. Aber was konnte sie mit der rechten Bahn meinen? Ganz konnte ich den
30 Sinn ihrer Worte noch immer nicht fassen.

Ich war jetzt vierzehn Jahr alt, und es ist ein Unglück für den Menschen, daß er seinen Verstand nur darum bekömmt, um die Unschuld seiner Seele zu verlieren. Ich begriff nämlich wohl, daß es nur auf mich ankomme, in der Abwesenheit der Alten den Vogel und die Kleinodien zu nehmen und
35 damit die Welt, von der ich gelesen hatte, aufzusuchen. Zugleich war es mir dann vielleicht möglich, den überaus schönen Ritter anzutreffen, der mir immer noch im Gedächtnisse lag.

[33] *attributes of excellence*

[34] *did not return my love*

[35] *growth*

---

side. Motifs of the fairy tale and factors of psychology coincide. What is the extended meaning of this constellation of circumstances?

Two "intrusions" occur: *Der Mensch wäre* . . . and *Ihr lächelt* . . . Are they the same in source (i.e. person speaking, person spoken to) and function? What do they say of narrative technique?

Why the sudden warning, *aber nie gedeiht es* . . . ? Does this remind you of any fairy tale motif?

Explain Bertha's own interpretive comment, *Ich war jetzt 14 Jahr alt, und* . . .

Im Anfange war dieser Gedanke nichts weiter als jeder andre Gedanke, aber wenn ich so an meinem Rade saß, so kam er mir immer wider Willen zurück, und ich verlor mich so in ihm, daß ich mich schon herrlich geschmückt sah und Ritter und Prinzen um mich her. Wenn ich mich so vergessen hatte, konnte ich ordentlich betrübt werden, wenn ich wieder 5 aufschaute und mich in der kleinen Wohnung antraf. Übrigens, wenn ich meine Geschäfte tat, bekümmerte sich die Alte nicht weiter um mein Wesen.

An einem Tage ging meine Wirtin wieder fort und sagte mir, daß sie diesmal länger als gewöhnlich ausbleiben werde, ich solle ja auf alles 10 ordentlich achtgeben und mir die Zeit nicht lang werden lassen. Ich nahm mit einer gewissen Bangigkeit von ihr Abschied, denn es war mir, als würde ich sie nicht wiedersehen. Ich sah ihr lange nach und wußte selbst nicht, warum ich so beängstigt war; es war fast, als wenn mein Vorhaben schon vor mir stände, ohne mich dessen deutlich bewußt zu 15 sein.

Nie hab ich des Hundes und des Vogels mit einer solchen Emsigkeit gepflegt; sie lagen mir näher am Herzen als sonst. Die Alte war schon einige Tage abwesend, als ich mit dem festen Vorsatze aufstand, mit dem Vogel die Hütte zu verlassen und die sogenannte Welt aufzusuchen. Es 20 war mir enge und bedrängt zu Sinne, ich wünschte wieder da zu bleiben, und doch war mir der Gedanke widerwärtig, es war ein seltsamer Kampf in meiner Seele, wie ein Streiten von zwei widerspenstigen Geistern in mir. In einem Augenblicke kam mir die ruhige Einsamkeit so schön vor, dann entzückte mich wieder die Vorstellung einer neuen Welt mit allen 25 ihren wunderbaren Mannigfaltigkeiten.[36]

[36] *variety*

Ich wußte nicht, was ich aus mir selber machen sollte, der Hund sprang mir unaufhörlich an, der Sonnenschein breitete sich munter über die Felder aus, die grünen Birken funkelten: ich hatte die Empfindung, als wenn ich etwas sehr Eiliges zu tun hätte, ich griff also den kleinen Hund, 30 band ihn in der Stube fest und nahm dann den Käfig mit dem Vogel unter den Arm. Der Hund krümmte sich und winselte über diese ungewohnte Behandlung, er sah mich mit bittenden Augen an, aber ich fürchtete mich, ihn mit mir zu nehmen. Noch nahm ich eins von den Gefäßen, das mit Edelsteinen angefüllt war, und steckte es zu mir, die übrigen ließ ich 35 stehn.

Der Vogel drehte den Kopf auf eine wunderliche Weise, als ich mit

---

In what mood and with what internal conflict does Bertha decide to leave this world and seek another? What are the factors which ultimately lead to the decision? Is the "psychological parable" still valid?

Of what is Bertha guilty in leaving the house? Be very specific, but also characterize her transgressions in abstract terms (e.g. felony).

ihm zur Tür hinaustrat; der Hund strengte sich sehr an, mir nachzu-
kommen, aber er mußte zurückbleiben.

 Ich vermied den Weg nach den wilden Felsen und ging nach der
entgegengesetzten Seite. Der Hund bellte und winselte immerfort, und
5 es rührte mich recht inniglich;[37] der Vogel wollte einigemal zu singen   *37 deeply*
anfangen, aber da er getragen ward, mußte es ihm wohl unbequem fallen.

 Sowie ich weiter ging, hörte ich das Bellen immer schwächer, und
endlich hörte es ganz auf. Ich weinte und wäre beinahe wieder umgekehrt,
aber die Sucht,[38] etwas Neues zu sehen, trieb mich vorwärts.   *38 craving*

10 Schon war ich über die Berge und durch einige Wälder gekommen,
als es Abend ward und ich in einem Dorfe einkehren mußte. Ich war
sehr blöde, als ich in die Schenke trat, man wies mir eine Stube und ein
Bette an, ich schlief ziemlich ruhig, nur daß ich von der Alten träumte,
die mir drohte.

15 Meine Reise war ziemlich einförmig, aber je weiter ich ging, je mehr
ängstigte mich die Vorstellung von der Alten und dem kleinen Hunde;
ich dachte daran, daß er wahrscheinlich ohne meine Hülfe verhungern
müsse; im Walde glaubt' ich oft, die Alte würde mir plötzlich entgegen-
treten. So legte ich unter Tränen und Seufzern den Weg zurück; so oft
20 ich ruhte und den Käfig auf den Boden stellte, sang der Vogel sein wunderliches Lied, und ich erinnerte mich dabei recht lebhaft des schönen
verlassenen Aufenthalts. Wie die menschliche Natur vergeßlich ist, so glaubt'
ich jetzt, meine vormalige Reise in der Kindheit sei nicht so trübselig
gewesen als meine jetzige; ich wünschte wieder in derselben Lage zu sein.

25 Ich hatte einige Edelsteine verkauft und kam nun nach einer Wander-
schaft[39] von vielen Tagen in einem Dorfe an. Schon beim Eintritt ward mir *39 journey (on foot)*
wundersam zumute, ich erschrak und wußte nicht worüber; aber bald
erkannt' ich mich, denn es war dasselbe Dorf, in welchem ich geboren
war. Wie ward ich überrascht! Wie liefen mir vor Freuden, wegen tausend
30 seltsamer Erinnerungen, die Tränen von den Wangen! Vieles war verändert, es waren neue Häuser entstanden, andre, die man damals erst errichtet
hatte, waren jetzt verfallen, ich traf auch Brandstellen;[40] alles war weit *40 scenes of fire*
kleiner, gedrängter, als ich erwartet hatte. Unendlich freute ich mich
darauf, meine Eltern nun nach so manchen Jahren wiederzusehn; ich
35 fand das kleine Haus, die wohlbekannte Schwelle; der Griff der Tür war
noch ganz so wie damals, es war mir, als hätte ich sie nur gestern angelehnt;
mein Herz klopfte ungestüm, ich öffnete sie hastig — aber ganz fremde

---

In what sense is this new journey a *Weg zurück*?
Why is it quite understandable that her earlier journey was *nicht so trübselig*?
What impression of time does the description of the village encourage?

Gesichter saßen in der Stube umher und stierten mich an. Ich fragte nach dem Schäfer Martin, und man sagte mir, er sei schon seit drei Jahren mit seiner Frau gestorben. — Ich trat schnell zurück und ging laut weinend aus dem Dorfe hinaus.

Ich hatte es mir so schön gedacht, sie mit meinem Reichtume zu über- 5 raschen; durch den seltsamsten Zufall war es nun wirklich geworden, was ich in der Kindheit immer nur träumte — und jetzt war alles umsonst, sie konnten sich nicht mit mir freuen, und das, worauf ich am meisten immer im Leben gehofft hatte, war für mich auf ewig verloren.

In einer angenehmen Stadt mietete ich mir ein kleines Haus mit einem 10 Garten und nahm eine Aufwärterin zu mir. So wunderbar, als ich es vermutet hatte, kam mir die Welt nicht vor, aber ich vergaß die Alte und meinen ehemaligen Aufenthalt etwas mehr, und so lebt' ich im ganzen recht zufrieden.

Der Vogel hatte schon seit lange nicht mehr gesungen; ich erschrak 15 daher nicht wenig, als er in einer Nacht plötzlich wieder anfing, und zwar mit einem veränderten Liede. Er sang:

> ,*Waldeinsamkeit,*
> *Wie liegst du weit!*
> *Oh, dich gereut*
> *Einst mit der Zeit. —*   20
> *Ach, einz'ge Freud',*
> *Waldeinsamkeit.'*

Ich konnte die Nacht hindurch nicht schlafen, alles fiel mir von neuem in die Gedanken, und mehr als jemals fühlt' ich, daß ich Unrecht getan 25 hatte. Als ich aufstand, war mir der Anblick des Vogels sehr zuwider, er sah immer nach mir hin, und seine Gegenwart ängstigte mich. Er hörte nun mit seinem Liede gar nicht wieder auf, und er sang es lauter und schallender, als er es sonst gewohnt gewesen war. Je mehr ich ihn betrachtete, je bänger machte er mich; ich öffnete endlich den Käfig, steckte die 30 Hand hinein und faßte seinen Hals, herzhaft[41] drückte ich die Finger zusammen, er sah mich bittend an, ich ließ los, aber er war schon gestorben. — Ich begrub ihn im Garten.

Jetzt wandelte mich oft eine Furcht vor meiner Aufwärterin an, ich dachte an mich selbst zurück und glaubte, daß sie mich auch einst berau- 35

[41] *with a will*

One of the most compelling reasons for Bertha's leaving the old woman lies in her remark *Ich hatte es mir so schön gedacht* . . . Why should she have felt this way?
Assess carefully the motivation for Bertha's cruel disposal of the bird. Why can't we just say she killed a bird: bad, but not that bad? Was the bird a symbol for anything?
Characterize the narrative technique, especially toward the end of the episode.
Why is it so logical and effective that Bertha is afraid of her hired companion?

ben oder wohl gar ermorden könne. — Schon lange kannt' ich einen jungen
Ritter, der mir überaus gefiel, ich gab ihm meine Hand — und hiermit,
Herr Walther, ist meine Geschichte geendigt."[42]   [42] *ended*

    „Ihr hättet sie damals sehn sollen", fiel Eckbert hastig ein — „ihre
5 Jugend, ihre Schönheit, und welch einen unbegreiflichen Reiz ihr ihre
einsame Erziehung gegeben hatte. Sie kam mir vor wie ein Wunder, und
ich liebte sie ganz über alles Maß. Ich hatte kein Vermögen, aber durch
ihre Liebe kam ich in diesen Wohlstand; wir zogen hierher, und unsre
Verbindung hat uns bis jetzt noch keinen Augenblick gereut."

10   „Aber über unser Schwatzen", fing Bertha wieder an, „ist es schon
tief in die Nacht geworden — wir wollen uns schlafen legen."

    Sie stand auf und ging nach ihrer Kammer. Walther wünschte ihr mit
einem Handkusse eine gute Nacht und sagte: „Edle Frau, ich danke Euch,
ich kann mir Euch recht vorstellen, mit dem seltsamen Vogel, und wie
15 Ihr den kleinen *Strohmian* füttert."

    Auch Walther legte sich schlafen, nur Eckbert ging noch unruhig im
Saale auf und ab. — „Ist der Mensch nicht ein Tor?" fing er endlich an;
„ich bin erst die Veranlassung, daß meine Frau ihre Geschichte erzählt,
und jetzt gereut mich diese Vertraulichkeit! — Wird er sie nicht miß-
20 brauchen? Wird er sie nicht andern mitteilen? Wird er nicht vielleicht,
denn das ist die Natur des Menschen, eine unselige Habsucht[43] nach unsern   [43] *greed*
Edelgesteinen empfinden und deswegen Plane anlegen[44] und sich ver-   [44] *devise plots*
stellen?"

    Es fiel ihm ein, daß Walther nicht so herzlich von ihm Abschied genom-
25 men hatte, als es nach einer solchen Vertraulichkeit wohl natürlich gewesen
wäre. Wenn die Seele erst einmal zum Argwohn gespannt ist, so trifft sie
auch in allen Kleinigkeiten Bestätigungen an. Dann warf sich Eckbert
wieder sein unedles[45] Mißtrauen gegen seinen wackern Freund vor und   [45] *ignoble*
konnte doch nicht davon zurückkehren. Er schlug sich die ganze Nacht
30 mit diesen Vorstellungen herum und schlief nur wenig.

    Bertha war krank und konnte nicht zum Frühstück erscheinen; Walther
schien sich nicht viel darum zu kümmern und verließ auch den Ritter
ziemlich gleichgültig. Eckbert konnte sein Betragen nicht begreifen; er
besuchte seine Gattin, sie lag in einer Fieberhitze und sagte, die Erzählung
35 in der Nacht müsse sie auf diese Art gespannt haben.

    Seit diesem Abend besuchte Walther nur selten die Burg seines
Freundes, und wenn er auch kam, ging er nach einigen unbedeutenden

---

The end of Bertha's story comes with astonishing suddenness. Comment.
Why does Eckbert add something *hastig*?
How has Bertha's narration confirmed or denied the assertions of the fourth paragraph of the
    story?
Strohmian?
Characterize in detail Eckbert's mental state. Does the author himself offer any explanation?

Worten wieder weg. Eckbert ward durch dieses Betragen im äußersten Grade gepeinigt; er ließ sich zwar gegen Bertha und Walther nichts davon merken, aber jeder mußte doch seine innerliche Unruhe an ihm gewahr werden.

Mit Berthas Krankheit ward es immer bedenklicher; der Arzt ward 5 ängstlich, die Röte von ihren Wangen war verschwunden, und ihre Augen wurden immer glühender. — An einem Morgen ließ sie ihren Mann an ihr Bette rufen, die Mägde mußten sich entfernen.

„Lieber Mann", fing sie an, „ich muß dir etwas entdecken, das mich fast um meinen Verstand gebracht hat, das meine Gesundheit zerrüttet, 10 so eine unbedeutende Kleinigkeit es auch an sich scheinen möchte. — Du weißt, daß ich mich immer nicht, sooft ich von meiner Kindheit sprach, trotz aller angewandten[46] Mühe auf den Namen des kleinen Hundes besinnen konnte, mit welchem ich so lange umging; an jenem Abend sagte Walther beim Abschiede plötzlich zu mir: ‚Ich kann mir Euch recht 15 vorstellen, wie Ihr den kleinen *Strohmian* füttert.‘ Ist das Zufall? Hat er den Namen erraten, weiß er ihn, und hat er ihn mit Vorsatz genannt? Und wie hängt dieser Mensch dann mit meinem Schicksale zusammen? Zuweilen kämpfe ich mit mir, als ob ich mir diese Seltsamkeit nur einbilde, aber es ist gewiß, nur zu gewiß. Ein gewaltiges Entsetzen befiel mich, als 20 mir ein fremder Mensch so zu meinen Erinnerungen half. Was sagst du, Eckbert?"

Eckbert sah seine leidende Gattin mit einem tiefen Gefühle an; er schwieg und dachte bei sich nach, dann sagte er ihr einige tröstende Worte und verließ sie. In einem abgelegenen Gemache ging er in unbeschreib- 25 licher Unruhe auf und ab. Walther war seit vielen Jahren sein einziger Umgang gewesen, und doch war dieser Mensch jetzt der einzige in der Welt, dessen Dasein ihn drückte und peinigte. Es schien ihm, als würde ihm froh und leicht sein, wenn nur dieses einzige Wesen aus seinem Wege gerückt werden könnte. Er nahm seine Armbrust, um sich zu zerstreuen 30 und auf die Jagd zu gehen.

Es war ein rauher stürmischer Wintertag, tiefer Schnee lag auf den Bergen und bog die Zweige der Bäume nieder. Er streifte umher, der Schweiß stand ihm auf der Stirne, er traf auf kein Wild, und das ver- mehrte seinen Unmut. Plötzlich sah er sich etwas in der Ferne bewegen, 35 es war Walther, der Moos von den Bäumen sammelte; ohne zu wissen, was er tat, legte er an, Walther sah sich um und drohte mit einer stummen

⁴⁶ *(which I) exerted*

What is the external cause of Bertha's sudden sickness and anxiety? Of what deeper cause could it be the reflection?

Eckbert's concentration upon one symbolic focus for all his anxiety and hostility is an exact parallel to something that went before. Explain.

Er nahm seine Armbrust. Why? To do what? What is the role of conscious purpose in the actions of this story?

Gebärde, aber indem flog der Bolzen[47] ab, und Walther stürzte nieder.   [47] *arrow*

Eckbert fühlte sich leicht und beruhigt, und doch trieb ihn ein Schauder nach seiner Burg zurück; er hatte einen großen Weg zu machen, denn er war weit hinein in die Wälder verirrt. — Als er ankam, war Bertha schon
5 gestorben; sie hatte vor ihrem Tode noch viel von Walther und der Alten gesprochen.

Eckbert lebte nun eine lange Zeit in der größten Einsamkeit: er war schon sonst immer schwermütig gewesen, weil ihn die seltsame Geschichte seiner Gattin beunruhigte und er irgendeinen unglücklichen Vorfall, der
10 sich ereignen könnte, befürchtete; aber jetzt war er ganz mit sich zerfallen.[48]   [48] *at odds with himself*
Die Ermordung seines Freundes stand ihm unaufhörlich vor Augen, er lebte unter ewigen inneren Vorwürfen.

Um sich zu zerstreuen, begab er sich zuweilen nach der nächsten großen Stadt, wo er Gesellschaften und Feste besuchte. Er wünschte durch
15 irgendeinen Freund die Leere in seiner Seele auszufüllen, und wenn er dann wieder an Walther zurückdachte, so erschrak er vor dem Gedanken, einen Freund zu finden; denn er war überzeugt, daß er nur unglücklich mit jedwedem[49] Freunde sein könne. Er hatte so lange mit Bertha in einer   [49] *any*
schönen Ruhe gelebt, die Freundschaft Walthers hatte ihn so manches
20 Jahr hindurch beglückt, und jetzt waren beide so plötzlich dahingerafft, daß ihm sein Leben in manchen Augenblicken mehr wie ein seltsames Märchen als wie ein wirklicher Lebenslauf[50] erschien.   [50] *life (story)*

Ein junger Ritter, Hugo, schloß sich an den stillen, betrübten Eckbert und schien eine wahrhafte Zuneigung gegen ihn zu empfinden. Eckbert
25 fand sich auf eine wunderbare Art überrascht, er kam der Freundschaft des Ritters um so schneller entgegen, je weniger er sie vermutet hatte. Beide waren nun häufig beisammen, der Fremde erzeigte Eckbert alle möglichen Gefälligkeiten, einer ritt fast nicht mehr ohne den andern aus, in allen Gesellschaften trafen sie sich, kurz, sie schienen unzertrennlich.[51]   [51] *inseparable*
30 Eckbert war immer nur auf kurze Augenblicke froh, denn er fühlte es deutlich, daß ihn Hugo nur aus einem Irrtume liebe; jener kannte ihn nicht, wußte seine Geschichte nicht, und er fühlte wieder denselben Drang, sich ihm ganz mitzuteilen, damit er versichert sein könne, ob jener auch wahrhaft sein Freund sei. Dann hielten ihn wieder Bedenklichkeiten
35 und die Furcht, verabscheut[52] zu werden, zurück. In manchen Stunden   [52] *detested*
war er so sehr von seiner Nichtswürdigkeit überzeugt, daß er glaubte, kein Mensch, für den er nicht ein völliger Fremdling sei, könne ihn seiner

---

Note what Walther does: *drohte mit einer stummen Gebärde.* Is this a gesture of self-defense? If not, what could it be?

Again the explicit mention of *Märchen*, and in a context which implies that what is narrated here is not a *Märchen* (but merely like one). What aspect of the story does this invite us to emphasize?

Again the drive toward self-revelation. Interpret.

[53] *(horseback) ride*

Achtung würdigen. Aber dennoch konnte er sich nicht widerstehn; auf einem einsamen Spazierritte[53] entdeckte er seinem Freunde seine ganze Geschichte und fragte ihn dann, ob er wohl einen Mörder lieben könne. Hugo war gerührt und suchte ihn zu trösten; Eckbert folgte ihm mit leichterm Herzen zur Stadt.

Es schien aber seine Verdammnis zu sein, gerade in der Stunde des Vertrauens Argwohn zu schöpfen, denn kaum waren sie in den Saal getreten, als ihm beim Schein der vielen Lichter die Mienen seines Freundes nicht gefielen. Er glaubte ein hämisches Lächeln zu bemerken, es fiel ihm auf, daß er nur wenig mit ihm spreche, daß er mit den Anwesenden viel rede und seiner gar nicht zu achten scheine. Ein alter Ritter war in der Gesellschaft, der sich immer als den Gegner Eckberts gezeigt und sich oft nach seinem Reichtum und seiner Frau auf eine eigne Weise erkundigt hatte; zu diesem gesellte sich Hugo, und beide sprachen eine Zeitlang heimlich, indem sie nach Eckbert hindeuteten. Dieser sah jetzt seinen Argwohn bestätigt, er glaubte sich verraten, und eine schreckliche

[54] *took possession of*

Wut bemeisterte sich[54] seiner. Indem er noch immer hinstarrte, sah er plötzlich Walthers Gesicht, alle seine Mienen, die ganze, ihm so wohlbekannte Gestalt, er sah noch immer hin und ward überzeugt, daß niemand als *Walther* mit dem Alten spreche. — Sein Entsetzen war unbeschreiblich; außer sich stürzte er hinaus, verließ noch in der Nacht die Stadt und

[55] *after much wandering about*

kehrte nach vielen Irrwegen[55] auf seine Burg zurück.

Wie ein unruhiger Geist eilte er jetzt von Gemach zu Gemach, kein Gedanke hielt ihm stand, er verfiel von entsetzlichen Vorstellungen auf noch entsetzlichere, und kein Schlaf kam in seine Augen. Oft dachte er, daß er wahnsinnig sei und sich nur selber durch seine Einbildung alles

[56] *create*

erschaffe;[56] dann erinnerte er sich wieder der Züge Walthers, und alles ward ihm immer mehr ein Rätsel. Er beschloß, eine Reise zu machen, um seine Vorstellungen wieder zu ordnen; den Gedanken an Freundschaft, den Wunsch nach Umgang hatte er nun auf ewig aufgegeben.

[57] *determining upon*

Er zog fort, ohne sich einen bestimmten Weg vorzusetzen,[57] ja er betrachtete die Gegenden nur wenig, die vor ihm lagen. Als er im stärksten Trabe seines Pferdes einige Tage so fortgeeilt war, sah er sich plötzlich in

[58] *maze*

einem Gewinde[58] von Felsen verirrt, in denen sich nirgend ein Ausweg entdecken ließ. Endlich traf er auf einen Bauer, der ihm einen Pfad, einem Wasserfall vorüber, zeigte; er wollte ihm zur Danksagung einige

[59] *what do you bet*

Münzen geben, der Bauer aber schlug sie aus. — „Was gilt's",[59] sagte

5

10

15

20

25

30

35

The pattern repeats itself: revelation, regret, anxiety, suspicion, hostility. Added to it is the delusion(?) that Hugo is Walther. What sort of a world are we in?

Eckbert decides on—or is driven to—a journey. What has "journey" come to mean in this story?

Of what is the landscape reminiscent?

Does Eckbert hear the bird? In other words, are we in the world of "reality" or the special

Eckbert zu sich selber, „ich könnte mir wieder einbilden, daß dies niemand anders als Walther sei?" — Und indem sah er sich noch einmal um, und es war niemand anders als Walther. — Eckbert spornte[60] sein Roß, so ⁶⁰ *spurred* schnell es nur laufen konnte, durch Wiesen und Wälder, bis es erschöpft
5 unter ihm zusammenstürzte. — Unbekümmert darüber setzte er nun seine Reise zu Fuß fort.

Er stieg träumend einen Hügel hinan; es war, als wenn er ein nahes, munteres Bellen vernahm, Birken säuselten dazwischen, und er hörte mit wunderlichen Tönen ein Lied singen:

10   *„Waldeinsamkeit*
        Mich wieder freut,
        Mir geschieht kein Leid,
        Hier wohnt kein Neid,
        Von neuem mich freut
15   *Waldeinsamkeit."*

Jetzt war es um das Bewußtsein, um die Sinne Eckberts geschehn; er konnte sich nicht aus dem Rätsel herausfinden, ob er jetzt träume oder ehemals von einem Weibe Bertha geträumt habe; das Wunderbarste vermischte sich mit dem Gewöhnlichsten, die Welt um ihn her war verzaubert
20 und er keines Gedankens, keiner Erinnerung mächtig.

Eine krummgebückte[61] Alte schlich hustend mit einer Krücke den ⁶¹ *bent* Hügel heran. „Bringst du mir meinen Vogel? Meine Perlen? Meinen Hund?" schrie sie ihm entgegen. „Siehe, das Unrecht bestraft sich selbst: niemand als ich war dein Freund Walther, dein Hugo."
25 „Gott im Himmel!" sagte Eckbert stille vor sich hin — „in welcher entsetzlichen Einsamkeit hab ich dann mein Leben hingebracht!"

„Und Bertha war deine Schwester."

Eckbert fiel zu Boden.

„Warum verließ sie mich tückisch? Sonst hätte sich alles gut und
30 schön geendet, ihre Probezeit[62] war ja schon vorüber. Sie war die Tochter ⁶² *time of probation* eines Ritters, die er bei einem Hirten erziehn ließ, die Tochter deines Vaters."

„Warum hab ich diesen schrecklichen Gedanken immer geahndet?"[63] ⁶³ *suspected* rief Eckbert aus.
35 „Weil du in früher Jugend deinen Vater einst davon erzählen hörtest;

---

internal reality of Eckbert's madness? Is any decision possible on such a question? Is the question itself valid?

When the old woman asks about the bird, the jewels, and the dog, she is in effect doing what?

On what plane (if any) can we rationally operate with the identity of the old woman, Walther, and Hugo?

er durfte seiner Frau wegen diese Tochter nicht bei sich erziehn lassen, denn sie war von einem andern Weibe."

Eckbert lag wahnsinnig und verscheidend auf dem Boden; dumpf und verworren hörte er die Alte sprechen, den Hund bellen und den Vogel sein Lied wiederholen.   5

Einsamkeit obviously has a paradoxical and even antithetical combination of meanings. Explain. From what world does the concept of *Probezeit* come?

Assess very carefully the incest motif as a central issue in the story. Consider the questions of awareness and the role of the subconscious, degree of intensity (what is the relationship of Bertha and Eckbert?), literary parallels (chiefly Œdipus), the Freudian concept of complexes.

What is the relationship, in this story, of crime and punishment? Assess carefully.

From the point of view of structure, is *Eckbert* a good example of the *Novelle*? *Wendepunkt, Dingsymbole*, density of images, cast of characters, etc.?

Besides the aspects of Romanticism alluded to already, one overriding preoccupation of the "movement" was the elimination or transcending of boundaries, the blending of otherwise separated entities into unified or harmonious wholes. Even the most intractable boundary lines are thus erased or bridged, e.g. those between organic and inorganic, animal and man, those of space and time, of individuality, of dream and reality, even of art forms and modes of creativity. Examine *Eckbert* in this light.

Emil Staiger, speaking of *Eckbert* and others of Tieck's works, warns: "*Die Stimmungskunst ersetzt geradezu die Einheit des Gedankens oder der Fabel . . . Es lohnt sich also in der Regel nicht, nach tiefen Problemen oder nach Prägnanz der Handlung zu fragen.*" [*Fabel* v. Keller fn 1; *Prägnanz*—pregnant meaning.] At the opposite pole are the Freudian interpretations, in which the story parallels the Œdipus dramas, with incest and guilt complexes as the substance of the narrative. Take those two views as guidelines in a general discussion of *Eckbert*.

2

HEINRICH VON KLEIST

Das Erdbeben in Chili

In St. Jago, der Hauptstadt des Königreichs Chili, stand gerade in dem Augenblicke der großen Erderschütterung vom Jahre 1647, bei welcher viele tausend Menschen ihren Untergang fanden, ein junger, auf ein Verbrechen angeklagter Spanier, namens Jeronimo Rugera, an einem
5 Pfeiler des Gefängnisses, in welches man ihn eingesperrt hatte, und wollte sich erhenken.[1] Don Henrico Asteron, einer der reichsten Edelleute[2] der Stadt, hatte ihn ungefähr ein Jahr zuvor aus seinem Hause, wo er als Lehrer angestellt war, entfernt, weil er sich mit Donna Josephe, seiner einzigen Tochter, in einem zärtlichen Einverständnis befunden hatte. Eine
10 geheime Bestellung, die dem alten Don, nachdem er die Tochter nachdrücklich gewarnt hatte, durch die hämische Aufmerksamkeit seines stolzen Sohnes verraten worden war, entrüstete ihn dergestalt, daß er sie in dem Karmeliterkloster unsrer lieben Frauen vom Berge[3] daselbst unterbrachte. Durch einen glücklichen Zufall hatte Jeronimo hier die Verbin-
15 dung von neuem anzuknüpfen gewußt und in einer verschwiegenen Nacht den Klostergarten zum Schauplatze seines vollen Glückes gemacht. Es war am Fronleichnamsfeste,[4] und die feierliche Prozession der Nonnen, welchen die Novizen folgten, nahm eben ihren Anfang, als die unglückliche Josephe, bei dem Anklange[5] der Glocken, in Mutterwehen[6] auf den
20 Stufen der Kathedrale niedersank. Dieser Vorfall machte außerordentliches Aufsehn; man brachte die junge Sünderin, ohne Rücksicht auf ihren Zustand, sogleich in ein Gefängnis, und kaum war sie aus den

[1] *hang himself*
[2] *noblemen*

[3] *Carmelite Convent of Our Lady of the Mountain*

[4] *Corpus Christi*

[5] *first sound*
[6] *labor pains*

What is the style and content of the first sentence? When a story begins with a historical setting, what possible directions may this give to the subsequent action and the attitude of the reader to it?

Note the conjunction: in a framework of a general catastrophe of nature, an individual human being is about to perish by his own volition. This relationship will be subjected to drastic changes.

Considerable debate has centered on the question whether Kleist narrates factually without "author intrusion," or from the point of view of various characters, or with his own value judgements. Discuss this, accounting on this page for *zärtlich, hämisch, stolz, glücklich,* etc.

[7] *risen from childbed*

[8] *most stringent*

[9] *intercession*

[10] *monastic*

[11] *decree*

[12] *cleared*

[13] *most audacious*
[14] *bolts*
[15] *file through*
[16] *drew down upon him*
[17] *image*

[18] *pilaster*

[19] *inserted (into a mortar joint)*

Wochen erstanden,[7] als ihr schon, auf Befehl des Erzbischofs, der geschärfteste[8] Prozeß gemacht ward. Man sprach in der Stadt mit einer so großen Erbitterung von diesem Skandal, und die Zungen fielen so scharf über das ganze Kloster her, in welchem er sich zugetragen hatte, daß weder die Fürbitte[9] der Familie Asteron noch auch sogar der Wunsch der Äbtissin selbst, welche das junge Mädchen wegen ihres sonst untadelhaften Betragens liebgewonnen hatte, die Strenge, mit welcher das klösterliche[10] Gesetz sie bedrohte, mildern konnte. Alles, was geschehen konnte, war, daß der Feuertod, zu dem sie verurteilt wurde, zur großen Entrüstung der Matronen und Jungfrauen von St. Jago, durch einen Machtspruch[11] des Vizekönigs in eine Enthauptung verwandelt ward. Man vermietete in den Straßen, durch welche der Hinrichtungszug gehen sollte, die Fenster, man trug die Dächer der Häuser ab,[12] und die frommen Töchter der Stadt luden ihre Freundinnen ein, um dem Schauspiele, das der göttlichen Rache gegeben wurde, an ihrer schwesterlichen Seite beizuwohnen. Jeronimo, der inzwischen auch in ein Gefängnis gesetzt worden war, wollte die Besinnung verlieren, als er diese ungeheure Wendung der Dinge erfuhr. Vergebens sann er auf Rettung; überall, wohin ihn auch der Fittich der vermessensten[13] Gedanken trug, stieß er auf Riegel[14] und Mauern, und ein Versuch, die Gitterfenster zu durchfeilen,[15] zog ihm, da er entdeckt ward, eine nur noch engere Einsperrung zu.[16] Er warf sich vor dem Bildnisse[17] der Heiligen Mutter Gottes nieder und betete mit unendlicher Inbrunst zu ihr als der einzigen, von der ihm jetzt noch Rettung kommen könnte. Doch der gefürchtete Tag erschien und mit ihm in seiner Brust die Überzeugung von der völligen Hoffnungslosigkeit seiner Lage. Die Glocken, welche Josephen zum Richtplatze begleiteten, ertönten, und Verzweiflung bemächtigte sich seiner Seele. Das Leben schien ihm verhaßt, und er beschloß, sich durch einen Strick, den ihm der Zufall gelassen hatte, den Tod zu geben. Eben stand er, wie schon gesagt, an einem Wandpfeiler[18] und befestigte den Strick, der ihn dieser jammervollen Welt entreißen sollte, an eine Eisenklammer, die an dem Gesimse desselben eingefugt[19] war, als plötzlich der größte Teil der Stadt, mit einem Gekrache, als ob das Firmament einstürzte, versank und alles, was Leben atmete, unter seinen Trümmern begrub. Jeronimo Rugera war starr vor Entsetzen; und gleich als ob sein ganzes Bewußtsein zerschmettert worden wäre, hielt er sich jetzt an dem Pfeiler, an welchem er hatte sterben wollen, um nicht umzufallen. Der Boden wankte unter seinen Füßen, alle Wände

---

Kleist is preoccupied with the question of justice, its existence or non-existence, in the world of man. He is also undeniably inclined to violent action in his writings. What sort of pattern is set up by the sin, its setting, the *Feuertod* and the *Enthauptung*, the *Schauspiel* aspect of the execution?

Zufall, mentioned for the second time, gives Jeronimo his way to death. So far we have already been confronted with crime and civil punishment, human frailty, human callousness, false religion, possibly true religious feeling. Each of these strands will continue.

By what obvious device does Kleist indicate the conclusion of the "exposition" (i.e. the background narration)?

des Gefängnisses rissen, der ganze Bau neigte sich, nach der Straße zu einzustürzen, und nur der seinem langsamen Fall begegnende Fall des gegenüberstehenden Gebäudes verhinderte[20] durch eine zufällige Wölbung die gänzliche Zubodenstreckung[21] desselben. Zitternd, mit sträubenden
5 Haaren und Knien, die unter ihm brechen wollten, glitt Jeronimo, über den schiefgesenkten[22] Fußboden hinweg, der Öffnung zu, die der Zusammenschlag beider Häuser in die vordere Wand des Gefängnisses eingerissen hatte. Kaum befand er sich im Freien, als die ganze schon erschütterte Straße auf eine zweite Bewegung der Erde völlig zusammenfiel. Besin-
10 nungslos, wie er sich aus diesem allgemeinen Verderben retten würde, eilte er, über Schutt und Gebälk[23] hinweg, indessen der Tod von allen Seiten Angriffe auf ihn machte, nach einem der nächsten Tore der Stadt. Hier stürzte noch ein Haus zusammen und jagte ihn, die Trümmer weit umherschleudernd, in eine Nebenstraße;[24] hier leckte[25] die Flamme schon,
15 in Dampfwolken blitzend, aus allen Giebeln und trieb ihn schreckensvoll in eine andere; hier wälzte sich, aus seinem Gestade gehoben, der Mapochofluß[26] an ihn heran und riß ihn brüllend in eine dritte. Hier lag ein Haufen Erschlagener, hier ächzte noch eine Stimme unter dem Schutte, hier schrien Leute von brennenden Dächern herab, hier kämpften Menschen
20 und Tiere mit den Wellen, hier war ein mutiger Retter bemüht zu helfen; hier stand ein anderer, bleich wie der Tod, und streckte sprachlos zitternde Hände zum Himmel. Als Jeronimo das Tor erreicht und einen Hügel jenseits desselben bestiegen hatte, sank er ohnmächtig auf demselben nieder. Er mochte wohl eine Viertelstunde in der tiefsten Bewußtlosigkeit
25 gelegen haben, als er endlich wieder erwachte und sich, mit nach der Stadt gekehrtem Rücken, halb auf dem Erdboden erhob. Er befühlte sich Stirn und Brust, unwissend, was er aus seinem Zustande machen sollte, und ein unsägliches Wonnegefühl ergriff ihn, als ein Westwind vom Meere her sein wiederkehrendes Leben anwehte[27] und sein Auge sich nach allen
30 Richtungen über die blühende Gegend von St. Jago hinwandte. Nur die verstörten Menschenhaufen, die sich überall blicken ließen, beklemmten sein Herz; er begriff nicht, was ihn und sie hierhergeführt haben konnte, und erst, da er sich umkehrte und die Stadt hinter sich versunken sah, erinnerte er sich des schrecklichen Augenblicks, den er erlebt hatte. Er
35 senkte sich so tief, daß seine Stirn den Boden berührte, Gott für seine wunderbare Errettung zu danken; und gleich als ob der eine entsetzliche Eindruck, der sich seinem Gemüt eingeprägt hatte, alle früheren daraus

[20] *prevented*

[21] *leveling*

[22] *sunken and slanted*

[23] *timbers*

[24] *side street*
[25] *licked*

[26] *Mapocho River*

[27] *fanned*

The violent change engendered by the quake is manifested and symbolized first in the change in Jeronimo. Explain.

Again the concept of chance or coincidence. What light does this cast, in advance, on any development which may ensue?

Note the technique of the *hier* sentence, one for which Kleist is famous.

Jeronimo's *Wonnegefühl* can only be explained by the curiously purgative effect of the earthquake. How has it worked upon him?

²⁸ *driven out*

²⁹ *information*

³⁰ *execution of the sentence*

³¹ *uprooted*

³² *cried his fill*

³³ *brought water to*

³⁴ *rocks*

verdrängt²⁸ hätte, weinte er vor Lust, daß er sich des lieblichen Lebens, voll bunter Erscheinungen, noch erfreue. Darauf, als er eines Ringes an seiner Hand gewahrte, erinnerte er sich plötzlich auch Josephens und mit ihr seines Gefängnisses, der Glocken, die er dort gehört hatte, und des Augenblicks, der dem Einsturze desselben vorangegangen war. Tiefe ₅ Schwermut erfüllte wieder seine Brust; sein Gebet fing ihn zu reuen an, und fürchterlich schien ihm das Wesen, das über den Wolken waltet. Er mischte sich unter das Volk, das überall, mit Rettung des Eigentums beschäftigt, aus den Toren stürzte, und wagte schüchtern nach der Tochter Asterons, und ob die Hinrichtung an ihr vollzogen worden sei, zu ₁₀ fragen; doch niemand war, der ihm umständliche Auskunft²⁹ gab. Eine Frau, die auf einem fast zur Erde gedrückten Nacken eine ungeheure Last von Gerätschaften und zwei Kinder, an der Brust hängend, trug, sagte im Vorbeigehen, als ob sie es selbst angesehen hätte, daß sie enthauptet worden sei. Jeronimo kehrte sich um; und da er, wenn er die Zeit berech- ₁₅ nete, selbst an ihrer Vollendung³⁰ nicht zweifeln konnte, so setzte er sich in einem einsamen Walde nieder und überließ sich seinem vollen Schmerz. Er wünschte, daß die zerstörende Gewalt der Natur von neuem über ihn einbrechen möchte. Er begriff nicht, warum er dem Tode, den seine jammervolle Seele suchte, in jenen Augenblicken, da er ihm freiwillig ₂₀ von allen Seiten rettend erschien, entflohen sei. Er nahm sich fest vor, nicht zu wanken, wenn auch jetzt die Eichen entwurzelt³¹ werden und ihre Wipfel über ihn zusammenstürzen sollten. Darauf nun, daß er sich aus-geweint³² hatte und ihm, mitten unter den heißesten Tränen, die Hoffnung wieder erschienen war, stand er auf und durchstreifte nach allen Rich- ₂₅ tungen das Feld. Jeden Berggipfel, auf dem sich die Menschen versammelt hatten, besuchte er; auf allen Wegen, wo sich der Strom der Flucht noch bewegte, begegnete er ihnen; wo nur irgendein weibliches Gewand im Winde flatterte, da trug ihn sein zitternder Fuß hin; doch keines deckte die geliebte Tochter Asterons. Die Sonne neigte sich und mit ihr seine ₃₀ Hoffnung schon wieder zum Untergange, als er den Rand eines Felsens betrat und sich ihm die Aussicht in ein weites, nur von wenig Menschen besuchtes Tal eröffnete. Er durchlief, unschlüssig, was er tun sollte, die einzelnen Gruppen derselben und wollte sich schon wieder wenden, als er plötzlich an einer Quelle, die die Schlucht bewässerte,³³ ein junges Weib ₃₅ erblickte, beschäftigt, ein Kind in den Fluten zu reinigen. Und das Herz hüpfte ihm bei diesem Anblick, er sprang voll Ahnung über die Gesteine³⁴

Jeronimo thanks God for his rescue (moments after he was going to hang himself). Despite all "realistic" psychological explanations, part of this change is rooted in Kleist's personal and fictional tendency toward sudden and violent reversals—which reflects in turn one view of human life. Interpret in this light his regret over the prayer, his doubt of God, his renewed envy of death.

By chance he finds Josephe. Note what she is doing, and explore the possible symbolic effect. Note also what Jeronimo cries out.

herab und rief: „O Mutter Gottes, du Heilige!" und erkannte Josephen, als sie sich bei dem Geräusche schüchtern umsah. Mit welcher Seligkeit umarmten sie sich, die Unglücklichen, die ein Wunder des Himmels gerettet hatte! Josephe war auf ihrem Gang zum Tode dem Richtplatz
5 schon ganz nahe gewesen, als durch den krachenden Einsturz der Gebäude plötzlich der ganze Hinrichtungszug auseinandergesprengt[35] ward. Ihre ersten entsetzensvollen Schritte trugen sie hierauf dem nächsten Tore zu; doch die Besinnung kehrte ihr bald wieder, und sie wandte sich, um nach dem Kloster zu eilen, wo ihr kleiner hilfloser Knabe zurückgeblieben war.
10 Sie fand das ganze Kloster schon in Flammen, und die Äbtissin, die ihr in jenen Augenblicken, die ihre letzten sein sollten, Sorge für den Säugling angelobt hatte, schrie eben, vor den Pforten stehend, nach Hilfe, um ihn zu retten. Josephe stürzte sich unerschrocken durch den Dampf, der ihr entgegenqualmte, in das von allen Seiten schon zusammenfallende
15 Gebäude, und gleich als ob alle Engel des Himmels sie umschirmten,[36] trat sie mit ihm unbeschädigt wieder aus dem Portal hervor. Sie wollte der Äbtissin, welche die Hände über ihr Haupt zusammenschlug, eben in die Arme sinken, als diese mit fast allen ihren Klosterfrauen von einem herabfallenden Giebel des Hauses auf eine schmähliche[37] Art erschlagen
20 ward. Josephe bebte bei diesem entsetzlichen Anblicke zurück; sie drückte der Äbtissin flüchtig die Augen zu und floh, ganz von Schrecken erfüllt, den teuern Knaben, den ihr der Himmel wieder geschenkt hatte, dem Verderben zu entreißen. Sie hatte noch wenige Schritte getan, als ihr auch schon die Leiche des Erzbischofs begegnete, die man soeben zer-
25 schmettert aus dem Schutt der Kathedrale hervorgezogen hatte. Der Palast des Vizekönigs war versunken, der Gerichtshof, in welchem ihr das Urteil gesprochen worden war, stand in Flammen, und an die Stelle, an der sich ihr väterliches Haus befunden hatte, war ein See getreten und kochte rötliche Dämpfe aus.[38] Josephe raffte alle ihre Kräfte zusammen, sich
30 aufrecht zu halten. Sie schritt, den Jammer von ihrer Brust entfernend, mutig mit ihrer Beute von Straße zu Straße und war schon dem Tore nahe, als sie auch das Gefängnis, in welchem Jeronimo geseufzt hatte, in Trümmern sah. Bei diesem Anblicke wankte sie und wollte besinnungslos an einer Ecke niedersinken; doch in demselben Augenblick jagte sie der
35 Sturz eines Gebäudes hinter ihr, das die Erschütterungen schon ganz aufgelöst hatten, durch das Entsetzen gestärkt, wieder auf;[39] sie küßte das Kind, drückte sich die Tränen aus den Augen und erreichte, nicht mehr

[35] disrupted
[36] protected
[37] ignominious
[38] steamed forth
[39] roused

The fact that Josephe is alive requires a flashback, which lasts until what point? Summarize the structure so far.
The roster of destruction—of persons and places—is important. The cloister is in flames. Why isn't it saved (if God is at work)? The abbess is killed, yet she was one who had tried to save Josephe and her child. (Is justice of any kind at work here?) The archbishop who urged severity in Josephe's case is killed, but the Viceroy's palace is also destroyed (and some clemency proceeded from there). Flames engulf the court. Her own father's house is gone.

auf die Greuel, die sie umringten, achtend, das Tor. Als sie sich im Freien sah, schloß sie bald, daß nicht jeder, der ein zertrümmertes Gebäude bewohnt hatte, unter ihm notwendig müsse zerschmettert worden sein.

⁴⁰ *crossroad*

An dem nächsten Scheidewege[40] stand sie still und harrte, ob nicht einer, der ihr nach dem kleinen Philipp der liebste auf der Welt war, noch 5 erscheinen würde. Sie ging, weil niemand kam und das Gewühl der Menschen anwuchs, weiter und kehrte sich wieder um und harrte wieder und schlich, viel Tränen vergießend, in ein dunkles, von Pinien beschattetes Tal, um seiner Seele, die sie entflohen glaubte, nachzubeten, und fand ihn hier, diesen Geliebten, im Tale, und Seligkeit, als ob es das Tal 10 von Eden gewesen wäre. Dies alles erzählte sie jetzt voll Rührung dem Jeronimo und reichte ihm, da sie vollendet hatte, den Knaben zum Küssen

⁴¹ *held out*

dar.[41] Jeronimo nahm ihn und hätschelte ihn in unsäglicher Vaterfreude und verschloß ihm, da er das fremde Antlitz anweinte, mit Liebkosungen ohne Ende den Mund. Indessen war die schönste Nacht herabgestiegen, 15

⁴² *marvelously gentle*

voll wundermilden[42] Duftes, so silberglänzend und still, wie nur ein Dichter davon träumen mag. Überall, längs der Talquelle, hatten sich, im Schimmer des Mondscheins, Menschen niedergelassen und bereiteten

⁴³ *agonizing*

sich sanfte Lager von Moos und Laub, um von einem so qualvollen[43] Tage auszuruhen. Und weil die Armen immer noch jammerten, dieser, daß er 20 sein Haus, jener, daß er Weib und Kind, und der dritte, daß er alles verloren habe, so schlichen Jeronimo und Josephe in ein dichteres Gebüsch,

⁴⁴ *jubilation*
⁴⁵ *pomegranate tree (in Greek mythology, symbol of fertility or rebirth)*
⁴⁶ *whistled*
⁴⁷ *sensuous*

um durch das heimliche Gejauchz[44] ihrer Seelen niemand zu betrüben. Sie fanden einen prachtvollen Granatapfelbaum,[45] der seine Zweige, voll duftender Früchte, weit ausbreitete; und die Nachtigall flötete[46] im Wipfel 25 ihr wollüstiges[47] Lied. Hier ließ sich Jeronimo am Stamme nieder, und Josephe in seinem, Philipp in Josephens Schoß, saßen sie, von seinem Mantel bedeckt, und ruhten. Der Baumschatten zog, mit seinen ver-

⁴⁸ *scattered*

streuten[48] Lichtern, über sie hinweg, und der Mond erblaßte schon wieder vor der Morgenröte, ehe sie einschliefen. Denn Unendliches hatten sie zu 30 schwatzen, vom Klostergarten und den Gefängnissen, und was sie umeinander gelitten hätten; und waren sehr gerührt, wenn sie dachten, wieviel Elend über die Welt kommen mußte, damit sie glücklich würden! Sie beschlossen, sobald die Erderschütterungen aufgehört haben würden,

⁴⁹ *Concepcion (so. of Santiago)*
⁵⁰ *advance (in money)*

nach La Conception[49] zu gehen, wo Josephe eine vertraute Freundin hatte, 35 sich mit einem kleinen Vorschuß,[50] den sie von ihr zu erhalten hoffte, von dort nach Spanien einzuschiffen, wo Jeronimos mütterliche Verwandten

---

Examine all of these (1) as to ultimate justice, (2) for the symbolic value each has, in terms of the range of human society reflected.

Threatened destruction also reverses her mood. Compare with his situation before.

Note the temporal relationship of each one's desire to find or know the fate of the other.

The concept of Eden is an apt beginning for the second major structural segment of the story. It speaks both of the nature of the scene to come, and of its ultimate fate. Explain.

wohnten, und daselbst ihr glückliches Leben zu beschließen. Hierauf, unter vielen Küssen, schliefen sie ein.

Als sie erwachten, stand die Sonne schon hoch am Himmel, und sie bemerkten in ihrer Nähe mehrere Familien, beschäftigt, sich am Feuer ein
5 kleines Morgenbrot zu bereiten. Jeronimo dachte eben auch, wie er Nahrung für die Seinigen herbeischaffen sollte, als ein junger wohlgekleideter Mann mit einem Kinde auf dem Arm zu Josephen trat und sie mit Bescheidenheit fragte, ob sie diesem armen Wurme, dessen Mutter dort unter den Bäumen beschädigt[51] liege, nicht auf kurze Zeit ihre Brust
10 reichen wolle. Josephe war ein wenig verwirrt, als sie in ihm einen Bekannten erblickte; doch da er, indem er ihre Verwirrung falsch deutete, fortfuhr: „Es ist nur auf wenige Augenblicke, Donna Josephe, und dieses Kind hat seit jener Stunde, die uns alle unglücklich gemacht hat, nichts genossen", so sagte sie: „Ich schwieg—aus einem andern Grunde, Don Fer-
15 nando; in diesen schrecklichen Zeiten weigert sich niemand, von dem, was er besitzen mag, mitzuteilen" und nahm den kleinen Fremdling, indem sie ihr eigenes Kind dem Vater gab, und legte ihn an ihre Brust. Don Fernando war sehr dankbar für diese Güte und fragte, ob sie sich nicht mit ihm zu jener Gesellschaft verfügen wollten, wo eben jetzt beim Feuer ein kleines
20 Frühstück bereitet werde. Josephe antwortete, daß sie dies Anerbieten[52] mit Vergnügen annehmen würde, und folgte ihm, da auch Jeronimo nichts einzuwenden hatte, zu seiner Familie, wo sie auf das innigste und zärtlichste von Don Fernandos beiden Schwägerinnen,[53] die sie als sehr würdige junge Damen kannte, empfangen ward. Donna Elvire, Don
25 Fernandos Gemahlin, welche schwer an den Füßen verwundet auf der Erde lag, zog Josephen, da sie ihren abgehärmten Knaben an der Brust derselben sah, mit vieler Freundlichkeit zu sich nieder. Auch Don Pedro, sein Schwiegervater, der an der Schulter verwundet war, nickte ihr liebreich[54] mit dem Haupte zu. — In Jeronimos und Josephens Brust
30 regten sich Gedanken von seltsamer Art. Wenn sie sich mit so vieler Vertraulichkeit und Güte behandelt sahen, so wußten sie nicht, was sie von der Vergangenheit denken sollten, vom Richtplatze, von dem Gefängnisse und der Glocke; und ob sie bloß davon geträumt hätten. Es war, als ob die Gemüter seit dem fürchterlichen Schlage, der sie durchdröhnt[55]
35 hatte, alle versöhnt wären. Sie konnten in der Erinnerung gar nicht weiter als bis auf ihn zurückgehen. Nur Donna Elisabeth, welche bei einer Freundin auf das Schauspiel des gestrigen Morgens eingeladen worden war, die

[51] *injured*

[52] *offer*

[53] *sisters-in-law*

[54] *affectionately*

[55] *sent its reverberations through them*

Others bemoan their loss. The lovers steal away to hide their happiness. What had they lost?

The concept of meaningful fate is mentioned as a thought in the mind of the lovers: *sie dachten, wieviel Elend . . .* Are we to look at it in the same fashion?

The transfer of the infants is an anticipation, hardly recognizable, of the terrible ending. Keep it in mind.

What are the attributes of this idyll of human happiness? What has happened to secure it? What factors, presumably antipathetic to this vision of harmony, are now eliminated?

Einladung aber nicht angenommen hatte, ruhte zuweilen mit träumeri-
schem Blick auf Josephen; doch der Bericht, der über irgendein neues
gräßliches Unglück erstattet ward, riß ihre der Gegenwart kaum ent-
flohene Seele schon wieder in dieselbe zurück. Man erzählte, wie die
Stadt gleich nach der ersten Haupterschütterung von Weibern ganz voll 5
gewesen, die vor den Augen aller Männer niedergekommen[56] seien; wie
die Mönche darin mit dem Kruzifix in der Hand umhergelaufen wären
und geschrien hätten, das Ende der Welt sei da; wie man einer Wache,
die auf Befehl des Vizekönigs verlangte, eine Kirche zu räumen, geantwortet hätte, es gäbe keinen Vizekönig von Chili mehr; wie der Vize- 10
könig in den schrecklichsten Augenblicken hätte müssen Galgen aufrichten
lassen,[57] um der Dieberei[58] Einhalt zu tun; und wie ein Unschuldiger, der
sich von hinten durch ein brennendes Haus gerettet, von dem Besitzer
aus Übereilung ergriffen und sogleich auch aufgeknüpft[59] worden wäre.
Donna Elvire, bei deren Verletzungen Josephe viel beschäftigt war, hatte in 15
einem Augenblick, da gerade die Erzählungen sich am lebhaftesten kreuzten, Gelegenheit genommen, sie zu fragen wie es denn ihr an diesem fürchterlichen Tage ergangen sei. Und da Josephe ihr mit beklemmtem Herzen
einige Hauptzüge davon angab, so ward ihr die Wollust,[60] Tränen in die
Augen dieser Dame treten zu sehen: Donna Elvire ergriff ihre Hand und 20
drückte sie und winkte ihr, zu schweigen. Josephe dünkte sich unter den
Seligen. Ein Gefühl, das sie nicht unterdrücken konnte, nannte den
verfloßnen Tag, soviel Elend er auch über die Welt gebracht hatte, eine
Wohltat, wie der Himmel noch keine über sie verhängt hatte. Und in der
Tat schien, mitten in diesen gräßlichen Augenblicken, in welchen alle 25
irdischen Güter der Menschen zugrunde gingen und die ganze Natur
verschüttet zu werden drohte, der menschliche Geist selbst wie eine
schöne Blume aufzugehen. Auf den Feldern, soweit das Auge reichte, sah
man Menschen von allen Ständen durcheinander liegen, Fürsten und
Bettler, Matronen und Bäuerinnen, Staatsbeamte und Tagelöhner, 30
Klosterherren und Klosterfrauen, einander bemitleiden,[61] sich wechselseitig
Hilfe reichen, von dem, was sie zur Erhaltung ihres Lebens gerettet haben
mochten, freudig mitteilen, als ob das allgemeine Unglück alles, was ihm
entronnen war, zu einer Familie gemacht hätte. Statt der nichtssagenden
Unterhaltungen, zu welchen sonst die Welt an den Teetischen den Stoff 35
hergegeben hatte, erzählte man jetzt Beispiele von ungeheuern Taten:
Menschen, die man sonst in der Gesellschaft wenig geachtet hatte, hatten

[56] *gone into labor*

[57] *had had to have gallows erected*
[58] *thieving*
[59] *strung up*

[60] *she experienced the thrill*

[61] *sympathize with*

The idyll, itself an interruption of the action, is interrupted by news from the city. Why is it so
    sinister? What does it portend?
Examine carefully the author-narrator's own observation *Und in der Tat schien . . .* What per-
    manence is implied? What are the components of the vision? Under the aegis of what human
    institution is this idyllic state conceived? What does this say of other institutions?

Römergröße[62] gezeigt; Beispiele zu Haufen[63] von Unerschrockenheit, von freudiger Verachtung der Gefahr, von Selbstverleugnung[64] und der göttlichen Aufopferung,[65] von ungesäumter[66] Wegwerfung des Lebens, als ob es, dem nichtswürdigsten Gute gleich, auf dem nächsten Schritte schon wiedergefunden würde. Ja, da nicht einer war, für den nicht an diesem Tage etwas Rührendes geschehen wäre oder der nicht selbst etwas Großmütiges[67] getan hätte, so war der Schmerz in jeder Menschenbrust mit so viel süßer Lust vermischt, daß sich, wie sie meinte, gar nicht angeben ließ, ob die Summe des allgemeinen Wohlseins[68] nicht von der einen Seite um ebensoviel gewachsen war, als sie von der andern abgenommen hatte. Jeronimo nahm Josephen, nachdem sich beide in diesen Betrachtungen stillschweigend erschöpft hatten, beim Arm und führte sie mit unaussprechlicher Heiterkeit unter den schattigen Lauben des Granatwaldes[69] auf und nieder. Er sagte ihr, daß er bei dieser Stimmung der Gemüter und dem Umsturz aller Verhältnisse seinen Entschluß, sich nach Europa einzuschiffen, aufgebe, daß er vor dem Vizekönig, der sich seiner Sache immer günstig gezeigt, falls er noch am Leben sei, einen Fußfall[70] wagen würde und daß er Hoffnung habe (wobei er ihr einen Kuß aufdrückte), mit ihr in Chili zurückzubleiben. Josephe antwortete, daß ähnliche Gedanken in ihr aufgestiegen wären; daß auch sie nicht mehr, falls ihr Vater nur noch am Leben sei, ihn zu versöhnen zweifle; daß sie aber statt des Fußfalles lieber nach La Conception zu gehen und von dort aus schriftlich das Versöhnungsgeschäft[71] mit dem Vizekönig zu betreiben rate, wo man auf jeden Fall in der Nähe des Hafens wäre; und für den besten,[72] wenn das Geschäft die erwünschte[73] Wendung nähme, ja leicht wieder nach St. Jago zurückkehren könnte. Nach einer kurzen Überlegung gab Jeronimo der Klugheit dieser Maßregel seinen Beifall, führte sie noch ein wenig, die heitern Momente der Zukunft überfliegend, in den Gängen umher und kehrte mit ihr zur Gesellschaft zurück.

Inzwischen war der Nachmittag herangekommen, und die Gemüter der herumschwärmenden Flüchtlinge[74] hatten sich, da die Erdstöße[75] nachließen, nur kaum wieder ein wenig beruhigt, als sich schon die Nachricht verbreitete, daß in der Dominikanerkirche, der einzigen, welche das Erdbeben verschont hatte, eine feierliche Messe von dem Prälaten des Klosters selbst gelesen werden würde, den Himmel um Verhütung fernerer Unglücks anzuflehen. Das Volk brach schon aus allen Gegenden auf und eilte in Strömen zur Stadt. In Don Fernandos Gesellschaft ward die

[62] *heroic stature*
[63] *in great number*
[64] *self-denial*
[65] *(self-)sacrifice*
[66] *unhesitating*
[67] *magnanimous*
[68] *well-being*
[69] *pomegranate grove*
viceroy, vice-regent
[70] *act of supplication*
[71] *matter of propitiation*
[72] *with good luck*
[73] *desired*
[74] *fugitives*
[75] *tremors*

What is the effect of this vision of harmony upon Jeronimo's specific plans? Does the story furnish reason to doubt the wisdom of this decision?

The return to the fateful city is motivated by what consideration? Is the human institution in question a source of concern? There is no lack of reluctance, doubt, and debate. The decision is therefore largely conscious. What are the varying factors of motivation and reasoning?

28 HEINRICH VON KLEIST

[76] posed

[77] ceremonies of thanksgiving

[78] Creator

[79] violently heaving
breast

[80] agreed

[81] dignity

Frage aufgeworfen,[76] ob man nicht auch an dieser Feierlichkeit teilnehmen und sich dem allgemeinen Zuge anschließen solle. Donna Elisabeth erinnerte, mit einiger Beklemmung, was für ein Unheil gestern in der Kirche vorgefallen sei, daß solche Dankfeste[77] ja wiederholt werden würden und daß man sich der Empfindung alsdann, weil die Gefahr schon mehr 5 vorüber wäre, mit desto größerer Heiterkeit und Ruhe überlassen könnte. Josephe äußerte, indem sie mit einiger Begeisterung sogleich aufstand, daß sie den Drang, ihr Antlitz vor dem Schöpfer[78] in den Staub zu legen, niemals lebhafter empfunden hatte als eben jetzt, wo er seine unbegreifliche und erhabene Macht so deutlich entwickle. 10

Donna Elvire erklärte sich mit Lebhaftigkeit für Josephens Meinung. Sie bestand darauf, daß man die Messe hören solle, und rief Don Fernando auf, die Gesellschaft zu führen, worauf sich alles, Donna Elisabeth auch, von den Sitzen erhob. Da man jedoch letztere mit heftig arbeitender Brust[79] die kleinen Anstalten zum Aufbruche zaudernd betreiben sah und sie auf 15 die Frage, was ihr fehle, antwortete, sie wisse nicht, welch eine unglückliche Ahnung in ihr sei, so beruhigte sie Donna Elvire und forderte sie auf, bei ihr und ihrem kranken Vater zurückzubleiben. Josephe sagte: „So werden Sie mir wohl, Donna Elisabeth, diesen kleinen Liebling abnehmen, der sich schon wieder, wie Sie sehen, bei mir eingefunden hat." „Sehr 20 gern", antwortete Donna Elisabeth und machte Anstalten, ihn zu ergreifen; doch da dieser über das Unrecht, das ihm geschah, kläglich schrie und auf keine Art dareinwilligte,[80] so sagte Josephe lächelnd, daß sie ihn nur behalten wolle, und küßte ihn wieder still. Hierauf bot Don Fernando, dem die ganze Würdigkeit[81] und Anmut ihres Betragens sehr gefiel, ihr 25 den Arm; Jeronimo, welcher den kleinen Philipp trug, führte Donna Konstanzen, die übrigen Mitglieder, die sich bei der Gesellschaft eingefunden hatten, folgten, und in dieser Ordnung ging der Zug nach der Stadt. Sie waren kaum fünfzig Schritte gegangen, als man Donna Elisabeth, welche inzwischen heftig und heimlich mit Donna Elvire gesprochen 30 hatte, „Don Fernando!" rufen hörte und dem Zuge mit unruhigen Tritten nacheilen sah. Don Fernando hielt und kehrte sich um, harrte ihrer, ohne Josephen loszulassen, und fragte, da sie, gleich als ob sie auf sein Entgegenkommen wartete, in einiger Entfernung stehenblieb, was sie wolle. Donna Elisabeth näherte sich ihm hierauf, obschon, wie es schien, mit Wider- 35 willen, und raunte ihm, doch so, daß Josephe es nicht hören konnte, einige Worte ins Ohr. „Nun", fragte Don Fernando, „und das Unglück, das

---

The change affecting the infants is related to the previous transfer. Is it in any respect unsettling? Why?

What does Donna Elisabeth whisper in such agitation? Exact specification may not be possible, but the general tenor is unmistakable.

How long does the idyll last?

What is the atmosphere of the church and how does it compare with that of the fields outside the city? What does the contrast imply?

daraus entstehen kann?" Donna Elisabeth fuhr fort, ihm mit verstörtem
Gesicht ins Ohr zu zischeln.[82] Don Fernando[83] stieg eine Röte des Un-
willens ins Gesicht; er antwortete, es wäre gut, Donna Elvire möchte sich
beruhigen; und führte seine Dame weiter. — Als sie in der Kirche der
5 Dominikaner ankamen, ließ sich die Orgel schon mit musikalischer Pracht
hören, und eine unermeßliche Menschenmenge wogte darin. Das
Gedränge erstreckte sich bis weit vor den Portalen auf den Vorplatz der
Kirche hinaus, und an den Wänden hoch, in den Rahmen[84] der Gemälde,
hingen Knaben und hielten mit erwartungsvollen Blicken ihre Mützen in
10 der Hand. Von allen Kronleuchtern strahlte es herab, die Pfeiler warfen
bei der einbrechenden Dämmerung geheimnisvolle Schatten, die große,
von gefärbtem Glas gearbeitete Rose[85] in der Kirche äußerstem Hintergrunde glühte wie die Abendsonne selbst, die sie erleuchtete; und Stille
herrschte, da die Orgel jetzt schwieg, in der ganzen Versammlung, als
15 hätte keiner einen Laut in der Brust. Niemals schlug aus einem christlichen Dom eine solche Flamme der Inbrunst gen Himmel wie heute aus
dem Dominikanerdom zu St. Jago, und keine menschliche Brust gab
wärmere Glut dazu her als Jeronimos und Josephens! Die Feierlichkeit
fing mit einer Predigt an, die der ältesten Chorherren einer, mit dem
20 Festschmuck[86] angetan, von der Kanzel hielt. Er begann gleich mit Lob,
Preis und Dank, seine zitternden, vom Chorhemde weit umflossenen[87]
Hände hoch gen Himmel erhebend, daß noch Menschen seien auf diesem
in Trümmer zerfallenen Teile der Welt, fähig, zu Gott empor zu stammeln.
Er schilderte, was auf den Wink des Allmächtigen geschehen war: das
25 Weltgericht[88] kann nicht entsetzlicher sein; und als er das gestrige Erdbeben gleichwohl, auf einen Riß, den der Dom erhalten hatte, hinzeigend,
einen bloßen Vorboten davon nannte, lief ein Schauder über die ganze
Versammlung. Hierauf kam er, im Flusse priesterlicher Beredsamkeit,
auf das Sittenverderbnis[89] der Stadt; Greuel, wie Sodom und Gomorrha[90]
30 sie nicht sahen, strafte er an ihr; und nur der unendlichen Langmut Gottes
schrieb er es zu, daß sie noch nicht gänzlich vom Erdboden vertilgt worden sei. Aber wie dem Dolche gleich fuhr es durch die von dieser Predigt
schon ganz zerrissenen Herzen unserer beiden Unglücklichen, als der
Chorherr bei dieser Gelegenheit umständlich des Frevels erwähnte, der
35 in dem Klostergarten der Karmeliterinnen verübt worden war; die
Schonung, die er bei der Welt gefunden hatte, gottlos nannte und, in
einer von Verwünschungen erfüllten Seitenwendung,[91] die Seelen der

[82] *whisper*
[83] (dat.)

[84] *frames*

[85] *rose-window*

[86] *liturgical vestments*
[87] *about which the sur-
plice fluttered*

[88] *Last Judgment*

[89] *moral corruption*
[90] *(Biblical cities of in-
iquity; see
Genesis)*

[91] *aside*

The first structural segment of the story concerned a catastrophe of nature and its effect on
human beings, both the main figures and a range of representative types; the second was an
idyllic interlude of harmony among men; the third is now ineluctably set in motion and its
nature manifest. What must it be?
A priest, in a church ceremony of thanksgiving, consigns souls to *allen Fürsten der Hölle.*
What is Kleist saying? Who are or will be the Princes of Hell?

Täter, wörtlich genannt, allen Fürsten der Hölle übergab! Donna Konstanze rief, indem sie an Jeronimos Armen zuckte: „Don Fernando!" Doch dieser antwortete so nachdrücklich und doch so heimlich, wie sich beides verbinden ließ: „Sie schweigen, Donna, Sie rühren auch den Augapfel[92] nicht und tun, als ob Sie in eine Ohnmacht versänken, worauf wir die Kirche verlassen." Doch ehe Donna Konstanze diese sinnreich zur Rettung erfundene Maßregel noch ausgeführt hatte, rief schon eine Stimme, des Chorherrn Predigt laut unterbrechend, aus: „Weichet fern hinweg, ihr Bürger von St. Jago, hier stehen diese gottlosen Menschen!" Und als eine andere Stimme schreckenvoll, indessen sich ein weiter Kreis des Entsetzens um sie bildete, fragte: „Wo?" — „Hier!" versetzte ein dritter und zog, heiliger Ruchlosigkeit[93] voll, Josephen bei den Haaren nieder, daß sie mit Don Fernandos Sohne zu Boden getaumelt wäre, wenn dieser sie nicht gehalten hätte. „Seid ihr wahnsinnig?" rief der Jüngling und schlug den Arm um Josephen: „Ich bin Don Fernando Ormez, Sohn des Kommandanten der Stadt, den ihr alle kennt." — „Don Fernando Ormez?" rief, dicht vor ihn hingestellt, ein Schuhflicker,[94] der für Josephen gearbeitet hatte und diese wenigstens so genau kannte als ihre kleinen Füße. „Wer ist der Vater zu diesem Kinde?" wandte er sich mit frechem Trotz zur Tochter Asterons. Don Fernando erblaßte bei dieser Frage. Er sah bald den Jeronimo schüchtern an, bald überflog er die Versammlung, ob nicht einer sei, der ihn kenne. Josephe rief, von entsetzlichen Verhältnissen gedrängt: „Dies ist nicht mein Kind, Meister Pedrillo, wie Er glaubt", indem sie, in unendlicher Angst der Seele, auf Don Fernando blickte. „Dieser junge Herr ist Don Fernando Ormez, Sohn des Kommandanten der Stadt, den ihr alle kennt!" Der Schuster fragte: „Wer von euch, ihr Bürger, kennt diesen jungen Mann?" Und mehrere der Umstehenden wiederholten: „Wer kennt den Jeronimo Rugera? Der trete vor!" Nun traf es sich, daß in demselben Augenblicke der kleine Juan, durch den Tumult erschreckt, von Josephens Brust weg Don Fernando in die Arme strebte. Hierauf: „Er ist der Vater!" schrie eine Stimme, und: „Er ist Jeronimo Rugera!" eine andere, und: „Sie sind die gotteslästerlichen[95] Menschen!" eine dritte, und: „Steinigt sie! Steinigt sie!" die ganze im Tempel Jesu versammelte Christenheit![96] Darauf jetzt Jeronimo:[97] „Halt! Ihr Unmenschlichen! Wenn ihr den Jeronimo Rugera sucht, hier ist er! Befreit jenen Mann, welcher unschuldig ist!" — Der wütende Haufen, durch die Äußerung Jeronimos verwirrt, stutzte; mehrere

[92] *don't even move your eyes*

[93] *impiousness*

[94] *cobbler*

[95] *blasphemous*

[96] *(cried) all the Christians gathered there in the temple of Jesus*

[97] *whereupon J. (said) :*

Why is the repeated *den ihr alle kennt*, and its repeated lack of effect so significant? What does it say of human identity in such moments?

What irony lies behind the reaching out of the child (an obvious case) and behind the phrase *die ganze in Tempel Jesu versammelte Christenheit* (less obvious, but more cutting).

The rush of action is masterfully portrayed in its psychological verisimilitude and cruel logic. The mob is frighteningly real. Don Fernando's attempt at the heroic lie, and his device to save them all, are frustrated by an equally natural failure in presence of mind. Josephe's

Hände ließen Don Fernando los, und da in demselben Augenblick ein Marineoffizier von bedeutendem Rang herbeieilte und, indem er sich durch den Tumult drängte, fragte: „Don Fernando Ormez! Was ist Euch widerfahren?", so antwortete dieser, nun völlig befreit, mit wahrer heldenmütiger Besonnenheit:[98] „Ja, sehn Sie, Don Alonzo, die Mordknechte! Ich wäre verloren gewesen, wenn dieser würdige Mann sich nicht, die rasende Menge zu beruhigen, für Jeronimo Rugera ausgegeben[99] hätte. Verhaften Sie ihn, wenn Sie die Güte haben wollen, nebst dieser jungen Dame zu ihrer beiderseitigen Sicherheit, und diesen Nichtswürdigen", indem er Meister Pedrillo ergriff, „der den ganzen Aufruhr angezettelt hat!" Der Schuster rief: „Don Alonzo Onoreja, ich frage Euch auf Euer Gewissen, ist dieses Mädchen nicht Josephe Asteron?" Da nun Don Alonzo, welcher Josephen sehr genau kannte, mit der Antwort zauderte und mehrere Stimmen, dadurch von neuem zur Wut entflammt, riefen: „Sie ist's, sie ist's!" und „Bringt sie zum Tode!", so setzte Josephe den kleinen Philipp, den Jeronimo bisher getragen hatte, samt dem kleinen Juan, auf Don Fernandos Arm und sprach: „Gehn Sie, Don Fernando, retten Sie Ihre beiden Kinder und überlassen Sie uns unserm Schicksale!" Don Fernando nahm die beiden Kinder und sagte, er wolle eher umkommen als zugeben, daß seiner Gesellschaft etwas zuleide geschehe.[1] Er bot Josephen, nachdem er sich den Degen des Marineoffiziers ausgebeten hatte, den Arm und forderte das hintere Paar auf, ihm zu folgen. Sie kamen auch wirklich, indem man ihnen bei solchen Anstalten mit hinlänglicher Ehrerbietigkeit Platz machte, aus der Kirche heraus und glaubten sich gerettet. Doch kaum waren sie auf den von Menschen gleichfalls erfüllten Vorplatz derselben getreten, als eine Stimme aus dem rasenden Haufen, der sie verfolgt hatte, rief: „Dies ist Jeronimo Rugera, ihr Bürger, denn ich bin sein eigener Vater!" und ihn an Donna Konstanzes Seite mit einem ungeheuren Keulenschlag zu Boden streckte. „Jesus Maria!" rief Donna Konstanze und floh zu ihrem Schwager;[2] doch: „Klostermetze!"[3] erscholl es schon mit einem zweiten Keulenschlage von einer anderen Seite, der sie leblos neben Jeronimo niederwarf. „Ungeheuer!" rief ein Unbekannter, „dies war Donna Konstanze Xares!" — „Warum belogen[4] sie uns", antwortete der Schuster, „sucht die Rechte auf und bringt sie um!" Don Fernando, als er Konstanzens Leichnam erblickte, glühte vor Zorn; er zog und schwang das Schwert und hieb, daß er ihn gespalten hätte, den fanatischen Mordknecht, der diese Greuel veranlaßte, wenn

[98] *presence of mind*

[99] *passed himself off as*

[1] *any harm come to*

[2] *brother-in-law*
[3] *cloister harlot*

[4] *did you lie to*

sudden, impulsive stratagem almost succeeds. There is even a moment of final suspense, when it seems they may escape. Recapitulate.

The total dissolution of all human order, indeed of humanity itself, is evidenced how and in what degree? Account for the words of the father (real or feigned?), the mad error of identification that follows, Josephe's sacrifice (with what result?), the nearly incredible character of Pedrillo. What view of man is this?

[5] *evaded*

derselbe nicht durch eine Wendung dem wütenden Schlag entwichen[5] wäre. Doch da er die Menge, die auf ihn eindrang, nicht überwältigen konnte, „Leben Sie wohl, Don Fernando, mit den Kindern!" rief Josephe

[6] *blood-thirsty*

— und: „Hier mordet mich, ihr blutdürstenden[6] Tiger!" und stürzte sich freiwillig unter sie, um dem Kampf ein Ende zu machen. Meister Pedrillo 5 schlug sie mit der Keule nieder. Darauf, ganz mit ihrem Blute bespritzt: „Schickt ihr den Bastard zur Hölle nach!" rief er und drang mit noch ungesättigter Mordlust von neuem vor. Don Fernando, dieser göttliche Held, stand jetzt, den Rücken an die Kirche gelehnt; in der Linken hielt er die Kinder, in der Rechten das Schwert. Mit jedem Hiebe wetterstrahlte 10

[7] *savage bloodhounds*

er einen zu Boden; ein Löwe wehrt sich nicht besser. Sieben Bluthunde[7] lagen tot vor ihm, der Fürst der satanischen Rotte war verwundet. Doch Meister Pedrillo ruhte nicht eher, als bis er der Kinder eines bei den

[8] *high*

Beinen von dessen Brust gerissen und, hochher[8] im Kreise geschwungen, an eines Kirchpfeilers Ecke zerschmettert hatte. Hierauf ward es still, und 15 alles entfernte sich. Don Fernando, als er seinen kleinen Juan vor sich

[9] *brain tissue*

liegen sah, mit aus dem Hirn vorquellendem Mark,[9] hob, voll namenlosen Schmerzes, seine Augen gen Himmel. Der Marineoffizier fand sich wieder bei ihm ein, suchte ihn zu trösten und versicherte ihn, daß seine Untätigkeit bei diesem Unglück, obschon durch mehrere Umstände ge- 20 rechtfertigt, ihn reue; doch Fernando sagte, daß ihm nichts vorzuwerfen sei, und bat ihn nur, die Leichname jetzt fortschaffen zu helfen. Man trug sie alle bei der Finsternis der einbrechenden Nacht in Don Alonzos Wohnung, wohin Don Fernando ihnen, viel über das Antlitz des kleinen Philipp weinend, folgte. Er übernachtete auch bei Don Alonzo und säumte lange, 25 unter falschen Vorspiegelungen, seine Gemahlin von dem ganzen Umfang

[10] *for one thing*

des Unglücks zu unterrichten: einmal,[10] weil sie krank war, und dann, weil er auch nicht wußte, wie sie sein Verhalten bei dieser Begebenheit beur- teilen würde; doch kurze Zeit nachher, durch einen Besuch zufällig von allem, was geschehen war, benachrichtigt, weinte diese treffliche Dame im 30 stillen ihren mütterlichen Schmerz aus und fiel ihm mit dem Rest einer

[11] *shining*

erglänzender[11] Träne eines Morgens um den Hals und küßte ihn. Don Fernando und Donna Elvire nahmen hierauf den kleinen Fremdling zum Pflegesohn an; und wenn Don Fernando Philippen mit Juan verglich und wie er beide erworben hatte, so war es ihm fast, als müßt' er sich freuen. 35

Don Fernando is called *göttlich*, Pedrillo *satanisch*. Do these attributes reflect a religious view of man's nature?

The denouement is ghastly. Is it implausible?

The child is innocent—children are the symbols of innocence. The child is killed. But it is not even the one intended for destruction. Pedrillo lives. What is Kleist saying?

The final reversal is to a conditional vision of hope. In what domain or scope? How much of mankind is encompassed by its potential "grace"? In what terms or under what covering conception of the human condition is it, after all the preceding carnage and madness, credible? Is the horror of the third part of the story itself credible?

Kleist was deeply concerned and troubled by the question of justice (divine or in human in- stitutions), and ultimate truth or meaning in human fate. The equally fundamental question of human responsibility or individual guilt is at least moot in Kleist's world. Review the *Erdbeben* with these issues in mind.

3

LUDWIG ACHIM VON ARNIM

Der tolle Invalide auf dem Fort Ratonneau

Graf Dürande, der gute alte Kommandant von Marseille, saß einsam
frierend an einem kalt stürmenden Oktoberabende bei dem schlecht
eingerichteten Kamine seiner prachtvollen Kommandantenwohnung und
rückte immer näher und näher zum Fenster, während die Kutschen zu
5 einem großen Balle in der Straße vorüberrollten und sein Kammerdiener
Basset, der zugleich sein liebster Gesellschafter war, im Vorzimmer heftig
schnarchte. Auch im südlichen Frankreich[1] ist es nicht immer warm,
dachte der alte Herr und schüttelte mit dem Kopfe, die Menschen bleiben
auch da nicht immer jung; aber die lebhafte gesellige Bewegung[2] nimmt
10 so wenig Rücksicht auf das Alter wie die Baukunst[3] auf den Winter. Was
sollte er, der Chef[4] aller Invaliden, die damals (während des Siebenjähri-
gen Krieges[5]) die Besatzung von Marseille und seiner Forts ausmachten,
mit seinem hölzernen Beine auf dem Balle, nicht einmal die Leutnants
seines Regiments waren zum Tanze zu brauchen. Hier am Kamine schien
15 ihm dagegen sein hölzernes Bein höchst brauchbar,[6] weil er den Basset
nicht wecken mochte, um den Vorrat grüner Olivenäste, den er sich zur
Seite hatte hinlegen lassen, allmählich in die Flamme zu schieben. Ein
solches Feuer hat großen Reiz; die knisternde Flamme ist mit dem grünen
Laube wie durchflochten, halbbrennend, halbgrünend erscheinen die
20 Blätter wie verliebte Herzen. Auch der alte Herr dachte dabei an Jugend-

[1] *France*

[2] *social activity*

[3] *architecture*

[4] *head*

[5] *Seven Years' War (1756–63; Prussia with aid of England, vs. Austria, Saxony, Sweden, France, and Russia)*

[6] *useful*

Coincidentally, the structure of Arnim's story is, in very broad terms, parallel to Kleist's
Erdbeben. The common denominators are substantial: tripartite organization, the first section
containing the exposition of a serious crisis involving a man and a woman, the second being
(in the beginning at least) an idyllic interlude in which the crisis is obviated or held in abey-
ance. The third part, however, is in content unlike Kleist's, since it brings a full resolution
of all major conflicts. Note carefully the boundaries of the respective parts and the links
between them (particularly marked in Arnim's narration).

The comic introduction, surely one of the few instances in literature of a wooden leg on fire,
actually restricts the domain of possible courses of action. What kind of ending is conceivable
with such a beginning?

[7] *even more varied flashes and whirls of color*

[8] *crackle*

[9] *lent wings to*

[10] *easy chair*

[11] *foreshortened*

[12] *pointed sleigh*

[13] *had his warm coat put about her shoulders*

[14] *Picardy (old province of no. France)*

glanz und vertiefte sich in den Konstruktionen jener Feuerwerke, die er sonst schon für den Hof angeordnet hatte, und spekulierte auf neue, noch mannigfachere Farbenstrahlen und -drehungen,[7] durch welche er am Geburtstage des Königs die Marseiller überraschen wollte. Es sah nun leerer in seinem Kopfe als auf dem Balle aus. Aber in der Freude des Gelingens, wie er schon alles strahlen, sausen, prasseln,[8] dann wieder alles in stiller Größe leuchten sah, hatte er immer mehr Olivenäste ins Feuer geschoben und nicht bemerkt, daß sein hölzernes Bein Feuer gefangen hatte und schon um ein Drittel abgebrannt war. Erst jetzt, als er aufspringen wollte, weil der große Schluß, das Aufsteigen von tausend Raketen, seine Einbildungskraft beflügelte[9] und entflammte, bemerkte er, indem er auf seinen Polsterstuhl[10] zurücksank, daß sein hölzernes Bein verkürzt[11] sei und daß der Rest auch noch in besorglichen Flammen stehe. In der Not, nicht gleich aufkommen zu können, rückte er seinen Stuhl wie einen Piekschlitten[12] mit dem flammenden Beine bis in die Mitte des Zimmers, rief seinen Diener und dann nach Wasser. Mit eifrigem Bemühen sprang ihm in diesem Augenblicke eine Frau zu Hilfe, die, in das Zimmer eingelassen, lange durch ein bescheidnes Husten die Aufmerksamkeit des Kommandanten auf sich zu ziehen gesucht hatte, doch ohne Erfolg. Sie suchte das Feuer mit ihrer Schürze zu löschen, aber die glühende Kohle des Beins setzte die Schürze in Flammen, und der Kommandant schrie nun in wirklicher Not nach Hilfe, nach Leuten. Bald drangen diese von der Gasse herein, auch Basset war erwacht; der brennende Fuß, die brennende Schürze brachten alle ins Lachen, doch mit dem ersten Wassereimer, den Basset aus der Küche holte, war alles gelöscht, und die Leute empfahlen sich. Die arme Frau triefte vom Wasser, sie konnte sich nicht gleich vom Schrecken erholen, der Kommandant ließ ihr seinen warmen Rokkelor umhängen[13] und ein Glas starken Wein reichen. Die Frau wollte aber nichts nehmen und schluchzte nur über ihr Unglück und bat den Kommandanten, mit ihm einige Worte insgeheim zu sprechen. So schickte er seinen nachlässigen Diener fort und setzte sich sorgsam in ihre Nähe. „Ach, mein Mann", sagte sie in einem fremden, deutschen Dialekte des Französischen, „mein Mann kommt von Sinnen, wenn er die Geschichte hört; ach, mein armer Mann, da spielt ihm der Teufel sicher wieder einen Streich!" Der Kommandant fragte nach dem Manne, und die Frau sagte ihm, daß sie eben wegen dieses ihres lieben Mannes zu ihm gekommen, ihm einen Brief des Obersten vom Regiment Pikardie[14] zu überbringen.

The comedy may also conceal the introduction of substantial thematic material. Why, for example, is he burning this kind of wood and no other? Why fire in so many manifestations (the hearth; fireworks; burning yet green, like lovers' hearts; the wooden leg; spreading to another person)?

Ach, mein Mann . . . is the beginning or frame of the only flashback interrupting the otherwise basically linear narrative. The flashback is itself of rather complicated structure. Follow and outline it carefully.

Der Oberst setzte die Brille auf, erkannte das Wappen[15] seines Freundes und durchlief das Schreiben, dann sagte er: „Also Sie sind jene Rosalie, eine geborene Demoiselle[16] Lilie aus Leipzig, die den Sergeanten Francœur geheiratet hat, als er, am Kopf verwundet, in Leipzig gefangenlag?
5 Erzählen Sie, das ist eine seltne Liebe! Was waren Ihre Eltern, legten die Ihnen kein Hindernis in den Weg? Und was hat denn Ihr Mann für scherzhafte Grillen als Folge seiner Kopfwunde behalten, die ihn zum Felddienste untauglich[17] machen, obgleich er als der bravste und geschickteste Sergeant, als die Seele des Regiments geachtet wurde?" — „Gnädiger
10 Herr", antwortete die Frau mit neuer Betrübnis, „meine Liebe trägt die Schuld von allem dem Unglück, ich habe meinen Mann unglücklich gemacht, und nicht jene Wunde; meine Liebe hat den Teufel in ihn gebracht und plagt ihn und verwirrt seine Sinne. Statt mit den Soldaten zu exerzieren, fängt er zuweilen an, ihnen ungeheure, ihm vom Teufel
15 eingegebene Sprünge vorzumachen,[18] und verlangt, daß sie ihm diese nachmachen; oder er schneidet ihnen Gesichter, daß ihnen der Schreck in alle Glieder fährt, und verlangt, daß sie sich dabei nicht rühren noch regen, und neulich, was endlich dem Fasse den Boden ausschlug,[19] warf er den kommandierenden General, der in einer Affäre[20] den Rückzug des
20 Regiments befahl, vom Pferde, setzte sich darauf und nahm mit dem Regimente die Batterie fort." — „Ein Teufelskerl",[21] rief der Kommandant, „wenn doch so ein Teufel in alle unsre kommandierenden Generale führe, so hätten wir kein zweites Roßbach[22] zu fürchten; ist Ihre Liebe solche Teufelsfabrik,[23] so wünschte ich, Sie liebten unsre ganze Armee."
25 — „Leider im Fluche meiner Mutter", seufzte die Frau. „Meinen Vater habe ich nicht gekannt. Meine Mutter sah viele Männer bei sich, denen ich aufwarten mußte, das war meine einzige Arbeit. Ich war träumerisch und achtete gar nicht der freundlichen Reden dieser Männer, meine Mutter schützte mich gegen ihre Zudringlichkeit. Der Krieg hatte diese
30 Herren meist zerstreut, die meine Mutter besuchten und bei ihr Hasardspiele[24] heimlich spielten; wir lebten zu ihrem Ärger sehr einsam. Freund und Feind waren ihr darum gleich verhaßt, ich durfte keinem eine Gabe bringen, der verwundet oder hungrig vor dem Hause vorüberging. Das tat mir sehr leid, und einstmals war ich ganz allein und besorgte unser Mittag-
35 essen, als viele Wagen mit Verwundeten vorüberzogen, die ich an der Sprache für Franzosen erkannte, die von den Preußen[25] gefangen worden. Immer wollte ich mit dem fertigen Essen zu jenen hinunter, doch ich

[15] *(coat of) arms*

[16] *Mlle.*

[17] *unfit for active duty*

[18] *execute for their benefit*

[19] *was the last straw*

[20] *(military) engagement*

[21] *devil of a fellow*

[22] *(1757; defeat of French and Austrians by Frederick the Great)*

[23] *devil factory*

[24] *games of chance*

[25] *Prussians*

There is no mistaking the key word of the flashback. It appears promptly and then repeatedly. What is the effect of such extraordinary emphasis?
Scherzhafte Grillen is the Commandant's word for the behavior of Francœur. Is it not of wider applicability in this story?
What sort of family background does Rosalie come from?

[26] *(palace in Leipzig)*

[27] *poor man*

[28] *repeat*

[29] *bat*
[30] *wings*

fürchtete die Mutter; als ich aber Francœur mit verbundenem Kopfe auf dem letzten Wagen liegen gesehen, da weiß ich nicht, wie mir geschah; die Mutter war vergessen, ich nahm Suppe und Löffel, und ohne unsre Wohnung abzuschließen, eilte ich dem Wagen nach in die Pleißenburg.[26] Ich fand ihn; er war schon abgestiegen; dreist redete ich die Aufseher an und wußte dem Verwundeten gleich das beste Strohlager zu erstehen. Und als er darauf gelegt, welche Seligkeit, dem Notleidenden[27] die warme Suppe zu reichen! Er wurde munter in den Augen und schwor mir, daß ich einen Heiligenschein um meinen Kopf trage. Ich antwortete ihm, das sei meine Haube, die ich im eiligen Bemühen um ihn aufgeschlagen. Er sagte, der Heiligenschein komme aus meinen Augen! Ach, das Wort konnte ich gar nicht vergessen, und hätte er mein Herz nicht schon gehabt, ich hätte es ihm dafür schenken müssen." — „Ein wahres, ein schönes Wort!" sagte der Kommandant, und Rosalie fuhr fort: „Das war die schönste Stunde meines Lebens, ich sah ihn immer eifriger an, weil er behauptete, daß es ihm wohltue, und als er mir endlich einen kleinen Ring an den Finger steckte, fühlte ich mich so reich, wie ich noch niemals gewesen. In diese glückliche Stille trat meine Mutter scheltend und fluchend ein; ich kann nicht nachsagen,[28] wie sie mich nannte, ich schämte mich auch nicht, denn ich wußte, daß ich schuldlos war und daß er Böses nicht glauben würde. Sie wollte mich fortreißen, aber er hielt mich fest und sagte zu ihr, daß wir verlobt waren, ich trüge schon seinen Ring. Wie verzog sich das Gesicht meiner Mutter; mir war's, als ob eine Flamme aus ihrem Halse brenne, und ihre Augen kehrte sie in sich, sie sahen ganz weiß aus; sie verfluchte mich und übergab mich mit feierlicher Rede dem Teufel. Und wie so ein heller Schein durch meine Augen am Morgen gelaufen, als ich Francœur gesehen, so war mir jetzt, als ob eine schwarze Fledermaus[29] ihre durchsichtigen Flügeldecken[30] über meine Augen legte; die Welt war mir halb verschlossen, und ich gehörte mir nicht mehr ganz. Mein Herz verzweifelte, und ich mußte lachen. ,Hörst du, der Teufel lacht schon aus dir!' sagte die Mutter und ging triumphierend fort, während ich ohnmächtig niederstürzte. Als ich wieder zu mir gekommen, wagte ich nicht, zu ihr zu gehen und den Verwundeten zu verlassen, auf den der Vorfall schlimm gewirkt hatte; ja ich trotzte heimlich der Mutter wegen des Schadens, den sie dem Unglücklichen getan. Erst am dritten Tage schlich ich, ohne es Francœur zu sagen, abends nach dem Hause, wagte nicht anzuklopfen; endlich trat eine Frau, die uns bedient hatte, heraus und

---

Why is the word *Heiligenschein* so important? (The density of images and thematic material in Rosalie's narration is so great that one wonders how it comes out as normal speech. Make an inventory of all the references which support the major thematic dualities of light and darkness, blessing and curse, the divine and the Satanic.)

What conflict obsesses Rosalie, and what has it to do with the basic thematic oppositions—or does it establish a new one (next page)?

The concept of "sharing" in marriage is made curiously literal, but what is shared?

What are the symptoms of the symbolic transfer?

berichtete, die Mutter habe ihre Sachen schnell verkauft und sei mit
einem fremden Herrn, der ein Spieler[31] sein sollte, fortgefahren, und
niemand wisse wohin. So war ich nun von aller Welt ausgestoßen, und es
tat mir wohl, so entfesselt[32] von jeder Rücksicht, in die Arme meines
5 Francœur zu fallen. Auch meine jugendlichen Bekanntinnen in der Stadt
wollten mich nicht mehr kennen, so konnte ich ganz ihm und seiner
Pflege leben. Für ihn arbeitete ich; bisher hatte ich nur mit dem Spitzen-
klöppeln[33] zu meinem Putze gespielt, ich schämte mich nicht, diese meine
Handarbeiten zu verkaufen, ihm brachte es Bequemlichkeit[34] und Erquik-
10 kung. Aber immer mußte ich der Mutter denken, wenn seine Lebendigkeit
im Erzählen mich nicht zerstreute; die Mutter erschien mir schwarz mit
flammenden Augen, und ich konnte sie nicht loswerden. Meinem Francœur
wollte ich nichts sagen, um ihm nicht das Herz schwer zu machen; ich
klagte über Kopfweh,[35] das ich nicht hatte, über Zahnweh,[36] das ich nicht
15 fühlte — um weinen zu können, wie ich mußte. Ach, hätte ich damals
mehr Vertrauen zu ihm gehabt, ich hätte sein Unglück nicht gemacht;
aber jedesmal, wenn ich ihm erzählen wollte, daß ich durch den Fluch
meiner Mutter vom Teufel besessen zu sein glaubte, schloß mir der Teufel
den Mund, auch fürchtete ich, daß er mich dann nicht mehr lieben könnte,
20 daß er mich verlassen würde, und den bloßen Gedanken konnte ich kaum
überleben. Diese innere Qual, vielleicht auch die angestrengte Arbeit
zerrütteten endlich meinen Körper, heftige Krämpfe, die ich ihm ver-
heimlichte, drohten, mich zu ersticken, und Arzneien schienen diese Übel
nur zu mehren. Kaum war er hergestellt, so wurde die Hochzeit von ihm
25 angeordnet. Ein alter Geistlicher hielt eine feierliche Rede, in der er
meinem Francœur alles ans Herz legte, was ich für ihn getan, wie ich ihm
Vaterland, Wohlstand und Freundschaft zum Opfer gebracht, selbst den
mütterlichen Fluch auf mich geladen; alle diese Not müsse er mit mir
teilen, alles Unglück gemeinsam tragen. Meinem Manne schauderte bei
30 diesen Worten, aber er sprach doch ein vernehmliches Ja, und wir wurden
vermählt. Selig waren die ersten Wochen, ich fühlte mich zur Hälfte von
meinem Leiden erleichtert, und ahnte nicht gleich, daß eine Hälfte des
Fluches zu meinem Manne übergegangen sei. Bald aber klagte er, daß
jener Prediger in seinem schwarzen Kleide ihm immer vor Augen stehe
35 und ihm drohe, daß er dadurch einen so heftigen Zorn und Widerwillen
gegen Geistliche, Kirchen und heilige Bilder empfinde, daß er ihnen
fluchen müsse und wisse nicht warum, und um sich diesen Gedanken zu

[31] *gambler*

[32] *released*

[33] *lace making*

[34] *comfort*

[35] *headache*
[36] *toothache*

Ask yourself if there is a "real reality" to which the narrated reality corresponds, e.g. a psychological situation in everyday life which would "explain" the metaphors, etc., used here of
Rosalie and Francœur. This is one of the substantial problems of criticism. A purely "real
life" interpretation—the fictional persona as someone you might meet on the street—may be
naive, in leaving out large domains of fictional reality. Yet total separation of literature from
the realities of recognizable human behavior is in turn almost unthinkable. The *Invalide*,
where symbols are so dense that they sometimes seem to constitute the core of the narration,
is an interesting test case.

37 coursing

38 replaced, exchanged

39 comfortable life

40 trouble
41 delivered
42 campaign

43 foolhardy

44 surgeon

45 be cured

46 inviolate

47 grant

entschlagen, überlasse er sich jedem Einfall, er tanze und trinke, und so in dem Umtriebe[37] des Bluts werde ihm besser. Ich schob alles auf die Gefangenschaft, obgleich ich wohl ahnte, daß es der Teufel sei, der ihn plage. Er wurde ausgewechselt[38] durch die Vorsorge seines Obersten, der ihn beim Regimente wohl vermißt hatte, denn Francœur ist ein außerordentlicher Soldat. Mit leichtem Herzen zogen wir aus Leipzig und bildeten eine schöne Zukunft in unsern Gesprächen aus. Kaum waren wir aber aus der Not ums tägliche Bedürfnis zum Wohlleben[39] der gut versorgten Armee in die Winterquartiere gekommen, so stieg die Heftigkeit meines Mannes mit jedem Tage, er trommelte tagelang, um sich zu zerstreuen, zankte, machte Händel,[40] der Oberst konnte ihn nicht begreifen; nur mit mir war er sanft wie ein Kind. Ich wurde von einem Knaben entbunden,[41] als der Feldzug[42] sich wieder eröffnete, und mit der Qual der Geburt schien der Teufel, der mich geplagt, ganz von mir gebannt. Francœur wurde immer mutwilliger und heftiger. Der Oberst schrieb mir, er sei tollkühn[43] wie ein Rasender, aber bisher immer glücklich gewesen; seine Kameraden meinten, er sei zuweilen wahnsinnig, und er fürchte, ihn unter die Kranken oder Invaliden abgeben zu müssen. Der Oberst hatte einige Achtung gegen mich, er hörte auf meine Vorbitte, bis endlich seine Wildheit gegen den kommandierenden General dieser Abteilung, die ich schon erzählte, ihn in Arrest brachte, wo der Wundarzt[44] erklärte, er leide wegen der Kopfwunde, die ihm in der Gefangenschaft vernachlässigt worden, an Wahnsinn und müsse wenigstens ein paar Jahre im warmen Klima bei den Invaliden zubringen, ob sich dieses Übel vielleicht ausscheide.[45] Ihm wurde gesagt, daß er zur Strafe wegen seines Vergehens unter die Invaliden komme, und er schied mit Verwünschungen vom Regimente. Ich bat mir das Schreiben vom Obersten aus, ich beschloß, Ihnen zutraulich alles zu eröffnen, damit er nicht nach der Strenge des Gesetzes, sondern nach seinem Unglück, dessen einzige Ursache meine Liebe war, beurteilt werde, und daß Sie ihn zu seinem Besten in eine kleine, abgelegene Ortschaft legen, damit er hier in der großen Stadt nicht zum Gerede der Leute wird. Aber, gnädiger Herr, Ihr Ehrenwort darf eine Frau schon fordern, die Ihnen heute einen kleinen Dienst erwiesen, daß Sie dies Geheimnis seiner Krankheit, welches er selbst nicht ahnt und das seinen Stolz empören würde, unverbrüchlich[46] bewahren." — „Hier meine Hand", rief der Kommandant, der die eifrige Frau mit Wohlgefallen angehört hatte, „noch mehr, ich will Ihre Vorbitte dreimal erhören,[47] wenn Francœur

---

Note well how Rosalie is temporarily relieved of the curse.
The surgeon adds another explanation of Francœur's behavior. The story must now operate—and the resolution, if any, be found—in more than one domain. Identify them.

dumme Streiche macht. Das beste aber ist, diese zu vermeiden, und darum schicke ich ihn gleich zur Ablösung nach einem Fort, das nur drei Mann Besatzung braucht. Sie finden da für sich und Ihr Kind eine bequeme Wohnung, er hat da wenig Veranlassung zu Torheiten, und die er begeht,[48]

5 bleiben verschwiegen." Die Frau dankte für diese gütige Vorsorge, küßte dem alten Herrn die Hand, und er leuchtete ihr dafür, als sie mit vielen Knicksen die Treppe hinunterging. Das wunderte den alten Kammerdiener Basset, und es fuhr ihm durch den Kopf, was seinem Alten ankomme: Ob der wohl gar mit der brennenden Frau eine Liebschaft

10 gestiftet habe, die seinem Einflusse nachteilig[49] werden könne. Nun hatte der alte Herr die Gewohnheit, abends im Bette, wenn er nicht schlafen konnte, alles, was am Tage geschehen, laut zu überdenken, als ob er dem Bette seine Beichte hätte abstatten müssen.[50] Und während nun die Wagen vom Balle zurückrollten und ihn wach hielten, lauerte Basset im anderen

15 Zimmer und hörte die ganze Unterredung, die ihm um so wichtiger schien, weil Francœur sein Landsmann und Regimentskamerad gewesen, obgleich er viel älter als Francœur war. Und nun dachte er gleich an einen Mönch, den er kannte, der schon manchem den Teufel ausgetrieben hatte, und zu dem wollte er Francœur bald hinführen; er hatte eine rechte

20 Freude am Quacksalbern[51] und freute sich einmal wieder, einen Teufel austreiben zu sehen. Rosalie hatte, sehr befriedigt über den Erfolg ihres Besuchs, gut geschlafen; sie kaufte am Morgen eine neue Schürze und trat mit dieser ihrem Manne entgegen, der mit entsetzlichem Gesange seine müden Invaliden in die Stadt führte. Er küßte sie, hob sie in die Luft

25 und sagte ihr: „Du riechst nach dem trojanischen Brande,[52] ich hab dich wieder, schöne Helena!" — Rosalie entfärbte sich und hielt es für nötig, als er fragte, ihm zu eröffnen, daß sie wegen der Wohnung beim Obersten gewesen, daß diesem gerade das Bein in Flammen gestanden und daß ihre Schürze verbrannt. Ihm war es nicht recht, daß sie nicht zu seiner Ankunft

30 gewartet habe, doch vergaß er das in tausend Späßen über die brennende Schürze. Er stellte darauf seine Leute dem Kommandanten vor, rühmte alle ihre leiblichen Gebrechen[53] und geistigen Tugenden so artig, daß er des alten Herrn Wohlwollen erwarb, der so in sich meinte: Die Frau liebt ihn, aber sie ist eine Deutsche und versteht keinen Franzosen; ein Fran-

35 zose hat immer den Teufel im Leibe! — Er ließ ihn ins Zimmer kommen, um ihn näher kennenzulernen, fand ihn im Befestigungswesen[54] wohlun-terrichtet, und was ihn noch mehr entzückte: er fand in ihm einen leiden-

---

48 *those which he commits*

49 *detrimental*

50 *were compelled to make confession*

51 *quackery*

52 *burning of Troy (v.i. Helen)*

53 *frailties*

54 *art of fortification*

At the beginning of the renewed linear narrative, the Commandant makes a curious promise. Does it have any special literary associations? Why three (repeatedly)?
Basset represents one attempt at solving the dilemma. On what level and with what prospect of success?

[55] *master of the art of fireworks*

schaftlichen Feuerkünstler,[55] der bei seinem Regimente schon alle Arten von Feuerwerke ausgearbeitet hatte. Der Kommandant trug ihm seine neue Erfindung zu einem Feuerwerke am Geburtstage des Königs vor, bei welcher ihn gestern der Beinbrand gestört hatte, und Francœur ging mit funkelnder Begeisterung darauf ein. Nun eröffnete ihm der Alte, daß 5 er mit zwei anderen Invaliden die kleine Besatzung des Forts Ratonneau ablösen sollte, dort sei ein großer Pulvervorrat, und dort solle er mit seinen beiden Soldaten fleißig Raketen füllen, Feuerräder drehen und Frösche

[56] *turn (out) pinwheels and make firecrackers*

binden.[56] Indem der Kommandant ihm den Schlüssel des Pulverturms und das Inventarium reichte, fiel ihm die Rede der Frau ein, und er hielt 10 ihn mit den Worten noch fest: „Aber Euch plagt doch nicht der Teufel und Ihr stiftet mir kein Unheil?" — „Man darf den Teufel nicht an die

[57] *talk of the Devil, and he'll appear*

Wand malen, sonst hat man ihn im Spiegel",[57] antwortete Francœur mit einem gewissen Zutrauen. Das gab dem Kommandanten Vertrauen, er reichte ihm die Schlüssel, das Inventarium und den Befehl an die jetzige 15 kleine Garnison, auszuziehen. So wurde er entlassen, und auf dem Hausflur fiel ihm Basset um den Hals, sie hatten sich gleich erkannt und erzähl-

[58] *briefly*

ten einander in aller Kürze,[58] wie es ihnen ergangen. Doch weil Francœur an große Strenge in allem Militärischen gewöhnt war, so riß er sich los und bat ihn auf den nächsten Sonntag, wann er abkommen könnte, zu 20 Gast nach dem Fort Ratonneau zu dessen Kommandanten, der er selbst zu sein die Ehre habe.

Der Einzug auf dem Fort war für alle gleich fröhlich, die abziehenden Invaliden hatten die schönste Aussicht auf Marseille bis zum Überdruß genossen, und die einziehenden waren entzückt über die Aussicht, über 25 das zierliche Werk, über die bequemen Zimmer und Betten; auch kauften sie von den Abziehenden ein paar Ziegen, ein Taubenpaar, ein Dutzend Hühner und die Kunststücke, um in der Nähe einiges Wild in aller Stille

[59] *ambush*

belauern[59] zu können; denn müßige Soldaten sind ihrer Natur nach Jäger. Als Francœur sein Kommando angetreten, befahl er sogleich seinen beiden 30 Soldaten, Brunet und Tessier, mit ihm den Pulverturm zu eröffnen, das Inventarium durchzugehen, um dann einen gewissen Vorrat zur Feuer-

[60] *manufacture of fireworks*
[61] *work-room*

werkerarbeit[60] in das Laboratorium[61] zu tragen. Das Inventarium war richtig, und er beschäftigte gleich einen seiner beiden Soldaten mit den Arbeiten zum Feuerwerk; mit dem andern ging er zu allen Kanonen und 35 Mörsern, um die metallnen zu polieren und die eisernen schwarz anzustreichen. Bald füllte er auch eine hinlängliche Zahl Bomben und Grana-

---

Note the common interest which draws the Commandant and Francœur together. From a practical point of view, this mutual enthusiasm leads the Commandant to take a grave risk. Explain.

ten,[62] ordnete auch alles Geschütz so, wie es stehen mußte, um den einzigen
Aufgang nach dem Fort zu bestreichen.[63] „Das Fort ist nicht zu nehmen!"
rief er ein Mal über das andere begeistert. "Ich will das Fort behaupten,
auch wenn die Engländer mit hunderttausend Mann landen und stürmen!
5 Aber die Unordnung war hier groß!" — „So sieht es überall auf den Forts
und Batterien aus", sagte Tessier, „der alte Kommandant kann mit
seinem Stelzfuß[64] nicht mehr so weit steigen, und gottlob, bis jetzt ist es
den Engländern noch nicht eingefallen, zu landen." — „Das muß anders
werden", rief Francœur, „ich will mir lieber die Zunge verbrennen, ehe
10 ich zugebe, daß unsre Feinde Marseille einäschern[65] oder wir sie doch
fürchten müssen."

Die Frau mußte ihm helfen, das Mauerwerk von Gras und Moos zu reinigen, es abzuweißen[66] und die Lebensmittel in den Kasematten zu lüften.
In den ersten Tagen wurde fast nicht geschlafen, so trieb der unermüdliche
15 Francœur zur Arbeit, und seine geschickte Hand fertigte in dieser Zeit, wozu
ein anderer wohl einen Monat gebraucht hätte. Bei dieser Tätigkeit ließen
ihn seine Grillen ruhen; er war hastig, aber alles zu einem festen Ziele,
und Rosalie segnete den Tag, der ihn in diese höhere Luftregion[67] gebracht,
wo der Teufel keine Macht über ihn zu haben schien. Auch die Witterung
20 hatte sich durch Wendung des Windes erwärmt und erhellt, daß ihnen
ein neuer Sommer zu begegnen schien; täglich liefen Schiffe im Hafen ein
und aus, grüßten und wurden begrüßt von den Forts am Meere. Rosalie,
die nie am Meere gewesen, glaubte sich in eine andere Welt versetzt, und
ihr Knabe freute sich nach so mancher harten Einkerkerung, auf Wagen
25 und in Wirtsstuben, der vollen Freiheit in dem eingeschlossenen kleinen
Garten des Forts, den die früheren Bewohner nach Art der Soldaten,
besonders der Artilleristen, mit den künstlichsten mathematischen Linien-
verbindungen[68] in Buchsbaum geziert hatten. Über dem Fort flatterte die
Fahne mit den Lilien, der Stolz Francœurs, ein segensreiches[69] Zeichen
30 der Frau, die eine geborene Lilie, die liebste Unterhaltung des Kindes.
So kam der erste Sonntag, von allen gesegnet, und Francœur befahl seiner
Frau, für den Mittag ihm etwas Gutes zu besorgen, wo er seinen Freund
Basset erwartete, insbesondere machte er Anspruch auf einen guten Eier-
kuchen, denn die Hühner des Forts legten fleißig, lieferte auch eine Zahl
35 wilder Vögel, die Brunet geschossen hatte, in die Küche. Unter diesen
Vorbereitungen kam Basset hinaufgekeucht und war entzückt über die
Verwandlung des Forts, erkundigte sich auch im Namen des Komman-

[62] *shells and grenades*
[63] *sweep (with covering fire)*
[64] *wooden leg*
[65] *burn (to ashes)*
[66] *whitewash*
[67] *higher spheres*
[68] *connecting lines*
[69] *happy*

The fort becomes the setting of the story. Is there anything special about the list of purchases?
Is there any foreboding connected with Francœur's first activities?

danten nach dem Feuerwerke und erstaunte über die große Zahl fertiger
Raketen und Leuchtkugeln. Die Frau ging nun an ihre Küchenarbeit, die
beiden Soldaten zogen aus, um Früchte zur Mahlzeit zu holen, alle wollten
an dem Tage recht selig schwelgen und sich die Zeitung vorlesen lassen,
die Basset mitgebracht hatte. Im Garten saß nun Basset dem Francœur 5
gegenüber und sah ihn stillschweigend an, dieser fragte nach der Ursache.
,,Ich meine, Ihr seht so gesund aus wie sonst, und alles, was Ihr tut, ist so
vernünftig.'' — ,,Wer zweifelt daran?'' fragte Francœur mit einer Auf-
wallung.[70] ,,Das will ich wissen!''[71] — Basset suchte umzulenken,[72] aber
Francœur hatte etwas Furchtbares in seinem Wesen, sein dunkles Auge 10
befeuerte sich,[73] sein Kopf erhob sich, seine Lippen drängten sich vor.
Das Herz war schon dem armen Schwätzer[74] Basset gefallen, er sprach,
dünnstimmig wie eine Violine, von Gerüchten beim Kommandanten: er
sei vom Teufel geplagt, von seinem guten Willen, ihn durch einen Ordens-
geistlichen,[75] den Vater Philipp, exorzieren zu lassen, den er deswegen vor 15
Tische hinaufbestellt habe, unter dem Vorwande, daß er eine Messe der
vom Gottesdienst[76] entfernten Garnison in der kleinen Kapelle lesen
müsse. Francœur entsetzte sich über die Nachricht, er schwur, daß er sich
blutig an dem rächen wolle, der solche Lüge über ihn ausgebracht; er wisse
nichts vom Teufel, und wenn es gar keinen gäbe, so habe er auch nichts 20
dagegen einzuwenden, denn er habe nirgends die Ehre seiner Bekanntschaft gemacht. Basset sagte, er sei ganz unschuldig, er habe die Sache
vernommen, als der Kommandant mit sich laut gesprochen habe, auch
sei ja dieser Teufel die Ursache, warum Francœur vom Regiment fort-
gekommen. ,,Und wer brachte dem Kommandanten die Nachricht?'' 25
fragte Francœur zitternd. ,,Eure Frau'', antwortete jener, ,,aber in der
besten Absicht, um Euch zu entschuldigen, wenn Ihr hier wilde Streiche
machtet.'' — ,,Wir sind geschieden!'' schrie Francœur und schlug sich
vor den Kopf. ,,Sie hat mich verraten, mich vernichtet, hat Heimlich-
keiten[77] mit dem Kommandanten, sie hat unendlich viel für mich getan 30
und gelitten, sie hat mir unendlich wehe getan, ich bin ihr nichts mehr
schuldig, wir sind geschieden!'' — Allmählich schien er stiller zu werden,
je lauter es in ihm wurde, er sah wieder den schwarzen Geistlichen vor
Augen, wie die vom tollen Hunde Gebissenen den Hund immer zu sehen
meinen, da trat Vater Philipp in den Garten, und er ging mit Heftigkeit 35
auf ihn zu, um zu fragen, was er wolle. Dieser meinte, seine Beschwörung
anbringen zu müssen, redete den Teufel heftig an, indem er seine Hände in

to relax

cause, reason

[70] *outburst of emotion*
[71] *I should hope so!*
[72] *change the subject*
[73] *flashed*

[74] *gossip*

[75] *ecclesiastic*

[76] *divine services*

[77] *secrets*

Francœur is energetically but purposefully active. All is well. What destroys the peaceful
existence? Why is it significant that Francœur's anger is expressed by the phrase *sein dunkles
Auge befeuerte sich*?

Francœur's *Wir sind geschieden* would seem to bring the curse to a new climax. The "exorcising"
also infuriates him. The story moves to a crisis of marital trust and of sanity. What religious

kreuzenden Linien über Francœur bewegte. Das alles empörte Francœur, er gebot ihm als Kommandant des Forts den Platz sogleich zu verlassen. Aber der unerschrockne Philipp eiferte[78] um so heftiger gegen den Teufel in Francœur, und als er sogar seinen Stab erhob, ertrug Francœurs mili-
5 tärischer Stolz diese Drohung nicht. Mit wütender Stärke ergriff er den kleinen Philipp bei seinem Mantel und warf ihn über das Gitter, das den Eingang schützte, und wäre der gute Mann nicht an den Spitzen des Türgitters mit dem Mantel hängengeblieben, er hätte einen schweren Fall die steinerne Treppe hinunter gemacht. Nahe diesem Gitter war der
10 Tisch gedeckt, das erinnerte Francœur an das Essen. Er rief nach dem Essen, und Rosalie brachte es, etwas erhitzt vom Feuer, aber sehr fröhlich, denn sie bemerkte nicht den Mönch außer dem Gitter, der sich kaum vom ersten Schrecken erholt hatte und still vor sich betete, um neue Gefahr abzuwenden; kaum beachtete sie, daß ihr Mann und Basset,
15 jener finster, dieser verlegen, nach dem Tische blickten. Sie fragte nach den beiden Soldaten, aber Francœur sagte: „Sie können nachessen,[79] ich habe Hunger, daß ich die Welt zerreißen könnte." Darauf legte sie die Suppe vor und gab Basset aus Artigkeit das meiste, dann ging sie nach der Küche, um den Eierkuchen zu backen. „Wie hat denn meine Frau dem
20 Kommandanten gefallen?" fragte Francœur. „Sehr gut", antwortete Basset, „er wünschte, daß es ihm in der Gefangenschaft so gut geworden wäre wie Euch." — „Er soll sie haben!" antwortete er. „Nach den beiden Soldaten, die fehlen, fragte sie; was mir fehlt, das fragte sie nicht; Euch suchte sie als einen Diener des Kommandanten zu gewinnen, darum
25 füllte sie Euren Teller, daß er überfloß, Euch bot sie das größte Glas Wein an, gebt Achtung, sie bringt Euch auch das größte Stück Eierkuchen. Wenn das der Fall ist, dann stehe ich auf, dann führt sie nur fort und laßt mich allein." — Basset wollte antworten, aber im Augenblicke trat die Frau mit dem Eierkuchen herbei. Sie hatte ihn schon in drei
30 Stücke geschnitten, ging zu Basset und schob ihm ein Stück mit den Worten auf den Teller: „Einen bessern Eierkuchen findet Ihr nicht beim Kommandanten, Ihr müßt mich rühmen!" — Finster blickte Francœur in die Schüssel, die Lücke war fast so groß wie die beiden Stücke, die noch blieben; er stand auf und sagte: „Es ist nicht anders, wir sind geschieden!"
35 Mit diesen Worten ging er nach dem Pulverturme, schloß die eiserne Tür auf, trat ein und schloß sie wieder hinter sich zu. Die Frau sah ihm verwirrt nach und ließ die Schüssel fallen: „Gott, ihn plagt der Böse; wenn

78 *inveighed*

79 *eat later*

dimension is also present? The explosion nears on a serio-comic note, excruciatingly true to life, funny, tragic, and of course pathological. Explain.
Francœur is clearly mad, but his doings have an inner consistency. What basic proposition has he accepted as an explanation of his own actions?

er nur nicht Unheil stiftet im Pulverturm." — „Ist das der Pulverturm?" rief Basset. „Er sprengt sich in die Luft, rettet Euch und Euer Kind!" Mit diesen Worten lief er fort, auch der Mönch wagte sich nicht wieder herein und lief ihm nach. Rosalie eilte in die Wohnung zu ihrem Kinde, riß es aus dem Schlafe, aus der Wiege, sie wußte nichts mehr von sich,[80] bewußtlos, wie sie Francœur einst gefolgt, so entfloh sie ihm mit dem Kinde und sagte vor sich hin: „Kind, das tue ich nur deinetwegen, mir wäre besser, mit ihm zu sterben. Hagar,[81] du hast nicht gelitten wie ich, denn ich verstoße mich selbst!" — Unter solchen Gedanken kam sie herab auf einem falschen Wege und stand am sumpfigen[82] Ufer des Flusses. Sie konnte aus Ermattung nicht mehr gehen und setzte sich deswegen in einen Nachen, der, nur leicht ans Ufer gefahren, leicht abzustoßen war, und ließ sich den Fluß herabtreiben; sie wagte nicht umzublicken; wenn am Hafen ein Schuß geschah, meinte sie, das Fort sei gesprengt und ihr halbes Leben verloren; so verfiel sie allmählich in einen dumpfen, fieberartigen Zustand.

Unterdessen waren die beiden Soldaten, mit Äpfeln und Trauben bepackt,[83] in die Nähe des Forts gekommen, aber Francœurs starke Stimme rief ihnen, indem er eine Flintenkugel[84] über ihre Köpfe abfeuerte: „Zurück!" Dann sagte er durch das Sprachrohr: „An der hohen Mauer werde ich mit euch reden, ich habe hier allein zu befehlen[85] und will auch allein hier leben, solange es dem Teufel gefällt!" Sie wußten nicht, was das bedeuten sollte, aber es war nichts anders zu tun, als dem Willen des Sergeanten Folge zu leisten. Sie gingen herab zu dem steilen Abhange des Forts, welcher die hohe Mauer hieß, und kaum waren sie dort angelangt, so sahen sie Rosaliens Bette und des Kindes Wiege an einem Seile niedersinken, dem folgten ihre Betten und Geräte, und Francœur rief durch das Sprachrohr: „Das Eurige nehmt; Bette, Wiege und Kleider meiner entlaufenen Frau bringt zum Kommandanten, da werdet Ihr sie finden; sagt, das schicke ihr Satanas und diese alte Fahne, um ihre Schande mit dem Kommandanten zuzudecken!"[86] Bei diesen Worten warf er die große französische Flagge, die auf dem Fort geweht hatte, herab und fuhr fort: „Dem Kommandanten lasse ich hierdurch Krieg erklären,[87] er mag sich waffnen bis zum Abend, dann werde ich mein Feuer eröffnen; er soll nicht schonen, denn ich schone ihn beim Teufel nicht; er soll alle seine Hände ausstrecken, er wird mich doch nicht fangen; er hat mir den Schlüssel zum Pulverturm gegeben, ich will ihn brauchen,

---

[80] *didn't know what she was doing*

[81] *Hagar (Abraham's banished wife, mother of Ishmael)*

[82] *swampy*

boat

[83] *loaded*

[84] *musket ball*

[85] *I'm in sole command here*

[86] *cover*

[87] *I declare war*

In contrast to the mad scene at the fort, culminating in the wild blasphemy of Francœur's King of Kings, the "war council" is a segment of highly practical reality. Note how the narrative

und wenn er mich zu fassen meint, fliege ich mit ihm gen Himmel, vom Himmel in die Hölle, das wird Staub geben." — Brunet wagte endlich zu reden und rief hinauf. „Gedenkt an unsern gnädigsten König, daß der über Euch steht, ihm werdet Ihr doch nicht widerstreben." Dem ant-
5 wortete Francœur: „In mir ist der König aller Könige dieser Welt, in mir ist der Teufel, und im Namen des Teufels sage ich Euch: Redet kein Wort, sonst zerschmettere ich Euch!" — Nach dieser Drohung packten beide stillschweigend das Ihre zusammen und ließen das übrige stehen; sie wußten, daß oben große Steinmassen angehäuft [88]waren, die unter der   *[88] piled up*
10 steilen Felswand alles zerschmettern konnten. Als sie nach Marseille zum Kommandanten kamen, fanden sie ihn schon in Bewegung, denn Basset hatte ihn von allem unterrichtet; er sendete die beiden Ankommenden mit einem Wagen nach dem Fort, um die Sachen der Frau gegen den drohen-den Regen zu sichern; andere sandte er aus, um die Frau mit dem Kinde
15 aufzufinden, während er die Offiziere bei sich versammelte, um mit ihnen zu überlegen, was zu tun sei. Die Besorgnis dieses Kriegsrats rich-tete sich besonders auf den Verlust des schönen Forts, wenn es in die Luft gesprengt würde; bald kam aber ein Abgesandter[89] der Stadt, wo sich das   *[89] emissary*
Gerücht verbreitet hatte, und stellte den Untergang des schönsten Teiles
20 der Stadt als ganz unvermeidbar dar. Es wurde allgemein anerkannt, daß mit Gewalt nicht verfahren werden dürfe, denn Ehre sei nicht gegen einen einzelnen Menschen zu erringen, wohl aber ein ungeheurer Verlust durch Nachgiebigkeit abzuwenden; der Schlaf werde die Wut Francœurs doch endlich überwinden, dann sollten entschlossene Leute das Fort
25 erklettern[90] und ihn fesseln.   *[90] climb up to*

Dieser Ratschluß[91] war kaum gefaßt, so wurden die beiden Soldaten   *[91] decision*
eingeführt, welche Rosaliens Betten und Gerät zurückgebracht hatten. Sie hatten eine Bestellung Francœurs zu überbringen, daß ihm der Teufel verraten: sie wollten ihn im Schlafe fangen, aber er warne sie aus Liebe zu
30 einigen Teufelskameraden, die zu dem Unternehmen gebraucht werden sollten, denn er werde ruhig in seinem verschlossenen Pulverturm mit geladenen Gewehren schlafen, und ehe sie die Türe erbrechen könnten, wäre er längst erwacht und der Turm mit einem Schusse in die Pulver-
fässer zersprengt.[92] „Er hat recht", sagte der Kommandant, „er kann nicht   *[92] blown up*
35 anders handeln, wir müssen ihn aushungern." — „Er hat den ganzen Wintervorrat für uns alle hinaufgeschafft", bemerkte Brunet, „wir müssen wenigstens ein halbes Jahr warten: auch sagte er, daß ihm die

---

style differs. What is entirely missing (that was significantly present in the narrative before, and that reappears with the shift to Francœur again)?

[93] *would sink them to the bottom*
[94] *permission*

[95] *maws*

[96] *contemplation*

[97] *artillery pieces*

[98] *transfused*

[99] *jaws of a whale*

[1] *boathook*

vorbeifahrenden Schiffe, welche die Stadt versorgen, reichlichen Zoll geben sollten, sonst bohre er sie in den Grund,[93] und zum Zeichen, daß niemand in der Nacht fahren sollte ohne seine Bewilligung,[94] werde er am Abend einige Kugeln über den Fluß sausen lassen." — „Wahrhaftig, er schießt!" rief einer der Offiziere, und alle liefen nach einem Fenster des obern [5] Stockwerks. Welch ein Anblick! An allen Ecken des Forts eröffneten die Kanonen ihre feurigen Rachen,[95] die Kugeln sausten durch die Luft, in der Stadt versteckte sich die Menge mit großem Geschrei, und nur einzelne wollten ihren Mut im kühnen Anschauen[96] der Gefahr beweisen. Aber sie wurden auch reichlich dafür belohnt, denn mit hellem Lichte schoß [10] Francœur ein Bündel Raketen aus einer Haubitze in die Luft und ein Bündel Leuchtkugeln aus einem Mörser, denen er aus Gewehren unzählige andere nachsandte. Der Kommandant versicherte, diese Wirkung sei trefflich, er habe es nie gewagt, Feuerwerke mit Wurfgeschütz[97] in die Luft zu treiben, aber die Kunst werde dadurch gewissermaßen zu einer [15] meteorischen, der Francœur verdiene schon deswegen begnadigt zu werden.

Diese nächtliche Erleuchtung hatte eine andere Wirkung, die wohl in keines Menschen Absicht lag; sie rettete Rosalien und ihrem Kinde das Leben. Beide waren in dem ruhigen Treiben des Kahnes eingeschlummert, [20] und Rosalie sah im Traume ihre Mutter von innerlichen Flammen durchleuchtet[98] und verzehrt und fragte sie, warum sie so leide. Da war's, als ob eine laute Stimme ihr in die Ohren rief: „Mein Fluch brennt mich wie dich, und kannst du ihn nicht lösen, so bleib' ich eigen allem Bösen." Sie wollte noch mehr sprechen, aber Rosalie war schon aufgeschreckt, sah [25] über sich das Bündel Leuchtkugeln im höchsten Glanze, hörte neben sich einen Schiffer rufen: „Steuert links, wir fahren sonst ein Boot in den Grund, worin ein Weib mit einem Kinde sitzt." Und schon rauschte die vordere Spitze eines großen Flußschiffes wie ein geöffneter Walfischrachen[99] hinter ihr, da wandte er sich links, aber ihr Nachen wurde doch [30] seitwärts nachgerissen. „Helft meinem armen Kinde!" rief sie, und der Haken eines Stangenruders[1] verband sie mit dem großen Schiffe, das bald darauf Anker warf. „Wäre das Feuerwerk auf dem Fort Ratonneau nicht aufgegangen", rief der eine Schiffer, „ich hätte Euch nicht gesehen, und wir hätten Euch ohne bösen Willen in den Grund gesegelt. Wie kommt [35] Ihr so spät und allein aufs Wasser, warum habt Ihr uns nicht angeschrien?" Rosalie beantwortete schnell die Fragen und bat nur dringend, sie nach

---

The humor inherent in the Commandant's wholehearted conceding of Francœur's artistry also points to a resolution, even at this moment of ultimate danger. What, symbolically, does the combination of cannon fire and fireworks mean?

What (and who) saves Rosalie? Francœur's actions had essentially brought the plot and people's lives to a standstill or stalemate. The plot recommences its forward movement under a new aegis. Is it chance? (The author says, *in keines Menschen Absicht.*) Does one kind of rescue predict another?

dem Hause des Kommandanten zu bringen. Der Schiffer gab ihr aus Mitleid seinen Jungen zum Führer.

Sie fand alles in Bewegung beim Kommandanten, sie bat ihn, seines Versprechens eingedenk[2] zu sein, daß er ihrem Manne drei Versehen
5 verzeihen wolle. Er leugnete, daß von solchen Versehen die Rede gewesen, es sei über Scherz und Grillen geklagt worden, das sei aber teuflischer Ernst. — „So ist das Unrecht auf Eurer Seite", sagte die Frau gefaßt, denn sie fühlte sich nicht mehr schicksallos[3], „auch habe ich den Zustand des armen Mannes angezeigt, und doch habt Ihr ihm einen so gefährlichen
10 Posten vertraut; Ihr habt mir Geheimnis angelobt, und doch habt Ihr alles an Basset, Euren Diener, erzählt, der uns mit seiner törichten Klugheit und Vorwitzigkeit[4] in das ganze Unglück gestürzt hat; nicht mein armer Mann, Ihr seid an allem Unglück schuld, Ihr müßt dem König davon Rechenschaft geben." — Der Kommandant verteidigte sich gegen
15 den Vorwurf, daß er etwas dem Basset erzählt habe; dieser gestand, daß er ihn im Selbstgespräche[5] belauscht, und so war die ganze Schuld auf seine Seele geschoben. Der alte Mann sagte, daß er den andern Tag sich vor dem Fort wolle totschießen lassen, um seinem Könige die Schuld mit seinem Leben abzuzahlen, aber Rosalie bat ihn, sich nicht zu übereilen,
20 er möge bedenken, daß sie ihn schon einmal aus dem Feuer gerettet habe. Ihr wurde ein Zimmer im Hause des Kommandanten angewiesen, und sie brachte ihr Kind zur Ruhe, während sie selbst mit sich zu Rate ging und zu Gott flehte, ihr anzugeben, wie sie ihre Mutter den Flammen und ihren Mann dem Fluche entreißen könne. Aber auf ihren Knien versank
25 sie in einen tiefen Schlaf und war sich am Morgen keines Traumes, keiner Eingebung bewußt. Der Kommandant, der schon früh einen Versuch gegen das Fort gemacht hatte, kam verdrießlich zurück. Zwar hatte er keine Leute verloren, aber Francœur hatte so viele Kugeln mit solcher Geschicklichkeit links und rechts und über sie hinsausen lassen, daß sie
30 ihr Leben nur seiner Schonung dankten. Den Fluß hatte er durch Signalschüsse gesperrt, auch auf der Chaussee[6] durfte niemand fahren, kurz, aller Verkehr der Stadt war für diesen Tag gehemmt, und die Stadt drohte, wenn der Kommandant nicht vorsichtig verfahre, sondern wie in Feindesland ihn zu belagern[7] denke, daß sie die Bürger aufbieten und mit dem
35 Invaliden schon fertig werden wolle.

Drei Tage ließ sich der Kommandant so hinhalten, jeden Abend verherrlichte[8] ein Feuerwerk, jeden Abend erinnerte Rosalie an sein Ver-

[2] *mindful*

[3] *no longer felt her life to be devoid of meaning*

[4] *inquisitiveness*

[5] *talking to himself*

[6] *highway*

[7] *besiege*

[8] *made . . . glorious*

Who "takes over"? In what spirit? (Here the word *schicksallos* is vital. Quite apart from time-bound or special meanings, it can be interpreted on the basis of its etymon.)

What can be said with regard to Rosalie's logic in blaming the Commandant?

Fire, flames, and curse are old motifs—explain their recurrence here—but prayer is new. Or should one count Father Philipp? Is the prayer answered? Examine carefully the "evidence" Arnim offers.

The failure of ordinary "rational" means to end the crisis (the Commandant's attempt on the fort) only emphasizes what?

Why three days?

sprechen der Nachsicht.[9] Am dritten Tage sagte er ihr, der Sturm sei auf den andern Mittag festgesetzt,[10] die Stadt gebe nach, weil aller Verkehr gestört sei und endlich Hungersnot[11] ausbrechen könne. Er werde den Eingang stürmen, während ein anderer Teil von der andern Seite heimlich anzuklettern[12] suche, so daß diese vielleicht früher ihrem Manne in den Rücken kämen, ehe er nach dem Pulverturm springen könne; es werde Menschen kosten, der Ausgang sei ungewiß, aber er wolle den Schimpf von sich ablenken,[13] daß durch seine Feigheit ein toller Mensch zu dem Dünkel[14] gekommen, einer ganzen Stadt zu trotzen; das größte Unglück sei ihm lieber als dieser Verdacht; er habe seine Angelegenheiten mit der Welt und vor Gott zu ordnen gesucht, Rosalie und ihr Kind würden sich in seinem Testamente[15] nicht vergessen finden. Rosalie fiel ihm zu Füßen und fragte, was denn das Schicksal ihres Mannes sei, wenn er im Sturme gefangen würde. Der Kommandant wendete sich ab und sagte leise: „Der Tod unausbleiblich,[16] auf Wahnsinn würde von keinem Kriegsgerichte erkannt werden,[17] es ist zu viel Einsicht, Vorsicht und Klugheit in der ganzen Art, wie er sich nimmt;[18] der Teufel kann nicht vor Gericht gezogen werden, er muß für ihn leiden." — Nach einem Strome von Tränen erholte sich Rosalie und sagte: wenn sie das Fort ohne Blutvergießen,[19] ohne Gefahr in die Gewalt des Kommandanten brächte, würde dann sein Vergehen als ein Wahnsinn Begnadigung finden? — „Ja, ich schwör's!" rief der Kommandant. „Aber es ist vergeblich, Euch haßt er vor allen und rief gestern einem unsrer Vorposten zu, er wolle das Fort übergeben, wenn wir ihm den Kopf seiner Frau schicken könnten." — „Ich kenne ihn", sagte die Frau, „ich will den Teufel beschwören in ihm, ich will ihm Frieden geben, sterben würde ich doch mit ihm, also ist nur Gewinn für mich, wenn ich von seiner Hand sterbe, der ich vermählt bin durch den heiligsten Schwur." [20]— Der Kommandant bat sie, sich wohl zu bedenken, erforschte[21] ihre Absicht, widerstand aber weder ihren Bitten noch der Hoffnung, auf diesem Wege dem gewissen Untergange zu entgehen.

Vater Philipp hatte sich im Hause eingefunden und erzählte, der unsinnige Francœur habe jetzt eine große weiße Flagge ausgesteckt, auf welcher der Teufel gemalt sei, aber der Kommandant wollte nichts von seinen Neuigkeiten wissen und befahl ihm, zu Rosalie zu gehen, die ihm beichten wolle. Nachdem Rosalie ihre Beichte in aller Ruhe eines gottergebnen Gemütes abgelegt hatte,[22] bat sie den Vater Philipp, sie nur bis zu einem sichern Steinwalle zu begleiten, wo keine Kugel ihn treffen

---

The Commandant's final solution is obviously not the right one, but what is?
The ghastly demand of Francœur and his flying of the devil's flag seem to guarantee disaster.
What does Rosalie offer as a counter to this? (The contrast with Father Philipp is mordant.)

Margin notes:
[9] forbearance
[10] scheduled
[11] starvation
[12] climb up
[13] avert
[14] arrogant notion
[15] will
[16] inevitable
[17] no court martial would recognize a plea of insanity
[18] acts
[19] bloodshed
[20] pledge
[21] inquired into
[22] had, in the full calmness of a pious heart, made her confession

könne. Dort wolle sie ihm ihr Kind und Geld zur Erziehung desselben übergeben, sie könne sich noch nicht von dem lieben Kinde trennen. Er versprach es ihr zögernd, nachdem er sich im Hause erkundigt hatte, ob er auch dort noch sicher gegen die Schüsse sei; denn sein Glaube, Teufel austreiben zu können, hatte sich in ihm ganz verloren; er gestand, was er bisher ausgetrieben hätte, möchte wohl der rechte Teufel nicht gewesen sein, sondern ein geringerer Spuk.

Rosalie kleidete ihr Kind noch einmal unter mancher Träne weiß mit roten Bandschleifen[23] an, dann nahm sie es auf den Arm und ging schweigend die Treppe hinunter. Unten stand der alte Kommandant und konnte ihr nur die Hand drücken und mußte sich umwenden, weil er sich der Tränen vor den Zuschauern schämte. So trat sie auf die Straße, keiner wußte ihre Absicht, Vater Philipp blieb etwas zurück, weil er des Mitgehens gern überhoben[24] gewesen, dann folgte die Menge müßiger Menschen auf den Straßen, die ihn fragten, was das bedeute. Viele fluchten auf Rosalie, weil sie Francœurs Frau war, aber dieser Fluch berührte sie nicht.

Der Kommandant führte unterdessen seine Leute auf verborgenen Wegen nach den Plätzen, von welchen der Sturm eröffnet werden sollte, wenn die Frau den Wahnsinn des Mannes nicht beschwören könnte.

Am Tore schon verließ die Menge Rosalie, denn Francœur schoß von Zeit zu Zeit über diese Fläche, auch Vater Philipp klagte, daß ihm schwach werde, er müsse sich niederlassen. Rosalie bedauerte es und zeigte ihm den Felsenwall, wo sie ihr Kind noch einmal stillen und es dann in den Mantel niederlegen wollte, dort möge es gesucht werden, da liege es sicher aufbewahrt, wenn sie nicht zu ihm zurückkehren könne. Vater Philipp setzte sich betend hinter den Felsen, und Rosalie ging mit festem Schritt dem Steinwalle zu, wo sie ihr Kind tränkte und segnete, es in ihren Mantel wickelte und in Schlummer brachte. Da verließ sie es mit einem Seufzer, der die Wolken in ihr brach, daß blaue Hellung[25] und das stärkende Sonnenbild[26] sie bestrahlten.[27] Nun war sie dem harten Manne sichtbar, als sie am Steinwalle heraustrat, ein Licht schlug am Tore auf, ein Druck, als ob sie umstürzen müßte, ein Rollen in der Luft, ein Sausen, das sich damit mischte, zeigte ihr an, daß der Tod nahe an ihr vorübergegangen. Es wurde ihr aber nicht mehr bange, eine Stimme sagte ihr innerlich, daß nichts untergehen könne, was diesen Tag bestanden, und ihre Liebe zum Manne, zum Kinde regte sich noch in ihrem Herzen, als sie ihren Mann vor sich auf dem Festungswerke[28] stehen und laden, das Kind hinter sich

23 hair ribbons

24 relieved of the responsibility of

25 brightness
26 face of the sun
27 shone upon

28 battlement

Dieser Fluch berührte sie nicht. Comment.
After Rosalie has nursed her child, she leaves it *mit einem Seufzer.* New images appear, with what import?

29 lengthened
30 grape-shot
31 parsimony
32 attackers

33 fuse

34 fuse
35 touch-hole
36 chimney-sweep

schreien hörte; sie taten ihr beide mehr leid als ihr eignes Unglück, und der schwere Weg war nicht der schwerste Gedanke ihres Herzens. Und ein neuer Schuß betäubte ihre Ohren und schmetterte ihr Felsstaub ins Gesicht, aber sie betete und sah zum Himmel. So betrat sie den engen Felsgang, der wie ein verlängerter²⁹ Lauf für zwei mit Kartätschen³⁰ geladene Kanonen mit boshaftem Geize³¹ die Masse des verderblichen Schusses gegen die Andringenden³² zusammenzuhalten bestimmt war. „Was siehst du, Weib", brüllte Francœur, „sieh nicht in die Luft, deine Engel kommen nicht, hier steht dein Teufel und dein Tod." — „Nicht Tod, nicht Teufel trennen mich mehr von dir", sagte sie getrost und schritt weiter hinauf die großen Stufen. „Weib", schrie er, „du hast mehr Mut als der Teufel, aber es soll dir doch nichts helfen." — Er blies die Lunte³³ an, die eben verlöschen wollte, der Schweiß stand ihm hellglänzend über Stirn und Wangen, es war, als ob zwei Naturen in ihm rangen. Und Rosalie wollte nicht diesen Kampf hemmen und der Zeit vorgreifen, auf die sie zu vertrauen begann; sie ging nicht vor, sie kniete auf die Stufen nieder, als sie drei Stufen von den Kanonen entfernt war, wo sich das Feuer kreuzte. Er riß Rock und Weste an der Brust auf, um sich Luft zu machen, er griff in sein schwarzes Haar, das verwildert in Locken starrte, und riß es sich wütend aus. Da öffnete sich die Wunde am Kopfe in dem wilden Erschüttern durch Schläge, die er an seine Stirn führte, Tränen und Blut löschten den brennenden Zundstrick,³⁴ ein Wirbelwind warf das Pulver von den Zündlöchern³⁵ der Kanonen und die Teufelsflagge vom Turm. „Der Schornsteinfeger³⁶ macht sich Platz, er schreit zum Schornstein hinaus!" rief er und deckte seine Augen. Dann besann er sich, öffnete die Gittertüre, schwankte zu seiner Frau, hob sie auf, küßte sie, endlich sagte er: „Der schwarze Bergmann hat sich durchgearbeitet, es strahlt wieder Licht in meinen Kopf, und Luft zieht hindurch, und die Liebe soll wieder ein Feuer zünden, daß uns nicht mehr friert. Ach Gott! was hab' ich in diesen Tagen verbrochen! Laß uns nicht feiern. Sie werden mir nur wenig Stunden noch schenken. Wo ist mein Kind? Ich muß es küssen, weil ich noch frei bin. Was ist Sterben? Starb ich nicht schon einmal, als du mich verlassen? Und nun kommst du wieder, und dein Kommen gibt mir mehr, als dein Scheiden mir nehmen konnte, ein unendliches Gefühl meines Daseins, dessen Augenblicke mir genügen. Nun lebte ich gern mit dir, und wäre deine Schuld noch größer als meine Verzweiflung gewesen, aber ich kenne das Kriegsgesetz, und ich kann nun gottlob in Vernunft

---

Rosalie's physical position is a diagram of her inner state. Explain.

If *der schwere Weg* was not *der schwerste Gedanke ihres Herzens*, what was?

Explain, in Francœur's words to Rosalie: *Engel, Teufel, Mut.* (Like all motifs, they are "short-hand" for a great deal more.)

Why is his face covered with sweat?

How many shots has he fired? Any significance?

What are the *zwei Naturen*?

Three steps?

als ein reuiger Christ sterben." Rosalie konnte in ihrer Entzückung, von ihren Tränen fast erstickt, kaum sagen, daß ihm verziehen, daß sie ohne Schuld und ihr Kind nahe sei. Sie verband seine Wunde in Eile, dann zog sie ihn die Stufen hinunter bis hin zu dem Steinwalle, wo sie das Kind

5 verlassen. Da fanden sie den guten Vater Philipp bei dem Kinde, der allmählich hinter Felsstücken zu ihm hingeschlichen war, und das Kind ließ etwas aus den Händen fliegen, um nach dem Vater sie auszustrecken. Und während sich alle drei umarmt hielten, erzählte Vater Philipp, wie ein Taubenpaar vom Schloß heruntergeflattert sei und mit dem Kinde

10 artig gespielt, sich von ihm habe anrühren lassen und es gleichsam in seiner Verlassenheit getröstet habe. Als er das gesehen, habe er sich dem Kinde zu nahen gewagt. „Sie waren wie gute Engel meines Kindes Spielkameraden auf dem Fort gewesen, sie haben es treulich[37] aufgesucht, sie   [37] *loyally* kommen sicher wieder und werden es nicht verlassen." Und wirklich

15 umflogen sie die Tauben freundlich und trugen in ihren Schnäbeln grüne Blätter. „Die Sünde ist von uns geschieden", sagte Francœur, „nie will ich wieder auf den Frieden schelten, der Friede tut mir so gut."

Inzwischen hatte sich der Kommandant mit seinen Offizieren genähert, weil er den glücklichen Ausgang durch sein Fernrohr gesehen. Francœur

20 übergab ihm seinen Degen; er kündigte Francœur Verzeihung an, weil seine Wunde ihn des Verstandes beraubt gehabt, und befahl einem Chirurgen, diese Wunde zu untersuchen und besser zu verbinden. Francœur setzte sich nieder und ließ ruhig alles mit sich geschehen, er sah nur Frau und Kind an. Der Chirurg wunderte sich, daß er keinen Schmerz zeigte,

25 er zog ihm einen Knochensplitter aus der Wunde, der ringsumher eine Eiterung[38] hervorgebracht hatte, es schien, als ob die gewaltige Natur   [38] *festering* Francœurs ununterbrochen und allmählich an der Hinausschaffung[39] ge-   [39] *rejection of the* arbeitet habe, bis ihm endlich äußere Gewalt, die eigne Hand seiner Ver-   *foreign body* zweiflung die Rinde durchbrochen. Er versicherte, daß ohne diese glückliche

30 Fügung[40] ein unheilbarer[41] Wahnsinn den unglücklichen Francœur hätte   [40] *coincidence* aufzehren[42] müssen. Damit ihm keine Anstrengung schade, wurde er auf   [41] *incurable* einen Wagen gelegt, und sein Einzug in Marseille glich unter einem Volke,   [42] *consume* das Kühnheit immer mehr als Güte zu achten weiß, einem Triumphzuge;[43]   [43] *triumphal procession* die Frauen warfen Lorbeerkränze auf den Wagen, alles drängte sich, den

35 stolzen Bösewicht kennenzulernen, der so viele tausend Menschen während drei Tage beherrscht hatte. Die Männer aber reichten ihre Blumenkränze Rosalien und ihrem Kinde und rühmten sie als Befreierin

---

Francœur's mad, though totally plausible violence reaches the physical cause of his condition and prepares for his rescue, and that of wife, child, the Commandant, Marseilles, and all. As if to preclude ascription of exclusive validity to physical or "scientific" cause and effect, Arnim adds what element to the crucial sentence *Da öffnete sich die Wunde . . .*?

Follow and explain the imagery as it reappears and is modified here. The key concepts are obvious enough, but don't overlook any. Why is the devil now called *Schornsteinfeger* and *Bergmann*?

Why is it important that Francœur, too, be willing to die?

What possible *Schuld* on Rosalie's part is he referring to?

What is the meaning of the miraculous episode at the stone wall?

44 *reward*

und schwuren, ihr und dem Kinde reichlich zu vergelten,[44] daß sie ihre Stadt vom Untergange gerettet habe.

Nach solchem Tage läßt sich in einem Menschenleben selten noch etwas erleben, was der Mühe des Erzählens wert wäre, wenngleich die Wieder-

45 *these persons, re-stored to happiness and freed of their curse, . . .*

beglückten, die Fluchbefreiten[45] erst in diesen ruhigeren Jahren den ganzen 5 Umfang des gewonnenen Glücks erkannten. Der gute, alte Kommandant nahm Francœur als seinen Sohn an, und konnte er ihm auch nicht seinen Namen übertragen, so ließ er ihm doch einen Teil seines Vermögens und seinen Segen. Was aber Rosalie noch inniger berührte, war ein Bericht, der erst nach Jahren aus Prag einlief, in welchem ein Freund der Mutter 10 anzeigte, daß diese wohl ein Jahr unter verzehrenden Schmerzen den Fluch bereut habe, den sie über ihre Tochter ausgestoßen, und bei dem

46 *ardent*

47 *although her existence was a burden to herself and the world*

48 *pious*

sehnlichen[46] Wunsche nach Erlösung des Leibes und der Seele sich und der Welt zum Überdruß[47] bis zu dem Tage gelebt habe, der Rosaliens Treue und Ergebenheit in Gott gekrönt: an dem Tage sei sie, durch einen 15 Strahl aus ihrem Innern beruhigt, im gläubigen[48] Bekenntnis des Erlösers selig entschlafen.

Gnade löst den Fluch der Sünde,
Liebe treibt den Teufel aus.

Arnim adds yet another dimension to the story, perhaps a bit surprising, but subtly based in the very identities of Rosalie and Francœur, and important to the time of the story, to Arnim's time—and to ours (v.s. *Friede*).

Comment on the "coda" of the story, noting particularly the fate of the mother.

The verses at the end refer to two sources of salvation, *Gnade* and *Liebe*. For which aspects of the story does each serve as a covering term?

Ernst Feise saw the story as reflecting basically a dualistic view: of the real and the super-natural (though everything had a possible "real" interpretation), or, in the philosopher Schelling's terms, *Natur* and *Geist*. Consider this as an avenue to a broad interpretation of the story. Does not the crucial intervention of Rosalie suggest another plane and thus a triadic system of meaning (just as the narrative structure is tripartite)? The supernatural world exists (devil, etc.), the real world likewise (the "medical" basis). This accords with the mode of manifestation in the story: in the real world or *Natur*, it is chance; in the supernatural, arbitrariness (the curse). But what Rosalie does is not fully characterized by either. It is an action based in large part on will or faith or existential courage. To be sure, it is aided by *Gnade*. Since the story offers, in brief compass, a distillation of human life, the question is worth discussing.

4

E. T. A. HOFFMANN

Das Fräulein von Scuderi

(Erzählung aus dem Zeitalter[1]
Ludwig des Vierzehnten)

[1] *Period*

In der Straße St. Honoré war das kleine Haus gelegen, welches Magda-
leine von Scuderi, bekannt durch ihre anmutigen Verse, durch die Gunst
Ludwig des XIV. und der Maintenon, bewohnte.

Spät um Mitternacht — es mochte im Herbste des Jahres 1680 sein —
5 wurde an dieses Haus hart und heftig angeschlagen, daß es im ganzen Flur
laut widerhallte.

Baptiste, der in des Fräuleins kleinem Haushalt[2] Koch, Bedienten und
Türsteher[3] zugleich vorstellte, war mit Erlaubnis seiner Herrschaft über
Land gegangen zur Hochzeit seiner Schwester, und so kam es, daß die
10 Martiniere, des Fräuleins Kammerfrau, allein im Hause noch wachte.
Sie hörte die wiederholten Schläge, es fiel ihr ein, daß Baptiste fortgegangen und sie mit dem Fräulein ohne weitern Schutz im Hause geblieben
sei; aller Frevel von Einbruch,[4] Diebstahl und Mord, wie er jemals in
Paris verübt worden, kam ihr in den Sinn, es wurde ihr gewiß, daß
15 irgendein Haufen Meuter,[5] von der Einsamkeit des Hauses unterrichtet,
da draußen tobe und, eingelassen, ein böses Vorhaben gegen die Herrschaft
ausführen wolle, und so blieb sie in ihrem Zimmer, zitternd und zagend
und den Baptiste verwünschend samt seiner Schwester Hochzeit. Unterdessen donnerten die Schläge immer fort, und es war ihr, als rufe eine
20 Stimme dazwischen: ,,So macht doch nur auf um Christus willen, so
macht doch nur auf!'' Endlich in steigender Angst ergriff die Martiniere

[2] *household*
[3] *doorkeeper*
[4] *housebreaking*
[5] *gang*

Decades before Wilkie Collins' *Moonstone* and Chesterton's novels, E. T. A. Hoffmann
wrote this work, which is among other things an early and classic example of the literary
detective story or "mystery." It is more, of course. It is an intensive exploration of the psychopathology of creativity, a study of a society from its urbane surface to its blackest, aberrant
depths. But the interest in crime, the search for the identity and motivation of the criminal,
false suspicions, suspense, and delayed revelations—all these anticipations of the detective
story condition the narrative technique and give rise to a plot line which is remarkably
elaborate in structure. One of your major critical exercises should be a "diagram" of the plot
line based on narrated time, accounting for all flashbacks, etc. For a few pages, questions will
point to the boundary lines of these segments. Other questions will be held to a relative
minimum.

schnell den Leuchter mit der brennenden Kerze und rannte hinaus auf
den Flur; da vernahm sie ganz deutlich die Stimme des Anpochenden:
,,Um Christus willen, so macht doch nur auf!" ,,In der Tat", dachte die
Martiniere, ,,so spricht doch wohl kein Räuber; wer weiß, ob nicht gar ein
Verfolgter Zuflucht sucht bei meiner Herrschaft, die ja geneigt ist zu 5
jeder Wohltat. Aber laßt uns vorsichtig sein!" — Sie öffnete ein Fenster
und rief hinab, wer denn da unten in später Nacht so an der Haustür
tobe und alles aus dem Schlafe wecke, indem sie ihrer tiefen Stimme so
viel Männliches zu geben sich bemühte als nur möglich. In dem Schimmer
der Mondesstrahlen, die eben durch die finstern Wolken brachen, gewahrte 10
sie eine lange, in einen hellgrauen Mantel gewickelte Gestalt, die den
breiten Hut tief in die Augen gedrückt hatte. Sie rief nun mit lauter
Stimme, so, daß es der unten vernehmen konnte: ,,Baptiste, Claude, Pierre,
steht auf und seht einmal zu, welcher Taugenichts uns das Haus ein-
schlagen will!" Da sprach es aber mit sanfter, beinahe klagender Stimme 15
von unten herauf: ,,Ach! la Martiniere, ich weiß ja, daß Ihr es seid, liebe
Frau, so sehr Ihr Eure Stimme zu verstellen trachtet, ich weiß ja, daß
Baptiste über Land gegangen ist und Ihr mit Eurer Herrschaft allein im
Hause seid. Macht mir nur getrost auf, befürchtet nichts. Ich muß
durchaus mit Eurem Fräulein sprechen, noch in dieser Minute." ,,Wo 20
denkt Ihr hin", erwiderte die Martiniere, ,,mein Fräulein wollt Ihr
sprechen mitten in der Nacht? Wißt Ihr denn nicht, daß sie längst schläft
und daß ich sie um keinen Preis wecken werde aus dem ersten süßesten
Schlummer, dessen sie in ihren Jahren wohl bedarf." ,,Ich weiß", sprach
der Untenstehende, ,,ich weiß, daß Euer Fräulein soeben das Manu- 25

skript ihres Romans, *Clelia*[6] geheißen, an dem sie rastlos[7] arbeitet, beiseite
gelegt hat und jetzt noch einige Verse aufschreibt,[8] die sie morgen bei
der Marquise de Maintenon vorzulesen gedenkt. Ich beschwöre Euch,
Frau Martiniere, habt die Barmherzigkeit und öffnet mir die Türe.
Wißt, daß es darauf ankommt, einen Unglücklichen vom Verderben zu 30
retten, wißt, daß Ehre, Freiheit, ja das Leben eines Menschen abhängt
von diesem Augenblick, in dem ich Euer Fräulein sprechen muß.
Bedenkt, daß Eurer Gebieterin Zorn ewig auf Euch lasten würde, wenn
sie erführe, daß Ihr es waret, die den Unglücklichen, welcher kam, ihre
Hilfe zu erflehen, hartherzig von der Türe wieset." ,,Aber warum sprecht 35
Ihr denn meines Fräuleins Mitleid an in dieser ungewöhnlichen Stunde,

kommt morgen zu guter Zeit[9] wieder", so sprach die Martiniere herab;

The initial point in time is set with exactitude, and the historical background is defined: persons, place, atmosphere.

da erwiderte der unten: „Kehrt sich denn das Schicksal, wenn es verderbend wie der tötende Blitz einschlägt, an Zeit und Stunde? Darf, wenn nur ein Augenblick Rettung noch möglich ist, die Hilfe aufgeschoben[10]   [10] *postponed* werden? Öffnet mir die Türe, fürchtet doch nur nichts von einem Elen-
5 den, der schutzlos, verlassen von aller Welt, verfolgt, bedrängt von einem ungeheuern Geschick, Euer Fräulein um Rettung anflehen will aus drohender Gefahr!" Die Martiniere vernahm, wie der Untenstehende bei diesen Worten vor tiefem Schmerz stöhnte und schluchzte; dabei war der Ton von seiner Stimme der eines Jünglings, sanft und eindringend
10 tief in die Brust. Sie fühlte sich im Innersten bewegt; ohne sich weiter lange zu besinnen, holte sie die Schlüssel herbei.

Sowie sie die Türe kaum geöffnet, drängte sich ungestüm die im Mantel gehüllte Gestalt hinein und rief, der Martiniere vorbeischreitend, in den Flur, mit wilder Stimme: „Führt mich zu Euerm Fräulein!" Erschrocken
15 hob die Martiniere den Leuchter in die Höhe, und der Kerzenschimmer fiel in ein todbleiches, furchtbar entstelltes Jünglingsantlitz. Vor Schrecken hätte die Martiniere zu Boden sinken mögen, als nun der Mensch den Mantel auseinanderschlug und der blanke Griff eines Stiletts aus dem Brustlatz[11] hervorragte. Es blitzte der Mensch sie an mit funkelnden   [11] *doublet*
20 Augen und rief noch wilder als zuvor: „Führt mich zu Euerm Fräulein, sage ich Euch!" Nun sah die Martiniere ihr Fräulein in der dringendsten Gefahr, alle Liebe zu der teuren Herrschaft, in der sie zugleich die fromme, treue Mutter ehrte, flammte stärker auf im Innern und erzeugte einen Mut, dessen sie wohl selbst sich nicht fähig geglaubt hätte. Sie warf die
25 Türe ihres Gemachs, die sie offen gelassen, schnell zu, trat vor dieselbe und sprach stark und fest: „In der Tat, Euer tolles Betragen hier im Hause paßt schlecht zu Euern kläglichen Worten da draußen, die, wie ich nun wohl merke, mein Mitleiden sehr zu unrechter Zeit erweckt haben. Mein Fräulein sollt und werdet Ihr jetzt nicht sprechen. Habt
30 Ihr nichts Böses im Sinn, dürft Ihr den Tag nicht scheuen, so kommt morgen wieder und bringt Eure Sache an! — jetzt schert Euch aus dem Hause!" Der Mensch stieß einen dumpfen Seufzer aus, blickte die Martiniere starr an mit entsetzlichem Blick und griff nach dem Stilett. Die Martiniere befahl im stillen ihre Seele dem Herrn, doch blieb sie standhaft
35 und sah dem Menschen keck ins Auge, indem sie sich fester an die Türe des Gemachs drückte, durch welches der Mensch gehen mußte, um zu dem Fräulein zu gelangen. „Laßt mich zu Euerm Fräulein, sage ich Euch",

---

The episode of the midnight visit is all surface narration. The true state of affairs is concealed. Indicate some of the "mysteries" involved.

rief der Mensch nochmals. „Tut, was Ihr wollt", erwiderte die Martiniere, „ich weiche nicht von diesem Platz, vollendet nur die böse Tat, die Ihr begonnen, auch Ihr werdet den schmachvollen Tod finden auf dem Greveplatz, wie Eure verruchten Spießgesellen." „Ha", schrie der Mensch auf, „Ihr habt recht, la Martiniere! ich sehe aus, ich bin bewaffnet wie ein 5 verruchter Räuber und Mörder, aber meine Spießgesellen sind nicht gerichtet, sind nicht gerichtet!" Und damit zog er, giftige Blicke schießend auf die zum Tode geängstete Frau, das Stilett heraus. „Jesus!" rief sie, den Todesstoß erwartend, aber in dem Augenblick ließ sich auf der Straße das Geklirr von Waffen, der Huftritt von Pferden hören. „Die Mare- 10 chaussee — die Marechaussee. Hilfe, Hilfe!" schrie die Martiniere. „Entsetzliches Weib, du willst mein Verderben — nun ist alles aus, alles aus! — nimm! — nimm; gib das dem Fräulein heute noch — morgen, wenn du willst —" dies leise murmelnd, hatte der Mensch der Martiniere den Leuchter weggerissen, die Kerzen verlöscht und ihr ein Kästchen in 15 die Hände gedrückt. „Um deiner Seligkeit willen, gib das Kästchen dem Fräulein", rief der Mensch und sprang zum Hause hinaus. Die Martiniere war zu Boden gesunken, mit Mühe stand sie auf und tappte sich in der Finsternis zurück in ihr Gemach, wo sie ganz erschöpft, keines Lautes mächtig, in den Lehnstuhl sank. Nun hörte sie die Schlüssel klirren, die 20 sie im Schloß der Haustüre hatte stecken lassen. Das Haus wurde zugeschlossen, und leise unsichere Tritte nahten sich dem Gemach. Festgebannt, ohne Kraft sich zu regen, erwartete sie das Gräßliche; doch wie geschah ihr, als die Türe aufging und sie bei dem Scheine der Nachtlampe auf den ersten Blick den ehrlichen Baptiste erkannte; der sah leichen- 25 blaß aus und ganz verstört. „Um aller Heiligen willen", fing er an, „um aller Heiligen willen, sagt mir, Frau Martiniere, was ist geschehen? Ach die Angst! die Angst! — Ich weiß nicht, was es war, aber fortgetrieben hat es mich von der Hochzeit gestern abend mit Gewalt!¹² Und nun komme ich in die Straße. Frau Martiniere, denk ich, hat einen leisen 30 Schlaf, die wird's wohl hören, wenn ich leise und säuberlich anpoche an die Haustüre, und mich hineinlassen. Da kommt mir eine starke Patrouille entgegen, Reuter, Fußvolk,¹³ bis an die Zähne bewaffnet, und hält mich an und will mich nicht fortlassen. Aber zum Glück ist Desgrais dabei, der Marechaussee-Leutnant, der mich recht gut kennt; der spricht, als sie 35 mir die Laterne unter die Nase halten: ‚Ei, Baptiste, wo kommst du her des Wegs in der Nacht? Du mußt fein im Hause bleiben und es hüten.

¹² *some powerful force drove me to leave . . .*

¹³ *foot troops*

When the true state of affairs is unknown, surface actions are subject to sudden and puzzling shifts, and to misinterpretation of the motivation behind them. Martiniere experiences such a reversal. Explain. Has the situation been clarified by the time the young man leaves? What is the sum and substance of what we know by the time the young man *sprang zum Hause hinaus*?

Hier ist es nicht geheuer, wir denken noch in dieser Nacht einen guten
Fang zu machen.' Ihr glaubt gar nicht, Frau Martiniere, wie mir diese
Worte aufs Herz fielen. Und nun trete ich auf die Schwelle, und da stürzt
ein verhüllter Mensch aus dem Hause, das blanke Stilett in der Faust,
5 und rennt mich um und um[14] — das Haus ist offen, die Schlüssel stecken
im Schlosse — sagt, was hat das alles zu bedeuten?" Die Martiniere, von
ihrer Todesangst befreit, erzählte, wie sich alles begeben. Beide, sie und
Baptiste, gingen in den Hausflur, sie fanden den Leuchter auf dem Boden,
wo der fremde Mensch ihn im Entfliehen hingeworfen. ,,Es ist nur zu
10 gewiß", sprach Baptiste, ,,daß unser Fräulein beraubt und wohl gar ermordet werden sollte. Der Mensch wußte, wie Ihr erzählt, daß Ihr allein
wart mit dem Fräulein, ja sogar, daß sie noch wachte bei ihren Schriften;
gewiß war es einer von den verfluchten Gaunern und Spitzbuben, die bis
ins Innere der Häuser dringen, alles listig auskundschaftend, was ihnen
15 zur Ausführung ihrer teuflischen Anschläge[15] dienlich. Und das kleine
Kästchen, Frau Martiniere, das, denk ich, werfen wir in die Seine, wo sie
am tiefsten ist. Wer steht uns dafür, daß nicht irgendein verruchter
Unhold unserm guten Fräulein nach dem Leben trachtet, daß sie, das
Kästchen öffnend, nicht tot niedersinkt, wie der alte Marquis von Tournay,
20 als er den Brief aufmachte, den er von unbekannter Hand erhalten! —"
Lange ratschlagend,[16] beschlossen die Getreuen endlich, dem Fräulein am
andern Morgen alles zu erzählen und ihr auch das geheimnisvolle Kästchen
einzuhändigen, das ja mit gehöriger Vorsicht geöffnet werden könne.
Beide, erwägten sie genau jeden Umstand der Erscheinung des verdächti-
25 gen Fremden, meinten, daß wohl ein besonderes Geheimnis im Spiele
sein könne, über das sie eigenmächtig nicht schalten dürften,[17] sondern die
Enthüllung ihrer Herrschaft überlassen müßten.

Baptistes Besorgnisse hatten ihren guten Grund. Gerade zu der Zeit
war Paris der Schauplatz der verruchtesten Greueltaten, gerade zu der
30 Zeit bot die teuflischste Erfindung der Hölle die leichtesten Mittel dazu
dar.
Glaser, ein teutscher Apotheker, der beste Chemiker seiner Zeit,
beschäftigte sich, wie es bei Leuten von seiner Wissenschaft wohl zu
geschehen pflegt, mit alchimistischen Versuchen. Er hatte es darauf
35 abgesehen,[18] den Stein der Weisen zu finden. Ihm gesellte sich ein Italiener
zu,[19] namens *Exili*. Diesem diente aber die Goldmacherkunst nur zum

[14] *knocks me over and over*

[15] *designs*

[16] *after long consultation*

[17] *could not exercise independent control*

[18] *had set about to*

[19] *joined*

Baptiste's brief flashback is the first interruption of the linear time sequence. It goes back to
what moment and "rejoins" the main line of narration where?
The decision about the mysterious box is made, but the corresponding action and therefore
the revelation of its contents is left in suspense, in favor of a different kind of interruption:
background and broadly explanatory flashback. Characterize, noting particularly how much
of society is affected.

Vorwande. Nur das Mischen, Kochen, Sublimieren der Giftstoffe, in denen Glaser sein Heil zu finden hoffte, wollt' er erlernen,[20] und es gelang ihm endlich, jenes feine Gift zu bereiten, das ohne Geruch,[21] ohne Geschmack, entweder auf der Stelle oder langsam tötend, durchaus keine Spur im menschlichen Körper zurückläßt und alle Kunst, alle Wissenschaft der Ärzte täuscht, die, den Giftmord nicht ahnend, den Tod einer natürlichen Ursache zuschreiben müssen. So vorsichtig Exili auch zu Werke ging, so kam er doch in den Verdacht des Giftverkaufs und wurde nach der Bastille gebracht. In dasselbe Zimmer sperrte man bald darauf den Hauptmann Godin de Sainte Croix ein. Dieser hatte mit der Marquise de Brinvillier lange Zeit in einem Verhältnisse gelebt, welches Schande über die ganze Familie brachte, und endlich, da der Marquis unempfindlich[22] blieb für die Verbrechen seiner Gemahlin, ihren Vater, Dreux d'Aubray, Zivil-Leutnant[23] zu Paris, nötigte, das verbrecherische Paar durch einen Verhaftsbefehl zu trennen, den er wider den Hauptmann auswirkte.[24] Leidenschaftlich, ohne Charakter, Frömmigkeit heuchelnd und zu Lastern aller Art geneigt von Jugend auf, eifersüchtig, rachsüchtig[25] bis zur Wut, konnte dem Hauptmann nichts willkommner sein als Exilis teuflisches Geheimnis, das ihm die Macht gab, alle seine Feinde zu vernichten. Er wurde Exilis eifriger Schüler und tat es bald seinem Meister gleich, so daß er, aus der Bastille entlassen, allein fortzuarbeiten imstande war.

Die Brinvillier war ein entartetes Weib, durch Sainte Croix wurde sie zum Ungeheuer. Er vermochte sie nach und nach, erst ihren eignen Vater, bei dem sie sich befand, ihn mit verruchter Heuchelei im Alter pflegend, dann ihre beiden Brüder und endlich ihre Schwester zu vergiften; den Vater aus Rache, die andern der reichen Erbschaft wegen. Die Geschichte mehrerer Giftmörder gibt das entsetzliche Beispiel, daß Verbrechen der Art zur unwiderstehlichen Leidenschaft werden. Ohne weitern Zweck,[26] aus reiner Lust daran, wie der Chemiker Experimente macht zu seinem Vergnügen, haben oft Giftmörder Personen gemordet, deren Leben oder Tod ihnen völlig gleich sein konnte. Das plötzliche Hinsterben mehrerer Armen im Hotel Dieu[27] erregte später den Verdacht, daß die Brote, welche die Brinvillier dort wöchentlich auszuteilen pflegte, um als Muster der Frömmigkeit und des Wohltuns[28] zu gelten, vergiftet waren. Gewiß ist es aber, daß sie Taubenpasteten[29] vergiftete und sie den Gästen, die sie geladen, vorsetzte. Der Chevalier du Guet und mehrere andere Personen

Marginal glosses:

[20] learn
[21] odor
[22] insensitive
[23] lieutenant civil (high officer in Paris legal administration)
[24] procured and executed
[25] vengeful
[26] purpose
[27] (central hospital of Paris)
[28] charity
[29] pigeon-pies

One of Hoffmann's (and the Romanticists') profound insights was awareness of the fascination of evil, the degree to which evil becomes a goal in itself. Support this with specific passages.

fielen als Opfer dieser höllischen Mahlzeiten. Sainte Croix, sein Gehilfe[30] la Chaussee, die Brinvillier wußten lange Zeit hindurch ihre gräßlichen Untaten in undurchdringliche Schleier zu hüllen; doch welche verruchte List verworfener Menschen vermag zu bestehen, hat die ewige Macht des Himmels beschlossen, schon hier auf Erden die Frevler[31] zu richten! — Die Gifte, welche Sainte Croix bereitete, waren so fein, daß, lag das Pulver (poudre de succession[32] nannten es die Pariser) bei der Bereitung offen, ein einziger Atemzug hinreichte, sich augenblicklich den Tod zu geben. Sainte Croix trug deshalb bei seinen Operationen eine Maske von feinem Glase. Diese fiel eines Tags, als er eben ein fertiges Giftpulver in eine Phiole[33] schütten wollte, herab, und er sank, den feinen Staub des Giftes einatmend, augenblicklich tot nieder. Da er ohne Erben verstorben, eilten die Gerichte herbei, um den Nachlaß[34] unter Siegel zu nehmen. Da fand sich in einer Kiste verschlossen das ganze höllische Arsenal des Giftmords, das dem verruchten Sainte Croix zu Gebote gestanden, aber auch die Briefe der Brinvillier wurden aufgefunden, die über ihre Untaten keinen Zweifel ließen. Sie floh nach Lüttich[35] in ein Kloster. Desgrais, ein Beamter der Marechaussee, wurde ihr nachgesendet. Als Geistlicher verkleidet, erschien er in dem Kloster, wo sie sich verborgen. Es gelang ihm, mit dem entsetzlichen Weibe einen Liebeshandel anzuknüpfen und sie zu einer heimlichen Zusammenkunft in einem einsamen Garten vor der Stadt zu verlocken. Kaum dort angekommen, wurde sie aber von Desgrais' Häschern umringt, der geistliche Liebhaber verwandelte sich plötzlich in den Beamten der Marechaussee und nötigte sie, in den Wagen zu steigen, der vor dem Garten bereitstand und, von den Häschern umringt, geradeswegs[36] nach Paris abfuhr. La Chaussee war schon früher enthauptet worden, die Brinvillier litt denselben Tod, ihr Körper wurde nach der Hinrichtung verbrannt und die Asche in die Lüfte zerstreut.

Die Pariser atmeten auf, als das Ungeheuer von der Welt war, das die heimliche mörderische Waffe ungestraft richten konnte gegen Feind und Freund. Doch bald tat es sich kund, daß des verruchten La Croix' entsetzliche Kunst sich fortvererbt hatte.[37] Wie ein unsichtbares tückisches Gespenst schlich der Mord sich ein in die engsten Kreise, wie sie Verwandtschaft[38] — Liebe — Freundschaft nur bilden können, und erfaßte sicher und schnell die unglücklichen Opfer. Der, den man heute in blühender Gesundheit gesehen, wankte morgen krank und siech umher, und keine Kunst der Ärzte konnte ihn vor dem Tode retten. Reichtum — ein

[30] *assistant*

[31] *criminals*

[32] *"inheritance powder"*

[33] *vial*

[34] *estate*

[35] *Liège (Belgium)*

[36] *straightway*

[37] *had been passed on*

[38] *kinship*

[39] *remunerative*

[40] *cook-shop*

[41] *sessions*

[42] *crafty*

[43] *(section [then a suburb] of Paris)*

[44] *credulous*

[45] *profligate*

[46] *(Cardinal Bonsi, Italian theologian, later Bishop of Narbonne [So. France] and Cardinal; he and other historical personages are sufficiently identified in the text.)*

[47] *peer*

einträgliches[39] Amt — ein schönes, vielleicht zu jugendliches Weib — das genügte zur Verfolgung auf den Tod. Das grausamste Mißtrauen trennte die heiligsten Bande. Der Gatte zitterte vor der Gattin — der Vater vor dem Sohn — die Schwester vor dem Bruder. — Unberührt blieben die Speisen, blieb der Wein bei dem Mahl, das der Freund den Freunden gab, und wo 5 sonst Lust und Scherz gewaltet, spähten verwilderte Blicke nach dem verkappten Mörder. Man sah Familienväter ängstlich in entfernten Gegenden Lebensmittel einkaufen und in dieser, jener schmutzigen Garküche[40] selbst bereiten, in ihrem eigenen Hause teuflischen Verrat fürchtend. Und doch war manchmal die größte, bedachteste Vorsicht vergebens. 10

Der König, dem Unwesen, das immer mehr überhandnahm, zu steuern, ernannte einen eigenen Gerichtshof, dem er ausschließlich die Untersuchung und Bestrafung dieser heimlichen Verbrechen übertrug. Das war die sogenannte Chambre ardente, die ihre Sitzungen[41] unfern der Bastille hielt und welcher la Regnie als Präsident vorstand. Mehrere Zeit hindurch 15 blieben Regnies Bemühungen, so eifrig sie auch sein mochten, fruchtlos, dem verschlagenen[42] Desgrais war es vorbehalten, den geheimsten Schlupfwinkel des Verbrechens zu entdecken. — In der Vorstadt Saint Germain[43] wohnte ein altes Weib, la Voisin geheißen, die sich mit Wahrsagen und Geisterbeschwören abgab und mit Hilfe ihrer Spießgesellen, le Sage und 20 le Vigoureux, auch selbst Personen, die eben nicht schwach und leichtgläubig[44] zu nennen, in Furcht und Erstaunen zu setzen wußte. Aber sie tat mehr als dieses. Exilis Schülerin wie la Croix, bereitete sie wie dieser das feine, spurlose Gift und half auf diese Weise ruchlosen[45] Söhnen zur frühen Erbschaft, entarteten Weibern zum andern, jüngern Gemahl. 25 Desgrais drang in ihr Geheimnis ein, sie gestand alles, die Chambre ardente verurteilte sie zum Feuertode, den sie auf dem Greveplatze erlitt. Man fand bei ihr eine Liste aller Personen, die sich ihrer Hilfe bedient hatten; und so kam es, daß nicht allein Hinrichtung auf Hinrichtung folgte, sondern auch schwerer Verdacht selbst auf Personen von hohem Ansehen 30 lastete. So glaubte man, daß der Kardinal Bonzy[46] bei der la Voisin das Mittel gefunden, alle Personen, denen er als Erzbischof von Narbonne Pensionen bezahlen mußte, in kurzer Zeit hinsterben zu lassen. So wurden die Herzogin von Bouillon, die Gräfin von Soissons, deren Namen man auf der Liste gefunden, der Verbindung mit dem teuflischen Weibe 35 angeklagt, und selbst François Henri de Montmorenci, Boudebelle, Herzog von Luxemburg, Pair[47] und Marschall des Reichs, blieb nicht verschont.

Note both the extent to which the whole city (and nation) is involved, and the excessive lengths to which counter measures have gone.

Auch ihn verfolgte die furchtbare Chambre ardente. Er stellte sich selbst
zum Gefängnis in der Bastille, wo ihn Louvois' und la Regnies Haß in
ein sechs Fuß langes Loch einsperren ließ. Monate vergingen, ehe es sich
vollkommen ausmittelte, daß des Herzogs Verbrechen keine Rüge[48] ver-
5 dienen konnte. Er hatte sich einmal von le Sage das Horoskop stellen
lassen.

    Gewiß ist es, daß blinder Eifer den Präsidenten la Regnie zu Gewalt-
streichen[49] und Grausamkeiten verleitete. Das Tribunal nahm ganz den
Charakter der Inquisition[50] an, der geringfügigste Verdacht reichte hin zu
10 strenger Einkerkerung, und oft war es dem Zufall überlassen, die Unschuld des auf den Tod Angeklagten darzutun. Dabei war Regnie von
garstigem Ansehen und heimtückischem Wesen, so daß er bald den Haß
derer auf sich lud, deren Rächer oder Schützer zu sein er berufen wurde.
Die Herzogin von Bouillon, von ihm im Verhöre[51] gefragt, ob sie den
15 Teufel gesehen, erwiderte: ,,Mich dünkt, ich sehe ihn in diesem Augenblick!‘‘

    Während nun auf dem Greveplatz das Blut Schuldiger und Verdäch-
tiger in Strömen floß, und endlich der heimliche Giftmord seltner und
seltner wurde, zeigte sich ein Unheil anderer Art, welches neue Bestür-
20 zung verbreitete. Eine Gaunerbande schien es darauf angelegt zu haben,
alle Juwelen in ihren Besitz zu bringen. Der reiche Schmuck, kaum gekauft,
verschwand auf unbegreifliche Weise, mochte er verwahrt sein, wie er
wollte. Noch viel ärger war es aber, daß jeder, der es wagte, zur Abend-
zeit Juwelen bei sich zu tragen, auf offener Straße oder in finstern Gängen
25 der Häuser beraubt, ja wohl gar ermordet wurde. Die mit dem Leben
davongekommenen,[52] sagten aus, ein Faustschlag auf den Kopf habe sie
wie ein Wetterstrahl niedergestürzt, und aus der Betäubung erwacht,
hätten sie sich beraubt und am ganz andern Orte als da, wo sie der Schlag
getroffen, wiedergefunden. Die Ermordeten, wie sie beinahe jeden Morgen
30 auf der Straße oder in den Häusern lagen, hatten alle dieselbe tödliche[53]
Wunde. Einen Dolchstich ins Herz, nach dem Urteil der Ärzte so schnell
und sicher tötend, daß der Verwundete, keines Lautes mächtig, zu Boden
sinken mußte. Wer war an dem üppigen Hofe Ludwig des XIV., der nicht
in einen geheimen Liebeshandel verstrickt, spät zur Geliebten schlich und
35 manchmal ein reiches Geschenk bei sich trug? — Als stünden die Gauner
mit Geistern im Bunde, wußten sie genau, wenn sich so etwas zutragen
sollte. Oft erreichte der Unglückliche nicht das Haus, wo er Liebesglück

[48] *censure*

[49] *acts of violence*
[50] *(church courts of heresy, often used for political oppression)*

[51] *during interrogation*

[52] *those who escaped with their lives*

[53] *mortal*

Certain fundamental associations established for the poisonings carry over to the new crimes.
    What of social levels involved, presumed motivation, etc.?

zu genießen dachte, oft fiel er auf der Schwelle, ja vor dem Zimmer der Geliebten, die mit Entsetzen den blutigen Leichnam fand.

Vergebens ließ Argenson, der Polizeiminister, alles aufgreifen in Paris, was von dem Volk nur irgend verdächtig schien, vergebens wütete la Regnie und suchte Geständnisse zu erpressen, vergebens wurden Wachen, Patrouillen verstärkt, die Spur der Täter war nicht zu finden. Nur die Vorsicht, sich bis an die Zähne zu bewaffnen und sich eine Leuchte vortragen zu lassen, half einigermaßen, und doch fanden sich Beispiele, daß der Diener mit Steinwürfen geängstet und der Herr in demselben Augenblick ermordet und beraubt wurde.

Merkwürdig war es, daß aller Nachforschungen auf allen Plätzen, wo Juwelenhandel nur möglich war, unerachtet,[54] nicht das mindeste von den geraubten Kleinodien zum Vorschein kam, und also auch hier keine Spur sich zeigte, die hätte verfolgt werden können.

Desgrais schäumte vor Wut, daß selbst seiner List die Spitzbuben zu entgehen wußten. Das Viertel der Stadt, in dem er sich gerade befand, blieb verschont, während in dem andern, wo keiner Böses geahnt, der Raubmord[55] seine reichen Opfer erspähte.

Desgrais besann sich auf das Kunststück, mehrere Desgrais zu schaffen, sich untereinander so ähnlich an Gang, Stellung, Sprache, Figur, Gesicht, daß selbst die Häscher nicht wußten, wo der rechte Desgrais stecke. Unterdessen lauschte er, sein Leben wagend, allein in den geheimsten Schlupfwinkeln und folgte von weitem diesem oder jenem, der auf seinen Anlaß einen reichen Schmuck bei sich trug. *Der* blieb unangefochten;[56] also auch von *dieser* Maßregel waren die Gauner unterrichtet. Desgrais geriet in Verzweiflung.

Eines Morgens kommt Desgrais zu dem Präsidenten la Regnie, blaß, entstellt, außer sich. — „Was habt Ihr, was für Nachrichten? — Fandet Ihr die Spur?" ruft ihm der Präsident entgegen. „Ha — gnädiger Herr", fängt Desgrais an, vor Wut stammelnd, „ha, gnädiger Herr — gestern in der Nacht — unfern des Louvre ist der Marquis de la Fare angefallen worden in meiner Gegenwart." „Himmel und Erde", jauchzt la Regnie auf vor Freude — „wir haben sie! —" „O hört nur", fällt Desgrais mit bitterm Lächeln ein, „o hört nur erst, wie sich alles begeben. — Am Louvre steh ich also und passe, die ganze Hölle in der Brust, auf die Teufel, die meiner spotten. Da kommt mit unsicherm Schritt, immer hinter sich schauend, eine Gestalt dicht bei mir vorüber, ohne mich zu

---

The general historical background has yielded to progressively more specific narration and dialogue, often highly charged and "immediate" (v. la Regnie's excited anticipation of what Desgrais will tell him), yet the intervening flashback is still in effect.

sehen. Im Mondesschimmer erkenne ich den Marquis de la Fare. Ich konnt' ihn da erwarten, ich wußte, wo er hinschlich. Kaum ist er zehn — zwölf Schritte bei mir vorüber, da springt wie aus der Erde herauf eine Figur, schmettert ihn nieder und fällt über ihn her. Unbesonnen, über-
5 rascht von dem Augenblick, der den Mörder in meine Hand liefern konnte, schrie ich laut auf und will mit einem gewaltigen Sprunge aus meinem Schlupfwinkel heraus auf ihn zusetzen;[57] da verwickle ich mich in den Mantel und falle hin. Ich sehe den Menschen wie auf den Flügeln des Windes forteilen, ich rapple mich auf,[58] ich renne ihm nach — laufend stoße
10 ich in mein Horn — aus der Ferne antworten die Pfeifen der Häscher — es wird lebendig — Waffengeklirr, Pferdegetrappel von allen Seiten. — ,Hierher — hierher — Desgrais — Desgrais!' schreie ich, daß es durch die Straßen hallt. — Immer sehe ich den Menschen vor mir im hellen Mondschein, wie er, mich zu täuschen, da — dort — einbiegt; wir kommen
15 in die Straße Nicaise, da scheinen seine Kräfte zu sinken, ich strenge die meinigen doppelt an — noch funfzehn Schritte höchstens hat er Vorsprung —" ,,Ihr holt ihn ein — Ihr packt ihn, die Häscher kommen", ruft la Regnie mit blitzenden Augen, indem er Desgrais beim Arm ergreift, als sei *der* der fliehende Mörder selbst. — ,,Funfzehn Schritte", fährt
20 Desgrais mit dumpfer Stimme und mühsam atmend fort, ,,funfzehn Schritte vor mir springt der Mensch auf die Seite in den Schatten und verschwindet durch die Mauer." ,,Verschwindet? — durch die Mauer! — Seid Ihr rasend?" ruft la Regnie, indem er zwei Schritte zurücktritt und die Hände zusammenschlägt. ,,Nennt mich", fährt Desgrais fort, sich
25 die Stirne reibend wie einer, den böse Gedanken plagen, ,,nennt mich, gnädiger Herr, immerhin einen Rasenden, einen törichten Geisterseher,[59] aber es ist nicht anders, als wie ich es Euch erzähle. Erstarrt stehe ich vor der Mauer, als mehrere Häscher atemlos herbeikommen; mit ihnen der Marquis de la Fare, der sich aufgerafft, den bloßen Degen in der Hand.
30 Wir zünden die Fackeln an, wir tappen an der Mauer hin und her; keine Spur einer Türe, eines Fensters, einer Öffnung. Es ist eine starke steinerne Hofmauer, die sich an ein Haus lehnt, in dem Leute wohnen, gegen die auch nicht der leiseste Verdacht aufkommt. Noch heute habe ich alles in genauen Augenschein genommen. — Der Teufel selbst ist es, der uns
35 foppt."[60] Desgrais' Geschichte wurde in Paris bekannt. Die Köpfe waren erfüllt von den Zaubereien, Geisterbeschwörungen, Teufelsbündnissen der Voisin, des Vigoureux, des berüchtigten Priesters le Sage; und wie es

[57] *set upon*

[58] *pick myself up*

[59] *seer of ghosts*

[60] *is making a mockery of us*

denn nun in unserer ewigen Natur liegt, daß der Hang zum Übernatür-
lichen,[61] zum Wunderbaren alle Vernunft überbietet, so glaubte man bald
nichts Geringeres, als daß, wie Desgrais nur im Unmut gesagt, wirklich
der Teufel selbst die Verruchten schütze, die ihm ihre Seelen verkauft.[62]
Man kann es sich denken, daß Desgrais' Geschichte mancherlei tollen   5
Schmuck erhielt. Die Erzählung davon mit einem Holzschnitt[63] darüber,
eine gräßliche Teufelsgestalt vorstellend, die vor dem erschrockenen
Desgrais in die Erde versinkt, wurde gedruckt und an allen Ecken verkauft. Genug, das Volk einzuschüchtern und selbst den Häschern allen
Mut zu nehmen, die nun zur Nachtzeit mit Zittern und Zagen die Straßen   10
durchirrten,[64] mit Amuletten behängt und eingeweicht in Weihwasser.[65]

Argenson sah die Bemühungen der Chambre ardente scheitern[66] und
ging den König an, für das neue Verbrechen einen Gerichtshof zu ernennen, der mit noch ausgedehnterer Macht den Tätern nachspüre und sie
strafe. Der König, überzeugt, schon der Chambre ardente zuviel Gewalt   15
gegeben zu haben, erschüttert von dem Greuel unzähliger Hinrichtungen,
die der blutgierige[67] la Regnie veranlaßt, wies den Vorschlag gänzlich von
der Hand.

Man wählte ein anderes Mittel, den König für die Sache zu beleben.

In den Zimmern der Maintenon, wo sich der König nachmittags auf-   20
zuhalten und wohl auch mit seinen Ministern bis in die späte Nacht hinein
zu arbeiten pflegte, wurde ihm ein Gedicht überreicht im Namen der
gefährdeten Liebhaber, welche klagten, daß, gebiete ihnen die Galanterie,
der Geliebten ein reiches Geschenk zu bringen, sie allemal ihr Leben
daransetzen müßten. Ehre und Lust sei es, im ritterlichen Kampf sein   25
Blut für die Geliebte zu verspritzen;[68] anders verhalte es sich aber mit
dem heimtückischen Anfall des Mörders, wider den man sich nicht wapp-
nen[69] könne. Ludwig, der leuchtende Polarstern[70] aller Liebe und Galanterie, der möge hellaufstrahlend[71] die finstre Nacht zerstreuen und so das
schwarze Geheimnis, das darin verborgen, enthüllen. Der göttliche Held,   30
der seine Feinde niedergeschmettert, werde nun auch sein siegreich[72]
funkelndes Schwert zücken[73] und, wie Herkules die Lernäische Schlange,
wie Theseus den Minotaur,[74] das bedrohliche Ungeheuer bekämpfen, das
alle Liebeslust wegzehre und alle Freude verdüstre[75] in tiefes Leid, in
trostlose Trauer.   35

So ernst die Sache auch war, so fehlte es diesem Gedicht doch nicht,
vorzüglich in der Schilderung, wie die Liebhaber auf dem heimlichen

[62] *people were soon convinced that the devil himself—no less—was in fact protecting the villains who had sold him their souls, something which D. had said only out of annoyance*
[63] *wood-cut*
[64] *wandered*
[65] *drenched in holy water*
[66] *come to naught*

[67] *bloodthirsty*

[68] *shed*
[69] *arm oneself*
[70] *Pole-star*
[71] *brightly rising*
[72] *victoriously*
[73] *draw*
[74] *(Slaying the nine-headed Lernean hydra was the second of the 12 "labors of Hercules." Theseus of Athens, aided by Ariadne, daughter of King Minos of Crete, killed the King's man-eating monster, the Minotaur.)*
[75] *darkens . . . and transforms*

What is the significance of the means used to persuade the King to take stronger measures?
Why a poem?

Schleichwege[76] zur Geliebten sich ängstigen müßten, wie die Angst schon alle Liebeslust, jedes schöne Abenteuer der Galanterie im Aufkeimen töte, an geistreich-witzigen Wendungen. Kam nun noch hinzu,[77] daß beim Schluß alles in einen hochtrabenden[78] Panegyrikus auf Ludwig den
5 XIV. ausging, so konnte es nicht fehlen, daß der König das Gedicht mit sichtlichem Wohlgefallen durchlas.[79] Damit zustande gekommen,[80] drehte er sich, die Augen nicht wegwendend von dem Papier, rasch um zur Maintenon, las das Gedicht noch einmal mit lauter Stimme ab und fragte dann, anmutig lächelnd, was sie von den Wünschen der gefährdeten
10 Liebhaber halte. Die Maintenon, ihrem ernsten Sinne treu und immer in der Farbe einer gewissen Frömmigkeit,[81] erwiderte, daß geheime, verbotene Wege eben keines besondern Schutzes würdig, die entsetzlichen Verbrecher aber wohl besonderer Maßregeln zu ihrer Vertilgung wert wären. Der König, mit dieser schwankenden Antwort unzufrieden, schlug
15 das Papier zusammen und wollte zurück zu dem Staatssekretär, der in dem andern Zimmer arbeitete, als ihm bei einem Blick, den er seitwärts warf, die Scuderi ins Auge fiel, die zugegen war und eben unfern der Maintenon auf einem kleinen Lehnsessel Platz genommen hatte. Auf diese schritt er nun los; das anmutige Lächeln, das erst um Mund und Wangen spielte
20 und das verschwunden, gewann wieder Oberhand, und dicht vor dem Fräulein stehend und das Gedicht wieder auseinanderfaltend,[82] sprach er sanft: „Die Marquise mag nun einmal von den Galanterien unserer verliebten Herren nichts wissen und weicht mir aus auf Wegen, die nichts weniger als verboten sind. Aber Ihr, mein Fräulein, was haltet Ihr von dieser
25 dichterischen Supplik?" — Die Scuderi stand ehrerbietig auf von ihrem Lehnsessel, ein flüchtiges Rot überflog wie Abendpurpur die blassen Wangen der alten, würdigen Dame, sie sprach, sich leise verneigend, mit niedergeschlagenen Augen:

„Un amant, qui craint les voleurs,
30   n'est point digne d'amour."

Der König, ganz erstaunt über den ritterlichen Geist dieser wenigen Worte, die das ganze Gedicht mit seinen ellenlangen Tiraden[83] zu Boden schlugen, rief mit blitzenden Augen: „Beim heiligen Dionys, Ihr habt recht, Fräulein! Keine blinde Maßregel, die den Unschuldigen trifft mit
35 dem Schuldigen, soll die Feigheit schützen; mögen Argenson und la Regnie das Ihrige tun!"[84]

As the flashback ends, Mlle de Scuderi is directly involved. What precisely is her effect on the course of events? What is accomplished by the patterning of the flashback as it moves from very general background and a wide range of figures to one person, and Mlle de Scuderi in particular? (For example, in reference to the renewal of the main line of narration.)

[76] *hidden paths*
[77] *add to this the fact . . .*
[78] *high-flown*
[79] *. . . and it was inevitable that the King should read . .*
[80] *having done so*
[81] *maintaining a certain pious air*
[82] *unfolding*
[83] *interminable effusions*
[84] *let . . . do what they will*

Alle die Greuel der Zeit schilderte nun die Martiniere mit den lebhaftesten Farben, als sie am andern Morgen ihrem Fräulein erzählte, was sich in voriger Nacht zugetragen, und übergab ihr zitternd und zagend das geheimnisvolle Kästchen. Sowohl sie als Baptiste, der ganz verblaßt in der Ecke stand und, vor Angst und Beklommenheit die Nachtmütze in den 5 Händen knetend, kaum sprechen konnte, baten das Fräulein auf das wehmütigste um aller Heiligen willen, doch nur mit möglichster Behutsamkeit das Kästchen zu öffnen. Die Scuderi, das verschlossene Geheimnis in der Hand wiegend und prüfend, sprach lächelnd: „Ihr seht beide Gespenster! — Daß ich nicht reich bin, daß bei mir keine Schätze, eines 10 Mordes wert, zu holen sind, das wissen die verruchten Meuchelmörder da draußen, die, wie ihr selbst sagt, das Innerste der Häuser erspähen, wohl ebensogut als ich und ihr. Auf mein Leben soll es abgesehen sein?[85] Wem kann was an dem Tode liegen einer Person von dreiundsiebzig Jahren, die niemals andere verfolgte als die Bösewichter und Frieden- 15 störer[86] in den Romanen, die sie selbst schuf, die mittelmäßige Verse macht, welche niemandes Neid erregen können, die nichts hinterlassen wird, als den Staat des alten Fräuleins, das bisweilen an den Hof ging, und ein paar Dutzend gut eingebundener Bücher mit vergoldetem Schnitt! Und du, Martiniere, du magst nun die Erscheinung des fremden Menschen 20 so schreckhaft beschreiben, wie du willst, doch kann ich nicht glauben, daß er Böses im Sinne getragen."

„Also!" —

Die Martiniere prallte drei Schritte zurück, Baptiste sank mit einem dumpfen Ach! halb in die Knie, als das Fräulein nun an einen hervorra- 25 genden stählernen Knopf drückte und der Deckel[87] des Kästchens mit Geräusch aufsprang.

Wie erstaunte das Fräulein, als ihr aus dem Kästchen ein Paar goldne, reich mit Juwelen besetzte Armbänder und eben ein solcher Halsschmuck entgegenfunkelten. Sie nahm das Geschmeide heraus, und indem sie die 30 wundervolle Arbeit des Halsschmucks lobte, beäugelte die Martiniere die reichen Armbänder und rief ein Mal über das andere, daß ja selbst die eitle Montespan[88] nicht solchen Schmuck besitze. „Aber was soll das, was hat das zu bedeuten?" sprach die Scuderi. In dem Augenblick gewahrte sie auf dem Boden des Kästchens einen kleinen zusammengefalteten 35 Zettel. Mit Recht hoffte sie den Aufschluß des Geheimnisses darin zu finden. Der Zettel, kaum hatte sie, was er enthielt, gelesen, entfiel[89] ihren

[85] *You mean to say they have designs on my life?*

[86] *malefactors*

[87] *lid*

[88] *(Marquise de Montespan, one of Louis XIV's many mistresses)*

[89] *fell from*

The contents of the box establish what links with recent events?

zitternden Händen. Sie warf einen sprechenden Blick zum Himmel und sank dann, wie halb ohnmächtig, in den Lehnsessel zurück. Erschrocken sprang die Martiniere, sprang Baptiste ihr bei.[90] „Oh", rief sie nun mit von Tränen halb erstickter Stimme, „o der Kränkung, o der tiefen
5 Beschämung! Muß mir das noch geschehen im hohen Alter! Hab ich denn im törichten Leichtsinn gefrevelt, wie ein junges, unbesonnenes Ding? — O Gott, sind Worte, halb im Scherz hingeworfen,[91] solcher gräßlichen Deutung fähig! — Darf dann mich, die ich, der Tugend getreu und der Frömmigkeit, tadellos blieb von Kindheit an, darf dann mich das Ver-
10 brechen des teuflischen Bündnisses zeihen?"

Das Fräulein hielt das Schnupftuch vor die Augen und weinte und schluchzte heftig, so daß die Martiniere und Baptiste, ganz verwirrt und beklommen, nicht wußten, wie ihrer guten Herrschaft beistehen in ihrem großen Schmerz.
15 Die Martiniere hatte den verhängnisvollen Zettel von der Erde aufgehoben. Auf demselben stand:

> „Un amant, qui craint les voleurs,
> n'est point digne d'amour.

Euer scharfsinniger Geist, hochgeehrte[92] Dame, hat uns, die wir an
20 der Schwäche und Feigheit das Recht des Stärkern üben und uns Schätze zueignen,[93] die auf unwürdige Weise vergeudet[94] werden sollten, von großer Verfolgung errettet. Als einen Beweis unserer Dankbarkeit nehmet gütig diesen Schmuck an. Es ist das Kostbarste, was wir seit langer Zeit haben auftreiben[95] können, wiewohl Euch, würdige Dame, viel schöneres
25 Geschmeide zieren sollte, als dieses nun eben ist. Wir bitten, daß Ihr uns Eure Freundschaft und Euer huldvolles Andenken nicht entziehen möget.

Die Unsichtbaren."

„Ist es möglich", rief die Scuderi, als sie sich einigermaßen erholt hatte,
30 „ist es möglich, daß man die schamlose Frechheit, den verruchten Hohn so weit treiben kann?" — Die Sonne schien hell durch die Fenstergardinen von hochroter[96] Seide, und so kam es, daß die Brillanten,[97] welche auf dem Tische neben dem offenen Kästchen lagen, in rötlichem Schimmer aufblitzten. Hinblickend, verhüllte die Scuderi voll Entsetzen das Gesicht

---

Note carefully the "ethical" posture of the mysterious note.

[90] *sprang to her side (to assist her)*

[91] *spoken casually*

[92] *esteemed*

[93] *appropriate to ourselves*
[94] *squandered*

[95] *locate*

[96] *deep red*
[97] *diamonds*

und befahl der Martiniere, das fürchterliche Geschmeide, an dem das Blut der Ermordeten klebe, augenblicklich fortzuschaffen. Die Martiniere, nachdem sie Halsschmuck und Armbänder sogleich in das Kästchen verschlossen, meinte, daß es wohl am geratensten sein würde, die Juwelen dem Polizeiminister zu übergeben und ihm zu vertrauen, wie sich alles 5 mit der beängstigenden Erscheinung des jungen Menschen und der Einhändigung des Kästchens zugetragen.

Die Scuderi stand auf und schritt schweigend langsam im Zimmer auf und nieder, als sinne sie erst nach, was nun zu tun sei. Dann befahl sie dem Baptiste, einen Tragsessel[98] zu holen, der Martiniere aber, sie anzu- 10 kleiden, weil sie auf der Stelle hin wolle zur Marquise de Maintenon.

Sie ließ sich hintragen zur Marquise gerade zu der Stunde, wenn diese, wie die Scuderi wußte, sich allein in ihren Gemächern befand. Das Kästchen mit den Juwelen nahm sie mit sich.

Wohl mußte die Marquise sich hoch verwundern, als sie das Fräulein, 15 sonst die Würde, ja trotz ihrer hohen Jahre die Liebenswürdigkeit, die Anmut selbst, eintreten sah, blaß, entstellt, mit wankenden Schritten. „Was um aller Heiligen willen ist Euch widerfahren?" rief sie der armen, beängsteten[99] Dame entgegen, die, ganz außer sich selbst, kaum imstande, sich aufrecht zu erhalten, nur schnell den Lehnsessel zu erreichen suchte, 20 den ihr die Marquise hinschob. Endlich des Wortes wieder mächtig, erzählte das Fräulein, welche tiefe, nicht zu verschmerzende[1] Kränkung ihr jener unbedachtsame Scherz, mit dem sie die Supplik der gefährdeten Liebhaber beantwortet, zugezogen[2] habe. Die Marquise, nachdem sie alles von Moment zu Moment erfahren, urteilte, daß die Scuderi sich das 25 sonderbare Ereignis viel zu sehr zu Herzen nehme, daß der Hohn verruchten Gesindels nie ein frommes, edles Gemüt treffen könne, und verlangte zuletzt den Schmuck zu sehen.

Die Scuderi gab ihr das geöffnete Kästchen, und die Marquise konnte sich, als sie das köstliche Geschmeide erblickte, des lauten Ausrufs der 30 Verwunderung nicht erwehren. Sie nahm den Halsschmuck, die Armbänder heraus und trat damit an das Fenster, wo sie bald die Juwelen an der Sonne spielen ließ, bald die zierliche Goldarbeit ganz nahe vor die Augen hielt, um nur recht zu erschauen, mit welcher wundervollen Kunst jedes kleine Häkchen[3] der verschlungenen Ketten gearbeitet war. 35

Auf einmal wandte sich die Marquise rasch um nach dem Fräulein und rief: „Wißt Ihr wohl, Fräulein, daß diese Armbänder, diesen Halsschmuck

[98] *sedan-chair*

[99] *frightened*

[1] *irremediable*

[2] *caused her to incur*

[3] *(from* Haken*)*

What kinds of women do Mlle de Scuderi and the Marquise represent, and what is the effect of their involvement in the immediate problem?

niemand anders gearbeitet haben kann, als René Cardillac?" — René
Cardillac war damals der geschickteste Goldarbeiter in Paris, einer der
kunstreichsten[4] und zugleich sonderbarsten Menschen seiner Zeit. Eher
klein als groß, aber breitschultrig und von starkem, muskulösem Körper-
5 bau,[5] hatte Cardillac, hoch in die funfziger Jahre vorgerückt,[6] noch die
Kraft, die Beweglichkeit des Jünglings. Von dieser Kraft, die ungewöhnlich zu nennen,[7] zeugte auch das dicke, krause, rötliche Haupthaar und
das gedrungene,[8] gleißende Antlitz. Wäre Cardillac nicht in ganz Paris als
der rechtlichste Ehrenmann, uneigennützig,[9] offen, ohne Hinterhalt,[10] stets
10 zu helfen bereit, bekannt gewesen, sein ganz besonderer Blick aus kleinen,
tiefliegenden, grün funkelnden Augen hätten ihn in den Verdacht heimlicher Tücke und Bosheit bringen können. Wie gesagt, Cardillac war in
seiner Kunst der Geschickteste nicht sowohl in Paris, als vielleicht überhaupt seiner Zeit. Innig vertraut mit der Natur der Edelsteine, wußte er
15 sie auf eine Art zu behandeln und zu fassen, daß der Schmuck, der erst
für unscheinbar gegolten, aus Cardillacs Werkstatt hervorging in glänzender Pracht. Jeden Auftrag übernahm er mit brennender Begierde und
machte einen Preis, der, so geringe war er, mit der Arbeit in keinem
Verhältnis zu stehen schien. Dann ließ ihm das Werk keine Ruhe, Tag und
20 Nacht hörte man ihn in seiner Werkstatt hämmern, und oft, war die Arbeit
beinahe vollendet, mißfiel ihm plötzlich die Form, er zweifelte an der
Zierlichkeit irgendeiner Fassung der Juwelen, irgendeines kleinen Häk-
chens — Anlaß genug, die ganze Arbeit wieder in den Schmelztiegel[11] zu
werfen und von neuem anzufangen. So wurde jede Arbeit ein reines, un-
25 übertreffliches[12] Meisterwerk, das den Besteller in Erstaunen setzte. Aber
nun war es kaum möglich, die fertige Arbeit von ihm zu erhalten. Unter
tausend Vorwänden hielt er den Besteller hin[13] von Woche zu Woche, von
Monat zu Monat. Vergebens bot man ihm das Doppelte für die Arbeit,
nicht einen Louis mehr als den bedungenen[14] Preis wollte er nehmen.
30 Mußte er dann endlich dem Andringen[15] des Bestellers weichen und den
Schmuck herausgeben, so konnte er sich aller Zeichen des tiefsten Ver-
drusses, ja einer innern Wut, die in ihm kochte, nicht erwehren. Hatte er
ein bedeutenderes, vorzüglich reiches Werk, vielleicht viele Tausende an
Wert, bei der Kostbarkeit der Juwelen, bei der überzierlichen[16] Goldarbeit,
35 abliefern müssen, so war er imstande, wie unsinnig umherzulaufen, sich,
seine Arbeit, alles um sich her verwünschend. Aber sowie einer hinter ihm
herrannte und laut schrie: „René Cardillac, möchtet Ihr nicht einen

4 *ingenious*

5 *muscular build*
6 *well into his fifties*

7 *(zu nennen war)*

8 *heavy-set*

9 *unselfish*
10 *without deceit*

11 *melting pot*

12 *unsurpassed*

13 *held off*

14 *stipulated*
15 *importuning*

16 *very ornate*

This is not the first time exceptional skill has figured in the story. Could it be thematic?

schönen Halsschmuck machen für meine Braut — Armbänder für mein Mädchen usw.",[17] dann stand er plötzlich still, blitzte den an mit seinen kleinen Augen und fragte, die Hände reibend: „Was habt Ihr denn?" Der zieht nun ein Schächtelchen hervor und spricht: „Hier sind Juwelen, viel Sonderliches ist es nicht, gemeines Zeug, doch unter Euern Händen —" Cardillac läßt ihn nicht ausreden,[18] reißt ihm das Schächtelchen aus den Händen, nimmt die Juwelen heraus, die wirklich nicht viel wert sind, hält sie gegen das Licht und ruft voll Entzücken: „Ho ho — gemeines Zeug? — mitnichten![19] — hübsche Steine — herrliche Steine, laßt mich nur machen! — und wenn es Euch auf eine Handvoll Louis nicht ankommt, so will ich noch ein paar Steinchen hineinbringen, die Euch in die Augen funkeln sollen wie die liebe Sonne selbst —" Der spricht: „Ich überlasse Euch alles, Meister René, und zahle, was Ihr wollt!" Ohne Unterschied, mag er nun ein reicher Bürgersmann[20] oder ein vornehmer Herr vom Hofe sein, wirft sich Cardillac ungestüm an seinen Hals und drückt und küßt ihn und spricht, nun sei er wieder ganz glücklich, und in acht Tagen werde die Arbeit fertig sein. Er rennt über Hals und Kopf[21] nach Hause, hinein in die Werkstatt und hämmert darauf los, und in acht Tagen ist ein Meisterwerk zustande gebracht.[22] Aber sowie der, der es bestellte, kommt, mit Freuden die geforderte geringe Summe bezahlen und den fertigen Schmuck mitnehmen will, wird Cardillac verdrießlich, grob, trotzig. — „Aber Meister Cardillac, bedenkt, morgen ist meine Hochzeit." — „Was schert mich Eure Hochzeit, fragt in vierzehn Tagen wieder nach." — „Der Schmuck ist fertig, hier liegt das Geld, ich muß ihn haben." — „Und ich sage Euch, daß ich noch manches an dem Schmuck ändern muß und ihn heute nicht herausgeben werde." — „Und ich sage Euch, daß wenn Ihr mir den Schmuck, den ich Euch allenfalls[23] doppelt bezahlen will, nicht herausgebt im guten,[24] Ihr mich gleich mit Argensons dienstbaren Trabanten anrücken[25] sehen sollt." — „Nun so quäle Euch der Satan mit hundert glühenden Kneipzangen[26] und hänge drei Zentner[27] an den Halsschmuck, damit er Eure Braut erdroßle![28] Und damit steckt Cardillac dem Bräutigam den Schmuck in die Busentasche,[29] ergreift ihn beim Arm, wirft ihn zur Stubentür hinaus, daß er die ganze Treppe hinabpoltert, und lacht wie der Teufel zum Fenster hinaus, wenn er sieht, wie der arme junge Mensch, das Schnupftuch vor der blutigen Nase, aus dem Hause hinaushinkt.[30] Gar nicht zu erklären war es auch, daß Cardillac oft, wenn er mit Enthusiasmus eine Arbeit übernahm, plötzlich den Besteller mit

[17] (und so weiter)

[18] *finish speaking*

[19] *not at all*

[20] *burgher*

[21] *headlong*

[22] *completed*

[23] *if need be*
[24] *in good faith*
[25] *advancing on you with A's loyal myrmidons*
[26] *pincers*
[27] *hundredweight*
[28] *throttle*
[29] *breast pocket*

[30] *limps out*

The portrait of Cardillac is another break in the narrative line. Note very carefully his appearance, manner, and apparent character. Are there any immediate grounds for reservation of

allen Zeichen des im Innersten aufgeregten Gemüts, mit den erschütterndsten Beteuerungen, ja unter Schluchzen und Tränen bei der Jungfrau und allen Heiligen beschwor, ihm das unternommene Werk zu erlassen.[31]   *[31] release him from*
Manche der von dem Könige, von dem Volke hochgeachtetsten Personen
5 hatten vergebens große Summen geboten, um nur das kleinste Werk von Cardillac zu erhalten. Er warf sich dem Könige zu Füßen und flehte um die Huld, nichts für ihn arbeiten zu dürfen. Ebenso verweigerte er der Maintenon jede Bestellung, ja, mit dem Ausdruck des Abscheues und Entsetzens verwarf er den Antrag derselben, einen kleinen, mit den Emble-
10 men der Kunst verzierten Ring zu fertigen, den Racine von ihr erhalten sollte.

„Ich wette", sprach daher die Maintenon, „ich wette, daß Cardillac, schicke ich auch hin zu ihm, um wenigstens zu erfahren, für wen er diesen Schmuck fertigte, sich weigert herzukommen, weil er vielleicht eine
15 Bestellung fürchtet und doch durchaus nichts für mich arbeiten will. Wiewohl er seit einiger Zeit abzulassen scheint von seinem starren Eigensinn, denn wie ich höre, arbeitet er jetzt fleißiger als je und liefert seine Arbeit ab auf der Stelle, jedoch noch immer mit tiefem Verdruß und weggewandtem Gesicht." Die Scuderi, der auch viel daran gelegen, daß, sei
20 es noch möglich, der Schmuck bald in die Hände des rechtmäßigen Eigentümers komme, meinte, daß man dem Meister Sonderling ja gleich sagen lassen könne, wie man keine Arbeit, sondern nur sein Urteil über Juwelen verlange. Das billigte[32] die Marquise. Es wurde nach Cardillac   *[32] approved of*
geschickt, und als sei er schon auf dem Wege gewesen, trat er nach Verlauf
25 weniger Zeit in das Zimmer.

Er schien, als er die Scuderi erblickte, betreten,[33] und wie einer, der,   *[33] taken aback*
von dem Unerwarteten plötzlich getroffen, die Ansprüche des Schick-
lichen,[34] wie sie der Augenblick darbietet, vergißt, neigte er sich zuerst tief   *[34] of propriety*
und ehrfurchtsvoll vor dieser ehrwürdigen Dame und wandte sich dann
30 erst zur Marquise. *Die* frug ihn hastig, indem sie auf das Geschmeide wies, das auf dem dunkelgrün behängten Tisch funkelte, ob das seine Arbeit sei. Cardillac warf kaum einen Blick darauf und packte, der Marquise ins Gesicht starrend, Armbänder und Halsschmuck schnell ein in das Kästchen, das daneben stand und das er mit Heftigkeit von sich wegschob.
35 Nun sprach er, indem ein häßliches Lächeln auf seinem roten Antlitz gleißte: „In der Tat, Frau Marquise, man muß René Cardillacs Arbeit schlecht kennen, um nur einen Augenblick zu glauben, daß irgendein

---

judgment? As the portrait is extended, the curious aspects multiply. What sort of personality is this? Speculate on his refusal to work for certain persons.
Where does the portrait–flashback end?

anderer Goldschmied in der Welt solchen Schmuck fassen könne. Freilich ist das meine Arbeit." „So sagt denn", fuhr die Marquise fort, „für wen Ihr diesen Schmuck gefertigt habt?" „Für mich ganz allein", erwiderte Cardillac, „ja, Ihr möget," fuhr er fort, als beide, die Maintenon und die Scuderi, ihn ganz verwundert anblickten, jene voll Mißtrauen, diese voll banger Erwartung, wie sich nun die Sache wenden würde, „ja, Ihr möget das nun seltsam finden, Frau Marquise, aber es ist dem so.[35] Bloß der schönen Arbeit willen suchte ich meine besten Steine zusammen und arbeitete aus Freude daran fleißiger und sorgfältiger als jemals. Vor weniger Zeit verschwand der Schmuck aus meiner Werkstatt auf unbegreifliche Weise." „Dem Himmel sei es gedankt", rief die Scuderi, indem ihr die Augen vor Freude funkelten, und sie rasch und behende wie ein junges Mädchen von ihrem Lehnsessel aufsprang, auf den Cardillac losschritt und beide Hände auf seine Schultern legte, „empfangt", sprach sie dann, „empfangt, Meister René, das Eigentum, das Euch verruchte Spitzbuben raubten, wieder zurück." Nun erzählte sie ausführlich,[36] wie sie zu dem Schmuck gekommen. Cardillac hörte alles schweigend mit niedergeschlagenen Augen an. Nur mitunter stieß er ein unvernehmliches[37] „Hm! — So! — Ei! — Hoho!" — aus und warf bald die Hände auf den Rücken, bald streichelte er leise Kinn und Wange. Als nun die Scuderi geendet, war es, als kämpfe Cardillac mit ganz besondern Gedanken, die währenddessen ihm gekommen, und als wolle irgendein Entschluß sich nicht fügen und fördern.[38] Er rieb sich die Stirne, er seufzte, er fuhr mit der Hand über die Augen, wohl gar um hervorbrechenden Tränen zu steuern. Endlich ergriff er das Kästchen, das ihm die Scuderi darbot, ließ sich auf ein Knie langsam nieder und sprach: „Euch, edles, würdiges Fräulein, hat das Verhängnis diesen Schmuck bestimmt. Ja, nun weiß ich es erst, daß ich während der Arbeit an Euch dachte, ja für Euch arbeitete. Verschmäht es nicht, diesen Schmuck als das Beste, was ich wohl seit langer Zeit gemacht, von mir anzunehmen und zu tragen." „Ei, ei", erwiderte die Scuderi, anmutig scherzend, „wo denkt Ihr hin, Meister René, steht es mir denn an, in meinen Jahren mich noch so herauszuputzen mit blanken Steinen? — Und wie kömmt Ihr denn dazu, mich so überreich zu beschenken?[39] Geht, geht, Meister René, wär' ich so schön wie die Marquise de Fontange[40] und reich, in der Tat, ich ließe den Schmuck nicht aus den Händen, aber was soll diesen welken Armen die eitle Pracht, was soll diesem verhüllten Hals der glänzende Putz?" Cardillac hatte sich indessen

[35] *that is the case*

[36] *in detail*

[37] *nearly inaudible*

[38] *simply would not take shape in his mind*

[39] *give me such inordinately rich presents*
[40] *(Another of Louis' mistresses)*

Cardillac's customary reluctance to deliver his work lends special weight to his insistence on Mlle de Scuderi's keeping the jewels. Explain.

erhoben und sprach, wie außer sich, mit verwildertem Blick, indem er
fortwährend das Kästchen der Scuderi hinhielt: „Tut mir die Barmherzigkeit, Fräulein, und nehmt den Schmuck. Ihr glaubt es nicht, welche tiefe
Verehrung ich für Eure Tugend, für Eure hohen Verdienste[41] im Herzen   *[41] merits*
5 trage! Nehmt doch mein geringes Geschenk nur für das Bestreben[42] an,   *[42] endeavor*
Euch recht meine innerste Gesinnung zu beweisen." — Als nun die
Scuderi immer noch zögerte, nahm die Maintenon das Kästchen aus
Cardillacs Händen, sprechend: „Nun beim Himmel, Fräulein, immer
redet Ihr von Euern hohen Jahren, was haben wir, ich und Ihr, mit den
10 Jahren zu schaffen und ihrer Last! — Und tut Ihr denn nicht eben wie ein
junges verschämtes Ding, das gern zulangen[43] möchte nach der darge-   *[43] reach out*
botnen süßen Frucht, könnte das nur geschehen ohne Hand und ohne
Finger. — Schlagt dem wackern Meister René nicht ab, das freiwillig als
Geschenk zu empfangen, was tausend andere nicht erhalten können, alles
15 Goldes, alles Bittens und Flehens unerachtet —"

Die Maintenon hatte der Scuderi das Kästchen währenddessen auf-
gedrungen,[44] und nun stürzte Cardillac nieder auf die Knie — küßte   *[44] pressed . . . into the hands of . . .*
der Scuderi den Rock — die Hände — stöhnte — seufzte — weinte —
schluchzte — sprang auf — rannte wie unsinnig, Sessel — Tische um-
20 stürzend, daß Porzellan, Gläser zusammenklirrten, in toller Hast von dannen. —

Ganz erschrocken rief die Scuderi: „Um aller Heiligen willen, was
widerfährt dem Menschen!" Doch die Marquise, in besonderer heiterer
Laune bis zu sonst ihr ganz fremdem Mutwillen,[45] schlug eine helle Lache[46]   *[45] to the point of un-accustomed mis-chievousness*
25 auf und sprach: „Da haben wir's Fräulein, Meister René ist in Euch   *[46] laugh*
sterblich verliebt[47] und beginnt nach richtigem Brauch und bewährter[48]   *[47] desperately in love*
Sitte echter Galanterie Euer Herz zu bestürmen mit reichen Geschenken."   *[48] well-established*
Die Maintenon führte diesen Scherz weiter aus, indem sie die Scuderi
ermahnte, nicht zu grausam zu sein gegen den verzweifelten Liebhaber,
30 und diese wurde, Raum gebend angeborner Laune,[49] hingerissen in den   *[49] giving way to her innate humor*
sprudelnden Strom tausend lustiger Einfälle. Sie meinte, daß sie, stünden
die Sachen nun einmal so, endlich besiegt, wohl nicht werde umhin-
können, der Welt das unerhörte Beispiel einer dreiundsiebzigjährigen
Goldschmiedsbraut von untadeligem Adel aufzustellen. Die Maintenon
35 erbot sich,[50] die Brautkrone[51] zu flechten und sie über die Pflichten einer   *[50] offered*
guten Hausfrau zu belehren, wovon freilich so ein kleiner Kiekindiewelt[52]   *[51] bridal wreath*
von Mädchen nicht viel wissen könne.   *[52] mere slip*

How close to the truth might the Marquise be in speaking of Cardillac's motives? Have we any
indication of his attitude toward Mlle de Scuderi?

Da nun endlich die Scuderi aufstand, um die Marquise zu verlassen, wurde sie, alles lachenden Scherzes ungeachtet,[53] doch wieder sehr ernst, als ihr das Schmuckkästchen zur Hand kam. Sie sprach: „Doch, Frau Marquise, werde ich mich dieses Schmuckes niemals bedienen können. Er ist, mag es sich nun zugetragen haben, wie es will, einmal in den 5 Händen jener höllischen Gesellen gewesen, die mit der Frechheit des Teufels, ja wohl gar in verdammtem Bündnis mit ihm, rauben und morden. Mir graust vor dem Blute, das an dem funkelnden Geschmeide zu kleben scheint. — Und nun hat selbst Cardillacs Betragen, ich muß es gestehen, für mich etwas sonderbar Ängstliches und Unheimliches. Nicht erwehren 10 kann ich mir einer dunklen Ahnung, daß hinter diesem allem irgendein grauenvolles, entsetzliches Geheimnis verborgen, und bringe ich mir die ganze Sache recht deutlich vor Augen mit jedem Umstande,[54] so kann ich doch wieder gar nicht auch nur ahnen, worin das Geheimnis bestehe und wie überhaupt der ehrliche, wackere Meister René, das Vorbild eines guten, 15 frommen Bürgers, mit irgend etwas Bösem, Verdammlichem zu tun haben soll. So viel ist aber gewiß, daß ich niemals mich unterstehen werde, den Schmuck anzulegen."

Die Marquise meinte, daß hieße die Skrupel zu weit treiben; als nun aber die Scuderi sie auf ihr Gewissen fragte, was sie in ihrer, der Scuderi, 20 Lage wohl tun würde, antwortete sie ernst und fest: „Weit eher den Schmuck in die Seine werfen, als ihn jemals tragen."

Den Auftritt mit dem Meister René brachte die Scuderi in gar anmutige Verse, die sie den folgenden Abend in den Gemächern der Maintenon dem Könige vorlas. Wohl mag es sein, daß sie auf Kosten Meister Renés, alle 25 Schauer unheimlicher Ahnung besiegend, das ergötzliche[55] Bild der dreiundsiebzigjährigen Goldschmiedsbraut von uraltem Adel mit lebendigen Farben darzustellen gewußt. Genug, der König lachte bis ins Innerste hinein und schwur, daß Boileau Despréaux seinen Meister gefunden, weshalb der Scuderi Gedicht für das Witzigste galt, das jemals geschrieben. 30

Mehrere Monate waren vergangen, als der Zufall es wollte, daß die Scuderi in der Glaskutsche[56] der Herzogin von Montansier über den Pontneuf fuhr. Noch war die Erfindung der zierlichen Glaskutschen so neu, daß das neugierige Volk sich zudrängte,[57] wenn ein Fuhrwerk der Art auf den Straßen erschien. So kam es denn auch, daß der gaffende Pöbel auf 35 dem Pontneuf die Kutsche der Montansier umringte, beinahe den Schritt der Pferde hemmend. Da vernahm die Scuderi plötzlich ein Geschimpfe

---

The words of Mlle de Scuderi, voicing her presentiments, offer an opportunity to analyze the nature of dialogue in Hoffmann. How close is it to "real speech"? Is the level consistent and homogeneous?

Does Mlle de Scuderi leave herself open to any charge of inappropriate or inconsistent action?

und Gefluche[58] und gewahrte, wie ein Mensch mit Faustschlägen und Rippenstößen sich Platz machte durch die dickste Masse. Und wie er näher kam, trafen sie die durchbohrenden Blicke eines todbleichen, gramverstörten[59] Jünglingsantlitzes. Unverwandt schaute der junge Mensch
5 sie an, während er mit Ellbogen und Fäusten rüstig vor sich wegarbeitete bis er an den Schlag des Wagens kam, den er mit stürmender Hastigkeit aufriß, der Scuderi einen Zettel in den Schoß warf und, Stöße, Faustschläge austeilend und empfangend, verschwand, wie er gekommen. Mit einem Schrei des Entsetzens war, sowie der Mensch am Kutschenschlage
10 erschien, die Martiniere, die sich bei der Scuderi befand, entseelt in die Wagenkissen zurückgesunken. Vergebens riß die Scuderi an der Schnur, rief dem Kutscher zu, *der*, wie vom bösen Geiste getrieben, peitschte auf die Pferde los, die, den Schaum von den Mäulern wegspritzend, um sich schlugen, sich bäumten, endlich in scharfem Trab fortdonnerten über
15 die Brücke. Die Scuderi goß ihr Riechfläschchen[60] über die ohnmächtige Frau aus, die endlich die Augen aufschlug und, zitternd und bebend, sich krampfhaft festklammernd an die Herrschaft, Angst und Entsetzen im bleichen Antlitz, mühsam stöhnte: „Um der heiligen Jungfrau willen! was wollte der fürchterliche Mensch? — Ach! er war es ja, er war es, derselbe,
20 der Euch in jener schauervollen Nacht das Kästchen brachte!" — Die Scuderi beruhigte die Arme, indem sie ihr vorstellte, daß ja durchaus nichts Böses geschehen und daß es nur darauf ankomme, zu wissen, was der Zettel enthalte. Sie schlug das Blättchen auseinander und fand die Worte:
25 „Ein böses Verhängnis, das Ihr abwenden konntet, stößt mich in den Abgrund! — Ich beschwöre Euch, wie der Sohn die Mutter, von der er nicht lassen kann, in der vollsten Glut kindlicher Liebe, den Halsschmuck und die Armbänder, die Ihr durch mich erhieltet, unter irgendeinem Vorwand — um irgend etwas daran bessern — ändern zu lassen,
30 zum Meister René Cardillac zu schaffen; Euer Wohl, Euer Leben hängt davon ab. Tut Ihr es nicht bis übermorgen, so dringe ich in Eure Wohnung und ermorde mich vor Euern Augen!"
„Nun ist es gewiß", sprach die Scuderi, als sie dies gelesen, „daß, mag der geheimnisvolle Mensch auch wirklich zu der Bande verruchter Diebe
35 und Mörder gehören, er doch gegen mich nichts Böses im Schilde führt.[61] Wäre es ihm gelungen, mich in jener Nacht zu sprechen, wer weiß, welches sonderbare Ereignis, welch dunkles Verhältnis der Dinge mir

[58] *cursing and swearing*
[59] *grief-stricken*
[60] *bottle of smelling salts*
[61] *has no evil designs against me*

The encounter, after the time break, is directly reminiscent of what?
Have we enough evidence to speculate on what lies behind the words of the second note?
In what dimension of responsibility and fault does Mlle de Scuderi become involved?

klar worden, von dem ich jetzt auch nur die leiseste Ahnung vergebens in meiner Seele suche. Mag aber auch die Sache sich nun verhalten, wie sie will, das, was mir in diesem Blatt geboten wird, werde ich tun, und geschähe es auch nur, um den unseligen Schmuck loszuwerden, der mir ein höllischer Talisman des Bösen selbst dünkt. Cardillac wird ihn doch 5 wohl nun, seiner alten Sitte getreu, nicht so leicht wieder aus den Händen geben wollen.''

Schon andern Tages gedachte die Scuderi, sich mit dem Schmuck zu dem Goldschmied zu begeben. Doch war es, als hätten alle schönen Geister von ganz Paris sich verabredet, gerade an dem Morgen das Fräulein mit 10 Versen, Schauspielen, Anekdoten zu bestürmen. Kaum hatte la Chappelle[62] die Szene eines Trauerspiels[63] geendet und schlau versichert, daß er nun wohl Racine zu schlagen gedenke, als dieser selbst eintrat und ihn mit irgendeines Königs pathetischer Rede[64] zu Boden schlug, bis Boileau seine Leuchtkugeln in den schwarzen, tragischen Himmel steigen ließ, um nur 15 nicht ewig von der Kolonnade des Louvre schwatzen zu hören, in die ihn der architektische Doktor Perrault[65] hineingeengt.[66]

Hoher Mittag war geworden, die Scuderi mußte zur Herzogin Montansier, und so blieb der Besuch bei Meister René Cardillac bis zum andern Morgen verschoben. 20

Die Scuderi fühlte sich von einer besonderen Unruhe gepeinigt. Beständig vor Augen stand ihr der Jüngling, und aus dem tiefsten Innern wollte sich eine dunkle Erinnerung aufregen, als habe sie dies Antlitz, diese Züge schon gesehen. Den leisesten Schlummer störten ängstliche Träume, es war ihr, als habe sie leichtsinnig, ja strafwürdig[67] versäumt, 25 die Hand hilfreich zu erfassen, die der Unglückliche, in den Abgrund versinkend, nach ihr emporgestreckt, ja, als sei es an ihr gewesen, irgendeinem verderblichen Ereignis, einem heillosen[68] Verbrechen zu steuern! — Sowie es nur hoher Morgen, ließ sie sich ankleiden und fuhr, mit dem Schmuckkästchen versehen, zu dem Goldschmied hin. 30

Nach der Straße Nicaise, dorthin, wo Cardillac wohnte, strömte das Volk, sammelte sich vor der Haustüre — schrie, lärmte, tobte — wollte stürmend hinein, mit Mühe abgehalten von der Marechaussee, die das Haus umstellt. Im wilden, verwirrten Getöse riefen zornige Stimmen: ,,Zerreißt, zermalmt[69] den verfluchten Mörder!'' — Endlich erscheint 35 Desgrais mit zahlreicher Mannschaft,[70] *die* bildet durch den dicksten Haufen eine Gasse. Die Haustüre springt auf, ein Mensch, mit Ketten belastet,

[62] *(popular dramatist in the style of Racine)*
[63] *tragedy*
[64] *the solemn and lofty speech of some king or other*
[65] *Dr. Perrault the architect (designer of the Louvre's east facade, of which he was excessively proud)*
[66] *had trapped him*
[67] *culpably*
[68] *evil*
[69] *crush*
[70] *body of men*

In the interval of Mlle de Scuderi's postponed action, a crime has occurred which requires what narrative device? Characterize and delimit it. Watch and "chart" the narrative line,

wird hinausgebracht und unter den greulichsten Verwünschungen des wütenden Pöbels fortgeschleppt. — In dem Augenblick, als die Scuderi, halb entseelt vor Schreck und furchtbarer Ahnung, dies gewahrt, dringt ein gellendes Jammergeschrei ihr in die Ohren. „Vor! — weiter vor!"
5 ruft sie ganz außer sich dem Kutscher zu, der mit einer geschickten, raschen Wendung den dicken Haufen auseinanderstäubt[71] und dicht vor Cardillacs Haustüre hält. Da sieht die Scuderi Desgrais und zu seinen Füßen ein junges Mädchen, schön wie der Tag, mit aufgelösten Haaren, halb entkleidet, wilde Angst, trostlose Verzweiflung im Antlitz, die hält
10 seine Knie umschlungen und ruft mit dem Ton des entsetzlichsten, schneidendsten Todesschmerzes: „Er ist ja unschuldig! — er ist unschuldig!" Vergebens sind Desgrais', vergebens seiner Leute Bemühungen, sie loszureißen, sie vom Boden aufzurichten. Ein starker, ungeschlachter Kerl ergreift endlich mit plumpen Fäusten die Arme, zerrt
15 sie mit Gewalt weg von Desgrais, strauchelt ungeschickt, läßt das Mädchen fahren, die hinabschlägt die steinernen Stufen und lautlos — tot auf der Straße liegen bleibt. Länger kann die Scuderi sich nicht halten. „In Christus' Namen, was ist geschehen, was geht hier vor?" ruft sie, öffnet rasch den Schlag, steigt aus. — Ehrerbietig weicht das Volk der würdigen
20 Dame, die, als sie sieht, wie ein paar mitleidige Weiber das Mädchen aufgehoben, auf die Stufen gesetzt haben, ihr die Stirne mit starkem Wasser[72] reiben, sich dem Desgrais nähert und mit Heftigkeit ihre Frage wiederholt. „Es ist das Entsetzliche geschehen", spricht Desgrais, „René Cardillac wurde heute morgen durch einen Dolchstich ermordet gefunden.
25 Sein Geselle Olivier Brusson ist der Mörder. Eben wurde er fortgeführt ins Gefängnis." „Und das Mädchen?" ruft die Scuderi, — „ist", fällt Desgrais ein „ist Madelon, Cardillacs Tochter. Der verruchte Mensch war ihr Geliebter. Nun weint und heult sie und schreit ein Mal übers andere, daß Olivier unschuldig sei, ganz unschuldig. Am Ende weiß sie
30 von der Tat, und ich muß sie auch nach der Conciergerie bringen lassen." Desgrais warf, als er dies sprach, einen tückischen, schadenfrohen Blick auf das Mädchen, vor dem die Scuderi erbebte. Eben begann das Mädchen leise zu atmen, doch keines Lauts, keiner Bewegung mächtig, mit geschlossenen Augen lag sie da, und man wußte nicht, was zu tun, sie ins Haus
35 bringen oder ihr noch länger beistehen bis zum Erwachen. Tief bewegt, Tränen in den Augen, blickte die Scuderi den unschuldsvollen Engel an, ihr graute vor Desgrais und seinen Gesellen. Da polterte es dumpf die

[71] *disperses*

[72] *spirits (of ammonia)*

---

over the next two pages. It is complicated. Are there any grammatical correlatives to the different time levels or other features of narrative technique?

Treppe herab, man brachte Cardillacs Leichnam. Schnell entschlossen rief die Scuderi laut: „Ich nehme das Mädchen mit mir, Ihr möget für das übrige sorgen, Desgrais!" Ein dumpfes Murmeln des Beifalls lief durch das Volk. Die Weiber hoben das Mädchen in die Höhe, alles drängte sich hinzu, hundert Hände mühten sich,[73] ihnen beizustehen, und, wie in den Lüften schwebend, wurde das Mädchen in die Kutsche getragen, indem Segnungen der würdigen Dame, die die Unschuld dem Blutgericht entrissen, von allen Lippen strömten.

Serons,[74] des berühmtesten Arztes in Paris, Bemühungen gelang es endlich, Madelon, die stundenlang in starrer Bewußtlosigkeit gelegen, wieder zu sich selbst zu bringen. Die Scuderi vollendete, was der Arzt begonnen, indem sie manchen milden Hoffnungsstrahl leuchten ließ in des Mädchens Seele, bis ein heftiger Tränenstrom, der ihr aus den Augen stürzte, ihr Luft machte. Sie vermochte, indem nur dann und wann die Übermacht des durchbohrendsten Schmerzes die Worte in tiefem Schluchzen erstickte, zu erzählen, wie sich alles begeben.

Um Mitternacht war sie durch leises Klopfen an ihrer Stubentüre geweckt worden und hatte Oliviers Stimme vernommen, der sie beschworen, doch nur gleich aufzustehen, weil der Vater im Sterben liege. Entsetzt sei sie aufgesprungen und habe die Tür geöffnet. Olivier, bleich und entstellt, von Schweiß triefend, sei, das Licht in der Hand, mit wankenden Schritten nach der Werkstatt gegangen, sie ihm gefolgt. Da habe der Vater gelegen mit starren Augen und geröchelt im Todeskampfe. Jammernd habe sie sich auf ihn gestürzt und nun erst sein blutiges Hemde bemerkt. Olivier habe sie sanft weggezogen und sich dann bemüht, eine Wunde auf der linken Brust des Vaters mit Wundbalsam[75] zu waschen und zu verbinden. Währenddessen sei des Vaters Besinnung zurückgekehrt, er habe zu röcheln aufgehört und sie, dann aber Olivier mit seelenvollem Blick angeschaut, ihre Hand ergriffen, sie in Oliviers Hand gelegt und beide heftig gedrückt. Beide, Olivier und sie, wären bei dem Lager des Vaters auf die Knie gefallen, er habe sich mit einem schneidenden Laut in die Höhe gerichtet, sei aber gleich wieder zurückgesunken und mit einem tiefen Seufzer verschieden. Nun hätten sie beide laut gejammert und geklagt. Olivier habe erzählt, wie der Meister auf einem Gange, den er mit ihm auf sein Geheiß[76] in der Nacht habe machen müssen, in seiner Gegenwart ermordet worden und wie er mit der größten Anstrengung den schweren Mann, den er nicht auf den Tod verwundet gehalten, nach Hause

[73] *bestirred themselves*

[74] *(personal physician to royalty and nobility)*

[75] *ointment*

[76] *bidding*

getragen. Sowie der Morgen angebrochen, wären die Hausleute, denen das Gepolter, das laute Weinen und Jammern in der Nacht aufgefallen, heraufgekommen und hätten sie noch ganz trostlos bei der Leiche des Vaters kniend gefunden. Nun sei Lärm entstanden, die Marechaussee
5 eingedrungen und Olivier als Mörder seines Meisters ins Gefängnis geschleppt worden. Madelon fügte nun die rührendste Schilderung von der Tugend, der Frömmigkeit, der Treue ihres geliebten Oliviers hinzu. Wie er den Meister, als sei er sein eigener Vater, hoch in Ehren gehalten, wie dieser seine Liebe in vollem Maß erwidert, wie er ihn trotz seiner
10 Armut zum Eidam erkoren,[77] weil seine Geschicklichkeit seiner Treue, seinem edlen Gemüt gleichgekommen. Das alles erzählte Madelon aus dem innersten Herzen heraus und schloß damit, daß, wenn Olivier in ihrem Beisein[78] dem Vater den Dolch in die Brust gestoßen hätte, sie dies eher für ein Blendwerk[79] des Satans halten, als daran glauben würde, daß
15 Olivier eines solchen entsetzlichen, grauenvollen Verbrechens fähig sein könne.

Die Scuderi, von Madelons namenlosen Leiden auf das tiefste gerührt und ganz geneigt, den armen Olivier für unschuldig zu halten, zog Erkundigungen ein[80] und fand alles bestätigt, was Madelon über das häusliche
20 Verhältnis des Meisters mit seinem Gesellen erzählt hatte. Die Hausleute, die Nachbaren rühmten einstimmig[81] den Olivier als das Muster eines sittigen, frommen, treuen, fleißigen Betragens, niemand wußte Böses von ihm, und doch, war von der gräßlichen Tat die Rede, zuckte jeder die Achseln und meinte, darin liege etwas Unbegreifliches.

25 Olivier, vor die Chambre ardente gestellt, leugnete, wie die Scuderi vernahm, mit der größten Standhaftigkeit, mit dem hellsten Freimut[82] die ihm angeschuldigte[83] Tat und behauptete, daß sein Meister in seiner Gegenwart auf der Straße angefallen und niedergestoßen worden, daß er ihn aber noch lebendig nach Hause geschleppt, wo er sehr bald ver-
30 schieden sei. Auch dies stimmte also mit Madelons Erzählung überein.

Immer und immer wieder ließ sich die Scuderi die kleinsten Umstände des schrecklichen Ereignisses wiederholen. Sie forschte genau, ob jemals ein Streit zwischen Meister und Gesellen vorgefallen, ob vielleicht Olivier nicht ganz frei von jenem Jähzorn sei, der oft wie ein blinder
35 Wahnsinn die gutmütigsten Menschen überfällt und zu Taten verleitet, die alle Willkür des Handelns[84] auszuschließen scheinen. Doch je begeisterter Madelon von dem ruhigen häuslichen Glück sprach, in dem die drei

[77] *chosen* (erkiesen)

[78] *presence*

[79] *illusion*

[80] *gathered testimony*

[81] *with one voice*

[82] *candor*

[83] *of which he was accused*

[84] *voluntary action*

What factors speak for Madelon and Olivier? Follow, for the rest of the story, not only the narrative line but also the ups and downs in the fortunes of Olivier and Madelon. This too can be "charted."

Menschen in innigster Liebe verbunden lebten, desto mehr verschwand jeder Schatten des Verdachts wider den auf den Tod angeklagten Olivier. Genau alles prüfend, davon ausgehend, daß Olivier unerachtet alles dessen, was laut für seine Unschuld spräche, dennoch Cardillacs Mörder gewesen, fand die Scuderi im Reich der Möglichkeit keinen Beweggrund[85] zu der entsetzlichen Tat, die in jedem Fall Oliviers Glück zerstören mußte. — „Er ist arm, aber geschickt. — Es gelingt ihm, die Zuneigung des berühmtesten Meisters zu gewinnen, er liebt die Tochter, der Meister begünstigt seine Liebe, Glück, Wohlstand für sein ganzes Leben wird ihm erschlossen![86] — Sei es aber nun, daß, Gott weiß, auf welche Weise gereizt, Olivier vom Zorn übermannt, seinen Wohltäter,[87] seinen Vater mörderisch anfiel, welche teuflische Heuchelei gehört dazu, nach der Tat sich so zu betragen, als es wirklich geschah!" — Mit der festen Überzeugung von Oliviers Unschuld faßte die Scuderi den Entschluß, den unschuldigen Jüngling zu retten, koste es, was es wolle.

Es schien ihr, ehe sie die Huld des Königs selbst vielleicht anrufe, am geratensten, sich an den Präsidenten la Regnie zu wenden, ihn auf alle Umstände, die für Oliviers Unschuld sprechen mußten, aufmerksam zu machen und so vielleicht in des Präsidenten Seele eine innere, dem Angeklagten günstige Überzeugung zu erwecken, die sich wohltätig den Richtern mitteilen sollte.

La Regnie empfing die Scuderi mit der hohen Achtung, auf die die würdige Dame, von dem Könige selbst hoch geehrt, gerechten Anspruch machen konnte. Er hörte ruhig alles an, was sie über die entsetzliche Tat, über Oliviers Verhältnisse, über seinen Charakter vorbrachte. Ein feines, beinahe hämisches Lächeln war indessen alles, womit er bewies, daß die Beteurungen, die von häufigen Tränen begleiteten Ermahnungen, wie jeder Richter nicht der Feind des Angeklagten sein, sondern auch auf alles achten müsse, was zu seinen Gunsten spräche, nicht an gänzlich tauben Ohren vorüberglitten. Als das Fräulein nun endlich ganz erschöpft, die Tränen von den Augen wegtrocknend, schwieg, fing la Regnie an: „Es ist ganz Eures vortrefflichen Herzens würdig, mein Fräulein, daß Ihr, gerührt von den Tränen eines jungen, verliebten Mädchens, alles glaubt, was sie vorbringt, ja, daß Ihr nicht fähig seid, den Gedanken einer entsetzlichen Untat zu fassen, aber anders ist es mit dem Richter, der gewohnt ist, frecher Heuchelei die Larve abzureißen. Wohl mag es nicht meines Amts[88] sein, jedem, der mich frägt, den Gang eines Kriminalprozesses[89]

[85] *motive*

[86] *opened up to him*

[87] *benefactor*

[88] *my responsibility*
[89] *criminal trial*

Note the differing concepts of the function of the judge.

zu entwickeln. Fräulein! ich tue meine Pflicht, wenig kümmert mich das
Urteil der Welt. Zittern sollen die Bösewichter vor der Chambre ardente,
die keine Strafe kennt als Blut und Feuer. Aber vor Euch, mein würdiges
Fräulein, möcht ich nicht für ein Ungeheuer gehalten werden an Härte
5 und Grausamkeit, darum vergönnt mir, daß ich Euch mit wenigen Worten
die Blutschuld des jungen Bösewichts, der, dem Himmel sei es gedankt!
der Rache verfallen ist, klar vor Augen lege. Euer scharfsinniger Geist
wird dann selbst die Gutmütigkeit verschmähen, die Euch Ehre macht,
mir aber gar nicht anstehen würde. — Also! — Am Morgen wird René
10 Cardillac durch einen Dolchstoß ermordet gefunden. Niemand ist bei
ihm, als sein Geselle Olivier Brusson und die Tochter. In Oliviers Kammer,
unter andern, findet man einen Dolch von frischem Blute gefärbt, der
genau in die Wunde paßt. ‚Cardillac ist‘, spricht Olivier, ‚in der Nacht
vor meinen Augen niedergestoßen worden.‘ — ‚Man wollte ihn berauben?‘
15 ‚Das weiß ich nicht!‘ — ‚Du gingst mit ihm, und es war dir nicht möglich,
dem Mörder zu wehren? — ihn festzuhalten? um Hilfe zu rufen?‘ ‚Funfzehn, wohl zwanzig Schritte vor mir ging der Meister, ich folgte ihm.‘
‚Warum in aller Welt so entfernt?‘ — ‚Der Meister wollt’ es so.‘ ‚Was
hatte überhaupt Meister Cardillac so spät auf der Straße zu tun?‘ — ‚Das
20 kann ich nicht sagen.‘ ‚Sonst ist er aber doch niemals nach neun Uhr
abends aus dem Hause gekommen?‘ — Hier stockt Olivier, er ist bestürzt,
er seufzt, er vergießt Tränen, er beteuert bei allem, was heilig, daß Cardillac wirklich in jener Nacht ausgegangen sei und seinen Tod gefunden
habe. Nun merkt aber wohl auf, mein Fräulein. Erwiesen ist es bis zur
25 vollkommensten Gewißheit, daß Cardillac in jener Nacht das Haus nicht
verließ, mithin ist Oliviers Behauptung, er sei mit ihm wirklich ausgegangen, eine freche Lüge. Die Haustüre ist mit einem schweren Schloß
versehen, welches bei dem Auf- und Zuschließen ein durchdringendes
Geräusch macht, dann aber bewegt sich der Türflügel,[90] widrig knarrend   [90] *door itself*
30 und heulend, in den Angeln, so daß, wie es angestellte Versuche bewährt
haben, selbst im obersten Stock des Hauses das Getöse widerhallt. Nun
wohnt in dem untersten Stock, also dicht neben der Haustüre, der alte
Meister Claude Patru mit seiner Aufwärterin, einer Person von beinahe
achtzig Jahren, aber noch munter und rührig.[91] Diese beiden Personen   [91] *active*
35 hörten, wie Cardillac nach seiner gewöhnlichen Weise an jenem Abend
Punkt neun Uhr die Treppe hinabkam, die Türe mit vielem Geräusch
verschloß und verrammelte,[92] dann wieder hinaufstieg, den Abendsegen   [92] *barred*

What starts with the word *Also!* ?

laut las und dann, wie man es an dem Zuschlagen der Türe vernehmen konnte, in sein Schlafzimmer ging. Meister Claude leidet an Schlaflosigkeit, wie es alten Leuten wohl zu gehen pflegt. Auch in jener Nacht konnte er kein Auge zutun. Die Aufwärterin schlug daher, es mochte halb zehn Uhr sein, in der Küche, in die sie, über den Hausflur gehend, 5 gelangt, Licht an und setzte sich zum Meister Claude an den Tisch mit einer alten Chronik,[93] in der sie las, während der Alte, seinen Gedanken nachhängend,[94] bald sich in den Lehnstuhl setzte, bald wieder aufstand und, um Müdigkeit und Schlaf zu gewinnen, im Zimmer leise und langsam auf und ab schritt. Es blieb alles still und ruhig bis nach Mitternacht. 10 Da hörte sie über sich scharfe Tritte, einen harten Fall, als stürze eine schwere Last zu Boden und gleich darauf ein dumpfes Stöhnen. In beide kam eine seltsame Angst und Beklommenheit. Die Schauer der entsetzlichen Tat, die eben begangen, gingen bei ihnen vorüber. — Mit dem hellen Morgen trat dann ans Licht, was in der Finsternis begonnen." — 15 „Aber", fiel die Scuderi ein, „aber um aller Heiligen willen, könnt Ihr bei allen Umständen, die ich erst weitläufig erzählte, Euch denn irgendeinen Anlaß zu dieser Tat der Hölle denken?" — „Hm", erwiderte la Regnie, „Cardillac war nicht arm — im Besitz vortrefflicher Steine." „Bekam", fuhr die Scuderi fort, „bekam denn nicht alles die Tochter? — 20 Ihr vergeßt, daß Olivier Cardillacs Schwiegersohn werden sollte." „Er mußte vielleicht teilen oder gar nur für andere morden", sprach la Regnie. „Teilen, für andere morden?" fragte die Scuderi in vollem Erstaunen. „Wißt", fuhr der Präsident fort, „wißt, mein Fräulein, daß Olivier schon längst geblutet hätte auf dem Greveplatz, stünde seine Tat nicht in 25 Beziehung mit dem dicht verschleierten Geheimnis, das bisher so bedrohlich über ganz Paris waltete. Olivier gehört offenbar zu jener verruchten Bande, die, alle Aufmerksamkeit, alle Mühe, alles Forschen der Gerichtshöfe verspottend, ihre Streiche sicher und ungestraft zu führen wußte. Durch ihn wird — muß alles klarwerden. Die Wunde Cardillacs 30 ist denen ganz ähnlich, die alle auf der Straße, in den Häusern Ermordete und Beraubte[95] trugen. Dann aber das Entscheidendste, seit der Zeit, daß Olivier Brusson verhaftet ist, haben alle Mordtaten, alle Beraubungen aufgehört. Sicher sind die Straßen zur Nachtzeit wie am Tage. Beweis genug, daß Olivier vielleicht an der Spitze jener Mordbande stand. Noch 35 will er nicht bekennen, aber es gibt Mittel, ihn sprechen zu machen wider seinen Willen." „Und Madelon", rief die Scuderi, „und Madelon, die

[93] *chronicle*

[94] *absorbed in*

[95] *all those who were murdered and robbed . . .*

Examine carefully, in full awareness of detective story techniques, the proof of Olivier's guilt. What about the door? What about the cessation of the crimes?

treue, unschuldige Taube." — „Ei", sprach la Regnie mit einem giftigen
Lächeln, „ei, wer steht mir dafür, daß sie nicht mit im Komplott[96] ist.
Was ist ihr an dem Vater gelegen, nur dem Mordbuben gelten ihre
Tränen." „Was sagt Ihr", schrie die Scuderi, „es ist nicht möglich; den
5 Vater! dieses Mädchen!" — „Oh!" fuhr la Regnie fort, „oh! denkt doch
nur an die Brinvillier! Ihr möget es mir verzeihen, wenn ich mich vielleicht
bald genötigt sehe, Euch Euern Schützling zu entreißen und in die Conciergerie werfen zu lassen." — Der Scuderi ging ein Grausen an bei diesem
entsetzlichen Verdacht. Es war ihr, als könne vor diesem schrecklichen
10 Manne keine Treue, keine Tugend bestehen, als spähe er in den tiefsten,
geheimsten Gedanken Mord und Blutschuld. Sie stand auf. „Seid
menschlich", das war alles, was sie beklommen, mühsam atmend hervorbringen konnte. Schon im Begriff, die Treppe hinabzusteigen, bis zu der
der Präsident sie mit zeremoniöser Artigkeit begleitet hatte, kam ihr, selbst
15 wußte sie nicht wie, ein seltsamer Gedanke. „Würd' es mir wohl erlaubt
sein, den unglücklichen Olivier Brusson zu sehen?" So fragte sie den
Präsidenten, sich rasch umwendend. Dieser schaute sie mit bedenklicher
Miene an, dann verzog sich sein Gesicht in jenes widrige Lächeln, das
ihm eigen. „Gewiß", sprach er, „gewiß wollt Ihr nun, mein würdiges
20 Fräulein, Euerm Gefühl, der innern Stimme mehr vertrauend, als dem,
was vor unsern Augen geschehen, selbst Oliviers Schuld oder Unschuld
prüfen. Scheut Ihr nicht den düstern Aufenthalt des Verbrechens, ist es
Euch nicht gehässig, die Bilder der Verworfenheit in allen Abstufungen[97]
zu sehen, so sollen für Euch in zwei Stunden die Tore der Conciergerie
25 offen sein. Man wird Euch diesen Olivier, dessen Schicksal Eure Teilnahme erregt, vorstellen."

In der Tat konnte sich die Scuderi von der Schuld des jungen Menschen nicht überzeugen. Alles sprach wider ihn, ja, kein Richter in der
Welt hätte anders gehandelt, wie la Regnie, bei solch entscheidenden
30 Tatsachen. Aber das Bild häuslichen Glücks, wie es Madelon mit den
lebendigsten Zügen der Scuderi vor Augen gestellt, überstrahlte[98] jeden
bösen Verdacht, und so mochte sie lieber ein unerklärliches Geheimnis
annehmen, als daran glauben, wogegen ihr ganzes Inneres sich empörte.

Sie gedachte, sich von Olivier noch einmal alles, wie es sich in jener
35 verhängnisvollen Nacht begeben, erzählen zu lassen und, soviel möglich,
in ein Geheimnis zu dringen, das vielleicht den Richtern verschlossen
geblieben, weil es wertlos schien, sich weiter darum zu bekümmern.

[96] *plot*

[97] *in all its varieties and gradations*

[98] *outshone*

[99] *rattling of chains*

In der Conciergerie angekommen, führte man die Scuderi in ein großes, helles Gemach. Nicht lange darauf vernahm sie Kettengerassel.[99] Olivier Brusson wurde gebracht. Doch sowie er in die Türe trat, sank auch die Scuderi ohnmächtig nieder. Als sie sich erholt hatte, war Olivier verschwunden. Sie verlangte mit Heftigkeit, daß man sie nach dem Wagen bringe, fort, augenblicklich fort wollte sie aus den Gemächern der frevelnden Verruchtheit. Ach! — auf den ersten Blick hatte sie in Olivier Brusson den jungen Menschen erkannt, der auf dem Pontneuf jenes Blatt ihr in den Wagen geworfen, der ihr das Kästchen mit den Juwelen gebracht hatte. — Nun war ja jeder Zweifel gehoben, la Regnies schreckliche Vermutung ganz bestätigt. Olivier Brusson gehört zu der fürchterlichen Mordbande, gewiß ermordete er auch den Meister! — Und Madelon? — So bitter noch nie vom innern Gefühl getäuscht, auf den Tod angepackt von der höllischen Macht auf Erden, an deren Dasein sie nicht geglaubt, verzweifelte die Scuderi an aller Wahrheit. Sie gab Raum dem entsetzlichen Verdacht, daß Madelon mitverschworen sein und teilhaben[1] könne an der gräßlichen Blutschuld. Wie es denn geschieht, daß der menschliche Geist, ist ihm ein Bild aufgegangen, emsig Farben sucht und findet, es greller und greller auszumalen,[2] so fand auch die Scuderi, jeden Umstand der Tat, Madelons Betragen in den kleinsten Zügen erwägend, gar vieles, jenen Verdacht zu nähren. So wurde manches, was ihr bisher als Beweis der Unschuld und Reinheit gegolten, sicheres Merkmal[3] freveliger Bosheit, studierter Heuchelei. Jener herzzerreißende[4] Jammer, die blutigen Tränen konnten wohl erpreßt sein von der Todesangst, nicht den Geliebten bluten zu sehen, nein — selbst zu fallen unter der Hand des Henkers. Gleich sich die Schlange, die sie im Busen nähre, vom Halse zu schaffen; mit diesem Entschluß stieg die Scuderi aus dem Wagen. In ihr Gemach eingetreten, warf Madelon sich ihr zu Füßen. Die Himmelsaugen, ein Engel Gottes hat sie nicht treuer, zu ihr emporgerichtet, die Hände vor der wallenden Brust zusammengefaltet, jammerte und flehte sie laut um Hilfe und Trost. Die Scuderi, sich mühsam zusammenfassend, sprach, indem sie dem Ton ihrer Stimme so viel Ernst und Ruhe zu geben suchte, als ihr möglich: „Geh — geh — tröste dich nur über den Mörder, den die gerechte Strafe seiner Schandtaten[5] erwartet — Die heilige Jungfrau möge verhüten, daß nicht auf dir selbst eine Blutschuld schwer laste." „Ach, nun ist alles verloren!" — Mit diesem gellenden Ausruf stürzte Madelon ohnmächtig zu Boden. Die Scuderi überließ die Sorge um das Mädchen der Martiniere

[1] *be an accomplice and participant in*

[2] *to paint it in ever more glaring colors*

[3] *sign*

[4] *heart-rending*

[5] *crimes*

Sudden reversals are almost as typical of Hoffmann as they are of Kleist. Comment on Mlle de Scuderi's fainting and her subsequent reflections.

und entfernte sich in ein anderes Gemach. —

Ganz zerrissen im Innern, entzweit mit allem Irdischen, wünschte die Scuderi, nicht mehr in einer Welt voll höllischen Truges[6] zu leben. Sie klagte das Verhängnis an, das in bitterm Hohn ihr so viele Jahre vergönnt, 5 ihren Glauben an Tugend und Treue zu stärken, und nun in ihrem Alter das schöne Bild vernichte, welches ihr im Leben geleuchtet.

Sie vernahm, wie die Martiniere Madelon fortbrachte, die leise seufzte und jammerte: „Ach! — auch *sie* — auch *sie* haben die Grausamen betört. — Ich Elende — armer, unglücklicher Olivier!" — Die Töne drangen der 10 Scuderi ins Herz, und aufs neue regte sich aus dem tiefsten Innern heraus die Ahnung eines Geheimnisses, der Glaube an Oliviers Unschuld. Bedrängt von den widersprechendsten Gefühlen, ganz außer sich rief die Scuderi: „Welcher Geist der Hölle hat mich in die entsetzliche Geschichte verwickelt, die mir das Leben kosten wird!" — In dem Augen- 15 blick trat Baptiste hinein, bleich und erschrocken, mit der Nachricht, daß Desgrais draußen sei. Seit dem abscheulichen Prozeß der la Voisin war Desgrais' Erscheinung in einem Hause der gewisse Vorbote irgendeiner peinlichen Anklage, daher kam Baptistes Schreck, deshalb fragte ihn das Fräulein mit mildem Lächeln: „Was ist dir, Baptiste? — Nicht wahr! — 20 der Name Scuderi befand sich auf der Liste der la Voisin?" „Ach, um Christus' willen", erwiderte Baptiste, am ganzen Leibe zitternd, „wie möget Ihr nur so etwas aussprechen, aber Desgrais — der entsetzliche Desgrais, tut so geheimnisvoll, so dringend, er scheint es gar nicht erwar- ten zu können, Euch zu sehen!" — „Nun", sprach die Scuderi, „nun 25 Baptiste, so führt ihn nur gleich herein, den Menschen, der Euch so fürchterlich ist und der *mir* wenigstens keine Besorgnis erregen kann."

— „Der Präsident", sprach Desgrais, als er ins Gemach getreten, „der Präsident la Regnie schickt mich zu Euch, mein Fräulein, mit einer Bitte, auf deren Erfüllung er gar nicht hoffen würde, kennte er nicht Euere 30 Tugend, Euern Mut, läge nicht das letzte Mittel, eine böse Blutschuld an den Tag zu bringen, in Euern Händen, hättet Ihr nicht selbst schon teilgenommen an dem bösen Prozeß, der die Chambre ardente, uns alle in Atem hält. Olivier Brusson, seitdem er Euch gesehen hat, ist halb rasend. So sehr er schon zum Bekenntnis sich zu neigen schien, so schwört 35 er doch jetzt aufs neue bei Christus und allen Heiligen, daß er an dem Morde Cardillacs ganz unschuldig sei, wiewohl er den Tod gern leiden wolle, den er verdient habe. Bemerkt, mein Fräulein, daß der letzte Zusatz[7]

[6] *deceit*

[7] *those added words*

What is Mlle de Scuderi's essential character? In what relationship does it stand to her environ- ment? What function must it fulfill?

offenbar auf andere Verbrechen deutet, die auf ihm lasten. Doch vergebens ist alle Mühe, nur ein Wort weiter herauszubringen, selbst die Drohung mit der Tortur hat nichts gefruchtet. Er fleht, er beschwört uns, ihm eine Unterredung mit Euch zu verschaffen, *Euch* nur, *Euch* allein will er alles gestehen. Laßt Euch herab,[8] mein Fräulein, Brussons 5 Bekenntnis zu hören." „Wie!" rief die Scuderi ganz entrüstet, „soll ich dem Blutgericht zum Organ[9] dienen, soll ich das Vertrauen des unglücklichen Menschen mißbrauchen, ihn aufs Blutgerüst[10] zu bringen? — Nein, Desgrais! mag Brusson auch ein verruchter Mörder sein, nie wär' es mir doch möglich, ihn so spitzbübisch zu hintergehen.[11] Nichts mag ich von 10 seinen Geheimnissen erfahren, die wie eine heilige Beichte in meiner Brust verschlossen bleiben würden." „Vielleicht", versetzte Desgrais mit einem feinen Lächeln, „vielleicht, mein Fräulein, ändert sich Eure Gesinnung, wenn Ihr Brusson gehört habt. Batet Ihr den Präsident nicht selbst, er sollte menschlich sein? Er tut es, indem er dem törichten Ver- 15 langen Brussons nachgibt und so das letzte Mittel versucht, ehe er die Tortur verhängt, zu der Brusson längst reif ist." Die Scuderi schrak unwillkürlich zusammen.[12] „Seht", fuhr Desgrais fort, „seht, würdige Dame, man wird Euch keineswegs zumuten, noch einmal in jene finstere Gemächer zu treten, die Euch mit Grausen und Abscheu erfüllen. In der Stille der 20 Nacht, ohne alles Aufsehen bringt man Olivier Brusson wie einen freien Menschen zu Euch in Euer Haus. Nicht einmal belauscht, doch wohl bewacht, mag er Euch dann zwanglos alles bekennen. Daß Ihr für Euch selbst nichts von dem Elenden zu fürchten habt, dafür stehe ich Euch mit meinem Leben ein.[13] Er spricht von Euch mit inbrünstiger Verehrung. 25 Er schwört, daß nur das düstre Verhängnis, welches ihm verwehrt[14] habe, Euch früher zu sehen, ihn in den Tod gestürzt. Und dann steht es ja bei Euch,[15] von dem, was Euch Brusson entdeckt, so viel zu sagen, als Euch beliebt.[16] Kann man Euch zu mehrerem zwingen?"

Die Scuderi sah tief sinnend vor sich nieder. Es war ihr, als müsse sie 30 der höheren Macht gehorchen, die den Aufschluß irgendeines entsetzlichen Geheimnisses von ihr verlange, als könne sie sich nicht mehr den wunderbaren Verschlingungen entziehen, in die sie willenlos geraten. Plötzlich entschlossen, sprach sie mit Würde: „Gott wird mir Fassung und Standhaftigkeit geben; führt den Brusson her, ich will ihn sprechen." 35

So wie damals, als Brusson das Kästchen brachte, wurde um Mitternacht an die Haustüre der Scuderi gepocht. Baptiste, von dem nächtlichen

[8] *deign*

[9] *instrument*

[10] *scaffold*

[11] *betray him in such a villainous fashion*

[12] *shuddered*

[13] *guarantee*

[14] *prevented*

[15] *it is up to you*

[16] *as suits you*

What considerations move Mlle de Scuderi to accede? Weigh, here and in the rest of the story, *höhere Macht, Geheimnis,* will and fate.

Besuch unterrichtet, öffnete. Eiskalter Schauer überlief die Scuderi, als sie an den leisen Tritten, an dem dumpfen Gemurmel[17] wahrnahm, daß die Wächter, die den Brusson gebracht, sich in den Gängen des Hauses verteilten.

[17 murmuring]

5 Endlich ging leise die Türe des Gemachs auf. Desgrais trat herein, hinter ihm Olivier Brusson, fesselfrei,[18] in anständigen Kleidern. „Hier ist", sprach Desgrais, sich ehrerbietig verneigend, „hier ist Brusson, mein würdiges Fräulein!" und verließ das Zimmer.

[18 unfettered]

Brusson sank vor der Scuderi nieder auf beide Knie, flehend erhob er 10 die gefalteten Hände, indem häufige Tränen ihm aus den Augen rannen.

Die Scuderi schaute erblaßt, keines Wortes mächtig, auf ihn herab. Selbst bei den entstellten, ja durch Gram, durch grimmen Schmerz verzerrten Zügen strahlte der reine Ausdruck des treusten Gemüts aus dem Jünglingsantlitz. Je länger die Scuderi ihre Augen auf Brussson 15 Gesicht ruhen ließ, desto lebhafter trat die Erinnerung an irgendeine geliebte Person hervor, auf die sie sich nur nicht deutlich zu besinnen vermochte. Alle Schauer wichen von ihr, sie vergaß, daß Cardillacs Mörder vor ihr knie, sie sprach mit dem anmutigen Tone des ruhigen Wohlwollens, der ihr eigen: „Nun, Brusson, was habt Ihr mir zu sagen?" Dieser, noch 20 immer kniend, seufzte auf vor tiefer, inbrünstiger Wehmut und sprach dann: „O mein würdiges, mein hochverehrtes Fräulein, ist denn jede Spur der Erinnerung an mich verflogen?"[19] Die Scuderi, ihn noch aufmerksamer betrachtend, erwiderte, daß sie allerdings in seinen Zügen die Ähnlichkeit mit einer von ihr geliebten Person gefunden und daß 25 er nur dieser Ähnlichkeit es verdanke, wenn sie den tiefen Abscheu vor dem Mörder überwinde und ihn ruhig anhöre. Brusson, schwer verletzt durch diese Worte, erhob sich schnell und trat, den finstern Blick zu Boden gesenkt, einen Schritt zurück. Dann sprach er mit dumpfer Stimme: „Habt Ihr denn Anne Guiot ganz vergessen? — ihr Sohn Olivier — der 30 Knabe, den Ihr oft auf Euern Knien schaukeltet, ist es, der vor Euch steht." „O um aller Heiligen willen!" rief die Scuderi, indem sie, mit beiden Händen das Gesicht bedeckend, in die Polster[20] zurücksank. Das Fräulein hatte wohl Ursache genug, sich auf diese Weise zu entsetzen. Anne Guiot, die Tochter eines verarmten Bürgers, war von klein auf bei der Scuderi, 35 die sie, wie die Mutter das liebe Kind, erzog mit aller Treue und Sorgfalt. Als sie nun herangewachsen, fand sich ein hübscher sittiger Jüngling, Claude Brusson geheißen, ein, der um das Mädchen warb. Da er nun ein

[19 vanished]

[20 cushions]

What development of the narrative is inevitably generated by the situation of Olivier being brought to Mlle de Scuderi? What are its first manifestations?

grundgeschickter²¹ Uhrmacher war, der sein reichliches Brot in Paris finden mußte, Anne ihn auch herzlich liebgewonnen hatte, so trug die Scuderi gar kein Bedenken, in die Heirat ihrer Pflegetochter zu willigen. Die jungen Leute richteten sich ein, lebten in stiller, glücklicher Häuslichkeit, und was den Liebesbund noch fester knüpfte, war die Geburt 5 eines wunderschönen Knaben, der holden Mutter treues Ebenbild.²²

Einen Abgott machte die Scuderi aus dem kleinen Olivier, den sie stunden-, tagelang der Mutter entriß, um ihn zu liebkosen, zu hätscheln. Daher kam es, daß der Junge sich ganz an sie gewöhnte und ebenso gern bei ihr war als bei der Mutter. Drei Jahre waren vorüber, als der Brotneid 10 der Kunstgenossen²³ Brussons es dahin brachte, daß seine Arbeit mit jedem Tage abnahm, so daß er zuletzt kaum sich kümmerlich ernähren konnte. Dazu kam die Sehnsucht nach seinem schönen heimatlichen Genf, und so geschah es, daß die kleine Familie dorthin zog, des Widerstrebens der Scuderi, die alle nur mögliche Unterstützung versprach, unerachtet. 15 Noch ein paarmal schrieb Anne an ihre Pflegemutter, dann schwieg sie, und diese mußte glauben, daß das glückliche Leben in Brussons Heimat das Andenken an die früher verlebten Tage²⁴ nicht mehr aufkommen lasse.

Es waren jetzt gerade dreiundzwanzig Jahre her, als Brusson mit seinem Weibe und Kinde Paris verlassen und nach Genf gezogen. 20

„O entsetzlich", rief die Scuderi, als sie sich einigermaßen wieder erholt hatte, „o entsetzlich! — Olivier bist du? — der Sohn meiner Anne! — Und jetzt!" — „Wohl", versetzte Olivier ruhig und gefaßt, „wohl, mein würdiges Fräulein, hättet Ihr nimmermehr ahnen können, daß der Knabe, den Ihr wie die zärtlichste Mutter hätscheltet, dem Ihr, auf Euerm 25 Schoß ihn schaukelnd, Näscherei auf Näscherei²⁵ in den Mund stecktet, dem Ihr die süßesten Namen gabt, zum Jünglinge gereift, dereinst²⁶ vor Euch stehen würde, gräßlicher Blutschuld angeklagt! — Ich bin nicht vorwurfsfrei,²⁷ die Chambre ardente kann mich mit Recht eines Verbrechens zeihen; aber, so wahr ich selig zu sterben hoffe, sei es auch durch 30 des Henkers Hand, rein bin ich von jeder Blutschuld, nicht durch mich, nicht durch mein Verschulden fiel der unglückliche Cardillac!" — Olivier geriet bei diesen Worten in ein Zittern und Schwanken. Stillschweigend wies die Scuderi auf einen kleinen Sessel, der Olivier zur Seite stand. Er ließ sich langsam nieder. 35

„Ich hatte Zeit genug", fing er an, „mich auf die Unterredung mit Euch, die ich als die letzte Gunst des versöhnten Himmels betrachte,

vorzubereiten und so viel Ruhe und Fassung zu gewinnen als nötig, Euch
die Geschichte meines entsetzlichen, unerhörten Mißgeschicks[28] zu
erzählen. Erzeigt mir die Barmherzigkeit, mich ruhig anzuhören, so sehr
Euch auch die Entdeckung eines Geheimnisses, das Ihr gewiß nicht geah-
5 net, überraschen, ja mit Grausen erfüllen mag. — Hätte mein armer Vater
Paris doch niemals verlassen! — Soweit meine Erinnerung an Genf reicht,
finde ich mich wieder, von den trostlosen Eltern mit Tränen benetzt,[29] von
ihren Klagen, die ich nicht verstand, selbst zu Tränen gebracht. Später
kam mir das deutliche Gefühl, das volle Bewußtsein des drückendsten
10 Mangels, des tiefen Elends, in dem meine Eltern lebten. Mein Vater fand
sich in allen seinen Hoffnungen getäuscht. Von tiefem Gram niederge-
beugt, erdrückt,[30] starb er in dem Augenblick, als es ihm gelungen war,
mich bei einem Goldschmied als Lehrjunge[31] unterzubringen. Meine Mutter
sprach viel von Euch, sie wollte Euch alles klagen, aber dann überfiel sie
15 die Mutlosigkeit, welche von Elend erzeugt wird. *Das* und auch wohl
falsche Scham, die oft an dem todwunden[32] Gemüte nagt, hielt sie von
ihrem Entschluß zurück. Wenige Monden nach dem Tode meines Vaters
folgte ihm meine Mutter ins Grab." "Arme Anne! arme Anne!" rief die
Scuderi, von Schmerz überwältigt. "Dank und Preis der ewigen Macht des
20 Himmels, daß die hinüber[33] ist und nicht fallen sieht den geliebten Sohn
unter der Hand des Henkers, mit Schande gebrandmarkt." So schrie
Olivier laut auf, indem er einen wilden entsetzlichen Blick in die Höhe
warf. Es wurde draußen unruhig, man ging hin und her. "Ho ho",
sprach Olivier mit einem bittern Lächeln, "Desgrais weckt seine Spieß-
25 gesellen, als ob ich *hier* entfliehen könnte. — Doch weiter! — Ich wurde
von meinem Meister hart gehalten, unerachtet ich bald am besten arbeitete, ja wohl endlich den Meister weit übertraf. Es begab sich, daß
einst ein Fremder in unsere Werkstatt kam, um einiges Geschmeide zu
kaufen. Als der nun einen schönen Halsschmuck sah, den ich gearbeitet,
30 klopfte er mir mit freundlicher Miene auf die Schultern, indem er, den
Schmuck beäugelnd, sprach: ‚Ei, ei! mein junger Freund, das ist ja ganz
vortreffliche Arbeit. Ich wüßte in der Tat nicht, wer Euch noch anders
übertreffen sollte als René Cardillac, der freilich der erste Goldschmied ist,
den es auf der Welt gibt. Zu dem solltet Ihr hingehen; mit Freuden nimmt
35 er Euch in seine Werkstatt, denn nur *Ihr* könnt ihm beistehen in seiner
kunstvollen Arbeit, und nur von ihm allein könnt Ihr dagegen noch lernen.‘ Die Worte des Fremden waren tief in meine Seele gefallen. Ich

28 misfortune

29 covered

30 oppressed
31 apprentice

32 mortally afflicted

33 gone

[34] *brusquely*

hatte keine Ruhe mehr in Genf, mich zog es fort mit Gewalt. Endlich gelang es mir, mich von meinem Meister loszumachen. Ich kam nach Paris, René Cardillac empfing mich kalt und barsch.[34] Ich ließ nicht nach, er mußte mir Arbeit geben, so geringfügig sie auch sein mochte. Ich sollte einen kleinen Ring fertigen. Als ich ihm die Arbeit brachte, sah er mich 5 starr an mit seinen funkelnden Augen, als wollt' er hineinschauen in mein Innerstes. Dann sprach er: ‚Du bist ein tüchtiger, wackerer Geselle, du kannst zu mir ziehen und mir helfen in der Werkstatt. Ich zahle dir gut, du wirst mit mir zufrieden sein'. Cardillac hielt Wort. Schon mehrere Wochen war ich bei ihm, ohne Madelon gesehen zu haben, die, irr ich 10

[35] *cousin or aunt*

nicht, auf dem Lande bei irgendeiner Muhme[35] Cardillacs damals sich aufhielt. Endlich kam sie. O du ewige Macht des Himmels, wie geschah mir, als ich das Engelsbild sah! — Hat je ein Mensch so geliebt als ich! Und nun! — O Madelon!"

Olivier konnte vor Wehmut nicht weitersprechen. Er hielt beide Hände 15 vors Gesicht und schluchzte heftig. Endlich mit Gewalt den wilden Schmerz, der ihn erfaßt, niederkämpfend, sprach er weiter:

„Madelon blickte mich an mit freundlichen Augen. Sie kam öfter und öfter in die Werkstatt. Mit Entzücken gewahrte ich ihre Liebe. So streng der Vater uns bewachte, mancher verstohlne Händedruck galt als Zeichen 20 des geschlossenen Bundes. Cardillac schien nichts zu merken. Ich ge-dachte, hätte ich erst seine Gunst gewonnen, und konnte ich die Meister-

[36] *position of master (jeweler)*

schaft[36] erlangen, um Madelon zu werben. Eines Morgens, als ich meine Arbeit beginnen wollte, trat Cardillac vor mich hin, Zorn und Verachtung im finstern Blick. ‚Ich bedarf deiner Arbeit nicht mehr', fing er an, ‚fort 25 aus dem Hause noch in dieser Stunde, und laß dich nie mehr vor meinen Augen sehen. Warum ich dich hier nicht mehr dulden kann, brauche ich

[37] *poor devil*

dir nicht zu sagen. Für dich armen Schlucker[37] hängt die süße Frucht zu hoch, nach der du trachtest!' Ich wollte reden, er packte mich aber mit starker Faust und warf mich zur Türe hinaus, daß ich niederstürzte und 30 mich hart verwundete an Kopf und Arm. — Empört, zerrissen vom grim-men Schmerz, verließ ich das Haus und fand endlich am äußersten Ende

[38] *(north of what was then the center of Paris)*

der Vorstadt St. Martin[38] einen gutmütigen Bekannten, der mich auf-nahm in seine Bodenkammer. Ich hatte keine Ruhe, keine Rast. Zur Nachtzeit umschlich ich Cardillacs Haus, wähnend, daß Madelon meine 35

[39] *without being over-heard*

[40] *bold*

Seufzer, meine Klage vernehmen, daß es ihr vielleicht gelingen werde, mich vom Fenster herab unbelauscht[39] zu sprechen. Allerlei verwogene[40]

What impression arises from Cardillac's gaze, *als wollt' er hineinschauen in mein Innerstes*? The flashback is long. How is contact with the original and basic narrative line maintained?

Pläne kreuzten in meinem Gehirn, zu deren Ausführung ich sie zu bere-
den[41] hoffte. An Cardillacs Haus in der Straße Nicaise schließt sich eine   [41] *persuade*
hohe Mauer mit Blenden und alten, halb zerstückelten[42] Steinbildern darin.   [42] *crumbled*
Dicht bei einem solchen Steinbilde stehe ich in einer Nacht und sehe
5 hinauf nach den Fenstern des Hauses, die in den Hof gehen, den die
Mauer einschließt. Da gewahre ich plötzlich Licht in Cardillacs Werkstatt. Es ist Mitternacht, nie war sonst Cardillac zu dieser Stunde wach,
er pflegte sich auf den Schlag neun Uhr zur Ruhe zu begeben. Mir pocht
das Herz vor banger Ahnung, ich denke an irgendein Ereignis, das mir
10 vielleicht den Eingang bahnt. Doch gleich verschwindet das Licht wieder.
Ich drücke mich an das Steinbild, in die Blende hinein, doch entsetzt
pralle ich zurück, als ich einen Gegendruck fühle, als sei das Bild lebendig worden. In dem dämmernden Schimmer der Nacht gewahre ich nun,
daß der Stein sich langsam dreht und hinter demselben eine finstere
15 Gestalt hervorschlüpft, die leisen Trittes die Straße hinabgeht. Ich springe
an das Steinbild hinan, es steht wie zuvor dicht an der Mauer. Unwillkürlich, wie von einer innern Macht getrieben, schleiche ich hinter der
Gestalt her. Gerade bei einem Marienbilde[43] schaut die Gestalt sich um,   [43] *statue of the Virgin*
der volle Schein der hellen Lampe, die vor dem Bilde brennt, fällt ihr
20 ins Antlitz. Es ist Cardillac! Eine unbegreifliche Angst, ein unheimliches
Grauen überfällt mich. Wie durch Zauber festgebannt, muß ich fort —
nach — dem gespenstischen Nachtwanderer. Dafür halte ich den Meister,
unerachtet nicht die Zeit des Vollmonds ist, in der solcher Spuk die
Schlafenden betört. Endlich verschwindet Cardillac seitwärts in den
25 tiefen Schatten. An einem kleinen, wiewohl bekannten Räuspern gewahre
ich indessen, daß er in die Einfahrt[44] eines Hauses getreten ist. ‚Was   [44] *entry*
bedeutet das, was wird er beginnen?‘ — So frage ich mich selbst voll
Erstaunen und drücke mich dicht an die Häuser. Nicht lange dauert's,
so kommt singend und trillerierend ein Mann daher mit leuchtendem
30 Federbusch[45] und klirrenden Sporen. Wie ein Tiger auf seinen Raub,   [45] *plume*
stürzt sich Cardillac aus seinem Schlupfwinkel auf den Mann, der in
demselben Augenblick röchelnd zu Boden sinkt. Mit einem Schrei des
Entsetzens springe ich heran, Cardillac ist über den Mann, der zu Boden
liegt her. ‚Meister Cardillac, was tut Ihr?‘ rufe ich laut. ‚Vermaledeiter!‘[46]   [46] *cursed fool*
35 brüllt Cardillac, rennt mit Blitzesschnelle[47] bei mir vorbei und ver-   [47] *the speed of lightning*
schwindet. Ganz außer mir, kaum der Schritte mächtig, nähere ich mich dem
Niedergeworfenen. Ich knie bei ihm nieder, vielleicht, denk ich, ist er

---

The wall and the statue!

noch zu retten, aber keine Spur des Lebens ist mehr in ihm. In meiner
Todesangst gewahre ich kaum, daß mich die Marechaussee umringt hat.

[48] *struck down*

‚Schon wieder einer von den Teufeln niedergestreckt[48] — he he — junger
Mensch, was machst du da — bist einer von der Bande? — fort mir dir!‘
So schrien sie durcheinander und packen mich an. Kaum vermag ich zu   5
stammeln, daß ich solche gräßliche Untat ja gar nicht hätte begehen können
und daß sie mich im Frieden ziehen lassen möchten. Da leuchtet mir einer
ins Gesicht und ruft lachend: ‚Das ist Olivier Brusson, der Goldschmieds-
geselle, der bei unserm ehrlichen, braven Meister René Cardillac arbeitet!

[49] *he looks like the kind who'd do that*

— ja — *der* wird die Leute auf der Straße morden! — sieht mir recht   10
darnach aus[49] — ist recht nach der Art der Mordbuben, daß sie beim
Leichnam lamentieren und sich fangen lassen werden. — Wie war's,
Junge? — erzähle dreist.‘ ‚Dicht vor mir‘, sprach ich, ‚sprang ein Mensch
auf den dort los, stieß ihn nieder und rannte blitzschnell davon, als ich
laut aufschrie. Ich wollt' doch sehen, ob der Niedergeworfene noch zu   15
retten wäre.‘ ‚Nein, mein Sohn‘, ruft einer von denen, die den Leichnam
aufgehoben, ‚der ist hin, durchs Herz, wie gewöhnlich, geht der Dolchstich.‘ ‚Teufel‘, spricht ein anderer, ‚kamen wir doch wieder zu spät wie
vorgestern;‘ damit entfernen sie sich mit dem Leichnam.

Wie mir zumute war, kann ich gar nicht sagen; ich fühlte mich an, ob   20
nicht ein böser Traum mich necke, es war mir, als müßt' ich nun gleich
erwachen und mich wundern über das tolle Trugbild.[50] — Cardillac —

[50] *illusion*

der Vater meiner Madelon, ein verruchter Mörder! — Ich war kraftlos auf
die steinernen Stufen eines Hauses gesunken. Immer mehr und mehr

[51] *grew brighter and brighter*

dämmerte der Morgen herauf,[51] ein Offiziershut, reich mit Federn   25
geschmückt, lag vor mir auf dem Pflaster. Cardillacs blutige Tat, auf der
Stelle begangen, wo ich saß, ging vor mir hell auf. Entsetzt rannte ich
von dannen.

[52] *attic room*

Ganz verwirrt, beinahe besinnungslos sitze ich in meiner Dachkammer,[52]
da geht die Tür auf, und René Cardillac tritt herein, ‚Um Christus' willen!   30
was wollt Ihr?‘ schrie ich ihm entgegen. Er, das gar nicht achtend, kommt
auf mich zu und lächelt mich an mit einer Ruhe und Leutseligkeit,[53]

[53] *affability*

die meinen innern Abscheu vermehrt. Er rückt einen alten, gebrech-

[54] *rickety*

lichen[54] Schemel heran und setzt sich zu mir, der ich nicht vermag, mich
von dem Strohlager zu erheben, auf das ich mich geworfen. ‚Nun Olivier‘,   35
fängt er an, ‚wie geht es dir, armer Junge? Ich habe mich in der Tat
garstig übereilt, als ich dich aus dem Hause stieß, du fehlst mir an allen

Ecken und Enden. Eben jetzt habe ich ein Werk vor, das ich ohne deine
Hilfe gar nicht vollenden kann. Wie wär's, wenn du wieder in meiner
Werkstatt arbeitetest? — Du schweigst? — Ja, ich weiß, ich habe dich
beleidigt. Nicht verhehlen wollt' ich's dir, daß ich auf dich zornig war
5 wegen der Liebelei[55] mit meiner Madelon. Doch recht überlegt habe ich
mir das Ding nachher und gefunden, daß bei deiner Geschicklichkeit,
deinem Fleiß, deiner Treue ich mir keinen bessern Eidam wünschen kann
als eben dich. Komm also mit mir und siehe zu, wie du Madelon zur Frau
gewinnen magst.'

10 Cardillacs Worte durchschnitten mir das Herz, ich erbebte vor seiner
Bosheit, ich konnte kein Wort hervorbringen. ,Du zauderst', fuhr er
nun fort mit scharfem Ton, indem seine funkelnden Augen mich durchbohren, ,du zauderst? — du kannst vielleicht heute noch nicht mit mir
kommen, du hast andere Dinge vor! — du willst vielleicht Desgrais
15 besuchen oder dich gar einführen lassen bei d'Argenson oder la Regnie.
Nimm dich in acht, Bursche, daß die Krallen, die du hervorlocken willst
zu anderer Leute Verderben, dich nicht selbst fassen und zerreißen.' Da
macht sich mein tief empörtes Gemüt plötzlich Luft. ,Mögen die', rufe
ich, ,mögen die, die sich gräßlicher Untat bewußt sind, jene Namen
20 fühlen, die Ihr eben nanntet, ich darf das nicht — ich habe nichts mit
ihnen zu schaffen.' ,Eigentlich', spricht Cardillac weiter, ,eigentlich,
Olivier, macht es dir Ehre, wenn du bei mir arbeitest, bei mir, dem berühmtesten Meister seiner Zeit, überall hochgeachtet wegen seiner Treue und
Rechtschaffenheit, so daß jede böse Verleumdung schwer zurückfallen
25 würde auf das Haupt des Verleumders. — Was nun Madelon betrifft,
so muß ich dir nur gestehen, daß du meine Nachgiebigkeit ihr allein
verdankest. Sie liebt dich mit einer Heftigkeit, die ich dem zarten Kinde
gar nicht zutrauen konnte. Gleich als du fort warst, fiel sie mir zu Füßen,
umschlang meine Knie und gestand unter tausend Tränen, daß sie ohne
30 dich nicht leben könne. Ich dachte, sie bilde sich das nur ein, wie es denn
bei jungen verliebten Dingern zu geschehen pflegt, daß sie gleich sterben
wollen, wenn das erste Milchgesicht[56] sie freundlich angeblickt. Aber in
der Tat, meine Madelon wurde siech und krank, und wie ich ihr denn
das tolle Zeug ausreden[57] wollte, rief sie hundertmal deinen Namen.
35 Was konnt' ich endlich tun, wollt' ich sie nicht verzweifeln lassen?
Gestern abend sagt' ich ihr, ich willige in alles und werde dich heute holen.
Da ist sie über Nacht aufgeblüht wie eine Rose und harrt nun auf dich,

[55] *flirtation*

[56] *baby-face*

[57] *talk her out of*

We are left to speculate on Cardillac's motives for asking Olivier back, and we do not even have
a word of direct evidence on Olivier's decision to return. Comment on the conflict in both
men and the manner of resolution.

58 *love and longing*

ganz außer sich vor Liebessehnsucht.'[58] Mag es mir die ewige Macht des Himmels verzeihen, aber selbst weiß ich nicht, wie es geschah, daß ich plötzlich in Cardillacs Hause stand, daß Madelon, laut aufjauchzend: ,Olivier — mein Olivier — mein Geliebter — mein Gatte!' auf mich gestürzt, mich mit beiden Armen umschlang, mich fest an ihre Brust 5 drückte, daß ich im Übermaß des höchsten Entzückens bei der Jungfrau und allen Heiligen schwor, sie nimmer, nimmer zu verlassen!"

Erschüttert von dem Andenken an diesen entscheidenden Augenblick, mußte Olivier innehalten. Die Scuderi, von Grausen erfüllt über die Untat eines Mannes, den sie für die Tugend, die Rechtschaffenheit selbst 10 gehalten, rief: ,,Entsetzlich! — René Cardillac gehört zu der Mordbande, die unsere gute Stadt so lange zur Räuberhöhle machte?" ,,Was sagt Ihr, mein Fräulein", sprach Olivier, ,,*zur Bande?* Nie hat es eine solche Bande gegeben. Cardillac *allein* war es, der mit verruchter Tätigkeit in der ganzen Stadt seine Schlachtopfer suchte und fand. Daß er es 15 *allein* war, darin liegt die Sicherheit, womit er seine Streiche führte, die unüberwundene Schwierigkeit, dem Mörder auf die Spur zu kommen.

59 *what follows*

— Doch laßt mich fortfahren, der Verfolg[59] wird Euch die Geheimnisse des verruchtesten und zugleich unglücklichsten aller Menschen aufklären.

60 *apprentice in murder*

— Die Lage, in der ich mich nun bei dem Meister befand, jeder mag *die* 20 sich leicht denken. Der Schritt war geschehen, ich konnte nicht mehr zurück. Zuweilen war es mir, als sei ich selbst Cardillacs Mordgehilfe[60] geworden, nur in Madelons Liebe vergaß ich die innere Pein, die mich quälte, nur bei ihr konnt' es mir gelingen, jede äußere Spur namenlosen

61 *erase*

Grams wegzutilgen.[61] Arbeitete ich mit dem Alten in der Werkstatt, nicht 25 ins Antlitz vermochte ich ihm zu schauen, kaum ein Wort zu reden vor

62 *sent shudders through me*

dem Grausen, das mich durchbebte[62] in der Nähe des entsetzlichen Menschen, der alle Tugenden des treuen, zärtlichen Vaters, des guten Bürgers erfüllte, während die Nacht seine Untaten verschleierte. Madelon, das fromme, engelsreine Kind, hing an ihm mit abgöttischer Liebe. Das 30 Herz durchbohrt' es mir, wenn ich daran dachte, daß, träfe einmal die

63 *masked*

Rache den verlarvten[63] Bösewicht, sie ja, mit aller höllischen List des Satans getäuscht, der gräßlichsten Verzweiflung unterliegen müsse. Schon das verschloß mir den Mund, und hätt' ich den Tod des Verbrechers darum dulden müssen. Unerachtet ich aus den Reden der Marechaussee genug 35

64 *gather*

entnehmen[64] konnte, waren mir Cardillacs Untaten, ihr Motiv, die Art, sie auszuführen, ein Rätsel; die Aufklärung blieb nicht lange aus. Eines

---

Die Aufklärung blieb nicht lange aus. Eines Tages. . . . What time levels and planes of narration are now present?

Tages war Cardillac, der sonst, meinen Abscheu erregend, bei der Arbeit in der heitersten Laune, scherzte und lachte, sehr ernst und in sich gekehrt. Plötzlich warf er das Geschmeide, woran er eben arbeitete, beiseite, daß Stein und Perlen auseinander rollten, stand heftig auf und

5 sprach: ,Olivier! — es kann zwischen uns beiden nicht so bleiben, dies Verhältnis ist mir unerträglich. — Was der feinsten Schlauigkeit Desgrais' und seiner Spießgesellen nicht gelang zu entdecken, das spielte dir der Zufall in die Hände. Du hast mich geschaut in der nächtlichen Arbeit, zu der mich mein böser Stern treibt, kein Widerstand ist möglich. — Auch

10 dein böser Stern war es, der dich mir folgen ließ, der dich in undurchdringliche Schleier hüllte, der deinem Fußtritt die Leichtigkeit gab, daß du unhörbar wandeltest wie das kleinste Tier, so daß ich, der ich in der tiefsten Nacht klar schaue wie der Tiger, der ich straßenweit[65] das kleinste Geräusch, das Sumsen der Mücke[66] vernehme, dich nicht bemerkte. Dein

15 böser Stern hat dich, meinen Gefährten, mir zugeführt. An Verrat ist, so wie du jetzt stehst, nicht mehr zu denken. Darum magst du alles wissen.' ,Nimmermehr werd ich dein Gefährte sein, heuchlerischer Bösewicht.' So wollt' ich aufschreien, aber das innere Entsetzen, das mich bei Cardillacs Worten erfaßt, schnürte mir die Kehle zu[67]. Statt der Worte

20 vermochte ich nur einen unverständigen Laut auszustoßen. Cardillac setzte sich wieder in seinen Arbeitsstuhl. Er trocknete sich den Schweiß von der Stirne. Er schien, von der Erinnerung des Vergangenen hart berührt, sich mühsam zu fassen. Endlich fing er an: ,Weise Männer sprechen viel von den seltsamen Eindrücken, deren Frauen in guter Hoffnung[68] fähig

25 sind, von dem wunderbaren Einfluß solch lebhaften, willenlosen Eindrucks von außen her auf das Kind. Von meiner Mutter erzählte man mir eine wunderliche Geschichte. Als *die* mit mir im ersten Monat schwanger[69] ging, schaute sie mit andern Weibern einem glänzenden Hoffest zu, das in Trianon[70] gegeben wurde. Da fiel ihr Blick auf einen Kavalier in spanischer

30 Kleidung mit einer blitzenden Juwelenkette um den Hals, von der sie die Augen gar nicht mehr abwenden konnte. Ihr ganzes Wesen war Begierde nach den funkelnden Steinen, die ihr ein überirdisches Gut dünkten. Derselbe Kavalier hatte vor mehreren Jahren, als meine Mutter noch nicht verheiratet, ihrer Tugend nachgestellt,[71] war aber mit Abscheu zurück-

35 gewiesen worden. Meine Mutter erkannte ihn wieder, aber jetzt war es ihr, als sei er im Glanz der strahlenden Diamanten ein Wesen höherer Art, der Inbegriff[72] aller Schönheit. Der Kavalier bemerkte die sehn-

[65] *blocks away*

[66] *gnat*

[67] *choked me so that I could not speak*

[68] *expecting a child*

[69] *pregnant*

[70] *(castle at Versailles)*

[71] *had had designs on*

[72] *quintessence*

The concept of *böser Stern* is vital to the story. What does it seem to mean?

suchtsvollen, feurigen Blicke meiner Mutter. Er glaubte jetzt glücklicher zu sein als vormals. Er wußte sich ihr zu nähern, noch mehr, sie von ihren Bekannten fort an einen einsamen Ort zu locken. Dort schloß er sie brünstig[73] in seine Arme, meine Mutter faßte nach der schönen Kette, aber in demselben Augenblick sank er nieder und riß meine Mutter mit sich zu Boden. Sei es, daß ihn der Schlag plötzlich getroffen, oder aus einer andern Ursache; genug, er war tot. Vergebens war das Mühen[74] meiner Mutter, sich den im Todeskrampf erstarrten Armen des Leichnams zu entwinden. Die hohlen Augen, deren Sehkraft[75] erloschen, auf sie gerichtet, wälzte der Tote sich mit ihr auf dem Boden. Ihr gellendes Hilfsgeschrei drang endlich bis zu in der Ferne Vorübergehenden, die herbeieilten und sie retteten aus den Armen des grausigen Liebhabers. Das Entsetzen warf meine Mutter auf ein schweres Krankenlager.[76] Man gab sie, mich verloren, doch sie gesundete, und die Entbindung[77] war glücklicher, als man je hatte hoffen können. Aber die Schrecken jenes fürchterlichen Augenblicks hatten *mich* getroffen. Mein böser Stern war aufgegangen und hatte den Funken hinabgeschossen, der in mir eine der seltsamsten und verderblichsten Leidenschaften entzündet. Schon in der frühesten Kindheit gingen mir glänzende Diamanten, goldenes Geschmeide über alles.[78] Man hielt das für gewöhnliche kindische Neigung. Aber es zeigte sich anders, denn als Knabe stahl ich Gold und Juwelen, wo ich sie habhaft werden[79] konnte. Wie der geübteste Kenner unterschied ich aus Instinkt unechtes Geschmeide von echtem. Nur dieses lockte mich, unechtes sowie geprägtes Gold ließ ich unbeachtet liegen. Den grausamsten Züchtigungen des Vaters mußte die angeborne Begier weichen. Um nur mit Gold und edlen Steinen hantieren zu können, wandte ich mich zur Goldschmiedsprofession. Ich arbeitete mit Leidenschaft und wurde bald der erste Meister dieser Art. Nun begann eine Periode, in der der angeborne Trieb, so lange niedergedrückt,[80] mit Gewalt empordrang und mit Macht wuchs, alles um sich her wegzehrend. Sowie ich ein Geschmeide gefertigt und abgeliefert, fiel ich in eine Unruhe, in eine Trostlosigkeit, die mir Schlaf, Gesundheit — Lebensmut raubte. — Wie ein Gespenst stand Tag und Nacht die Person, für die ich gearbeitet, mir vor Augen, geschmückt mit meinem Geschmeide, und eine Stimme raunte mir in die Ohren: ‚Es ist ja dein — es ist ja dein — nimm es doch — was sollen die Diamanten dem Toten!' — Da legt' ich mich endlich auf Diebeskünste.[81] Ich hatte Zutritt[82] in den Häusern der Großen, ich nützte

[73] *passionately*

[74] *efforts*

[75] *vision*

[76] *into a serious, confining illness*
[77] *delivery*

[78] *meant more to me than anything else*

[79] *get possession of*

[80] *suppressed*

[81] *turned to thievery*
[82] *access*

Dimensions of early psychology appear, appropriately mixed with superstition. What is the ostensible source of Cardillac's pathological trait? What elements of human behavior and existence enter into the complex structure (e.g., obviously, death)?

The identity of the murderer is now known, and that part of the detective story is completed. What remains?

Clearly, Cardillac is an artist, and a great one. What psychology of artistic creativity is here presented?

schnell jede Gelegenheit, kein Schloß widerstand meinem Geschick, und bald war der Schmuck, den ich gearbeitet, wieder in meinen Händen. — Aber nun vertrieb selbst das nicht meine Unruhe. Jene unheimliche Stimme ließ sich dennoch vernehmen und höhnte mich und rief: ‚Ho ho, dein

5 Geschmeide trägt ein Toter!' — Selbst wußte ich nicht, wie es kam, daß ich einen unaussprechlichen Haß auf die warf, denen ich Schmuck gefertigt. Ja! im tiefsten Innern regte sich eine Mordlust gegen sie, vor der ich selbst erbebte. — In dieser Zeit kaufte ich dieses Haus. Ich war mit dem Besitzer handelseinig[83] geworden, hier in diesem Gemach saßen   [83] *had come to terms*

10 wir, erfreut über das geschlossene Geschäft, beisammen und tranken eine Flasche Wein. Es war Nacht worden, ich wollte aufbrechen, da sprach mein Verkäufer: ‚Hört, Meister René, ehe Ihr fortgeht, muß ich Euch mit einem Geheimnis dieses Hauses bekannt machen.' Darauf schloß er jenen in die Mauer eingeführten Schrank auf, schob die Hinterwand

15 fort, trat in ein kleines Gemach, bückte sich nieder, hob eine Falltür[84]   [84] *trap door* auf. Eine steile, schmale Treppe stiegen wir hinab, kamen an ein schmales Pförtchen, das er aufschloß, traten hinaus in den freien Hof. Nun schritt der alte Herr, mein Verkäufer, hinan an die Mauer, schob an einem nur wenig hervorragenden Eisen, und alsbald drehte sich ein Stück Mauer

20 los, so daß ein Mensch bequem durch die Öffnung schlüpfen und auf die Straße gelangen konnte. Du magst einmal das Kunststück sehen, Olivier, das wahrscheinlich schlaue Mönche des Klosters, welches ehemals hier lag, fertigen ließen, um heimlich aus- und einschlüpfen zu können. Es ist ein Stück Holz, nur von außen gemörtelt und getüncht,[85] in das von   [85] *mortared and white-washed*

25 außenher eine Bildsäule, auch nur von Holz, doch ganz wie Stein, einge-fügt ist, welches sich mitsamt der Bildsäule auf verborgenen Angeln dreht. — Dunkle Gedanken stiegen in mir auf, als ich diese Einrichtung sah, es war mir, als sei vorgearbeitet[86] solchen Taten, die mir selbst noch Ge-   [86] *as if the groundwork had been laid for* heimnis blieben. Eben hatt' ich einem Herrn vom Hofe einen reichen

30 Schmuck abgeliefert, der, ich weiß es, einer Operntänzerin[87] bestimmt war.   [87] *ballet dancer (at the Opera)* Die Todesfolter[88] blieb nicht aus — das Gespenst hing sich an meine   [88] *mortal torture* Schritte — der lispelnde Satan an mein Ohr! — Ich zog ein in das Haus. In blutigem Angstschweiß gebadet, wälzte ich mich schlaflos auf dem Lager! Ich seh im Geiste den Menschen zu der Tänzerin schleichen mit

35 meinem Schmuck. Voller Wut springe ich auf — werfe den Mantel um — steige herab die geheime Treppe — fort durch die Mauer nach der Straße Nicaise. — Er kommt, ich falle über ihn her, er schreit auf, doch,

---

Dein Geschmeide trägt ein Toter. (Similarly above.) Why the paradox? No one is dead—yet. Is it a wish? Has it anything to do with the past? Cardillac's compulsive state and pathological resolve has a certain logic, the sort which "rationalizes" many crimes. Summarize.

von hinten festgepackt, stoße ich ihm den Dolch ins Herz — der Schmuck
ist mein! — Dies getan, fühlte ich eine Ruhe, eine Zufriedenheit in meiner
Seele, wie sonst niemals. Das Gespenst war verschwunden, die Stimme
des Satans schwieg. Nun wußte ich, was mein böser Stern wollte, ich
mußt' ihm nachgeben oder untergehen! — Du begreifst jetzt mein ganzes 5
Tun und Treiben, Olivier! — Glaube nicht, daß ich darum, weil ich tun
muß, was ich nicht lassen kann, jenem Gefühl des Mitleids, des Erbar-
mens, was in der Natur des Menschen bedingt sein soll, rein entsagt habe.
Du weißt, wie schwer es mir wird, einen Schmuck abzuliefern; wie ich
für manche, deren Tod ich nicht will, gar nicht arbeite, ja wie ich sogar, 10

89 on the day to follow
90 banish

weiß ich, daß am morgenden Tage[89] Blut mein Gespenst verbannen[90]
wird, heute es bei einem tüchtigen Faustschlage bewenden lasse, der den
Besitzer meines Kleinods zu Boden streckt und mir dieses in die Hand
liefert.' — Dies alles gesprochen, führte mich Cardillac in das geheime
Gewölbe und gönnte mir den Anblick seines Juwelenkabinetts. Der 15
König besitzt es nicht reicher. Bei jedem Schmuck war auf einem kleinen
daran gehängten Zettel genau bemerkt, für wen es gearbeitet, wann es
durch Diebstahl, Raub oder Mord genommen worden. ‚An deinem Hoch-
zeitstage', sprach Cardillac dumpf und feierlich, ‚an deinem Hochzeits-

91 crucified

tage, Olivier, wirst du mir, die Hand gelegt auf des gekreuzigten[91] 20

92 oath

Christus Bild, einen heiligen Eid[92] schwören, sowie ich gestorben, alle
diese Reichtümer in Staub zu vernichten durch Mittel, die ich dir dann
bekannt machen werde. Ich will nicht, daß irgendein menschlich Wesen,
und am wenigsten Madelon und du, in den Besitz des mit Blut erkauften

93 treasure

Horts[93] komme.' Gefangen in diesem Labyrinth des Verbrechens, zerris- 25
sen von Liebe und Abscheu, von Wonne und Entsetzen, war ich dem
Verdammten zu vergleichen, dem ein holder Engel mild lächelnd hinauf-
winkt, aber mit glühenden Krallen festgepackt hält ihn der Satan, und
des frommen Engels Liebeslächeln, in dem sich alle Seligkeit des hohen
Himmels abspiegelt, wird ihm zur grimmigsten seiner Qualen. — Ich 30
dachte an Flucht — ja, an Selbstmord — aber Madelon! — Tadelt mich,
tadelt mich, mein würdiges Fräulein, daß ich zu schwach war, mit Gewalt
eine Leidenschaft niederzukämpfen, die mich an das Verbrechen fesselte;
aber büße ich nicht dafür mit schmachvollem Tode? — Eines Tages kam
Cardillac nach Hause, ungewöhnlich heiter. Er liebkoste Madelon, warf 35
mir die freundlichsten Blicke zu, trank bei Tische eine Flasche edlen
Weins, wie er es nur an hohen Fest- und Feiertagen zu tun pflegte, sang

Much of the end of Cardillac's confession, together with Olivier's reaction and commentary
upon it, is couched in religious terms or images. References now are to divine forces, but
references to Satanic ones have not been lacking. How important is this dimension?

und jubilierte. Madelon hatte uns verlassen, ich wollte in die Werkstatt:
‚Bleib sitzen, Junge', rief Cardillac, ‚heut keine Arbeit mehr, laß uns
noch eins trinken auf das Wohl der allerwürdigsten, vortrefflichsten Dame
in Paris.' Nachdem ich mit ihm angestoßen[94] und er ein volles Glas geleert   [94] *touched glasses*
5 hatte, sprach er: ‚Sag an, Olivier, wie gefallen dir die Verse:

> Un amant, qui craint les voleurs,
> n'est point digne d'amour.'

Er erzählte nun, was sich in den Gemächern der Maintenon mit Euch
und dem Könige begeben, und fügte hinzu, daß er Euch von jeher verehrt
10 habe, wie sonst kein menschliches Wesen, und daß Ihr, mit solch hoher
Tugend begabt, vor der der böse Stern kraftlos erbleiche, selbst den
schönsten von ihm gefertigten Schmuck tragend, niemals, ein böses
Gespenst, Mordgedanken in ihm erregen würdet. ‚Höre, Olivier', sprach
er, ‚wozu ich entschlossen. Vor langer Zeit sollt' ich Halsschmuck und
15 Armbänder fertigen für Henriette von England und selbst die Steine dazu
liefern. Die Arbeit gelang mir wie keine andere, aber es zerriß mir die
Brust, wenn ich daran dachte, mich von dem Schmuck, der mein Herzens-
kleinod[95] geworden, trennen zu müssen. Du weißt der Prinzessin unglück-   [95] *dearest treasure*
lichen Tod durch Meuchelmord. Ich behielt den Schmuck und will ihn
20 nun als ein Zeichen meiner Ehrfurcht, meiner Dankbarkeit dem Fräulein
von Scuderi senden im Namen der verfolgten Bande. — Außerdem, daß
die Scuderi das sprechende Zeichen ihres Triumphs erhält, verhöhne ich
auch Desgrais und seine Gesellen, wie sie es verdienen. — Du sollst ihr
den Schmuck hintragen.' Sowie Cardillac Euern Namen nannte, Fräulein,
25 war es, als würden schwarze Schleier weggezogen, und das schöne, lichte
Bild meiner glücklichen frühen Kinderzeit ginge wieder auf in bunten, glänzenden Farben. Es kam ein wunderbarer Trost in meine Seele, ein Hoffnungsstrahl, vor dem die finstern Geister schwanden. Cardillac mochte
den Eindruck, den seine Worte auf mich gemacht, wahrnehmen und nach
30 seiner Art deuten. ‚Dir scheint', sprach er, ‚mein Vorhaben zu behagen.
Gestehen kann ich wohl, daß eine tief innere Stimme, sehr verschieden
von der, welche Blutopfer verlangt wie ein gefräßiges[96] Raubtier, mir   [96] *voracious*
befohlen hat, daß ich solches tue. — Manchmal wird mir wunderlich im
Gemüte — eine innere Angst, die Furcht vor irgend etwas Entsetzlichem,
35 dessen Schauer aus einem fernen Jenseits herüberwehen in die Zeit,

---

What are the attributes of Mlle de Scuderi that so profoundly move Cardillac? How does this
reflect on him?

Cardillac's concern over his eternal soul is, in the light of his crimes and his evil star, a sign of
what sort of mental condition? Look for other clues.

ergreift mich gewaltsam. Es ist mir dann sogar, als ob das, was der böse Stern begonnen durch mich, meiner unsterblichen Seele, die daran keinen Teil hat, zugerechnet[97] werden könne. In solcher Stimmung beschloß ich, für die Heilige Jungfrau in der Kirche St. Eustache[98] eine schöne Diamantenkrone zu fertigen. Aber jene unbegreifliche Angst überfiel mich stärker, sooft ich die Arbeit beginnen wollte, da unterließ ich's ganz. Jetzt ist es mir, als wenn ich der Tugend und Frömmigkeit selbst demutsvoll[99] ein Opfer bringe und wirksame Fürsprache[1] erflehe, indem ich der Scuderi den schönsten Schmuck sende, den ich jemals gearbeitet.'

— Cardillac, mit Eurer ganzen Lebensweise, mein Fräulein, auf das genaueste bekannt, gab mir nun Art und Weise sowie die Stunde an,[2] wie und wann ich den Schmuck, den er in ein sauberes Kästchen schloß, abliefern solle. Mein ganzes Wesen war Entzücken, denn der Himmel selbst zeigte mir durch den freveligen Cardillac den Weg, mich zu retten aus der Hölle, in der ich, ein verstoßener Sünder, schmachte. So dacht' ich. Ganz gegen Cardillacs Willen wollt' ich bis zu Euch dringen. Als Anne Brussons Sohn, als Euer Pflegling[3] gedacht' ich, mich Euch zu Füßen zu werfen und Euch alles — alles zu entdecken. Ihr hättet, gerührt von dem namenlosen Elend, das der armen, unschuldigen Madelon drohte bei der Entdeckung, das Geheimnis beachtet, aber Euer hoher, scharfsinniger Geist fand gewiß sichre Mittel, ohne jene Entdeckung der verruchten Bosheit Cardillacs zu steuern. Fragt mich nicht, worin diese Mittel hätten bestehen sollen, ich weiß es nicht — aber daß Ihr Madelon und mich retten würdet, davon lag die Überzeugung fest in meiner Seele, wie der Glaube an die trostreiche[4] Hilfe der Heiligen Jungfrau. — Ihr wißt, Fräulein, daß meine Absicht in jener Nacht fehlschlug. Ich verlor nicht die Hoffnung, ein andermal glücklicher zu sein. Da geschah es, daß Cardillac plötzlich alle Munterkeit verlor. Er schlich trübe umher, starrte vor sich hin, murmelte unverständliche Worte, focht mit den Händen, Feindliches von sich abwehrend, sein Geist schien gequält von bösen Gedanken. So hatte er es einen ganzen Morgen getrieben. Endlich setzte er sich an den Werktisch, sprang unmutig wieder auf, schaute durchs Fenster, sprach ernst und düster: ,Ich wollte doch, Henriette von England hätte meinen Schmuck getragen!' — Die Worte erfüllten mich mit Entsetzen. Nun wußt' ich, daß sein irrer[5] Geist wieder erfaßt war von dem abscheulichen Mordgespenst,[6] daß des Satans Stimme wieder laut worden vor seinen Ohren. Ich sah Euer Leben bedroht von dem verruchten Mord-

97 charged (to the account of)
98 (famous parish church, near Les Halles)
99 in humility
1 intercession
2 instructed me as to the way and the time
3 foster-child
4 consoling
5 mad
6 murderous spirit

Is Cardillac capable of paying tribute only to abstract and disembodied ideals? (Note that he could not even create his jewelry for the Virgin Mary. There may be special reasons for this.)

teufel.[7] Hatte Cardillac nur seinen Schmuck wieder in Händen, so wart Ihr gerettet. Mit jedem Augenblick wuchs die Gefahr. Da begegnete ich Euch auf dem Pontneuf, drängte mich an Eure Kutsche, warf Euch jenen Zettel zu, der Euch beschwor, doch nur gleich den erhaltenen Schmuck in
5 Cardillacs Hände zu bringen. Ihr kamt nicht. Meine Angst stieg bis zur Verzweiflung, als andern Tages Cardillac von nichts anderm sprach als von dem köstlichen Schmuck, der ihm in der Nacht vor Augen gekommen. Ich konnte das nur auf Euern Schmuck deuten, und es wurde mir gewiß, daß er über irgendeinen Mordanschlag[8] brüte, den er gewiß schon in der
10 Nacht auszuführen sich vorgenommen. Euch retten mußt' ich, und sollt' es Cardillacs Leben kosten. Sowie Cardillac nach dem Abendgebet sich, wie gewöhnlich, eingeschlossen, stieg ich durch ein Fenster in den Hof, schlüpfte durch die Öffnung in der Mauer und stellte mich unfern in den tiefen Schatten. Nicht lange dauerte es, so kam Cardillac heraus und
15 schlich leise durch die Straße fort. Ich hinter ihm her. Er ging nach der Straße St. Honoré, mir bebte das Herz. Cardillac war mit einemmal mir entschwunden. Ich beschloß, mich an Eure Haustüre zu stellen. Da kommt singend und trillernd, wie damals, als der Zufall mich zum Zuschauer von Cardillacs Mordtat machte, ein Offizier bei mir vorüber, ohne mich zu
20 gewahren. Aber in demselben Augenblick springt eine schwarze Gestalt hervor und fällt über ihn her. Es ist Cardillac. Diesen Mord will ich hindern, mit einem lauten Schrei bin ich in zwei drei Sätzen zur Stelle — Nicht der Offizier — Cardillac sinkt, zum Tode getroffen, röchelnd zu Boden. Der Offizier läßt den Dolch fallen, reißt den Degen aus der
25 Scheide,[9] stellt sich, während, ich sei des Mörders Geselle, kampffertig[10] mir entgegen, eilt aber schnell davon, als er gewahrt, daß ich, ohne mich um ihn zu kümmern, nur den Leichnam untersuche. Cardillac lebte noch. Ich lud ihn, nachdem ich den Dolch, den der Offizier hatte fallen lassen, zu mir gesteckt, auf die Schultern und schleppte ihn mühsam
30 fort nach Hause, und durch den geheimen Gang hinauf in die Werkstatt. — Das übrige ist Euch bekannt. Ihr seht, mein würdiges Fräulein, daß mein einziges Verbrechen nur darin besteht, daß ich Madelons Vater nicht den Gerichten verriet und so seinen Untaten ein Ende machte. Rein bin ich von jeder Blutschuld. — Keine Marter[11] wird mir das Geheimnis
35 von Cardillacs Untaten abzwingen.[12] Ich will nicht, daß der ewigen Macht, die der tugendhaften Tochter des Vaters gräßliche Blutschuld verschleierte, zum Trotz, das ganze Elend der Vergangenheit, ihres ganzen Seins noch

[7] *fiendish murderer*

[8] *homicidal plot*

[9] *sheath*
[10] *ready to fight*

[11] *torture*
[12] *extract*

Was Cardillac on the way to Mlle de Scuderi?
Much of past confusion or uncertainty is cleared up by Olivier's narration of the slaying of Cardillac. Specify, explaining the relationship of this scene to our earlier, fragmentary knowledge of what transpired.

[13] *vengeance of the secular authorities*
[14] *dig up*
[15] *moldered*
[16] *(Ich will nicht, [1] daß der ewigen Macht . . . zum Trotz, das ganze Elend . . . auf sie einbreche, [2] daß . . . die weltliche Rache den Leichnam aufwühle, [3] daß . . . der Henker die . . . Gebeine . . . brandmarke.)*
[17] *mourn*
[18] *insurmountable*
[19] *most magnanimous*

jetzt tötend auf sie einbreche, daß noch jetzt die weltliche Rache[13] den Leichnam aufwühle[14] aus der Erde, die ihn deckt, daß noch jetzt der Henker die vermoderten[15] Gebeine mit Schande brandmarke.[16] — Nein! — mich wird die Geliebte meiner Seele beweinen[17] als den unschuldig Gefallenen, die Zeit wird ihren Schmerz lindern, aber unüberwindlich[18] würde der 5 Jammer sein über des geliebten Vaters entsetzliche Taten der Hölle!" —

Olivier schwieg, aber nun stürzte plötzlich ein Tränenstrom aus seinen Augen, er warf sich der Scuderi zu Füßen und flehte: „Ihr seid von meiner Unschuld überzeugt — gewiß, Ihr seid es! — Habt Erbarmen mit mir, sagt, wie steht es um Madelon?" — Die Scuderi rief der Martiniere, und 10 nach wenigen Augenblicken flog Madelon an Oliviers Hals. „Nun ist alles gut, da du hier bist — ich wußt' es ja, daß die edelmütigste[19] Dame dich retten würde!" So rief Madelon ein Mal über das andere, und Olivier vergaß sein Schicksal, alles, was ihm drohte, er war frei und selig. Auf das rührendste klagten beide sich, was sie umeinander gelitten, und 15 umarmten sich dann aufs neue und weinten vor Entzücken, daß sie sich wiedergefunden.

Wäre die Scuderi nicht von Oliviers Unschuld schon überzeugt gewesen, der Glaube daran müßte ihr jetzt gekommen sein, da sie die beiden betrachtete, die in der Seligkeit des innigsten Liebesbündnisses die Welt 20 vergaßen und ihr Elend und ihr namenloses Leiden. „Nein", rief sie, „solch seliger Vergessenheit ist nur ein reines Herz fähig."

Die hellen Strahlen des Morgens brachen durch die Fenster. Desgrais klopfte leise an die Türe des Gemachs und erinnerte, daß es Zeit sei, Olivier Brusson fortzuschaffen, da, ohne Aufsehen zu erregen, das später 25 nicht geschehen könne. Die Liebenden mußten sich trennen. —

[20] *had been preoccupied*

Die dunklen Ahnungen, von denen der Scuderi Gemüt befangen[20] seit Brussons erstem Eintritt in ihr Haus, hatten sich nun zum Leben gestaltet auf furchtbare Weise. Den Sohn ihrer geliebten Anne sah sie schuldlos verstrickt auf eine Art, daß ihn vom schmachvollen Tod zu 30 retten kaum denkbar[21] schien. Sie ehrte des Jünglings Heldensinn,[22] der lieber schuldbeladen[23] sterben, als ein Geheimnis verraten wollte, das seiner Madelon den Tod bringen mußte. Im ganzen Reiche der Möglichkeit fand sie kein Mittel, den Ärmsten dem grausamen Gerichtshofe zu entreißen. Und doch stand es fest in ihrer Seele, daß sie kein Opfer scheuen 35 müsse, das himmelschreiende Unrecht abzuwenden,[24] das man zu begehen im Begriffe war. — Sie quälte sich ab[25] mit allerlei Entwürfen[26] und

[21] *possible within the realm of imagination*
[22] *heroic resolve*
[23] *in guilt*
[24] *to avert a wrong which cried out to heaven*
[25] *worked feverishly*
[26] *schemes*

Olivier excludes absolutely the one avenue to immediate resolution of the dilemma. This means that another way must be found. What conditions would it have to satisfy?
Mlle de Scuderi accepts a certain kind of evidence above all else. Explain.

Plänen, die bis an das Abenteuerliche streiften und die sie ebenso schnell verwarf als auffaßte. Immer mehr verschwand jeder Hoffnungsschimmer, so daß sie verzweifeln wollte. Aber Madelons unbedingtes, frommes kindliches Vertrauen, die Verklärung,[27] mit der sie von dem Geliebten sprach, der nun bald freigesprochen[28] von jeder Schuld, sie als Gattin umarmen werde, richtete die Scuderi in eben dem Grad wieder auf, als sie davon bis tief ins Herz gerührt wurde.

Um nun endlich etwas zu tun, schrieb die Scuderi an la Regnie einen langen Brief, worin sie ihm sagte, daß Olivier Brusson ihr auf die glaubwürdigste[29] Weise seine völlige Unschuld an Cardillacs Tode dargetan habe und daß nur der heldenmütige Entschluß, ein Geheimnis in das Grab zu nehmen, dessen Enthüllung die Unschuld und Tugend selbst verderben würde, ihn zurückhalte, dem Gericht ein Geständnis abzulegen,[30] das ihn von dem entsetzlichen Verdacht, nicht allein daß er Cardillac ermordet, sondern daß er auch zur Bande verruchter Mörder gehöre, befreien müsse. Alles, was glühender Eifer, was geistvolle Beredsamkeit vermag, hatte die Scuderi aufgeboten, la Regnies hartes Herz zu erweichen.[31] Nach wenigen Stunden antwortete la Regnie, wie es ihn herzlich freue, wenn Olivier Brusson sich bei seiner hohen, würdigen Gönnerin gänzlich gerechtfertigt habe. Was Oliviers heldenmütigen Entschluß betreffe, ein Geheimnis, das sich auf die Tat beziehe, mit ins Grab nehmen zu wollen, so tue es ihm leid, daß die Chambre ardente dergleichen Heldenmut nicht ehren könne, denselben vielmehr durch die kräftigsten Mittel zu brechen suchen müsse. Nach drei Tagen hoffe er in dem Besitz des seltsamen Geheimnisses zu sein, das wahrscheinlich geschehene Wunder an den Tag bringen werde.

Nur zu gut wußte die Scuderi, was der fürchterliche la Regnie mit jenen Mitteln, die Brussons Heldenmut brechen sollten, meinte. Nun war es gewiß, daß die Tortur über den Unglücklichen verhängt war. In der Todesangst fiel der Scuderi endlich ein, daß, um nur Aufschub zu erlangen, der Rat eines Rechtsverständigen[32] dienlich sein könne. Pierre Arnaud d'Andilly war damals der berühmteste Advokat[33] in Paris. Seiner tiefen Wissenschaft, seinem umfassenden Verstande war seine Rechtschaffenheit, seine Tugend gleich. Zu dem begab sich die Scuderi und sagte ihm alles, soweit es möglich war, ohne Brussons Geheimnis zu verletzen. Sie glaubte, daß d'Andilly mit Eifer sich des Unschuldigen annehmen werde, ihre Hoffnung wurde aber auf das bitterste getäuscht.

[27] *ecstasy*
[28] *absolved*
[29] *credible and convincing*
[30] *make a confession*
[31] *soften*
[32] *legal expert*
[33] *lawyer*

In a society and a specific environment constituted as this one is, turning to a lawyer has symbolic validity. Explain. And when this fails, what is left?

D'Andilly hatte ruhig alles angehört und erwiderte dann lächelnd mit Boileaus Worten: „Le vrai peut quelque fois n'être pas vraisemblable."[34] — Er bewies der Scuderi, daß die auffallendsten Verdachtsgründe[35] wider Brusson sprächen, daß la Regnies Verfahren keineswegs grausam und übereilt zu nennen, vielmehr ganz gesetzlich sei, ja, daß er nicht anders 5 handeln könne, ohne die Pflichten des Richters zu verletzen. Er, d'Andilly, selbst getraue sich nicht durch die geschickteste Verteidigung Brusson von der Tortur zu retten. Nur Brusson selbst könne das entweder durch aufrichtiges Geständnis oder wenigstens durch die genaueste Erzählung der Umstände bei dem Morde Cardillacs, die dann vielleicht erst zu 10 neuen Ausmittelungen Anlaß geben würden. „So werfe ich mich dem Könige zu Füßen und flehe um Gnade", sprach die Scuderi, ganz außer sich mit von Tränen halb erstickter Stimme. „Tut das", rief d'Andilly, „tut das um des Himmels willen nicht, mein Fräulein! — Spart Euch dieses letzte Hilfsmittel auf,[36] das, schlug es einmal fehl, Euch für immer ver- 15 loren ist. Der König wird nimmer einen Verbrecher *der* Art begnadigen, der bitterste Vorwurf des gefährdeten Volks würde ihn treffen. Möglich ist es, daß Brusson durch Entdeckung seines Geheimnisses oder sonst Mittel findet, den wider ihn streitenden Verdacht aufzuheben. Dann ist es Zeit, des Königs Gnade zu erflehen, der nicht darnach fragen, was vor 20 Gericht bewiesen ist oder nicht, sondern seine innere Überzeugung zu Rate ziehen wird." — Die Scuderi mußte dem tieferfahrnen d'Andilly notgedrungen beipflichten.[37] — In tiefen Kummer versenkt, sinnend und sinnend, was um der Jungfrau und aller Heiligen willen sie nun anfangen solle, um den unglücklichen Brusson zu retten, saß sie am späten Abend 25 in ihrem Gemach, als die Martiniere eintrat und den Grafen von Miossens, Obristen[38] von der Garde des Königs, meldete, der dringend wünsche, das Fräulein zu sprechen.

„Verzeiht", sprach Miossens, indem er sich mit soldatischem Anstande verbeugte,[39] „verzeiht, mein Fräulein, wenn ich Euch so spät, so zu unge- 30 legener[40] Zeit überlaufe. Wir Soldaten machen es nicht anders, und zudem bin ich mit zwei Worten entschuldigt. — Olivier Brusson führt mich zu Euch." Die Scuderi, hochgespannt,[41] was sie jetzt wieder erfahren werde, rief laut: „Olivier Brusson? der unglücklichste aller Menschen? — was habt Ihr mit dem?" — „Dacht' ich's doch", sprach Miossens lächelnd 35 weiter, „daß Eures Schützlings Namen hinreichen würde, mir bei Euch ein geneigtes Ohr[42] zu verschaffen. Die ganze Welt ist von Brussons Schuld

---

[34] *(from B's* L'Art poétique; *the same idea rendered by Byron in* Don Juan: *"'Tis strange, but true; for truth is always strange,–Stranger than fiction.")*
[35] *grounds for suspicion*

[36] *hold in reserve*

[37] *was compelled to agree with*

[38] *colonel*

[39] *bowing with soldierly courtesy*
[40] *inopportune*

[41] *intent and curious*

[42] *willing ear*

überzeugt. Ich weiß, daß Ihr eine andere Meinung hegt, die sich freilich nur auf die Beteurungen des Angeklagten stützen soll, wie man gesagt hat. Mit mir ist es anders. Niemand als ich kann besser überzeugt sein von Brussons Unschuld an dem Tode Cardillacs." „Redet, o redet",
5 rief die Scuderi, indem ihr die Augen glänzten vor Entzücken. „Ich", sprach Miossens mit Nachdruck, „ich war es selbst, der den alten Goldschmied niederstieß in der Straße St. Honoré unfern Eurem Hause." „Um aller Heiligen willen, Ihr — Ihr!" rief die Scuderi. „Und", fuhr Miossens fort, „und ich schwöre es Euch, mein Fräulein, daß ich stolz bin
10 auf meine Tat. Wisset, daß Cardillac der verruchteste, heuchlerischste Bösewicht, daß er es war, der in der Nacht heimtückisch mordete und raubte und so lange allen Schlingen entging. Ich weiß selbst nicht, wie es kam, daß ein innerer Verdacht sich in mir gegen den alten Bösewicht regte, als er voll sichtlicher Unruhe den Schmuck brachte, den ich bestellt,
15 als er sich genau erkundigte, für wen ich den Schmuck bestimmt, und als er auf recht listige Art meinen Kammerdiener ausgefragt hatte, wann ich eine gewisse Dame zu besuchen pflege. — Längst war es mir aufgefallen, daß die unglücklichen Schlachtopfer der abscheulichsten Raubgier alle dieselbe Todeswunde trugen. Es war mir gewiß, daß der Mörder auf den
20 Stoß, der augenblicklich töten mußte, eingeübt[43] war und darauf rechnete. Schlug der fehl, so galt es den gleichen Kampf.[44] Dies ließ mich eine Vorsichtsmaßregel[45] brauchen, die so einfach ist, daß ich nicht begreife, wie andere nicht längst darauf fielen und sich retteten von dem bedrohlichen Mordwesen.[46] Ich trug einen leichten Brustharnisch[47] unter der
25 Weste. Cardillac fiel mich von hinten an. Er umfaßte mich mit Riesenkraft, aber der sicher geführte Stoß glitt ab an dem Eisen. In demselben Augenblick entwand ich mich ihm und stieß ihm den Dolch, den ich in Bereitschaft[48] hatte, in die Brust." „Und Ihr schwiegt", fragte die Scuderi, „Ihr zeigtet den Gerichten nicht an, was geschehen?" „Erlaubt", sprach
30 Miossens weiter, „erlaubt, mein Fräulein, zu bemerken, daß eine solche Anzeige mich, wo nicht geradezu ins Verderben, doch in den abscheulichsten Prozeß verwickeln konnte. Hätte la Regnie, überall Verbrechen witternd, mir's denn geradehin[49] geglaubt, wenn *ich* den rechtschaffenen Cardillac, das Muster aller Frömmigkeit und Tugend, des versuchten
35 Mordes angeklagt? Wie, wenn das Schwert der Gerechtigkeit seine Spitze wider mich selbst gewandt?" „Das war nicht möglich", rief die Scuderi, „Eure Geburt — Euer Stand —" „Oh", fuhr Miossens fort, „denkt doch

[43] *practiced and prepared*
[44] *it was an equal fight*
[45] *precautionary measure*
[46] *murderous business which threatened them*
[47] *breastplate*

[48] *readiness*

[49] *without ado*

an den Marschall von Luxemburg, den der Einfall, sich von la Sage das Horoskop stellen zu lassen, in den Verdacht des Giftmordes und in die Bastille brachte. Nein, beim St. Dionys, nicht eine Stunde Freiheit, nicht meinen Ohrzipfel[50] geb ich preis dem rasenden la Regnie, der sein Messer gern an unserer aller Kehlen setzte." „Aber so bringt Ihr ja den unschuldigen Brusson aufs Schafott?"[51] fiel ihm die Scuderi ins Wort. „Unschuldig", erwiderte Miossens, „unschuldig, mein Fräulein, nennt Ihr des verruchten Cardillacs Spießgesellen? — der ihm beistand in seinen Taten? der den Tod hundertmal verdient hat? — Nein, in der Tat, *der* blutet mit Recht, und daß ich Euch, mein hochverehrtes Fräulein, den wahren Zusammenhang der Sache entdeckte, geschah in der Voraussetzung, daß Ihr, ohne mich in die Hände der Chambre ardente zu liefern, doch mein Geheimnis auf irgendeine Weise für Euren Schützling zu nützen verstehen würdet."

Die Scuderi, im Innersten entzückt, ihre Überzeugung von Brussons Unschuld auf solch entscheidende Weise bestätigt zu sehen, nahm gar keinen Anstand,[52] dem Grafen, der Cardillacs Verbrechen ja schon kannte, alles zu entdecken und ihn aufzufordern, sich mit ihr zu d'Andilly zu begeben. *Dem* sollte unter dem Siegel der Verschwiegenheit alles entdeckt werden, *der* solle dann Rat erteilen, was nun zu beginnen.

D'Andilly, nachdem die Scuderi ihm alles auf das genaueste erzählt hatte, erkundigte sich nochmals nach den geringfügigsten Umständen. Insbesondere fragte er den Grafen Miossens, ob er auch die feste Überzeugung habe, daß er von Cardillac angefallen, und ob er Olivier Brusson als denjenigen würde wiedererkennen können, der den Leichnam fortgetragen. „Außerdem", erwiderte Miossens, „daß ich in der mondhellen Nacht den Goldschmied recht gut erkannte, habe ich auch bei la Regnie selbst den Dolch gesehen, mit dem Cardillac niedergestoßen wurde. Es ist der meinige, ausgezeichnet durch die zierliche Arbeit des Griffs. Nur einen Schritt von ihm stehend, gewahrte ich alle Züge des Jünglings, dem der Hut vom Kopf gefallen, und würde ihn allerdings wiedererkennen können."

D'Andilly sah schweigend einige Augenblicke vor sich nieder, dann sprach er: „Auf gewöhnlichem Wege ist Brusson aus den Händen der Justiz nun ganz und gar nicht zu retten. Er will Madelons halber Cardillac nicht als Mordräuber[53] nennen. Das mag er tun, denn selbst, wenn es ihm gelingen müßte, durch Entdeckung des heimlichen Ausgangs, des zusam-

[50] *earlobe*
[51] *scaffold*
[52] *did not in the least hesitate*
[53] *murderer and thief*

The testimony of Miossens reassures Mlle de Scuderi as to the true state of affairs but offers no way to save Olivier. Is Miossens' refusal adequately motivated? What of his condemnation of Olivier?

What now is the form of the dilemma? D'Andilly summarizes the situation and suggests the only recourse. To what extent does this indicate a dichotomy or double focus in the story,

mengeraubten Schatzes[54] dies nachzuweisen,[55] würde ihn doch als Mitver-
bundenen[56] der Tod treffen. Dasselbe Verhältnis bleibt stehen, wenn der
Graf Miossens, die Begebenheit mit dem Goldschmied, wie sie wirklich
sich zutrug, den Richtern entdecken sollte. *Aufschub* ist das einzige, wor-
5 nach getrachtet werden muß. Graf Miossens begibt sich nach der Conciergerie, läßt sich Olivier Brusson vorstellen und erkennt ihn für den, der
den Leichnam Cardillacs fortschaffte. Er eilt zu la Regnie und sagt:
‚In der Straße St. Honoré sah ich einen Menschen niederstoßen, ich stand
dicht neben dem Leichnam, als ein anderer hinzusprang, sich zum Leich-
10 nam niederbückte, ihn, da er noch Leben spürte, auf die Schultern lud
und forttrug. In Olivier Brusson habe ich diesen Menschen erkannt.‘
Diese Aussage veranlaßt Brussons nochmalige Vernehmung,[57] Zu-
sammenstellung[58] mit dem Grafen Miossens. Genug, die Tortur unter-
bleibt[59] und man forscht weiter nach. Dann ist es Zeit, sich an den König
15 selbst zu wenden. Euerm Scharfsinn, mein Fräulein, bleibt es überlassen,
dies auf die geschickteste Weise zu tun. Nach meinem Dafürhalten[60]
würd’ es gut sein, dem Könige das ganze Geheimnis zu entdecken. Durch
diese Aussage des Grafen Miossens werden Brussons Geständnisse unter-
stützt. Dasselbe geschieht vielleicht durch geheime Nachforschungen in
20 Cardillacs Hause. Keinen Rechtsspruch,[61] aber des Königs Entscheidung,
auf inneres Gefühl, das da, wo der Richter strafen muß, Gnade ausspricht,
gestützt, kann das alles begründen.“[62] — Graf Miossens befolgte genau,
was d’Andilly geraten, und es geschah wirklich, was dieser vorhergesehen.[63]
Nun kam es darauf an, den König anzugehen, und dies war der schwie-
25 rigste Punkt, da er gegen Brusson, den er allein für den entsetzlichen
Raubmörder[64] hielt, welcher so lange Zeit hindurch ganz Paris in Angst
und Schrecken gesetzt hatte, solchen Abscheu hegte, daß er, nur leise
erinnert an den berüchtigten Prozeß, in den heftigsten Zorn geriet. Die
Maintenon, ihrem Grundsatz, dem Könige nie von unangenehmen
30 Dingen zu reden, getreu, verwarf jede Vermittlung, und so war Brussons
Schicksal ganz in die Hand der Scuderi gelegt. Nach langem Sinnen
faßte sie einen Entschluß ebenso schnell, als sie ihn ausführte. Sie kleidete
sich in eine schwarze Robe von schwerem Seidenzeug, schmückte sich
mit Cardillacs köstlichem Geschmeide, hing einen langen, schwarzen
35 Schleier über[65] und erschien so in den Gemächern der Maintenon zur
Stunde, da eben der König zugegen. Die edle Gestalt des ehrwürdigen
Fräuleins in diesem feierlichen Anzuge hatte eine Majestät, die tiefe

[54] *stolen treasure*
[55] *prove*
[56] *accomplice*

[57] *interrogation*
[58] *confrontation*
[59] *is cancelled*

[60] *in my judgment*

[61] *court verdict*

[62] *all of that cannot bring about a court verdict but it can bring about a decision by the King, resting on inner conviction . . .*
[63] *foreseen*
[64] *robber and murderer*

[65] *draped . . . about her*

i.e., what is the main issue of the first part; of the second? What unites the two? Does the story suffer from this divided center?
What is the broader significance, in the world of the story, of the fact that ultimately all hinges on one man, the King?

Ehrfurcht erwecken mußte selbst bei dem losen Volk, das gewohnt ist, in den Vorzimmern sein leichtsinnig nichts beachtendes Wesen zu treiben. Alles wich scheu zur Seite, und als sie nun eintrat, stand selbst der König ganz verwundert auf und kam ihr entgegen. Da blitzten ihm die köstlichen Diamanten des Halsbands, der Armbänder ins Auge, und er rief: 5 „Beim Himmel, das ist Cardillacs Geschmeide!" Und dann sich zur Maintenon wendend, fügte er mit anmutigem Lächeln hinzu: „Seht, Frau Marquise, wie unsere schöne Braut um ihren Bräutigam trauert."

„Ei, gnädiger Herr", fiel die Scuderi, wie den Scherz fortsetzend, ein, „wie würd' es ziemen einer schmerzerfüllten[66] Braut, sich so glanzvoll[67] 10 zu schmücken? Nein, ich habe mich ganz losgesagt von diesem Goldschmied und dächte nicht mehr an ihn, träte mir nicht manchmal das abscheuliche Bild, wie er ermordet dicht bei mir vorübergetragen wurde, vor Augen." „Wie", fragte der König, „wie! Ihr habt ihn gesehen, den armen Teufel?" Die Scuderi erzählte nun mit kurzen Worten, wie sie 15 der Zufall (noch erwähnte sie nicht der Einmischung[68] Brussons) vor Cardillacs Haus gebracht, als eben der Mord entdeckt worden. Sie schilderte Madelons wilden Schmerz, den tiefen Eindruck, den das Himmelskind auf sie gemacht, die Art, wie sie die Arme unter Zujauchzen[69] des Volks aus Desgrais' Händen gerettet. Mit immer steigendem und steigendem 20 Interesse begannen nun die Szenen mit la Regnie — mit Desgrais — mit Olivier Brusson selbst. Der König, hingerissen von der Gewalt des lebendigsten Lebens, das in der Scuderi Rede glühte, gewahrte nicht, daß von dem gehässigen Prozeß des ihm abscheulichen Brussons die Rede war, vermochte nicht ein Wort hervorzubringen, konnte nur dann und wann 25 mit einem Ausruf Luft machen der innern Bewegung. Ehe er sich's versah, ganz außer sich über das Unerhörte, was er erfahren, und noch nicht vermögend, alles zu ordnen, lag die Scuderi schon zu seinen Füßen und flehte um Gnade für Olivier Brusson „Was tut Ihr", brach der König los,[70] indem er sie bei beiden Händen faßte und in den Sessel nötigte, 30 „was tut Ihr, mein Fräulein! — Ihr überrascht mich auf seltsame Weise! — Das ist ja eine entsetzliche Geschichte! — Wer bürgt[71] für die Wahrheit der abenteuerlichen Erzählung Brussons?" Darauf die Scuderi: „Miossens' Aussage — die Untersuchung in Cardillacs Hause — innere Überzeugung — ach! Madelons tugendhaftes Herz, das gleiche Tugend 35 in dem unglücklichen Brusson erkannte!" — Der König, im Begriff, etwas zu erwidern, wandte sich auf ein Geräusch um, das an der Türe

[66] *grief-stricken*
[67] *elegantly*

[68] *intervention*

[69] *to the noisy approval of* . . .

[70] *burst out*

[71] *will vouch*

What is the decisive variable now? That is, on what does all depend? Formulate in abstract terms: "a happy issue now seems to depend entirely on the reaction of an absolute monarch to the ____ of a certain kind of person, namely ____."

entstand. Louvois, der eben im andern Gemach arbeitete, sah hinein
mit besorglicher Miene. Der König stand auf und verließ, Louvois
folgend, das Zimmer. Beide, die Scuderi, die Maintenon, hielten diese
Unterbrechung für gefährlich, denn einmal überrascht, mochte der
5 König sich hüten, in die gestellte Falle[72] zum zweitenmal zu gehen. Doch

[72] the trap which had been set for him

nach einigen Minuten trat der König wieder hinein, schritt rasch ein
paarmal im Zimmer auf und ab, stellte sich dann, die Hände über den
Rücken geschlagen, dicht vor der Scuderi hin und sprach, ohne sie anzublicken, halb leise: „Wohl möcht ich Eure Madelon sehen!" — Darauf
10 die Scuderi: „O mein gnädiger Herr, welches hohen — hohen Glücks
würdigt Ihr das arme, unglückliche Kind — ach, nur Eures Winks bedurft'
es ja, die Kleine zu Euren Füßen zu sehen." Und trippelte dann, so schnell
sie es in den schweren Kleidern vermochte, nach der Tür und rief hinaus,
der König wolle Madelon Cardillac vor sich lassen, und kam zurück und
15 weinte und schluchzte vor Entzücken und Rührung. Die Scuderi hatte
solche Gunst geahnet und daher Madelon mitgenommen, die bei der
Marquise Kammerfrau wartete mit einer kurzen Bittschrift[73] in den Hän-

[73] petition

den, die ihr d'Andilly aufgesetzt.[74] In wenig Augenblicken lag sie sprachlos

[74] had drawn up

dem Könige zu Füßen. Angst — Bestürzung — scheue Ehrfurcht — Liebe
20 und Schmerz — trieben der Armen rascher und rascher das siedende[75]

[75] seething

Blut durch die Adern. Ihre Wangen glühten in hohem Purpur — die
Augen glänzten von hellen Tränenperlen,[76] die dann und wann hinabfielen

[76] teardrops

durch die seidenen Wimpern auf den schönen Lilienbusen. Der König
schien betroffen über die wunderbare Schönheit des Engelskinds. Er hob
25 das Mädchen sanft auf, dann machte er eine Bewegung, als wolle er ihre
Hand, die er gefaßt, küssen. Er ließ sie wieder und schaute das holde Kind
an mit tränenfeuchtem Blick, der von der tiefsten innern Rührung zeugte.
Leise lispelte die Maintenon der Scuderi zu: „Sieht sie nicht der la Valliere
ähnlich auf ein Haar,[77] das kleine Ding? — Der König schwelgt in den

[77] isn't she the very image of . . .

30 süßesten Erinnerungen. Euer Spiel ist gewonnen." — So leise dies auch
die Maintenon sprach, doch schien es der König vernommen zu haben.
Eine Röte überflog sein Gesicht, sein Blick streifte bei der Maintenon
vorüber, er las die Supplik, die Madelon ihm überreicht, und sprach dann
mild und gütig: „Ich will's wohl glauben, daß du, mein liebes Kind, von
35 deines Geliebten Unschuld überzeugt bist, aber hören wir, was die
Chambre ardente dazu sagt!" — Eine sanfte Bewegung mit der Hand
verabschiedete die Kleine, die in Tränen verschwimmen wollte. — Die

---

Much still seems to have depended on a coincidence and on a particular characteristic of Louis.
Explain.

[78] *propitious*

Scuderi gewahrte zu ihrem Schreck, daß die Erinnerung an die Valliere, so ersprießlich[78] sie anfangs geschienen, des Königs Sinn geändert hatte, sowie die Maintenon den Namen genannt. Mocht' es sein, daß der König sich auf unzarte Weise daran erinnert fühlte, daß er im Begriff stehe, das strenge Recht der Schönheit aufzuopfern, oder vielleicht ging es dem Könige wie dem Träumer, dem, hart angerufen, die schönen Zauberbilder,[79] die er zu umfassen gedachte, schnell verschwinden. Vielleicht sah er nun nicht mehr seine Valliere vor sich, sondern dachte nur an die Sœur Louise de la miséricorde (der Valliere Klostername bei den Karmeliternonnen), die ihn peinigte mit ihrer Frömmigkeit und Buße. — Was war jetzt anders zu tun, als des Königs Beschlüsse ruhig abzuwarten.

[79] *visions*

Des Grafen Miossens Aussage vor der Chambre ardente war indessen bekannt geworden, und wie es zu geschehen pflegt, daß das Volk leicht getrieben wird von einem Extrem zum andern, so wurde derselbe, den man erst als den verruchtesten Mörder verfluchte und den man zu zerreißen drohte, noch ehe er die Blutbühne[80] bestiegen, als unschuldiges Opfer einer barbarischen Justiz beklagt. Nun erst erinnerten sich die Nachbarsleute seines tugendhaften Wandels, der großen Liebe zu Madelon, der Treue, der Ergebenheit mit Leib und Seele, die er zu dem alten Goldschmied gehegt. — Ganze Züge des Volks erschienen oft auf bedrohliche Weise vor la Regnies Palast und schrien: „Gib uns Olivier Brusson heraus, er ist unschuldig", und warfen wohl gar Steine nach den Fenstern, so daß la Regnie genötigt war, bei der Marechaussee Schutz zu suchen vor dem erzürnten[81] Pöbel.

[80] *bloody stage*

[81] *enraged*

Mehrere Tage vergingen, ohne daß der Scuderi von Olivier Brussons Prozeß nur das mindeste bekannt wurde. Ganz trostlos begab sie sich zur Maintenon, die aber versicherte, daß der König über die Sache schweige, und es gar nicht geraten scheine, ihn daran zu erinnern. Fragte sie nun noch mit sonderbarem Lächeln, was denn die kleine Valliere mache, so überzeugte sich die Scuderi, daß tief im Innern der stolzen Frau sich ein Verdruß über eine Angelegenheit regte, die den reizbaren König in ein Gebiet locken konnte, auf dessen Zauber sie sich nicht verstand. Von der Maintenon konnte sie daher gar nichts hoffen.

Endlich mit d'Andillys Hilfe gelang es der Scuderi, auszukundschaften, daß der König eine lange geheime Unterredung mit dem Grafen Miossens gehabt. Ferner, daß Bontems, des Königs vertrautester Kammerdiener und Geschäftsträger,[82] in der Conciergerie gewesen und mit Brusson

[82] *confidential agent*

Note the explicit absence of omniscience on the author's part in diagnosing the King's change of heart. Has this been the characteristic narrative point of view throughout, or is the story told by an "omniscient author"?

Yet another variable falls into line, with the popular reaction. What effect does this presumably have?

How is the suspense continued and increased?

gesprochen, daß endlich in einer Nacht ebenderselbe Bontems mit mehreren Leuten in Cardillacs Hause gewesen und sich lange darin aufgehalten. Claude Patru, der Bewohner des untern Stocks, versicherte, die ganze Nacht habe es über seinem Kopfe gepoltert, und gewiß sei Olivier dabei
5 gewesen, denn er habe seine Stimme genau erkannt. So viel war also gewiß, daß der König selbst dem wahren Zusammenhange der Sache nachforschen ließ, unbegreiflich blieb aber die lange Verzögerung des Beschlusses. La Regnie mochte alles aufbieten, das Opfer, das ihm entrissen werden sollte, zwischen den Zähnen festzuhalten. Das verdarb jede
10 Hoffnung im Aufkeimen.

Beinahe ein Monat war vergangen, da ließ die Maintenon der Scuderi sagen, der König wünsche sie heute abend in ihren, der Maintenon, Gemächern zu sehen.

Das Herz schlug der Scuderi hoch auf,[83] sie wußte, daß Brussons Sache   [83] *pounded hard*
15 sich nun entscheiden würde. Sie sagte es der armen Madelon, die zur Jungfrau, zu allen Heiligen inbrünstig betete, daß sie doch nur in dem König die Überzeugung von Brussons Unschuld erwecken möchten.

Und doch schien es, als habe der König die ganze Sache vergessen, denn wie sonst weilend in anmutigen Gesprächen mit der Maintenon und
20 der Scuderi, gedachte er nicht mit einer Silbe[84] des armen Brussons. End-   [84] *syllable*
lich erschien Bontems, näherte sich dem Könige und sprach einige Worte so leise, daß beide Damen nichts davon verstanden. — Die Scuderi erbebte im Innern. Da stand der König auf, schritt auf die Scuderi zu und sprach mit leuchtenden Blicken: ,,Ich wünsche Euch Glück, mein
25 Fräulein! — Euer Schützling, Olivier Brusson, ist frei!" — Die Scuderi, der die Tränen aus den Augen stürzten, keines Wortes mächtig, wollte sich dem Könige zu Füßen werfen. *Der* hinderte sie daran, sprechend: ,,Geht, geht! Fräulein, Ihr solltet Parlamentsadvokat sein und meine Rechtshändel ausfechten,[85] denn, beim heiligen Dionys, Eurer Bered-   [85] *fight my lawsuits for*
30 samkeit widersteht niemand auf Erden. — Doch", fügte er ernster hinzu,   *me*
,,doch, wen die Tugend selbst in Schutz nimmt, mag der nicht sicher sein vor jeder bösen Anklage, vor der Chambre ardente und allen Gerichtshöfen in der Welt!" — Die Scuderi fand nun Worte, die sich in den glühendsten Dank ergossen.[86] Der König unterbrach sie, ihr ankündigend,   [86] *poured out*
35 daß in ihrem Hause sie selbst viel feurigerer Dank erwarte, als er von ihr fordern könne, denn wahrscheinlich umarme in diesem Augenblick der glückliche Olivier schon seine Madelon. ,,Bontems", so schloß der König,

---

What is the "power struggle" or conflict of forces which holds up the decision? What is Olivier still guilty of? What is Madelon's special position?

The final role of *deus ex machina* is, after all, reserved to the King. The Church receives the rest of the jewels. Olivier and Madelon live happily ever after. The success of Mlle de Scuderi is complete. Anterior to this happy ending lay, however, not only suspense and uncertainty but an exploration of criminal psychopathology. Can the whole picture be harmonized into a definable view of reality and the human condition—or is this too much to ask?

⁸⁷ dowry

„Bontems soll Euch tausend Louis auszahlen, die gebt in meinem Namen der Kleinen als Brautschatz.⁸⁷ Mag sie ihren Brusson, der solch ein Glück gar nicht verdient, heiraten, aber dann sollen beide fort aus Paris. Das ist mein Wille."

Die Martiniere kam der Scuderi entgegen mit raschen Schritten, hinter ₅ ihr her Baptiste, beide mit vor Freude glänzenden Gesichtern, beide jauchzend, schreiend: „Er ist hier — er ist frei! — o die lieben jungen Leute!" Das selige Paar stürzte der Scuderi zu Füßen. „Oh, ich habe es ja gewußt, daß Ihr, Ihr allein mir den Gatten retten würdet", rief Madelon. „Ach, der Glaube an Euch, meine Mutter, stand ja fest in meiner Seele", ₁₀ rief Olivier, und beide küßten der würdigen Dame die Hände und vergossen tausend heiße Tränen. Und dann umarmten sie sich wieder und beteuerten, daß die überirdische Seligkeit dieses Augenblicks alle namen-

⁸⁸ made up for

lose Leiden der vergangenen Tage aufwiege,⁸⁸ und schworen, nicht voneinander zu lassen bis in den Tod. ₁₅

Nach wenigen Tagen wurden sie verbunden durch den Segen des Priesters. Wäre es auch nicht des Königs Wille gewesen, Brusson hätte doch nicht in Paris bleiben können, wo ihn alles an jene entsetzliche Zeit der Untaten Cardillacs erinnerte, wo irgendein Zufall das böse Geheimnis, nun noch mehreren Personen bekannt worden, feindselig enthüllen ₂₀ und sein friedliches Leben auf immer verstören konnte. Gleich nach der Hochzeit zog er, von den Segnungen der Scuderi begleitet, mit seinem jungen Weibe nach Genf. Reich ausgestattet durch Madelons Brautschatz, begabt mit seltner Geschicklichkeit in seinem Handwerk, mit jeder bürgerlichen Tugend, ward ihm dort ein glückliches, sorgenfreies ₂₅ Leben. Ihm wurden die Hoffnungen erfüllt, die den Vater getäuscht hatten bis in das Grab hinein.

Ein Jahr war vergangen seit der Abreise Brussons, als eine öffentliche

⁸⁹ proclamation

Bekanntmachung⁸⁹ erschien, gezeichnet von Harloy de Chauvalon, Erzbischof von Paris, und von dem Parlamentsadvokaten Pierre Arnaud ₃₀

⁹⁰ to the effect that

d'Andilly, des Inhalts, daß⁹⁰ ein reuiger Sünder unter dem Siegel der Beichte der Kirche einen reichen geraubten Schatz an Juwelen und Geschmeide übergeben. Jeder, dem etwa bis zum Endes des Jahres 1680, vorzüglich durch mörderischen Anfall auf öffentlicher Straße, ein Schmuck geraubt worden, solle sich bei d'Andilly melden und werde, treffe die ₃₅ Beschreibung des ihm geraubten Schmucks mit irgendeinem vorge-

⁹¹ if . . . corresponded

fundenen Kleinod genau überein,⁹¹ und finde sonst kein Zweifel gegen die

---

A special question, particularly interesting since Hoffmann was by profession a judge, centers on the importance to the story of various levels of authority in society, particularly the law. In this light consider the King, d'Andilly, la Regnie, the various police officers, the courts, trials and interrogation, etc. What ultimate authorities seem to hold final sway? How does Mlle de Scuderi fit into this picture?

Rechtmäßigkeit des Anspruchs statt, den Schmuck wiedererhalten. —
Viele, die in Cardillacs Liste als nicht ermordet, sondern bloß durch einen
Faustschlag betäubt aufgeführt waren,[92] fanden sich nach und nach bei
dem Parlamentsadvokaten ein und erhielten zu ihrem nicht geringen
5 Erstaunen das geraubte Geschmeide zurück. Das übrige fiel dem Schatz
der Kirche zu St. Eustache anheim.

[92] *were entered*

5

JOSEF VON EICHENDORFF

Aus dem Leben eines Taugenichts

Erstes Kapitel

Das Rad an meines Vaters Mühle brauste und rauschte schon wieder
recht lustig, der Schnee tröpfelte emsig vom Dache, die Sperlinge[1] zwitscherten und tummelten sich dazwischen; ich saß auf der Türschwelle und
wischte mir den Schlaf aus den Augen; mir war so recht wohl in dem
warmen Sonnenscheine. Da trat der Vater aus dem Hause; er hatte schon 5
seit Tagesanbruch in der Mühle rumort und die Schlafmütze schief auf
dem Kopfe, der sagte zu mir: „Du Taugenichts! Da sonnst du dich schon
wieder und dehnst und reckst dir die Knochen müde und läßt mich alle
Arbeit allein tun. Ich kann dich hier nicht länger füttern. Der Frühling ist
vor der Tür, geh auch einmal hinaus in die Welt und erwirb dir selber 10
dein Brot." — „Nun", sagte ich, „wenn ich ein Taugenichts bin, so ist's
gut, so will ich in die Welt gehen und mein Glück machen." Und eigentlich
war mir das recht lieb, denn es war mir kurz vorher selber eingefallen, auf
Reisen zu gehen, da ich die Goldammer, welche im Herbst und Winter
immer betrübt an unserm Fenster sang: „Bauer, miet mich, Bauer, miet 15
mich!",[2] nun in der schönen Frühlingszeit wieder ganz stolz und lustig

[1] *sparrows*

[2] *(imitation of the bird's call)*

Love and nature are two of the fundamental themes of the story. How and in what terms is the
relationship between the *ich*-narrator and nature established?

In what spirit—and with what degree of awareness (of self and of the world)—does he leave
home? What is the mixture of volition and compulsion?

The Taugenichts never comes home again; how can this be reconciled with an introduction set
in the world of his father?

vom Baume rufen hörte: „Bauer, behalt deinen Dienst!" — Ich ging also
in das Haus hinein und holte meine Geige, die ich recht artig spielte, von
der Wand; mein Vater gab mir noch einige Groschen Geld mit auf den
Weg, und so schlenderte ich durch das lange Dorf hinaus. Ich hatte recht
5 meine heimliche Freude, als ich da alle meine alten Bekannten und
Kameraden rechts und links, wie gestern und vorgestern und immerdar,[3]   [3] *forever*
zur Arbeit hinausziehen, graben und pflügen sah, während ich so in die
freie Welt hinausstrich. Ich rief den armen Leuten nach allen Seiten recht
stolz und zufrieden Adjes[4] zu, aber es kümmerte sich eben keiner sehr   [4] *farewell*
10 darum. Mir war es wie ein ewiger Sonntag im Gemüte. Und als ich endlich
ins freie Feld hinauskam, da nahm ich meine liebe Geige vor und spielte
und sang, auf der Landstraße fortgehend:

> *Wem Gott will rechte Gunst erweisen,*
> *den schickt er in die weite Welt,*
> 15 *dem will er seine Wunder weisen*
> *in Berg und Wald und Strom und Feld.*

> *Die Trägen, die zu Hause liegen,*
> *erquicket nicht das Morgenrot,*
> *sie wissen nur vom Kinderwiegen,[5]*   [5] *babies in cradles*
> 20 *von Sorgen, Last und Not um Brot.*

> *Die Bächlein von den Bergen springen,*
> *die Lerchen schwirren hoch vor Lust,*
> *was sollt' ich nicht mit ihnen singen*
> *aus voller Kehl' und frischer Brust?*

> 25 *Den lieben Gott lass' ich nur walten;*
> *der Bächlein, Lerchen, Wald und Feld*
> *und Erd' und Himmel will erhalten,*
> *hat auch mein' Sach' aufs best' bestellt!*

Indem, wie ich mich so umsehe, kommt ein köstlicher Reisewagen[6] ganz   [6] *coach*
30 nahe an mich heran, der mochte wohl schon einige Zeit hinter mir drein
gefahren sein, ohne daß ich es merkte, weil mein Herz so voller Klang war,
denn es ging ganz langsam, und zwei vornehme Damen steckten die Köpfe

---

Can you see features of the *Märchen* (a preoccupation of the Romantics) in this section?
Music also is of thematic importance. What hints are given of its function?
The song raises another principal thematic issue: Providence or fate, and the degree of the
individual's consciousness of and control over his course through life. Watch this to the very
end. (Hint: the story is not as "simple" as one might think. The Romanticists were not
without irony, and Eichendorff could even be ironic about Romanticism.)

[7] *sweetly*
[8] *(old form of address)*

[9] *bow*

[10] *unhitched*

[11] *antechamber*

aus dem Wagen und hörten mir zu. Die eine war besonders schön und jünger als die andere, aber eigentlich gefielen sie mir alle beide. Als ich nun aufhörte zu singen, ließ die ältere still halten und redete mich hold-selig[7] an: „Ei, lustiger Gesell, Er[8] weiß ja recht hübsche Lieder zu singen." Ich nicht zu faul dagegen: „Euer Gnaden aufzuwarten, wüßt' ich noch viel schönere." Darauf fragte sie mich wieder: „Wohin wandert Er denn schon so am frühen Morgen?" Da schämte ich mich, daß ich das selber nicht wußte, und sagte dreist: „Nach Wien." Nun sprachen beide mitein-ander in einer fremden Sprache, die ich nicht verstand. Die jüngere schüttelte einige Male mit dem Kopfe, die andere lachte aber in einem fort und rief mir endlich zu: „Spring Er nur hinten mit auf, wir fahren auch nach Wien." Wer war froher als ich! Ich machte eine Reverenz[9] und war mit einem Sprunge hinter dem Wagen, der Kutscher knallte, und wir flogen über die glänzende Straße fort, daß mir der Wind am Hute pfiff.

Hinter mir gingen nun Dorf, Gärten und Kirchtürme unter, vor mir neue Dörfer, Schlösser und Berge auf, unter mir Saaten, Büsche und Wiesen bunt vorüberfliegend, über mir unzählige Lerchen in der klaren blauen Luft — ich schämte mich, laut zu schreien, aber innerlich jauchzte ich und strampelte und tanzte auf dem Wagentritt herum, daß ich bald meine Geige verloren hätte, die ich unterm Arme hielt. Wie aber dann die Sonne immer höher stieg, rings am Horizont schwere weiße Mittagswolken aufstiegen und alles in der Luft und auf der weiten Fläche so leer und schwül und still wurde über den leise wogenden Kornfeldern, da fiel mir erst wieder mein Dorf ein und mein Vater und unsere Mühle, wie es da so heimlich kühl war an dem schattigen Weiher, und daß nun alles so weit, weit hinter mir lag. Mir war dabei so kurios zumute, als müßt' ich wieder umkehren; ich steckte meine Geige zwischen Rock und Weste, setzte mich voller Gedanken auf den Wagentritt hin und schlief ein.

Als ich die Augen aufschlug, stand der Wagen still unter hohen Linden-bäumen, hinter denen eine breite Treppe zwischen Säulen in ein prächtiges Schloß führte. Seitwärts durch die Bäume sah ich die Türme von Wien. Die Damen waren, wie es schien, längst ausgestiegen, die Pferde abge-spannt.[10] Ich erschrak sehr, da ich auf einmal so allein saß, und sprang geschwind in das Schloß hinein, da hörte ich von oben aus dem Fenster Lachen.

In diesem Schlosse ging es mir wunderlich. Zuerst, wie ich mich in der weiten kühlen Vorhalle[11] umschaute, klopft mir jemand mit dem Stocke

---

Ever since the *Odyssey*, journeys have been extended metaphors for life. Does this cast light on the very start of the story?

Whom does the Taugenichts meet first? Note their attributes. What does the episode contribute to the theme mentioned in the first question above?

In a story so imbued with nature, cities (v. Vienna, Rome) play a large role. How might one explain the paradox?

What is the attitude of the Taugenichts? Account for *Herz voller Klang, ich nicht zu faul, da*

auf die Schulter. Ich kehre mich schnell um, da steht ein großer Herr in
Staatskleidern,[12] ein breites Bandelier von Gold und Seide bis an die
Hüften übergehängt,[13] mit einem oben versilberten Stabe in der Hand und
einer außerordentlich langen, gebogenen[14] kurfürstlichen Nase im Gesicht,
5 breit und prächtig wie ein aufgeblasener[15] Puter, der mich fragt, was ich
hier will. Ich war ganz verblüfft und konnte vor Schreck und Erstaunen
nichts hervorbringen. Darauf kamen mehrere Bediente die Treppe herauf
und herunter gerannt, die sagten gar nichts, sondern sahen mich nur von
oben bis unten an. Sodann kam eine Kammerjungfer (wie ich nachher
10 hörte) gerade auf mich los und sagte: ich wäre ein scharmanter Junge und
die gnädige Herrschaft ließe mich fragen, ob ich hier als Gärtnerbursche
dienen wollte. — Ich griff nach der Weste; meine paar Groschen, weiß
Gott, sie müssen beim Herumtanzen auf dem Wagen aus der Tasche
gesprungen sein, waren weg, ich hatte nichts als mein Geigenspiel, für das
15 mir überdies auch der Herr mit dem Stabe, wie er mir im Vorbeigehn
sagte, nicht einen Heller geben wollte. Ich sagte daher in meiner Herzensangst zu der Kammerjungfer: „Ja", noch immer die Augen von der Seite
auf die unheimliche Gestalt gerichtet, die immerfort wie der Perpendikel
einer Turmuhr[16] in der Halle auf und ab wandelte und eben wieder ma-
20 jestätisch und schauerlich aus dem Hintergrunde heraufgezogen kam.
Zuletzt kam endlich der Gärtner, brummte was von Gesindel und Bauern-
lümmel[17] unterm Bart und führte mich nach dem Garten, während er mir
unterwegs noch eine lange Predigt hielt: wie ich nur fein nüchtern und
arbeitsam sein, nicht in der Welt herumvagieren,[18] keine brotlosen[19] Künste
25 und unnützes Zeug treiben solle, da könnt' ich es mit der Zeit auch einmal
zu was Rechtem bringen.[20] — Es waren noch mehr sehr hübsche, gut-
gesetzte,[21] nützliche Lehren, ich habe nur seitdem fast alles wieder vergessen. Überhaupt weiß ich eigentlich gar nicht recht, wie doch alles so
gekommen war, ich sagte nur immerfort zu allem: „Ja" — denn mir war
30 wie einem Vogel, dem die Flügel begossen worden sind.[22] — So war ich
denn, Gott sei Dank, im Brote.

In dem Garten war schön leben,[23] ich hatte täglich mein warmes Essen
vollauf und mehr Geld, als ich zum Weine brauchte, nur hatte ich leider
ziemlich viel zu tun. Auch die Tempel,[24] Lauben und schönen grünen
35 Gänge, das gefiel mir alles recht gut, wenn ich nur hätte ruhig drin
herumspazieren können und vernünftig diskurrieren wie die Herren und
Damen, die alle Tage dahin kamen. Sooft der Gärtner fort und ich allein

[12] *formal dress*
[13] *draped*
[14] *aquiline*
[15] *puffed up*

[16] *like the pendulum of a church clock*

[17] *clod*

[18] *wander around aimlessly*
[19] *poverty-stricken*
[20] *amount to something*
[21] *well-phrased*

[22] *whose wings have been clipped (lit. soaked)*
[23] *it was a pleasant life*

[24] *(in the sense of garden house or rotunda)*

---

schämte ich mich, dreist, jauchzen and *tanzen, kurios zumute, als müßt ich ... umkehren.*
Does time of day or weather seem to affect him or accord with his moods?
Why a castle? Why not a cottage, or an inn?
Note carefully why the Taugenichts accepts the offer. How much better off is he than he was
two pages ago?
What kinds of people are represented in the society of the castle?

war, zog ich sogleich mein kurzes Tabakspfeifchen heraus, setzte mich hin
und sann auf schöne höfliche Redensarten, wie ich die eine junge schöne
Dame, die mich in das Schloß mitbrachte, unterhalten wollte, wenn ich ein
Kavalier wäre und mit ihr hier herumginge. Oder ich legte mich an
schwülen Nachmittagen auf den Rücken hin, wenn alles so still war, daß 5
man nur die Bienen sumsen hörte, und sah zu, wie über mir die Wolken
nach meinem Dorfe zu flogen und die Gräser und Blumen sich hin und her
bewegten, und gedachte an die Dame, und da geschah es dann oft, daß die
schöne Frau mit der Gitarre oder einem Buche in der Ferne wirklich durch
den Garten zog, so still, groß und freundlich wie ein Engelsbild, so daß ich 10
nicht recht wußte, ob ich träumte oder wachte.

So sang ich auch einmal, wie ich eben bei einem Lusthause zur Arbeit
vorbeiging, für mich hin:

> *Wohin ich geh' und schaue,*
> *in Feld und Wald und Tal,*   15
> *vom Berg ins Himmelblaue,*
> *vielschöne gnäd'ge Fraue,*
> *grüß' ich dich tausendmal.*

Da seh' ich aus dem dunkelkühlen Lusthause zwischen den halbgeöff-
neten Jalousien und Blumen, die dort standen, zwei schöne, junge, frische 20
Augen hervorfunkeln. Ich war ganz erschrocken, ich sang das Lied nicht
aus, sondern ging, ohne mich umzusehen, fort an die Arbeit.

Abends, es war gerade an einem Sonnabend, und ich stand eben in der
Vorfreude[25] kommenden Sonntags mit der Geige im Gartenhause am
Fenster und dachte noch an die funkelnden Augen, da kommt auf einmal 25
die Kammerjungfer durch die Dämmerung dahergestrichen. „Da schickt
Euch die vielschöne gnädige Frau was, das sollt Ihr auf ihre Gesundheit
trinken. Eine gute Nacht auch!" Damit setzte sie mir fix eine Flasche Wein
aufs Fenster und war sogleich wieder zwischen den Blumen und Hecken
verschwunden wie eine Eidechse.   30

Ich aber stand noch lange vor der wundersamen Flasche und wußte
nicht, wie mir geschehen war. — Und hatte ich vorher lustig die Geige
gestrichen, so spielt' und sang ich jetzt erst recht und sang das Lied von
der schönen Frau ganz aus und alle meine Lieder, die ich nur wußte, bis
alle Nachtigallen draußen erwachten und Mond und Sterne schon lange 35

[25] *joyful anticipation*

What does the Taugenichts like about his situation and what does he dislike?

Where are the clouds headed? Explain.

Is the Taugenichts' statement that he didn't know whether he was awake or dreaming merely
a cliché?

The definitive theme of love is extended here. What do the song, the beautiful eyes, and his
sudden return to work say about the kind of love involved?

über dem Garten standen. Ja, das war einmal eine gute, schöne Nacht!

Es wird keinem an der Wiege gesungen, was künftig aus ihm wird, eine blinde Henne findet manchmal auch ein Korn, wer zuletzt lacht, lacht am besten, unverhofft kommt oft, der Mensch denkt und Gott lenkt,[26] so
5 meditiert' ich, als ich am folgenden Tage wieder mit meiner Pfeife im Garten saß und es mir dabei, da ich so aufmerksam an mir heruntersah, fast vorkommen wollte, als wäre ich doch eigentlich ein rechter Lump. — Ich stand nunmehr, ganz wider meine sonstige Gewohnheit, alle Tage sehr zeitig auf, ehe sich noch der Gärtner und die andern Arbeiter rührten.
10 Da war es so wunderschön draußen im Garten. Die Blumen, die Springbrunnen, die Rosenbüsche und der ganze Garten funkelten von der Morgensonne wie lauter Gold und Edelstein. Und in den hohen Buchenalleen,[27] da war es noch so still, kühl und andächtig wie in einer Kirche, nur die Vögel flatterten und pickten auf dem Sande. Gleich vor dem Schlosse,
15 gerade unter den Fenstern, wo die schöne Frau wohnte, war ein blühender Strauch. Dorthin ging ich dann immer am frühesten Morgen und duckte mich hinter die Äste, um so nach den Fenstern zu sehen; denn mich im Freien zu produzieren,[28] hatt' ich keine Courage. Da sah ich nun allemal die allerschönste Dame noch heiß und halb verschlafen im schneeweißen
20 Kleide an das offene Fenster hervortreten. Bald flocht sie sich die dunkelbraunen Haare und ließ dabei die anmutig spielenden Augen über Busch und Garten ergehen, bald bog und band sie die Blumen, die vor ihrem Fenster standen, oder sie nahm auch die Gitarre in den weißen Arm und sang dazu so wundersam über den Garten hinaus, daß sich mir noch das
25 Herz umwenden will[29] vor Wehmut, wenn mir eins von den Liedern bisweilen einfällt — und ach, das alles ist schon lange her!

So dauerte das wohl über eine Woche. Aber das eine Mal, sie stand gerade wieder am Fenster, und alles war stille ringsumher, fliegt mir eine fatale Fliege in die Nase, und ich gebe mich an ein erschreckliches Niesen,[30]
30 das gar nicht enden will. Sie legt sich weit zum Fenster hinaus und sieht mich Ärmsten hinter dem Strauche lauschen. — Nun schämte ich mich und kam viele Tage nicht hin.

Endlich wagte ich es wieder, aber das Fenster blieb diesmal zu, ich saß vier, fünf, sechs Morgen hinter dem Strauche, aber sie kam nicht wieder
35 ans Fenster. Da wurde mir die Zeit lang, ich faßte ein Herz und ging nun alle Morgen frank und frei[31] längs dem Schlosse unter allen Fenstern hin. Aber die liebe schöne Frau blieb immer und immer aus. Eine Strecke

[26] *(The proverbs—"man proposes, God disposes," etc.—stress the role of fate and of fortune [primarily good fortune] in man's affairs.)*

[27] *avenues of beech-trees*

[28] *to show myself*

[29] *my heart almost turns inside out*

[30] *I fall into a fearful fit of sneezing*

[31] *openly*

Why does the Taugenichts philosophize in proverbs—just because the Romanticists were fascinated by *das Volkstümliche*?

What is his favorite time of day (*v.s.* also)?

If you know the love literature of the Middle Ages, you will recognize the situation and mood of the Taugenichts vis-à-vis the lovely lady.

Why the fly?

[32] *proud and haughty*

[33] *tulip*

[34] *I must say*

weiter sah ich dann immer die andere Dame am Fenster stehen. Ich hatte sie sonst so genau noch niemals gesehen. Sie war wahrhaftig recht schön rot und dick und gar prächtig und hoffärtig[32] anzusehen, wie eine Tulipane.[33] Ich machte ihr immer ein tiefes Kompliment, und ich kann nicht anders sagen,[34] sie dankte mir jedesmal und nickte und blinzelte mit den Augen dazu ganz außerordentlich höflich. — Nur ein einziges Mal glaub' ich gesehen zu haben, daß auch die Schöne an ihrem Fenster hinter der Gardine stand und versteckt hervorguckte.

Viele Tage gingen jedoch ins Land, ohne daß ich sie sah. Sie kam nicht mehr in den Garten, sie kam nicht mehr ans Fenster. Der Gärtner schalt mich einen faulen Bengel, ich war verdrießlich, meine eigene Nasenspitze war mir im Wege, wenn ich in Gottes freie Welt hinaussah.

So lag ich eines Sonntagnachmittags im Garten und ärgerte mich, wie ich so in die blauen Wolken meiner Tabakspfeife hinaussah, daß ich mich

[35] *taken up another trade*

nicht auf ein anderes Handwerk gelegt[35] und mich also morgen nicht auch wenigstens auf einen blauen Montag zu freuen hätte. Die andern Burschen

[36] *all dressed up*
[37] *dance-halls*
[38] *crowded along*

waren indes alle wohlausstaffiert[36] nach den Tanzböden[37] in der nahen Vorstadt hinausgezogen. Da wallte und wogte[38] alles im Sonntagsputze in der warmen Luft zwischen den lichten Häusern und wandernden Leier-

[39] *hurdy-gurdies*
[40] *heron (or bittern)*

kasten[39] schwärmend hin und zurück. Ich aber saß wie eine Rohrdommel[40] im Schilfe eines einsamen Weihers im Garten und schaukelte mich auf dem Kahne, der dort angebunden war, während die Vesperglocken aus der Stadt über den Garten herüberschallten und die Schwäne auf dem Wasser langsam neben mir hin und her zogen. Mir war zum Sterben

[41] *I was so restless I could die*

bange.[41]

Währenddes hörte ich von weitem allerlei Stimmen, lustiges Durcheinandersprechen und Lachen, immer näher und näher, dann schimmerten rot und weiße Tücher, Hüte und Federn durchs Grüne, auf einmal kommt ein heller lichter Haufen von jungen Herren und Damen vom Schlosse über die Wiese auf mich los, meine beiden Damen mitten unter ihnen. Ich stand auf und wollte weggehen, da erblickte mich die ältere von den schönen Damen. „Ei, das ist ja wie gerufen",[42] rief sie mir mit lachen-

[42] *just what we needed*

dem Munde zu, „fahr Er uns doch an das jenseitige Ufer über den Teich!" Die Damen stiegen nun eine nach der andern vorsichtig und furchtsam in den Kahn, die Herren halfen ihnen dabei und machten sich ein wenig

[43] *showed off a bit*

groß[43] mit ihrer Kühnheit auf dem Wasser. Als sich darauf die Frauen alle auf die Seitenbänke gelagert hatten, stieß ich vom Ufer. Einer von den

5

10

15

20

25

30

35

Why is he *zum Sterben bange* and what does this say of his nature?
Characterize the Taugenichts' vision of his lovely lady. How many other themes are incorporated?

jungen Herren, der ganz vorn stand, fing unmerklich an zu schaukeln.
Dann wandten sich die Damen furchtsam hin und her, einige schrien gar.
Die schöne Frau, welche eine Lilie in der Hand hielt, saß dicht am Bord
des Schiffleins und sah so still lächelnd in die klaren Wellen hinunter, die
5 sie mit der Lilie berührte, so daß ihr ganzes Bild zwischen den wider-
scheinenden Wolken und Bäumen im Wasser noch einmal zu sehen war,
wie ein Engel, der leise durch den tiefen blauen Himmelsgrund zieht.[44]

Wie ich noch so auf sie hinsehe, fällt's auf einmal der andern lustigen
Dicken von meinen zwei Damen ein, ich sollte ihr während der Fahrt eins
10 singen. Geschwind dreht sich ein sehr zierlicher junger Herr mit einer
Brille auf der Nase, der neben ihr saß, zu ihr herum, küßt ihr sanft die
Hand und sagt: ,,Ich danke Ihnen für den sinnigen[45] Einfall! Ein Volkslied,
gesungen vom Volk in freiem Feld und Wald, ist ein Alpenröslein auf der
Alpe selbst — die Wunderhörner sind nur Herbarien[46] —, ist die Seele der
15 Nationalseele." Ich aber sagte, ich wisse nichts zu singen, was für solche
Herrschaften schön genug wäre. Da sagte die schnippische Kammerjungfer, die mit einem Korbe voll Tassen und Flaschen hart neben mir
stand und die ich bis jetzt noch gar nicht bemerkt hatte: ,,Weiß Er doch
ein recht hübsches Liedchen von einer vielschönen Fraue." — ,,Ja, ja, das
20 sing Er nur recht dreist weg", rief darauf sogleich die Dame wieder. Ich
wurde über und über rot. — Indem blickte auch die schöne Frau auf
einmal vom Wasser auf und sah mich an, daß es mir durch Leib und Seele
ging. Da besann ich mich nicht lange, faßte ein Herz und sang so recht aus
voller Brust und Lust:[47]

25 *Wohin ich geh' und schaue,*
in Feld und Wald und Tal,
vom Berg hinab in die Aue:
vielschöne, hohe Fraue,
grüß' ich dich tausendmal.

30 *In meinem Garten find' ich*
viel Blumen, schön und fein,
viel Kränze wohl draus wind' ich,
und tausend Gedanken bind' ich
und Grüße mit darein.

Note the remark *ein Volkslied, gesungen vom Volk*; and the reference to nationalism: Is there
   any irony in the treatment of these important Romantic themes?
What is the effect of the explicit mention of class differences?

[44] *moving gently across the deep blue background of the sky*

[45] *clever*

[46] *Collections like the Wunderhorn (= "Cornucopia"; the folk-song anthology of Eichendorff's friends Arnim and Brentano) are only botanical museums.*

[47] *took courage and sang away with all my heart and full throat*

Ihr darf ich keinen reichen,
sie ist zu hoch und schön,
die müssen alle verbleichen,
[48] beyond compare
die Liebe nur ohnegleichen[48]
bleibt ewig im Herzen stehn.   5

Ich schein' wohl froher Dinge
und schaffe auf und ab,
[49] though
und ob[49] *das Herz zerspringe,*
ich grabe fort und singe
und grab' mir bald mein Grab.   10

Wir stießen ans Land, die Herrschaften stiegen alle aus, viele von den
jungen Herren hatten mich, ich bemerkt' es wohl, während ich sang, mit
listigen Mienen und Flüstern verspottet vor den Damen. Der Herr mit
der Brille faßte mich im Weggehen bei der Hand und sagte mir, ich weiß
selbst nicht mehr was, die ältere von meinen Damen sah mich sehr freund-   15
lich an. Die schöne Frau hatte während meines ganzen Liedes die Augen
niedergeschlagen und ging nun auch fort und sagte gar nichts. — Mir aber
standen die Tränen in den Augen, schon wie ich noch sang, das Herz wollte
mir zerspringen von dem Liede vor Scham und vor Schmerz, es fiel mir
jetzt auf einmal alles recht ein, wie sie so schön ist und ich so arm bin und   20
verspottet und verlassen von der Welt — und als sie alle hinter den Büschen
verschwunden waren, da konnt' ich mich nicht länger halten, ich warf mich
in das Gras hin und weinte bitterlich.

Zweites Kapitel

Dicht am herrschaftlichen Garten ging die Landstraße vorüber, nur   25
durch eine hohe Mauer von derselben geschieden. Ein gar sauberes
Zollhäuschen mit rotem Ziegeldache war da erbaut und hinter demselben
[50] with a colorful fence
around it
ein kleines, buntumzäuntes[50] Blumengärtchen, das durch eine Lücke in
der Mauer des Schloßgartens hindurch an den schattigsten und verborg-
ensten Teil des letzteren stieß. Dort war eben der Zolleinnehmer gestor-   30
ben, der das alles sonst bewohnte. Da kam eines Morgens frühzeitig, da
ich noch im tiefsten Schlafe lag, der Schreiber vom Schlosse zu mir und

---

What is the meaning, if any, of the sad ending of the love song?
Characterize in detail the relationship of the Taugenichts to the persons and words of the
   castle company.
What has been his attitude toward advice?
Tränen, Scham, Schmerz, his poor station in life, his isolation—these are the conclusion of a
   chapter which began with *Frühling, freie Welt, Jauchzen* and *Tanzen.* How does this comport
   with the interpretation of the story as a lyric idyll?

rief mich schleunigst zum Herrn Amtmann. Ich zog mich geschwind an
und schlenderte hinter dem lustigen Schreiber her, der unterwegs bald da,
bald dort eine Blume abbrach und vorn an den Rock steckte, bald mit
seinem Spazierstöckchen künstlich in der Luft herumfocht und allerlei
5 zu mir in den Wind hineinparlierte,[51] wovon ich aber nichts verstand,
weil mir die Augen und Ohren noch voller Schlaf lagen. Als ich in die
Kanzlei trat, wo es noch gar nicht recht Tag war, sah der Amtmann hinter
einem ungeheuren Tintenfasse[52] und Stößen von Papier und Büchern
und einer ansehnlichen Perücke,[53] wie die Eule[54] aus ihrem Nest, auf mich
10 und hob an: „Wie heißt Er? Woher ist Er? Kann Er schreiben, lesen
und rechnen?" Da ich das bejahte, versetzte er: „Na, die gnädige
Herrschaft hat Ihm, in Betrachtung Seiner guten Aufführung und besondern Meriten, die ledige Einnehmerstelle zugedacht."[55] — Ich überdachte
in der Geschwindigkeit für mich meine bisherige Aufführung und Manie-
15 ren, und ich mußte gestehen, ich fand am Ende selber, daß der Amtmann
recht hatte. — Und so war ich denn wirklich Zolleinnehmer, ehe ich mich's
versah.

Ich bezog nun sogleich meine neue Wohnung und war in kurzer Zeit
eingerichtet. Ich hatte noch mehrere Gerätschaften gefunden, die der
20 selige Einnehmer seinem Nachfolger hinterlassen, unter anderm einen
prächtigen roten Schlafrock mit gelben Punkten, grüne Pantoffeln, eine
Schlafmütze und einige Pfeifen mit langen Röhren. Das alles hatte ich mir
schon einmal gewünscht, als ich noch zu Hause war, wo ich immer unsern
Pfarrer so bequem herumgehen sah. Den ganzen Tag (zu tun hatte ich
25 weiter nichts) saß ich daher auf dem Bänkchen vor meinem Hause in
Schlafrock und Schlafmütze, rauchte Tabak aus dem längsten Rohre, das
ich von dem seligen Einnehmer vorgefunden hatte, und sah zu, wie die
Leute auf der Landstraße hin und her gingen, fuhren und ritten. Ich
wünschte nur immer, daß auch einmal ein paar Leute aus meinem Dorfe,
30 die immer sagten, aus mir würde mein Lebtag nichts,[56] hier vorüber-
kommen und mich so sehen möchten. — Der Schlafrock stand mir schön
zu Gesichte, und überhaupt das alles behagte mir sehr gut. So saß ich denn
da und dachte mir mancherlei hin und her, wie aller Anfang schwer ist, wie
das vornehmere Leben doch eigentlich recht bequem sei, und faßte heim-
35 lich den Entschluß, nunmehr alles Reisen zu lassen, auch Geld zu sparen
wie die andern und es mit der Zeit gewiß zu etwas Großem in der Welt zu
bringen. Inzwischen vergaß ich über meinen Entschlüssen, Sorgen und

[51] *chattered away at me, saying all sorts of things*

[52] *ink-stand*

[53] *wig*

[54] *owl*

[55] *decided to offer*

[56] *nothing would ever come of me in all my life*

If you know the archetypal figure of Parzival, the "fool in God," compare the Taugenichts.
How does the Taugenichts become a "customs officer"? What is essentially different from his
old job? What thoughts does the new one engender? What is the significance of throwing
out the potatoes? How internally consistent is the Taugenichts' new way of life?

Geschäften die allerschönste Frau keineswegs.

Die Kartoffeln und anderes Gemüse, das ich in meinem kleinen Gärtchen fand, warf ich hinaus und bebaute es ganz mit den auserlesensten[57] Blumen, worüber mich der Portier vom Schlosse mit der großen kurfürstlichen Nase, der, seitdem ich hier wohnte, oft zu mir kam und mein intimer ₅ Freund geworden war, bedenklich von der Seite ansah und mich für einen hielt, den sein plötzliches Glück verrückt gemacht hätte. Ich aber ließ mich das nicht anfechten. Denn nicht weit von mir im herrschaftlichen Garten hörte ich feine Stimmen sprechen, unter denen ich die meiner schönen Frau zu erkennen meinte, obgleich ich wegen des dichten Gebüsches ₁₀ niemand sehen konnte. Da band ich denn alle Tage einen Strauß von den schönsten Blumen, die ich hatte, stieg jeden Abend, wenn es dunkel wurde, über die Mauer und legte ihn auf einen steinernen Tisch hin, der dort inmitten einer Laube stand; und jeden Abend, wenn ich den neuen Strauß brachte, war der alte von dem Tische fort. ₁₅

Eines Abends war die Herrschaft auf die Jagd geritten; die Sonne ging eben unter und bedeckte das ganze Land mit Glanz und Schimmer, die Donau schlängelte sich prächtig wie von lauter Gold und Feuer in die weite Ferne, von allen Bergen bis tief ins Land hinein sangen und jauchzten die Winzer. Ich saß mit dem Portier auf dem Bänkchen vor meinem Hause ₂₀ und freute mich in der lauen Luft, wie der lustige Tag so langsam vor uns verdunkelte und verhallte. Da ließen sich auf einmal die Hörner der zurückkehrenden Jäger von ferne vernehmen, die von den Bergen gegenüber einander von Zeit zu Zeit lieblich Antwort gaben. Ich war recht im innersten Herzen vergnügt und sprang auf und rief wie bezaubert und ₂₅ verzückt vor Lust: ,,Nein, das ist mir doch ein Metier, die edle Jägerei!"[58] Der Portier aber klopfte sich ruhig die Pfeife aus und sagte: ,,Das denkt Ihr Euch just so. Ich habe es auch mitgemacht, man verdient sich kaum die Sohlen, die man sich abläuft;[59] und Husten und Schnupfen[60] wird man erst gar nicht los, das kommt von den ewig nassen Füßen." — Ich weiß ₃₀ nicht, mich packte da ein närrischer Zorn, daß ich ordentlich am ganzen Leibe zitterte. Mir war auf einmal der ganze Kerl mit seinem langweiligen Mantel, die ewigen Füße, sein Tabaksschnupfen,[61] die große Nase und alles abscheulich. — Ich faßte ihn, wie außer mir, bei der Brust und sagte: ,,Portier, jetzt schert Euch nach Hause, oder ich prügle Euch hier sogleich ₃₅ durch!"[62] Den Portier überfiel bei diesen Worten seine alte Meinung, ich wäre verrückt geworden. Er sah mich bedenklich und mit heimlicher

[57] *choicest*

[58] *the noble sport of hunting*

[59] *you hardly earn enough to pay for the shoes you wear out*
[60] *coughs and colds*

[61] *snuff-taking*

[62] *give you a thrashing*

Why does he get so angry at the *Portier*?
Analyze the encounter with the lovely lady, and try to arrive at a few hypothetical explanations

Furcht an, machte sich, ohne ein Wort zu sprechen, von mir los und ging, immer noch unheimlich nach mir zurückblickend, mit langen Schritten nach dem Schlosse, wo er atemlos aussagte, ich sei nun wirklich rasend geworden.

5 Ich aber mußte am Ende laut auflachen und war herzlich froh, den superklugen Gesellen[63] los zu sein, denn es war gerade die Zeit, wo ich den Blumenstrauß immer in die Laube zu legen pflegte. Ich sprang auch heute schnell über die Mauer und ging eben auf das steinerne Tischchen los, als ich in einiger Entfernung Pferdetritte[64] vernahm. Entspringen 10 konnte ich nicht mehr, denn schon kam meine schöne gnädige Frau selber, in einem grünen Jagdhabit[65] und mit nickenden Federn auf dem Hute, langsam und, wie es schien, in tiefen Gedanken die Allee herabgeritten. Es war mir nicht anders zumute, als da ich sonst[66] in den alten Büchern bei meinem Vater von der schönen Magelone[67] gelesen, wie sie so zwischen den 15 immer näher schallenden Waldhornklängen und wechselnden Abendlichtern unter den hohen Bäumen hervorkam — ich konnte nicht vom Fleck.[68] Sie aber erschrak heftig, als sie mich auf einmal gewahr wurde, und hielt fast unwillkürlich still. Ich war wie betrunken vor Angst, Herzklopfen und großer Freude, und da ich bemerkte, daß sie wirklich meinen Blumen- 20 strauß von gestern an der Brust hatte, konnte ich mich nicht länger halten, sondern sagte ganz verwirrt: „Schönste gnädige Frau, nehmt auch noch diesen Blumenstrauß von mir und alle Blumen aus meinem Garten und alles, was ich habe. Ach, könnt' ich nur für Euch ins Feuer springen!" — Sie hatte mich gleich anfangs so ernsthaft und fast böse angeblickt, daß es 25 mir durch Mark und Bein ging,[69] dann aber hielt sie, solange ich redete, die Augen tief niedergeschlagen. Soeben ließen sich einige Reiter und Stimmen im Gebüsche hören. Da ergriff sie schnell den Strauß aus meiner Hand und war bald, ohne ein Wort zu sagen, am andern Ende des Bogenganges[70] verschwunden.

30 Seit diesem Abende hatte ich weder Ruh noch Rast mehr. Es war mir beständig zumute wie sonst immer, wenn der Frühling anfangen sollte, so unruhig und fröhlich, ohne daß ich wußte, warum, als stünde mir ein großes Glück oder sonst etwas Außerordentliches bevor. Besonders das fatale Rechnen wollte mir nun erst gar nicht mehr von der Hand, und ich 35 hatte, wenn der Sonnenschein durch den Kastanienbaum vor dem Fenster grüngolden auf die Ziffern fiel und so fix vom Transporte bis zum Latus und wieder hinauf und hinab addierte,[71] gar seltsame Gedanken dabei, so

[63] *smart aleck*

[64] *hoofbeats*

[65] *hunting habit*

[66] *I felt exactly as I used to when I . . .*
[67] *(heroine of Ludwig Tieck's adaptation of a late medieval story)*
[68] *I couldn't stir from the spot*

[69] *chilled me to the bone*

[70] *arcade*

[71] *and (i.e. the sunlight) ran so swiftly up one column and down the other*

---

of her reaction—that is, beyond what the Taugenichts may imagine. (One of the techniques of Eichendorff's complex narrative is delayed revelation of the true state of affairs.)

daß ich manchmal ganz verwirrt wurde und wahrhaftig nicht bis drei zählen konnte. Denn die Acht kam mir immer vor wie meine dicke enggeschnürte[72] Dame mit dem breiten Kopfputze,[73] die böse Sieben war gar wie ein ewig rückwärts zeigender Wegweiser oder Galgen. — Am meisten Spaß machte mir noch die Neun, die sich mir so oft, eh ich mich's versah, lustig als Sechs auf den Kopf stellte, während die Zwei wie ein Fragezeichen so pfiffig dreinsah,[74] als wollte sie mich fragen: Wo soll das am Ende noch hinaus mit dir,[75] du arme Null? Ohne *sie*, diese schlanke Eins und alles, bleibst du doch ewig nichts!

Auch das Sitzen draußen vor der Tür wollte mir nicht mehr behagen. Ich nahm mir, um es bequemer zu haben, einen Schemel mit heraus und streckte die Füße darauf, ich flickte ein altes Parasol vom Einnehmer und steckte es gegen die Sonne wie ein chinesisches Lusthaus über mich. Aber es half nichts. Es schien mir, wie ich so saß und rauchte und spekulierte, als würden mir allmählich die Beine immer länger vor Langerweile und die Nase wüchse mir vom Nichtstun, wenn ich so stundenlang an ihr heruntersah. — Und wenn[76] dann manchmal noch vor Tagesanbruch eine Extrapost vorbeikam, und ich trat halb verschlafen in die kühle Luft hinaus, und ein niedliches Gesichtchen, von dem man in der Dämmerung nur die funkelnden Augen sah, bog sich neugierig zum Wagen hervor und bot mir freundlich einen guten Morgen, in den Dörfern aber ringsumher krähten die Hähne so frisch über die leise wogenden Kornfelder herüber, und zwischen den Morgenstreifen[77] hoch am Himmel schweiften schon einzelne zu früh erwachte Lerchen, und der Postillion nahm dann sein Posthorn und fuhr weiter und blies und blies — da stand ich lange und sah dem Wagen nach, und es war mir nicht anders, als müßt' ich nur sogleich mit fort, weit, weit in die Welt.

Meine Blumensträuße legte ich indes immer noch, sobald die Sonne unterging, auf den steinernen Tisch in der dunklen Laube. Aber das war es eben: damit war es nun aus seit jenem Abend. — Kein Mensch kümmerte sich darum. Sooft ich des Morgens frühzeitig nachsah, lagen die Blumen noch immer da wie gestern und sahen mich mit ihren verwelkten, niederhängenden Köpfchen und darauf stehenden Tautropfen[78] ordentlich betrübt an, als ob sie weinten. — Das verdroß mich sehr. Ich band gar keinen Strauß mehr. In meinem Garten mochte nun auch das Unkraut treiben, wie es wollte, und die Blumen ließ ich ruhig stehn und wachsen, bis der Wind die Blätter verwehte.[79] War mir's doch ebenso wild und bunt und verstört im Herzen.

[72] *tightly laced*
[73] *head-dress*

[74] *looked*
[75] *what is to become of you?*

[76] *(the* wenn *clause extends, in effect, to the* da *of the next to last line of the paragraph:) When . . ., I stood . . . and felt as if . . .*

[77] *streaks of early light*

[78] *dewdrops*

[79] *blew away*

Interpret the Taugenichts' exercise in number symbolism.
Nichtstun is a curious thing for him to worry about. What is bothering him?
Explain the fact that the environment precedes the emotion in his renewal of *Wanderlust*.
Garden = heart. Comment on this proposition.

In diesen kritischen Zeitläuften[80] geschah es denn, daß einmal, als ich
eben zu Hause im Fenster liege und verdrießlich in die leere Luft hinaus-
sehe, die Kammerjungfer vom Schlosse über die Straße dahergetrippelt
kommt. Sie lenkte, da sie mich erblickte, schnell zu mir ein[81] und blieb am
5 Fenster stehen. — „Der gnädige Herr ist gestern von seiner Reise zurück-
gekommen", sagte sie eilfertig. „So", entgegnete ich verwundert — denn
ich hatte mich schon seit einigen Wochen um nichts bekümmert und
wußte nicht einmal, daß der Herr auf Reisen war —, „da wird seine
Tochter, die junge gnädige Frau, auch große Freude gehabt haben." —
10 Die Kammerjungfer sah mich kurios von oben bis unten an, so daß ich
mich ordentlich selber besinnen mußte, ob ich was Dummes gesagt hätte.
— „Er weiß aber auch gar nichts", sagte sie endlich und rümpfte[82] das
kleine Näschen. „Nun", fuhr sie fort, „es soll heute abend dem Herrn zu
Ehren Tanz im Schlosse sein und Maskerade. Meine gnädige Frau wird
15 auch maskiert sein, als Gärtnerin — versteht Er auch recht —, als Gärtnerin. Nun hat die gnädige Frau gesehen, daß Er besonders schöne Blumen
hat in Seinem Garten." — Das ist seltsam, dachte ich bei mir selbst, man
sieht doch jetzt fast keine Blume mehr vor Unkraut. — Sie aber fuhr fort:
„Da nun die gnädige Frau schöne Blumen zu ihrem Anzuge braucht, aber
20 ganz frische, die eben vom Beete kommen, so soll Er ihr welche bringen
und damit heute abend, wenn's dunkel geworden ist, unter dem großen
Birnbaum im Schloßgarten warten, da wird sie dann kommen und die
Blumen abholen."
Ich war ganz verblüfft vor Freude über diese Nachricht und lief in
25 meiner Entzückung vom Fenster zu der Kammerjungfer hinaus.
„Pfui, der garstige Schlafrock!" rief diese aus, da sie mich auf einmal so
in meinem Aufzuge[83] im Freien sah. Das ärgerte mich, ich wollte auch
nicht dahinter bleiben[84] in der Galanterie und machte einige artige Kapriolen, um sie zu erhaschen und zu küssen. Aber unglücklicherweise ver-
30 wickelte sich mir dabei der Schlafrock, der mir viel zu lang war, unter den
Füßen, und ich fiel der Länge nach auf die Erde.[85] Als ich mich wieder
zusammenraffte, war die Kammerjungfer schon weit fort, und ich hörte
sie noch von fern lachen, daß sie sich die Seiten halten mußte.
Nun aber hatt' ich was zu sinnen und mich zu freuen. *Sie* dachte ja noch
35 immer an mich und meine Blumen! Ich ging in mein Gärtchen und riß
hastig alles Unkraut von den Beeten und warf es hoch über meinen Kopf
weg in die schimmernde Luft, als zög' ich alle Übel und Melancholie mit
der Wurzel heraus. Die Rosen waren nun wieder wie *ihr* Mund, die himmel-

[80] *times*

[81] *turned and came my way*

[82] *wrinkled*

[83] *outfit*
[84] *be deficient*

[85] *flat on my face*

What do you gather from *Die Kammerjungfer sah mich kurios an?*
What is so funny about the Taugenichts' thought: *man sieht . . . fast keine Blume mehr vor Unkraut?* (Clue: what does "dramatic irony" mean?)
What is the extended meaning of the Taugenichts' tumble?
The restored ability to equate flowers with the lovely lady makes the Taugenichts happy again.
Comment.

blauen Winden wie *ihre* Augen, die schneeweiße Lilie mit ihrem schwermütig gesenkten Köpfchen sah ganz aus wie *sie*. Ich legte alle sorgfältig in einem Körbchen zusammen. Es war ein stiller, schöner Abend und kein Wölkchen am Himmel. Einzelne Sterne traten schon am Firmamente hervor, von weitem rauschte die Donau über die Felder herüber, in den 5 hohen Bäumen im herrschaftlichen Garten neben mir sangen unzählige Vögel lustig durcheinander. Ach, ich war so glücklich!

Als endlich die Nacht hereinbrach, nahm ich mein Körbchen an den Arm und machte mich auf den Weg nach dem großen Garten. In dem Körbchen lag alles so bunt und anmutig durcheinander, weiß, rot, blau 10 und duftig, daß mir ordentlich das Herz lachte, wenn ich hineinsah.

Ich ging voll fröhlicher Gedanken bei dem schönen Mondschein durch die stillen, reinlich mit Sand bestreuten[86] Gänge über die kleinen weißen Brücken, unter denen die Schwäne eingeschlafen auf dem Wasser saßen, an den zierlichen Lauben und Lusthäusern vorüber. Den großen Birnbaum 15 hatte ich gar bald aufgefunden, denn es war derselbe, unter dem ich sonst, als ich noch Gärtnerbursche war, an schwülen Nachmittagen gelegen.

Hier war es so einsam dunkel. Nur eine hohe Espe[87] zitterte und flüsterte mit ihren silbernen Blättern in einem fort. Vom Schlosse schallte manchmal die Tanzmusik herüber. Auch Menschenstimmen hörte ich zuweilen im 20 Garten, die kamen oft ganz nahe an mich heran, dann wurde es auf einmal wieder ganz still.

Mir klopfte das Herz. Es war mir schauerlich und seltsam zumute, als wenn ich jemand bestehlen[88] wollte. Ich stand lange Zeit stockstill an den Baum gelehnt und lauschte nach allen Seiten; da aber immer niemand kam, 25 konnte ich es nicht länger aushalten. Ich hing mein Körbchen an den Arm und kletterte schnell auf den Birnbaum hinauf, um wieder im Freien Luft zu schöpfen.

Da droben schallte mir die Tanzmusik erst recht über die Wipfel entgegen. Ich übersah[89] den ganzen Garten und gerade in die hellerleuchteten 30 Fenster des Schlosses hinein. Dort drehten sich die Kronleuchter langsam wie Kränze von Sternen, unzählige geputzte Herren und Damen, wie in einem Schattenspiele, wogten und walzten und wirrten[90] da bunt und unkenntlich durcheinander, manchmal legten sich welche ins Fenster und sahen hinunter in den Garten. Draußen vor dem Schlosse aber waren der 35 Rasen, die Sträucher und die Bäume von den vielen Lichtern aus dem Saale wie vergoldet, so daß ordentlich die Blumen und die Vögel aufzu-

[86] *strewn*

[87] *aspen*

[88] *rob*

[89] *could look out over*

[90] *whirled around*

Interpret symbolically the relationship: the Taugenichts in his tree—the dance in the castle.

wachen schienen. Weiterhin um mich herum und hinter mir lag der
Garten so schwarz und still.

Da tanzt *sie* nun, dacht' ich in dem Baume droben bei mir selber, und
hat gewiß lange dich und deine Blumen wieder vergessen. Alles ist so
5 fröhlich, um dich kümmert sich kein Mensch. — Und so geht es mir überall
und immer. Jeder hat sein Plätzchen auf der Erde ausgesteckt, hat seinen
warmen Ofen, seine Tasse Kaffee, seine Frau, sein Glas Wein zu Abend
und ist so recht zufrieden; selbst dem Portier ist ganz wohl in seiner langen
Haut. — Mir ist's nirgends recht. Es ist, als wäre ich überall eben zu spät
10 gekommen, als hätte die ganze Welt gar nicht auf mich gerechnet.

Wie ich eben so philosophiere, höre ich auf einmal unten im Grase
etwas einherrascheln. Zwei feine Stimmen sprachen ganz nahe und leise
miteinander. Bald darauf bogen sich die Zweige in dem Gesträuch auseinander, und die Kammerjungfer steckte ihr kleines Gesichtchen, sich nach
15 allen Seiten umsehend, zwischen der Laube hindurch. Der Mondschein
funkelte recht auf ihren pfiffigen Augen, wie sie hervorguckten. Ich hielt
den Atem an mich und blickte unverwandt hinunter. Es dauerte auch nicht
lange, so trat wirklich die Gärtnerin, ganz so wie mir sie die Kammerjungfer
gestern beschrieben hatte, zwischen den Bäumen heraus. Mein Herz
20 klopfte mir zum Zerspringen. Sie aber hatte eine Larve vor und sah sich,
wie mir schien, verwundert auf dem Platze um. — Da wollt's mir vor-
kommen, als wäre sie gar nicht recht schlank und niedlich. — Endlich trat
sie ganz nahe an den Baum und nahm die Larve ab. — Es war wahrhaftig
die andere ältere gnädige Frau!
25 Wie froh war ich nun, als ich mich vom ersten Schrecken erholt hatte,
daß ich mich hier oben in Sicherheit befand. Wie in aller Welt, dachte ich,
kommt *die* nur jetzt hierher? Wenn nun die liebe, schöne gnädige Frau die
Blumen abholt — das wird eine schöne Geschichte werden! Ich hätte am
Ende weinen mögen vor Ärger über den ganzen Spektakel.
30 Indem hub die verkappte Gärtnerin unten an: „Es ist so stickend heiß
droben im Saale, ich mußte gehen, mich ein wenig abzukühlen in der freien
schönen Natur." Dabei fächelte[91] sie sich mit der Larve in einem fort und   [91] *fanned*
blies die Luft von sich. Bei dem hellen Mondscheine konnt' ich deutlich
erkennen, wie ihr die Flechsen am Halse ordentlich aufgeschwollen waren;
35 sie sah ganz erbost aus und ziegelrot im Gesicht. Die Kammerjungfer
suchte unterdes hinter allen Hecken herum, als hätte sie eine Stecknadel[92]   [92] *stick-pin*
verloren.

What sort of crisis is represented by *mir ist's nirgends recht*, etc?
Speculate on the surprise appearance of *die andere . . . gnädige Frau.*

„Ich brauche so notwendig noch frische Blumen zu meiner Maske",
fuhr die Gärtnerin von neuem fort, „wo er auch[93] stecken mag!" — Die
Kammerjungfer suchte und kicherte dabei immerfort heimlich in sich
selbst hinein. — „Sagtest du was, Rosette?" fragte die Gärtnerin spitzig. —
„Ich sage, was ich immer gesagt habe", erwiderte die Kammerjungfer und 5
machte ein ganz ernsthaftes, treuherziges Gesicht, „der ganze Einnehmer ist
und bleibt ein Lümmel, er liegt gewiß irgendwo hinter einem Strauche und
schläft."

Mir zuckte es in allen meinen Gliedern, herunterzuspringen und meine
Reputation zu retten — da hörte man auf einmal ein großes Pauken und 10
Musizieren und Lärmen vom Schlosse her.

Nun hielt sich die Gärtnerin nicht länger. „Da bringen die Menschen",
fuhr sie verdrießlich auf, „dem Herrn das Vivat. Komm, man wird uns
vermissen!" — Und hiermit steckte sie die Larve schnell vor und ging
wütend mit der Kammerjungfer nach dem Schlosse zu fort. Die Bäume 15
und Sträucher wiesen kurios, wie mit langen Nasen und Fingern, hinter
ihr drein, der Mondschein tanzte noch fix, wie über eine Klaviatur,[94] über
ihre breite Taille[95] auf und nieder, und so nahm sie, so recht wie ich auf
dem Theater manchmal die Sängerinnen gesehn, unter Trompeten und
Pauken schnell ihren Abzug. 20

Ich aber wußte in meinem Baume droben eigentlich gar nicht recht, wie
mir geschehen, und richtete nunmehr meine Augen unverwandt auf das
Schloß hin; denn ein Kreis hoher Windlichter unten an den Stufen des
Einganges warf dort einen seltsamen Schein über die blitzenden Fenster
und weit in den Garten hinein. Es war die Dienerschaft,[96] die soeben ihrer 25
jungen Herrschaft ein Ständchen[97] brachte. Mitten unter ihnen stand der
prächtig aufgeputzte[98] Portier wie ein Staatsminister vor einem Notenpulte
und arbeitete sich emsig an einem Fagott ab.

Wie ich mich soeben zurechtsetzte,[99] um der schönen Serenade zuzuhören, gingen auf einmal oben auf dem Balkon des Schlosses die Flügel- 30
türen auf. Ein hoher Herr, schön und stattlich in Uniform und mit vielen
funkelnden Sternen, trat auf den Balkon heraus und an seiner Hand — die
schöne junge gnädige Frau, in ganz weißem Kleide, wie eine Lilie in der
Nacht, oder wie wenn der Mond über das klare Firmament zöge.

Ich konnte keinen Blick von dem Platze wenden, und Garten, Bäume 35
und Felder gingen unter vor meinen Sinnen, wie sie so wundersam

[93] *where do you suppose*

[94] *keyboard*
[95] *waist*

[96] *servants*
[97] *serenade*
[98] *decked out*

[99] *got set*

beleuchtet von den Fackeln hoch und schlank dastand und bald anmutig mit dem schönen Offizier sprach, bald wieder freundlich zu den Musikanten herunternickte. Die Leute unten waren außer sich vor Freude, und ich hielt mich am Ende auch nicht mehr und schrie immer aus Leibes5 kräften Vivat mit.

Als sie aber bald darauf wieder von dem Balkon verschwand, unten eine Fackel nach der andern verlöschte und die Notenpulte weggeräumt wurden und nun der Garten ringsumher auch wieder finster wurde und rauschte wie vorher — da merkt' ich erst alles, da fiel es mir auf einmal aufs 10 Herz, daß mich wohl eigentlich nur die Tante[1] mit den Blumen bestellt hatte, daß die Schöne gar nicht an mich dachte und lange verheiratet ist und daß ich selber ein großer Narr war.

Alles das versenkte mich recht in einen Abgrund von Nachsinnen. Ich wickelte mich, gleich einem Igel, in die Stacheln[2] meiner eigenen Gedanken 15 zusammen: vom Schlosse schallte die Tanzmusik nur noch seltener herüber, die Wolken wanderten einsam über den dunklen Garten weg. Und so saß ich auf dem Baume droben wie die Nachteule[3] in den Ruinen meines Glückes die ganze Nacht hindurch.

Die kühle Morgenluft weckte mich endlich aus meinen Träumereien. 20 Ich erstaunte ordentlich, wie ich so auf einmal um mich her blickte. Musik und Tanz war lange vorbei, im Schlosse und rings um das Schloß herum auf dem Rasenplatze und den steinernen Stufen und Säulen sah alles so still, kühl und feierlich aus; nur der Springbrunnen vor dem Eingange plätscherte einsam in einem fort. Hin und her in den Zweigen neben mir 25 erwachten schon die Vögel, schüttelten ihre bunten Federn und sahen, die kleinen Flügel dehnend, neugierig und verwundert ihren seltsamen Schlafkameraden an. Fröhlich schweifende Morgenstrahlen funkelten über den Garten weg auf meine Brust.

Da richtete ich mich in meinem Baume auf und sah seit langer Zeit zum 30 ersten Male wieder einmal so recht weit in das Land hinaus, wie da schon einzelne Schiffe auf der Donau zwischen den Weinbergen herabfuhren und die noch leeren Landstraßen wie Brücken über das schimmernde Land sich fern über die Berge und Täler hinausschwangen.

Ich weiß nicht, wie es kam — aber mich packte da auf einmal wieder 35 meine ehemalige Reiselust:[4] alle die alte Wehmut und Freude und große Erwartung. Mir fiel dabei zugleich ein, wie nun die schöne Frau droben auf

[1] *older lady*

[2] *quills*

[3] *night-owl*

[4] *wanderlust*

What specific cause does the Taugenichts have to "perch like an owl in the ruins of his happiness"?

When morning is again described, we can virtually predict what will come next.

dem Schlosse zwischen Blumen und unter seidnen Decken schlummerte und ein Engel bei ihr auf dem Bette säße in der Morgenstille. — „Nein", rief ich aus, „fort muß ich von hier und immer fort, so weit, als der Himmel blau ist!"

Und hiermit nahm ich mein Körbchen und warf es hoch in die Luft, so 5 daß es recht lieblich anzusehen war, wie die Blumen zwischen den Zweigen und auf dem grünen Rasen unten bunt umherlagen. Dann stieg ich selber schnell herunter und ging durch den stillen Garten auf meine Wohnung zu. Gar oft blieb ich da noch stehen auf manchem Plätzchen, wo ich sie sonst wohl einmal gesehen oder im Schatten liegend an sie gedacht hatte. 10

In und um mein Häuschen sah alles noch so aus, wie ich es gestern verlassen hatte. Das Gärtchen war geplündert und wüst, im Zimmer drin lag noch das große Rechnungsbuch aufgeschlagen, meine Geige, die ich schon fast ganz vergessen hatte, hing verstaubt[5] an der Wand. Ein Morgenstrahl aber aus dem gegenüberstehenden Fenster fuhr gerade blitzend über die 15 Saiten. Das gab einen rechten Klang in meinem Herzen. „Ja", sagt' ich, „komm nur her, du getreues Instrument! Unser Reich ist nicht von dieser Welt!"

Und so nahm ich die Geige von der Wand, ließ Rechnungsbuch, Schlafrock, Pantoffeln, Pfeifen und Parasol liegen und wanderte, arm wie 20 ich gekommen war, aus meinem Häuschen und auf der glänzenden Landstraße von dannen.

Ich blickte noch oft zurück; mir war gar seltsam zumute, so traurig und doch auch wieder so überaus fröhlich, wie ein Vogel, der aus seinem Käfig ausreißt. Und als ich schon eine weite Strecke gegangen war, nahm ich 25 draußen im Freien meine Geige vor und sang:

> *Den lieben Gott lass' ich nur walten;*
> *der Bächlein, Lerchen, Wald und Feld*
> *und Erd' und Himmel tut erhalten,*
> *hat auch mein' Sach' aufs best' bestellt!* 30

Das Schloß, der Garten und die Türme von Wien waren schon hinter mir im Morgenduft[6] versunken, über mir jubilierten unzählige Lerchen hoch in der Luft; so zog ich zwischen den grünen Bergen und an lustigen Städten und Dörfern vorbei gen Italien hinunter.

[5] *covered with dust*

[6] *haze of early morning*

Note the symbolic accompaniments of the changed situation. The conjunction is especially strong at the end: *Morgenstrahl*, the fiddle, the Biblical reference, the abandoned things, the bird and the cage, God and Nature. Interpret, accounting particularly for the Biblical motif.

Drittes Kapitel

Aber das war nun schlimm! Ich hatte noch gar nicht daran gedacht, daß ich eigentlich den rechten Weg nicht wußte. Auch war ringsumher kein Mensch zu sehen in der stillen Morgenstunde, den ich hätte fragen können, und nicht weit von mir teilte sich die Landstraße in viele neue Land-
5 straßen, die gingen weit, weit über die höchsten Berge fort, als führten sie aus der Welt hinaus, so daß mir ordentlich schwindelte, wenn ich recht hinsah.

Endlich kam ein Bauer des Weges daher, der, glaub' ich, nach der Kirche ging, da es heut' eben Sonntag war, in einem altmodischen Überrocke mit
10 großen silbernen Knöpfen und einem langen spanischen Rohr mit einem sehr massiven silbernen Stockknopf[7] darauf, der schon von weitem in der Sonne funkelte. Ich frug ihn sogleich mit vieler Höflichkeit: ,,Können Sie mir nicht sagen, wo der Weg nach Italien geht?‘‘—Der Bauer blieb stehen, sah mich an, besann sich dann mit weit vorgeschobener Unterlippe und sah
15 mich wieder an. Ich sagte noch einmal: ,,Nach Italien, wo die Pomeranzen wachsen.‘‘ — ,,Ach, was gehn mich Seine Pomeranzen an!‘‘ sagte der Bauer da und schritt wacker wieder weiter. Ich hätte dem Manne mehr Konduite zugetraut,[8] denn er sah recht stattlich aus.

Was war nun zu machen? Wieder umkehren und in mein Dorf zurück-
20 gehn? Da hätten die Leute mit den Fingern auf mich gewiesen, und die Jungen wären um mich herumgesprungen: Ei Tausend, willkommen aus der Welt! Wie sieht es denn aus in der Welt, hat er uns nicht Pfeffer-kuchen[9] mitgebracht aus der Welt? — Der Portier mit der kurfürstlichen Nase, welcher überhaupt viele Kenntnisse von der Weltgeschichte hatte,
25 sagte oft zu mir: ,,Wertgeschätzter Herr Einnehmer![10] Italien ist ein schönes Land, da sorgt der liebe Gott für alles, da kann man sich im Sonnenschein auf den Rücken legen, so wachsen einem die Rosinen ins Maul, und wenn einen die Tarantel beißt, so tanzt man mit ungemeiner Gelenkigkeit,[11] wenn man auch sonst nicht tanzen gelernt hat.‘‘ — ,,Nein, nach Italien, nach
30 Italien!‘‘ rief ich voller Vergnügen aus und rannte, ohne an die verschiede-nen Wege zu denken, auf der Straße fort, die mir eben vor die Füße kam.

Als ich eine Strecke so fortgewandert war, sah ich rechts von der Straße einen sehr schönen Baumgarten,[12] wo die Morgensonne so lustig zwischen den Stämmen und Wipfeln hindurchschimmerte, daß es aussah, als wäre
35 der Rasen mit goldenen Teppichen belegt. Da ich keinen Menschen

[7] *knob*

[8] *I would have credited the man with having better manners*

[9] *gingerbread*

[10] *my esteemed friend and tax collector*

[11] *agility*

[12] *orchard*

The Taugenichts leaves his second home. Compare the departures and see what indications you can find of the fact that he will return to this one.

What, if anything, moves the Taugenichts to head for Italy? Analyze the *Portier's* advice.

What is the effect of the Taugenichts' statement that he just kept running down the road he was on?

erblickte, stieg ich über den niedrigen Gartenzaun und legte mich recht behaglich unter einem Apfelbaum ins Gras, denn von dem gestrigen Nachtlager[13] auf dem Baume taten mir noch alle Glieder weh. Da konnte man weit ins Land hinaussehen, und da es Sonntag war, so kamen bis aus der weitesten Ferne Glockenklänge über die stillen Felder herüber, und 5 geputzte Landleute zogen überall zwischen Wiesen und Büschen nach der Kirche. Ich war recht fröhlich im Herzen, die Vögel sangen über mir im Baume, ich dachte an meine Mühle und an den Garten der schönen gnädigen Frau, und wie das alles nun so weit, weit lag — bis ich zuletzt einschlummerte. Da träumte mir, als käme die schöne Frau aus der prächti- 10 gen Gegend unten zu mir gegangen oder eigentlich langsam geflogen zwischen den Glockenklängen, mit langen weißen Schleiern, die im Morgenrote wehten. Dann war es wieder, als wären wir gar nicht in der Fremde, sondern bei meinem Dorfe an der Mühle in den tiefen Schatten. Aber da war alles still und leer, wie wenn die Leute sonntags in der Kirche 15 sind und nur der Orgelklang durch die Bäume herüberkommt, daß es mir recht im Herzen weh tat. Die schöne Frau aber war sehr gut und freundlich, sie hielt mich an der Hand und ging mit mir und sang in einem fort in dieser Einsamkeit das schöne Lied, das sie damals immer frühmorgens am offenen Fenster zur Gitarre gesungen hat, und ich sah dabei ihr Bild in dem 20 stillen Weiher noch vieltausendmal schöner, aber mit sonderbaren großen Augen, die mich so starr ansahen, daß ich mich beinahe gefürchtet hätte. — Da fing auf einmal die Mühle erst in einzelnen langsamen Schlägen, dann immer schneller und heftiger an zu gehen und zu brausen, der Weiher wurde dunkel und kräuselte sich, die schöne Frau wurde ganz bleich, und 25 ihre Schleier wurden immer länger und länger und flatterten entsetzlich in langen Spitzen wie Nebelstreifen hoch am Himmel empor; das Sausen nahm immer mehr zu, oft war es, als bliese der Portier auf seinem Fagott dazwischen, bis ich endlich mit heftigem Herzklopfen aufwachte.

Es hatte sich wirklich ein Wind erhoben, der leise über mir durch den 30 Apfelbaum ging; aber was so brauste und rumorte, war weder die Mühle noch der Portier, sondern derselbe Bauer, der mir vorhin den Weg nach Italien nicht zeigen wollte. Er hatte aber seinen Sonntagsstaat ausgezogen und stand in einem weißen Kamisol vor mir. „Na“, sagte er, da ich mir noch den Schlaf aus den Augen wischte, „will Er etwa hier Poperenzen[14] 35 klauben, daß Er mir das schöne Gras so zertrampelt,[15] anstatt in die Kirche zu gehen, Er Faulenzer.“ — Mich ärgert' nur, daß mich der Grobian[16]

[13] night's lodging
[14] (distortion of Pomeranzen)
[15] are trampling down
[16] boor

Analyze the Taugenichts' dream. What features of his life does it combine?

aufgeweckt hatte. Ich sprang ganz erbost auf und versetzte geschwind:
„Was, Er will mich hier ausschimpfen?[17] Ich bin Gärtner gewesen, eh Er   [17] *scold*
daran dachte, und Einnehmer, und wenn er zur Stadt gefahren wäre,
hätte er die schmierige Schlafmütze vor mir abnehmen müssen, und hatte
5 mein Haus und meinen roten Schlafrock mit gelben Punkten." — Aber der
Knollfink scherte sich gar nicht darum, sondern stemmte beide Arme in die
Seiten und sagte bloß: „Was will Er denn? He, he!" Dabei sah ich, daß er
eigentlich ein kurzer, stämmiger, krummbeiniger[18] Kerl war und vorste-   [18] *bandy-legged*
hende glotzende Augen und eine rote, etwas schiefe Nase hatte. Und wie
10 er immerfort nichts weiter sagte als „He, he!" — und dabei jedesmal
einen Schritt näher auf mich zukam, da überfiel mich auf einmal eine so
kuriose grausliche Angst, daß ich mich schnell aufmachte, über den Zaun
sprang und, ohne mich umzusehen, immerfort querfeldein lief, daß mir die
Geige in der Tasche klang.
15   Als ich endlich wieder still hielt, um Atem zu schöpfen, war der Garten
und das ganze Tal nicht mehr zu sehen, und ich stand in einem schönen
Walde. Aber ich gab nicht viel darauf acht, denn jetzt ärgerte mich das
Spektakel erst recht, und daß der Kerl mich immer Er nannte, und ich
schimpfte noch lange im stillen für mich. In solchen Gedanken ging ich
20 rasch fort und kam immer mehr von der Landstraße ab, mitten in das
Gebirge hinein. Der Holzweg, auf dem ich fortgelaufen war, hörte auf, und
ich hatte nur noch einen kleinen, wenig betretenen[19] Fußsteig vor mir.   [19] *traveled*
Ringsum war niemand zu sehen und kein Laut zu vernehmen. Sonst aber
war es recht anmutig zu gehn, die Wipfel der Bäume rauschten, und die
25 Vögel sangen sehr schön. Ich befahl mich daher Gottes Führung,[20] zog   [20] *guidance*
meine Violine hervor und spielte alle meine liebsten Stücke durch, daß es
recht fröhlich in dem einsamen Walde erklang.
    Mit dem Spielen ging es aber auch nicht lange, denn ich stolperte dabei
jeden Augenblick über die fatalen Baumwurzeln, auch fing mich zuletzt an
30 zu hungern, und der Wald wollte noch immer gar kein Ende nehmen. So
irrte ich den ganzen Tag herum, und die Sonne schien schon schief
zwischen den Baumstämmen hindurch, als ich endlich in ein kleines
Wiesental[21] hinauskam, das rings von Bergen eingeschlossen und voller   [21] *grassy valley*
roter und gelber Blumen war, über denen unzählige Schmetterlinge im
35 Abendgolde herumflatterten. Hier war es so einsam, als läge die Welt
wohl hundert Meilen weit weg. Nur die Heimchen[22] zirpten, und ein Hirt   [22] *crickets*
lag drüben im hohen Grase und blies so melancholisch auf seiner Schalmei,

---

What is the significance of the combination: *Gottes Führung* and *Violine*?
If stumbling over roots is symbolic, of what?

[23] people like us

[24] on the alert

daß einem das Herz vor Wehmut hätte zerspringen mögen. Ja, dachte ich bei mir, wer es so gut hätte wie so ein Faulenzer! Unsereiner[23] muß sich in der Fremde herumschlagen und immer attent[24] sein. — Da ein schönes klares Flüßchen zwischen uns lag, über das ich nicht herüber konnte, so rief ich ihm von weitem zu, wo hier das nächste Dorf läge. Er ließ sich 5 aber nicht stören, sondern streckte nur den Kopf ein wenig aus dem Grase hervor, wies mit seiner Schalmei auf den andern Wald hin und blies ruhig wieder weiter.

Unterdes marschierte ich fleißig fort, denn es fing schon an zu dämmern. Die Vögel, die alle noch ein großes Geschrei gemacht hatten, als die letzten 10 Sonnenstrahlen durch den Wald schimmerten, wurden auf einmal still, und mir fing beinahe an angst zu werden in dem ewigen einsamen Rauschen der Wälder. Endlich hörte ich von ferne Hunde bellen. Ich schritt rascher fort, der Wald wurde immer lichter und lichter, und bald darauf sah ich zwischen den letzten Bäumen hindurch einen schönen grünen Platz, 15 auf dem viele Kinder lärmten und sich um eine große Linde herumtummelten, die recht in der Mitte stand. Weiterhin an dem Platze war ein Wirtshaus, vor dem einige Bauern um einen Tisch saßen und Karten spielten und Tabak rauchten. Von der andern Seite saßen junge Burschen und Mädchen vor der Tür, die die Arme in ihre Schürzen gewickelt hatten 20 und in der Kühle miteinander plauderten.

[25] country dance

Ich besann mich nicht lange, zog meine Geige aus der Tasche und spielte schnell einen lustigen Ländler[25] auf, während ich aus dem Walde hervortrat. Die Mädchen verwunderten sich, die Alten lachten, daß es weit in den Wald hineinschallte. Als ich aber so bis zur Linde gekommen war 25

[26] leaned against

[27] whispering

und mich mit dem Rücken dranlehnte[26] und immerfort spielte, da ging ein heimliches Rumoren und Gewisper[27] unter den jungen Leuten rechts und links, die Burschen legten endlich ihre Sonntagspfeifen weg, jeder nahm

[28] farm folk

die Seine, und eh ich's mir versah, schwenkte sich das junge Bauernvolk[28] tüchtig um mich herum, die Hunde bellten, die Kittel flogen, und die 30 Kinder standen um mich im Kreise und sahen mir neugierig ins Gesicht und auf die Finger, wie ich so fix damit hantierte.

[29] waltz

Wie der erste Schleifer[29] vorbei war, konnte ich erst recht sehen, wie eine gute Musik in die Gliedmaßen fährt. Die Bauernburschen, die sich vorher, die Pfeifen im Munde, auf den Bänken reckten und die steifen 35 Beine von sich streckten, waren nun auf einmal wie umgetauscht,[30] ließen

[30] transformed

ihre bunten Schnupftücher vorn am Knopfloche lang herunterhängen und

---

Comment on the "power of music."

kapriolten so artig um die Mädchen herum, daß es eine rechte Lust
anzuschauen war. Einer von ihnen, der sich schon für was Rechtes hielt,
haspelte[31] lange in seiner Westentasche, damit es die andern sehen sollten,
und brachte endlich ein kleines Silberstück heraus, das er mir in die Hand
drücken wollte. Mich ärgerte das, wenn ich gleich dazumal[32] kein Geld in
der Tasche hatte. Ich sagte ihm, er sollte nur seine Pfennige behalten, ich
spielte nur so aus Freude, weil ich wieder bei Menschen wäre. Bald darauf
aber kam ein schmuckes Mädchen mit einer großen Stampe[33] Wein zu mir.
„Musikanten trinken gern", sagte sie und lachte mich freundlich an, und
ihre perlweißen Zähne schimmerten recht scharmant zwischen den roten
Lippen hindurch, so daß ich sie wohl hätte darauf küssen mögen. Sie
tunkte ihr Schnäbelchen in den Wein, wobei ihre Augen über das Glas weg
auf mich herüberfunkelten, und reichte mir darauf die Stampe hin. Da
trank ich das Glas bis auf den Grund aus und spielte dann wieder von
frischem, daß sich alles lustig um mich herumdrehte.

Die Alten waren unterdes von ihrem Spiel aufgebrochen, die jungen
Leute fingen auch an müde zu werden und zerstreuten sich, und so wurde
es nach und nach ganz still und leer vor dem Wirtshause. Auch das Mädchen, das mir den Wein gereicht hatte, ging nun nach dem Dorfe zu, aber
sie ging sehr langsam und sah sich zuweilen um, als ob sie was vergessen
hätte. Endlich blieb sie stehen und suchte etwas auf der Erde, aber ich
sah wohl, daß sie, wenn sie sich bückte, unter dem Arme hindurch nach
mir zurückblickte. Ich hatte auf dem Schlosse Lebensart gelernt, ich sprang
also geschwind herzu und sagte: „Haben Sie etwas verloren, schönste
Mamsell?" — „Ach nein", sagte sie und wurde über und über rot, „es war
nur eine Rose — will Er sie haben?" — Ich dankte und steckte die Rose
ins Knopfloch. Sie sah mich sehr freundlich an und sagte: „Er spielt recht
schön." — „Ja", versetzte ich, „das ist so eine Gabe Gottes." — „Die
Musikanten sind hier in der Gegend sehr rar", hub das Mädchen dann
wieder an und stockte und hatte die Augen beständig niedergeschlagen.
„Er könnte sich hier ein gutes Stück Geld verdienen — auch mein Vater
spielt etwas die Geige und hört gern von der Fremde erzählen — und mein
Vater ist sehr reich." — Dann lachte sie auf und sagte: „Wenn Er nur nicht
immer solche Grimassen machen möchte mit dem Kopfe beim Geigen!"
— „Teuerste Jungfer", erwiderte ich, „erstlich:[34] nennen Sie mich nur
nicht immer Er; sodann mit dem Kopftremulenzen,[35] das ist einmal nicht
anders,[36] das haben wir Virtuosen alle so an uns." — „Ach so!" entgegnete

[31] *rummaged*

[32] *at that time*

[33] *goblet (here and below)*

[34] *in the first place*
[35] *quaver of the head*
[36] *that's just the way it is*

What do you make of the encounter with the *schmuckes Mädchen*? What does the Taugenichts
make of it?
Ich hatte auf dem Schlosse Lebensart gelernt. Why is this so funny?

[37] *ramrod*

das Mädchen. Sie wollte noch etwas mehr sagen, aber da entstand auf einmal ein entsetzliches Gepolter im Wirtshause, die Haustüre ging mit großem Gekrache auf, und ein dünner Kerl kam wie ein ausgeschossener Ladestock[37] herausgeflogen, worauf die Tür sogleich wieder hinter ihm zugeschlagen wurde.

Das Mädchen war bei dem ersten Geräusche wie ein Reh davongesprungen und im Dunkel verschwunden. Die Figur vor der Tür aber raffte sich hurtig wieder vom Boden auf und fing nun an, mit solcher Geschwindigkeit gegen das Haus loszuschimpfen,[38] daß es ordentlich zum Erstaunen war.

[38] *curse away at*
[39] *drunk*
[40] *(to keep track of drinks served)*
[41] *trimmed your mustache (over a cooking spoon held in the mouth as a guideline; but the idiom also means to cheat someone)*
[42] *bit . . . right in two*
[43] *rascally*
[44] *Last Judgment*
[45] *Jews*
[46] *shaggy (brown) bears*

„Was!" schrie er. „Ich besoffen,[39] ich die Kreidestriche[40] an der verräucherten Tür nicht bezahlen? Löscht sie aus, löscht sie aus! Hab' ich euch nicht erst gestern übern Kochlöffel barbiert[41] und in die Nase geschnitten, daß ihr mir den Löffel morsch entzweigebissen[42] habt? Barbieren macht ein Strich — Kochlöffel wieder ein Strich — Pflaster auf die Nase noch ein Strich — wieviel solche hundsföttische[43] Striche wollt ihr denn noch bezahlt haben? Aber gut, schon gut, ich lasse das ganze Dorf, die ganze Welt ungeschoren. Lauft meinetwegen mit euren Bärten, daß der liebe Gott am Jüngsten Tage[44] nicht weiß, ob ihr Juden[45] seid oder Christen! Ja, hängt euch an euren eigenen Bärten auf, ihr zottigen Landbären!"[46] Hier

[47] *in a falsetto*
[48] *love of one's fellow man*
[49] *trained barber-surgeon*
[50] *frenzy*
[51] *human kindness*

brach er auf einmal in ein jämmerliches Weinen aus und fuhr ganz erbärmlich durch die Fistel[47] fort: „Wasser soll ich saufen wie ein elender Fisch? Ist das Nächstenliebe?[48] Bin ich nicht ein Mensch und ein ausgelernter Feldscher?[49] Ach, ich bin heute so in der Rage![50] Mein Herz ist voller Rührung und Menschenliebe!"[51] Bei diesen Worten zog er sich nach und nach zurück, da im Hause alles still blieb. Als er mich erblickte, kam er mit ausgebreiteten Armen auf mich los, ich glaube, der tolle Kerl wollte mich embrassieren. Ich sprang aber auf die Seite, und so stolperte er weiter, und ich hörte ihn noch lange, bald grob, bald fein, durch die Finsternis mit sich diskurrieren.

[52] *before you knew it*
[53] *mutton*

Mir aber ging mancherlei im Kopfe herum. Die Jungfer, die mir vorhin die Rose geschenkt hatte, war jung, schön und reich — ich konnte da mein Glück machen, eh' man die Hand umkehrte.[52] Und Hammel[53] und Schweine, Puter und fette Gänse mit Äpfeln gestopft — ja, es war mir nicht anders, als säh' ich den Portier auf mich zukommen: „Greif zu,

[54] *marry young and . . .*
[55] *(proverbs as advice and practical wisdom; not without irony)*

Einnehmer, greif zu! Jung gefreit,[54] hat niemand gereut, wer's Glück hat, führt die Braut heim, bleibe im Lande und nähre dich tüchtig."[55] In solchen philosophischen Gedanken setzte ich mich auf dem Platze, der nun ganz

---

The girl is one of several the Taugenichts encounters in the same style, the thin man likewise. Interpret.

einsam war, auf einen Stein nieder, denn an das Wirtshaus anzuklopfen
traute ich mich nicht, weil ich kein Geld bei mir hatte. Der Mond schien
prächtig, von den Bergen rauschten die Wälder durch die stille Nacht
herüber, manchmal schlugen im Dorfe die Hunde an, das weiter im Tale
5 unter Bäumen und Mondschein wie begraben lag. Ich betrachtete das Firmament, wie da einzelne Wolken langsam durch den Mondschein zogen
und manchmal ein Stern weit in der Ferne herunterfiel. So, dachte ich,
scheint der Mond auch über meines Vaters Mühle und auf das weiße
gräfliche[56] Schloß. Dort ist nun auch schon alles lange still, die gnädige Frau   [56] *count's*
10 schläft, und die Wasserkünste und Bäume im Garten rauschen noch im-
merfort wie damals, und allen ist's gleich, ob ich noch da bin oder in der
Fremde oder gestorben. Da kam mir die Welt auf einmal so entsetzlich
weit und groß vor und ich so ganz allein darin, daß ich aus Herzensgrunde
hätte weinen mögen.

15   Wie ich noch immer so dasitze, höre ich auf einmal aus der Ferne Hufschlag im Walde. Ich hielt den Atem an und lauschte, da kam es immer
näher und näher, und ich konnte schon die Pferde schnauben hören. Bald
darauf kamen auch wirklich zwei Reiter unter den Bäumen hervor, hielten
aber am Saume des Waldes an und sprachen heimlich sehr eifrig miteinan-
20 der, wie ich an den Schatten sehen konnte, die plötzlich über den mond-
beglänzten[57] Platz vorschossen und mit langen, dunklen Armen bald dahin,   [57] *moonlit*
bald dorthin wiesen. — Wie oft, wenn mir zu Hause meine verstorbene
Mutter von wilden Wäldern und martialischen Räubern erzählte, hatte ich
mir sonst immer heimlich gewünscht, eine solche Geschichte selbst zu
25 erleben. Da hatt' ich's nun auf einmal für meine dummen, frevelmütigen[58]   [58] *wicked*
Gedanken! — Ich streckte mich nun an dem Lindenbaum, unter dem ich
gesessen, ganz unmerklich so lang aus, als ich nur konnte, bis ich den ersten
Ast erreicht hatte und mich geschwinde hinaufschwang. Aber ich baumelte
noch mit halbem Leibe über dem Aste und wollte soeben auch meine
30 Beine nachholen,[59] als der eine von den Reitern rasch hinter mir über den   [59] *pull . . . up after me*
Platz dahertrabte. Ich drückte nun die Augen fest zu in dem dunkeln
Laube und rührte und regte mich nicht. — „Wer ist da?" rief es auf
einmal dicht hinter mir. „Niemand!" schrie ich aus Leibeskräften vor
Schreck, daß er mich doch noch erwischt hatte. Insgeheim mußte ich aber
35 doch bei mir lachen, wie die Kerls sich schneiden[60] würden, wenn sie mir   [60] *be fooled*
die leeren Taschen umdrehten.[61] — „Ei, ei", sagte der Räuber wieder,   [61] *turned . . . inside out*
„wem gehören denn aber die zwei Beine, die da herunterhängen?" — Da

---

What lies behind the renewed depression of the Taugenichts? What sort of event interrupts it?
  Logically related?

half nichts mehr. „Nichts weiter", versetzte ich, „als ein paar arme verirrte Musikantenbeine", und ließ mich rasch wieder auf den Boden herab, denn ich schämte mich auch, länger wie eine zerbrochene Gabel da über dem Aste zu hängen.

Das Pferd des Reiters scheute, als ich so plötzlich vom Baume herunter- ₅ fuhr. Er klopfte ihm den Hals und sagte lachend: „Nun, wir sind auch verirrt, da sind wir rechte Kameraden; ich dächte also, du hälfest uns ein wenig den Weg nach B. aufsuchen. Es soll dein Schaden nicht sein."[62] Ich hatte nun gut beteuern, daß ich gar nicht wüßte, wo B. läge, daß ich lieber hier im Wirtshause fragen oder sie in das Dorf hinunterführen wollte. ₁₀ Der Kerl nahm gar keine Räson an.[63] Er zog ganz ruhig eine Pistole aus dem Gurte,[64] die recht hübsch im Mondschein funkelte. „Mein Liebster", sagte er dabei sehr freundschaftlich zu mir, während er bald den Lauf der Pistole abwischte, bald wieder prüfend an die Augen hielt, „mein Liebster, du wirst wohl so gut sein, selber nach B. vorauszugehn." ₁₅

Da war ich nun recht übel dran. Traf ich den Weg, so kam ich gewiß zu der Räuberbande und bekam Prügel, da ich kein Geld bei mir hatte; traf ich ihn nicht, so bekam ich auch Prügel. Ich besann mich also nicht lange und schlug den ersten besten Weg ein, der an dem Wirtshause vorüber vom Dorfe abführte. Der Reiter sprengte schnell zu seinem Begleiter zurück, ₂₀ und beide folgten mir dann in einiger Entfernung langsam nach. So zogen wir eigentlich recht närrisch auf gut Glück in die mondhelle Nacht hinein. Der Weg lief immerfort im Walde an einem Bergeshange[65] fort. Zuweilen konnte man über die Tannenwipfel, die von unten herauflangten und sich dunkel rührten, weit in die tiefen, stillen Täler hinaussehen, hin und her ₂₅ schlug eine Nachtigall, Hunde bellten in der Ferne in den Dörfern. Ein Fluß rauschte beständig aus der Tiefe und blitzte zuweilen im Mondschein auf. Dabei das einförmige Pferdegetrappel und das Wirren und Schwirren[66] der Reiter hinter mir, die unaufhörlich in einer fremden Sprache miteinander plauderten, und das helle Mondlicht und die langen Schatten der ₃₀ Baumstämme, die wechselnd über die beiden Reiter wegflogen, daß sie mir bald schwarz, bald hell, bald klein, bald wieder riesengroß vorkamen. Mir verwirrten sich ordentlich die Gedanken, als läge ich in einem Traum und könnte gar nicht aufwachen. Ich schritt immer stramm vor mich hin. Wir müssen, dachte ich, doch am Ende aus dem Walde und aus der Nacht ₃₅ herauskommen.

Endlich flogen hin und wieder schon lange rötliche Scheine über den

---

That they all head off *auf gut Glück* is not very surprising, in this story. Why?
The seemingly random characters turn out to be connected with the castle. Their destination

Margin notes:

[62] *you won't be the loser*

[63] *wouldn't listen to reason*
[64] *belt*

[65] *mountain slope*

[66] *humming and buzzing*

Himmel, ganz leise, wie wenn man über einen Spiegel haucht, auch eine
Lerche sang schon hoch über dem stillen Tale. Da wurde mir auf einmal
ganz klar im Herzen bei dem Morgengruße, und alle Furcht war vorüber.
Die beiden Reiter aber streckten sich und sahen sich nach allen Seiten um
5 und schienen nun erst gewahr zu werden, daß wir doch wohl nicht auf dem
rechten Wege sein mochten. Sie plauderten wieder viel, und ich merkte
wohl, daß sie von mir sprachen, ja es kam mir vor, als finge der eine sich vor
mir zu fürchten an, als könnt' ich wohl gar so ein heimlicher Schnapphahn[67]   [67] *highway robber*
sein, der sie im Walde irreführen[68] wollte. Das machte mir Spaß, denn je   [68] *lead astray*
10 lichter es ringsum wurde, je mehr Courage kriegt' ich, zumal da wir soeben
auf einen schönen freien Waldplatz herauskamen. Ich sah mich daher nach
allen Seiten ganz wild um und pfiff dann ein paarmal auf den Fingern, wie
die Spitzbuben tun, wenn sie sich einander Signal geben wollen.

,,Halt!" rief auf einmal der eine von den Reitern, daß ich ordentlich
15 zusammenfuhr. Wie ich mich umsehe, sind beide abgestiegen und haben
ihre Pferde an einen Baum angebunden. Der eine kommt aber rasch auf
mich los, sieht mir ganz starr ins Gesicht und fängt auf einmal ganz unmäßig an zu lachen. Ich muß gestehen, mich ärgerte das unvernünftige
Gelächter. Er aber sagte: ,,Wahrhaftig, das ist der Gärtner, wollt' sagen:
20 Einnehmer vom Schloß!"

Ich sah ihn groß an,[69] wußte mich aber seiner nicht zu erinnern, hätte   [69] *stared at*
auch viel zu tun gehabt, wenn ich mir alle die jungen Herren hätte ansehen
wollen, die auf dem Schlosse ab und zu ritten. Er aber fuhr mit ewigem
Gelächter fort: ,,Das ist prächtig! Du vakierst, wie ich sehe, wir brauchen
25 eben einen Bedienten, bleib bei uns, da hast du ewige Vakanz." — Ich
war ganz verblüfft und sagte endlich, daß ich soeben auf einer Reise
nach Italien begriffen wäre. — ,,Nach Italien?!" entgegnete der Fremde.
,,Eben dahin wollen auch wir!" — ,,Nun, wenn *das* ist!" rief ich aus und
zog voller Freude meine Geige aus der Tasche und strich, daß die Vögel
30 im Walde aufwachten. Der Herr aber erwischte geschwind den andern
Herrn und walzte mit ihm wie verrückt auf dem Rasen herum.

Dann standen sie plötzlich still. ,,Bei Gott", rief der eine, ,,da seh' ich
schon den Kirchturm von B.! Nun, da wollen wir bald unten sein." Er
zog seine Uhr heraus und ließ sie repetieren, schüttelte mit dem Kopfe und
35 ließ noch einmal schlagen. ,,Nein", sagte er, ,,das geht nicht, wir kommen
so zu früh hin, das könnte schlimm werden!"

Darauf holten sie von ihren Pferden Kuchen, Braten und Weinflaschen,

---

turns out to be his (for a second time). What precisely are the boundaries of the wide, wide
world of the Taugenichts?

[70] feasted
[71] did me good
[72] that had been chopped down
[73] misty valley
[74] wings
[75] how handsome he is

breiteten eine schöne bunte Decke auf dem grünen Rasen aus, streckten sich darüber hin und schmausten[70] sehr vergnüglich, teilten auch mir von allem sehr reichlich mit, was mir gar wohl bekam,[71] da ich seit einigen Tagen schon nicht mehr vernünftig gespeist hatte. — „Und daß du's weißt", sagte der eine zu mir, „aber du kennst uns doch nicht?" — Ich schüttelte mit dem Kopfe. — „Also, daß du's weißt: Ich bin der Maler Leonhard, und das dort ist — wieder ein Maler — Guido geheißen."

Ich besah mir nun die beiden Maler genauer bei der Morgendämmerung. Der eine, Herr Leonhard, war groß, schlank, braun, mit lustigen, feurigen Augen. Der andere war viel jünger, kleiner und feiner, auf altdeutsche Mode gekleidet, wie es der Portier nannte, mit weißem Kragen und bloßem Halse, um den die dunkelbraunen Locken herabhingen, die er oft aus dem hübschen Gesichte wegschütteln mußte. — Als dieser genug gefrühstückt hatte, griff er nach meiner Geige, die ich neben mir auf den Boden gelegt hatte, setzte sich damit auf einen umgehauenen[72] Baumast und klimperte darauf mit den Fingern. Dann sang er dazu so hell wie ein Waldvögelein, daß es mir recht durchs ganze Herz klang:

Fliegt der erste Morgenstrahl
durch das stille Nebeltal,[73]
rauscht erwachend Wald und Hügel:
Wer da fliegen kann, nimmt Flügel!

Und sein Hütlein in die Luft
wirft der Mensch vor Lust und ruft:
Hat Gesang doch auch noch Schwingen,[74]
nun, so will ich fröhlich singen!

Dabei spielten die rötlichen Morgenscheine recht anmutig über sein etwas blasses Gesicht und die schwarzen verliebten Augen. Ich aber war so müde, daß sich mir die Worte und Noten, während er so sang, immer mehr verwirrten, bis ich zuletzt fest einschlief.

Als ich nach und nach wieder zu mir selber kam, hörte ich wie im Traume die beiden Maler noch immer neben mir sprechen und die Vögel über mir singen, und die Morgenstrahlen schimmerten mir durch die geschlossenen Augen, daß mir's innerlich so dunkelhell war, wie wenn die Sonne durch rotseidene Gardinen scheint. „Come e bello!"[75] hörte ich da

The painters are also musically inclined. What does this say about them?

dicht neben mir ausrufen. Ich schlug die Augen auf und erblickte den
jungen Maler, der im funkelnden Morgenlicht über mich hergebeugt stand,
so daß beinah nur die großen schwarzen Augen zwischen den herabhän-
5 genden Locken zu sehen waren.

Ich sprang geschwind auf, denn es war schon heller Tag geworden. Der
Herr Leonhard schien verdrießlich zu sein, er hatte zwei zornige Falten auf
der Stirn und trieb hastig zum Aufbruch. Der andere Maler aber schüttelte seine Locken aus dem Gesicht und trällerte,[76] während er sein Pferd
aufzäumte,[77] ruhig ein Liedchen vor sich hin, bis Leonhard zuletzt plötzlich
10 laut auflachte, schnell eine Flasche ergriff, die noch auf dem Rasen stand,
und den Rest in die Gläser einschenkte.[78] „Auf eine glückliche Ankunft!"
rief er aus; sie stießen mit den Gläsern zusammen, es gab einen schönen
Klang. Darauf schleuderte Leonhard die leere Flasche hoch ins Morgenrot, daß es lustig in der Luft funkelte.
15 Endlich setzten sie sich auf ihre Pferde, und ich marschierte frisch
wieder nebenher.[79] Gerade vor uns lag ein unübersehbares Tal, in das wir
nun hinunterzogen. Da war ein Blitzen und Rauschen und Schimmern und
Jubilieren! Mir war so kühl und fröhlich zumute, als sollt' ich von dem
Berge in die prächtige Gegend hinausfliegen.

Viertes Kapitel

20 Nun ade, Mühle und Schloß und Portier! Nun ging's, daß mir der Wind
am Hute pfiff. Rechts und links flogen Dörfer, Städte und Weingärten
vorbei, daß es einem vor den Augen flimmerte; hinter mir die beiden
Maler im Wagen, vor mir vier Pferde mit einem prächtigen Postillion, ich
hoch oben auf dem Kutscherbock,[80] daß ich oft ellenhoch in die Höhe flog.
25 Das war so zugegangen: Als wir vor B. ankommen, kommt schon am
Dorfe ein langer, dürrer, grämlicher Herr im grünen Flauschrock[81] uns
entgegen, macht viele Bücklinge[82] vor den Herren Malern und führt uns in
das Dorf hinein. Da stand unter den hohen Linden vor dem Posthause
schon ein prächtiger Wagen mit vier Postpferden bespannt. Herr Leonhard
30 meinte unterwegs, ich hätte meine Kleider ausgewachsen.[83] Er holte daher
geschwind andere aus seinem Mantelsack[84] hervor, und ich mußte einen
ganz neuen schönen Frack und Weste anziehen, die mir sehr vornehm zu
Gesicht standen,[85] nur daß mir alles zu lang und weit war und ordentlich

[76] hummed
[77] bridled
[78] poured
[79] along beside them
[80] box
[81] heavy wool coat
[82] bows
[83] outgrown
[84] valise
[85] looked very fine on me

Is there anything curious about Guido?

[86] *spread*

um mich herumschlotterte. Auch einen ganz neuen Hut bekam ich, der funkelte in der Sonne, als wär' er mit frischer Butter überschmiert.[86] Dann nahm der fremde grämliche Herr die beiden Pferde der Maler am Zügel, die Maler sprangen in den Wagen, ich auf den Bock, und so flogen wir schon fort, als eben der Postmeister mit der Schlafmütze aus dem Fenster guckte. Der Postillion blies lustig auf dem Horne, und so ging es frisch nach Italien hinein.

Ich hatte eigentlich da droben ein prächtiges Leben wie der Vogel in der Luft und brauchte doch dabei nicht selbst zu fliegen. Zu tun hatte ich auch weiter nichts, als Tag und Nacht auf dem Bocke zu sitzen und bei den Wirtshäusern manchmal Essen und Trinken an den Wagen herauszubrin-

[87] *never stopped and went in anywhere*
[88] *stab*

gen, denn die Maler sprachen nirgends ein,[87] und bei Tage zogen sie die Fenster am Wagen so fest zu, als wenn die Sonne sie erstechen[88] wollte. Nur zuweilen steckte der Herr Guido sein hübsches Köpfchen zum Wagenfenster heraus und diskurrierte freundlich mit mir und lachte dann den Herrn Leonhard aus, der das nicht leiden wollte und jedesmal über die langen Diskurse böse wurde. Ein paarmal hätte ich bald Verdruß bekommen mit meinem Herrn. Das eine Mal, wie ich bei schöner, sternklarer Nacht droben auf dem Bocke die Geige zu spielen anfing, und sodann

[89] *later on*

späterhin[89] wegen des Schlafes. Das war aber auch ganz zum Erstaunen! Ich wollte mir doch Italien recht genau besehen und riß die Augen alle Viertelstunden weit auf. Aber kaum hatte ich ein Weilchen so vor mich

[90] *became blurred and confused*
[91] *crochet work*
[92] *began to fill*

hingesehen, so verschwirrten und verwickelten sich[90] mir die sechzehn Pferdefüße vor mir wie Filet[91] so hin und her und übers Kreuz, daß mir die Augen gleich wieder übergingen,[92] und zuletzt geriet ich in ein solches entsetzliches und unaufhaltsames Schlafen, daß gar kein Rat mehr war. Da

[93] *Tyrol (mountainous area in Austria and Italy)*
[94] *backward*

mocht' es Tag oder Nacht, Regen oder Sonnenschein, Tirol[93] oder Italien sein, ich hing bald rechts, bald links, bald rücklings[94] über den Bock herunter, ja manchmal tunkte ich mit solcher Vehemenz mit dem Kopfe nach dem Boden zu, daß mir der Hut weit vom Kopfe flog und der Herr Guido im Wagen laut aufschrie.

[95] *Lombardy*

So war ich, ich weiß selbst nicht wie, durch halb Welschland, das sie dort Lombardei[95] nennen, durchgekommen, als wir an einem schönen Abend vor einem Wirtshause auf dem Lande stillhielten. Die Postpferde waren in

[96] *adjacent coach station town*

dem daranstehenden Stationsdorfe[96] erst nach ein paar Stunden bestellt, die Herren Maler stiegen daher aus und ließen sich in ein besonderes Zimmer führen, um hier ein wenig zu rasten und einige Briefe zu schreiben. Ich aber war sehr vergnügt darüber und verfügte mich sogleich in die

---

What is the time of day, again? The postillion, the horn, the coach are all Romantic motifs of wandering and the call of distant lands. But there is something strange and unsettling about this journey. Specify.

Gaststube, um endlich wieder einmal so recht mit Ruhe und Kommodität[97] zu essen und zu trinken. Da sah es ziemlich liederlich aus. Die Mägde gingen mit zerzottelten[98] Haaren herum und hatten die offenen Halstücher unordentlich um das gelbe Fell hängen. Um einen runden Tisch saßen
5 die Knechte vom Hause in blauen Überziehhemden[99] beim Abendessen und glotzten mich zuweilen von der Seite an. Die hatten alle kurze dicke Haarzöpfe[1] und sahen so recht vornehm wie die jungen Herrlein aus. — Da bist du nun, dachte ich bei mir und aß fleißig fort, da bist du nun endlich in dem Lande, woher immer die kuriosen Leute zu unserm Herrn Pfarrer
10 kamen mit Mausefallen[2] und Barometern und Bildern. Was der Mensch doch nicht alles erfährt, wenn er sich einmal hinterm Ofen hervormacht!

Wie ich noch eben so esse und meditiere, huscht ein Männlein, das bis jetzt in einer dunkeln Ecke der Stube bei einem Glase Wein gesessen hatte, auf einmal aus seinem Winkel wie eine Spinne auf mich los. Er war ganz
15 kurz und bucklicht, hatte aber einen großen grauslichen Kopf mit einer langen römischen Adlernase und sparsamen[3] roten Backenbart,[4] und die gepuderten[5] Haare standen ihm von allen Seiten zu Berge,[6] als wenn der Sturmwind durchgefahren wäre. Dabei trug er seinen altmodischen verschossenen Frack, kurze plüschene Beinkleider und ganz vergilbte[7]
20 seidene Strümpfe. Er war einmal in Deutschland gewesen und dachte wunder, wie gut er Deutsch verstünde. Er setzte sich zu mir und frug bald das, bald jenes, während er immerfort Tabak schnupfte:[8] Ob ich der Servitore[9] sei? Wenn wir arrivare? Ob wir nach Roma kehn? Aber das wußte ich alles selber nicht und konnte auch sein Kauderwelsch[10] gar nicht
25 verstehen. „Parlez-vous français?" sagte ich endlich in meiner Angst zu ihm. Er schüttelte mit dem großen Kopfe, und das war mir sehr lieb, denn ich konnte ja auch nicht Französisch. Aber das half alles nichts. Er hatte mich einmal recht aufs Korn genommen, er frug und frug immer wieder; je mehr wir parlierten,[11] je weniger verstand einer den andern, zuletzt
30 wurden wir beide schon hitzig, so daß mir's manchmal vorkam, als wollte der Signor mit seiner Adlernase nach mir hacken, bis endlich die Mägde, die den babylonischen Diskurs[12] mit angehört hatten, uns beide tüchtig auslachten. Ich aber legte schnell Messer und Gabel hin und ging vor die Haustür hinaus. Denn mir war in dem fremden Lande nicht anders, als
35 wäre ich mit meiner deutschen Zunge tausend Klafter tief ins Meer versenkt, und allerlei unbekanntes Gewürm[13] ringelte sich und rauschte da in der Einsamkeit um mich her und glotzte und schnappte nach mir.

Draußen war eine warme Sommernacht, so recht, um passatim zu gehen.

[97] *comfort*

[98] *matted and stringy*

[99] *blouse-type shirts*

[1] *braided hair*

[2] *mousetraps*

[3] *sparse*
[4] *sideburns*
[5] *powdered*
[6] *stood out straight from his head*
[7] *yellowed and faded*

[8] *took snuff*
[9] *servant (part of the man's Italianate German; also* arrivare *for* arrived)
[10] *gibberish*

[11] *talked*

[12] *this dialogue straight from the Tower of Babel*

[13] *crawling things*

What sort of an inn is this?
The confusion of tongues underscores what aspect of the Taugenichts' new existence?
How does he like Italy?

Weit von den Weinbergen herüber hörte man noch zuweilen einen Winzer singen, dazwischen blitzte es manchmal von ferne, und die ganze Gegend zitterte und säuselte im Mondschein. Ja manchmal kam es mir vor, als schlüpfte eine lange dunkle Gestalt hinter den Haselnußsträuchen vor dem Hause vorüber und guckte durch die Zweige, dann war alles auf einmal 5 wieder still. — Da trat der Herr Guido eben auf den Balkon des Wirtshauses heraus. Er bemerkte mich nicht und spielte sehr geschickt auf einer Zither, die er im Hause gefunden haben mußte, und sang dann dazu wie eine Nachtigall:

> *Schweigt der Menschen laute Lust:*   10
> *rauscht die Erde wie in Träumen*
> *wunderbar mit allen Bäumen,*
> *was dem Herzen kaum bewußt,*
> *alte Zeiten, linde Trauer,*
> *und es schweifen leise Schauer*   15
> *wetterleuchtend durch die Brust.*

Ich weiß nicht, ob er noch mehr gesungen haben mag, denn ich hatte mich auf die Bank vor der Haustür hingestreckt[14] und schlief in der lauen Nacht vor großer Ermüdung fest ein.

Es mochten wohl ein paar Stunden ins Land gegangen sein, als mich ein 20 Posthorn aufweckte, das lange Zeit lustig in meine Träume hereinblies, ehe ich mich völlig besinnen konnte. Ich sprang endlich auf, der Tag dämmerte schon an den Bergen, und die Morgenkühle rieselte mir durch alle Glieder. Da fiel mir erst ein, daß wir ja um diese Zeit schon wieder weit fort sein wollten. Aha, dachte ich, heut' ist einmal das Wecken und 25 Auslachen an mir. Wie wird der Herr Guido mit dem verschlafenen Lockenkopfe herausfahren, wenn er mich draußen hört! So ging ich in den kleinen Garten am Hause dicht unter die Fenster, wo meine Herren wohnten, dehnte mich noch einmal recht ins Morgenrot hinein und sang fröhlichen Mutes: 30

> *Wenn der Hoppevogel[15] schreit,*
> *ist der Tag nicht mehr weit,*
> *wenn die Sonne sich auftut,[16]*
> *schmeckt der Schlaf noch so gut!*

Das Fenster war offen, aber es blieb alles still oben, nur der Nachtwind 35 ging noch durch die Weinranken,[17] die sich bis in das Fenster hineinstreck-

[14] *stretched out*

[15] *hoopoe (bird)*

[16] *rises*

[17] *tendrils of the grape vine*

What mood, or view of life, is reflected in Guido's song (one of the most famous Romantic lyrics)?

ten. — „Nun, was soll denn das wieder bedeuten?" rief ich voll Erstaunen aus und lief in das Haus und durch die stillen Gänge nach der Stube zu. Aber da gab es mir einen rechten Stich ins Herz.[18] Denn wie ich die Tür aufreiße, ist alles leer, darin kein Frack, kein Hut, kein Stiefel. — Nur die
5 Zither, auf der Herr Guido gestern gespielt hatte, hing an der Wand, auf dem Tische mitten in der Stube lag ein schöner voller Geldbeutel,[19] worauf ein Zettel geklebt war. Ich hielt ihn näher ans Fenster und traute meinen Augen kaum, es stand wahrhaftig mit großen Buchstaben darauf: Für den Herrn Einnehmer!
10   Was war mir aber das alles nütze, wenn ich meine lieben lustigen Herren nicht wiederfand? Ich schob den Beutel in meine tiefe Rocktasche, das plumpte[20] wie in einen tiefen Brunnen, daß es mich ordentlich hintenüber[21] zog. Dann rannte ich hinaus, machte einen großen Lärm und weckte alle Knechte und Mägde im Hause. Die wußten gar nicht, was ich wollte, und
15 meinten, ich wäre verrückt geworden. Dann aber verwunderten sie sich nicht wenig, als sie oben das leere Nest sahen. Niemand wußte etwas von meinen Herren. Nur die eine Magd — wie ich aus ihren Zeichen und Gestikulationen zusammenbringen konnte — hatte bemerkt, daß der Herr Guido, als er gestern abend auf dem Balkon sang, auf einmal laut aufschrie
20 und dann geschwind zu dem Herrn in das Zimmer zurückstürzte. Als sie hernach in der Nacht einmal aufwachte, hörte sie draußen Pferdegetrappel. Sie guckte durch das kleine Kammerfenster und sah den buckligen Signor, der gestern mit mir so viel gesprochen hatte, auf einem Schimmel im Mondschein quer übers Feld galoppieren, daß er immer ellenhoch
25 überm Sattel in die Höhe flog und die Magd sich bekreuzte,[22] weil es aussah wie ein Gespenst, das auf einem dreibeinigen Pferde reitet. — Da wußt' ich nun gar nicht, was ich machen sollte.
    Unterdes aber stand unser Wagen schon lange vor der Tür angespannt, und der Postillion stieß ungeduldig ins Horn, daß er hätte bersten mögen,
30 denn er mußte zur bestimmten Stunde auf der nächsten Station sein, da alles durch Laufzettel[23] bis auf die Minute vorausbestellt war. Ich rannte noch einmal um das ganze Haus herum und rief die Maler, aber niemand gab Antwort, die Leute aus dem Hause liefen zusammen und gafften mich an, der Postillion fluchte, die Pferde schnaubten, ich, ganz verblüfft,
35 springe endlich geschwind in den Wagen hinein, der Hausknecht[24] schlägt die Tür hinter mir zu, der Postillion knallt, und so ging's mit mir fort in die weite Welt hinein.

[18] *real stab of pain in my heart*

[19] *purse*

[20] *plopped*
[21] *over backward*

[22] *crossed herself*

[23] *circulars sent out in advance*

[24] *house-boy*

The sudden departure of Leonhard and Guido has aspects of the mystery or adventure story (clues, partial revelation, etc.). What seems to have happened?

Fünftes Kapitel

Wir fuhren nun über Berg und Tal, Tag und Nacht, immerfort. Ich hatte gar nicht Zeit mich zu besinnen, denn wo wir hinkamen, standen die Pferde angeschirrt,[25] ich konnte mit den Leuten nicht sprechen, mein Demonstrieren[26] half also nichts; oft, wenn ich im Wirtshause eben beim besten Essen war, blies der Postillion, ich mußte Messer und Gabel weg- 5 werfen und wieder in den Wagen springen und wußte doch eigentlich gar nicht, wohin und weswegen ich just mit so ausnehmender Geschwindigkeit fortreisen sollte.

Sonst war die Lebensart gar nicht so übel. Ich legte mich, wie auf einem Kanapee,[27] bald in die eine, bald in die andere Ecke des Wagens und lernte 10 Menschen und Länder kennen, und wenn wir durch die Städte fuhren, lehnte ich mich auf beide Arme zum Wagenfenster heraus und dankte den Leuten, die höflich vor mir den Hut abnahmen, oder ich grüßte die Mädchen an den Fenstern wie ein alter Bekannter, die sich dann immer sehr verwunderten und mir noch lange neugierig nachguckten. 15

Aber zuletzt erschrak ich sehr. Ich hatte das Geld in dem gefundenen Beutel niemals gezählt, den Postmeistern und Gastwirten mußte ich überall viel bezahlen, und ehe ich mich's versah, war der Beutel leer. Anfangs nahm ich mir vor, sobald wir durch einen einsamen Wald führen, schnell aus dem Wagen zu springen und zu entlaufen. Dann aber tat es 20 mir wieder leid, nun den schönen Wagen so allein zu lassen, mit dem ich sonst wohl noch bis ans Ende der Welt gefahren wäre.

Nun saß ich eben voller Gedanken und wußte nicht aus noch ein, als es auf einmal seitwärts von der Landstraße abging. Ich schrie zum Wagen heraus auf den Postillion, wohin er denn fahre. Aber ich mochte sprechen, 25 was ich wollte, der Kerl sagte immer bloß: „Si, si, Signore!" und fuhr immer über Stock und Stein, daß ich aus einer Ecke des Wagens in die andere flog.

Das wollte mir gar nicht in den Sinn, denn die Landstraße lief gerade durch eine prächtige Landschaft auf die untergehende Sonne zu, wohl wie 30 in ein Meer von Glanz und Funken. Von der Seite aber, wohin wir uns gewendet hatten, lag ein wüstes Gebirge vor uns mit grauen Schluchten, zwischen denen es schon lange dunkel geworden war. — Je weiter wir fuhren, je wilder und einsamer wurde die Gegend. Endlich kam der Mond hinter den Wolken hervor und schien auf einmal so hell zwischen die 35

The new stage of the journey is distinctly odd, not to say sinister. Which of the ordinary, or previous, attributes of travel does it lack?

Analyze the Taugenichts' remark, *Ich . . . lernte Menschen und Länder kennen.*

[25] *harnessed*
[26] *protests*
[27] *sofa*

Bäume und Felsen herein, daß es ordentlich grauslich anzusehen war. Wir
konnten nur langsam fahren in den engen steinichten Schluchten, und das
einförmige, ewige Gerassel[28] des Wagens schallte an den Steinwänden weit
in die stille Nacht, als führen wir in ein großes Grabgewölbe[29] hinein. Nur
von vielen Wasserfällen, die man aber gar nicht sehen konnte, war ein
unaufhörliches Rauschen tiefer im Walde, und die Käuzchen[30] riefen aus
der Ferne immerfort: „Komm mit, komm mit!" — Dabei kam es mir
vor, als wenn der Kutscher, der, wie ich jetzt erst sah, gar keine Uniform
hatte und kein Postillion war, sich einigemal unruhig umsähe und schneller
zu fahren anfing, und wie ich mich recht zum Wagen herauslegte,[31] kam
plötzlich ein Reiter aus dem Gebüsch hervor, sprengte dicht vor unsern
Pferden quer über den Weg und verlor sich sogleich wieder auf der andern
Seite im Walde. Ich war ganz verwirrt, denn soviel ich bei dem hellen
Mondschein erkennen konnte, war es dasselbe bucklige Männlein auf
seinem Schimmel, das in dem Wirtshause mit der Adlernase nach mir
gehackt hatte. Der Kutscher schüttelte den Kopf und lachte laut auf über
die närrische Reiterei,[32] wandte sich aber dann rasch zu mir um, sprach
sehr viel und eifrig, wovon ich leider nichts verstand, und fuhr dann noch
rascher fort.

   Ich aber war froh, als ich bald darauf von fern ein Licht schimmern sah.
Es fanden sich nach und nach noch mehrere Lichter, sie wurden immer
größer und heller, und endlich kamen wir an einigen verräucherten Hütten
vorüber, die wie Schwalbennester[33] auf dem Felsen hingen. Da die Nacht
warm war, so standen die Türen offen, und ich konnte darin die hellerleuchteten Stuben und allerlei lumpiges Gesindel sehen, das wie dunkle
Schatten um das Herdfeuer herumhockte. Wir aber rasselten durch die
stille Nacht einen Steinweg hinan, der sich auf einen hohen Berg hinaufzog.
Bald überdeckten hohe Bäume und herabhängende Sträucher den ganzen
Hohlweg,[34] bald konnte man auf einmal wieder das ganze Firmament und
in der Tiefe die weite stille Runde von Bergen, Wäldern und Tälern übersehen. Auf dem Gipfel des Berges stand ein großes altes Schloß mit vielen
Türmen im hellsten Mondschein. — „Nun Gott befohlen!"[35] rief ich aus
und war innerlich ganz munter geworden vor Erwartung, wohin sie mich
da am Ende noch bringen würden.

   Es dauerte wohl noch eine gute halbe Stunde, ehe wir endlich auf dem
Berge am Schloßtore ankamen. Das ging in einen breiten, runden Turm
hinein, der oben schon ganz verfallen war. Der Kutscher knallte dreimal,

[28] *clatter*
[29] *tomb*
[30] *screech-owls*
[31] *leaned way out of the carriage*
[32] *this insane horsemanship*
[33] *swallows' nests*
[34] *sunken lane*
[35] *God be with you (=me)!*

The magic purse turns out not to be so magic, and the coach turns off the road. What is the new environment, human, physical and "spiritual"?
A second castle. Note carefully the manner of the Taugenichts' reception.

daß es weit in dem alten Schlosse widerhallte, wo ein Schwarm von Dohlen
ganz erschrocken plötzlich aus allen Luken und Ritzen herausfuhr und
mit großem Geschrei die Luft durchkreuzte. Darauf rollte der Wagen in den
langen, dunklen Torweg hinein. Die Pferde gaben mit ihren Hufeisen[36]
Feuer auf dem Steinpflaster, ein großer Hund bellte, der Wagen donnerte 5
zwischen den gewölbten Wänden. Die Dohlen schrien noch immer dazwischen — so kamen wir mit einem entsetzlichen Spektakel in den engen,
gepflasterten[37] Schloßhof.

Eine kuriose Station! dachte ich bei mir, als nun der Wagen still stand.
Da wurde die Wagentür von draußen aufgemacht, und ein alter langer 10
Mann mit einer kleinen Laterne sah mich unter seinen dicken Augenbrauen
grämlich an. Er faßte mich dann unter den Arm und half mir, wie einem
großen Herrn, aus dem Wagen heraus. Draußen vor der Haustür stand
eine alte, sehr häßliche Frau in schwarzem Kamisol und Rock, mit einer
weißen Schürze und schwarzen Haube, von der ihr ein langer Schnipper[38] 15
bis an die Nase herunterhing. Sie hatte an der einen Hüfte einen großen
Bund Schlüssel[39] hängen und hielt in der Hand einen altmodischen Arm-
leuchter[40] mit zwei brennenden Wachskerzen. Sobald sie mich erblickte,
fing sie an, tiefe Knickse zu machen, und sprach und frug sehr viel
durcheinander. Ich verstand aber nichts davon und machte immerfort 20
Kratzfüße[41] vor ihr, und es war mir eigentlich recht unheimlich zumute.

Der alte Mann hatte unterdes mit seiner Laterne den Wagen von allen
Seiten beleuchtet und brummte und schüttelte den Kopf, als er nirgend
einen Koffer[42] oder Bagage fand. Der Kutscher fuhr darauf, ohne Trink-
geld[43] von mir zu fordern, den Wagen in einen alten Schuppen,[44] der auf 25
der Seite des Hofes schon offen stand. Die alte Frau aber bat mich sehr
höflich durch allerlei Zeichen, ihr zu folgen. Sie führte mich mit ihren
Wachskerzen durch einen langen schmalen Gang und dann eine kleine
steinerne Treppe herauf. Als wir an der Küche vorbeigingen, streckten ein
paar junge Mägde neugierig die Köpfe durch die halbgeöffnete Tür und 30
guckten mich so starr an und winkten und nickten einander heimlich zu,
als wenn sie in ihrem Leben noch kein Mannsbild[45] gesehen hätten. Die
Alte machte endlich oben eine Tür auf, da wurde ich anfangs ordentlich
ganz verblüfft. Denn es war ein großes, schönes, herrschaftliches Zimmer
mit goldenen Verzierungen an der Decke, und an den Wänden hingen 35
prächtige Tapeten mit allerlei Figuren und großen Blumen. In der Mitte
stand ein gedeckter Tisch mit Braten, Kuchen, Salat, Obst, Wein und

What is curious about the room?
Whom does the Taugenichts see in the mirror?
Is his age an issue?
Ask someone who knows Italian for a clue to the paragraph *Die alte Frau* . . .
Once again, ask how aware the Taugenichts is of his environment.

Margin notes: [36] horseshoes — [37] paved (with paving stones) — [38] tassel — [39] bunch of keys on a ring — [40] candelabra — [41] (clumsy) bows — [42] trunk — [43] tip — [44] shed — [45] man

Konfekt,[46] daß einem recht das Herz im Leibe lachte. Zwischen den beiden Fenstern hing ein ungeheurer Spiegel, der vom Boden bis zur Decke reichte.

Ich muß sagen, das gefiel mir recht wohl. Ich streckte mich ein paarmal
5 und ging mit langen Schritten vornehm im Zimmer auf und ab. Dann konnt' ich aber doch nicht widerstehen, mich einmal in einem so großen Spiegel zu besehen. Das ist wahr, die neuen Kleider vom Herrn Leonhard standen mir recht schön, auch hatte ich in Italien so ein gewisses feuriges Auge bekommen, sonst aber war ich gerade noch so ein Milchbart,[47] wie
10 ich zu Hause gewesen war, nur auf der Oberlippe zeigten sich erst ein paar Flaumfedern.[48]

Die alte Frau mahlte[49] indes in einem fort mit ihrem zahnlosen Munde, daß es nicht anders aussah, als wenn sie an der langen, herunterhängenden Nasenspitze kaute. Dann nötigte sie mich zum Sitzen, streichelte mir mit
15 ihren dünnen Fingern das Kinn, nannte mich *poverina*,[50] wobei sie mich aus den roten Augen so schelmisch ansah, daß sich ihr der eine Mundwinkel bis an die halbe Wange in die Höhe zog, und ging endlich mit einem tiefen Knicks zur Tür hinaus.

Ich aber setzte mich zu dem gedeckten Tisch, während eine junge
20 hübsche Magd hereintrat, um mich bei der Tafel zu bedienen. Ich knüpfte allerlei galanten Diskurs mit ihr an, sie verstand mich aber nicht, sondern sah mich immer ganz kurios von der Seite an, weil mir's so gut schmeckte, denn das Essen war delikat.[51] Als ich satt war und wieder aufstand, nahm die Magd ein Licht von der Tafel und führte mich in ein anderes Zimmer.
25 Da war ein Sofa, ein kleiner Spiegel und ein prächtiges Bett mit grünseidenen Vorhängen. Ich frug sie mit Zeichen, ob ich mich da hineinlegen sollte. Sie nickte zwar: ,,Ja'', aber das war denn doch nicht möglich, denn sie blieb wie angenagelt[52] bei mir stehen. Endlich holte ich mir noch ein großes Glas Wein aus der Tafelstube herein und rief ihr zu: ,,Felicissima
30 notte!''[53] denn so viel hatt' ich schon Italienisch gelernt. Aber wie ich das Glas so auf einmal ausstürze,[54] bricht sie in ein verhaltenes Kichern aus, wird über und über rot, geht in die Tafelstube und macht die Tür hinter sich zu. Was ist da zu lachen? dachte ich ganz verwundert, ich glaube, die Leute in Italien sind alle verrückt.
35 Ich hatte nun immer nur Angst vor dem Postillion, daß er gleich wieder zu blasen anfangen würde. Ich horchte am Fenster, aber es war alles still draußen. Laß ihn blasen! dachte ich, zog mich aus und legte mich in das

---

The episode with the maid is a fine specimen of multiple meaning, depending on the particular perspective and on the amount of information. From the Taugenichts' point of view, compare it with the *schmuckes Mädchen* in the village. What does the whole interlude say of the Taugenichts? (After all, no amount of later information can change the way he perceives it here.)

(right margin glosses:)

[46] *sweets*

[47] *beardless youth*

[48] *a bit of downy growth*

[49] *ground away*

[50] *(Ital.* poverino, poverina; *see vocab.)*

[51] *delicious*

[52] *rooted to the spot*

[53] *good night*

[54] *drain*

prächtige Bett. Das war nicht anders, als wenn man in Milch und Honig schwämme! Vor den Fenstern rauschte die alte Linde im Hofe, zuweilen fuhr noch eine Dohle plötzlich vom Dache auf, bis ich endlich voller Vergnügen einschlief.

Sechstes Kapitel

Als ich wieder erwachte, spielten schon die ersten Morgenstrahlen an 5 den grünen Vorhängen über mir. Ich konnte mich gar nicht besinnen, wo ich eigentlich wäre. Es kam mir vor, als führe ich noch immer fort im Wagen und es hätte mir von einem Schlosse im Mondschein geträumt und von einer alten Hexe und ihrem blassen Töchterlein.

Ich sprang endlich rasch aus dem Bette, kleidete mich an und sah mich 10 dabei nach allen Seiten in dem Zimmer um. Da bemerkte ich eine kleine Tapetentür, die ich gestern gar nicht gesehen hatte. Sie war nur angelehnt, ich öffnete sie und erblickte ein kleines nettes[55] Stübchen, das in der Morgendämmerung recht heimlich aussah. Über einen Stuhl waren Frauenkleider unordentlich hingeworfen, auf einem Bettchen daneben lag das 15 Mädchen, das mir gestern abend bei der Tafel aufgewartet hatte. Sie schlief noch ganz ruhig und hatte den Kopf auf den weißen bloßen Arm gelegt, über den ihre schwarzen Locken herabfielen. Wenn die wüßte, daß die Tür offen war, sagte ich zu mir selbst und ging in mein Schlafzimmer zurück, während ich hinter mir wieder schloß und verriegelte,[56] damit das 20 Mädchen nicht erschrecken und sich schämen sollte, wenn sie erwachte.

Draußen ließ sich noch kein Laut vernehmen. Nur ein früherwachtes Waldvöglein saß vor meinem Fenster auf einem Strauch, der aus der Mauer herauswuchs, und sang schon sein Morgenlied. „Nein", sagte ich, „du sollst mich nicht beschämen und allein so früh und fleißig Gott loben! 25 — Ich nahm schnell meine Geige, die ich gestern auf das Tischchen gelegt hatte, und ging hinaus. Im Schlosse war noch alles totenstill, und es dauerte lange, ehe ich mich aus den dunklen Gängen ins Freie herausfand.

Als ich vor das Schloß heraustrat, kam ich in einen großen Garten, der auf breiten Terrassen, wovon die eine immer tiefer war als die andere, bis 30 auf den halben Berg herunterging. Aber das war eine liederliche Gärtnerei. Die Gänge waren alle mit hohem Grase bewachsen, die künstlichen Figuren von Buchsbaum waren nicht beschnitten[57] und streckten wie

[55] *nice*

[56] *latched*

[57] *trimmed*

Here again, some of the basic themes of the story open out, but in paradoxical ways: the journey as metaphor of life; the allegory of maturing (?) and awakening (?); problems of identity and consciousness; national differences; class differences.

Gespenster lange Nasen oder ellenhohe spitzige Mützen in die Luft hinaus, daß man sich in der Dämmerung ordentlich davor hätte fürchten mögen. Auf einige zerbrochene Statuen über einer vertrockneten Wasserkunst war gar Wäsche aufgehängt, hin und wieder hatten sie mitten im Garten

5 Kohl gebaut, dann kamen wieder ein paar ordinäre Blumen, alles unordentlich durcheinander und von hohem wildem Unkraut überwachsen, zwischen dem sich bunte Eidechsen schlängelten. Zwischen den alten hohen Bäumen hindurch aber war überall eine weite einsame Aussicht, eine Bergkoppe hinter der andern, soweit das Auge reichte.

10 Nachdem ich so ein Weilchen in der Morgendämmerung durch die Wildnis umherspaziert war, erblickte ich auf der Terrasse unter mir einen langen, schmalen, blassen Jüngling mit einem langen braunen Kaputrock, der mit verschränkten Armen und großen Schritten auf und ab ging. Er tat, als sähe er mich nicht, setzte sich bald darauf auf eine steinerne Bank

15 hin, zog ein Buch aus der Tasche, las sehr laut, als wenn er predigte, sah dabei zuweilen zum Himmel und stützte dann den Kopf ganz melancholisch auf die rechte Hand. Ich sah ihm lange zu, endlich wurde ich doch neugierig, warum er denn eigentlich so absonderliche Grimassen machte, und ging schnell auf ihn zu. Er hatte eben einen tiefen Seufzer ausgestoßen

20 und sprang erschrocken auf, als ich ankam. Er war voller Verlegenheit, ich auch, wir wußten beide nicht, was wir sprechen sollten, und machten immerfort Komplimente voreinander, bis er endlich mit langen Schritten in das Gebüsch Reißaus nahm. Unterdes war die Sonne über dem Walde aufgegangen, ich sprang auf die Bank hinauf und strich vor Lust meine

25 Geige, daß es weit in die stillen Täler herunterschallte. Die Alte mit dem Schlüsselbunde,[58] die mich schon ängstlich im ganzen Schlosse zum Frühstück aufgesucht hatte, erschien nun auf der Terrasse über mir und verwunderte sich, daß ich so artig auf der Geige spielen konnte. Der alte grämliche Mann vom Schlosse fand sich dazu und verwunderte sich eben-

30 falls, endlich kamen auch noch die Mägde, und alles blieb oben voller Verwunderung stehen, und ich fingerte und schwenkte meinen Fiedelbogen[59] immer künstlicher und hurtiger und spielte Kadenzen und Variationen, bis ich endlich ganz müde wurde.

Das war nun aber doch ganz seltsam auf dem Schlosse! Kein Mensch

35 dachte da ans Weiterreisen. Das Schloß war auch gar kein Wirtshaus, sondern gehörte, wie ich von der Magd erfuhr, einem reichen Grafen. Wenn ich mich dann manchmal bei der Alten erkundigte, wie der Graf

[58] *key-ring*

[59] *fiddle bow*

More curious circumstances arise (in connection with the questions about the castle, and thereafter). Do any explanations suggest themselves?

[60] *winked*

heiße, wo er wohne, da schmunzelte sie immer bloß, wie den ersten Abend, da ich auf das Schloß kam, und kniff[60] und winkte mir so pfiffig mit den Augen zu, als wenn sie nicht recht bei Sinne wäre. Trank ich einmal an einem heißen Tage eine ganze Flasche Wein aus, so kicherten die Mägde gewiß, wenn sie die andere brachten, und als mich dann gar einmal nach 5 einer Pfeife Tabak verlangte, ich ihnen durch Zeichen beschrieb, was ich wollte, da brachen alle in ein großes unvernünftiges Gelächter aus. — Am verwunderlichsten war mir eine Nachtmusik, die sich oft und gerade immer in den finstersten Nächten unter meinem Fenster hören ließ. Es griff auf einer Gitarre immer nur von Zeit zu Zeit einzelne, ganz leise 10 Klänge. Das eine Mal aber kam es mir vor, als wenn es dabei von unten „Pst, pst!" heraufrief. Ich fuhr daher geschwind aus dem Bett und mit dem Kopf aus dem Fenster. „Holla! Heda![61] Wer ist da draußen!" rief ich hinunter. Aber es antwortete niemand, ich hörte nur etwas sehr schnell durch die Gesträuche fortlaufen. Der große Hund im Hofe schlug über 15 meinen Lärm ein paarmal an, dann war auf einmal alles wieder still, und die Nachtmusik ließ sich seitdem nicht wieder vernehmen.

[61] *(interjections of rather masculine abruptness)*

Sonst hatte ich hier ein Leben, wie sich's ein Mensch nur immer in der Welt wünschen kann. Der gute Portier! Er wußte wohl, was er sprach, wenn er immer zu sagen pflegte, daß in Italien einem die Rosinen von selbst 20 in den Mund wüchsen. Ich lebte auf dem einsamen Schlosse wie ein verwunschener[62] Prinz. Wo ich hintrat, hatten die Leute eine große Ehrerbietung vor mir, obgleich sie schon alle wußten, daß ich keinen Heller in der Tasche hatte. Ich durfte nur sagen: „Tischlein, deck dich!",[63] so standen auch schon herrliche Speisen, Reis, Wein, Melonen und Parme- 25 sankäse[64] da. Ich ließ mir's wohlschmecken,[65] schlief in dem prächtigen Himmelbett, ging im Garten spazieren, musizierte und half wohl auch manchmal in der Gärtnerei nach. Oft lag ich auch stundenlang im Garten im hohen Grase, und der schmale Jüngling (es war ein Schüler und Verwandter der Alten, der eben jetzt hier zur Vakanz war) ging mit seinem 30 langen Kaputrocke in weiten Kreisen um mich herum und murmelte dabei wie ein Zauberer aus seinem Buche, worüber ich dann auch jedesmal einschlummerte. — So verging ein Tag nach dem andern, bis ich am Ende anfing, von dem guten Essen und Trinken ganz melancholisch zu werden. Die Glieder gingen mir von dem ewigen Nichtstun ordentlich aus allen 35 Gelenken,[66] und es war mir, als würde ich vor Faulheit noch ganz auseinanderfallen.

[62] *enchanted*

[63] *(magic formula from fairy tales)*

[64] *Parmesan cheese*
[65] *I ate and enjoyed as much as I wanted*

[66] *became all disjointed*

Why *wie ein verwunschener Prinz*?
Nichtstun is often the Taugenichts' goal, and often taken as a key to the story (*dolce far niente*), but here a source of distress. Interpret.

In dieser Zeit saß ich einmal an einem schwülen Nachmittag im Wipfel eines hohen Baumes, der am Abhange stand, und wiegte mich auf den Ästen langsam über dem stillen tiefen Tale. Die Bienen summten zwischen den Blättern um mich herum, sonst war alles wie ausgestorben, kein
5 Mensch war zwischen den Bergen zu sehen, tief unter mir auf den stillen Waldwiesen ruhten die Kühe auf dem hohen Grase. Aber ganz von weitem kam der Klang eines Posthorns über die waldigen Gipfel herüber, bald kaum vernehmbar, bald wieder heller und deutlicher. Mir fiel dabei auf einmal ein altes Lied recht aufs Herz, das ich noch zu Hause auf meines
10 Vaters Mühle von einem wandernden Handwerksburschen[67] gelernt hatte,   [67] *journeyman*
und ich sang:

> *Wer in die Fremde will wandern,*
> *der muß mit der Liebsten gehn,*
> *es jubeln[68] und lassen die andern*   [68] *rejoice*
15 > *den Fremden alleine stehn.*
>
> *Was wisset ihr, dunkle Wipfel,*
> *von der alten, schönen Zeit?*
> *Ach, die Heimat hinter den Gipfeln,*
> *wie liegt sie von hier so weit!*
>
20 > *Am liebsten betracht ich' die Sterne,*
> *die schienen, wenn ich ging zu ihr,*
> *die Nachtigall hör' ich so gerne,*
> *sie sang vor der Liebsten Tür.*
>
> *Der Morgen, das ist meine Freude!*
25 > *Da steig' ich in stiller Stund'*
> *auf den höchsten Berg in die Weite,*
> *grüß' dich, Deutschland, aus Herzensgrund!*

Es war, als wenn mich das Posthorn bei meinem Liede aus der Ferne begleiten wollte. Es kam, während ich sang, zwischen den Bergen immer
30 näher und näher, bis ich es endlich gar oben auf dem Schloßhofe schallen hörte. Ich sprang rasch vom Baume herunter. Da kam mir auch schon die Alte mit einem geöffneten Pakete aus dem Schlosse entgegen. „Da ist auch etwas für Sie mitgekommen", sagte sie und reichte mir aus dem Paket

---

How do you explain the predilection of the Taugenichts for being up in a tree?
Meines Vaters Mühle and *Heimat* evidence the homesickness which is the other pole of *Reiselust*.
What is the meaning of "place" to the Taugenichts?

ein kleines, niedliches Briefchen. Es war ohne Aufschrift,[69] ich brach es schnell auf. Aber da wurde ich auch auf einmal im ganzen Gesichte so rot wie eine Päonie, und das Herz schlug mir so heftig, daß es die Alte merkte, denn das Briefchen war von — meiner schönen Frau, von der ich manches Zettelchen bei dem Herrn Amtmann gesehen hatte. Sie schrieb darin ganz 5 kurz: „Es ist alles wieder gut, alle Hindernisse sind beseitigt.[70] Ich benutzte heimlich diese Gelegenheit, um die erste zu sein, die Ihnen diese freudige Botschaft schreibt. Kommen, eilen Sie zurück. Es ist so öde hier, und ich kann kaum mehr leben, seit Sie von uns fort sind. Aurelie."

Die Augen gingen mir über, als ich das las, vor Entzücken und Schreck 10 und unsäglicher Freude. Ich schämte mich vor dem alten Weibe, die mich wieder abscheulich anschmunzelte, und flog wie ein Pfeil bis in den allereinsamsten Winkel des Gartens. Dort warf ich mich unter den Haselnußsträuchern ins Gras hin und las das Briefchen noch einmal, sagte die Worte auswendig[71] für mich hin und las dann wieder und immer wieder, 15 und die Sonnenstrahlen tanzten zwischen den Blättern hindurch über den Buchstaben, daß sie sich wie goldene und hellgrüne und rote Blüten vor meinen Augen ineinanderschlangen. Ist sie am Ende gar nicht verheiratet gewesen? dachte ich, war der fremde Offizier damals vielleicht ihr Herr Bruder, oder ist er nun tot, oder bin ich toll, oder — „Das ist alles einerlei", 20 rief ich endlich und sprang auf, „nun ist's ja klar, sie liebt mich ja, sie liebt mich!"

Als ich aus dem Gesträuch wieder hervorkroch, neigte sich die Sonne zum Untergange. Der Himmel war rot, die Vögel sangen lustig in allen Wäldern, die Täler waren voller Schimmer, aber in meinem Herzen war 25 es noch vieltausendmal schöner und fröhlicher!

Ich rief in das Schloß hinein, daß sie mir heut das Abendessen in den Garten herausbringen sollten. Die alte Frau, der alte grämliche Mann, die Mägde, sie mußten alle mit heraus und sich mit mir unter dem Baum an den gedeckten Tisch setzen. Ich zog meine Geige hervor und spielte und 30 aß und trank dazwischen. Da wurden sie alle lustig, der alte Mann strich seine grämlichen Falten aus dem Gesicht und stieß ein Glas nach dem andern aus,[72] die Alte plauderte in einem fort, Gott weiß, was; die Mägde fingen an, auf dem Rasen miteinander zu tanzen. Zuletzt kam auch noch der blasse Student neugierig hervor, warf einige verächtliche Blicke auf das 35 Spektakel und wollte ganz vornehm wieder weitergehn. Ich aber, nicht zu faul, sprang geschwind auf, erwischte ihn, eh er sich's versah, bei seinem

---

The letter is from the lovely lady all right—and her name is mentioned here for the first and only time. Are there possible ambiguities involved? Keep this interlude in mind.

langen Überrock und walzte tüchtig mit ihm herum. Er strengte sich nun
an, recht zierlich und neumodisch[73] zu tanzen, und füßelte so emsig und
künstlich, daß ihm der Schweiß vom Gesicht herunterfloß und die langen
Rockschöße wie ein Rad um uns herumflogen. Dabei sah er mich aber
5 manchmal so kurios mit verdrehten Augen an,[74] daß ich mich ordentlich
vor ihm zu fürchten anfing und ihn plötzlich wieder losließ.

Die Alte hätte nun gar zu gerne erfahren, was in dem Briefe stand und
warum ich denn eigentlich heut auf einmal so lustig war. Aber das war ja
viel zu weitläufig, um es ihr auseinandersetzen zu können. Ich zeigte bloß
10 auf ein paar Kraniche,[75] die eben hoch über uns durch die Luft zogen, und
sagte, ich müßte nun auch so fort und immer fort, weit in die Ferne! —
Da riß sie die vertrockneten Augen weit auf und blickte wie ein Basilisk
bald auf mich, bald auf den alten Mann hinüber. Dann bemerkte ich, wie
die beiden heimlich die Köpfe zusammensteckten, sooft ich mich weg-
15 wandte, und sehr eifrig miteinander sprachen und mich dabei zuweilen
von der Seite ansahen.

Das fiel mir auf. Ich sann hin und her, was sie wohl mit mir vorhaben
möchten. Darüber wurde ich stiller, die Sonne war auch schon lange
untergegangen, und so wünschte ich allen gute Nacht und ging nach-
20 denklich in meine Schlafstube hinauf.

Ich war innerlich so fröhlich und unruhig, daß ich noch lange im Zimmer
auf und nieder ging. Draußen wälzte der Wind schwere schwarze Wolken
über den Schloßturm weg, man konnte kaum die nächsten Bergkoppen in
der dicken Finsternis erkennen. Da kam es mir vor, als wenn ich im Garten
25 unten Stimmen hörte. Ich löschte mein Licht aus und stellte mich ans
Fenster. Die Stimmen schienen näher zu kommen, sprachen aber sehr
leise miteinander. Auf einmal gab eine kleine Laterne, welche die eine
Gestalt unterm Mantel trug, einen langen Schein. Ich erkannte nun den
grämlichen Schloßverwalter[76] und die alte Haushälterin.[77] Das Licht
30 blitzte über das Gesicht der Alten, das mir noch niemals so gräßlich vorgekommen war, und über ein langes Messer, das sie in der Hand hielt. Dabei
konnte ich sehen, daß sie beide eben nach meinem Fenster hinaufsahen.
Dann schlug der Verwalter seinen Mantel wieder dichter um, und es war
bald alles wieder finster und still.

35 Was wollen die, dachte ich, zu dieser Stunde noch draußen im Garten?
Mich schauderte, denn es fielen mir alle Mordgeschichten ein, die ich in
meinem Leben gehört hatte, von Hexen und Räubern, welche Menschen

[73] *in the latest fashion*

[74] *eyes rolling*

[75] *cranes*

[76] *castellan*
[77] *housekeeper*

After the happiness of the letter, the threat of danger. How does this accord with the overall
pattern of action?

[78] *butcher*

[79] *was planning to run toward the door with it*

[80] *let go*

[81] *have it easy*

[82] *gnawed*

abschlachten,[78] um ihre Herzen zu fressen. Indem ich noch so nachdenke, kommen Menschentritte, erst die Treppe herauf, dann auf dem langen Gang ganz leise, leise auf meine Tür zu, dabei war es, als wenn zuweilen Stimmen heimlich miteinander wisperten. Ich sprang schnell an das andere Ende der Stube hinter einen großen Tisch, den ich, sobald sich etwas 5 rührte, vor mir aufheben und so mit aller Gewalt auf die Tür losrennen wollte.[79] Aber in der Finsternis warf ich einen Stuhl um, daß es ein entsetzliches Gepolter gab. Da wurde es auf einmal ganz still draußen. Ich lauschte hinter dem Tisch und sah immerfort nach der Tür, als wenn ich sie mit den Augen durchstechen wollte, daß mir ordentlich die Augen zum 10 Kopfe heraußtanden. Als ich mich ein Weilchen wieder so ruhig verhalten hatte, daß man die Fliegen an der Wand hätte können gehen hören, vernahm ich, wie jemand von draußen ganz leise einen Schlüssel ins Schlüsselloch steckte. Ich wollte nun eben mit meinem Tische losfahren,[80] da drehte es den Schlüssel langsam dreimal in der Tür um, zog ihn 15 vorsichtig wieder heraus und schnurrte dann sachte über den Gang und die Treppe hinunter.

Ich schöpfte nun tief Atem. Oho, dachte ich, da haben sie dich eingesperrt, damit sie's kommode haben,[81] wenn ich erst fest eingeschlafen bin. Ich untersuchte geschwind die Tür. Es war richtig, sie war fest verschlos- 20 sen, ebenso die andere Tür, hinter der die hübsche bleiche Magd schlief. Das war noch niemals geschehen, solange ich auf dem Schlosse wohnte.

Da saß ich nun in der Fremde gefangen! Die schöne Frau stand nun wohl an ihrem Fenster und sah über den stillen Garten nach der Landstraße hinaus, ob ich nicht schon am Zollhäuschen mit meiner Geige 25 dahergestrichen komme, die Wolken flogen rasch über den Himmel, die Zeit verging — und ich konnte nicht fort von hier! Ach, mir war so weh im Herzen, ich wußte gar nicht mehr, was ich tun sollte. Dabei war mir's auch immer, wenn die Blätter draußen rauschten oder eine Ratte am Boden knosperte,[82] als wäre die Alte durch eine verborgene Tapetentür heimlich 30 hereingetreten und lauere und schleiche leise mit dem langen Messer durchs Zimmer.

Als ich so voll Sorgen auf dem Bette saß, hörte ich auf einmal seit langer Zeit wieder die Nachtmusik unter meinen Fenstern. Bei dem ersten Klange der Gitarre war es mir nicht anders, als wenn mir ein Morgenstrahl 35 plötzlich durch die Seele führe. Ich riß das Fenster auf und rief leise herunter, daß ich wach sei. ,,Pst, pst!" antwortete es von unten. Ich besann mich

---

Knocking over the chair parallels what other actions, and says what of the Taugenichts?
Again the problem of perception or point of view, in the embrace to which the Taugenichts is

nun nicht lange, steckte das Briefchen und meine Geige zu mir, schwang
mich aus dem Fenster und kletterte an der alten zersprungenen Mauer
hinab, indem ich mich mit den Händen an den Sträuchern, die aus den
Ritzen wuchsen, anhielt. Aber einige morsche Ziegel gaben nach, ich kam
5 ins Rutschen,[83] es ging immer rascher und rascher mit mir, bis ich endlich
mit beiden Füßen aufplumpste,[84] daß mir's im Gehirnkasten[85] knisterte.

    Kaum war ich auf diese Art unten im Garten angekommen, so umarmte
mich jemand mit solcher Vehemenz, daß ich laut aufschrie. Der gute
Freund aber hielt mir schnell die Finger auf den Mund, faßte mich bei der
10 Hand und führte mich dann aus dem Gesträuch ins Freie hinaus. Da
erkannte ich mit Verwunderung den guten langen Studenten, der die
Gitarre an einem breiten seidenen Bande um den Hals hängen hatte. —
Ich beschrieb ihm nun in größter Geschwindigkeit, daß ich aus dem Garten
hinaus wollte. Er schien aber das alles schon lange zu wissen und führte
15 mich auf allerlei verdeckten Umwegen zu dem untern Tor in der hohen
Gartenmauer. Aber da war nun auch das Tor wieder fest verschlossen!
Doch der Student hatte auch das schon vorbedacht,[86] er zog einen großen
Schlüssel hervor und schloß behutsam auf.

    Als wir nun in den Wald hinaustraten und ich ihn eben noch um den
20 besten Weg zur nächsten Stadt fragen wollte, stürzte er plötzlich vor mir
auf ein Knie nieder, hob die eine Hand hoch in die Höhe und fing an, zu
fluchen und zu schwören, daß es entsetzlich anzuhören war. Ich wußte
gar nicht, was er wollte, ich hörte nur immerfort: Idio und cuore und
amore und furore![87] Als er aber am Ende gar anfing, auf beiden Knien
25 schnell und immer näher auf mich zuzurutschen,[88] da wurde mir auf einmal
ganz grauslich, ich merkte wohl, daß er verrückt war, und rannte, ohne
mich umzusehen, in den dicksten Wald hinein.

    Ich hörte nun den Studenten wie rasend hinter mir drein schreien. Bald
darauf gab noch eine andere grobe Stimme vom Schlosse her Antwort.
30 Ich dachte mir nun wohl, daß sie mich aufsuchen würden. Der Weg war
mir unbekannt, die Nacht finster, ich konnte ihnen leicht wieder in die
Hände fallen. Ich kletterte daher auf den Wipfel einer hohen Tanne hinauf,
um bessere Gelegenheit abzuwarten.

    Von dort konnte ich hören, wie auf dem Schlosse eine Stimme nach der
35 andern wach wurde. Einige Windlichter zeigten sich oben und warfen
ihren wilden roten Schein über das alte Gemäuer des Schlosses und weit
vom Berge in die schwarze Nacht hinein. Ich befahl meine Seele dem

[83] *began to slip*
[84] *hit hard*
[85] *brain pan*

[86] *anticipated*

[87] *God, heart, love, madness*
[88] *slide toward me*

subjected, as well as the adjurations of passion. Is the Taugenichts right in his diagnosis:
verrückt?

Is there a pattern of "temptations of the innocent" in this story? If so, how does the Taugenichts
perform?

lieben Gott, denn das verworrene Getümmel wurde immer lauter und näherte sich immer mehr und mehr. Endlich stürzte der Student mit einer Fackel unter meinem Baume vorüber, daß ihm die Rockschöße weit im Winde nachflogen. Dann schienen sie sich alle nach und nach auf eine andere Seite des Berges hinzuwenden, die Stimmen schallten immer ferner 5 und ferner, und der Wind rauschte wieder durch den stillen Wald. Da stieg ich schnell von dem Baume herab und lief atemlos weiter in das Tal und die Nacht hinaus.

Siebentes Kapitel

Ich war Tag und Nacht eilig fortgegangen, denn es sauste mir lange in den Ohren, als kämen die von dem Berge mit ihrem Rufen, mit Fackeln 10 und langen Messern noch immer hinter mir drein. Unterwegs erfuhr ich, daß ich nur noch ein paar Meilen von Rom wäre. Da erschrak ich ordentlich vor Freude. Denn von dem prächtigen Rom hatte ich schon zu Hause als Kind viele wunderbare Geschichten gehört, und wenn ich dann an Sonntagnachmittagen vor der Mühle im Grase lag und alles ringsum so 15 stille war, da dachte ich mir Rom wie die ziehenden Wolken über mir, mit wundersamen Bergen und Abgründen am blauen Meer und goldenen Toren und hohen glänzenden Türmen, von denen Engel in goldnen Gewändern sangen. — Die Nacht war schon wieder lange hereingebrochen, und der Mond schien prächtig, als ich endlich auf einem Hügel aus dem 20 Walde heraustrat und auf einmal die Stadt in der Ferne vor mir sah. — Das Meer leuchtete von weitem, der Himmel blitzte und funkelte unübersehbar mit unzähligen Sternen, darunter lag die heilige Stadt, von der man nur einen langen Nebelstreif erkennen konnte, wie ein eingeschlafener Löwe auf der stillen Erde, und Berge standen daneben wie dunkle Riesen, 25 die ihn bewachten.

Ich kam nun zuerst auf eine große einsame Heide, auf der es so grau und still war wie im Grabe. Nur hin und her stand ein altes verfallenes Gemäuer oder ein trockener, wunderbar gewundener Strauch; manchmal schwirrten Nachtvögel durch die Luft, und mein eigener Schatten strich immerfort 30 lang und dunkel in der Einsamkeit neben mir her. Sie sagen, daß hier eine uralte Stadt und die Frau Venus begraben liegt und die alten Heiden[89] zuweilen noch aus ihren Gräbern heraufsteigen und bei stiller Nacht über die Heide gehn und die Wanderer verwirren. Aber ich ging immer gerade fort und ließ mich nichts anfechten. Denn die Stadt stieg immer deutlicher 35 und prächtiger vor mir herauf, und die hohen Burgen und Tore und

[89] *pagans*

What were, in the Taugenichts' anticipatory dreams, the attributes of Rome? In view of his experience of Italy hitherto, what pattern of expectations might develop in the reader?

goldenen Kuppeln glänzten so herrlich im hellen Mondschein, als ständen
wirklich die Engel in goldenen Gewändern auf den Zinnen[90] und sängen
durch die stille Nacht herüber.

So zog ich denn endlich erst an kleinen Häusern vorbei, dann durch ein
5 prächtiges Tor in die berühmte Stadt Rom hinein. Der Mond schien
zwischen den Palästen, als wäre es heller Tag, aber die Straßen waren schon
alle leer, nur hin und wieder lag ein lumpiger Kerl wie ein Toter in der
lauen Nacht auf den Marmorschwellen[91] und schlief. Dabei rauschten die
Brunnen auf den stillen Plätzen, und die Gärten an der Straße säuselten
10 dazwischen und erfüllten die Luft mit erquickenden Düften.

Wie ich nun eben so weiter fortschlendere und vor Vergnügen, Mondschein und Wohlgeruch[92] gar nicht weiß, wohin ich mich wenden soll,
läßt sich tief in dem einen Garten eine Gitarre hören. Mein Gott, denk' ich,
da ist mir wohl der tolle Student mit dem langen Überrock heimlich nach-
15 gesprungen! Darüber fing eine Dame in dem Garten an, überaus lieblich
zu singen. Ich stand ganz wie bezaubert, denn es war die Stimme der
schönen gnädigen Frau und dasselbe welsche Liedchen, das sie gar oft zu
Hause am offenen Fenster gesungen hatte.

Da fiel mir auf einmal die schöne alte Zeit mit solcher Gewalt aufs Herz,
20 daß ich bitterlich hätte weinen mögen, der stille Garten vor dem Schloß
in früher Morgenstunde, und wie ich da hinter dem Strauche so glückselig
war, ehe mir die dumme Fliege in die Nase flog. Ich konnte mich nicht
länger halten. Ich kletterte auf den vergoldeten Zieraten[93] über das Gitter-
tor und schwang mich in den Garten hinunter, woher der Gesang kam.
25 Da bemerkte ich, daß eine schlanke weiße Gestalt von fern hinter einer
Pappel stand und mir erst verwundert zusah, als ich über das Gitterwerk
kletterte, dann aber auf einmal so schnell durch den dunklen Garten nach
dem Hause zuflog, daß man sie im Mondschein kaum füßeln sehen konnte.
„Das war sie selbst!" rief ich aus, und das Herz schlug mir vor Freude,
30 denn ich erkannte sie gleich an den kleinen geschwinden Füßchen wieder.
Es war nur schlimm, daß ich mir beim Herunterspringen vom Gartentore
den rechten Fuß etwas vertreten[94] hatte, ich mußte daher erst ein paarmal
mit dem Beine schlenkern, ehe ich zu dem Hause nachspringen konnte.
Aber da hatten sie unterdes Tür und Fenster fest verschlossen. Ich klopfte
35 ganz bescheiden an, horchte und klopfte wieder. Da war es nicht anders,
als wenn es drinnen leise flüsterte und kicherte, ja einmal kam es mir vor,
als wenn zwei helle Augen zwischen den Jalousien im Mondschein hervor-
funkelten. Dann war auf einmal wieder alles still.

[90] *parapets*

[91] *marble thresholds*

[92] *fragrance*

[93] *ornaments*

[94] *sprained*

What are the attributes of the *uralte Stadt*?
What do you say to the Taugenichts' joyful *Das war sie selbst*?
Another slip and fall?

Sie weiß nur nicht, daß ich es bin, dachte ich, zog die Geige, die ich allzeit bei mir trage, hervor, spazierte damit auf dem Gange vor dem Hause auf und nieder und spielte und sang das Lied von der schönen Frau und spielte voll Vergnügen alle meine Lieder durch, die ich damals in den schönen Sommernächten im Schloßgarten oder auf der Bank vor dem 5 Zollhause gespielt hatte, daß es weit bis in die Fenster des Schlosses hinüberklang. — Aber es half alles nichts, es rührte und regte sich niemand im ganzen Hause. Da steckte ich endlich meine Geige traurig ein[95] und legte mich auf die Schwelle vor der Haustür hin, denn ich war sehr müde von dem langen Marsch. Die Nacht war warm, die Blumenbeete vor dem 10 Hause dufteten lieblich, eine Wasserkunst weiter unten im Garten plätscherte immerfort dazwischen. Mir träumte von himmelblauen Blumen, von schönen, dunkelgrünen, einsamen Gründen, wo Quellen rauschten und Bächlein gingen und bunte Vögel wunderbar sangen, bis ich endlich fest einschlief. 15

Als ich aufwachte, rieselte mir die Morgenluft durch alle Glieder. Die Vögel waren schon wach und zwitscherten auf den Bäumen um mich herum, als ob sie mich für'n Narren haben wollten. Ich sprang rasch auf und sah mich nach allen Seiten um. Die Wasserkunst im Garten rauschte noch immerfort, aber in dem Hause war kein Laut zu vernehmen. Ich 20 guckte durch die grünen Jalousien in das eine Zimmer hinein. Da war ein Sofa und ein großer runder Tisch, mit grauer Leinwand verhangen, die Stühle standen alle in großer Ordnung und unverrückt[96] an den Wänden herum; von außen aber waren die Jalousien an allen Fenstern heruntergelassen, als wäre das ganze Haus schon seit vielen Jahren unbewohnt. — 25 Da überfiel mich ein ordentliches Grausen vor dem einsamen Hause und Garten und vor der gestrigen weißen Gestalt. Ich lief, ohne mich weiter umzusehen, durch die stillen Lauben und Gänge und kletterte geschwind wieder an dem Gartentor hinauf. Aber da blieb ich wie verzaubert sitzen, als ich auf einmal von dem hohen Gitterwerk in die prächtige Stadt 30 hinuntersah. Da blitzte und funkelte die Morgensonne weit über die Dächer und in die langen stillen Straßen hinein, daß ich laut aufjauchzen mußte und voller Freude auf die Straße hinuntersprang.

Aber wohin sollt' ich mich wenden in der großen fremden Stadt? Auch ging mir die konfuse Nacht und das welsche Lied der schönen gnädigen 35 Frau von gestern noch immer im Kopfe hin und her. Ich setzte mich endlich auf den steinernen Springbrunnen, der mitten auf dem einsamen Platze stand, wusch mir in dem klaren Wasser die Augen hell und sang dazu:

[95] *put away*

[96] *undisturbed*

Falling asleep is also a response of the Taugenichts to certain kinds of situation. Recapitulate. In what framework of fictional reality or symbol can the amazing coincidences of the story be

Wenn ich ein Vöglein wär',
ich wüßt' wohl, wovon ich sänge,
und auch zwei Flüglein hätt',
ich wüßt' wohl, wohin ich mich schwänge![97]

[97] *would fly*

5 „Ei, lustiger Gesell, du singst ja wie eine Lerche beim ersten Morgenstrahl!" sagte da auf einmal ein junger Mann zu mir, der während meines
Liedes an den Brunnen herangetreten war. Mir aber, da ich so unverhofft
deutsch sprechen hörte, war es nicht anders im Herzen, als wenn die
Glocke aus meinem Dorfe am stillen Sonntagmorgen plötzlich zu mir
10 herüberklänge. „Gott willkommen, bester Herr Landsmann!" rief ich aus
und sprang voller Vergnügen von dem steinernen Brunnen herab. Der
junge Mann lächelte und sah mich von oben bis unten an. „Aber was treibt
Ihr denn eigentlich hier in Rom?" fragte er endlich. Da wußte ich nun
nicht gleich, was ich sagen sollte, denn daß ich soeben der schönen gnädigen
15 Frau nachspränge, mocht' ich ihm nicht sagen. „Ich treibe", erwiderte
ich, „mich selbst ein bißchen herum, um die Welt zu sehen." — „So, so",
versetzte der junge Mann und lachte laut auf, „da haben wir ja *ein* Metier.
Das tu' ich eben auch, um die Welt zu sehen und hinterdrein abzumalen."[98]

[98] *paint*

— „Also ein Maler!" rief ich fröhlich aus, denn mir fiel dabei Herr Leon-
20 hard und Guido ein. Aber der Herr ließ mich nicht zu Worte kommen.
„Ich denke", sagte er, „du gehst mit und frühstückst bei mir, da will ich
dich selbst abkonterfeien,[99] daß es eine Freude sein soll!" — Das ließ ich

[99] *do a portrait of*

mir gern gefallen und wanderte nun mit dem Maler durch die leeren
Straßen, wo nur hin und wieder erst einige Fensterladen aufgemacht
25 wurden und bald ein paar weiße Arme, bald ein verschlafenes Gesichtchen
in die frische Morgenluft hinausguckte.

Er führte mich lange hin und her durch eine Menge konfuser, enger und
dunkler Gassen, bis wir endlich in ein altes verräuchertes Haus hinein-
huschten. Dort stiegen wir eine finstere Treppe hinauf, dann wieder eine,
30 als wenn wir in den Himmel hineinsteigen wollten. Wir standen nun unter
dem Dache vor einer Tür still, und der Maler fing an, in allen Taschen
vorn und hinten mit großer Eilfertigkeit zu suchen. Aber er hatte heute
früh vergessen zuzuschließen und den Schlüssel in der Stube gelassen.
Denn er war, wie er mir unterwegs erzählte, noch vor Tagesanbruch vor
35 die Stadt hinausgegangen, um die Gegend bei Sonnenaufgang zu betrachten. Er schüttelte nur mit dem Kopfe und stieß die Tür mit dem Fuße
auf.

---

found plausible? (Note that the Taugenichts goes, in his perception of things, even beyond
"reality.")

¹ *paint pots*

² *dab of paint*

³ *spread*

⁴ *stretched*

⁵ *Christ child*

⁶ *back*

Das war eine lange, lange, große Stube, daß man darin hätte tanzen können, wenn nur nicht auf dem Fußboden alles voll gelegen hätte. Aber da lagen Stiefel, Papiere, Kleider, umgeworfene Farbentöpfe,¹ alles durcheinander; in der Mitte der Stube standen große Gerüste, wie man zum Birnenabnehmen braucht, ringsum an der Wand waren große Bilder ₅ angelehnt. Auf einem langen hölzernen Tische war eine Schüssel, worauf neben einem Farbenkleckse² Brot und Butter lag. Eine Flasche Wein stand daneben.

„Nun eßt und trinkt erst, Landsmann!" rief mir der Maler zu. — Ich wollte mir auch sogleich ein paar Butterschnitten schmieren,³ aber da war ₁₀ wieder kein Messer da. Wir mußten erst lange in den Papieren auf dem Tische herumrascheln, ehe wir es unter einem großen Pakete endlich fanden. Darauf riß der Maler das Fenster auf, daß die frische Morgenluft fröhlich das ganze Zimmer durchdrang. Das war eine herrliche Aussicht weit über die Stadt weg in die Berge hinein, wo die Morgensonne lustig ₁₅ die weißen Landhäuser und Weingärten beschien. — „Vivat unser kühlgrünes Deutschland da hinter den Bergen!" rief der Maler aus und trank dazu aus der Weinflasche, die er mir dann reichte. Ich tat ihm höflich Bescheid und grüßte in meinem Herzen die schöne Heimat in der Ferne noch vieltausendmal. ₂₀

Der Maler aber hatte unterdes das hölzerne Gerüst, worauf ein sehr großes Papier aufgespannt⁴ war, näher an das Fenster herangerückt. Auf dem Papiere war bloß mit großen, schwarzen Strichen eine alte Hütte gar künstlich abgezeichnet. Darin saß die Heilige Jungfrau mit einem überaus schönen, freudigen und doch recht wehmütigen Gesichte. Zu ihren Füßen ₂₅ auf einem Nestlein von Stroh lag das Jesuskind,⁵ sehr freundlich, aber mit großen, ernsthaften Augen. Draußen auf der Schwelle der offenen Hütte aber knieten zwei Hirtenknaben mit Stab und Tasche. — „Siehst du", sagte der Maler, „dem einen Hirtenknaben da will ich deinen Kopf aufsetzen, so kommt dein Gesicht doch auch etwas unter die Leute, und, will's ₃₀ Gott, sollen sie sich daran noch erfreuen, wenn wir beide schon lange begraben sind und selbst so still und fröhlich vor der Heiligen Mutter und ihrem Sohn knien wie die glücklichen Jungen hier." — Darauf ergriff er einen alten Stuhl, von dem ihm aber, da er ihn aufheben wollte, die halbe Lehne⁶ in der Hand blieb. Er paßte ihn geschwind wieder zusammen, ₃₅ schob ihn vor das Gerüst hin, und ich mußte mich nun darauf setzen und mein Gesicht etwas von der Seite nach dem Maler zu wenden. — So saß

Why <u>this</u> subject for the painting? Why not a modern Italian landscape?

ich ein paar Minuten ganz still, ohne mich zu rühren. Aber ich weiß nicht, zuletzt konnt' ich's gar nicht recht aushalten, bald juckte mich's da, bald juckte mich's dort. Auch hing mir gerade gegenüber ein zerbrochener halber Spiegel, da mußt' ich immerfort hineinsehen und machte, wenn er
5 eben malte, aus Langerweile allerlei Gesichter und Grimassen. Der Maler, der es bemerkte, lachte endlich laut auf und winkte mir mit der Hand, daß ich wieder aufstehen sollte. Mein Gesicht auf dem Hirten war auch schon fertig und sah so klar aus, daß ich mir ordentlich selber gefiel.

Er zeichnete nun in der frischen Morgenkühle immer fleißig fort,
10 während er ein Liedchen dazu sang und zuweilen durch das offene Fenster in die prächtige Gegend hinausblickte. Ich aber schnitt mir unterdes noch eine Butterstolle[7] und ging damit vergnügt im Zimmer auf und ab und besah mir die Bilder, die an der Wand aufgestellt waren. Zwei darunter gefielen mir ganz besonders gut. „Habt Ihr die auch gemalt?" frug ich den
15 Maler. „Warum nicht gar",[8] erwiderte er, „die sind von den berühmten Meistern Leonardo da Vinci und Guido Reni[9] — aber da weißt du ja doch nichts davon!" — Mich ärgerte der Schluß der Rede. „Oh", versetzte ich ganz gelassen, „die beiden Meister kenne ich wie meine eigene Tasche." — Da machte er große Augen. „Wieso?" frug er geschwind. „Nun", sagte
20 ich, „bin ich nicht mit ihnen Tag und Nacht fortgereist, zu Pferde und zu Fuß und zu Wagen, daß mir der Wind am Hute pfiff, und hab' sie alle beide in der Schenke verloren und bin dann allein in ihrem Wagen mit Extrapost immer weiter gefahren, daß der Bombenwagen[10] immerfort auf zwei Rädern über die entsetzlichen Steine flog, und" — „Oho! Oho!"
25 unterbrach mich der Maler und sah mich starr an, als wenn er mich für verrückt hielte. Dann aber brach er plötzlich in ein lautes Gelächter aus. „Ach", rief er, „nun versteh' ich erst, du bist mit zwei Malern gereist, die Guido und Leonhard hießen?" — Da ich das bejahte, sprang er rasch auf und sah mich nochmals von oben bis unten ganz genau an. „Ich glaube
30 gar", sagte er, „am Ende — spielst du die Violine?" — Ich schlug auf meine Rocktasche, daß die Geige darin einen Klang gab. — „Nun wahrhaftig", versetzte der Maler, „da war eine Gräfin aus Deutschland hier, die hat sich in allen Winkeln von Rom nach den beiden Malern und nach einem jungen Musikanten mit der Geige erkundigen lassen." — „Eine
35 junge Gräfin aus Deutschland?" rief ich voller Entzückung aus. „Ist der Portier mit?" — „Ja, das weiß ich alles nicht", erwiderte der Maler, „ich sah sie nur einigemal bei einer Freundin von ihr, die aber auch nicht in der

[7] *chunk of buttered bread*

[8] *are you joking?*

[9] *(painters of the Italian Renaissance and Post-Renaissance respectively)*

[10] *gun cradle (term for rough-riding wagon)*

Interpret the da Vinci-Reni confusion.

Stadt wohnt. — Kennst du die?" fuhr er fort, indem er in einem Winkel plötzlich eine Leinwanddecke[11] von einem großen Bilde in die Höhe hob. Da war mir's doch nicht anders, als wenn man in einer finstern Stube die Laden aufmacht und einem die Morgensonne auf einmal über die Augen blitzt, es war — die schöne gnädige Frau! — Sie stand in einem schwarzen 5 Samtkleide im Garten und hob mit einer Hand den Schleier vom Gesicht und sah still und freundlich in eine weite prächtige Gegend hinaus. Je länger ich hinsah, je mehr kam es mir vor, als wäre es der Garten am Schlosse, und die Blumen und Zweige wiegten sich leise im Winde, und unten in der Tiefe sähe ich mein Zollhäuschen und auch die Landstraße 10 weit durchs Grüne und die Donau und die fernen blauen Berge.

„Sie ist's, sie ist's!" rief ich endlich, erwischte meinen Hut und rannte rasch zur Tür hinaus, die vielen Treppen hinunter und hörte nur noch, daß mir der verwunderte Maler nachschrie, ich sollte gegen Abend wiederkommen, da könnten wir vielleicht mehr erfahren! 15

Achtes Kapitel

Ich lief mit großer Eilfertigkeit durch die Stadt, um mich sogleich wieder in dem Gartenhause zu melden, wo die schöne Frau gestern abend gesungen hatte. Auf den Straßen war unterdes alles lebendig geworden, Herren und Damen zogen im Sonnenschein und neigten sich und grüßten bunt durcheinander, prächtige Karossen[12] rasselten dazwischen, und von 20 allen Türmen läutete es zur Messe, daß die Klänge über dem Gewühle wunderbar in der klaren Luft durcheinander hallten. Ich war wie betrunken von Freude und von dem Rumor und rannte in meiner Fröhlichkeit immer gerade fort, bis ich zuletzt gar nicht mehr wußte, wo ich stand. Es war wie verzaubert, als wäre der stille Platz mit dem Brunnen und der Garten und 25 das Haus bloß ein Traum gewesen und beim hellen Tageslicht alles wieder von der Erde verschwunden.

Fragen konnte ich nicht, denn ich wußte den Namen des Platzes nicht. Endlich fing es auch an, sehr schwül zu werden, die Sonnenstrahlen schossen recht wie sengende[13] Pfeile auf das Pflaster, die Leute verkrochen 30 sich in die Häuser, die Jalousien wurden überall wieder zugemacht, und es war auf einmal wie ausgestorben auf den Straßen. Ich warf mich zuletzt ganz verzweifelt vor einem schönen großen Hause hin, vor dem ein Balkon

The Taugenichts refers all allusions and identifications to himself, correctly or incorrectly.
   What does this say about him?
Again the combination of frustration in faraway lands, and the dream of home. Again the

mit Säulen breiten Schatten warf, und betrachtete bald die stille Stadt, die in der plötzlichen Einsamkeit bei heller Mittagsstunde ordentlich schauerlich aussah, bald wieder den tiefblauen, ganz wolkenlosen Himmel, bis ich endlich vor großer Ermüdung gar einschlummerte. Da träumte mir,
5 ich läge bei meinem Dorfe auf einer einsamen grünen Wiese, ein warmer Sommerregen sprühte und glänzte in der Sonne, die soeben hinter den Bergen unterging, und wie die Regentropfen auf den Rasen fielen, waren es lauter schöne bunte Blumen, so daß ich davon ganz überschüttet war.

Aber wie erstaunte ich, als ich erwachte und wirklich eine Menge
10 schöner frischer Blumen auf und neben mir liegen sah! Ich sprang auf, konnte aber nichts besonderes bemerken als bloß in dem Hause über mir ein Fenster ganz oben voll von duftenden Sträuchern und Blumen, hinter denen ein Papagei unablässig plauderte und kreischte. Ich las nun die zerstreuten Blumen auf, band sie zusammen und steckte mir den Strauß
15 vorn ins Knopfloch. Dann aber fing ich an, mit dem Papagei ein wenig zu diskurrieren, denn es freute mich, wie er in seinem vergoldeten Gebauer mit allerlei Grimassen herauf und herunter stieg und sich dabei immer ungeschickt über die große Zehe trat. Doch ehe ich mich's versah, schimpfte er mich „*furfante!*"[14] Wenn es gleich eine unvernünftige Bestie[15] war, so
20 ärgerte es mich doch. Ich schimpfte ihn wieder, wir gerieten endlich beide in Hitze, je mehr ich auf deutsch schimpfte, je mehr gurgelte er auf italienisch wieder auf mich los.

Auf einmal hörte ich jemand hinter mir lachen. Ich drehte mich rasch um. Es war der Maler von heute früh. „Was stellst du wieder für tolles
25 Zeug an!" sagte er. „Ich warte schon eine halbe Stunde auf dich. Die Luft ist wieder kühler, wir wollen in einen Garten vor der Stadt gehen, da wirst du mehrere Landsleute finden und vielleicht etwas Näheres von der deutschen Gräfin erfahren."

Darüber war ich außerordentlich erfreut, und wir traten unsern Spazier-
30 gang sogleich an, während ich den Papagei noch lange hinter mir drein schimpfen hörte.

Nachdem wir draußen vor der Stadt auf schmalen, steinichten Fußpfaden lange zwischen Landhäusern und Weingärten hinaufgestiegen waren, kamen wir an einen kleinen hochgelegenen[16] Garten, wo mehrere
35 junge Männer und Mädchen im Grünen[17] um einen runden Tisch saßen. Sobald wir hineintraten, winkten uns alle zu, uns still zu verhalten, und zeigten auf die andere Seite des Gartens hin. Dort saßen in einer großen

[14] *bum*
[15] *beast*

[16] *situated high in the hills*
[17] *in the open*

---

transition from dream to reality via a common component (here the flowers; recall the posthorn).
The Taugenichts has run a long way, yet the painter is here. What are the horizons of the Taugenichts' world?

[18] *covered with greenery*

grünverwachsenen[18] Laube zwei schöne Frauen an einem Tisch einander gegenüber. Die eine sang, die andere spielte Gitarre dazu. Zwischen beiden hinter dem Tische stand ein freundlicher Mann, der mit einem kleinen Stäbchen zuweilen den Takt schlug. Dabei funkelte die Abendsonne durch

[19] *vine leaves*

das Weinlaub,[19] bald über die Weinflaschen und Früchte, womit der Tisch 5 in der Laube besetzt war, bald über die vollen, runden, blendend weißen Achseln der Frau mit der Gitarre. Die andere war wie verzückt und sang auf italienisch ganz außerordentlich künstlich, daß ihr die Flechsen am Halse aufschwollen.

Wie sie nun soeben mit zum Himmel gerichteten Augen eine lange 10 Kadenz anhielt und der Mann neben ihr mit aufgehobenem Stäbchen auf den Augenblick paßte, wo sie wieder in den Takt einfallen würde, und

[20] *in a big squabble*
[21] *cut short*
[22] *newcomer*
[23] *(E. T. A. Hoffmann described and "narrated," in his story* Die Fermate, *a painting by J. E. Hummel, "Party at an Italian Country House," actually exhibited at the Berlin Exposition. The tableau reproduces the description and is thus a sort of tableau of a tableau.)*
[24] *of my own invention (commencing a long comparison, literal and metaphorical, between genuine artistic inspiration or altruism and critical philistine practicality or selfishness)*
[25] *silvery reflection (here and below)*
[26] *henceforth*
[27] *(painter's) brush*
[28] *Duke*
[29] *diamond mine*
[30] *bald pate*
[31] *note*

keiner im ganzen Garten zu atmen sich unterstand, da flog plötzlich die Gartentür weit auf, und ein ganz erhitztes Mädchen und hinter ihr ein junger Mensch mit einem feinen bleichen Gesicht stürzten in großem 15 Gezänke[20] herein. Der erschrockene Musikdirektor blieb mit seinem aufgehobenem Stabe wie ein versteinerter Zauberer stehen, obgleich die Sängerin schon längst den langen Triller plötzlich abgeschnappt[21] hatte und zornig aufgestanden war. Alle übrigen zischten den Neuangekommenen[22] wütend an. „Barbar", rief ihm einer von dem runden Tische zu, 20 „du rennst da mitten in das sinnreiche Tableau von der schönen Beschreibung hinein, welche der selige Hoffmann, Seite 347 des ‚Frauentaschenbuches für 1816', von dem schönsten Hummelschen Bilde gibt, das im Herbst 1814 auf der Berliner Kunstausstellung zu sehen war!"[23] — Aber das half alles nichts. „Ach was!" entgegnete der junge Mann. „Mit euren 25 Tableaus von Tableaus! Mein selbsterfundenes[24] Bild für die andern und mein Mädchen für mich allein! So will ich es halten! O du Ungetreue, du Falsche", fuhr er dann von neuem gegen das arme Mädchen fort, „du kritische Seele, die in der Malerkunst nur den Silberblick[25] und in der Dichtkunst nur den goldenen Faden sucht und keinen Liebsten, sondern 30 nur lauter Schätze hat! Ich wünsche dir hinfüro[26] anstatt eines ehrlichen malerischen Pinsels[27] einen alten Duca[28] mit einer ganzen Münzgrube von Diamanten[29] auf der Nase und mit hellem Silberblick auf der kahlen Platte[30] und mit Goldschnitt auf den paar noch übrigen Haaren! Ja, nur heraus mit dem verruchten Zettel, den du da vorhin vor mir versteckt hast! Was hast 35 du wieder angezettelt! Von wem ist der Wisch,[31] und an wen ist er?"

Aber das Mädchen sträubte sich standhaft, und je eifriger die andern

---

What is the purpose of the literary allusion?

den erbosten jungen Menschen umgaben und ihn mit großem Lärm zu
trösten und zu beruhigen suchten, desto erhitzter und toller wurde er von
dem Rumor, zumal das Mädchen auch ihr Mäulchen nicht halten konnte,
bis sie endlich weinend aus dem verworrenen Knäuel[32] hervorflog und   [32] *crowd*
5 sich auf einmal ganz unverhofft an meine Brust stürzte, um bei mir Schutz
zu suchen. Ich stellte mich auch sogleich in die gehörige Positur, aber da
die andern in dem Getümmel soeben nicht auf uns achtgaben, kehrte sie
plötzlich das Köpfchen nach mir herauf und flüsterte mir mit ganz ruhigem
Gesichte sehr leise und schnell ins Ohr: „Du abscheulicher Einnehmer,
10 um dich muß ich das alles leiden. Da steck den fatalen Zettel geschwind
zu dir, du findest darauf bemerkt, wo wir wohnen. Also zur bestimmten
Stunde, wenn du ins Tor kommst, immer die einsame Straße rechts fort!"

Ich konnte vor Verwunderung kein Wort hervorbringen, denn wie ich
sie nun erst recht ansah, erkannte ich sie auf einmal: es war wahrhaftig
15 die schnippische Kammerjungfer vom Schloß, die mir damals an dem
schönen Sonntagabende die Flasche mit Wein brachte. Sie war mir sonst
niemals so schön vorgekommen, als da sie sich jetzt so erhitzt an mich
lehnte, daß die schwarzen Locken über meinem Arm herabhingen. —
„Aber, verehrte Mamsell",[33] sagte ich voller Erstaunen, „wie kommen Sie   [33] *dear Miss*
20 . . . " — „Um Gottes willen, still nur, jetzt still!" erwiderte sie und sprang
geschwind von mir fort auf die andere Seite des Gartens, eh' ich mich noch
auf alles recht besinnen konnte.

Unterdes hatten die andern ihr erstes Thema[34] fast ganz vergessen,   [34] *subject of discussion*
zankten aber untereinander recht vergnüglich weiter, indem sie dem jungen
25 Menschen beweisen wollten, daß er eigentlich betrunken sei, was sich für
einen ehrliebenden[35] Maler gar nicht schicke. Der runde fixe Mann aus   [35] *high-minded*
der Laube, der — wie ich nachher erfuhr — ein großer Kenner und Freund
von Künsten war und aus Liebe zu den Wissenschaften gern alles mit-
machte, hatte auch sein Stäbchen weggeworfen und flankierte[36] mit seinem   [36] *paraded*
30 fetten Gesichte, das vor Freundlichkeit ordentlich glänzte, eifrig mitten in
dem dicksten Getümmel herum, um alles zu vermitteln und zu beschwich-
tigen,[37] während er dazwischen immer wieder die lange Kadenz und das   [37] *pacify*
schöne Tableau bedauerte, das er mit vieler Mühe zusammengebracht
hatte.
35 Mir aber war es so sternklar im Herzen wie damals an dem glückseligen
Sonnabend, als ich am offenen Fenster vor der Weinflasche bis tief in die
Nacht hinein auf der Geige spielte. Ich holte, da der Rumor gar kein Ende

What kind of atmosphere is this? Vie de bohème? Is this classical Rome or the *uralte Stadt*?
One more "coincidence," the *Kammerjungfer*!

nehmen wollte, frisch meine Violine wieder hervor und spielte, ohne mich lange zu besinnen, einen welschen Tanz auf, den sie dort im Gebirge tanzen und den ich auf dem alten einsamen Waldschlosse gelernt hatte.

[38] *delightful*

Da reckten alle die Köpfe in die Höh'. „Bravo, bravissimo, ein deliziöser[38] Einfall!" rief der lustige Kenner von den Künsten und lief sogleich von 5

[39] *diversion*

einem zum andern, um ein ländliches Divertissement,[39] wie er's nannte, einzurichten. Er selbst machte den Anfang, indem er der Dame die Hand reichte, die vorhin in der Laube gespielt hatte. Er begann darauf, außerordentlich künstlich zu tanzen, schrieb mit den Fußspitzen allerlei Buchstaben auf den Rasen, schlug ordentliche Triller mit den Füßen und 10

[40] *capers*

machte von Zeit zu Zeit ganz passable Luftsprünge.[40] Aber er bekam es bald satt, denn er war etwas korpulent. Er machte immer kürzere und ungeschicktere Sprünge, bis er endlich ganz aus dem Kreise heraustrat und heftig pustete und sich mit seinem schneeweißen Schnupftuche unaufhörlich den Schweiß abwischte. Unterdes hatte auch der junge Mensch, 15 der nun wieder ganz gescheit geworden war, aus dem Wirtshause Kastagnetten herbeigeholt, und ehe ich mich's versah, tanzten alle unter den Bäumen bunt durcheinander. Die untergegangene Sonne warf noch einige rote Widerscheine zwischen die dunklen Schatten und über das alte

[41] *ivy*

Gemäuer und die von Efeu[41] wild überwachsenen, halb versunkenen 20 Säulen hinten im Garten, während man von der andern Seite tief unter den Weinbergen die Stadt Rom in den Abendgluten liegen sah. Da tanzten sie alle lieblich im Grünen in der klaren stillen Luft, und mir lachte das Herz recht im Leibe, wie die schlanken Mädchen und die Kammerjungfer

[42] *pagan*
[43] *foliage*

mitten unter ihnen sich so mit aufgehobenen Armen wie heidnische[42] 25 Waldnymphen zwischen dem Laubwerk[43] schwangen und dabei jedesmal in der Luft mit den Kastagnetten lustig dazu schnalzten. Ich konnte mich nicht länger halten, ich sprang mitten unter sie hinein und machte, während ich dabei immerfort geigte, recht artige Figuren.

Ich mochte eine ziemliche Weile so im Kreise herumgesprungen sein und 30 merkte gar nicht, daß die andern unterdes anfingen, müde zu werden, und sich nach und nach von dem Rasenplatze verloren. Da zupfte mich jemand von hinten tüchtig an den Rockschößen. Es war die Kammerjungfer. „Sei kein Narr", sagte sie leise, „du springst ja wie ein Ziegenbock! Studiere deinen Zettel ordentlich und komm bald nach, die schöne junge Gräfin 35 wartet." — Und damit schlüpfte sie in der Dämmerung zur Gartenpforte hinaus und war bald zwischen den Weingärten verschwunden.

Mir klopfte das Herz, ich wäre am liebsten gleich nachgesprungen. Zum Glück zündete der Kellner, da es schon dunkel geworden war, in einer großen Laterne an der Gartentür Licht an. Ich trat heran und zog geschwind den Zettel heraus. Da war ziemlich kritzlich[44] mit Bleifeder[45] das
5 Tor und die Straße beschrieben, wie mir die Kammerjungfer vorhin gesagt hatte. Dann stand: „Elf Uhr an der kleinen Tür."

Da waren noch ein paar lange Stunden hin! — Ich wollte mich dessenungeachtet sogleich auf den Weg machen, denn ich hatte keine Rast und Ruhe mehr; aber da kam der Maler, der mich hierhergebracht hatte, auf
10 mich los. „Hast du das Mädchen gesprochen?" frug er. „Ich seh' sie nun nirgends mehr; das war das Kammermädchen von der deutschen Gräfin." — „Still, still!" erwiderte ich. „Die Gräfin ist noch in Rom." — „Nun, desto besser", sagte der Maler, „so komm und trink mit uns auf ihre Gesundheit!" Und damit zog er mich, wie sehr ich mich auch sträubte, in
15 den Garten zurück.

Da war es unterdes ganz öde und leer geworden. Die lustigen Gäste wanderten, jeder sein Liebchen am Arm, nach der Stadt zu, und man hörte sie noch durch den stillen Abend zwischen den Weingärten plaudern und lachen, immer ferner und ferner, bis sich endlich die Stimmen tief in
20 dem Tale im Rauschen der Bäume und des Stromes verloren. Ich war noch mit meinem Maler und dem Herrn Eckbrecht — so hieß der andere junge Maler, der sich vorhin so herumgezankt hatte — allein oben zurückgeblieben. Der Mond schien prächtig im Garten zwischen die hohen dunklen Bäume herein, ein Licht flackerte[46] im Winde auf dem Tische vor
25 uns und schimmerte über den vielen vergoßnen Wein auf der Tafel. Ich mußte mich mit hinsetzen, und mein Maler plauderte mit mir über meine Herkunft, meine Reise und meinen Lebensplan. Herr Eckbrecht aber hatte das junge hübsche Mädchen aus dem Wirtshause, nachdem sie uns Flaschen auf den Tisch gestellt, vor sich auf den Schoß genommen, legte
30 ihr die Gitarre in den Arm und lehrte sie ein Liedchen darauf zu klimpern. Sie fand sich auch bald mit den kleinen Händchen zurecht,[47] und sie sangen dann zusammen ein italienisches Lied, einmal er, dann wieder das Mädchen eine Strophe, was sich in dem schönen stillen Abend prächtig ausnahm.[48] Als das Mädchen dann weggerufen wurde, lehnte sich Herr
35 Eckbrecht mit der Gitarre auf der Bank zurück, legte seine Füße auf einen Stuhl, der vor ihm stand, und sang nun für sich allein viele herrliche deutsche und italienische Lieder, ohne sich weiter um uns zu bekümmern.

[44] *in rather scribbly writing*
[45] *(lead) pencil*

[46] *flickered*

[47] *got her little hands working properly*

[48] *created a wonderful effect*

Dabei schienen die Sterne prächtig am klaren Firmamente, die ganze Gegend war wie versilbert vom Mondschein, ich dachte an die schöne Frau, an die ferne Heimat und vergaß darüber ganz meinen Maler neben mir. Zuweilen mußte Herr Eckbrecht stimmen, darüber wurde er immer ganz zornig. Er drehte und riß zuletzt an dem Instrument, daß plötzlich 5 eine Saite sprang. Da warf er die Gitarre hin und sprang auf. Nun wurde er erst gewahr, daß mein Maler sich unterdes über seinen Arm auf den Tisch gelegt hatte und fest eingeschlafen war. Er warf schnell einen weißen Mantel um, der auf einem Aste neben dem Tische hing, besann sich aber plötzlich, sah erst meinen Maler, dann mich ein paarmal scharf an, setzte 10 sich darauf, ohne sich lange zu bedenken, gerade vor mich auf den Tisch hin, räusperte sich, rückte an seiner Halsbinde und fing dann auf einmal an, eine Rede an mich zu halten. „Geliebter Zuhörer und Landsmann", sagte er, „da die Flaschen beinahe leer sind und die Moral unstreitig[49] die erste Bürgerpflicht[50] ist, wenn die Tugenden auf die Neige gehen,[51] so 15 fühle ich mich aus landsmännischer Sympathie getrieben, dir einige Moralität zu Gemüte zu führen.[52] — Man könnte zwar meinen", fuhr er fort, „du seist ein bloßer Jüngling, während doch dein Frack über seine besten Jahre hinaus ist; man könnte vielleicht annehmen, du habest vorhin wunderliche Sprünge gemacht wie ein Satyr; ja einige möchten wohl 20 behaupten, du seiest wohl gar ein Landstreicher, weil du hier auf dem Lande bist und die Geige streichst; aber ich kehre mich an solche ober- flächlichen Urteile nicht, ich halte mich an deine feingespitzte Nase, ich halte dich für ein vakierendes Genie." — Mich ärgerten die verfänglichen Redensarten, ich wollte ihm soeben recht antworten. Aber er ließ mich 25 nicht zu Worte kommen. „Siehst du", sagte er, „wie du dich schon auf- blähst von dem bißchen Lobe. Gehe in dich und bedenke dies gefährliche Metier! Wir Genies — denn ich bin auch eins — machen uns aus der Welt ebensowenig als sie sich aus uns, wir schreiten vielmehr ohne besondere Umstände in unsern Siebenmeilenstiefeln,[53] die wir bald mit auf die Welt 30 bringen, gerade auf die Ewigkeit los. O höchst klägliche, unbequeme, breitgespreizte[54] Position, mit dem einen Beine in der Zukunft, wo nichts als Morgenrot und zukünftige Kindergesichter dazwischen, mit dem andern Beine noch mitten in Rom auf der Piazza del Popolo,[55] wo das ganze Säkulum bei der guten Gelegenheit mit will[56] und sich an den Stiefel 35 hängt, daß sie einem das Bein ausreißen möchten! Und alle das Zucken, Weintrinken und Hungerleiden[57] lediglich für die unsterbliche Ewigkeit!

[49] *indisputably*
[50] *civic duty*
[51] *are on the decline*

[52] *impress upon your mind certain moral lessons*

[53] *seven league boots*

[54] *with legs outspread*

[55] *(square in Rome)*
[56] *where all the world wants to go along when things look good*
[57] *starving*

In the midst of a rather wild evening, Herr Eckbrecht commences a lecture, or a long tirade. What is Eichendorff satirizing?

Und siehe meinen Herrn Kollegen dort auf der Bank, der gleichfalls ein Genie ist; ihm wird die *Zeit* schon zu lang,[58] was wird er erst in der Ewigkeit anfangen? Ja, hochgeschätzter Herr[59] Kollege, du und ich und die Sonne, wir sind heute früh zusammen aufgegangen und haben den ganzen Tag gebrütet und gemalt, und es war alles schön — und nun fährt die schläfrige Nacht mit ihrem Pelzärmel über die Welt und hat alle Farben verwischt!" Er sprach noch immer fort und war dabei mit seinen verwirrten Haaren von dem Tanzen und Trinken im Mondschein ganz leichenblaß anzusehen.

Mir aber graute schon lange vor ihm und seinem wilden Gerede, und als er sich nun förmlich zu dem schlafenden Maler herumwandte, benutzte ich die Gelegenheit, schlich, ohne daß er es bemerkte, um den Tisch aus dem Garten heraus und stieg, allein und fröhlich im Herzen, an dem Rebengeländer[60] in das weite, vom Mondschein beglänzte[61] Tal hinunter.

Von der Stadt her schlugen die Uhren zehn. Hinter mir hörte ich durch die stille Nacht noch einzelne Gitarrenklänge und manchmal die Stimmen der beiden Maler, die nun auch nach Hause gingen, von fern herüberschallen. Ich lief daher so schnell, als ich nur konnte, damit sie mich nicht weiter ausfragen sollten.

Am Tore bog ich sogleich rechts in die Straße ein und ging mit klopfendem Herzen eilig zwischen den stillen Häusern und Gärten fort. Aber wie erstaunte ich, als ich da auf einmal auf dem Platze mit dem Springbrunnen herauskam, den ich heute am Tage gar nicht hatte finden können. Da stand das einsame Gartenhaus wieder im prächtigsten Mondschein, und auch die schöne Frau sang im Garten wieder dasselbe italienische Lied wie gestern abend. — Ich rannte voller Entzücken erst an die kleine Tür, dann an die Haustür und endlich mit aller Gewalt an das große Gartentor, aber es war alles verschlossen. Nun fiel mir erst ein, daß es noch nicht elf geschlagen hatte. Ich ärgerte mich über die langsame Zeit, aber über das Gartentor klettern, wie gestern, mochte ich wegen der guten Lebensart nicht. Ich ging daher ein Weilchen auf dem einsamen Platze auf und ab und setzte mich endlich wieder auf den steinernen Brunnen voller Gedanken und stiller Erwartung hin.

Die Sterne funkelten am Himmel, auf dem Platze war alles leer und still, ich hörte voll Vergnügen dem Gesange der schönen Frau zu, der zwischen dem Rauschen des Brunnens aus dem Garten herüberklang. Da erblickt' ich auf einmal eine weiße Gestalt, die von der andern Seite des Platzes

[58] *time is weighing heavily on him*
[59] *my esteemed*

[60] *grapevine trellis*
[61] *illumined*

[62] *glittering moonlight*

herkam und gerade auf die kleine Gartentür zuging. Ich blickte durch den Mondflimmer[62] recht scharf hin — es war der wilde Maler in seinem weißen Mantel. Er zog schnell einen Schlüssel hervor, schloß auf, und ehe ich mich's versah, war er im Garten drin.

Nun hatte ich gegen den Maler schon vom Anfang eine absonderliche 5 Pike wegen seiner unvernünftigen Reden. Jetzt aber geriet ich ganz außer mir vor Zorn. Das liederliche Genie ist gewiß wieder betrunken, dachte ich, den Schlüssel hat er von der Kammerjungfer und will nun die gnädige Frau beschleichen, verraten, überfallen. — Und so stürzte ich durch das kleine offen gebliebene Pförtchen in den Garten hinein. 10

Als ich eintrat, war es ganz still und einsam darin. Die Flügeltür vom Gartenhause stand offen, ein milchweißer Lichtschein drang daraus hervor und spielte auf dem Grase und den Blumen vor der Tür. Ich blickte von weitem herein. Da lag in einem prächtigen grünen Gemache, das von einer weißen Lampe nur wenig erhellt war, die schöne gnädige 15

[63] *couch*

Frau, mit der Gitarre im Arm, auf einem seidenen Faulbettchen,[63] ohne in ihrer Unschuld an die Gefahren draußen zu denken.

Ich hatte aber nicht lange Zeit, hinzusehen, denn ich bemerkte soeben, daß die weiße Gestalt von der andern Seite ganz behutsam hinter den Sträuchern nach dem Gartenhause zuschlich. Dabei sang die gnädige 20 Frau so kläglich aus dem Hause, daß es mir recht durch Mark und Bein ging. Ich besann mich daher nicht lange, brach einen tüchtigen Ast ab, rannte damit gerade auf den Weißmantel los und schrie aus vollem Halse

[64] *help, murder!*
[65] *shook*

„Mordio!"[64] daß der ganze Garten erzitterte.[65]

Der Maler, wie er mich so unverhofft daherkommen sah, nahm schnell 25 Reißaus und schrie entsetzlich. Ich schrie noch besser, er lief nach dem Hause zu, ich ihm nach — und ich hatt' ihn beinah schon erwischt, da

[66] *flower boxes*

verwickelte ich mich mit den Füßen in den fatalen Blumenstücken[66] und stürzte auf einmal der Länge nach vor der Haustür hin.

„Also bist du es, Narr!" hört' ich da über mir ausrufen. „Hast du mich 30 doch fast zum Tode erschreckt." — Ich raffte mich geschwind wieder auf, und wie ich mir den Sand und die Erde aus den Augen wische, steht die Kammerjungfer vor mir, die soeben bei dem letzten Sprunge den weißen Mantel von der Schulter verloren hatte. „Aber", sagte ich ganz verblüfft, „war denn der Maler nicht hier?" — „Ja freilich", entgegnete sie schnip- 35 pisch, „sein Mantel wenigstens, den er mir, als ich ihm vorhin im Tor begegnete, umgehängt hat, weil mich fror." — Über dem Geplauder war

---

The Taugenichts devises in his imagination a situation which requires his intervention (once again) and (once again) trips and falls. What is this, besides comedy?

nun auch die gnädige Frau von ihrem Sofa aufgesprungen und kam zu
uns an die Tür. Mir klopfte das Herz zum Zerspringen. Aber wie erschrak
ich, als ich recht hinsah und anstatt der schönen gnädigen Frau auf einmal
eine ganz fremde Person erblickte!

5 Es war eine etwas große, korpulente, mächtige Dame mit einer stolzen
Adlernase und hochgewölbten[67] schwarzen Augenbrauen, so recht zum
Erschrecken schön. Sie sah mich mit ihren großen funkelnden Augen so
majestätisch an, daß ich mich vor Ehrfurcht gar nicht zu lassen wußte.[68]
Ich war ganz verwirrt, ich machte in einem fort Komplimente und wollte
10 ihr zuletzt gar die Hand küssen. Aber sie riß ihre Hand schnell weg und
sprach dann auf italienisch zu der Kammerjungfer, wovon ich nichts
verstand.

Unterdes aber war von dem vorigen Geschrei die ganze Nachbarschaft
lebendig geworden. Hunde bellten, Kinder schrien, zwischendurch hörte
15 man einige Männerstimmen, die immer näher und näher auf den Garten
zukamen. Da blickte mich die Dame noch einmal an, als wenn sie mich mit
feurigen Kugeln durchbohren wollte, wandte sich dann rasch nach dem
Zimmer zurück, während sie dabei stolz und gezwungen auflachte, und
warf mir die Tür vor der Nase zu. Die Kammerjungfer aber erwischte
20 mich ohne weiteres beim Flügel[69] und zerrte mich nach der Gartenpforte.

„Da hast du wieder einmal recht dummes Zeug gemacht", sagte sie
unterwegs voll Bosheit zu mir. Ich wurde auch schon giftig. „Nun zum
Teufel", sagte ich, „habt Ihr mich denn nicht selbst hierher bestellt?" —
„Das ist's ja eben", rief die Kammerjungfer, „meine Gräfin meinte es so
25 gut mit dir, wirft dir erst Blumen aus dem Fenster zu, singt Arien — und
das ist nun ihr Lohn! Aber mit dir ist nun einmal nichts anzufangen; du
trittst dein Glück ordentlich mit Füßen." — „Aber", erwiderte ich, „ich
meinte die Gräfin aus Deutschland, die schöne gnädige Frau." — „Ach",
unterbrach sie mich, „die ist ja lange schon wieder in Deutschland mitsamt
30 deiner tollen Amour.[70] Und da lauf du nur auch wieder hin! Sie schmachtet
ohnedies nach dir, da könnt ihr zusammen die Geige spielen und in den
Mond gucken, aber daß du mir nicht wieder unter die Augen kommst!"[71]

Nun aber entstand ein entsetzlicher Rumor und Spektakel hinter uns.
Aus dem andern Garten kletterten Leute mit Knüppeln[72] hastig über den
35 Zaun, andere fluchten und durchsuchten schon die Gänge, desperate
Gesichter mit Schlafmützen guckten im Mondschein bald da, bald dort
über die Hecken, es war, als wenn der Teufel auf einmal aus allen Hecken

---

[67] *high-arched*

[68] *I didn't know what to do, I was so awe-struck*

[69] *without further ado grabbed me by the coat-tail*

[70] *love*

[71] *I don't ever want to see you again*

[72] *cudgels*

And the lovely lady is not the lovely lady. How complicated has the situation become—or how
deep does the Taugenichts' confusion run? What accounts for his delusion?

[73] *hatched out*
[74] *didn't waste any time* und Sträuchern Gesindel heckte.[73] — Die Kammerjungfer fackelte nicht lange.[74] „Dort, dort läuft der Dieb", schrie sie den Leuten zu, indem sie dabei auf die andere Seite des Gartens zeigte. Dann schob sie mich schnell aus dem Garten und klappte das Pförtchen hinter mir zu.

Da stand ich nun unter Gottes freiem Himmel wieder auf dem stillen Platz mutterseelenallein, wie ich gestern angekommen war. Die Wasserkunst, die mir vorhin im Mondschein so lustig flimmerte, als wenn Engelein darin auf und nieder stiegen, rauschte noch fort wie damals, mir aber war unterdes alle Lust und Freude in den Brunnen gefallen. — Ich nahm mir nun fest vor, dem falschen Italien mit seinen verrückten Malern, Pomeranzen und Kammerjungfern auf ewig den Rücken zu kehren, und wanderte noch zur selbigen Stunde zum Tore hinaus.

Neuntes Kapitel

Die treuen Berg' stehn auf der Wacht :
„Wer streicht bei stiller Morgenzeit
da aus der Fremde durch die Heid'?" —
Ich aber mir die Berg' betracht'
und lach' in mich vor großer Lust
und rufe recht aus frischer Brust

[75] *password and battle cry alike*
[76] (=Österreich) *Parol' und Feldgeschrei sogleich :*[75]
Vivat Östreich ![76]

Da kennt mich erst die ganze Rund,'
nun grüßen Bach und Vöglein zart
[77] *after the country's fashion* *und Wälder rings nach Landesart,*[77]
die Donau blitzt aus tiefem Grund,
[78] *tower of St. Stephen's (cathedral in Vienna)* *der Stephansturm*[78] *auch ganz von fern*
guckt übern Berg und säh' mich gern.
Und ist er's nicht, so kommt er doch gleich :
Vivat Östreich !

Ich stand auf einem hohen Berge, wo man zum ersten Male nach Österreich hineinsehen kann, und schwenkte voller Freude noch mit dem Hute und sang die letzte Strophe, da fiel auf einmal hinter mir im Walde

---

Understandably, the Taugenichts vows *dem falschen Italien . . . auf ewig den Rücken zu kehren.* Reassess his experience of Italy, and compare it with his expectations. (Also, remember this vow.)

On the way back to Austria—with as great excitement as when he left it for Italy—the Taugenichts encounters yet another group in the gallery of curious characters peopling Eichen-

eine prächtige Musik von Blasinstrumenten[79] mit ein. Ich dreh' mich   *[79] wind instruments*

schnell um und erblicke drei junge Gesellen in langen, blauen Mänteln,

davon[80] bläst der eine Oboe, der andere die Klarinette und der dritte, der   *[80] of whom*

einen alten Dreistutzer auf dem Kopfe hatte, das Waldhorn — die akkom-

5 pagnierten mich plötzlich, daß der ganze Wald erschallte. Ich, nicht faul,

ziehe meine Geige hervor und spiele und singe sogleich frisch mit. Da sah

einer den andern bedenklich an, der Waldhornist ließ dann zuerst seine

Pausbacken wieder einfallen und setzte sein Waldhorn ab, bis am Ende

alle still wurden und mich anschauten. Ich hielt verwundert ein[81] und sah   *[81] paused*

10 sie auch an. — „Wir meinten", sagte endlich der Waldhornist, „weil der

Herr einen so langen Frack hat, der Herr wäre ein reisender Engländer, der

hier zu Fuß die schöne Natur bewundert; da wollten wir uns ein Viatikum[82]   *[82] money for our trip*

verdienen. Aber mir scheint, der Herr ist selber ein Musikant." —

„Eigentlich ein Einnehmer", versetzte ich, „und komme direkt von Rom

15 her, da ich aber seit geraumer Zeit nichts mehr eingenommen habe, so

habe ich mich unterwegs mit der Violine durchgeschlagen.[83] — „Bringt   *[83] made my way*

nicht viel heutzutage!"[84] sagte der Waldhornist, der unterdes wieder an   *[84] nowadays*

den Wald zurückgetreten war und mit seinem Dreistutzer ein kleines

Feuer anfachte, das sie dort angezündet hatten. „Da gehn die blasenden

20 Instrumente[85] schon besser", fuhr er fort. „Wenn so eine Herrschaft ganz   *[85] (=Blasinstrumente above)*

ruhig zu Mittag speist und wir treten unverhofft in das gewölbte Vorhaus[86]   *[86] portico*

und fangen alle drei aus Leibeskräften zu blasen an — kommt gleich ein

Bedienter herausgesprungen mit Geld oder Essen, damit sie nur den

Lärm wieder loswerden. Aber will der Herr nicht eine Kollation mit uns

25 einnehmen?"

Das Feuer loderte[87] nun recht lustig im Walde, der Morgen war frisch,   *[87] blazed*

wir setzten uns ringsum auf den Rasen, und zwei von den Musikanten

nahmen ein Töpfchen, worin Kaffee und auch schon Milch war, vom

Feuer, holten Brot aus ihren Manteltaschen hervor und tunkten und

30 tranken abwechselnd aus dem Topfe, und es schmeckte ihnen so gut, daß es

ordentlich eine Lust war anzusehen. — Der Waldhornist aber sagte: „Ich

kann das schwarze Gesöff[88] nicht vertragen" und reichte mir dabei die   *[88] brew*

eine Hälfte von einer großen, übereinandergelegten[89] Butterschnitte, dann   *[89] folded over*

brachte er eine Flasche Wein zum Vorschein. „Will der Herr nicht einen   *[90] (wine so bad two men have to hold down the one who drinks it)*

35 Schluck?" — Ich tat einen tüchtigen Zug, mußte aber schnell wieder

absetzen und das ganze Gesicht verziehn, denn er schmeckte wie Dreimän-

nerwein.[90]" „Hiesiges[91] Gewächs", sagte der Waldhornist, „aber der Herr   *[91] local*

---

dorff's story. How many are representatives merely of the human comedy? Which could serve as variants or parallels of certain aspects of the Taugenichts himself—and, in these cases, are they confirmations of his way of life, or warnings?

The Taugenichts identifies himself not as a musician but as a collector, and as coming from Rome. Explain.

hat sich in Italien den deutschen Geschmack verdorben."

Darauf kramte⁹² er eifrig in seinem Schubsack⁹³ und zog endlich unter allerlei Plunder eine alte zerfetzte Landkarte hervor, worauf noch der Kaiser in vollem Ornate⁹⁴ zu sehen war, den Zepter in der rechten, den Reichsapfel⁹⁵ in der linken Hand. Er breitete sie auf dem Boden behutsam auseinander, die andern rückten näher heran, und sie beratschlagten⁹⁶ nun zusammen, was sie für eine Marschroute⁹⁷ nehmen sollten.

„Die Vakanz geht bald zu Ende", sagte der eine, „wir müssen uns gleich von Linz⁹⁸ links abwenden, so kommen wir noch bei guter Zeit nach Prag." — „Nun wahrhaftig", rief der Waldhornist, „wem willst du da was vorpfeifen?⁹⁹ Nichts als Wälder und Kohlenbauern,¹ kein geläuterter² Kunstgeschmack, keine vernünftige, freie Station!"³ „O Narrenpossen",⁴ erwiderte der andere, „die Bauern sind mir gerade die liebsten, die wissen am besten, wo einen der Schuh drückt, und nehmen's nicht so genau, wenn man manchmal eine falsche Note bläst." — „Das macht, du hast kein point d'honneur",⁵ versetzte der Waldhornist, „odi profanum vulgus et arceo, sagt der Lateiner."⁶ „Nun, Kirchen aber muß es auf der Tour doch geben", meinte der dritte, „so kehren wir bei den Herren Pfarrern ein." — „Gehorsamster Diener",⁷ sagte der Waldhornist, „die geben kleines Geld und große Sermone, daß wir nicht so unnütz in der Welt herumschweifen, sondern uns besser auf die Wissenschaften applizieren⁸ sollen, besonders wenn sie in mir den künftigen Herrn Konfrater⁹ wittern. Nein, nein, clericus clericum non decimat.¹⁰ Aber was gibt es denn da überhaupt für große Not? Die Herren Professoren sitzen auch noch im Karlsbade¹¹ und halten selbst den Tag nicht so genau ein."¹² „Ja, distinguendum est inter et inter",¹³ erwiderte der andere, „quod licet Jovi, non licet bovi!"¹⁴

Ich aber merkte nun, daß es Prager Studenten waren, und bekam einen ordentlichen Respekt vor ihnen, besonders da ihnen das Latein nur so wie Wasser von dem Munde floß. — „Ist der Herr auch ein Studierter?" fragte mich darauf der Waldhornist. Ich erwiderte bescheiden, daß ich immer besondere Lust zum Studieren, aber kein Geld gehabt hätte. — „Das tut gar nichts", rief der Waldhornist, „wir haben auch weder Geld noch reiche Freundschaft. Aber ein gescheiter Kopf muß sich zu helfen wissen. Aurora musis amica,¹⁵ das heißt zu deutsch: Mit vielem Frühstücken sollst du dir nicht die Zeit verderben. Aber wenn dann die Mittagsglocken von Turm zu Turm und von Berg zu Berg über die Stadt

gehen und nun die Schüler auf einmal mit großem Geschrei aus dem alten
finstern Kollegium[16] herausbrechen und im Sonnenscheine durch die
Gassen schwärmen — da begeben wir uns bei den Kapuzinern zum Pater
Küchenmeister[17] und finden unsern gedeckten Tisch, und ist er auch
5 nicht gedeckt, so steht doch für jeden ein voller Topf darauf, da fragen
wir nicht viel danach und essen und perfektionieren uns dabei noch im
Lateinischsprechen. Sieht der Herr, so studieren wir von einem Tage zum
andern fort. Und wenn dann endlich die Vakanz kommt und die andern
fahren und reiten zu ihren Eltern fort, da wandern wir mit unsern
10 Instrumenten unterm Mantel durch die Gassen zum Tore hinaus, und
die ganze Welt steht uns offen."

Ich weiß nicht, wie er so erzählte, ging es mir recht durchs Herz, daß
so gelehrte Leute so ganz verlassen sein sollten auf der Welt. Ich dachte
dabei an mich, wie es mir eigentlich selber nicht anders ginge, und die
15 Tränen traten mir in die Augen. — Der Waldhornist sah mich groß an.
„Das tut gar nichts", fuhr er wieder weiter fort, „ich möchte gar nicht so
reisen: Pferde und Kaffee und frisch überzogene Betten und Nachtmützen
und Stiefelknecht[18] vorausbestellt. Das ist just das Schönste, wenn wir so
frühmorgens heraustreten und die Zugvögel hoch über uns fortziehn, daß
20 wir gar nicht wissen, welcher Schornstein heut für uns raucht,[19] und gar
nicht voraussehen, was uns bis zum Abend noch für ein besonderes Glück
begegnen kann." — „Ja", sagte der andere, „und wo wir hinkommen und
unsere Instrumente herausziehen, wird alles fröhlich, und wenn wir dann
zur Mittagsstunde auf dem Lande in ein Herrschaftshaus treten und im
25 Hausflur blasen, da tanzen die Mägde miteinander vor der Haustür, und
die Herrschaft läßt die Saaltür etwas aufmachen, damit sie die Musik drin
besser hören, und durch die Lücke kommt das Tellergeklapper[20] und der
Bratenduft in den freudenreichen[21] Schall herausgezogen, und die Fräuleins an der Tafel verdrehen sich fast die Hälse, um die Musikanten
30 draußen zu sehen." — „Wahrhaftig", rief der Waldhornist mit leuchtenden
Augen aus, „laßt die andern nur die Kompendien repetieren,[22] *wir*
studieren unterdes in dem großen Bilderbuche, das der liebe Gott uns
draußen aufgeschlagen hat! Ja, glaub' nur der Herr, aus uns werden
gerade die rechten Kerls, die den Bauern dann was zu erzählen wissen und
35 mit der Faust auf die Kanzel schlagen, daß den Knollfinken unten vor
Erbauung und Zerknirschung[23] das Herz im Leibe bersten möchte."

Wie sie so sprachen, wurde mir so lustig in meinem Sinn, daß ich gleich

[16] *lecture hall*

[17] *Reverend Father Kitchener*

[18] *bootjack*

[19] *where our particular home fire is burning*

[20] *rattle of dishes*

[21] *joyous*

[22] *review their lessons*

[23] *edification and contrition*

In the paragraph *Ich weiß nicht . . .* the Taugenichts identifies himself explicitly with the
students, with what common denominator?

auch hätte mit studieren mögen. Ich konnte mich gar nicht satt hören, denn ich unterhalte mich gern mit studierten Leuten, wo man etwas profitieren kann. Aber es konnte gar nicht zu einem recht vernünftigen Diskurse kommen. Denn dem einen Studenten war vorhin angst geworden, weil die Vakanz so bald zu Ende gehen sollte. Er hatte daher hurtig seine Klarinette 5 zusammengesetzt, ein Notenblatt[24] vor sich auf das aufgestemmte[25] Knie hingelegt und exerzierte sich eine schwierige Passage aus einer Messe ein,[26] die er mitblasen[27] sollte, wenn sie nach Prag zurückkamen. Da saß er nun und fingerte und pfiff dazwischen manchmal so falsch, daß es einem durch Mark und Bein ging und man oft sein eigenes Wort nicht verstehen konnte. 10

Auf einmal schrie der Waldhornist mit seiner Baßstimme: „Topp,[28] da hab' ich es", er schlug dabei fröhlich auf die Landkarte neben ihm. Der andere ließ auf einen Augenblick von seinem fleißigen Blasen ab und sah ihn verwundert an. „Hört", sagte der Waldhornist, „nicht weit von Wien ist ein Schloß, auf dem Schlosse ist ein Portier, und der Portier ist mein 15 Vetter! Teuerste Kondiszipels,[29] da müssen wir hin, machen dem Herrn Vetter unser Kompliment, und er wird dann schon dafür sorgen, wie er uns wieder weiter fortbringt!" — Als ich das hörte, fuhr ich geschwind auf. „Bläst er nicht auf dem Fagott?" rief ich. „Und ist von langer, gerader Beschaffenheit und hat eine große vornehme Nase?" — Der Wald- 20 hornist nickte mit dem Kopfe. Ich aber embrassierte ihn vor Freuden, daß ihm der Dreistutzer vom Kopfe fiel, und wir beschlossen nun sogleich, alle miteinander im Postschiff auf der Donau nach dem Schloß der schönen Gräfin hinunterzufahren.

Als wir an das Ufer kamen, war schon alles zur Abfahrt bereit. Der 25 dicke Gastwirt, bei dem das Schiff über Nacht angelegt hatte, stand breit und behaglich in seiner Haustür, die er ganz ausfüllte, und ließ zum Abschied allerlei Witze und Redensarten erschallen, während in jedem Fenster ein Mädchenkopf herausfuhr und den Schiffern noch freundlich zunickte, die soeben die letzten Pakete nach dem Schiffe schafften. Ein 30 ältlicher Herr mit einem grauen Überrock und schwarzem Halstuch, der auch mitfahren wollte, stand am Ufer und sprach sehr eifrig mit einem jungen, schlanken Bürschchen, das mit langen, ledernen Beinkleidern und knapper, scharlachroter[30] Jacke vor ihm auf einem prächtigen Engländer[31] saß. Es schien mir zu meiner großen Verwunderung, als wenn sie beide 35 zuweilen nach mir hinblickten und von mir sprächen. — Zuletzt lachte der alte Herr, das schlanke Bürschchen schnalzte mit der Reitgerte und

[24] *pieces of sheet music*
[25] *propped up*
[26] *practiced*
[27] *join in playing*

[28] *hurrah!*

[29] *fellow students*

[30] *scarlet*
[31] *English riding horse*

Another implausible coincidence: the *Portier* is related to the student. What unrelated or unassociated characters are there in the story?

sprengte, mit den Lerchen über ihm um die Wette, durch die Morgenluft
in die blitzende Landschaft hinein.

    Unterdes hatten die Studenten und ich unsere Kasse zusammenge-
schossen.[32] Der Schiffer lachte und schüttelte den Kopf, als ihm der Wald-
5 hornist damit unser Fährgeld[33] in lauter Kupferstücken[34] aufzählte, die wir
mit großer Not aus allen unseren Taschen zusammengebracht hatten. Ich
aber jauchzte laut auf, als ich auf einmal wieder die Donau so recht vor mir
sah; wir sprangen geschwind auf das Schiff hinauf, der Schiffer gab das
Zeichen, und so flogen wir nun im schönsten Morgenglanze zwischen den
10 Bergen und Wiesen hinunter.

    Da schlugen die Vögel im Walde, und von beiden Seiten klangen die
Morgenglocken von fern aus den Dörfern, hoch in der Luft hörte man
manchmal die Lerchen dazwischen. Von dem Schiffe aber jubilierte und
schmetterte ein Kanarienvogel mit darein, daß es eine rechte Lust war.

15   Der gehörte einem hübschen jungen Mädchen, die auch mit auf dem
Schiffe war. Sie hatte den Käfig dicht neben sich stehen, von der andern
Seite hielt sie ein feines Bündel Wäsche unterm Arm, so saß sie ganz still
für sich und sah recht zufrieden bald auf ihre neuen Reiseschuhe, die unter
dem Röckchen hervorkamen, bald wieder in das Wasser vor sich hinunter,
20 und die Morgensonne glänzte ihr dabei auf der weißen Stirn, über der sie die
Haare sehr sauber gescheitelt hatte. Ich merkte wohl, daß die Studenten
gern einen höflichen Diskurs mit ihr angesponnen hätten,[35] denn sie
gingen immer an ihr vorüber, und der Waldhornist räusperte sich dabei
und rückte bald an seiner Halsbinde, bald an seinem Dreistutzer. Aber sie
25 hatten keine rechte Courage, und das Mädchen schlug auch jedesmal die
Augen nieder, sobald sie ihr näher kamen.

    Besonders aber genierten sie sich vor dem ältlichen Herrn mit dem
grauen Überrocke, der nun auf der andern Seite des Schiffes saß und
den sie gleich für einen Geistlichen hielten. Er hatte ein Brevier[36] vor sich,
30 in welchem er las, dazwischen aber oft in die schöne Gegend von dem
Buche aufsah, dessen Goldschnitt und die vielen dareingelegten[37] bunten
Heiligenbilder prächtig im Morgenschein blitzten. Dabei bemerkte er auch
sehr gut, was auf dem Schiffe vorging, und erkannte bald die Vögel an
ihren Federn; denn es dauerte nicht lange, so redete er einen von den
35 Studenten lateinisch an, worauf alle drei herantraten, die Hüte vor ihm
abnahmen und ihm wieder lateinisch antworteten.

    Ich aber hatte mich unterdes ganz vorn auf die Spitze des Schiffes

[32] *pooled our money*
[33] *fare*
[34] *copper coins*

[35] *would have liked to strike up*

[36] *breviary*

[37] *inserted (in it)*

What are the elements that make up the picture of the embarkation?

gesetzt, ließ vergnügt meine Beine über dem Wasser herunterbaumeln und blickte, während das Schiff so fortflog und die Wellen unter mir rauschten und schäumten, immerfort in die blaue Ferne, wie da ein Turm und ein Schloß nach dem andern aus dem Ufergrün hervorkam, wuchs und wuchs und endlich hinter uns wieder verschwand. Wenn ich nur *heute* Flügel hätte! dachte ich und zog endlich vor Ungeduld meine liebe Violine hervor und spielte alle meine ältesten Stücke durch, die ich noch zu Hause und auf dem Schloß der schönen Frau gelernt hatte.

Auf einmal klopfte mir jemand von hinten auf die Achsel. Es war der geistliche Herr, der unterdes sein Buch weggelegt und mir schon ein Weilchen zugehört hatte. „Ei", sagte er lachend zu mir, „ei, ei, Herr ludi magister,[38] Essen und Trinken vergißt Er." Er hieß mich darauf meine Geige einstecken, um einen Imbiß mit ihm einzunehmen, und führte mich zu seiner kleinen, lustigen Laube, die von den Schiffern aus jungen Birken und Tannenbäumchen in der Mitte des Schiffes aufgerichtet worden war. Dort hatte er einen Tisch hinstellen lassen, und ich, die Studenten und selbst das junge Mädchen, wir mußten uns auf die Fässer und Pakete ringsherum setzen.

Der geistliche Herr packte nun einen großen Braten und Butterschnitten aus,[39] die sorgfältig in Papier gewickelt waren, zog auch aus einem Futterale mehrere Weinflaschen und einen silbernen, innerlich vergoldeten Becher hervor, schenkte ein, kostete erst, roch daran und prüfte wieder und reichte dann einem jeden von uns. Die Studenten saßen ganz kerzengerade auf ihren Fässern und aßen und tranken nur sehr wenig vor großer Devotion.[40] Auch das Mädchen tauchte bloß das Schnäbelchen in den Becher und blickte dabei schüchtern bald auf mich, bald auf die Studenten, aber je öfter sie uns ansah, je dreister wurde sie nach und nach.

Sie erzählte endlich dem geistlichen Herrn, daß sie nun zum ersten Male von Hause in Kondition[41] komme und soeben auf das Schloß ihrer neuen Herrschaft reise. Ich wurde über und über rot, denn sie nannte dabei das Schloß der schönen gnädigen Frau. — Also das soll meine zukünftige Kammerjungfer sein! dachte ich und sah sie groß an, und mir schwindelte fast dabei. — „Auf dem Schlosse wird es bald eine große Hochzeit geben", sagte darauf der geistliche Herr. — „Ja", erwiderte das Mädchen, die gern von der Geschichte mehr gewußt hätte; „man sagt, es wäre schon eine alte, heimliche Liebschaft gewesen, die Gräfin hätte es aber niemals zugeben wollen." Der Geistliche antwortete nur mit „Hm,

[38] *master musician*

[39] *unwrapped*

[40] *out of great respect (for him)*

[41] *domestic employment*

Now the girl too falls in place—and *meine Kammerjungfer* to boot. Is there any room for doubt?

hm", während er seinen Jagdbecher vollschenkte[42] und mit bedenklichen Mienen daraus nippte. Ich aber hatte mich mit beiden Armen weit über den Tisch vorgelegt,[43] um die Unterredung recht genau anzuhören. Der geistliche Herr bemerkte es. „Ich kann's Euch wohl sagen", hub er wieder
5 an, "die beiden Gräfinnen haben mich auf Kundschaft[44] ausgeschickt, ob der Bräutigam schon vielleicht hier in der Gegend sei. Eine Dame aus Rom hat geschrieben, daß er schon lange von dort fort sei." — Wie er von der Dame aus Rom anfing, wurd' ich wieder rot. „Kennen denn Eure Hochwürden[45] den Bräutigam?" fragte ich ganz verwirrt. — „Nein", erwiderte
10 der alte Herr, „aber er soll ein lustiger Vogel sein." — „O ja", sagte ich hastig, „ein Vogel, der aus jedem Käfig ausreißt, sobald er nur kann, und lustig singt, wenn er wieder in der Freiheit ist." — „Und sich in der Fremde herumtreibt", fuhr der Herr gelassen fort, „in der Nacht passatim geht und am Tage vor den Haustüren schläft." — Mich verdroß das sehr.
15 „Ehrwürdiger Herr", rief ich ganz hitzig aus, „da hat man Euch falsch berichtet. Der Bräutigam ist ein moralischer, schlanker, hoffnungsvoller Jüngling, der in Italien in einem alten Schlosse auf großem Fuß gelebt hat, der mit lauter Gräfinnen, berühmten Malern und Kammerjungfern umgegangen ist, der sein Geld sehr wohl zu Rate zu halten weiß, wenn er nur
20 welches hätte, der —" — „Nun, nun, ich wußte nicht, daß Ihr ihn so gut kennt", unterbrach mich hier der Geistliche und lachte dabei so herzlich, daß er ganz blau im Gesichte wurde und ihm die Tränen aus den Augen rollten. — „Ich hab' doch aber gehört", ließ sich nun das Mädchen wieder vernehmen, „der Bräutigam wäre ein großer, überaus reicher Herr." —
25 „Ach Gott, ja doch, ja! Konfusion, nichts als Konfusion!" rief der Geistliche und konnte sich noch immer vor Lachen nicht zugute geben, bis er sich endlich ganz verhustete.[46] Als er sich wieder ein wenig erholt hatte, hob er den Becher in die Höh' und rief: „Das Brautpaar soll leben!" — Ich wußte gar nicht, was ich von dem Geistlichen und seinem Gerede
30 denken sollte, ich schämte mich aber wegen der römischen Geschichten, ihm hier vor allen Leuten zu sagen, daß ich selber der verlorene, glückselige Bräutigam sei.

Der Becher ging wieder fleißig in die Runde, der geistliche Herr sprach dabei freundlich mit allen, so daß ihm bald ein jeder gut wurde und am
35 Ende alles fröhlich durcheinander sprach. Auch die Studenten wurden immer redseliger und erzählten von ihren Fahrten im Gebirge, bis sie endlich gar ihre Instrumente holten und lustig zu blasen anfingen. Die

[42] *filled his hunting cup*

[43] *leaned forward*

[44] *to reconnoitre*

[45] *Your Worship*

[46] *coughed himself into speechlessness*

Follow carefully the reaction of the Taugenichts to the news of the coming wedding. Is there anything unsettling about the situation?

kühle Wasserluft strich dabei durch die Zweige der Laube, die Abendsonne vergoldete schon die Wälder und Täler, die schnell an uns vorüber-
flogen, während die Ufer von den Waldhornklängen widerhallten. — Und
als dann der Geistliche von der Musik immer vergnügter wurde und
lustige Geschichten aus seiner Jugend erzählte: wie auch er zur Vakanz 5
über Berge und Täler gezogen und oft hungrig und durstig, aber
immer fröhlich gewesen und wie eigentlich das ganze Studentenleben
eine große Vakanz sei zwischen der engen, düstern Schule und der ernsten
Amtsarbeit — da tranken die Studenten noch einmal herum und stimmten dann frisch und fröhlich ein Lied an, daß es weit in die Berge 10
hineinschallte.

47 all together

Nach Süden nun sich lenken
die Vöglein allzumal.[47]
Viel Wandrer lustig schwenken
die Hüt' im Morgenstrahl. 15
Das sind die Herrn Studenten,
zum Tor hinaus es geht,
auf ihren Instrumenten

48 farewell
49 far and wide, to one and all

sie blasen zum Valet:[48]
Ade in die Läng' und Breite,[49] 20
o Prag, wir ziehn in die Weite:
Et habeat bonam pacem,

50 peace to him who sits behind his stove (at home)

qui sedet post fornacem![50]

Nachts wir durchs Städtlein schweifen,
die Fenster schimmern weit, 25

51 glide (in dancing)

am Fenster drehn und schleifen[51]
viel schön geputzte Leut'.
Wir blasen vor den Türen
und haben Durst genug,
das kommt vom Musizieren, 30
Herr Wirt, ein'n frischen Trunk!

52 in a little while
53 comes from his house that blessed man (continuing in Latin the sentence started in German)

Und siehe, über ein kleines[52]
mit einer Kanne Weines
venit ex sua domo
beatus ille homo![53] 35

Nun weht schon durch die Wälder
der kalte Boreas,[54]
wir streichen durch die Felder,
von Schnee und Regen naß,
5 *der Mantel fliegt im Winde,*
zerrissen sind die Schuh,
da blasen wir geschwinde
und singen noch dazu:
Beatus ille homo,
10 *qui sedet in sua domo*
et sedet post fornacem
et habet bonam pacem!

[54] *north wind*

Ich, die Schiffer und das Mädchen, obgleich wir alle kein Latein verstanden, stimmten jedesmal jauchzend in den letzten Vers mit ein,[55] ich aber
15 jauchzte am allervergnügtesten, denn ich sah soeben von fern mein
Zollhäuschen und bald darauf auch das Schloß in der Abendsonne über
die Bäume hervorkommen.

[55] *joined in*

Zehntes Kapitel

Das Schiff stieß an das Ufer, wir sprangen schnell ans Land und
verteilten uns nun nach allen Seiten im Grünen, wie Vögel, wenn das
20 Gebauer plötzlich aufgemacht wird. Der geistliche Herr nahm eiligen
Abschied und ging mit großen Schritten nach dem Schlosse zu. Die
Studenten dagegen wanderten eifrig nach einem abgelegenen Gebüsch, wo
sie noch geschwind ihre Mäntel ausklopfen, sich in dem vorüberfließenden
Bache waschen und einer den andern rasieren wollten. Die neue Kammer-
25 jungfer endlich ging mit ihrem Kanarienvogel und ihrem Bündel unterm
Arm nach dem Wirtshause unter dem Schloßberge,[56] um bei der Frau
Wirtin, die ich ihr als eine gute Person rekommandiert hatte, ein besseres
Kleid anzulegen, ehe sie sich oben im Schlosse vorstellte. Mir aber
leuchtete der schöne Abend recht durchs Herz, und als sie sich nun alle
30 verlaufen hatten, bedachte ich mich nicht lange und rannte sogleich nach
dem herrschaftlichen Garten hin.
Mein Zollhaus, an dem ich vorbei mußte, stand noch auf der alten Stelle,

[56] *hill with the castle*

Characterize, with its recurrent motifs, the return of the Taugenichts to his toll-house.

die hohen Bäume aus dem herrschaftlichen Garten rauschten noch immer darüber hin, eine Goldammer, die damals auf dem Kastanienbaume vor dem Fenster jedesmal bei Sonnenuntergang ihr Abendlied gesungen hatte, sang auch wieder, als wäre seitdem nichts in der Welt vorgegangen. Das Fenster im Zollhause stand offen, ich lief voller Freuden hin und steckte den Kopf in die Stube hinein. Es war niemand darin, aber die Wanduhr tickte noch immer ruhig fort, der Schreibtisch stand am Fenster und die lange Pfeife in einem Winkel, wie damals. Ich konnte nicht widerstehen, ich sprang durch das Fenster hinein und setzte mich an den Schreibtisch vor das große Rechenbuch hin. Da fiel der Sonnenschein durch den Kastanien-baum vor dem Fenster wieder grüngolden auf die Ziffern in dem aufge-schlagenen Buche, die Bienen summten wieder an dem offenen Fenster hin und her, die Goldammer draußen auf dem Baume sang fröhlich im-merzu. — Auf einmal aber ging die Tür aus der Stube auf, und ein alter, langer Einnehmer in meinem punktierten[57] Schlafrock trat herein. Er blieb in der Tür stehen, wie er mich so unversehens erblickte, nahm schnell die Brille von der Nase und sah mich grimmig an. Ich aber erschrak nicht wenig darüber, sprang, ohne ein Wort zu sagen, auf und lief aus der Haustür durch den kleinen Garten fort, wo ich mich noch bald mit den Füßen in dem fatalen Kartoffelkraute verwickelt hätte,[58] das der alte Ein-nehmer nunmehr, wie ich sah, nach des Portiers Rat statt meiner Blumen angepflanzt hatte. Ich hörte noch, wie er vor die Tür herausfuhr und hin-ter mir drein schimpfte, aber ich saß schon oben auf der hohen Garten-mauer und schaute mit klopfendem Herzen in den Schloßgarten hinein.

Da war ein Duften[59] und Schimmern und Jubilieren von allen Vöglein, die Plätze und Gänge waren leer, aber die vergoldeten Wipfel neigten sich im Abendwinde vor mir, als wollten sie mich bewillkommnen,[60] und seit-wärts aus dem tiefen Grunde blitzte zuweilen die Donau zwischen den Bäumen nach mir herauf.

Auf einmal hörte ich in einiger Entfernung im Garten singen:

Schweigt der Menschen laute Lust:
rauscht die Erde wie in Träumen
wunderbar mit allen Bäumen,
was dem Herzen kaum bewußt,
alte Zeiten, linde Trauer,
und es schweifen leise Schauer
wetterleuchtend durch die Brust.

---

[57] *dotted*

[58] *almost got my feet tangled in the miserable potato vine*

[59] *airy fragrance*

[60] *welcome*

Guido again. Are the characters gathering and regrouping for the finale?
Who is the *andere junge Dame*?

Die Stimme und das Lied klang mir so wunderlich und doch wieder so altbekannt, als hätte ich's irgendeinmal im Traume gehört. Ich dachte lange, lange nach. — „Das ist der Herr Guido!" rief ich endlich voller Freude und schwang mich schnell in den Garten hinunter — es war dasselbe
5 Lied, das er an jenem Sommerabend auf dem Balkon des italienischen Wirtshauses sang, wo ich ihn zum letztenmal gesehen hatte.

Er sang noch immer fort, ich aber sprang über Beete und Hecken dem Liede nach. Als ich nun zwischen den letzten Rosensträuchern hervortrat, blieb ich plötzlich wie verzaubert stehen. Denn auf dem grünen Platze am
10 Schwanenteich, recht vom Abendrot beschienen, saß die schöne gnädige Frau, in einem prächtigen Kleide und einem Kranze von weißen und roten Rosen in dem schwarzen Haar, mit niedergeschlagenen Augen auf einer Steinbank und spielte während des Liedes mit ihrer Reitgerte vor sich auf dem Rasen, gerade so wie damals auf dem Kahne, da ich ihr das
15 Lied von der schönen Frau vorsingen[61] mußte. Ihr gegenüber saß eine andere junge Dame, die hatte den weißen runden Nacken voll brauner Locken gegen mich gewendet und sang zur Gitarre, während die Schwäne auf dem stillen Weiher langsam im Kreise herumschwammen. — Da hob die schöne Frau auf einmal die Augen und schrie laut auf, da sie mich
20 erblickte. Die andere Dame wandte sich rasch nach mir herum, daß ihr die Locken ins Gesicht flogen, und da sie mich recht ansah, brach sie in ein unmäßiges Lachen aus, sprang dann von der Bank und klatschte dreimal mit den Händchen. In demselben Augenblick kam eine große Menge kleiner Mädchen in blütenweißen,[62] kurzen Kleidchen mit grünen
25 und roten Schleifen zwischen den Rosensträuchern hervorgeschlüpft, so daß ich gar nicht begreifen konnte, wo sie alle gesteckt hatten. Sie hielten eine lange Blumengirlande[63] in den Händen, schlossen schnell einen Kreis um mich, tanzten um mich herum und sangen dabei:

> *Wir bringen dir den Jungfernkranz*[64]
30 > *mit veilchenblauer Seide,*
> *wir führen dich zu Lust und Tanz,*
> *zu neuer Hochzeitsfreude.*
> *Schöner, grüner Jungfernkranz,*
> *veilchenblaue Seide.*

35 Das war aus dem Freischützen.[65] Von den kleinen Sängerinnen erkannte ich nun auch einige wieder, es waren Mädchen aus dem Dorfe. Ich kneipte

61 *sing for*
62 *flowery white*
63 *festoon of flowers*
64 *bridal wreath*
65 *"Freischütz" (opera by von Weber)*

The dancing circle looks and sounds like the closing number of an operetta, but it is logical enough. Why?

[66] *tweaked*
[67] *escaped*

sie[66] in die Wangen und wäre gern aus dem Kreise entwischt[67] aber die kleinen schnippischen Dinger ließen mich nicht heraus. — Ich wußte gar nicht, was die Geschichte eigentlich bedeuten sollte, und stand ganz verblüfft da.

Da trat plötzlich ein junger Mann in feiner Jägerkleidung aus dem Gebüsche hervor. Ich traute meinen Augen kaum — es war der fröhliche ₅ Herr Leonhard! — Die kleinen Mädchen öffneten nun den Kreis und standen auf einmal wie verzaubert alle unbeweglich auf einem Beinchen, während sie das andere in die Luft streckten und dabei die Blumengirlanden mit beiden Armen hoch über den Köpfen in die Höhe hielten. Der Herr Leonhard aber faßte die schöne gnädige Frau, die noch immer ganz ₁₀ still stand und nur manchmal auf mich herüberblickte, bei der Hand, führte sie bis zu mir und sagte:

„Die Liebe — darüber sind nun alle Gelehrten einig — ist eine der couragiösesten Eigenschaften des menschlichen Herzens, die Bastionen

[68] *fiery glance*

von Rang und Stand schmettert sie mit einem Feuerblicke[68] darnieder, ₁₅ die Welt ist ihr zu eng und die Ewigkeit zu kurz. Ja, sie ist eigentlich ein

[69] *poet's mantle*
[70] *visionary*

Poetenmantel,[69] den jeder Phantast[70] einmal in der kalten Welt annimmt, um nach Arkadien auszuwandern. Und je entfernter zwei getrennte Verliebte voneinander wandern, in desto anständigern Bogen bläst der

[71] *wind that speeds their journey*
[72] *flow of the drapery*
[73] *robe*

Reisewind[71] den schillernden Mantel hinter ihnen auf, desto kühner und ₂₀ überraschender entwickelt sich der Faltenwurf,[72] desto länger und länger wächst der Talar[73] den Liebenden hintennach, so daß ein Neutraler nicht über Land gehen kann, ohne unversehens auf ein paar solche Schleppen zu treten. O teuerster Herr Einnehmer und Bräutigam! Obgleich Ihr in

[74] *Tiber River (flowing through Rome)*

diesem Mantel bis an die Gestaden der Tiber[74] dahinrauschtet, das kleine ₂₅ Händchen Eurer gegenwärtigen Braut hielt Euch dennoch am äußersten Ende der Schleppe fest, und wie Ihr zucktet und geigtet und rumortet, Ihr mußtet zurück in den stillen Bann ihrer schönen Augen. — Und nun dann, da es so gekommen ist, ihr zwei lieben, lieben närrischen Leute, schlagt den seligen Mantel um euch, daß die ganze andere Welt rings um ₃₀

[75] *rabbits*

euch untergeht — liebt euch wie die Kaninchen[75] und seid glücklich!"

Der Herr Leonhard war mit seinem Sermon kaum erst fertig, so kam auch die andere junge Dame, die vorhin das Liedchen gesungen hatte,

[76] *laurel wreath*
[77] *playfully and teasingly*
[78] *placed ... firmly*

auf mich los, setzte mir schnell einen frischen Myrtenkranz[76] auf den Kopf und sang dazu sehr neckisch,[77] während sie mir den Kranz in den Haaren ₃₅ festrückte[78] und ihr Gesichtchen dabei dicht vor mir war:

Leonhard's speech about love has the function of summation and revelation. Follow it point by point, and show what each means to the Taugenichts and in the story: *couragiös*, rank and station, *Welt* and *Ewigkeit*, and so on. In particular, why the analogy of the garment, and when or where did anyone "step on the train"?

Profound illumination for the meaning of the whole story comes from the image: *das kleine Händchen Eurer ... Braut hielt Euch ... am äußersten Ende der Schleppe fest.* How does the

Darum bin ich dir gewogen,
darum wird dein Haupt geschmückt,
weil der Strich von deinem Bogen
öfters hat mein Herz entzückt.

5 Da trat sie wieder ein paar Schritte zurück. — „Kennst du die Räuber
noch, die dich damals in der Nacht vom Baume schüttelten?" sagte sie,
indem sie einen Knicks mir machte und mich so anmutig und fröhlich
ansah, daß mir ordentlich das Herz im Leibe lachte. Darauf ging sie, ohne
Antwort abzuwarten, rings um mich herum. „Wahrhaftig, noch ganz
10 der Alte, ohne allen welschen Beischmack![79] Aber nein, sieh doch nur   [79] *admixture*
einmal die dicken Taschen an!" rief sie plötzlich zu der schönen gnädigen
Frau, „Violine, Wäsche, Barbiermesser, Reisekoffer, alles durcheinander!"
Sie drehte mich nach allen Seiten und konnte sich vor Lachen gar nicht
zugute geben. Die schöne gnädige Frau war unterdes noch immer still und
15 mochte gar nicht die Augen aufschlagen vor Scham und Verwirrung. Oft
kam es mir vor, als zürnte sie heimlich über das viele Gerede und Spaßen.
Endlich stürzten ihr plötzlich Tränen aus den Augen, und sie verbarg ihr
Gesicht an der Brust der andern Dame. Diese sah sie erst erstaunt an und
drückte sie dann herzlich an sich.
20 Ich aber stand ganz verdutzt da. Denn je genauer ich die fremde Dame
betrachtete, desto deutlicher erkannte ich sie, es war wahrhaftig niemand
anders als — der junge Herr Maler Guido!
Ich wußte gar nicht, was ich sagen sollte, und wollte soeben näher
nachfragen, als Herr Leonhard zu ihr trat und heimlich mit ihr sprach.
25 „Weiß er denn noch nicht?" hörte ich ihn fragen. Sie schüttelte mit dem
Kopfe. Er besann sich darauf einen Augenblick. „Nein, nein", sagte er
endlich, „er muß schnell alles erfahren, sonst entsteht nur neues Geplauder
und Gewirre."
„Herr Einnehmer", wandte er sich nun zu mir, „wir haben jetzt nicht
30 viel Zeit, aber tue mir den Gefallen und wundere dich hier in aller   [80] *get over your surprise*
Geschwindigkeit aus,[80] damit du nicht hinterher[81] durch Fragen, Erstaunen   [81] *afterwards*
und Kopfschütteln unter den Leuten alte Geschichten aufrührst und neue
Erdichtungen[82] und Vermutungen ausschüttelst."[83] — Er zog mich bei den   [82] *fictitious inventions*
Worten tiefer in das Gebüsch hinein, während das Fräulein mit der von   [83] *pour out*
35 der schönen gnädigen Frau weggelegten Reitgerte in der Luft focht und

---

image reproduce the essence of the story? On what planes is it valid? (Consider not only the
plot, but also the Taugenichts and his fate.)
The revelations, the corrections of mistaken identity, begin. Explain the covering metaphor of
the "novel," and what this says about the freedom of action of the Taugenichts.
Look back at the episodes now explained and specify the role of the Taugenichts as he saw it
then and as we know it now.

alle ihre Locken tief in das Gesichtchen schüttelte, durch die ich aber doch sehen konnte, daß sie bis an die Stirn rot wurde. — „Nun denn", sagte Herr Leonhard, „Fräulein Flora, die hier soeben tun will, als hörte und wüßte sie von der ganzen Geschichte nichts, hatte in aller Geschwindigkeit ihr Herzchen mit jemand vertauscht. Darüber kommt ein andrer und bringt ihr mit Prologen,[84] Trompeten und Pauken wiederum *sein* Herz dar[85] und will ihr Herz dagegen. Ihr Herz ist aber schon bei jemand und jemands Herz bei ihr, und der Jemand will sein Herz nicht wiederhaben und ihr Herz nicht wieder zurückgeben. Alle Welt schreit — aber du hast wohl noch keinen Roman gelesen?" — Ich verneinte es. — „Nun, so hast du doch einen mitgespielt.[86] Kurz: das war eine solche Konfusion mit den Herzen, daß der Jemand — das heißt ich — mich zuletzt selbst ins Mittel legen mußte. Ich schwang mich bei lauer Sommernacht auf mein Roß, hob das Fräulein als Maler Guido auf das andere, und so ging es fort nach Süden, um sie in einem meiner einsamen Schlösser in Italien zu verbergen, bis das Geschrei wegen der Herzen vorüber wäre. Unterwegs aber kam man uns auf die Spur, und von dem Balkone des welschen Wirtshauses, vor dem du so vortrefflich Wache schliefst, erblickte Flora plötzlich unsere Verfolger." — „Also der bucklige Signor?" — „War ein Spion.[87] Wir zogen uns daher heimlich in die Wälder und ließen dich auf dem vorbestellten Postkurse[88] allein fortfahren. Das täuschte unsere Verfolger und zum Überfluß auch noch meine Leute auf dem Bergschlosse, welche die verkleidete Flora stündlich[89] erwarteten und mit mehr Diensteifer[90] als Scharfsinn dich für das Fräulein hielten. Selbst hier auf dem Schlosse glaubte man, daß Flora auf dem Felsen wohne, man erkundigte sich, man schrieb an sie — hast du nicht ein Briefchen erhalten?" — Bei diesen Worten fuhr ich blitzschnell mit dem Zettel aus der Tasche. — „Also dieser Brief?" — „Ist an mich", sagte Fräulein Flora, die bisher auf unsere Rede gar nicht achtzugeben schien, riß mir den Zettel rasch aus der Hand, überlas ihn und steckte ihn dann in den Busen. — „Und nun", sagte Herr Leonhard, „müssen wir schnell in das Schloß, da wartet schon alles auf uns. Also zum Schlusse, wie sich's von selbst versteht und einem wohlerzogenen Roman gebührt: Entdeckung, Reue, Versöhnung, wir sind alle wieder lustig beisammen, und übermorgen ist Hochzeit!"

Da er noch so sprach, erhob sich plötzlich in dem Gebüsch ein rasender Spektakel von Pauken und Trompeten, Hörnern und Posaunen;[91] Böller wurden dazwischen gelöst und Vivat gerufen, die kleinen Mädchen tanzten

---

[84] orations
[85] proffers
[86] played a part in one
[87] spy
[88] pre-arranged mail run
[89] at any moment
[90] zeal
[91] trombones

What threat does the correct identification of the letter contain?

von neuem, und aus allen Sträuchern kam ein Kopf über dem andern
hervor, als wenn sie aus der Erde wüchsen. Ich sprang in dem Gewirre
und Geschleife[92] ellenhoch von einer Seite zur andern, da es aber schon
dunkel wurde, erkannte ich erst nach und nach alle die alten Gesichter
5 wieder. Der alte Gärtner schlug die Pauken, die Prager Studenten in ihren
Mänteln musizierten mitten darunter, neben ihnen fingerte der Portier wie
toll auf seinem Fagott. Wie ich den so unverhofft erblickte, lief ich sogleich
auf ihn zu und embrassierte ihn heftig. Darüber kam er ganz aus dem
Konzept.[93] „Nun wahrhaftig, und wenn der bis ans Ende der Welt reist,
10 er ist und bleibt ein Narr!" rief er den Studenten zu und blies ganz
wütend weiter.

Unterdes war die schöne gnädige Frau vor dem Rumore heimlich ent-
sprungen und floh wie ein aufgescheuchtes[94] Reh über den Rasen tiefer in
den Garten hinein. Ich sah es noch zur rechten Zeit und lief ihr eiligst nach.
15 Die Musikanten merkten in ihrem Eifer nichts davon; sie meinten nachher,
wir wären schon nach dem Schlosse aufgebrochen, und die ganze Bande
setzte sich nun mit Musik und großem Getümmel gleichfalls dorthin auf
den Marsch.

Wir aber waren fast zu gleicher Zeit in einem Sommerhause angekom-
20 men, das am Abhange des Gartens stand, mit dem offenen Fenster nach
dem weiten, tiefen Tale zu. Die Sonne war schon lange untergegangen
hinter den Bergen, es schimmerte nur noch wie ein rötlicher Duft über
dem warmen verschallenden[95] Abend, aus dem die Donau immer vernehm-
licher heraufrauschte, je stiller es ringsum wurde. Ich sah unverwandt die
25 schöne Gräfin an, die ganz erhitzt vom Laufen dicht vor mir stand, so daß
ich ordentlich hören konnte, wie ihr das Herz schlug. Ich wußte nun aber
gar nicht, was ich sprechen sollte vor Respekt, da ich auf einmal so allein
mit ihr war. Endlich faßte ich ein Herz, nahm ihr kleines weißes Händchen
— da zog sie mich schnell an sich und fiel mir um den Hals, und ich
30 umschlang sie fest mit beiden Armen.

Sie machte sich aber geschwind wieder los und legte sich ganz verwirrt
in das Fenster, um ihre glühenden Wangen in der Abendluft abzukühlen.
— „Ach", rief ich, „mir ist mein Herz recht zum Zerspringen, aber ich
kann mir noch alles nicht recht denken, es ist mir alles noch wie ein
35 Traum!" — „Mir auch", sagte die schöne gnädige Frau. „Als ich vergangenen Sommer", setzte sie nach einer Weile hinzu, „mit der Gräfin
aus Rom kam und wir das Fräulein Flora glücklich gefunden hatten und

[92] *dancing and weaving in and out*

[93] *totally lost his composure*

[94] *startled*

[95] *fading*

The "orchestra" reveals in concrete form what a large role music plays in the story. Note the variety of instruments.

mit zurückbrachten, von dir aber dort und hier nichts hörte — da dacht'
ich nicht, daß alles noch so kommen würde! Erst heut zu Mittag sprengte
der Jockei,[96] der gute, flinke[97] Bursch, atemlos auf den Hof und brachte die
Nachricht, daß du mit dem Postschiff kämst." — Dann lachte sie still in
sich hinein. „Weißt du noch", sagte sie, „wie du mich damals auf dem ₅
Balkone zum letztenmal sahst? Das war gerade wie heute, auch so ein stiller
Abend und Musik im Garten." — „Wer ist denn eigentlich gestorben?"
frug ich hastig. — „Wer denn?" sagte die schöne Frau und sah mich
erstaunt an. „Der Herr Gemahl von Euer Gnaden", erwiderte ich, „der
damals mit auf dem Balkon stand." — Sie wurde ganz rot. „Was hast du ₁₀
auch für Seltsamkeiten[98] im Kopfe!" rief sie aus. „Das war ja der Sohn von
der Gräfin, der eben von seinen Reisen zurückkam, und es traf gerade auch
mein Geburtstag, da führte er mich mit auf den Balkon hinaus, damit ich
auch ein Vivat bekäme. — Aber deshalb bist du wohl damals von hier
fortgelaufen?" — „Ach Gott, freilich!" rief ich aus und schlug mir mit ₁₅
der Hand vor die Stirn. Sie aber schüttelte mit dem Köpfchen und lachte
recht herzlich.

Mir war so wohl, wie sie so fröhlich und vertraulich neben mir plauderte,
ich hätte bis zum Morgen zuhören mögen. Ich war so recht seelenvergnügt
und langte eine Handvoll Knackmandeln[99] aus der Tasche, die ich noch ₂₀
aus Italien mitgebracht hatte. Sie nahm auch davon, und wir knackten
nun und sahen zufrieden in die stille Gegend hinaus. — „Siehst du", sagte
sie nach einem Weilchen wieder, „das weiße Schlößchen, das da drüben
im Mondschein glänzt, das hat uns der Graf geschenkt samt dem Garten
und den Weinbergen, da werden wir wohnen. Er wußt' es schon lange, ₂₅
daß wir einander gut sind, und ist dir sehr gewogen, denn hätt' er dich
nicht mitgehabt, als er das Fräulein aus der Pensionsanstalt entführte,[1] so
wären sie beide erwischt worden, ehe sie sich vorher noch mit der Gräfin
versöhnten, und alles wäre anders gekommen." — „Mein Gott, schönste
gnädigste Gräfin", rief ich aus, „ich weiß gar nicht mehr, wo mir der ₃₀
Kopf steht vor lauter unverhofften Neuigkeiten; also der Herr Leonhard?"
— „Ja, ja", fiel sie mir in die Rede,[2] „so nannte er sich in Italien; dem
gehören die Herrschaften da drüben, und er heiratet nun unserer Gräfin
Tochter, die schöne Flora. — Aber was nennst du mich denn Gräfin?" —
Ich sah sie groß an. — „Ich bin ja gar keine Gräfin", fuhr sie fort, „unsere ₃₅
gnädige Gräfin hat mich nur zu sich aufs Schloß genommen, da mich mein
Onkel, der Portier, als kleines Kind und arme Waise mit hierherbrachte."

[96] *horseman*
[97] *nimble*

[98] *strange things*

[99] *shelling almonds*

[1] *abducted . . . from the boarding school*

[2] *interrupted*

The resolution of the Taugenichts' anguish over the balcony scene would seem almost to end
the revelations, as far as he and his bride are concerned. One thing remains. Are you prepared for the question *was nennst du mich . . . Gräfin?*?
What about the Taugenichts' plans for his immediate future, e.g. dress, and travel? Irony?
In one last sentence: love, music, jubilation, the castle, the quiet night (not morning; why?),
gardens, the Danube—and faith in a kindly Providence. Analyze.
The story is often considered a close relative of the *Entwicklungsroman*, the "developmental

Nun war's mir doch nicht anders, als wenn mir ein Stein vom Herzen
fiele! „Gott segne den Portier", versetzte ich ganz entzückt, „daß er unser
Onkel ist! Ich habe immer große Stücke auf ihn gehalten."[3] — „Er meint
es auch gut mit dir", erwiderte sie, „wenn du dich nur etwas vornehmer

5 hieltest, sagt er immer. Du mußt dich jetzt auch eleganter kleiden." —
„Oh", rief ich voller Freuden, „englischen Frack, Strohhut und Pump-
hosen[4] und Sporen! Und gleich nach der Trauung reisen wir fort nach
Italien, nach Rom, da gehn die schönen Wasserkünste, und nehmen die
Prager Studenten mit und den Portier!" — Sie lächelte still und sah mich

10 recht vergnügt und freundlich an, und von fern schallte immerfort die
Musik herüber, und Leuchtkugeln flogen vom Schloß durch die stille
Nacht über die Gärten, und die Donau rauschte dazwischen herauf — und
es war alles, alles gut!

*[3] I've always thought a
lot of him*

[4] knickers

---

novel," prominent in German literature, which traces the emotional, intellectual, and
spiritual maturing of the hero. Ask yourself how much the Taugenichts develops, how much
maturity he attains, how much he is master of his own fate.

Es war alles, alles gut! If so, it is a reversal and overcoming of the *Gefährdung* which a recent
critic (Egon Schwarz) rightly sees as a nearly equal rival of the happiness and good fortune
in the story. Explain.

And if indeed all is well, and it comes about this way, upon what does ordinary man depend for
his happiness?

6

ADALBERT STIFTER

"Rock Crystal"

Bergkristall

[1] *touch our hearts*

Unsere Kirche feiert verschiedene Feste, welche zum Herzen dringen.[1] Man kann sich kaum etwas Lieblicheres denken als Pfingsten und kaum etwas Ernsteres und Heiligeres als Ostern. Das Traurige und Schwermütige

[2] *Holy Week*

der Karwoche[2] und darauf das Feierliche des Sonntags begleiten uns durch das Leben. Eines der schönsten Feste feiert die Kirche fast mitten im 5 Winter, wo beinahe die längsten Nächte und kürzesten Tage sind, wo

[3] *strikes our fields at its lowest angle (of incidence)*
[4] *(Stifter differentiates here the names used for the days in the Christmas sequence.)*
[5] *Savior*
[6] *religious*
[7] *glittering*
[8] *evening service*

die Sonne am schiefsten gegen unsere Gefilde steht,[3] und Schnee alle Fluren deckt, das Fest der Weihnacht. Wie in vielen Ländern der Tag vor dem Geburtsfeste des Herrn der Christabend[4] heißt, so heißt er bei uns der Heilige Abend, der darauffolgende Tag der Heilige Tag und die dazwischenlie- 10 gende Nacht die Weihnacht. Die katholische Kirche begeht den Christtag als den Tag der Geburt des Heilandes[5] mit ihrer allergrößten kirchlichen[6] Feier, in den meisten Gegenden wird schon die Mitternachtsstunde als die Geburtsstunde des Herrn mit prangender[7] Nachtfeier[8] geheiligt, zu der die Glocken durch die stille, finstere, winterliche Mitternachtluft laden, zu der 15 die Bewohner mit Lichtern oder auf dunkeln, wohlbekannten Pfaden aus schneeigen Bergen an bereiften Wäldern vorbei und durch knarrende Obstgärten zu der Kirche eilen, aus der die feierlichen Töne kommen,

[9] *ice-covered*

und die aus der Mitte des in beeiste[9] Bäume gehüllten Dorfes mit den langen beleuchteten Fenstern emporragt.

20

A very long introduction, more than one-third of the whole story and half devoted to background in season and locale, half to "family," precedes the typical narrative introduction: *Einmal war* .... Not uncommon in *Novellen* (v. other works of Stifter, Gotthelf's *Schwarze Spinne*), it is still paradoxical in a genre distinctive for its compactness. The temptation is to pass it over and "get to the story." Stifter's quiet, muted style encourages this error. The introduction actually sets the direction of the story and helps illuminate it. Questions are therefore gathered at the beginning of each half, as a guide to understanding what follows. Why the "churchly" beginning? Why not geography, climate? What are the associations

Mit dem Kirchenfeste ist auch ein häusliches verbunden. Es hat sich fast in allen christlichen Ländern verbreitet, daß man den Kindern die Ankunft des Christkindleins — auch eines Kindes, des wunderbarsten, das je auf der Welt war — als ein heiteres, glänzendes, feierliches Ding

5 zeigt, das durch das ganze Leben fortwirkt[10] und manchmal noch spät im Alter bei trüben, schwermütigen oder rührenden Erinnerungen gleichsam als Rückblick[11] in die einstige Zeit mit den bunten, schimmernden Fittichen durch den öden, traurigen und ausgeleerten Nachthimmel fliegt. Man pflegt den Kindern die Geschenke zu geben, die das heilige Christkindlein

10 gebracht hat, um ihnen Freude zu machen. Das tut man gewöhnlich am Heiligen Abende, wenn die tiefe Dämmerung eingetreten ist. Man zündet Lichter, und meistens sehr viele, an, die oft mit den kleinen Kerzlein auf den schönen grünen Ästen eines Tannen- oder Fichtenbäumchens schweben, das mitten in der Stube steht. Die Kinder dürfen nicht eher kommen,

15 als bis das Zeichen gegeben wird, daß der Heilige Christ zugegen gewesen ist und die Geschenke, die er mitgebracht, hinterlassen hat. Dann geht die Tür auf, die Kleinen dürfen hinein, und bei dem herrlichen, schimmernden Lichterglanze sehen sie Dinge auf dem Baume hängen oder auf dem Tische herumgebreitet, die alle Vorstellungen ihrer Einbildungskraft weit über-

20 treffen, die sie sich nicht anzurühren getrauen, und die sie endlich, wenn sie sie bekommen haben, den ganzen Abend in ihren Ärmchen herumtragen und mit sich in das Bett nehmen. Wenn sie dann zuweilen in ihre Träume hinein die Glockentöne der Mitternacht hören, durch welche die Großen in die Kirche zur Andacht gerufen werden, dann mag es ihnen sein, als[12]

25 zögen jetzt die Englein durch den Himmel, oder als kehre der Heilige Christ nach Hause, welcher nunmehr bei allen Kindern gewesen ist und jedem von ihnen ein herrliches Geschenk hinterbracht[13] hat.

Wenn dann der folgende Tag, der Christtag, kommt, so ist er ihnen so feierlich, wenn sie frühmorgens mit ihren schönsten Kleidern angetan in

30 der warmen Stube stehen, wenn der Vater und die Mutter sich zum Kirch- gange schmücken, wenn zu Mittage ein feierliches Mahl ist, ein besseres als in jedem Tage des ganzen Jahres, und wenn nachmittags oder gegen den Abend hin Freunde und Bekannte kommen, auf den Stühlen und Bänken herumsitzen, miteinander reden und behaglich durch die Fenster in die

35 Wintergegend hinausschauen können, wo entweder die langsamen Flocken niederfallen oder ein trübender Nebel um die Berge steht, oder die blutrote, kalte Sonne hinabsinkt. An verschiedenen Stellen der Stube, entweder auf

[10] *continues to affect us*

[11] *retrospective glance*

[12] *perhaps they imagine that . . .*

[13] *left*

---

carrying over from the specific church holiday? Do they "prejudge" the events to be nar- rated?

Note the first sequence: church—holidays—specific day—local customs—home. What, speak- ing in the abstract, is the basic direction or movement?

Are there even the slightest hints of exception to the idyllic environment?

What is the order of elements in the identifying of the village and, again, the basic direction or movement?

[14] *window sill*

einem Stühlchen oder auf der Bank oder auf dem Fensterbrettchen[14] liegen die zauberischen, nun aber schon bekannteren und vertrauteren Geschenke von gestern abend herum.

Hierauf vergeht der lange Winter, es kommt der Frühling und der unendlich dauernde Sommer — und wenn die Mutter wieder vom Heiligen Christe erzählt, daß nun bald sein Festtag sein wird und daß er auch diesmal herabkommen werde, ist es den Kindern, als sei seit seinem letzten Erscheinen eine ewige Zeit vergangen, und als liege die damalige Freude in einer weiten nebelgrauen Ferne.

Weil dieses Fest so lange nachhält, weil sein Abglanz so hoch in das Alter hinaufreicht, so stehen wir so gerne dabei, wenn Kinder dasselbe begehen und sich darüber freuen. —

In den hohen Gebirgen unsers Vaterlandes steht ein Dörfchen mit einem kleinen, aber sehr spitzigen Kirchturme, der mit seiner roten Farbe, mit welcher die Schindeln bemalt sind, aus dem Grün vieler Obstbäume hervorragt und wegen derselben roten Farbe in dem duftigen und blauen Dämmern der Berge weithin ersichtlich ist. Das Dörfchen liegt gerade mitten in einem ziemlich weiten Tale, das fast wie ein länglicher[15] Kreis gestaltet ist. Es enthält außer der Kirche eine Schule, ein Gemeindehaus[16] und noch mehrere stattliche Häuser, die einen Platz gestalten, auf welchem vier Linden stehen, die ein steinernes Kreuz in ihrer Mitte haben. Diese Häuser sind nicht bloße Landwirtschaftshäuser, sondern sie bergen auch noch diejenigen Handwerke in ihrem Schoße, die dem menschlichen Geschlechte unentbehrlich[17] sind, und die bestimmt sind, den Gebirgsbewohnern ihren einzigen Bedarf an Kunsterzeugnissen zu decken. Im Tale und an den Bergen herum sind noch sehr viele zerstreute Hütten, wie das in Gebirgsgegenden sehr oft der Fall ist, welche alle nicht nur zur Kirche und Schule gehören, sondern auch jenen Handwerken, von denen gesprochen wurde, durch Abnahme[18] der Erzeugnisse ihren Zoll entrichten.[19] Es gehören sogar noch weitere Hütten zu dem Dörfchen, die man von dem Tale aus gar nicht sehen kann, die noch tiefer in den Gebirgen stecken, deren Bewohner selten zu ihren Gemeindemitbrüdern[20] herauskommen und die im Winter oft ihre Toten aufbewahren müssen, um sie nach dem Wegschmelzen des Schnees zum Begräbnisse bringen zu können. Der größte Herr, den die Dörfler im Laufe des Jahres zu sehen bekommen, ist der Pfarrer. Sie verehren ihn sehr, und es geschieht gewöhnlich, daß derselbe durch längeren Aufenthalt im Dörfchen ein der Einsamkeit ge-

[15] *elongated*
[16] *parish house*
[17] *indispensable*
[18] *purchase*
[19] *pay tribute to*
[20] *fellow parishioners*

What special aspects of the village are emphasized?
What is the sequence of appearance of persons, and of what sort are these persons?
Watch for Stifter's description of the *eigene Welt* of the villagers. What characteristic receives strongest emphasis?

wöhnter Mann wird, daß er nicht ungerne bleibt, und einfach fortlebt.
Wenigstens hat man seit Menschengedenken[21] nicht erlebt, daß der Pfarrer
des Dörfchens ein auswärtssüchtiger[22] oder seines Standes unwürdiger
Mann gewesen wäre.

5   Es gehen keine Straßen durch das Tal, sie haben ihre zweigleisigen[23]
Wege, auf denen sie ihre Felderzeugnisse[24] mit einspännigen Wäglein nach
Hause bringen, es kommen daher wenig Menschen in das Tal, unter diesen
manchmal ein einsamer Fußreisender, der ein Liebhaber der Natur ist,
eine Weile in der bemalten Oberstube des Wirtes wohnt und die Berge
10   betrachtet, oder gar ein Maler, der den kleinen spitzen Kirchturm und die
schönen Gipfel der Felsen in seine Mappe[25] zeichnet. Daher bilden die
Bewohner eine eigene Welt, sie kennen einander alle mit Namen und mit
den einzelnen Geschichten[26] von Großvater und Urgroßvater her, trauern
alle, wenn einer stirbt, wissen, wie er heißt, wenn einer geboren wird, haben
15   eine Sprache, die von der der Ebene draußen abweicht, haben ihre
Streitigkeiten, die sie schlichten, stehen einander bei, und laufen zusammen,[27] wenn sich etwas Außerordentliches begibt.

Sie sind sehr stetig, und es bleibt immer beim alten.[28] Wenn ein Stein
aus einer Mauer fällt, wird derselbe wieder hineingesetzt, die neuen Häuser
20   werden wie die alten gebaut, die schadhaften[29] Dächer werden mit gleichen
Schindeln ausgebessert, und wenn in einem Hause scheckige[30] Kühe sind,
so werden immer solche Kälber aufgezogen, und die Farbe bleibt bei dem
Hause.

Gegen Mittag sieht man von dem Dorfe einen Schneeberg, der mit
25   seinen glänzenden Hörnern fast oberhalb der Hausdächer zu sein scheint,
aber in der Tat doch nicht so nahe ist. Er sieht das ganze Jahr, Sommer und
Winter, mit seinen vorstehenden Felsen und mit seinen weißen Flächen in
das Tal herab. Als das Auffallendste, was sie in ihrer Umgebung haben, ist
der Berg der Gegenstand der Betrachtung der Bewohner, und er ist der
30   Mittelpunkt vieler Geschichten geworden. Es lebt kein Mann und Greis in
dem Dorfe, der nicht von den Zacken und Spitzen des Berges, von seinen
Eisspalten und Höhlen, von seinen Wässern und Geröllströmen etwas zu
erzählen wüßte, was er entweder selbst erfahren oder von andern erzählen
gehört hat. Dieser Berg ist auch der Stolz des Dorfes, als hätten sie ihn
35   selber gemacht, und es ist nicht so ganz entschieden, wenn man auch die
Biederkeit[31] und Wahrheitsliebe der Talbewohner hoch anschlägt, ob sie
nicht zuweilen zur Ehre und zum Ruhme des Berges lügen. Der Berg

[21] *in human memory*

[22] *eager to seek advance-
ment elsewhere*

[23] *two-track*

[24] *produce of their fields*

[25] *portfolio*

[26] *they know one
another by name
and by the various
stories handed
down . . .*

[27] *gather together
quickly*
[28] *they always follow
tradition*

[29] *defective*

[30] *spotted*

[31] *integrity*

What important identifying mark of the village is conspicuously postponed until very late?
  Effect of this?
Much space is devoted to the mountain. What is its relationship to the human community?
  Pay attention also to the aspect of color.

gibt den Bewohnern außerdem, daß er ihre Merkwürdigkeit ist, auch wirklichen Nutzen; denn wenn eine Gesellschaft von Gebirgsreisenden hereinkommt, um von dem Tale aus den Berg zu besteigen, so dienen die Bewohner des Dorfes als Führer, und einmal Führer gewesen zu sein, dieses und jenes erlebt zu haben, diese und jene Stelle zu kennen, ist eine Auszeichnung, die jeder gerne von sich darlegt. Sie reden oft davon, wenn sie in der Wirtsstube beieinandersitzen, und erzählen ihre Wagnisse[32] und ihre wunderbaren Erfahrungen und versäumen aber auch nie zu sagen, was dieser oder jener Reisende gesprochen habe, und was sie von ihm als Lohn für ihre Bemühungen empfangen hätten. Dann sendet der Berg von seinen Schneeflächen die Wasser ab, welche einen See in seinen Hochwäldern speisen und den Bach erzeugen, der lustig durch das Tal strömt, die Brettersäge,[33] die Mahlmühle[34] und andere kleine Werke treibt, das Dorf reinigt und das Vieh tränkt. Von den Wäldern des Berges kommt das Holz, und sie halten die Lawinen[35] auf. Durch die innern Gänge und Lockerheiten[36] der Höhen sinken die Wasser durch, die dann in Adern durch das Tal gehen und in Brünnlein und Quellen hervorkommen, daraus die Menschen trinken und ihr herrliches, oft belobtes Wasser dem Fremden reichen. Allein an letzteren Nutzen denken sie nicht und meinen, das sei immer so gewesen.

Wenn man auf die Jahresgeschichte[37] des Berges sieht, so sind im Winter die zwei Zacken seines Gipfels, die sie Hörner heißen, schneeweiß und stehen, wenn sie an hellen Tagen sichtbar sind, blendend in der finstern Bläue der Luft; alle Bergfelder, die um diese Gipfel herumlagern, sind dann weiß; alle Abhänge sind so; selbst die steilrechten Wände, die die Bewohner Mauern heißen, sind mit einem angeflogenen weißen Reife[38] bedeckt und mit zartem Eise wie mit einem Firnisse[39] belegt, so daß die ganze Masse wie ein Zauberpalast aus dem bereiften Grau der Wälderlast[40] emporragt, welche schwer um ihre Füße herum ausgebreitet ist. Im Sommer, wo Sonne und warmer Wind den Schnee von den Steilseiten wegnimmt, ragen die Hörner nach dem Ausdrucke der Bewohner schwarz in den Himmel und haben nur schöne weiße Äderchen und Sprenkeln auf ihrem Rücken, in der Tat aber sind sie zart fernblau,[41] und was sie Äderchen und Sprenkeln heißen, das ist nicht weiß, sondern hat das schöne Milchblau des fernen Schnees gegen das dunklere der Felsen. Die Bergfelder um die Hörner aber verlieren, wenn es recht heiß ist, an ihren höheren Teilen wohl den Firn nicht, der gerade dann recht weiß auf das

[32] *exploits*

[33] *sawmill*
[34] *grist-mill*

[35] *landslides*
[36] *loose ground*

[37] *seasonal history*

[38] *with a touch of white frost*
[39] *varnish*
[40] *heavy mass of trees*

[41] *hazy blue*

Grün der Talbäume herabsieht, aber es weicht von ihren unteren Teilen
der Winterschnee, der nur einen Flaum machte, und es wird das unbestimmte Schillern von Bläulich und Grünlich sichtbar, das das Geschiebe[42]
von Eis ist, das dann bloßliegt[43] und auf die Bewohner unten hinabgrüßt.
5 Am Rande dieses Schillerns, wo es von ferne wie ein Saum von Edelstein-
splittern[44] aussieht, ist es in der Nähe ein Gemenge[45] wilder, riesenhafter
Blöcke, Platten und Trümmer, die sich drängen und verwirrt ineinander-
geschoben sind. Wenn ein Sommer gar heiß und lang ist, werden die
Eisfelder weit hinauf entblößt, und dann schaut eine viel größere Fläche
10 von Grün und Blau in das Tal, manche Kuppen und Räume werden
entkleidet, die man sonst nur weiß erblickt hatte, der schmutzige Saum
des Eises wird sichtbar, wo es Felsen, Erde und Schlamm[46] schiebt, und viel
reichlichere Wasser als sonst fließen in das Tal. Dies geht fort, bis es nach
und nach wieder Herbst wird, das Wasser sich verringert, zu einer Zeit
15 einmal ein grauer Landregen[47] die ganze Ebene des Tales bedeckt, worauf,
wenn sich die Nebel von den Höhen wieder lösen, der Berg seine weiche
Hülle abermals umgetan hat, und alle Felsen, Kegel[48] und Zacken in
weißem Kleide dastehen. So spinnt es sich ein Jahr um das andere mit
geringen Abwechslungen ab und wird sich fortspinnen,[49] solange die
20 Natur so bleibt und auf den Bergen Schnee und in den Tälern Menschen
sind. Die Bewohner des Tales heißen die geringen Veränderungen große,
bemerken sie wohl und berechnen an ihnen den Fortschritt[50] des Jahres.
Sie bezeichnen an den Entblößungen[51] die Hitze und die Ausnahmen[52] der
Sommer.
25 Was nun noch die Besteigung des Berges betrifft, so geschieht dieselbe
von dem Tale aus. Man geht nach der Mittagsrichtung zu auf einem guten,
schönen Wege, der über einen sogenannten Hals in ein anderes Tal führt.
Hals heißen sie einen mäßig hohen Bergrücken,[53] der zwei größere und
bedeutendere Gebirge miteinander verbindet und über den man zwischen
30 den Gebirgen von einem Tale in ein anderes gelangen kann. Auf dem
Halse, der den Schneeberg mit einem gegenüberliegenden großen Gebirgs-
zuge[54] verbindet, ist lauter Tannenwald. Etwa auf der größten Erhöhung
desselben, wo nach und nach sich der Weg in das jenseitige Tal hinab-
zusenken beginnt, steht eine sogenannte Unglückssäule. Es ist einmal ein
35 Bäcker, welcher Brot in seinem Korbe über den Hals trug, an jener Stelle
tot gefunden worden. Man hat den toten Bäcker mit dem Korbe und mit
den umringenden Tannenbäumen auf ein Bild gemalt, darunter eine

[42] *outcropping*
[43] *lies exposed*
[44] *fragments of precious stones*
[45] *mass*
[46] *silt*
[47] *steady downpour on a grey day*
[48] *cones*
[49] *so the process takes place . . . and so it will continue to transpire*
[50] *progression*
[51] *bare spots*
[52] *exceptional periods*
[53] *ridge*
[54] *mountain range*

The passage on the climbing of the mountain contains, quite early, the first specifically identified human being (unless one excepts the generically described pastor), and his nature is
striking. What note does this add to the story?

Erklärung und eine Bitte um ein Gebet geschrieben, das Bild auf eine rot angestrichene hölzerne Säule getan und die Säule an der Stelle des Unglücks aufgerichtet. Bei dieser Säule biegt man von dem Wege ab und geht auf der Länge des Halses fort, statt über seine Breite in das jenseitige Tal hinüberzuwandern. Die Tannen bilden dort einen Durchlaß,[55] als ob 5
eine Straße zwischen ihnen hinginge. Es führt auch manchmal ein Weg in dieser Richtung hin, der dazu dient, das Holz von den höheren Gegenden zu der Unglückssäule herabzubringen, der aber dann wieder mit Gras verwächst.[56] Wenn man auf diesem Wege fortgeht, der sachte bergan führt, so gelangt man endlich auf eine freie, von Bäumen entblößte Stelle. 10
Dieselbe ist dürrer Heideboden, hat nicht einmal einen Strauch, sondern ist mit schwachem Heidekraut, mit trockenen Moosen und mit Dürrbodenpflanzen[57] bewachsen. Die Stelle wird immer steiler, und man geht lange hinan; man geht aber immer in einer Rinne, gleichsam wie in einem ausgerundeten[58] Graben, hinan, was den Nutzen hat, daß man auf der 15
großen, baumlosen und überall gleichen Stelle nicht leicht irren kann. Nach einer Zeit erscheinen Felsen, die wie Kirchen gerade aus dem Grasboden[59] aufsteigen und zwischen deren Mauern man längere Zeit hinangehen kann. Dann erscheinen wieder kahle, fast pflanzenlose Rücken, die bereits in die Lufträume[60] der höheren Gegenden ragen und gerade 20
zu dem Eise führen. Zu beiden Seiten dieses Weges sind steile Wände, und durch diesen Damm[61] hängt der Schneeberg mit dem Halse zusammen. Um das Eis zu überwinden, geht man eine geraume Zeit an der Grenze desselben, wo es von den Felsen umstanden ist, dahin, bis man zu dem ältern Firn gelangt, der die Eisspalten überbaut[62] und in den mei- 25
sten Zeiten des Jahres den Wanderer trägt. An der höchsten Stelle des Firns erheben sich die zwei Hörner aus dem Schnee, wovon eines das höhere, mithin die Spitze des Berges ist. Diese Kuppen sind sehr schwer zu erklimmen; da sie mit einem oft breiteren, oft engeren Schneegraben[63] — dem Firnschrunde[64] — umgeben sind, der übersprungen werden 30
muß, und da ihre steilrechten Wände nur kleine Absätze[65] haben, in welche der Fuß eingesetzt werden muß, so begnügen sich die meisten Besteiger des Berges damit, bis zu dem Firnschrunde gelangt zu sein und dort die Rundsicht,[66] soweit sie nicht durch das Horn verdeckt ist, zu genießen. Die den Gipfel besteigen wollen, müssen dies mit Hilfe von 35
Steigeisen, Stricken und Klammern tun.

Außer diesem Berge stehen an derselben Mittagseite noch andere, aber

Glosses (left margin):

[55] passage
[56] becomes overgrown
[57] heath plants
[58] hollowed
[59] grassy ground
[60] atmosphere
[61] pathway
[62] bridges
[63] snow trench
[64] glacial crevasse
[65] shelves
[66] panorama

The portrayal of the environment gives powerful weight and priority to nature and the mountain. Is this, rather than description of nature, the purpose?

Just before the naming of the village and mountain (after so much "leisurely" description, quite dramatic), the author indicates a subjective reaction, the sensation *als ginge nirgends ein Weg.* . . . This separates, in an unusual way, appearance and reality. Interpret.

keiner ist so hoch, wenn sie sich auch früh im Herbst mit Schnee bedecken und ihn bis tief in den Frühling hinein behalten. Der Sommer aber nimmt denselben immer weg, und die Felsen glänzen freundlich im Sonnenscheine, und die tiefergelegenen Wälder zeigen ihr sanftes Grün, von breiten blauen Schatten durchschnitten, die so schön sind, daß man sich in seinem Leben nicht satt daran sehen kann.

An den andern Seiten des Tales, nämlich von Mitternacht, Morgen und Abend her, sind die Berge langgestreckt und niederer, manche Felder und Wiesen steigen ziemlich hoch hinauf, und oberhalb ihrer sieht man verschiedene Waldblößen,[67] Alpenhütten und dergleichen, bis sie an ihrem Rande mit feingezacktem Walde am Himmel hingehen,[68] welche Auszackung[69] eben ihre geringe Höhe anzeigt, während die mittäglichen Berge, obwohl sie noch großartigere[70] Wälder hegen, doch mit einem ganz glatten Rande an dem glänzenden Himmel hinstreichen.

Wenn man so ziemlich mitten in dem Tale steht, so hat man die Empfindung, als ginge nirgends ein Weg in dieses Becken herein und keiner daraus hinaus; allein diejenigen, welche öfter im Gebirge gewesen sind, kennen diese Täuschung gar wohl: in der Tat führen nicht nur verschiedene Wege, und darunter sogar manche durch die Verschiebungen[71] der Berge fast auf ebenem Boden, in die nördlichen Flächen hinaus, sondern gegen Mittag, wo das Tal durch steilrechte Mauern fast geschlossen scheint, geht sogar ein Weg über den obbenannten[72] Hals.

Das Dörflein heißt Gschaid, und der Schneeberg, der auf seine Häuser herabschaut, heißt Gars.

Jenseits des Halses liegt ein viel schöneres und blühenderes Tal, als das von Gschaid ist, und es führt von der Unglückssäule der gebahnte Weg hinab. Es hat an seinem Eingange einen stattlichen Marktflecken, Millsdorf, der sehr groß ist, verschiedene Werke hat und in manchen Häusern städtische Gewerbe und Nahrung treibt. Die Bewohner sind viel wohlhabender als die in Gschaid, und obwohl nur drei Wegstunden[73] zwischen den beiden Tälern liegen, was für die an große Entfernungen gewöhnten und Mühseligkeiten[74] liebenden Gebirgsbewohner eine unbedeutende Kleinigkeit ist, so sind doch Sitten und Gewohnheiten in den beiden Tälern so verschieden, selbst der äußere Anblick derselben ist so ungleich, als ob eine große Anzahl Meilen zwischen ihnen läge. Das ist in Gebirgen sehr oft der Fall und hängt nicht nur von der verschiedenen Lage der

[67] *clearings*
[68] *extend their lightly serrated profile against the sky*
[69] *serration*
[70] *grander*
[71] *shifting shapes*
[72] *aforementioned*
[73] *a three hours' walk*
[74] *hardships*

Note the path over the ridge, at the end of this section. Is it surprising that it plays a further role?

Description of the more immediate and "human" world begins with the comparison of Millsdorf and Gschaid. What aspects of similarity or dissimilarity are stressed? Effect?

Täler gegen die Sonne ab, die sie oft mehr oder weniger begünstigt, sondern auch von dem Geiste der Bewohner, der durch gewisse Beschäftigungen nach dieser oder jener Richtung gezogen wird. Darin stimmen
aber alle überein, daß sie an Herkömmlichkeiten[75] und Väterweise[76] hängen,
großen Verkehr leicht entbehren, ihr Tal außerordentlich lieben und ohne 5
demselben kaum leben können.

Es vergehen oft Monate, oft fast ein Jahr, ehe ein Bewohner von Gschaid
in das jenseitige Tal hinüberkommt und den großen Marktflecken Millsdorf besucht. Die Millsdorfer halten es ebenso, obwohl sie ihrerseits doch
Verkehr mit dem Lande draußen pflegen und daher nicht so abgeschieden[77] 10
sind wie die Gschaider. Es geht sogar ein Weg, der eine Straße heißen
könnte, längs ihres Tales, und mancher Reisende und mancher Wanderer
geht hindurch, ohne nur im geringsten zu ahnen, daß mitternachtwärts
seines Weges jenseits des hohen herabblickenden Schneebergs noch ein
Tal sei, in dem viele Häuser zerstreut sind, und in dem das Dörflein mit 15
dem spitzigen Kirchturme steht.

Unter den Gewerben des Dorfes, welche bestimmt sind, den Bedarf des
Tales zu decken, ist auch das eines Schusters, das nirgends entbehrt
werden kann, wo die Menschen nicht in ihrem Urzustande[78] sind. Die
Gschaider aber sind so weit über diesem Stande, daß sie recht gute und 20
tüchtige Gebirgsfußbekleidung brauchen. Der Schuster ist mit einer
kleinen Ausnahme der einzige im Tale. Sein Haus steht auf dem Platze in
Gschaid, wo überhaupt die besseren stehen, und schaut mit seinen grauen
Mauern, weißen Fenstersimsen[79] und grün angestrichenen Fensterläden
auf die vier Linden hinaus. Es hat im Erdgeschosse die Arbeitsstube, die 25
Gesellenstube,[80] eine größere und kleinere Wohnstube, ein Verkaufsstübchen,[81] nebst Küche und Speisekammer[82] und allen zugehörigen
Gelassen;[83] im ersten Stockwerke, oder eigentlich im Raume des Giebels,
hat es die Oberstube oder eigentliche Prunkstube.[84] Zwei Prachtbetten,[85]
schöne, geglättete[86] Kästen mit Kleidern stehen da, dann ein Gläserkästchen 30
mit Geschirren, ein Tisch mit eingelegter Arbeit, gepolsterte[87] Sessel, ein
Mauerkästchen[88] mit den Ersparnissen,[89] dann hängen an den Wänden
Heiligenbilder, zwei schöne Sackuhren,[90] gewonnene Preise im Schießen,
und endlich sind auch Scheibengewehre und Jagdbüchsen[91] nebst ihrem
Zugehöre[92] in einem eigenen, mit Glastafeln[93] versehenen Kasten auf 35
gehängt. An das Schusterhaus ist ein kleineres Häuschen, nur durch den
Einfahrtsschwibbogen[94] getrennt, angebaut,[95] welches genau dieselbe

[75] *traditions*
[76] *ancestral ways*

[77] *isolated*

[78] *primitive state*

[79] *window sills*
[80] *room for the journeyman cobbler*
[81] *small salesroom*
[82] *larder*
[83] *rooms associated therewith*
[84] *parlor ("good room")*
[85] *fancy beds*
[86] *polished*
[87] *upholstered*
[88] *built-in chest*
[89] *savings*
[90] *pocket watches*
[91] *hunting rifles*
[92] *appurtenances*
[93] *glass shelves*
[94] *entry arch*
[95] *built on*

What situation and atmosphere is gradually being established? Is it one of unity?
The shoemaker is mentioned first by trade and house, not by name. Of what is this reminiscent?

Bauart hat und zum Schusterhause wie ein Teil zum Ganzen gehört. Es hat nur eine Stube mit den dazugehörigen Wohnteilen.[96] Es hat die Bestimmung, dem Hausbesitzer, sobald er das Anwesen[97] seinem Sohne oder Nachfolger übergeben hat, als sogenanntes Ausnahmstübchen[98] zu dienen, in welchem er mit seinem Weibe so lange haust, bis beide gestorben sind, die Stube wieder leer steht und auf einen neuen Bewohner wartet. Das Schusterhaus hat nach rückwärts Stall und Scheune; denn jeder Talbewohner ist, selbst wenn er ein Gewerbe treibt, auch Landbebauer[99] und zieht hieraus seine gute und nachhaltige Nahrung. Hinter diesen Gebäuden ist endlich der Garten, der fast bei keinem besseren Hause in Gschaid fehlt und von dem sie ihr Gemüse, ihr Obst und für festliche Gelegenheiten ihre Blumen ziehen. Wie oft im Gebirge, so ist auch in Gschaid die Bienenzucht[1] in diesen Gärten sehr verbreitet.

Die kleine Ausnahme, deren oben Erwähnung[2] geschah, und die Nebenbuhlerschaft der Alleinherrlichkeit des Schusters[3] ist ein anderer Schuster, der alte Tobias, der aber eigentlich kein Nebenbuhler[4] ist, weil er nur mehr flickt,[5] hierin viel zu tun hat und es sich nicht im entferntesten beikommen läßt,[6] mit dem vornehmen Platzschuster in einen Wettstreit einzugehen, insbesondere da der Platzschuster ihn häufig mit Lederflecken,[7] Sohlenabschnitten[8] und dergleichen Dingen unentgeltlich[9] versieht. Der alte Tobias sitzt im Sommer am Ende des Dörfchens unter Holunderbüschen und arbeitet. Er ist umringt von Schuhen und Bundschuhen, die aber sämtlich alt, grau, kotig[10] und zerrissen sind. Stiefel mit langen Röhren[11] sind nicht da, weil sie im Dorfe und in der Gegend nicht getragen werden; nur zwei Personen haben solche, der Pfarrer und der Schullehrer, welche aber beides, flicken und neue Ware machen, nur bei dem Platzschuster lassen. Im Winter sitzt der alte Tobias in seinem Stübchen hinter den Holunderstauden und hat warm geheizt,[12] weil das Holz in Gschaid nicht teuer ist.

Der Platzschuster ist, ehe er das Haus angetreten hat, ein Gemsenwildschütze[13] gewesen und hat überhaupt in seiner Jugend, wie die Gschaider sagen, nicht gut getan. Er war in der Schule immer einer der besten Schüler gewesen, hatte dann von seinem Vater das Handwerk gelernt, ist auf Wanderung gegangen und ist endlich wieder zurückgekehrt. Statt, wie es sich für einen Gewerbsmann ziemt und wie sein Vater es zeitlebens getan, einen schwarzen Hut zu tragen, tat er einen grünen auf, steckte noch alle bestehenden Federn[14] darauf und stolzierte[15] mit ihm und

---

Glossary (right margin):

[96] *living quarters*
[97] *property*
[98] *old people's quarters*
[99] *tiller of the soil*
[1] *bee-keeping*
[2] *mentioned above*
[3] *sole rivalry for the tailor's position of exclusiveness*
[4] *rival*
[5] *he does nothing any more except repair jobs*
[6] *it would never cross his mind (to get into competition)*
[7] *leather patches*
[8] *left over pieces of sole*
[9] *free of charge*
[10] *muddy*
[11] *legs*
[12] *keeps his place well heated*
[13] *poacher (for chamois)*
[14] *all sorts of feathers*
[15] *strutted*

The first person actually named is the other shoemaker, Tobias. What impression does this create?

[16] *Loden (rough wool) coat*
[17] *or even*

[18] *cut to hang very low*
[19] *bowling alleys*

[20] *for the winning of which*
[21] *pay out*
[22] *not very frugal*

[23] *extensive farm holdings*

[24] *quiet ways*

[25] *their house had come to him by inheritance*

[26] *put them through quite a drill*

mit dem kürzesten Lodenrocke,[16] den es im Tale gab, herum, während sein Vater immer einen Rock von dunkler, womöglich[17] schwarzer Farbe hatte, der auch, weil er einem Gewerbsmanne angehörte, immer sehr weit herabgeschnitten[18] sein mußte. Der junge Schuster war auf allen Tanzplätzen und Kegelbahnen[19] zu sehen. Wenn ihm jemand eine gute Lehre gab, so pfiff er ein Liedlein. Er ging mit seinem Scheibengewehre zu allen Schießen der Nachbarschaft und brachte manchmal einen Preis nach Hause, was er für einen großen Sieg hielt. Der Preis bestand meistens aus Münzen, die künstlich gefaßt waren und zu deren Gewinnung[20] der Schuster mehr gleiche Münzen ausgeben[21] mußte, als der Preis enthielt, besonders da er wenig haushälterisch[22] mit dem Gelde war. Er ging auf alle Jagden, die in der Gegend abgehalten wurden, und hatte sich den Namen eines guten Schützen erworben. Er ging aber auch manchmal allein mit seiner Doppelbüchse und mit Steigeisen fort, und einmal sagte man, daß er eine schwere Wunde im Kopfe erhalten habe.

In Millsdorf war ein Färber, welcher gleich am Anfange des Marktfleckens, wenn man auf dem Wege von Gschaid hinüberkam, ein sehr ansehnliches Gewerbe hatte, mit vielen Leuten, und sogar, was im Tale etwas Unerhörtes war, mit Maschinen arbeitete. Außerdem besaß er noch eine ausgebreitete Feldwirtschaft.[23] Zu der Tochter dieses reichen Färbers ging der Schuster über das Gebirge, um sie zu gewinnen. Sie war wegen ihrer Schönheit weit und breit berühmt, aber auch wegen ihrer Eingezogenheit,[24] Sittsamkeit und Häuslichkeit belobt. Dennoch, hieß es, soll der Schuster ihre Aufmerksamkeit erregt haben. Der Färber ließ ihn nicht in sein Haus kommen; und hatte die schöne Tochter schon früher keine öffentlichen Plätze und Lustbarkeiten besucht und war selten außer dem Hause ihrer Eltern zu sehen gewesen: so ging sie jetzt schon gar nirgends mehr hin als in die Kirche oder in ihrem Garten, oder in den Räumen des Hauses herum.

Einige Zeit nach dem Tode seiner Eltern, durch welchen ihm das Haus derselben zugefallen war,[25] das er nun allein bewohnte, änderte sich der Schuster gänzlich. So wie er früher getollt hatte, so saß er jetzt in seiner Stube und hämmerte Tag und Nacht an seinen Sohlen. Er setzte prahlend einen Preis darauf, wenn es jemand gäbe, der bessere Schuhe und Fußbekleidungen machen könne. Er nahm keine andern Arbeiter als die besten und drillte sie noch sehr herum,[26] wenn sie in seiner Werkstätte arbeiteten, daß sie ihm folgten und die Sache so einrichteten, wie er befahl. Wirklich

---

What sort of man is the *Platzschuster*? Is he the predictable type, for the village as described?
The first specifically mentioned action (*Zu der Tochter . . . ging der Schuster*) has, for all its simplicity, both symbolic and anticipatory effect.
Why is the change in the young man important?

brachte er es jetzt auch dahin, daß nicht nur das ganze Dorf Gschaid, das zum größten Teile die Schusterarbeit aus benachbarten Tälern bezogen hatte, bei ihm arbeiten ließ, daß das ganze Tal bei ihm arbeiten ließ und daß endlich sogar einzelne von Millsdorf und andern Tälern hereinkamen
5 und sich ihre Fußbekleidungen von dem Schuster in Gschaid machen ließen. Sogar in die Ebene hinaus verbreitete sich sein Ruhm, daß manche, die in die Gebirge gehen wollten, sich die Schuhe dazu von ihm machen ließen.

Er richtete das Haus sehr schön zusammen, und in dem Warengewölbe[27]   [27] *display room*
10 glänzten auf den Brettern die Schuhe, Bundstiefel[28] und Stiefel; und wenn   [28] *low boots*
am Sonntage die ganze Bevölkerung[29] des Tales hereinkam und man bei   [29] *population*
den vier Linden des Platzes stand, ging man gerne zu dem Schusterhause
hin und sah durch die Gläser[30] in die Warenstube,[31] wo die Käufer und   [30] *panes*
                                                           [31] *salesroom*
Besteller waren.
15 Nach seiner Vorliebe[32] zu den Bergen machte er auch jetzt die Gebirgs-   [32] *predilection*
bundschuhe am besten. Er pflegte in der Wirtsstube zu sagen: Es gäbe
keinen, der ihm einen fremden Gebirgsbundschuh zeigen könne, der sich
mit einem seinigen vergleichen lasse. „Sie wissen es nicht", pflegte er
beizufügen, „sie haben es in ihrem Leben nicht erfahren, wie ein solcher
20 Schuh sein muß, daß der gestirnte[33] Himmel der Nägel recht auf der Sohle   [33] *star-studded*
sitze und das gebührende Eisen enthalte, daß der Schuh außen hart sei,
damit kein Geröllstein, wie scharf er auch sei, empfunden werde, und daß
er sich von innen doch weich und zärtlich wie ein Handschuh an die Füße
lege."
25 Der Schuster hatte sich ein sehr großes Buch machen lassen, in welches
er alle verfertigte Ware[34] eintrug, die Namen derer beifügte, die den Stoff   [34] *wares he had made*
geliefert und die Ware gekauft hatten, und eine kurze Bemerkung über
die Güte des Erzeugnisses beischrieb.[35] Die gleichartigen[36] Fußbekleidun-   [35] *added as a note*
                                                           [36] *same type*
gen hatten ihre fortlaufenden[37] Zahlen, und das Buch lag in der großen   [37] *serial*
30 Lade[38] seines Gewölbes.   [38] *chest*
Wenn die schöne Färberstochter von Millsdorf auch nicht aus der Eltern
Hause kam, wenn sie auch weder Freunde noch Verwandte besuchte, so
konnte es der Schuster von Gschaid doch so machen, daß sie ihn von ferne
sah, wenn sie in die Kirche ging, wenn sie in dem Garten war und wenn
35 sie aus den Fenstern ihres Zimmers auf die Matten blickte. Wegen dieses
unausgesetzten Sehens hatte es die Färberin durch langes, inständiges[39]   [39] *earnest*
und ausdauerndes Flehen für ihre Tochter dahin gebracht, daß der hals-

---

There are still several curious and significant elements of less than idyllic nature. They are important to the story—and to Stifter's reputation as a writer (lest he be labelled bland or naive). Identify, and indicate what they add to the story, and what, in a sense, they demand of it in the way of resolution.

[40] *stiff-necked*

starrige[40] Färber nachgab und daß der Schuster, weil er denn nun doch besser geworden, die schöne, reiche Millsdorferin als Eheweib nach Gschaid führte. Aber der Färber war deßungeachtet auch ein Mann, der seinen Kopf hatte. Ein rechter Mensch, sagte er, müsse sein Gewerbe treiben, daß es blühe und vorwärtskomme, er müsse daher sein Weib, seine Kinder, sich und sein Gesinde ernähren, Hof und Haus im Stande des Glanzes halten und sich noch ein Erkleckliches erübrigen, welches letztere doch allein imstande sei, ihm Ansehen und Ehre in der Welt zu geben; darum erhalte seine Tochter nichts als eine vortreffliche Ausstattung, das andere ist Sache des Ehemanns, daß er es mache und für alle Zukunft es besorge. Die Färberei in Millsdorf und die Landwirtschaft auf dem Färberhause sei für sich ein ansehnliches und ehrenwertes[41] Gewerbe, das seiner Ehre willen bestehen und wozu alles, was da sei, als Grundstock[42] dienen müsse, daher er nichts weggebe. Wenn einmal er und sein Eheweib, die Färberin, tot seien, dann gehöre Färberei und Landwirtschaft in Millsdorf ihrer einzigen Tochter, nämlich der Schusterin in Gschaid, und Schuster und Schusterin könnten dann damit tun, was sie wollten: aber alles dieses nur, wenn die Erben es wert wären, das Erbe zu empfangen; wären sie es nicht wert, so ginge das Erbe auf die Kinder derselben, und wenn keine vorhanden wären, mit der Ausnahme des lediglichen Pflichtteiles,[43] auf andere Verwandte über. Der Schuster verlangte auch nichts, er zeigte im Stolze, daß es ihm nur um die schöne Färberstochter in Millsdorf zu tun gewesen[44] und daß er sie schon ernähren und erhalten könne, wie sie zu Hause ernährt und erhalten worden ist. Er kleidete sie als sein Eheweib nicht nur schöner als alle Gschaiderinnen und alle Bewohnerinnen des Tales, sondern auch schöner als sie sich je zu Hause getragen hatte, und Speise, Trank und übrige Behandlung mußte besser und rücksichtsvoller[45] sein, als sie das gleiche im väterlichen Hause genossen hatte. Und um dem Schwiegervater zu trotzen, kaufte er mit erübrigten Summen nach und nach immer mehr Grundstücke[46] so ein, daß er einen tüchtigen Besitz beisammen hatte.

Weil die Bewohner von Gschaid so selten aus ihrem Tale kommen und nicht einmal oft nach Millsdorf hinübergehen, von dem sie durch Bergrücken und durch Sitten geschieden sind, weil ferner ihnen gar kein Fall vorkommt, daß ein Mann sein Tal verläßt und sich in dem benachbarten ansiedelt[47] (Ansiedlungen in großen Entfernungen kommen öfter vor),[48] weil endlich auch kein Weib oder Mädchen gerne von einem Tale in ein

[41] *honorable*
[42] *foundation*

[43] *minimum lawful share*

[44] *he hadn't been interested in anything but*

[45] *more considerate*

[46] *pieces of property*

[47] *settle*
[48] *moving great distances is relatively common*

anderes auswandert, außer in dem ziemlich seltenen Falle, wenn sie der Liebe folgt und als Eheweib und zu dem Ehemann in ein anderes Tal kommt: so geschah es, daß die schöne Färberstochter von Millsdorf, da sie Schusterin in Gschaid geworden war, doch immer von allen Gschaidern
5 als Fremde angesehen wurde, und wenn man ihr auch nichts Übels antat, ja wenn man sie ihres schönen Wesens und ihrer Sitten wegen sogar liebte, doch immer etwas vorhanden war, das wie Scheu oder, wenn man will, wie Rücksicht aussah und nicht zu dem Innigen und Gleichartigen kommen ließ,[49] wie Gschaiderinnen gegen Gschaiderinnen, Gschaider gegen
10 Gschaider hatten. Es war so, ließ sich nicht abstellen und wurde durch die bessere Tracht und durch das erleichterte häusliche Leben der Schusterin noch vermehrt.

[49] and precluded the feeling of intimacy and equality which . . .

Sie hatte ihrem Manne nach dem ersten Jahre einen Sohn und in einigen Jahren darauf ein Töchterlein geboren. Sie glaubte aber, daß er die Kinder
15 nicht so liebe, wie sie sich vorstellte, daß es sein solle, und wie sie sich bewußt war, daß sie dieselben liebe; denn sein Angesicht war meistens ernsthaft und mit seinen Arbeiten beschäftigt. Er spielte und tändelte selten mit den Kindern und sprach stets ruhig mit ihnen, gleichsam so wie man mit Erwachsenen spricht. Was Nahrung und Kleidung und andere
20 äußere Dinge anbelangte,[50] hielt er die Kinder untadelig.

[50] as far as . . . were concerned

In der ersten Zeit der Ehe kam die Färberin öfter nach Gschaid, und die jungen Eheleute besuchten auch Millsdorf zuweilen bei Kirchweihen oder anderen festlichen Gelegenheiten. Als aber die Kinder auf der Welt waren, war die Sache anders geworden. Wenn schon Mütter ihre Kinder lieben
25 und sich nach ihnen sehnen, so ist dieses von Großmüttern öfter in noch höherem Grade der Fall: sie verlangen zuweilen mit wahrlich krankhafter Sehnsucht nach ihren Enkeln. Die Färberin kam sehr oft nach Gschaid herüber, um die Kinder zu sehen, ihnen Geschenke zu bringen, eine Weile dazubleiben und dann mit guten Ermahnungen zu scheiden. Da aber das
30 Alter und die Gesundheitsumstände der Färberin die öfteren Fahrten nicht mehr so möglich machten, und der Färber aus dieser Ursache Einsprache tat, wurde auf etwas anderes gesonnen, die Sache wurde umgekehrt, und die Kinder kamen jetzt zur Großmutter. Die Mutter brachte sie selber öfter in einem Wagen, öfter aber wurden sie, da sie noch im
35 zarten Alter waren, eingemummt[51] einer Magd mitgegeben, die sie in einem Fuhrwerke über den Hals brachte. Als sie aber größer waren, gingen sie zu Fuße entweder mit der Mutter oder mit einer Magd nach Millsdorf,

[51] all wrapped up

ja da der Knabe geschickt, stark und klug geworden war, ließ man ihn allein den bekannten Weg über den Hals gehen, und wenn es sehr schön war und er bat, erlaubte man auch, daß ihn die kleine Schwester begleite. Dies ist bei den Gschaidern gebräuchlich, weil sie an starkes Fußgehen[52] gewöhnt sind, und die Eltern überhaupt, namentlich aber ein Mann wie ₅ der Schuster, es gerne sehen und eine Freude daran haben, wenn ihre Kinder tüchtig werden.

So geschah es, daß die zwei Kinder den Weg über den Hals öfter zurücklegten als die übrigen Dörfler zusammengenommen, und da schon ihre Mutter in Gschaid immer gewissermaßen wie eine Fremde behandelt ₁₀ wurde, so wurden durch diesen Umstand auch die Kinder fremd, sie waren kaum Gschaider und gehörten halb nach Millsdorf hinüber.

Der Knabe Konrad hatte schon das ernste Wesen seines Vaters, und das Mädchen Susanna, nach ihrer Mutter so genannt, oder, wie man es zur Abkürzung[53] nannte, Sanna, hatte viel Glauben zu seinen Kenntnissen, ₁₅ seiner Einsicht und seiner Macht und gab sich unbedingt unter seine Leitung, geradeso wie die Mutter sich unbedingt unter die Leitung des Vaters gab, dem sie alle Einsicht und Geschicklichkeit zutraute.

An schönen Tagen konnte man morgens die Kinder durch das Tal gegen Mittag wandern sehen, über die Wiese gehen und dort anlangen, wo der ₂₀ Wald des Halses gegen sie herschaut. Sie näherten sich dem Walde, gingen auf seinem Wege allgemach über die Erhöhung hinan und kamen, ehe der Mittag eingetreten war, auf den offenen Wiesen auf der andern Seite gegen Millsdorf hinunter. Konrad zeigte Sanna die Wiesen, die dem Großvater gehörten, dann gingen sie durch seine Felder, auf denen er ihr die Getrei- ₂₅ dearten erklärte, dann sahen sie auf Stangen unter dem Vorsprunge des Daches die langen Tücher zum Trocknen herabhängen, die sich im Winde schlängelten oder närrische Gesichter machten, dann hörten sie seine Walkmühle[54] und seinen Lohstampf,[55] die er an seinem Bache für Tuch- macher[56] und Gerber[57] angelegt hatte, dann bogen sie noch um eine Ecke ₃₀ der Felder und gingen in kurzem durch die Hintertür in den Garten der Färberei, wo sie von der Großmutter empfangen wurden. Diese ahnte immer, wenn die Kinder kamen, sah zu den Fenstern aus und erkannte sie von weitem, wenn Sannas rotes Tuch recht in der Sonne leuchtete.

Sie führte die Kinder dann durch die Waschstube[58] und Presse in das ₃₅ Zimmer, ließ sie niedersetzen, ließ nicht zu, daß sie Halstücher oder Jäckchen lüfteten, damit sie sich nicht verkühlten,[59] und behielt sie beim

---

[52] *walking*

[53] *for short*

[54] *fulling mill*
[55] *bark pulper*
[56] *cloth makers*
[57] *tanners*

[58] *laundry room*

[59] *catch cold*

Sanna's attitude toward Konrad is promptly and explicitly established. How?

Essen da. Nach dem Essen durften sie sich lüften, spielen, durften in den Räumen des großväterlichen Hauses herumgehen oder sonst tun, was sie wollten, wenn es nur nicht unschicklich[60] oder verboten war. Der Färber, welcher immer bei dem Essen war, fragte sie um ihre Schulgegenstände aus und schärfte ihnen besonders ein,[61] was sie lernen sollten. Nachmittags wurden sie von der Großmutter schon, ehe die Zeit kam, zum Aufbruche getrieben, daß sie ja nicht zu spät kämen. Obgleich der Färber keine Mitgift[62] gegeben hatte und vor seinem Tode von seinem Vermögen nichts wegzugeben gelobt hatte, glaubte sich die Färberin an diese Dinge doch nicht so strenge gebunden, und sie gab den Kindern nicht allein während ihrer Anwesenheit allerlei, worunter nicht selten ein Münzstück und zuweilen gar von ansehnlichem Werte war, sondern sie band ihnen auch immer zwei Bündelchen zusammen, in denen sich Dinge befanden, von denen sie glaubte, daß sie notwendig wären oder daß sie den Kindern Freude machen könnten. Und wenn oft die nämlichen Dinge im Schusterhause in Gschaid ohnedem in aller Trefflichkeit vorhanden waren, so gab sie die Großmutter in der Freude des Gebens doch, und die Kinder trugen sie als etwas Besonderes nach Hause. So geschah es nun, daß die Kinder am Heiligen Abend schon unwissend die Geschenke in Schachteln gut versiegelt und verwahrt nach Hause trugen, die ihnen in der Nacht einbeschert[63] werden sollten.

Weil die Großmutter die Kinder immer schon vor der Zeit zum Fortgehen drängte, damit sie nicht zu spät nach Hause kämen, so erzielte[64] sie hiedurch, daß die Kinder gerade auf dem Wege bald an dieser, bald an jener Stelle sich aufhielten. Sie saßen gerne an dem Haselnußgehege,[65] das auf dem Halse ist, und schlugen mit Steinen Nüsse auf, oder spielten, wenn keine Nüsse waren, mit Blättern oder mit Hölzlein oder mit den weichen, braunen Zäpfchen,[66] die im ersten Frühjahre von den Zweigen der Nadelbäume[67] herabfielen. Manchmal erzählte Konrad dem Schwesterchen Geschichten, oder wenn sie zu der roten Unglückssäule kamen, führte er sie ein Stück auf dem Seitenwege links gegen die Höhen hinan und sagte ihr, daß man da auf den Schneeberg gelange, daß dort Felsen und Steine seien, daß die Gemsen[68] herumspringen und große Vögel fliegen. Er führte sie oft über den Wald hinaus, sie betrachteten dann den dürren Rasen und die kleinen Sträucher der Heidekräuter; aber er führte sie wieder zurück und brachte sie immer vor der Abenddämmerung nach Hause, was ihm stets Lob eintrug.

[60] *improper*

[61] *impressed upon them*

[62] *dowry*

[63] *presented to them as gifts*

[64] *what she accomplished by this was . . .*

[65] *hazel hedge*

[66] *pine cones*

[67] *evergreens*

[68] *chamois*

Einmal war am Heiligen Abende, da die erste Morgendämmerung in dem Tale von Gschaid in Helle übergegangen war, ein dünner trockener Schleier über den ganzen Himmel gebreitet, so daß man die ohnedem schiefe und ferne Sonne im Südosten nur als einen undeutlichen roten Fleck sah, überdies war an diesem Tage eine milde, beinahe laulichte[69] Luft unbeweg- 5 lich im ganzen Tale und auch an dem Himmel, wie die unveränderte und ruhige Gestalt der Wolken zeigte. Da sagte die Schustersfrau zu ihren Kindern: „Weil ein so angenehmer Tag ist, weil es so lange nicht geregnet hat und die Wege fest sind, und weil es auch der Vater gestern unter der Bedingung erlaubt hat, wenn der heutige Tag dazu geeignet ist, so dürft 10 ihr zur Großmutter nach Millsdorf gehen; aber ihr müßt den Vater noch vorher fragen."

Die Kinder, welche noch in ihren Nachtkleidchen dastanden, liefen in die Nebenstube, in welcher der Vater mit einem Kunden[70] sprach, und baten um die Wiederholung der gestrigen Erlaubnis, weil ein so schöner 15 Tag sei. Sie wurde ihnen erteilt, und sie liefen wieder zur Mutter zurück.

Die Schustersfrau zog nun ihre Kinder vorsorglich an, oder eigentlich, sie zog das Mädchen mit dichten, gut verwahrenden Kleidern an; denn der Knabe begann sich selber anzukleiden und stand viel früher fertig da, als die Mutter mit dem Mädchen hatte ins reine kommen können. Als sie 20 dieses Geschäft vollendet hatte, sagte sie: „Konrad, gib mir wohl acht: weil ich dir das Mädchen mitgehen lasse, so müsset ihr beizeiten fortgehen, ihr müsset an keinem Platze stehenbleiben, und wenn ihr bei der Großmutter gegessen habt, so müsset ihr gleich wieder umkehren und nach Hause trachten; denn die Tage sind jetzt sehr kurz und die Sonne geht gar bald 25 unter."

„Ich weiß es schon, Mutter", sagte Konrad.

„Und siehe gut auf Sanna, daß sie nicht fällt oder sich erhitzt."

„Ja, Mutter."

„So, Gott behüte euch, und geht noch zum Vater und sagt, daß ihr 30 jetzt fortgeht."

Der Knabe nahm eine von seinem Vater kunstvoll aus Kalbfellen genähte Tasche an einem Riemen um die Schulter, und die Kinder gingen in die Nebenstube, um dem Vater Lebewohl[71] zu sagen. Aus dieser kamen sie bald heraus und hüpften, von der Mutter mit einem Kreuze besegnet,[72] 35 fröhlich auf die Gasse.

Sie gingen schleunig längs des Dorfplatzes hinab und dann durch die

---

Are there any indications of possible danger in the journeys of the children? The action constituting the immediate plot begins here. Recapitulate the connecting or "predictive" elements that carry over from the long introduction.

Dialogue and attitudes seem utterly commonplace. What keeps them from being banal?

Häusergasse[73] und endlich zwischen den Planken[74] der Obstgärten in das
Freie hinaus. Die Sonne stand schon über dem mit milchigen Wolkenstreifen durchwobenen[75] Wald der morgendlichen[76] Anhöhen, und ihr
trübes, rötliches Bild schritt durch die laublosen Zweige der Holzäpfel-
5 baüme[77] mit den Kindern fort.

In dem ganzen Tale war kein Schnee, die größeren Berge, von denen er
schon viele Wochen herabgeglänzt hatte, waren damit bedeckt, die
kleineren standen in dem Mantel ihrer Tannenwälder und im Fahlrot ihrer
entblößten Zweige unbeschneit[78] und ruhig da. Der Boden war noch nicht
10 gefroren, und er wäre vermöge der vorhergegangenen[79] langen regenlosen
Zeit ganz trocken gewesen, wenn ihn nicht die Jahreszeit mit einer zarten
Feuchtigkeit überzogen hätte, die ihn aber nicht schlüpfrig, sondern eher
fest und widerprallend[80] machte, daß sie leicht und gering darauf fortgingen. Das wenige Gras, welches noch auf den Wiesen und vorzüglich an den
15 Wassergräben derselben war, stand in herbstlichem Ansehen. Es lag kein
Reif und bei näherem Anblicke nicht einmal ein Tau,[81] was nach der Meinung der Landleute baldigen[82] Regen bedeutet.

Gegen die Grenzen der Wiesen zu war ein Gebirgsbach, über welchen
ein hoher Steg führte. Die Kinder gingen auf den Steg und schauten hinab.
20 Im Bache war schier kein Wasser, ein dünner Faden von sehr stark blauer
Farbe ging durch die trockenen Kiesel des Gerölles, die wegen Regenlosigkeit ganz weiß geworden waren, und sowohl die Wenigkeit[83] als auch
die Farbe des Wassers zeigten an, daß in den größeren Höhen schon
Kälte herrschen müsse, die den Boden verschließe, daß er mit seiner Erde
25 das Wasser nicht trübe, und die das Eis erhärte,[84] daß es in seinem Innern
nur wenige klare Tropfen abgeben könne.

Von dem Stege liefen die Kinder durch die Gründe fort und näherten
sich immer mehr den Waldungen.

Sie trafen endlich die Grenze des Holzes und gingen in demselben
30 weiter.

Als sie in die höheren Wälder des Halses hinaufgekommen waren,
zeigten sich die langen Furchen des Fahrweges nicht mehr weich, wie es
unten im Tale der Fall gewesen war, sondern sie waren fest, und zwar
nicht aus Trockenheit, sondern, wie die Kinder sich bald überzeugten,
35 weil sie gefroren waren. An manchen Stellen waren sie so überfroren, daß
sie die Körper der Kinder trugen. Nach der Natur der Kinder gingen sie
nun nicht mehr auf dem glatten Pfade neben dem Fahrwege, sondern in

[73] *past the row of houses*
[74] *board fence*
[75] *interwoven*
[76] *eastern*
[77] *crab apple trees*
[78] *free of snow*
[79] *previous*
[80] *resilient*
[81] *dew*
[82] *impending*
[83] *small quantity*
[84] *hardened*

In a story where color plays a subtly symbolic role, mention of red (*rot*, *rötlich*, *Fahlrot*, etc.)
is increasingly prominent. Check back and compare its occurrence with that of other colors.
What field of meaning may be involved?
As the children climb, they trace a route topographically not unlike that of Bertha in *Eckbert*.
Characterize the manner of portrayal, and the presence or absence of affective aspects.

den Gleisen[85] und versuchten, ob dieser oder jener Furchenaufwurf[86] sie schon trage. Als sie nach Verlauf einer Stunde auf der Höhe des Halses angekommen waren, war der Boden bereits so hart, daß er klang und Schollen wie Steine hatte.

An der roten Unglückssäule des Bäckers bemerkte Sanna zuerst, daß 5 sie heute gar nicht dastehe. Sie gingen zu dem Platze hinzu und sahen, daß der runde, rot angestrichene Balken, der das Bild trug, in dem dürren Grase liege, das wie dünnes Stroh an der Stelle stand und den Anblick der liegenden Säule verdeckte. Sie sahen zwar nicht ein, warum die Säule liege, ob sie umgeworfen worden oder ob sie von selber umgefallen sei, das 10 sahen sie, daß sie an der Stelle, wo sie in die Erde ragte, sehr morsch war und daß sie daher sehr leicht habe umfallen können; aber da sie einmal lag, so machte es ihnen Freude, daß sie das Bild und die Schrift so nahe betrachten konnten, wie es sonst nie der Fall gewesen war. Als sie alles —

[87] *rolls*

den Korb mit den Semmeln,[87] die bleichen Hände des Bäckers, seine 15 geschlossenen Augen, seinen grauen Rock und die umstehenden Tannen — betrachtet hatten, als sie die Schrift gelesen und laut gesagt hatten, gingen sie wieder weiter.

Abermals nach einer Stunde wichen die dunkeln Wälder zu beiden

[88] *sparse*

Seiten zurück, dünnstehende[88] Bäume, teils einzelne Eichen, teils Birken 20 und Gebüschgruppen empfingen sie, geleiteten sie weiter, und nach kurzem liefen sie auf den Wiesen in das Millsdorfer Tal hinab.

Obwohl dieses Tal bedeutend tiefer liegt als das von Gschaid, und auch um so viel wärmer war, daß man die Ernte immer um vierzehn Tage früher beginnen konnte als in Gschaid, so war doch auch hier der Boden gefroren, 25

[89] *tanning and fulling works*

und als die Kinder bis zu den Loh- und Walkwerken[89] des Großvaters gekommen waren, lagen auf dem Wege, auf den die Räder oft Tropfen herausspritzten, schöne Eistäfelchen. Den Kindern ist das gewöhnlich ein sehr großes Vergnügen.

Die Großmutter hatte sie kommen gesehen, war ihnen entgegen- 30 gegangen, nahm Sanna bei den erfrornen Händchen und führte sie in die Stube.

Sie nahm ihnen die wärmeren Kleider ab, sie ließ in dem Ofen nach-

[90] *had more fuel added to the fire*

legen[90] und fragte sie, wie es ihnen im Herübergehen gegangen sei.

Als sie hierauf die Antwort erhalten hatte, sagte sie: ,,Das ist schon recht, 35 das ist gut, es freut mich gar sehr, daß ihr wieder gekommen seid; aber heute müßt ihr bald fort, der Tag ist kurz, und es wird auch kälter, am

What is the importance to the situation, both literally and symbolically, of the state of the *Unglückssäule*?

The trip to Millsdorf is completed. The children are welcomed and treated with obvious affec-

Morgen war es in Millsdorf nicht gefroren."

„In Gschaid auch nicht", sagte der Knabe.

„Siehst du, darum müßt ihr euch sputen, daß euch gegen Abend nicht zu kalt wird", antwortete die Großmutter.

5   Hierauf fragte sie, was die Mutter mache, was der Vater mache, und ob nichts Besonderes in Gschaid geschehen sei.

Nach diesen Fragen bekümmerte sie sich um das Essen, sorgte, daß es früher bereitet wurde als gewöhnlich, und richtete selber den Kindern kleine Leckerbissen zusammen,[91] von denen sie wußte, daß sie eine   [91] *fixed*

10 Freude damit erregen würde. Dann wurde der Färber gerufen, die Kinder bekamen an dem Tische aufgedeckt[92] wie große Personen und aßen nun   [92] *had places set for them*
mit Großvater und Großmutter, und die letzte legte ihnen hiebei besonders Gutes vor. Nach dem Essen streichelte sie Sannas unterdessen sehr rot gewordene Wangen.

15 Hierauf ging sie geschäftig hin und her und steckte das Kalbfellränzchen des Knaben voll und steckte ihm noch allerlei in die Taschen. Auch in die Täschchen von Sanna tat sie allerlei Dinge. Sie gab jedem ein Stück Brot, es auf dem Wege zu verzehren, und in dem Ränzchen, sagte sie, seien noch zwei Weißbrote, wenn etwa der Hunger zu groß würde.

20 „Für die Mutter habe ich einen guten gebrannten[93] Kaffee mitgegeben"   [93] *roasted*
sagte sie, „und in dem Fläschchen, das zugestopft[94] und gut verbunden ist,   [94] *stoppered*
befindet sich auch ein schwarzer Kaffeeaufguß,[95] ein besserer, als die   [95] *concentrated coffee*
Mutter bei euch gewöhnlich macht, sie soll ihn nur kosten, wie er ist, er ist eine wahre Arznei, so kräftig, daß nur ein Schlückchen den Magen so

25 wärmt, daß es den Körper in den kältesten Wintertagen nicht frieren kann. Die anderen Sachen, die in der Schachtel und in den Papieren im Ränzchen sind, bringt unversehrt nach Hause."

Da sie noch ein Weilchen mit den Kindern geredet hatte, sagte sie, daß sie gehen sollten.

30 „Habe acht, Sanna", sagte sie, „daß du nicht frierst, erhitze dich nicht; und daß ihr nicht über die Wiesen hinauf und unter den Bäumen lauft. Etwa kommt gegen Abend ein Wind, da[96] müßt ihr langsamer gehen.   [96] *maybe . . ., and if so . . . .*
Grüßet Vater und Mutter und sagt, sie sollen recht glückliche Feiertage haben."

35 Die Großmutter küßte beide Kinder auf die Wangen und schob sie durch die Tür hinaus. Nichtsdestoweniger ging sie aber auch selber mit, geleitete sie durch den Garten, ließ sie durch das Hinterpförtchen[97]   [97] *back gate*

tion. The description remains wholly commonplace. Are there any disturbing elements whatever, actual or potential?
How does the children's reception here compare with their situation at home?

hinaus, schloß wieder und ging in das Haus zurück.

Die Kinder gingen an den Eistäfelchen neben den Werken des Großvaters vorbei, sie gingen durch die Millsdorfer Felder und wendeten sich
gegen die Wiesen hinan.

Als sie auf den Anhöhen gingen, wo, wie gesagt wurde, zerstreute 5
Bäume und Gebüschgruppen standen, fielen äußerst langsam einzelne
Schneeflocken.

„Siehst du, Sanna", sagte der Knabe, „ich habe es gleich gedacht, daß
wir Schnee bekommen; weißt du, da wir von Hause weggingen, sahen wir
noch die Sonne, die so blutrot war wie eine Lampe bei dem heiligen 10
Grabe,[98] und jetzt ist nichts mehr von ihr zu erblicken, und nur der graue
Nebel ist über den Baumwipfeln oben. Das bedeutet allemal Schnee."

Die Kinder gingen freudiger fort, und Sanna war recht froh, wenn sie
mit dem dunkeln Ärmel ihres Röckchens eine der fallenden Flocken
auffangen konnte und wenn dieselbe recht lange nicht auf dem Ärmel 15
zerfloß.[99] Als sie endlich an dem äußersten Rand der Millsdorfer Höhen
angekommen waren, wo es gegen die dunkeln Tannen des Halses hinein-
geht, war die dichte Waldwand schon recht lieblich gesprenkelt von den
immer reichlicher herabfallenden Flocken. Sie gingen nunmehr in den
dicken Wald hinein, der den größten Teil ihrer noch bevorstehenden 20
Wanderung einnahm.

Es geht von dem Waldrande noch immer aufwärts, und zwar bis man zur
roten Unglückssäule kommt, von wo sich, wie schon oben angedeutet
wurde, der Weg gegen das Tal von Gschaid hinabwendet. Die Erhebung[1]
des Waldes von der Millsdorfer Seite ist sogar so steil, daß der Weg nicht 25
gerade hinangeht, sondern daß er in sehr langen Abweichungen[2] von
Abend nach Morgen und von Morgen nach Abend hinanklimmt.[3] An
der ganzen Länge des Weges hinauf zur Säule und hinab bis zu den
Wiesen von Gschaid sind hohe, dichte, ungelichtete Waldbestände,[4] und
sie werden erst ein wenig dünner, wenn man in die Ebene gelangt ist 30
und gegen die Wiesen des Tales von Gschaid hinauskommt. Der Hals
ist auch, wenn er gleich nur eine kleine Verbindung zwischen zwei
großen Gebirgshäuptern abgibt, doch selbst so groß, daß er, in die Ebene
gelegt, einen bedeutenden Gebirgsrücken abgeben würde.

Das erste, was die Kinder sahen, als sie die Waldung betraten, war, daß 35
der gefrorne Boden sich grau zeigte, als ob er mit Mehl besät[5] wäre, daß die
Fahne[6] manches dünnen Halmes[7] des am Wege hin und zwischen den

---

Marginal glosses (left column):

[98] *Holy Sepulchre*

[99] *didn't melt away*

[1] *elevation*

[2] *switch-backs*
[3] *climbs*

[4] *uncleared stands of
timber*

[5] *strewn*
[6] *beard (head of grass)*
[7] *blade of grass*

That snow falls is scarcely surprising. Is there any reason for concern, literally or indirectly
   evoked?
,Ja Konrad,' sagte das Mädchen. The words become a motif. Prepare to explore their meaning.
Any indication that all is not as it should be? What is the reaction of the children?

Bäumen stehenden dürren Grases mit Flocken beschwert war, und daß auf den verschiedenen grünen Zweigen der Tannen und Fichten, die sich wie Hände öffneten, schon weiße Fläumchen saßen.

„Schneit es denn jetzt bei dem Vater zu Hause auch?" fragte Sanna.

5 „Freilich", antwortete der Knabe, „es wird auch kälter, und du wirst sehen, daß morgen der ganze Teich gefroren ist."

„Ja, Konrad", sagte das Mädchen.

Es verdoppelte beinahe seine kleinen Schritte, um mit denen des dahinschreitenden Knaben gleichbleiben[8] zu können.

10 Sie gingen nun rüstig in den Windungen fort, jetzt von Abend nach Morgen, jetzt von Morgen nach Abend. Der von der Großmutter vorausgesagte Wind stellte sich nicht ein,[9] im Gegenteile war es so stille, daß sich nicht ein Ästchen oder Zweig rührte, ja sogar es schien im Walde wärmer, wie es in lockeren[10] Körpern, dergleichen ein Wald auch ist, immer im

15 Winter zu sein pflegt, und die Schneeflocken fielen stets reichlicher, so daß der ganze Boden schon weiß war, daß der Wald sich grau zu bestäuben[11] anfing, und daß auf dem Hute und den Kleidern des Knaben sowie auf denen des Mädchens der Schnee lag.

Die Freude der Kinder war sehr groß. Sie traten auf den weichen Flaum,

20 suchten mit dem Fuße absichtlich solche Stellen, wo er dichter zu liegen schien, um dorthin zu treten und sich den Anschein zu geben, als wateten sie bereits. Sie schüttelten den Schnee nicht von den Kleidern ab.

Es war große Ruhe eingetreten. Von den Vögeln, deren doch manche auch zuweilen im Winter in dem Walde hin und her fliegen und von denen

25 die Kinder im Herübergehen sogar mehrere zwitschern gehört hatten, war nichts zu vernehmen, sie sahen auch keine auf irgendeinem Zweige sitzen oder fliegen, und der ganze Wald war gleichsam ausgestorben.

Weil nur die bloßen Fußstapfen der Kinder hinter ihnen blieben und weil vor ihnen der Schnee rein und unverletzt[12] war, so war daraus zu

30 erkennen, daß sie die einzigen waren, die heute über den Hals gingen.

Sie gingen in ihrer Richtung fort, sie näherten sich öfter den Bäumen, öfter entfernten sie sich, und wo dichtes Unterholz[13] war, konnten sie den Schnee auf den Bäumen liegen sehen.

Ihre Freude wuchs noch immer; denn die Flocken fielen stets dichter,

35 und nach kurzer Zeit brauchten sie nicht mehr den Schnee aufzusuchen, um in ihm zu waten; denn er lag schon so dicht, daß sie ihn überall weich unter den Sohlen empfanden und daß er sich bereits um ihre Schuhe zu

---

[8] keep up with

[9] did not set in

[10] loosely packed

[11] cover over with powder

[12] untouched

[13] underbrush

On what levels and with what point of view is Stifter operating in the narration of the children's journey?

Actual, physical difficulties (as distinct from portents) increase. What is the children's reaction now? Note the stance of the author. How "present" is he?

legen begann; und wenn es so ruhig und heimlich war, so war es, als ob sie das Knistern des in die Nadeln herabfallenden Schnees vernehmen könnten.

„Werden wir heute auch die Unglückssäule sehen?" fragte das Mädchen. „Sie ist ja umgefallen, und da wird es daraufschneien, und da wird die rote ₅ Farbe weiß sein."

„Darum können wir sie doch sehen", antwortete der Knabe, „wenn auch der Schnee auf sie fällt, und wenn sie auch weiß ist, so müssen wir sie liegen sehen, weil sie eine dicke Säule ist und weil sie das schwarze eiserne Kreuz auf der Spitze hat, das doch immer herausragen wird." ₁₀

„Ja, Konrad."

Indessen, da sie noch weitergegangen waren, war der Schneefall so dicht geworden, daß sie nur mehr die allernächsten Bäume sehen konnten.

Von der Härte des Weges oder gar von Furchenaufwerfungen[14] war nichts zu empfinden, der Weg war vom Schnee überall gleich weich und ₁₅ war überhaupt nur daran zu erkennen, daß er als ein gleichmäßiger weißer Streifen in dem Walde fortlief. Auf allen Zweigen lag schon die schöne weiße Hülle.

Die Kinder gingen jetzt mitten auf dem Wege, sie furchten[15] den Schnee mit ihren Füßlein und gingen langsamer, weil das Gehen beschwerlicher[16] ₂₀ ward. Der Knabe zog seine Jacke empor an dem Halse zusammen, damit ihm nicht der Schnee in den Nacken falle, und er setzte den Hut tiefer in[17] das Haupt, daß er geschützter sei. Er zog auch seinem Schwesterlein das Tuch, das ihm die Mutter um die Schulter gegeben hatte, besser zusammen und zog es ihm mehr vorwärts in die Stirne, daß es ein Dach bilde. ₂₅

Der von der Großmutter vorausgesagte Wind war noch immer nicht gekommen; aber dafür wurde der Schneefall nach und nach so dicht, daß auch nicht mehr die nächsten Bäume zu erkennen waren, sondern daß sie wie neblige Säcke in der Luft standen.

Die Kinder gingen fort. Sie duckten die Köpfe dichter in ihre Kleider ₃₀ und gingen fort.

Sanna nahm den Riemen, an welchem Konrad die Kalbfelltasche um die Schulter hängen hatte, mit den Händchen, hielt sich daran, und so gingen sie ihres Weges.

Die Unglückssäule hatten sie noch immer nicht erreicht. Der Knabe ₃₅ konnte die Zeit nicht ermessen,[18] weil keine Sonne am Himmel stand und weil es immer gleichmäßig grau war.

[14] *ridges between the ruts*

[15] *plowed*

[16] *more difficult*

[17] *lower on*

[18] *estimate*

The words of Konrad to which Sanna gives her leitmotif reply have a common denominator or basic content. What?

„Werden wir bald zu der Unglückssäule kommen?" fragte Sanna.

„Ich weiß es nicht", antwortete der Knabe, „ich kann heute die Bäume nicht sehen und den Weg nicht erkennen, weil er so weiß ist. Die Unglückssäule werden wir wohl gar nicht sehen, weil so viel Schnee liegen wird, daß
5 sie verhüllt sein wird und daß kaum ein Gräschen oder ein Arm des schwarzen Kreuzes hervorragen wird. Aber es macht nichts. Wir gehen immer auf dem Wege fort, der Weg geht zwischen den Bäumen, und wenn er zu dem Platze der Unglückssäule kommt, dann wird er abwärtsgehen, wir gehen auf ihm fort, und wenn er aus den Bäumen hinausgeht, dann sind
10 wir schon auf den Wiesen von Gschaid, dann kommt der Steg, und dann haben wir nicht mehr weit nach Hause."

„Ja, Konrad", sagte das Mädchen.

Sie gingen auf ihrem aufwärtsführenden Wege fort. Die hinter ihnen liegenden Fußstapfen waren jetzt nicht mehr lange sichtbar; denn die
15 ungemeine Fülle des herabfallenden Schnees deckte sie bald zu,[19] daß sie verschwanden. Der Schnee knisterte in seinem Falle nun auch nicht mehr in den Nadeln, sondern legte sich eilig und heimlich auf die weiße schon daliegende Decke nieder. Die Kinder nahmen die Kleider noch fester, um das immerwährende allseitige Hineinrieseln[20] abzuhalten.

20 Sie gingen sehr schleunig, und der Weg führte noch stets aufwärts.

Nach langer Zeit war noch immer die Höhe nicht erreicht, auf welcher die Unglückssäule stehen sollte und von wo der Weg gegen die Gschaider Seite sich hinunterwenden mußte.

Endlich kamen die Kinder in eine Gegend, in welcher keine Bäume
25 standen.

„Ich sehe keine Bäume mehr", sagte Sanna.

„Vielleicht ist nur der Weg so breit, daß wir sie wegen des Schneiens nicht sehen können", antwortete der Knabe.

„Ja, Konrad", sagte das Mädchen.

30 Nach einer Weile blieb der Knabe stehen und sagte: „Ich sehe selber keine Bäume mehr, wir müssen aus dem Walde gekommen sein, auch geht der Weg immer bergan. Wir wollen ein wenig stehenbleiben und herumsehen, vielleicht erblicken wir etwas."

Aber sie erblickten nichts. Sie sahen durch einen trüben Raum in den
35 Himmel. Wie bei dem Hagel über die weißen oder grünlich gedunsenen[21] Wolken die finsteren fransenartigen[22] Streifen herabstarren, so war es hier, und das stumme Schütten[23] dauerte fort. Auf der Erde sahen sie nur

[19] *covered them over*

[20] *constant drifting which came in from all sides*

[21] *thick, puffy*

[22] *fringe-like*

[23] *outpouring (of snow)*

The children are now obviously lost. How does each respond to the situation?

einen runden Fleck Weiß und dann nichts mehr.

„Weißt du, Sanna", sagte der Knabe, „wir sind auf dem dürren Grase, auf welches ich dich oft im Sommer heraufgeführt habe, wo wir saßen und wo wir den Rasen betrachteten, der nacheinander[24] hinaufgeht und wo die schönen Kräuterbüschel wachsen. Wir werden da jetzt gleich rechts hinab- 5 gehen."

„Ja Konrad."

„Der Tag ist kurz, wie die Großmutter gesagt hat und wie du auch wissen wirst, wir müssen uns daher sputen."

„Ja Konrad", sagte das Mädchen. 10

„Warte ein wenig, ich will dich besser einrichten", erwiderte der Knabe.

Er nahm seinen Hut ab, setzte ihn Sanna auf das Haupt und befestigte ihn mit den beiden Bändchen unter ihrem Kinn. Das Tüchlein, welches sie umhatte,[25] schützte sie zu wenig, während auf seinem Haupte eine solche Menge dichter Locken war, daß noch lange Schnee darauffallen konnte, 15 ehe Nässe und Kälte durchzudringen vermochten. Dann zog er sein Pelzjäckchen aus und zog dasselbe über die Ärmelein der Schwester. Um seine eigenen Schultern und Arme, die jetzt das bloße Hemd zeigten, band er das kleinere Tüchlein, das Sanna über die Brust, und das größere, das sie über die Schultern gehabt hatte. Das sei für ihn genug, dachte er, 20 wenn er nur stark auftrete,[26] werde ihn nicht frieren.

Er nahm das Mädchen bei der Hand, und so gingen sie jetzt fort.

Das Mädchen schaute mit den willigen Äuglein in das ringsum herrschende Grau und folgte ihm gerne, nur daß es mit den kleinen eilenden Füßlein nicht so nachkommen konnte, wie er vorwärts strebte, gleich 25 einem, der es zur Entscheidung bringen wollte.

Sie gingen nun mit der Unablässigkeit und Kraft, die Kinder und Tiere haben, weil sie nicht wissen, wieviel ihnen beschieden ist[27] und wann ihr Vorrat erschöpft ist.

Aber wie sie gingen, so konnten sie nicht merken, ob sie über den Berg 30 hinabkamen oder nicht. Sie hatten gleich rechts nach abwärts gebogen, allein sie kamen wieder in Richtungen, die bergan führten. Oft begegneten ihnen Steilheiten, denen sie ausweichen mußten, und ein Graben, in dem sie fortgingen, führte sie in einer Krümmung herum. Sie erklommen Höhen, die sich unter ihren Füßen steiler gestalteten als sie dachten, und 35 was sie für abwärts hielten, war wieder eben, oder es war eine Höhlung, oder es ging immer gedehnt fort.

---

[24] *gradually*

[25] *had around her*

[26] *walk with a good brisk stride*

[27] *has been allotted to them*

Konrad's solicitude for Sanna is perhaps natural enough, but it has a lot to do with the subtle thematics of this innocent-seeming story. Amplify.

The simile *gleich einem, der* . . . is one of the first indications of "author intrusion," and a mild one. Explain.

Looking back at the whole story, introduction included, characterize the position of the narrating personality vis-à-vis his material and his characters. What is the role of the various modes: lyric, epic, dramatic?

„Wo sind wir denn, Konrad?" fragte das Mädchen.

„Ich weiß es nicht", antwortete er.

„Wenn ich nur mit diesen meinen Augen etwas zu erblicken imstande
wäre", fuhr er fort, „daß ich mich danach richten könnte."

5   Aber es war rings um sie nichts als das blendende Weiß, überall das
Weiß, das aber selber nur einen immer kleineren Kreis um sie zog und
dann in einen lichten, streifenweise[28] niederfallenden Nebel überging, der   *[28] in streaks*
jedes Weitere[29] verzehrte und verhüllte und zuletzt nichts anderes war als   *[29] everything else*
der unersättlich[30] niederfallende Schnee.   *[30] interminably*

10   „Warte, Sanna", sagte der Knabe, „wir wollen ein wenig stehenbleiben
und horchen, ob wir nicht etwas hören können, was sich im Tale meldet,
sei es nun ein Hund oder eine Glocke oder die Mühle, oder sei es ein Ruf,
der sich hören läßt; hören müssen wir etwas, und dann werden wir wissen,
wohin wir zu gehen haben."

15   Sie blieben nun stehen, aber sie hörten nichts. Sie blieben noch ein
wenig länger stehen, aber es meldete sich nichts, es war nicht ein einziger
Laut, auch nicht der leiseste, außer ihrem Atem zu vernehmen, ja in der
Stille, die herrschte, war es, als sollten sie den Schnee hören, der auf ihre
Wimpern fiel. Die Voraussage der Großmutter hatte sich noch immer
20 nicht erfüllt, der Wind war nicht gekommen, ja, was in diesen Gegenden
selten ist, nicht das leiseste Lüftchen rührte sich an dem ganzen Himmel.

Nachdem sie lange gewartet hatten, gingen sie wieder fort.

„Es tut auch nichts, Sanna", sagte der Knabe, „sei nur nicht verzagt,
folge mir, ich werde dich doch noch hinüberführen. — Wenn nur das
25 Schneien aufhörte!"

Sie war nicht verzagt, sondern hob die Füßchen, so gut es gehen wollte,[31]   *[31] as well as she could*
und folgte ihm. Er führte sie in dem weißen, lichten, regsamen, undurch-
sichtigen Raume fort.

Nach einer Weile sahen sie Felsen. Sie hoben sich dunkel und undeutlich
30 aus dem weißen und undurchsichtigen Lichte empor. Da die Kinder sich
näherten, stießen sie fast daran. Sie stiegen wie eine Mauer hinauf und
waren ganz gerade, so daß kaum ein Schnee an ihrer Seite haften konnte.

„Sanna, Sanna", sagte er, „da sind die Felsen, gehen wir nur weiter,
gehen wir weiter."

35   Sie gingen weiter, sie mußten zwischen die Felsen hinein und unter
ihnen fort. Die Felsen ließen sie nicht rechts und nicht links ausweichen
und führten sie in einem engen Wege dahin. Nach einer Zeit verloren sie

---

The author's observations continue with the remark about children and animals. What does
  the comment mean and what does it portend?

What is the effect of the "blinding whiteness"?

Now: *sie hörten nichts.* What process is continuing?

Why the repeated references to the wind?

dieselben wieder und konnten sie nicht mehr erblicken. So wie sie unversehens unter sie gekommen waren, kamen sie wieder unversehens von ihnen. Es war wieder nichts um sie als das Weiß, und ringsum war kein unterbrechendes Dunkel zu schauen. Es schien eine große Lichtfülle[32] zu sein, und doch konnte man nicht drei Schritte vor sich sehen; alles war, wenn man so sagen darf, in eine einzige weiße Finsternis gehüllt, und weil kein Schatten war, so war kein Urteil über die Größe der Dinge, und die Kinder konnten nicht wissen, ob sie aufwärts oder abwärts gehen würden, bis eine Steilheit ihren Fuß faßte und ihn aufwärts zu gehen zwang.

„Mir tun die Augen weh", sagte Sanna.

„Schaue nicht auf den Schnee", antwortete der Knabe, „sondern in die Wolken. Mir tun sie schon lange weh; aber es tut nichts, ich muß doch auf den Schnee schauen, weil ich auf den Weg zu achten habe. Fürchte dich nur nicht, ich führe dich doch hinunter ins Gschaid."

„Ja, Konrad."

Sie gingen wieder fort; aber wie sie auch gehen mochten, wie sie sich auch wenden mochten, es wollte kein Anfang zum Hinabwärtsgehen[33] kommen. An beiden Seiten waren steile Dachlehnen[34] nach aufwärts, mitten gingen sie fort, aber auch immer aufwärts. Wenn sie den Dachlehnen entrannen und sie nach abwärts beugten, wurde es gleich so steil, daß sie wieder umkehren mußten, die Füßlein stießen oft auf Unebenheiten, und sie mußten häufig Büheln[35] ausweichen.

Sie merkten auch, daß ihr Fuß, wo er tiefer durch den jungen Schnee einsank, nicht erdigen[36] Boden unter sich empfand, sondern etwas anderes, das wie älterer, gefrorener Schnee war; aber sie gingen immerfort, und sie liefen mit Hast und Ausdauer. Wenn sie stehenblieben, war alles still, unermeßlich still; wenn sie gingen, hörten sie das Rascheln ihrer Füße, sonst nichts; denn die Hüllen des Himmels sanken ohne Laut hernieder, und so reich, daß man den Schnee hätte wachsen sehen können. Sie selber waren so bedeckt, daß sie sich von dem allgemeinen Weiß nicht hervorhoben und sich, wenn sie um ein paar Schritte getrennt worden wären, nicht mehr gesehen hätten.

Eine Wohltat war es, daß der Schnee so trocken war wie Sand, so daß er von ihren Füßen und den Bundschühlein und Strümpfen daran leicht abglitt und abrieselte, ohne Ballen[37] und Nässe zu machen.

Endlich gelangten sie wieder zu Gegenständen.

Es waren riesenhaft große, sehr durcheinanderliegende Trümmer, die mit Schnee bedeckt waren, der überall in die Klüfte hineinrieselte, und an

---

[32] *flood of light*

[33] *descent*
[34] *steep-pitched walls*

[35] *hummocks*

[36] *earth-like ground*

[37] *lumps*

Konrad's solicitude for Sanna increases. What is the character trait thus manifested, and what has it to do with the characters of the introduction?

What is the extended meaning of the fact that the children themselves are covered with snow?

die sie sich ebenfalls fast anstießen, ehe sie sie sahen. Sie gingen ganz
hinzu, die Dinge anzublicken.

Es war Eis — lauter Eis.

Es lagen Platten da, die mit Schnee bedeckt waren, an deren Seiten-
5 wänden aber das glatte grünliche Eis sichtbar war, es lagen Hügel da, die
wie zusammengeschobener Schaum aussahen, an deren Seiten es aber matt
nach einwärts[38] flimmerte und glänzte, als wären Balken und Stangen von   [38] *inward*
Edelsteinen durcheinandergeworfen worden, es lagen ferner gerundete
Kugeln da, die ganz mit Schnee umhüllt[39] waren, es standen Platten und   [39] *enveloped*
10 andere Körper auch schief oder gerade aufwärts, so hoch wie der Kirchturm in Gschaid oder wie Häuser. In einigen waren Höhlen eingefressen,
durch die man mit einem Arme durchfahren konnte, mit einem Kopfe,
mit einem Körper, mit einem ganzen großen Wagen voll Heu. Alle diese
Stücke waren zusammen- oder emporgedrängt und starrten, so daß sie
15 oft Dächer bildeten oder Überhänge, über deren Ränder sich der Schnee
herüberlegte und herabgriff wie lange weiße Tatzen. Selbst ein großer,
schreckhaft schwarzer Stein, wie ein Haus, lag unter dem Eise und war
emporgestellt, daß er auf der Spitze stand, daß kein Schnee an seinen
Seiten liegen bleiben konnte. Und nicht dieser Stein allein — noch
20 mehrere und größere staken in dem Eise, die man erst später sah und die
wie eine Trümmermauer an ihm hingingen.

„Da muß recht viel Wasser gewesen sein, weil soviel Eis ist", sagte
Sanna.

„Nein, das ist von keinem Wasser", antwortete der Bruder, „das ist das
25 Eis des Berges, das immer oben ist, weil es so eingerichtet ist."

„Ja, Konrad", sagte Sanna.

„Wir sind jetzt bis zu dem Eise gekommen", sagte der Knabe, „wir
sind auf dem Berge, Sanna, weißt du, den man von unserm Garten aus im
Sonnenscheine so weiß sieht. Merke gut auf, was ich dir sagen werde.
30 Erinnerst du dich noch, wie wir oft nachmittags in dem Garten saßen, wie
es recht schön war, wie die Bienen um uns summten, die Linden dufteten
und die Sonne von dem Himmel schien?"

„Ja, Konrad, ich erinnere mich."

„Da sahen wir auch den Berg. Wir sahen, wie er so blau war, so blau
35 wie das sanfte Firmament, wir sahen den Schnee, der oben ist, wenn auch
bei uns Sommer war, eine Hitze herrschte und die Getreide reif wurden."

„Ja, Konrad."

„Und unten, wo der Schnee aufhört, da sieht man allerlei Farben, wenn

---

Ice appears and rapidly becomes a dominant physical and symbolic feature of the situation.
    Watch Stifter's development of the theme.
Both the author-narrator and Konrad explain and describe the ice. With what differences?

[40] *whitish*

man genau schaut, grün, blau, weißlich[40] — das ist das Eis, das unten nur so klein ausschaut, weil man sehr weit entfernt ist, und das, wie der Vater sagte, nicht weggeht bis an das Ende der Welt. Und da habe ich oft gesehen, daß unterhalb des Eises die blaue Farbe noch fortgeht, das werden Steine sein, dachte ich, oder es wird Erde und Weidegrund sein, und dann fangen 5 die Wälder an, die gehen herab und immer weiter herab, man sieht auch allerlei Felsen in ihnen, dann folgen die Wiesen, die schon grün sind, und dann die grünen Laubwälder, und dann kommen unsere Wiesen und Felder, die in dem Tale von Gschaid sind. Siehst du nun, Sanna, weil wir jetzt bei dem Eise sind, so werden wir über die blaue Farbe hinabgehen, 10 dann durch die Wälder, in denen die Felsen sind, dann über die Wiesen, und dann durch die grünen Laubwälder, und dann werden wir in dem Tale von Gschaid sein und recht leicht unser Dorf finden."

,,Ja, Konrad", sagte das Mädchen.

[41] *accessible*

Die Kinder gingen nun in das Eis hinein, wo es zugänglich[41] war. 15

Sie waren winzigkleine wandelnde Punkte in diesen ungeheuern Stücken.

[42] *prompted, as it were, by some impulse*
[43] *deep furrowed*

Wie sie so unter die Überhänge hineinsahen, gleichsam als gäbe ihnen ein Trieb ein,[42] ein Obdach zu suchen, gelangten sie in einen Graben, in einen breiten, tiefgefurchten[43] Graben, der gerade aus dem Eise hervorging. 20 Er sah aus wie das Bett eines Stromes, der aber jetzt ausgetrocknet und überall mit frischem Schnee bedeckt war. Wo er aus dem Eise hervorkam,

[44] *low vaulted arch*

ging er gerade unter einem Kellergewölbe[44] heraus, das recht schön aus Eis über ihn gespannt war. Die Kinder gingen in dem Graben fort und gingen in das Gewölbe hinein, und immer tiefer hinein. Es war ganz 25 trocken, und unter ihren Füßen hatten sie glattes Eis. In der ganzen Höhlung aber war es blau, so blau, wie gar nichts in der Welt ist, viel tiefer und viel schöner blau als das Firmament, gleichsam wie himmelblau gefärbtes Glas, durch welches lichter Schein hineinsinkt. Es waren dickere und

[45] *tassels*
[46] *might perhaps have gone back even deeper*

dünnere Bogen, es hingen Zacken, Spitzen und Troddeln[45] herab, der 30 Gang wäre noch tiefer zurückgegangen,[46] sie wußten nicht wie tief, aber sie gingen nicht mehr weiter. Es wäre auch sehr gut in der Höhle gewesen, es war warm, es fiel kein Schnee, aber es war so schreckhaft blau, die Kinder fürchteten sich und gingen wieder hinaus. Sie gingen eine Weile in dem Graben fort und kletterten dann über seinen Rand hinaus. 35

[47] *glacial debris*

Sie gingen an dem Eise hin, sofern es möglich war, durch das Getrümmer[47] und zwischen den Platten durchzudringen.

What is the nature, structure, and color of the ice-world? What sort of environment is this, by extension?

„Wir werden jetzt da noch hinübergehen und dann von dem Eise abwärts laufen", sagte Konrad.

„Ja", sagte Sanna und klammerte sich an ihn an.

Sie schlugen von dem Eise eine Richtung durch den Schnee abwärts
5 ein, die sie in das Tal führen sollte. Aber sie kamen nicht weit hinab. Ein neuer Strom von Eis, gleichsam ein riesenhaft aufgetürmter und aufgewölbter Wall,[48] lag quer durch den weichen Schnee und griff gleichsam mit Armen rechts und links um sie herum. Unter der weißen Decke, die ihn verhüllte, glimmerte es seitwärts grünlich und bläulich und dunkel und
10 schwarz und selbst gelblich und rötlich heraus. Sie konnten es nun auf weitere Strecken sehen, weil das ungeheure und unermüdliche Schneien sich gemildert hatte und nur mehr wie an gewöhnlichen Schneetagen vom Himmel fiel. Mit dem Starkmute[49] der Unwissenheit kletterten sie in das Eis hinein, um den vorgeschobenen Strom desselben zu über-
15 schreiten und dann jenseits weiter hinabzukommen. Sie schoben sich in die Zwischenräume hinein, sie setzten den Fuß auf jedes Körperstück,[50] das mit einer weißen Schneehaube versehen war, war es Fels oder Eis, sie nahmen die Hände zur Hilfe, krochen, wo sie nicht gehen konnten, und arbeiteten sich mit ihren leichten Körpern hinauf, bis sie die Seite des
20 Walles überwunden hatten und oben waren.

Jenseits wollten sie wieder hinabklettern.

Aber es gab kein Jenseits.

So weit die Augen der Kinder reichen konnten, war lauter Eis. Es standen Spitzen und Unebenheiten und Schollen empor wie lauter furcht-
25 bares überschneites[51] Eis. Statt ein Wall zu sein, über den man hinübergehen könnte und der dann wieder von Schnee abgelöst würde, wie sie sich unten dachten, stiegen aus der Wölbung neue Wände von Eis empor, geborsten und geklüftet,[52] mit unzähligen blauen geschlängelten Linien versehen, und hinter ihnen waren wieder solche Wände, und hinter diesen
30 wieder solche, bis der Schneefall das Weitere mit seinem Grau verdeckte.

„Sanna, da können wir nicht gehen", sagte der Knabe.

„Nein", antwortete die Schwester.

„Da werden wir wieder umkehren und anderswo hinabzukommen suchen."
35 „Ja, Konrad."

Die Kinder versuchten nun von dem Eiswalle wieder da hinabzukommen wo sie hinaufgeklettert waren, aber sie kamen nicht hinab. Es war lauter Eis,

[48] *a giant wall, heaped up and arched over*

[49] *courage*

[50] *object*

[51] *snow covered*

[52] *split*

als hätten sie die Richtung, in der sie gekommen waren, verfehlt. Sie wandten sich hierhin und dorthin und konnten aus dem Eise nicht herauskommen, als wären sie von ihm umschlungen. Sie kletterten abwärts und kamen wieder in Eis. Endlich, da der Knabe die Richtung immer verfolgte, in der sie nach seiner Meinung gekommen waren, gelangten sie in zerstreutere Trümmer, 5 aber sie waren auch größer und furchtbarer, wie sie gerne am Rande des Eises zu sein pflegen, und die Kinder gelangten kriechend und kletternd hinaus. An dem Eisessaume waren ungeheure Steine, sie waren gehäuft, wie sie die Kinder ihr Leben lang nicht gesehen hatten. Viele waren in Weiß gehüllt, viele zeigten die unteren, schiefen Wände sehr glatt und 10 fein geschliffen, als wären sie darauf geschoben worden, viele waren wie Hütten und Dächer gegeneinander gestellt, viele lagen aufeinander wie ungeschlachte Knollen.[53] Nicht weit von dem Standorte[54] der Kinder standen mehrere mit den Köpfen gegeneinander gelehnt, und über sie lagen breite gelagerte Blöcke wie ein Dach. Es war ein Häuschen, das ge- 15 bildet war, das gegen vorne offen, rückwärts und an den Seiten aber geschützt war. Im Innern war es trocken, da der steilrechte Schneefall keine einzige Flocke hineingetragen hatte. Die Kinder waren recht froh, daß sie nicht mehr in dem Eise waren und auf ihrer Erde standen.

Aber es war auch endlich finster geworden. 20

,,Sanna", sagte der Knabe, ,,wir können nicht mehr hinabgehen, weil es Nacht geworden ist, und weil wir fallen oder gar in eine Grube geraten könnten. Wir werden da unter die Steine hineingehen, wo es so trocken und so warm ist, und da werden wir warten. Die Sonne geht bald wieder auf, dann laufen wir hinunter. Weine nicht, ich bitte dich recht schön, 25 weine nicht, ich gebe dir alle Dinge zu essen, welche uns die Großmutter mitgegeben hat."

Sie weinte auch nicht, sondern nachdem sie beide unter das steinerne Überdach[55] hineingegangen waren, wo sie nicht nur bequem sitzen, sondern auch stehen und herumgehen konnten, setzte sie sich recht dicht an ihn 30 und war mäuschenstille.

,,Die Mutter", sagte Konrad, ,,wird nicht böse sein, wir werden ihr von dem vielen Schnee erzählen, der uns aufgehalten hat, und sie wird nichts sagen; der Vater auch nicht. Wenn uns kalt wird — weißt du — dann mußt du mit den Händen an deinen Leib schlagen, wie die Holzhauer[56] 35 getan haben, und dann wird dir wärmer werden."

,,Ja, Konrad", sagte das Mädchen.

As night falls and there is still no way out, Konrad's words to Sanna change noticeably in tenor. How?

[53] lumps
[54] where . . . were standing
[55] shelter
[56] wood-choppers

Sanna war nicht gar so untröstlich,[57] daß sie heute nicht mehr über den Berg hinabgingen und nach Hause liefen, wie er etwa glauben mochte; denn die unermeßliche Anstrengung, von der die Kinder nicht einmal gewußt hatten, wie groß sie gewesen sei, ließ ihnen das Sitzen süß, unsäglich süß erscheinen, und sie gaben sich hin.

Jetzt machte sich aber auch der Hunger geltend. Beide nahmen fast zu gleicher Zeit ihre Brote aus den Taschen und aßen sie. Sie aßen auch die Dinge — kleine Stückchen Kuchen, Mandeln und Nüsse und andere Kleinigkeiten — die die Großmutter ihnen in die Tasche gesteckt hatte.

„Sanna, jetzt müssen wir aber auch den Schnee von unsern Kleidern tun", sagte der Knabe, „daß wir nicht naß werden."

„Ja, Konrad", erwiderte Sanna.

Die Kinder gingen aus ihrem Häuschen, und zuerst reinigte Konrad das Schwesterlein von Schnee. Er nahm die Kleiderzipfel,[58] schüttelte sie, nahm ihr den Hut ab, den er ihr aufgesetzt hatte, entleerte ihn von Schnee, und was noch zurückgeblieben war, das stäubte er mit einem Tuche ab. Dann entledigte er auch sich, so gut es ging, des auf ihm liegenden Schnees.

Der Schneefall hatte zu dieser Stunde ganz aufgehört. Die Kinder spürten keine Flocke.

Sie gingen wieder in die Steinhütte und setzten sich nieder. Das Aufstehen hatte ihnen ihre Müdigkeit erst recht gezeigt, und sie freuten sich auf das Sitzen. Konrad legte die Tasche aus Kalbfell ab. Er nahm das Tuch heraus, in welches die Großmutter eine Schachtel und mehrere Papierpäckchen gewickelt hatte, und tat es zu größerer Wärme um seine Schultern. Auch die zwei Weißbrote nahm er aus dem Ränzchen und reichte sie beide an Sanna: das Kind aß begierig. Es aß eines der Brote und von dem zweiten auch noch einen Teil. Den Rest reichte es aber Konrad, da es sah, daß er nicht aß. Er nahm es und verzehrte es.

Von da an saßen die Kinder und schauten.

So weit sie in der Dämmerung zu sehen vermochten, lag überall der flimmernde Schnee hinab, dessen einzelne winzige Täfelchen[59] hie und da in der Finsternis seltsam zu funkeln begannen, als hätte er bei Tag das Licht eingesogen und gäbe es jetzt von sich.

Die Nacht brach mit der in großen Höhen gewöhnlichen Schnelligkeit herein. Bald war es ringsherum finster, nur der Schnee fuhr fort, mit seinem bleichen Lichte zu leuchten. Der Schneefall hatte nicht nur aufgehört,

[57] *disconsolate*

[58] *ends of her clothing*

[59] *tiny thin flakes*

The author again enters, to comment on the children's exhaustion. Why is this particularly in order here?

[60] *thin out*

sondern der Schleier an dem Himmel fing auch an, sich zu verdünnen[60] und zu verteilen; denn die Kinder sahen ein Sternlein blitzen. Weil der Schnee wirklich gleichsam ein Licht von sich gab und weil von den Wolken kein Schleier mehr herabhing, so konnten die Kinder von ihrer Höhle aus die Schneehügel sehen, wie sie sich in Linien von dem dunkeln Himmel 5

[61] *were outlined against the dark sky*

abschnitten.[61] Weil es in der Höhle viel wärmer war, als es an jedem andern Platze im ganzen Tage gewesen war, so ruhten die Kinder enge aneinander sitzend und vergaßen sogar die Finsternis zu fürchten. Bald vermehrten sich auch die Sterne, jetzt kam hier einer zum Vorscheine, jetzt dort, bis es schien, als wäre am ganzen Himmel keine Wolke mehr. 10

Das war der Zeitpunkt, in welchem man in den Tälern die Lichter anzuzünden pflegt. Zuerst wird eines angezündet und auf den Tisch gestellt, um die Stube zu erleuchten, oder es brennt auch nur ein Span, oder es

[62] *hearth-light*

brennt das Feuer auf der Leuchte.[62] und es erhellen sich alle Fenster von bewohnten Stuben und glänzen in die Schneenacht hinaus — aber heute 15

[63] (=mehr)

erst — am Heiligen Abende — da wurden viel mehrere[63] angezündet, um die Gaben zu beleuchten, welche für die Kinder auf den Tischen lagen oder an den Bäumen hingen, es wurden wohl unzählige angezündet; denn beinahe in jedem Hause, in jeder Hütte, jedem Zimmer war eines oder mehrere Kinder, denen der Heilige Christ etwas gebracht hatte und wozu 20 man Lichter stellen mußte. Der Knabe hatte geglaubt, daß man sehr bald von dem Berge hinabkommen könne, und doch, von den vielen Lichtern, die heute in dem Tale brannten, kam nicht ein einziges zu ihnen herauf; sie sahen nichts als den blassen Schnee und den dunkeln Himmel, alles andere war ihnen in die unsichtbare Ferne hinabgerückt. 25 In allen Tälern bekamen die Kinder in dieser Stunde die Geschenke des Heiligen Christ: nur die zwei saßen oben am Rande des Eises, und die vorzüglichsten Geschenke, die sie heute hätten bekommen sollen, lagen in versiegelten Päckchen in der Kalbfelltasche im Hintergrunde der Höhle.

Die Schneewolken waren ringsum hinter die Berge hinabgesunken, und 30 ein ganz dunkelblaues, fast schwarzes Gewölbe spannte sich um die Kinder voll von dichten brennenden Sternen, und mitten durch diese Sterne war ein schimmerndes breites milchiges Band gewoben, das sie wohl auch

[64] *advanced*

unten im Tale, aber nie so deutlich gesehen hatten. Die Nacht rückte vor.[64]

Die Kinder wußten nicht, daß die Sterne gegen Westen rücken und weiter- 35

[65] *progression*

wandeln, sonst hätten sie an ihrem Vorschreiten[65] den Stand der Nacht erkennen können; aber es kamen neue und gingen die alten, sie aber glaub-

---

The night landscape is increasingly dominated by effects of light. Note the development of this motif.

The transition back to the village, and, as it were, to the story's introduction, is facilitated by what device of bridging? Why is this point in the narrative particularly appropriate for such a return of the initial frame?

ten, es seien immer dieselben. Es wurde von dem Scheine der Sterne auch lichter um die Kinder; aber sie sahen kein Tal, keine Gegend, sondern überall nur Weiß — lauter Weiß. Bloß ein dunkles Horn, ein dunkles Haupt, ein dunkler Arm wurde sichtbar und ragte dort und hier aus dem

5 Schimmer empor. Der Mond war nirgends am Himmel zu erblicken, vielleicht war er schon frühe mit der Sonne untergegangen, oder er ist noch nicht erschienen.

Als eine lange Zeit vergangen war, sagte der Knabe: „Sanna, du mußt nicht schlafen; denn weißt du, wie der Vater gesagt hat, wenn man im

10 Gebirge schläft, muß man erfrieren, so wie der alte Eschenjäger[66] auch geschlafen hat und vier Monate tot auf dem Stein gesessen ist, ohne daß jemand gewußt hatte, wo er sei.“

„Nein, ich werde nicht schlafen“, sagte das Mädchen matt.

Konrad hatte es an dem Zipfel des Kleides geschüttelt, um es zu jenen

15 Worten zu erwecken.

Nun war es wieder stille.

Nach einer Zeit empfand der Knabe ein sanftes Drücken gegen seinen Arm, das immer schwerer wurde. Sanna war eingeschlafen und war gegen ihn herübergesunken.

20 „Sanna, schlafe nicht, ich bitte dich, schlafe nicht“, sagte er.

„Nein“, lallte[67] sie schlaftrunken, „ich schlafe nicht.“

Er rückte weiter von ihr, um sie in Bewegung zu bringen, allein sie sank um und hätte auf der Erde liegend fortgeschlafen. Er nahm sie an der Schulter und rüttelte sie. Da er sich dabei selber etwas stärker bewegte,

25 merkte er, daß ihn friere und daß sein Arm schwerer sei. Er erschrak und sprang auf. Er ergriff die Schwester, schüttelte sie stärker und sagte: „Sanna, stehe ein wenig auf, wir wollen eine Zeit stehen, daß es besser wird.“

„Mich friert nicht, Konrad“, antwortete sie.

„Ja, ja, es friert dich, Sanna, stehe auf!“ rief er.

30 „Die Pelzjacke ist warm“, sagte sie.

„Ich werde dir emporhelfen“, sagte er.

„Nein“, erwiderte sie und war stille.

Da fiel dem Knaben etwas anderes ein. Die Großmutter hatte gesagt: Nur ein Schlückchen wärmt den Magen so, daß es den Körper in den

35 kältesten Wintertagen nicht frieren kann.

Er nahm das Kalbfellränzchen, öffnete es und griff so lange, bis er das Fläschchen fand, in welchem die Großmutter der Mutter einen schwarzen

[66] *(here and below, a proper name)*

[67] *mumbled*

Konrad's drastic warning to Sanna raises the clear question of survival. Characterize as fully as possible the environment in which the ultimate threat to life is manifested.

strong black coffee [68]

Kaffeeabsud[68] schicken wollte. Er nahm das Fläschchen heraus, tat den Verband weg und öffnete mit Anstrengung den Kork. Dann bückte er sich zu Sanna und sagte: „Da ist der Kaffee, den die Großmutter der Mutter schickt, koste ihn ein wenig, er wird dir warm machen. Die Mutter gibt ihn uns, wenn sie nur weiß, wozu wir ihn nötig gehabt haben." 5

whose whole being called for sleep [69]

Das Mädchen, dessen Natur zur Ruhe zog,[69] antwortete: „Mich friert nicht."

„Nimm nur etwas", sagte der Knabe, „dann darfst du schlafen."

pulled herself together sufficiently to gulp down the drink which was practically poured into her throat [70]
the uncommonly powerful liquid [71]

Diese Aussicht verlockte Sanna, sie bewältigte sich so weit, daß sie das fast eingegossene Getränk verschluckte.[70] Hierauf trank der Knabe auch 10 etwas.

Der ungemein starke Auszug[71] wirkte sogleich, und zwar um so heftiger, da die Kinder in ihrem Leben keinen Kaffee gekostet hatten. Statt zu schlafen, wurde Sanna nun lebhafter und sagte selber, daß sie friere, daß es aber von innen recht warm sei und auch schon so in die Hände und Füße 15 gehe. Die Kinder redeten sogar eine Weile miteinander.

bitter taste [72]

So tranken sie trotz der Bitterkeit[72] immer wieder von dem Getränke, sobald die Wirkung nachzulassen begann, und steigerten ihre unschuldigen Nerven zu einem Fieber, das imstande war, den zum Schlummer ziehenden Gewichten entgegenzuwirken.[73] 20

counteract(ing) [73]

in their extreme feeling of pleasure [74]
fell asleep [75]

Es war nun Mitternacht gekommen. Weil sie noch so jung waren und an jedem Heiligen Abende in höchstem Drange der Freude[74] stets erst sehr spät entschlummerten,[75] wenn sie nämlich der körperliche Drang übermannt hatte, so hatten sie nie das mitternächtliche Läuten der Glocken, nie die Orgel der Kirche gehört, wenn das Fest gefeiert wurde, obwohl sie 25 nahe an der Kirche wohnten. In diesem Augenblicke der heutigen Nacht wurde nun mit allen Glocken geläutet, es läuteten die Glocken in Millsdorf, es läuteten die Glocken in Gschaid, und hinter dem Berge war noch ein Kirchlein mit drei hellen klingenden Glocken, die läuteten. In den fernen Ländern draußen waren unzählige Kirchen und Glocken, und mit allen 30 wurde zu dieser Zeit geläutet, von Dorf zu Dorf ging die Tonwelle, ja man konnte wohl zuweilen von einem Dorfe zum andern durch die blätterlosen Zweige das Läuten hören: nur zu den Kindern herauf kam kein Laut, hier wurde nichts vernommen; denn hier war nichts zu verkündigen. In den

winding valleys [76]
mountain slopes [77]
little bells on the houses [78]

Talkrümmen[76] gingen jetzt an den Berghängen[77] die Lichter der Laternen 35 hin, und von manchem Hofe tönte das Hausglöcklein,[78] um die Leute zu erinnern; aber dieses konnte um so weniger herauf gesehen und gehört

---

At this point, the coffee, literally, saves the children. The literal plane is never absent from the story, and the extended meaning is not so much symbolical as almost didactic. Explain.
The central moment of Christmas, when the bells ring in the villages, finds the children utterly isolated from sight and even sound. Are they then isolated from the experience of Christmas? What is the meaning of the cryptic *hier war nichts zu verkünden*? Try to find at least two levels on which this striking observation is valid.

werden, es glänzten nur die Sterne, und sie leuchteten und funkelten ruhig
fort.

Wenn auch Konrad sich das Schicksal des erfrornen Eschenjägers vor
Augen hielt, wenn auch die Kinder das Fläschchen mit dem schwarzen
5 Kaffee fast ausgeleert hatten, wodurch sie ihr Blut zu größerer Tätigkeit
brachten, aber gerade dadurch eine folgende Ermattung herbeizogen: so
würden sie den Schlaf nicht haben überwinden können, dessen verfüh-
rende Süßigkeit alle Gründe überwiegt,[79] wenn nicht die Natur in ihrer
Größe ihnen beigestanden wäre und in ihrem Innern eine Kraft aufgerufen
10 hätte, welche imstande war, dem Schlafe zu widerstehen.

In der ungeheueren Stille, die herrschte, in der Stille, in der sich kein
Schneespitzchen[80] zu rühren schien, hörten die Kinder dreimal das Krachen
des Eises. Was das Starrste scheint und doch das Regsamste und Leben-
digste ist, der Gletscher,[81] hatte die Töne hervorgebracht. Dreimal hörten
15 sie hinter sich den Schall, der entsetzlich war, als ob die Erde entzweige-
sprungen wäre, der sich nach allen Richtungen im Eise verbreitete und
gleichsam durch alle Aderchen des Eises lief. Die Kinder blieben mit
offenen Augen sitzen und schauten in die Sterne hinaus.

Auch für die Augen begann sich etwas zu entwickeln. Wie die Kinder so
20 saßen, erblühte am Himmel vor ihnen ein bleiches Licht mitten unter den
Sternen und spannte einen schwachen Bogen durch dieselben. Es hatte
einen grünlichen Schimmer, der sich sachte nach unten zog. Aber der
Bogen wurde immer heller und heller, bis sich die Sterne vor ihm zurück-
zogen und erblaßten. Auch in andere Gegenden des Himmels sandte er
25 einen Schein, der schimmergrün sachte und lebendig unter die Sterne floß.
Dann standen Garben verschiedenen Lichtes auf der Höhe des Bogens
wie Zacken einer Krone und brannten. Es floß helle durch die benachbarten
Himmelsgegenden, es sprühte leise und ging in sanftem Zucken durch
lange Räume. Hatte sich nun der Gewitterstoff[82] des Himmels durch den
30 unerhörten Schneefall so gespannt, daß er in diesen stummen, herrlichen
Strömen des Lichtes ausfloß, oder war es eine andere Ursache der uner-
gründlichen Natur: Nach und nach wurde es schwächer und immer
schwächer, die Garben erloschen zuerst, bis es allmählich und unmerklich
immer geringer wurde und wieder nichts am Himmel war als die tausend
35 und tausend einfachen Sterne.

Die Kinder sagten keines zu dem andern ein Wort, sie blieben fort und
fort sitzen und schauten mit offenen Augen in den Himmel.

[79] *prevails over all rational forces*

[80] *snowflake*

[81] *glacier*

[82] *storm force*

Neither the coffee nor the fate of the frozen man, says the author, would have saved the children from fatal sleep, if *die Natur in ihrer Größe* had not intervened. Make a careful analysis of what it is that nature accomplishes, how it is accomplished, what relationship it bears to the works of men, whether this is Nature or God in Nature.
Why not two or four times?
In what sensory domains do the saving stimuli operate? Note and compare with the past. What forces are at work?

Es geschah nun nichts Besonderes mehr. Die Sterne glänzten, funkelten und zitterten, nur manche schießende Schnuppe[83] fuhr durch sie.

Endlich, nachdem die Sterne lange allein geschienen hatten und nie ein Stückchen Mond an dem Himmel zu erblicken gewesen war, geschah etwas anderes. Es fing der Himmel an, heller zu werden, langsam heller, aber 5 doch zu erkennen; es wurde seine Farbe sichtbar, die bleichsten Sterne erloschen, und die anderen standen nicht mehr so dicht. Endlich wichen auch die stärkeren, und der Schnee vor den Höhen wurde deutlicher sichtbar. Zuletzt färbte sich eine Himmelsgegend gelb, und ein Wolken- streifen, der in derselben war, wurde zu einem leuchtenden Faden ent- 10 zündet. Alle Dinge waren klar zu sehen, und die entfernten Schneehügel zeichneten sich scharf in die Luft.

,,Sanna, der Tag bricht an``, sagte der Knabe.

,,Ja, Konrad``, antwortete das Mädchen.

,,Wenn es nur noch ein bißchen heller wird, dann gehen wir aus der 15 Höhle und laufen über den Berg hinunter.``

Es wurde heller, an dem ganzen Himmel war kein Stern mehr sichtbar, und alle Gegenstände standen in der Morgendämmerung da.

,,Nun, jetzt gehen wir``, sagte der Knabe.

,,Ja, wir gehen``, antwortete Sanna. 20

Die Kinder standen auf und versuchten ihre erst heute recht müden Glieder. Obwohl sie nichts geschlafen hatten, waren sie doch durch den Morgen gestärkt, wie das immer so ist. Der Knabe hing sich das Kalb- fellränzchen um und machte das Pelzjäckchen an Sanna fester zu. Dann führte er sie aus der Höhle. 25

Weil sie nach ihrer Meinung nur über den Berg hinabzulaufen hatten, dachten sie an kein Essen und untersuchten das Ränzchen nicht, ob noch

Weißbrote oder andere Eßwaren[84] darinnen seien.

Von dem Berge wollte nun Konrad, weil der Himmel ganz heiter war, in die Täler hinabschauen, um das Gschaider Tal zu erkennen und in dasselbe 30 hinunterzugehen. Aber er sah gar keine Täler. Es war nicht, als ob sie sich auf einem Berge befänden, von dem man hinabsieht, sondern in einer fremden, seltsamen Gegend, in der lauter unbekannte Gegenstände sind. Sie sahen heute auch in größerer Entfernung furchtbare Felsen aus dem Schnee emporstehen, die sie gestern nicht gesehen hatten, sie sahen das 35

Eis, sie sahen Hügel und Schneelehnen[85] emporstarren, und hinter diesen war entweder der Himmel, oder es ragte die blaue Spitze eines sehr fernen Berges am Schneerande hervor.

In diesem Augenblicke ging die Sonne auf.

Eine riesengroße blutrote Scheibe erhob sich an dem Schneesaume in den Himmel, und in dem Augenblicke errötete der Schnee um die Kinder, als wäre er mit Millionen Rosen überstreut[86] worden. Die Kuppen und die
5 Hörner warfen sehr lange grünliche Schatten längs des Schnees.

„Sanna, wir werden jetzt da weiter vorwärts gehen, bis wir an den Rand des Berges kommen und hinuntersehen", sagte der Knabe.

Sie gingen nun in den Schnee hinaus. Er war in der heiteren Nacht noch trockener geworden und wich den Tritten noch besser aus. Sie wateten
10 rüstig fort. Ihre Glieder wurden sogar geschmeidiger[87] und stärker, da sie gingen. Allein sie kamen an keinen Rand und sahen nicht hinunter. Schneefeld entwickelte sich aus Schneefeld, und am Saume eines jeden stand alle Male wieder der Himmel.

Sie gingen deßohngeachtet fort.

15 Da kamen sie wieder in das Eis. Sie wußten nicht, wie das Eis dahergekommen sei, aber unter den Füßen empfanden sie den glatten Boden, und waren gleich nicht[88] die fürchterlichen Trümmer wie an jenem Rande, an dem sie die Nacht zugebracht hatten, so sahen sie doch, daß sie auf glattem Eise fortgingen, sie sahen hie und da Stücke, die immer mehr wurden, die
20 sich näher an sie drängten und die sie wieder zu klettern zwangen.

Aber sie verfolgten doch ihre Richtung.

Sie kletterten neuerdings[89] an Blöcken empor. Da standen sie wieder auf dem Eisfelde. Heute bei der hellen Sonne konnten sie erst erblicken, was es ist. Es war ungeheuer groß, und jenseits standen wieder schwarze Felsen
25 empor, es ragte gleichsam Welle hinter Welle auf, das beschneite[90] Eis war gedrängt, gequollen, emporgehoben, gleichsam als schöbe es sich nach vorwärts und flösse gegen die Brust der Kinder heran. In dem Weiß sahen sie unzählige vorwärtsgehende geschlängelte blaue Linien. Zwischen jenen Stellen, wo die Eiskörper gleichsam wie aneinandergeschmettert starrten,
30 gingen auch Linien wie Wege, aber sie waren weiß und waren Streifen, wo sich fester Eisboden[91] vorfand, oder die Stücke doch nicht gar so sehr verschoben waren. In diese Pfade gingen die Kinder hinein, weil sie doch einen Teil des Eises überschreiten wollten, um an den Bergrand zu gelangen und endlich einmal hinunterzusehen. Sie sagten kein Wörtlein. Das
35 Mädchen folgte dem Knaben. Aber es war auch heute wieder Eis, lauter Eis. Wo sie hinübergelangen wollten, wurde es gleichsam immer breiter und breiter. Da schlugen sie, ihre Richtung aufgebend, den Rückweg ein. Wo sie nicht gehen konnten, griffen sie sich durch die Mengen des Schnees

[86] *strewn*

[87] *more limber*

[88] *even though there weren't*

[89] *once again*

[90] *snow-covered*

[91] *frozen ground*

The break of day—note and characterize the color effects—still does not bring the children to safety. What is the obvious missing factor?

hindurch, der oft dicht vor ihrem Auge wegbrach und den sehr blauen Streifen einer Eisspalte zeigte, wo doch früher alles weiß gewesen war; aber sie kümmerten sich nicht darum, sie arbeiteten sich fort, bis sie wieder irgendwo aus dem Eise herauskamen.

„Sanna", sagte der Knabe, „wir werden gar nicht mehr in das Eis 5 hineingehen, weil wir in demselben nicht fortkommen. Und weil wir schon in unser Tal gar nicht hinabsehen können, so werden wir gerade über den Berg hinabgehen. Wir müssen in ein Tal kommen, dort werden wir den Leuten sagen, daß wir aus Gschaid sind, die werden uns einen Wegweiser nach Hause mitgeben." 10

„Ja, Konrad", sagte das Mädchen.

So begannen sie nun in dem Schnee nach jener Richtung abwärts zu gehen, welche sich ihnen eben darbot. Der Knabe führte das Mädchen an der Hand. Allein nachdem sie eine Weile abwärts gegangen waren, hörte in dieser Richtung das Gehänge[92] auf, und der Schnee stieg wieder empor. 15 Also änderten die Kinder die Richtung und gingen nach der Länge einer Mulde[93] hinab. Aber da fanden sie wieder Eis. Sie stiegen also an der Seite der Mulde empor, um nach einer andern Richtung ein Abwärts zu suchen. Es führte sie eine Fläche hinab, allein die wurde nach und nach so steil, daß sie kaum noch einen Fuß einsetzen konnten und abwärtszugleiten 20 fürchteten. Sie klommen[94] also wieder empor, um wieder einen andern Weg nach abwärts zu suchen. Nachdem sie lange im Schnee emporgeklommen und dann auf einem ebenen Rücken fortgelaufen waren, war es wie früher: entweder ging der Schnee so steil ab, daß sie gestürzt wären, oder er stieg wieder hinan, daß sie auf den Berggipfel zu kommen fürch- 25 teten. Und so ging es immer fort.

Da wollten sie die Richtung suchen, in der sie gekommen waren, und zur roten Unglückssäule hinabgehen. Weil es nicht schneit und der Himmel so helle ist, so würden sie, dachte der Knabe, die Stelle schon erkennen, wo die Säule sein solle, und würden von dort nach Gschaid hinabgehen 30 können.

Der Knabe sagte diesen Gedanken dem Schwesterchen, und diese folgte. Allein auch der Weg auf den Hals hinab war nicht zu finden.

So klar die Sonne schien, so schön die Schneehöhen dastanden und die Schneefelder dalagen, so konnten sie doch die Gegenden nicht erkennen, 35 durch die sie gestern heraufgegangen waren. Gestern war alles durch den fürchterlichen Schneefall verhängt gewesen, daß sie kaum einige Schritte

---

[92] *slope*

[93] *the length of a hollow*

[94] *(here and below) climbed* (klimmen)

The dangers and frustrations of the previous day repeat themselves. When the first sign of hope appears, its form is both natural and symbolically valid. Explain.

von sich gesehen hatten, und da war alles ein einziges Weiß und Grau
durcheinander gewesen. Nur die Felsen hatten sie gesehen, an denen und
zwischen denen sie gegangen waren: allein auch heute hatten sie bereits
viele Felsen gesehen, die alle den nämlichen Anschein gehabt hatten wie die
5 gestern gesehenen. Heute ließen sie frische Spuren in dem Schnee zurück;
aber gestern sind alle Spuren von dem fallenden Schnee verdeckt worden.
Auch aus dem bloßen Anblicke konnten sie nicht erraten, welche Gegend
auf den Hals führe, da alle Gegenden gleich waren. Schnee, lauter Schnee.
Sie gingen aber doch immer fort und meinten, es zu erringen. Sie wichen
10 den steilen Abstürzen aus und kletterten keine steilen Anhöhen hinauf.

Auch heute blieben sie öfter stehen, um zu horchen; aber sie vernahmen
auch heute nichts, nicht den geringsten Laut. Zu sehen war auch nichts als
der Schnee, der helle weiße Schnee, aus dem hie und da die schwarzen
Hörner und die schwarzen Steinrippen emporstanden.

15 Endlich war es dem Knaben, als sähe er auf einem fernen schiefen
Schneefelde ein hüpfendes Feuer. Es tauchte auf, es tauchte nieder. Jetzt
sahen sie es, jetzt sahen sie es nicht. Sie blieben stehen und blickten
unverwandt auf jene Gegend hin. Das Feuer hüpfte immer fort und es
schien, als ob es näher käme: denn sie sahen es größer und sahen das
20 Hüpfen deutlicher. Es verschwand nicht mehr so oft und nicht auf so lange
Zeit wie früher. Nach einer Weile vernahmen sie in der stillen blauen Luft
schwach, sehr schwach etwas wie einen lange anhaltenden Ton aus einem
Hirtenhorne. Wie aus Instinkt schrien beide Kinder laut. Nach einer Zeit
hörten sie den Ton wieder. Sie schrien wieder und blieben auf der näm-
25 lichen Stelle stehen. Das Feuer näherte sich auch. Der Ton wurde zum
drittenmal vernommen, und dieses Mal deutlicher. Die Kinder antworteten
wieder durch lautes Schreien. Nach einer geraumen Weile erkannten sie
auch das Feuer. Es war kein Feuer, es war eine rote Fahne, die geschwungen
wurde. Zugleich ertönte das Hirtenhorn näher, und die Kinder antworteten.
30 „Sanna", rief der Knabe, „da kommen Leute aus Gschaid, ich kenne
die Fahne, es ist die rote Fahne, welche der fremde Herr, der mit dem
jungen Eschenjäger den Gars bestiegen hatte, auf dem Gipfel aufpflanzte,
daß sie der Herr Pfarrer mit dem Fernrohre sähe, was als Zeichen gälte,
daß sie oben seien, und welche Fahne damals der fremde Herr dem Herrn
35 Pfarrer geschenkt hat. Du warst noch ein recht kleines Kind."

„Ja, Konrad."

Nach einer Zeit sahen die Kinder auch die Menschen, die bei der Fahne

---

Why is it important to the elusive architecture of the story that there be the *Hirtenhorn* as
well?
What is significant about the source (and color) of the flag?

waren, kleine schwarze Stellen, die sich zu bewegen schienen. Der Ruf des Hornes wiederholte sich von Zeit zu Zeit und kam immer näher. Die Kinder antworteten jedesmal.

Endlich sahen sie über den Schneeabhang gegen sich her mehrere Männer mit ihren Stöcken herabfahren, die die Fahne in ihrer Mitte 5 hatten. Da sie näher kamen, erkannten sie dieselben. Es war der Hirt Philipp mit dem Horne, seine zwei Söhne, dann der junge Eschenjäger und mehrere Bewohner von Gschaid.

[95] *blessed*

„Gebenedeit[95] sei Gott", schrie Philipp, „da seid ihr ja. Der ganze Berg ist voll Leute. Laufe doch einer gleich in die Sideralpe hinab und läute die 10 Glocke, daß die dort hören, daß wir sie gefunden haben, und einer muß

[96] *(here and below; name of mountain)*

auf den Krebsstein[96] gehen und die Fahne dort aufpflanzen, daß sie dieselbe in dem Tale sehen und die Böller abschießen, damit die es wissen, die im Millsdorfer Walde suchen, und damit sie in Gschaid die Rauchfeuer anzünden, die in der Luft gesehen werden, und alle, die noch auf dem 15 Berge sind, in die Sideralpe hinab bedeuten. Das sind Weihnachten!"[97]

[97] *This is really Christmas!*

„Ich laufe in die Alpe hinab", sagte einer.

„Ich trage die Fahne auf den Krebsstein", sagte ein anderer.

„Und wir werden die Kinder in die Sideralpe hinabbringen, so gut wir es vermögen, und so gut uns Gott helfe", sagte Philipp. 20

Ein Sohn Philipps schlug den Weg nach abwärts ein, und der andere ging mit der Fahne durch den Schnee dahin.

Der Eschenjäger nahm das Mädchen bei der Hand, der Hirt Philipp den Knaben. Die andern halfen, wie sie konnten. So begann man den Weg. Er ging in Windungen. Bald gingen sie nach einer Richtung, bald schlugen 25 sie die entgegengesetzte ein, bald gingen sie abwärts, bald aufwärts. Immer ging es durch Schnee, immer durch Schnee, und die Gegend blieb sich

[98] *remained unchanged*

beständig gleich.[98] Über sehr schiefe Flächen taten sie Steigeisen an die Füße und trugen die Kinder. Endlich nach langer Zeit hörten sie ein Glöcklein, das sanft und fein zu ihnen heraufkam und das erste Zeichen 30 war, das ihnen die niederen Gegenden wieder zusandten. Sie mußten wirklich sehr tief herabgekommen sein; denn sie sahen ein Schneehaupt recht hoch und recht blau über sich ragen. Das Glöcklein aber, das sie hörten, war das der Sideralpe, das geläutet wurde, weil dort die Zusammenkunft verabredet war. Da sie noch weiterkamen, hörten sie auch 35 schwach in die stille Luft die Böllerschüsse herauf, die infolge der ausgesteckten Fahne abgefeuert wurden, und sahen dann in die Luft feine Rauchsäulen aufsteigen.

What saves the children?

Da sie nach einer Weile über eine sanfte schiefe Fläche abgingen, erblickten sie die Sideralphütte. Sie gingen auf sie zu. In der Hütte brannte ein Feuer, die Mutter der Kinder war da, und mit einem furchtbaren Schrei sank sie in den Schnee zurück, als sie die Kinder mit dem
5 Eschenjäger kommen sah.

Dann lief sie herzu, betrachtete sie überall, wollte ihnen zu essen geben, wollte sie wärmen, wollte sie in vorhandenes Heu legen; aber bald überzeugte sie sich, daß die Kinder durch die Freude stärker seien, als sie gedacht hatte, daß sie nur einiger warmer Speise bedurften, die sie beka-
10 men, und daß sie nur ein wenig ausruhen mußten, was ihnen ebenfalls zuteil werden sollte.

Da nach einer Zeit der Ruhe wieder eine Gruppe Männer über die Schneefläche herabkam, während das Hüttenglöcklein[99] immer fortläutete,   *[99] little bell on the hut*
liefen die Kinder selber mit den andern hinaus, um zu sehen, wer es sei.
15 Der Schuster war es, der einstige Alpensteiger, mit Alpenstock und Steigeisen, begleitet von seinen Freunden und Kameraden.

„Sebastian, da sind sie!" schrie das Weib.

Er aber war stumm, zitterte und lief auf sie zu. Dann rührte er die Lippen, als wollte er etwas sagen, sagte aber nichts, riß die Kinder an sich
20 und hielt sie lange. Dann wandte er sich gegen sein Weib, schloß es an sich und rief: „Sanna, Sanna!"

Nach einer Weile nahm er den Hut, der ihm in den Schnee gefallen war, auf, trat unter die Männer und wollte reden. Er sagte aber nur: „Nachbarn, Freunde, ich danke euch."
25 Da man noch gewartet hatte, bis die Kinder sich zur Beruhigung erholt hatten,[1] sagte er: „Wenn wir alle beisammen sind, so können wir in Gottes   *[1] until the children had recovered to the point where all was calm*
Namen aufbrechen."

„Es sind wohl noch nicht alle", sagte der Hirt Philipp, „aber die noch abgehen,[2] wissen aus dem Rauche, daß wir die Kinder haben, und sie   *[2] those that are still left (to come)*
30 werden schon nach Hause gehen, wenn sie die Alphütte leer finden."

Man machte sich zum Aufbruche bereit.

Man war auf der Sideralphütte gar nicht weit von Gschaid entfernt, aus dessen Fenstern man im Sommer recht gut die grüne Matte sehen konnte, auf der die graue Hütte mit dem kleinen Glockentürmlein stand; aber es
35 war unterhalb eine fallrechte[3] Wand, die viele Klafter hoch hinabging   *[3] vertical*
und auf der man im Sommer nur mit Steigeisen, im Winter gar nicht hinabkommen konnte. Man mußte daher den Umweg zum Halse machen, um von der Unglückssäule aus nach Gschaid hinabzukommen. Auf dem

---

The embrace of Sebastian—have we ever encountered his name?; why?—and his wife is totally natural, yet in the larger context extremely significant. Explain.

Wege gelangte man über die Siderwiese, die noch näher an Gschaid ist, so daß man die Fenster des Dörfleins zu erblicken meinte.

Als man über diese Wiese ging, tönte hell und deutlich das Glöcklein der Gschaider Kirche herauf, die Wandlung[4] des heiligen Hochamtes[5] verkündend.

Der Pfarrer hatte wegen der allgemeinen Bewegung, die am Morgen in Gschaid war, die Abhaltung des Hochamtes verschoben, da er dachte, daß die Kinder zum Vorscheine kommen würden. Allein endlich, da noch immer keine Nachricht eintraf, mußte die heilige Handlung doch vollzogen werden.

Als das Wandlungsglöcklein tönte, sanken alle, die über die Siderwiese gingen, auf die Knie in den Schnee und beteten. Als der Klang des Glöckleins aus war, standen sie auf und gingen weiter.

Der Schuster trug meistens das Mädchen und ließ sich von ihm alles erzählen.[6]

Als sie schon gegen den Wald des Halses kamen, trafen sie Spuren, von denen der Schuster sagte: „Das sind keine Fußstapfen von Schuhen meiner Arbeit."

Die Sache klärte sich bald auf. Wahrscheinlich durch die vielen Stimmen, die auf dem Platze tönten, angelockt,[7] kam wieder eine Abteilung Männer auf die Herabgehenden zu. Es war der aus Angst aschenhaft[8] entfärbte Färber, der an der Spitze seiner Knechte, seiner Gesellen und mehrerer Millsdorfer bergab kam.

„Sie sind über das Gletschereis[9] und über die Schründe[10] gegangen, ohne es zu wissen", rief der Schuster seinem Schwiegervater zu.

„Da sind sie ja — da sind sie ja — Gott sei Dank", antwortete der Färber, „ ich weiß es schon, daß sie oben waren, als dein Bote in der Nacht zu uns kam und wir mit Lichtern den ganzen Wald durchsucht und nichts gefunden hatten — und als dann das Morgengrau anbrach, bemerkte ich an dem Wege, der von der roten Unglückssäule links gegen den Schneeberg hinanführt, daß dort, wo man eben von der Säule weggeht, hin und wieder mehrere Reiserchen und Rütchen[11] geknickt[12] sind, wie Kinder gerne tun, wo sie eines Weges gehen — da wußte ich es — die Richtung ließ sie nicht mehr aus,[13] weil sie in der Höhlung gingen, weil sie zwischen den Felsen gingen und weil sie dann auf dem Grat gingen, der rechts und links so steil ist, daß sie nicht hinabkommen konnten. Sie mußten hinauf. Ich schickte nach dieser Beobachtung gleich nach Gschaid, aber der

---

Marginal glosses:

[4] *(here and below) Consecration*
[5] *(here and below) High Mass*

[6] *got her to (or let her) tell him everything that had happened*

[7] *attracted*

[8] *ashen grey*

[9] *glacier ice*
[10] *crevasses*

[11] *little twigs and branches*
[12] *bent off*
[13] *once they started in that direction they had to continue*

Again, with the arrival of the grandfather from Millsdorf, the natural and expected combines with the symbolically important. How?

Wind had been predicted by the grandmother, and the grandfather says not in 100 years would

Holzknecht[14] Michael, der hinüberging, sagte bei der Rückkunft, da er uns fast am Eise oben traf, daß ihr sie schon habet, weshalb wir wieder heruntergingen."

„Ja", sagte Michael, „ich habe es gesagt, weil die rote Fahne schon auf dem Krebssteine steckt und die Gschaider dieses als Zeichen erkannten, das verabredet worden war. Ich sagte euch, daß auf diesem Wege da alle herabkommen müssen, weil man über die Wand nicht gehen kann."

„Und knie nieder und danke Gott auf den Knien, mein Schwiegersohn", fuhr der Färber fort, „daß kein Wind gegangen ist. Hundert Jahre werden wieder vergehen, daß ein so wunderbarer Schneefall niederfällt[15] und daß er gerade niederfällt, wie nasse Schnüre von einer Stange hängen. Wäre ein Wind gegangen,[16] so wären die Kinder verloren gewesen."

„Ja, danken wir Gott, danken wir Gott", sagte der Schuster.

Der Färber, der seit der Ehe seiner Tochter nie in Gschaid gewesen war, beschloß, die Leute nach Gschaid zu begleiten.

Da man schon gegen die rote Unglückssäule zu kam, wo der Holzweg begann, wartete ein Schlitten, den der Schuster auf alle Fälle[17] dahin bestellt hatte. Man tat die Mutter und die Kinder hinein, versah sie hinreichend mit Decken und Pelzen, die im Schlitten waren, und ließ sie nach Gschaid vorausfahren.

Die andern folgten und kamen am Nachmittage in Gschaid an.

Die, welche noch auf dem Berge gewesen waren und erst durch den Rauch das Rückzugszeichen erfahren hatten, fanden sich auch nach und nach ein. Der letzte, welcher erst am Abende kam, war der Sohn des Hirten Philipp, der die rote Fahne auf den Krebsstein getragen und sie dort aufgepflanzt hatte.

In Gschaid wartete die Großmutter, welche herübergefahren war.

„Nie, nie", rief sie aus, „dürfen die Kinder in ihrem ganzen Leben mehr im Winter über den Hals gehen."

Die Kinder waren von dem Getriebe[18] betäubt. Sie hatten noch etwas zu essen bekommen, und man hatte sie in das Bett gebracht. Spät gegen Abend, da sie sich ein wenig erholt hatten, da einige Nachbarn und Freunde sich in der Stube eingefunden hatten und dort von dem Ereignisse redeten, die Mutter aber in der Kammer an dem Bettchen Sannas saß und sie streichelte, sagte das Mädchen: „Mutter, ich habe heute nacht, als wir auf dem Berge saßen, den heiligen Christ gesehen."

„O du mein geduldiges, du mein liebes, du mein herziges Kind", ant-

---

[14] *woodsman*

[15] *... will pass before such an incredible snowfall comes down again*
[16] *if there had been any wind*

[17] *just in case*

[18] *all the goings-on*

---

there be another such snow on a wind-still day. We are dealing therefore either with coincidence or miracle. Which? What do the villagers think?
What is the importance of the paragraph *Der Färber ...?*
Sanna says she saw the Christ Child. Did she?

wortete die Mutter, „er hat dir auch Gaben gesendet, die du bald
bekommen wirst."

Die Schachteln waren ausgepackt worden, die Lichter waren angezündet,
die Tür in die Stube wurde geöffnet, und die Kinder sahen von dem
Bette auf den verspäteten, hell leuchtenden, freundlichen Christbaum 5
hinaus. Trotz der Erschöpfung mußte man sie noch ein wenig ankleiden,
daß sie hinausgingen, die Gaben empfingen, bewunderten und endlich mit
ihnen entschliefen.

In dem Wirtshause in Gschaid war es an diesem Abende lebhafter als je.
Alle, die nicht in der Kirche gewesen waren, waren jetzt dort und die 10
andern auch. Jeder erzählte, was er gesehen und gehört, was er getan, was
er geraten und was für Begegnisse[19] und Gefahren er erlebt hatte. Besonders aber wurde hervorgehoben, wie man alles hätte anders und besser
machen können.

Das Ereignis hat einen Abschnitt[20] in die Geschichte von Gschaid 15
gebracht, es hat auf lange den Stoff zu Gesprächen gegeben, und man wird
noch nach Jahren davon reden, wenn man den Berg an heitern Tagen
besonders deutlich sieht, oder wenn man den Fremden von seinen Merkwürdigkeiten erzählt.

Die Kinder waren von dem Tage an erst recht das Eigentum des Dorfes 20
geworden, sie wurden von nun an nicht mehr als Auswärtige, sondern als
Eingeborne betrachtet, die man sich von dem Berge herabgeholt hatte.

Auch ihre Mutter Sanna war nun eine Eingeborne von Gschaid.

Die Kinder aber werden den Berg nicht vergessen und werden ihn jetzt
noch ernster betrachten, wenn sie in dem Garten sind, wenn wie in der 25
Vergangenheit die Sonne sehr schön scheint, der Lindenbaum duftet, die
Bienen summen und er so schön und so blau wie das sanfte Firmament auf
sie herniederschaut.

[19] encounters

[20] chapter

Discuss the change represented by the paragraph *Die Kinder waren von dem Tage an . . .*, and
the causes and implications thereof.
How do you interpret the concluding paragraph?
The simplicity and linear quality of the narration, the fact that its central figures are children,
the quietness or muted tone of the author have (to be frank) "put off" many readers. Others
find the story of transcending greatness. Take a stand.
In a story where the religious symbolism, if it is indeed a dominant factor, is both powerful and
conventional, great demands are placed upon the author to avoid triteness and superficiality.
How does Stifter handle this problem? Is the story primarily religious in orientation?
Stifter believed that greatness could be manifested in inconspicuous actions, that profound
truths could be mirrored in quiet or seemingly insignificant lives. Comment, in this light, on
Bergkristall.

7

GOTTFRIED KELLER

Romeo und Julia auf dem Dorfe

Diese Geschichte zu erzählen, würde eine müßige Nachahmung sein, wenn sie nicht auf einem wirklichen Vorfall beruhte, zum Beweise, wie tief im Menschenleben jede jener Fabeln[1] wurzelt, auf welche die großen alten Werke gebaut sind. Die Zahl solcher Fabeln ist mäßig; aber stets
5 treten sie in neuem Gewande wieder in die Erscheinung und zwingen alsdann die Hand, sie festzuhalten.

An dem schönen Flusse, der eine halbe Stunde entfernt an Seldwyl vorüberzieht, erhebt sich eine weitgedehnte[2] Erdwelle und verliert sich, selber wohlbebaut,[3] in der fruchtbaren[4] Ebene. Fern an ihrem Fuße liegt
10 ein Dorf, welches manche große Bauernhöfe[5] enthält, und über die sanfte Anhöhe lagen vor Jahren drei prächtige lange Äcker weithingestreckt,[6] gleich drei riesigen Bändern nebeneinander. An einem sonnigen September-morgen pflügten zwei Bauern auf zweien dieser Äcker, und zwar auf jedem der beiden äußersten; der mittlere schien seit langen Jahren brach
15 und wüst zu liegen, denn er war mit Steinen und hohem Unkraut bedeckt und eine Welt von geflügelten Tierchen summte ungestört über ihm. Die Bauern aber, welche zu beiden Seiten hinter ihrem Pfluge gingen, waren lange, knochige Männer von ungefähr vierzig Jahren und verkündeten auf den ersten Blick den sichern, gutbesorgten[7] Bauersmann. Sie trugen kurze
20 Kniehosen[8] von starkem Zwillich,[9] an dem jede Falte ihre unveränder-

[1] *basic plots*

[2] *extended*
[3] *well cultivated*
[4] *fruitful*
[5] *farms*
[6] *stretching far out*

[7] *well tended*
[8] *knee breeches*
[9] *twill*

The logic of the brief "frame" is complicated. What is the primary or basic fact which is being proven (*zum Beweise*)? What is the relationship between real life and fiction suggested by the argument?

Titles often say a great deal. With this title and the descriptive introduction of the *zwei Bauern* —an introduction otherwise amounting to a rustic idyll—how much do we know of the two men and of the plot to come? What of the fields?

[10] *inalterable*
[11] *chiseled*

[12] *measured*

[13] *the tassel cap of the one who was walking against the fresh east wind flipped back*
[14] *flickered (like candle flames)*

[15] *gradually*

[16] *swing*

[17] *for each one*
[18] *something special*

liche[10] Lage hatte und wie in Stein gemeißelt[11] aussah. Wenn sie, auf ein Hindernis stoßend, den Pflug fester faßten, so zitterten die groben Hemdärmel von der leichten Erschütterung, indessen die wohlrasierten Gesichter ruhig und aufmerksam, aber ein wenig blinzelnd in den Sonnenschein vor sich hinschauten, die Furche bemaßen[12] oder auch wohl zuweilen sich 5 umsahen, wenn ein fernes Geräusch die Stille des Landes unterbrach. Langsam und mit einer gewissen natürlichen Zierlichkeit setzten sie einen Fuß um den andern vorwärts und keiner sprach ein Wort, außer wenn er etwa dem Knechte, der die stattlichen Pferde antrieb, eine Anweisung gab. So glichen sie einander vollkommen in einiger Entfernung; 10 denn sie stellten die ursprüngliche Art dieser Gegend dar, und man hätte sie auf den ersten Blick nur daran unterscheiden können, daß der eine den Zipfel seiner weißen Kappe nach vorn trug, der andere aber hinten im Nacken hängen hatte. Aber das wechselte zwischen ihnen ab, indem sie in der entgegengesetzten Richtung pflügten; denn wenn sie oben auf der 15 Höhe zusammentrafen und aneinander vorüberkamen, so schlug dem, welcher gegen den frischen Ostwind ging, die Zipfelkappe nach hinten über,[13] während sie bei dem andern, der den Wind im Rücken hatte, sich nach vorne sträubte. Es gab auch jedesmal einen mittleren Augenblick, wo die schimmernden Mützen aufrecht in der Luft schwankten und wie 20 zwei weiße Flammen gen Himmel züngelten.[14] So pflügten beide ruhevoll und es war schön anzusehen in der stillen goldenen Septembergegend, wenn sie so auf der Höhe aneinander vorbeizogen, still und langsam und sich mählich[15] voneinander entfernten, immer weiter auseinander, bis beide wie zwei untergehende Gestirne hinter die Wölbung des Hügels hinab- 25 gingen und verschwanden, um eine gute Weile darauf wieder zu erscheinen. Wenn sie einen Stein in ihren Furchen fanden, so warfen sie denselben auf den wüsten Acker in der Mitte mit lässig kräftigem Schwung,[16] was aber nur selten geschah, da derselbe schon fast mit allen Steinen belastet war, welche überhaupt auf den Nachbaräckern zu finden gewesen. So war der 30 lange Morgen zum Teil vergangen, als von dem Dorfe her ein kleines artiges Fuhrwerklein sich näherte, welches kaum zu sehen war, als es begann, die gelinde Höhe heranzukommen. Das war ein grünbemaltes Kinderwägelchen, in welchem die Kinder der beiden Pflüger, ein Knabe und ein kleines Ding von Mädchen, gemeinschaftlich den Vormittagsimbiß 35 heranfuhren. Für jeden Teil[17] lag ein schönes Brot, in eine Serviette gewickelt, eine Kanne Wein mit Gläsern und noch irgendein Zutätchen[18]

Keller's special economy, in the matter of motifs and images, is such that the physical world of the middle field becomes, feature by feature, important to the meaning of the story. Note these attributes.

What simple irony may lie in the phrase *auf den ersten Blick*?

Try reconstructing the physical reality which lies behind Keller's picture of the two plowmen and their caps, including the vantage point of the observer-author. Is it consistent?

What must be the assumption on which the two farmers operate, as to the middle field, and what element of danger is implicit?

in dem Wagen, welches die zärtliche Bäuerin für den fleißigen Meister
mitgesandt, und außerdem waren da noch verpackt[19] allerlei seltsam gestaltete angebissene[20] Äpfel und Birnen, welche die Kinder am Wege aufgelesen, und eine völlig nackte Puppe mit nur einem Bein und einem
5 verschmierten[21] Gesicht, welche wie ein Fräulein zwischen den Broten saß
und sich behaglich fahren ließ. Dies Fuhrwerk hielt nach manchem
Anstoß und Aufenthalt endlich auf der Höhe im Schatten eines jungen
Lindengebüsches, welches da am Rande des Feldes stand, und nun konnte
man die beiden Fuhrleute[22] näher betrachten. Es war ein Junge von sieben
10 Jahren und ein Dirnchen von fünfen, beide gesund und munter, und
weiter war nichts Auffälliges an ihnen, als[23] daß beide sehr hübsche Augen
hatten und das Mädchen dazu noch eine bräunliche Gesichtsfarbe und
ganz krause dunkle Haare, welche ihm ein feuriges und treuherziges
Ansehen gaben. Die Pflüger waren jetzt auch wieder oben angekommen,
15 steckten den Pferden etwas Klee vor und ließen die Pflüge in der halb-
vollendeten Furche stehen, während sie als gute Nachbaren sich zu dem
gemeinschaftlichen Imbiß begaben und sich da zuerst begrüßten; denn
bislang[24] hatten sie sich noch nicht gesprochen an diesem Tage.

Wie nun die Männer mit Behagen ihr Frühstück einnahmen und mit
20 zufriedenem Wohlwollen den Kindern mitteilten, die nicht von der Stelle
wichen, solange gegessen und getrunken wurde, ließen sie ihre Blicke in
der Nähe und Ferne herumschweifen und sahen das Städtchen räucherig
glänzend[25] in seinen Bergen liegen; denn das reichliche Mittagsmahl,
welches die Seldwyler alle Tage bereiteten, pflegte ein weithin scheinendes
25 Silbergewölk[26] über ihre Dächer emporzutragen, welches lachend an ihren
Bergen hinschwebte.

„Die Lumpenhunde zu Seldwyl kochen wieder gut!" sagte Manz, der
eine der Bauern, und Marti, der andere, erwiderte: „Gestern war einer
bei mir wegen des Ackers hier." — „Aus dem Bezirksrat?[27] bei mir ist er
30 auch gewesen!" sagte Manz. „So? und meinte wahrscheinlich auch, du
solltest das Land benutzen und den Herren die Pacht zahlen?" — „Ja,
bis es sich entschieden habe, wem der Acker gehöre und was mit ihm anzufangen sei. Ich habe mich aber bedankt,[28] das verwilderte Wesen[29] für
einen andern herzustellen, und sagte, sie sollten den Acker nur verkaufen
35 und den Ertrag[30] aufheben, bis sich ein Eigentümer gefunden, was wohl
nie geschehen wird; denn was einmal auf der Kanzlei zu Seldwyl liegt, hat
da gute Weile,[31] und überdem[32] ist die Sache schwer zu entscheiden. Die

[19] *wrapped up*
[20] *with a bite taken out*
[21] *dirty*
[22] *drivers*
[23] *there was nothing unusual about them
except . . .*
[24] *as yet*
[25] *glistening in its clouds
of smoke*
[26] *silvery cloud*
[27] *board of aldermen*
[28] *refused*
[29] *property*
[30] *proceeds*
[31] *will take its own
sweet time*
[32] *besides*

Keller's description of the approaching children is typical of his sense for selective detail,
gentle irony, mock solemnity, and amused but affectionate observation. Illustrate.

Is there anything significant about the choice of "stage effects": *angebissene Äpfel*, the dilapi-
dated doll?

The dilemma inherent in the status of the field is developed without delay. What are the salient
aspects (and practical or ethical implications) of the men's reaction? *Verwildertes Wesen?*
(How did it get that way?) Sell the field? (To whom?) Offer it for sale to them?

Verwilderung, both physical and spiritual, becomes thematic in the story. Note its beginning
and developments.

33 *nibble on*

34 *lease money*

35 *sale price*

36 *bid it up too high*

37 *pencil pusher*

38 *you hate to see something like that*

39 *that would be something!*

40 *get drunk*

41 *then — bad off as before*

42 *pass on the hint*

43 *you might really start something*

44 *rights of citizenship*

45 *contest*

46 *rascal*

47 *saddle us with*

48 *vagabond tinkers*

49 *certainly*

50 *baptismal font*

51 *bier*

52 *overpopulated*

Lumpen möchten indessen gar zu gern etwas zu naschen[33] bekommen durch den Pachtzins,[34] was sie freilich mit der Verkaufssumme[35] auch tun könnten; allein wir würden uns hüten, dieselbe zu hoch hinaufzutreiben,[36] und wir wüßten dann doch, was wir hätten und wem das Land gehört!"

„Ganz so meine ich auch und habe dem Steckleinspringer[37] eine ähnliche   5 Antwort gegeben!"

Sie schwiegen eine Weile, dann fing Manz wiederum an: „Schad' ist es aber doch, daß der gute Boden so daliegen muß, es ist nicht zum Ansehen,[38] das geht nun schon in die zwanzig Jahre so und keine Seele fragt darnach; denn hier im Dorf ist niemand, der irgendeinen Anspruch auf den Acker 10 hat, und niemand weiß auch, wo die Kinder des verdorbenen Trompeters hingekommen sind."

„Hm!" sagte Marti, „das wäre so eine Sache![39] Wenn ich den schwarzen Geiger ansehe, der sich bald bei den Heimatlosen aufhält, bald in den Dörfern zum Tanz aufspielt, so möchte ich darauf schwören, daß er ein 15 Enkel des Trompeters ist, der freilich nicht weiß, daß er noch einen Acker hat. Was täte er aber damit? Einen Monat lang sich besaufen[40] und dann nach wie vor![41] Zudem, wer dürfte da einen Wink geben,[42] da man es doch nicht sicher wissen kann!"

„Da könnte man eine schöne Geschichte anrichten!"[43] antwortete Manz, 20 „wir haben so genug zu tun, diesem Geiger das Heimatsrecht[44] in unserer Gemeinde abzustreiten,[45] da man uns den Fetzel[46] fortwährend aufhalsen[47] will. Haben sich seine Eltern einmal unter die Heimatlosen begeben, so mag er auch dableiben und dem Kesselvolk[48] das Geigelein streichen. Wie in aller Welt können wir wissen, daß er des Trompeters Sohnessohn ist? 25 Was mich betrifft, wenn ich den Alten auch in dem dunklen Gesicht vollkommen zu erkennen glaube, so sage ich: irren ist menschlich, und das geringste Fetzchen Papier, ein Stücklein von einem Taufschein würde meinem Gewissen besser tun als zehn sündhafte Menschengesichter!"

„Eia, sicherlich!"[49] sagte Marti, „er sagt zwar, er sei nicht schuld, daß 30 man ihn nicht getauft habe! Aber sollen wir unsern Taufstein[50] tragbar machen und in den Wäldern herumtragen? Nein, er steht fest in der Kirche und dafür ist die Totenbahre[51] tragbar, die draußen an der Mauer hängt. Wir sind schon übervölkert[52] im Dorf und brauchen bald zwei Schulmeister!"   35

Hiemit war die Mahlzeit und das Zwiegespräch der Bauern geendet und sie erhoben sich, den Rest ihrer heutigen Vormittagsarbeit zu vollbringen.

How likely is it that Manz and Marti know the identity of the field's owner?
What is the irony of the allusion: *irren ist menschlich*?
Of what serious sins of omission or commission are the two men already guilty, at least in spirit?

Die beiden Kinder hingegen, welche schon den Plan entworfen[53] hatten,
mit den Vätern nach Hause zu ziehen, zogen ihr Fuhrwerk unter den
Schutz der jungen Linden und begaben sich dann auf einen Streifzug[54] in
dem wilden Acker, da derselbe mit seinen Unkräutern, Stauden und Stein-
5 haufen eine ungewohnte und merkwürdige Wildnis darstellte. Nachdem
sie in der Mitte dieser grünen Wildnis einige Zeit hingewandert, Hand in
Hand, und sich daran belustigt, die verschlungenen Hände über die hohen
Distelstauden[55] zu schwingen, ließen sie sich endlich im Schatten einer
solchen nieder und das Mädchen begann, seine Puppe mit den langen
10 Blättern des Wegekrautes[56] zu bekleiden, so daß sie einen schönen grünen
und ausgezackten[57] Rock bekam; eine einsame rote Mohnblume, die da
noch blühte, wurde ihr als Haube über den Kopf gezogen und mit einem
Grase festgebunden, und nun sah die kleine Person aus wie eine Zauberfrau, besonders nachdem sie noch ein Halsband und einen Gürtel[58] von
15 kleinen roten Beerchen[59] erhalten. Dann wurde sie hoch in die Stengel der
Distel gesetzt und eine Weile mit vereinten Blicken angeschaut, bis der
Knabe sie genugsam[60] besehen und mit einem Steine herunterwarf. Dadurch geriet aber ihr Putz in Unordnung und das Mädchen entkleidete sie
schleunigst, um sie aufs neue zu schmücken; doch als die Puppe eben
20 wieder nackt und bloß war und nur noch der roten Haube sich erfreute,
entriß der wilde Junge seiner Gefährtin das Spielzeug und warf es hoch
in die Luft. Das Mädchen sprang klagend darnach, allein der Knabe fing
die Puppe zuerst wieder auf, warf sie aufs neue empor, und indem das
Mädchen sie vergeblich zu haschen bemühte, neckte er es auf diese Weise
25 eine gute Zeit. Unter seinen Händen aber nahm die fliegende Puppe
Schaden und zwar am Knie ihres einzigen Beines, allwo[61] ein kleines Loch
einige Kleiekörner durchsickern[62] ließ. Kaum bemerkte der Peiniger dies
Loch, so verhielt er sich mäuschenstill und war mit offenem Munde eifrig
beflissen, das Loch mit seinen Nägeln zu vergrößern und dem Ursprung
30 der Kleie nachzuspüren. Seine Stille erschien dem armen Mädchen höchst
verdächtig und es drängte sich herzu und mußte mit Schrecken sein böses
Beginnen gewahren. „Sieh mal!" rief er und schlenkerte ihr das Bein vor
der Nase herum, daß ihr die Kleie ins Gesicht flog, und wie sie darnach
langen wollte und schrie und flehte, sprang er wieder fort und ruhte nicht
35 eher, bis das ganze Bein dürr und leer herabhing als eine traurige Hülse.[63]
Dann warf er das mißhandelte Spielzeug hin und stellte sich höchst frech
und gleichgültig, als die Kleine sich weinend auf die Puppe warf und

[53] *devised*

[54] *expedition*

[55] *clumps of thistle*

[56] *plantain*

[57] *serrated*

[58] *belt*

[59] *berries*

[60] *sufficiently*

[61] *where*

[62] *trickle out*

[63] *shell*

Manz and Marti voice essentially identical opinions. Look back to see how Keller has built up
the impression of their essential sameness.

[64] *sadly*

[65] *trunk*

[66] *newt*

[67] *malefactor*

[68] *dissection*

[69] *martyred body*
[70] *in all directions*

[71] *stirred*

[72] *squeezed out*

[73] *inspiration*

[74] *must have considered it lifeless knowledge*

[75] *the head of a prophet*

[76] *ingratitude*

dieselbe in ihre Schürze hüllte. Sie nahm sie aber wieder hervor und betrachtete wehselig[64] die Ärmste, und als sie das Bein sah, fing sie abermals an laut zu weinen, denn dasselbe hing an dem Rumpfe[65] nicht anders denn das Schwänzchen an einem Molche.[66] Als sie gar so unbändig weinte, ward es dem Missetäter[67] endlich etwas übel zumut und er stand in Angst und 5 Reue vor der Klagenden, und als sie dies merkte, hörte sie plötzlich auf und schlug ihn einigemal mit der Puppe und er tat, als ob es ihm weh täte, und schrie au! so natürlich, daß sie zufrieden war und nun mit ihm gemeinschaftlich die Zerstörung und Zerlegung[68] fortsetzte. Sie bohrten Loch auf Loch in den Marterleib[69] und ließen aller Enden[70] die Kleie 10 entströmen, welche sie sorgfältig auf einem flachen Steine zu einem Häufchen sammelten, umrührten[71] und aufmerksam betrachteten. Das einzige Feste, was noch an der Puppe bestand, war der Kopf und mußte jetzt vorzüglich die Aufmerksamkeit der Kinder erregen: sie trennten ihn sorgfältig los von dem ausgequetschten[72] Leichnam und guckten erstaunt 15 in sein hohles Innere. Als sie die bedenkliche Höhlung sahen und auch die Kleie sahen, war es der nächste und natürlichste Gedankensprung,[73] den Kopf mit der Kleie auszufüllen, und so waren die Fingerchen der Kinder nun beschäftigt, um die Wette Kleie in den Kopf zu tun, so daß zum erstenmal in seinem Leben etwas in ihm steckte. Der Knabe mochte es 20 aber immer noch für ein totes Wissen halten,[74] weil er plötzlich eine große blaue Fliege fing und, die summende zwischen beiden hohlen Händen haltend, dem Mädchen gebot, den Kopf von der Kleie zu entleeren. Hierauf wurde die Fliege hineingesperrt und das Loch mit Gras verstopft. Die Kinder hielten den Kopf an die Ohren und setzten ihn dann feierlich auf 25 einen Stein; da er noch mit der roten Mohnblume bedeckt war, so glich der Tönende jetzt einem weissagenden Haupte,[75] und die Kinder lauschten in tiefer Stille seinen Kunden und Märchen, indessen sie sich umschlungen hielten. Aber jeder Prophet erweckt Schrecken und Undank;[76] das wenige Leben in dem dürftig geformten Bilde erregte die menschliche Grausam- 30 keit in den Kindern, und es wurde beschlossen, das Haupt zu begraben. So machten sie ein Grab und legten den Kopf, ohne die gefangene Fliege um ihre Meinung zu befragen, hinein, und errichteten über dem Grabe ein ansehnliches Denkmal von Feldsteinen. Dann empfanden sie einiges Grauen, da sie etwas Geformtes und Belebtes begraben hatten und ent- 35 fernten sich ein gutes Stück von der unheimlichen Stätte. Auf einem ganz mit grünen Kräutern bedeckten Plätzchen legte sich das Dirnchen auf den

---

In the architecture of the story, the action involving the children parallels or moves in counterpoint with that of the fathers, and is decisively affected by it. There are several "idylls" of separation or isolation, with the young people alone, the last being tragic and final. The first begins here, and is, in all surface and almost all deeper aspects, innocent or at least child-like. Consider, however, where they go, what is done to the doll (and by means of what), what further happens to it (and under what auspices), and the strange process by which the head is first given life and then deprived of it. In a remarkable way, these mark the covert beginnings of central motifs in the tragic action.

Rücken, da es müde war, und begann in eintöniger Weise einige Worte zu
singen, immer die nämlichen, und der Junge kauerte daneben und half,
indem er nicht wußte, ob er auch vollends umfallen solle, so lässig und
müßig war er. Die Sonne schien dem singenden Mädchen in den geöffneten
5 Mund, beleuchtete dessen blendendweiße Zähnchen und durchschimmerte
die runden Purpurlippen. Der Knabe sah die Zähne, und dem Mädchen
den Kopf haltend und dessen Zähnchen neugierig untersuchend, rief er:
„Rate, wieviel Zähne hat man?" Das Mädchen besann sich einen Augenblick, als ob es reiflich nachzählte,[77] und sagte dann aufs Geratewohl:[78]
10 „Hundert!" — „Nein, zweiunddreißig!" rief er, „wart, ich will einmal
zählen!" Da zählte er die Zähne des Kindes, und weil er nicht zweiunddreißig herausbrachte, so fing er immer wieder von neuem an. Das
Mädchen hielt lange still, als aber der eifrige Zähler nicht zu Ende kam,
raffte es sich auf und rief: „Nun will ich deine zählen!" Nun legte sich
15 der Bursche hin ins Kraut, das Mädchen über ihn, umschlang seinen
Kopf, er sperrte das Maul auf, und es zählte: Eins, zwei, sieben, fünf,
zwei, eins; denn die kleine Schöne konnte noch nicht zählen. Der Junge
verbesserte sie und gab ihr Anweisung, wie sie zählen solle, und so fing
auch sie unzähligemal von neuem an und das Spiel schien ihnen am besten
20 zu gefallen von allem, was sie heut unternommen. Endlich aber sank das
Mädchen ganz auf den kleinen Rechenmeister nieder, und die Kinder
schliefen ein in der hellen Mittagssonne.

Inzwischen hatten die Väter ihre Äcker fertig gepflügt und in frisch-
duftende braune Fläche umgewandelt. Als nun, mit der letzten Furche zu
25 Ende gekommen, der Knecht des einen halten wollte, rief sein Meister:
„Was hältst du? Kehr noch einmal um!" — „Wir sind ja fertig!" sagte
der Knecht. „Halt's Maul und tu, wie ich dir sage!" der Meister. Und sie
kehrten um und rissen eine tüchtige Furche in den mittleren herrenlosen
Acker hinein, daß Kraut und Steine flogen. Der Bauer hielt sich aber nicht
30 mit der Beseitigung[79] derselben auf, er mochte denken, hiezu sei noch Zeit
genug vorhanden, und er begnügte sich, für heute die Sache nur aus dem
Gröbsten zu tun. So ging es rasch die Höhe empor in sanftem Bogen, und
als man oben angelangt und das liebliche Windeswehen[80] eben wieder den
Kappenzipfel[81] des Mannes zurückwarf, pflügte auf der anderen Seite der
35 Nachbar vorüber, mit dem Zipfel nach vorn und schnitt ebenfalls eine
ansehnliche Furche vom mittleren Acker, daß die Schollen nur so zur
Seite flogen. Jeder sah wohl, was der andere tat, aber keiner schien es zu

[77] *as if she were thought-
fully counting them
over in her mind*
[78] *at random*

[79] *removal*

[80] *breeze*
[81] *tassel of . . . cap*

Does the author draw any conclusions about the children? What is the narrative point of view
here?
The "idyll" of the children ends on an amusing and certainly innocent note, but as the narrative returns to the fathers, the first overt transgression occurs. Interpret the import of the
farm-hand's objection, the effect of the identical actions, the fact that each knows but says
nothing, and the meaning of the author's "intrusion" at the end.

sehen und sie entschwanden sich wieder, indem jedes Sternbild still am andern vorüberging und hinter diese runde Welt hinabtauchte. So gehen die Weberschiffchen[82] des Geschickes aneinander vorbei, und „was er webt, das weiß kein Weber!"[83]

Es kam eine Ernte um die andere, und jede sah die Kinder größer und 5 schöner und den herrenlosen Acker schmäler zwischen seinen breitgewordenen[84] Nachbaren. Mit jedem Pflügen verlor er hüben und drüben[85] eine Furche, ohne daß ein Wort darüber gesprochen worden wäre und ohne daß ein Menschenauge den Frevel zu sehen schien. Die Steine wurden immer mehr zusammengedrängt und bildeten schon einen ordentlichen 10 Grat auf der ganzen Länge des Ackers, und das wilde Gesträuch darauf war schon so hoch, daß die Kinder, obgleich sie gewachsen waren, sich nicht mehr sehen konnten, wenn eines dies-[86] und das andere jenseits ging. Denn sie gingen nun nicht mehr gemeinschaftlich auf das Feld, da der zehnjährige Salomon oder Sali, wie er genannt wurde, sich schon wacker auf 15 Seite der größeren Burschen und der Männer hielt;[87] und das braune Vrenchen, obgleich es ein feuriges Dirnchen war, mußte bereits unter der Obhut seines Geschlechts gehen, sonst wäre es von den andern als ein Bubenmädchen[88] ausgelacht worden. Dennoch nahmen sie während jeder Ernte, wenn alles auf den Äckern war, einmal Gelegenheit, den wilden 20 Steindamm,[89] der sie trennte, zu besteigen und sich gegenseitig von demselben herunterzustoßen. Wenn sie auch sonst keinen Verkehr miteinander hatten, so schien diese jährliche Zeremonie um so sorglicher gewahrt zu werden, als sonst nirgends die Felder ihrer Väter zusammenstießen.

Indessen sollte der Acker doch endlich verkauft und der Erlös[90] einst- 25 weilen amtlich aufgehoben werden. Die Versteigerung fand an Ort und Stelle statt, wo sich aber nur einige Gaffer einfanden außer den Bauern Manz und Marti, da niemand Lust hatte, das seltsame Stückchen zu erstehen und zwischen den zwei Nachbaren zu bebauen. Denn obgleich diese zu den besten Bauern des Dorfes gehörten und nichts weiter getan 30 hatten, als was zwei Drittel der übrigen unter diesen Umständen auch getan haben würden, so sah man sie doch jetzt stillschweigend darum an und niemand wollte zwischen ihnen eingeklemmt[91] sein mit dem geschmälerten[92] Waisenfelde. Die meisten Menschen sind fähig oder bereit, ein in den Lüften umgehendes Unrecht zu verüben, wenn sie mit der Nase 35 daraufstoßen;[93] sowie es aber von einem begangen ist, sind die übrigen froh, daß sie es doch nicht gewesen sind, daß die Versuchung nicht sie betroffen hat, und sie machen nun den Auserwählten[94] zu dem Schlechtig-

[82] shuttles (on the loom of fate)
[83] (Heinrich Heine; an image of man's unawareness of the results of his own actions or the purposes of fate)
[84] expanded
[85] on either side
[86] (-seits)
[87] acting grown-up, stayed with the bigger boys and the men
[88] tomboy
[89] wall of rocks
[90] proceeds
[91] wedged in
[92] narrowed
[93] to commit a wrong that is in general circulation, in case they run into it head on
[94] chosen one

The fate of the field and that of the children, intimately linked (how?), have a common literal and symbolic manifestation, obvious but effective. Explain.

The ominous sale of the field approaches, but is delayed by a long excursus of the author-as-moralist. Note the difference in style. Characterize the attitude of Keller toward human weakness and malfeasance. (The verdict here is typical, though probably more severe and mordant than usual in Keller—but this is a tragedy.)

keitsmesser ihrer Eigenschaften[95] und behandeln ihn mit zarter Scheu als einen Ableiter des Übels, der von den Göttern gezeichnet ist, während ihnen zugleich noch der Mund wässert nach den Vorteilen, die er dabei genossen. Manz und Marti waren also die einzigen, welche ernstlich auf
5 den Acker boten; nach einem ziemlich hartnäckigen Überbieten erstand ihn Manz, und er wurde ihm zugeschlagen.[96] Die Beamten und die Gaffer verloren sich vom Felde; die beiden Bauern, welche sich auf ihren Äckern noch zu schaffen gemacht, trafen beim Weggehen wieder zusammen, und Marti sagte: „Du wirst nun dein Land, das alte und das neue, wohl
10 zusammenschlagen und in zwei gleiche Stücke teilen! Ich hätte es wenigstens so gemacht, wenn ich das Ding bekommen hätte." — „Ich werde es allerdings auch tun", antwortete Manz, „denn als ein Acker würde mir das Stück zu groß sein. Doch was ich sagen wollte: Ich habe bemerkt, daß du neulich noch am untern Ende dieses Ackers, der jetzt mir gehört, schräg
15 hineingefahren bist und ein gutes Dreieck abgeschnitten hast. Du hast es vielleicht getan in der Meinung, du werdest das ganze Stück an dich bringen[97] und es sei dann sowieso dein. Da es nun aber mir gehört, so wirst du wohl einsehen, daß ich eine solche ungehörige Einkrümmung[98] nicht brauchen noch dulden kann, und wirst nichts dagegen haben, wenn
20 ich den Strich wieder grad mache! Streit wird das nicht abgeben sollen!"[99]

Marti erwiderte ebenso kaltblütig,[1] als ihn Manz angeredet hatte: „Ich sehe auch nicht, wo der Streit herkommen soll! Ich denke, du hast den Acker gekauft, wie er da ist, wir haben ihn alle gemeinschaftlich besehen, und er hat sich seit einer Stunde nicht um ein Haar verändert!"

25 „Larifari!"[2] sagte Manz, „was früher geschehen, wollen wir nicht aufrühren! Was aber zuviel ist, ist zuviel, und alles muß zuletzt eine ordentliche grade Art haben;[3] diese drei Äcker sind von jeher so grade nebeneinander gelegen, wie nach dem Richtscheit[4] gezeichnet; es ist ein ganz absonderlicher Spaß von dir, wenn du nun einen solchen lächerlichen
30 und unvernünftigen Schnörkel dazwischen bringen willst, und wir beide würden einen Übernamen bekommen,[5] wenn wir den krummen Zipfel da bestehen ließen. Er muß durchaus weg!"

Marti lachte und sagte: „Du hast ja auf einmal eine merkwürdige Furcht vor dem Gespötte[6] der Leute! Das läßt sich aber ja wohl machen,[7]
35 mich geniert das Krumme[8] gar nicht; ärgert es dich, gut, so machen wir es grad, aber nicht auf meiner Seite, das geb' ich dir schriftlich,[9] wenn du willst!"

„Rede doch nicht so spaßhaft", sagte Manz, „es wird wohl grad gemacht,

[95] *measure of the depravity in their own nature*

[96] *was knocked down (in auction)*

[97] *get*
[98] *encroachment*

[99] *that shouldn't be any cause for argument*
[1] *cold bloodedly*

[2] *fiddlesticks*

[3] *must be straightened out and made right*
[4] *ruler*

[5] *they'd have a special name for us*
[6] *scoffing*
[7] *that can be arranged all right*
[8] *the fact that it's crooked*
[9] *you can have that in writing (i.e. you can be certain of that)*

The whole process and its consequences have a dimension of tragic inevitability (as does the story itself). Note the progression from an original and seemingly minor transgression.
What is the attitude of each farmer toward the other? Have we had reason to anticipate this?
What degree of right does each have?

[10] *you can bet your life on that*
[11] *we'll just have to wait and see about that*

[12] *(servant) boy*

[13] *underbrush*
[14] *uproot*

[15] *unctuous*
[16] *demand for work and discipline*

[17] *weeded (away at . . .)*

[18] *had grown rank*
[19] *required*
[20] *dried*
[21] *rejoicing*
[22] *happy celebration*
[23] *ill-starred field*

[24] *likewise*
[25] *young things*

und zwar auf deiner Seite, darauf kannst du Gift nehmen!"[10]

„Das werden wir ja sehen und erleben!"[11] sagte Marti, und beide Männer gingen auseinander, ohne sich weiter anzublicken; vielmehr starrten sie nach verschiedener Richtung ins Blaue hinaus, als ob sie da wunder was für Merkwürdigkeiten im Auge hätten, die sie betrachten müßten mit 5 Aufbietung aller ihrer Geisteskräfte.

Schon am nächsten Tage schickte Manz einen Dienstbuben,[12] ein Tagelöhnermädchen und sein eigenes Söhnchen Sali auf den Acker hinaus, um das wilde Unkraut und Gestrüpp[13] auszureuten[14] und auf Haufen zu bringen, damit nachher die Steine um so bequemer weggefahren werden 10 könnten. Dies war eine Änderung in seinem Wesen, daß er den kaum eilfjährigen Jungen, der noch zu keiner Arbeit angehalten worden, nun mit hinaus sandte, gegen die Einsprache der Mutter. Es schien, da er es mit ernsthaften und gesalbten[15] Worten tat, als ob er mit dieser Arbeitsstrenge[16] gegen sein eigenes Blut das Unrecht betäuben wollte, in dem er lebte, und welches 15 nun begann, seine Folgen ruhig zu entfalten. Das ausgesandte Völklein jätete[17] inzwischen lustig an dem Unkraut und hackte mit Vergnügen an den wunderlichen Stauden und Pflanzen allerart, die da seit Jahren wucherten.[18] Denn da es eine außerordentliche, gleichsam wilde Arbeit war, bei der keine Regel und keine Sorgfalt erheischt[19] wurde, so galt sie als 20 eine Lust. Das wilde Zeug, an der Sonne gedörrt,[20] wurde aufgehäuft und mit großem Jubel[21] verbrannt, daß der Qualm weithin sich verbreitete und die jungen Leutchen darin herumsprangen wie besessen. Dies war das letzte Freudenfest[22] auf dem Unglücksfelde,[23] und das junge Vrenchen, Martis Tochter, kam auch hinausgeschlichen und half tapfer mit. Das 25 Ungewöhnliche dieser Begebenheit und die lustige Aufregung gaben einen guten Anlaß, sich seinem kleinen Jugendgespielen wieder einmal zu nähern, und die Kinder waren recht glücklich und munter bei ihrem Feuer. Es kamen noch andere Kinder hinzu, und es sammelte sich eine ganze vergnügte Gesellschaft; doch immer, sobald sie getrennt wurden, suchte Sali 30 alsobald wieder neben Vrenchen zu gelangen, und dieses wußte desgleichen[24] immer vergnügt lächelnd zu ihm zu schlüpfen, und es war beiden Kreaturen,[25] wie wenn dieser herrliche Tag nie enden müßte und könnte. Doch der alte Manz kam gegen Abend herbei, um zu sehen, was sie ausgerichtet, und obgleich sie fertig waren, so schalt er doch ob dieser 35 Lustbarkeit und scheuchte die Gesellschaft auseinander. Zugleich zeigte sich Marti auf seinem Grund und Boden und, seine Tochter gewahrend,

---

Is there any symbolic validity to the "geometry" central to their quarrel?

Interpret the intrusion, *Es schien, da* . . . . These interpolations are frequent in Keller. What do they add to the story, and what do they say of Keller's narrative technique and attitude?

The circumstances of this meeting of Sali and Vrenchen are strangely and ominously mixed. Their happiness is obvious. What of the other side?

Note the further development of the Shakespearean parallel promised by the title.

What final hybris does Manz commit? Why is it symbolically as well as literally effective?

pfiff er derselben schrill und gebieterisch durch den Finger, daß sie erschrocken hineilte, und er gab ihr, ohne zu wissen warum, einige Ohrfeigen, also daß beide Kinder in großer Traurigkeit und weinend nach Hause gingen, und sie wußten jetzt eigentlich so wenig, warum sie so
5 traurig waren, als warum sie vorhin so vergnügt gewesen; denn die Rauheit der Väter, an sich ziemlich neu, war von den arglosen[26] Geschöpfen noch nicht begriffen und konnte sie nicht tiefer bewegen.

    Die nächsten Tage war es schon eine härtere Arbeit, zu welcher Mannsleute[27] gehörten, als Manz die Steine aufnehmen und wegfahren ließ. Es
10 wollte kein Ende nehmen und alle Steine der Welt schienen da beisammen zu sein. Er ließ sie aber nicht ganz vom Felde wegbringen, sondern jede Fuhre auf jenem streitigen Dreiecke abwerfen, welches von Marti schon säuberlich umgepflügt[28] war. Er hatte vorher einen graden Strich gezogen als Grenzscheide[29] und belastete nun dies Fleckchen Erde mit allen
15 Steinen, welche beide Männer seit unvordenklichen Zeiten[30] herübergeworfen, so daß eine gewaltige Pyramide entstand, die wegzubringen sein Gegner bleiben lassen würde,[31] dachte er. Marti hatte dies am wenigsten erwartet; er glaubte, der andere werde nach alter Weise mit dem Pfluge zu Werke gehen wollen, und er hatte daher abgewartet, bis er ihn als
20 Pflüger ausziehen sähe. Erst als die Sache schon beinahe fertig, hörte er von dem schönen Denkmal, welches Manz da errichtet, rannte voll Wut hinaus, sah die Bescherung,[32] rannte zurück und holte den Gemeindeammann,[33] um vorläufig gegen den Steinhaufen zu protestieren und den Fleck gerichtlich in Beschlag nehmen zu lassen,[34] und von diesem Tage an lagen
25 die zwei Bauern im Prozeß miteinander und ruhten nicht, ehe sie beide zugrunde gerichtet waren.

    Die Gedanken der sonst so wohlweisen[35] Männer waren nun so kurz geschnitten wie Häcksel;[36] der beschränkteste Rechtssinn[37] von der Welt erfüllte jeden von ihnen, indem keiner begreifen konnte noch wollte, wie
30 der andere so offenbar unrechtmäßig[38] und willkürlich[39] den fraglichen unbedeutenden Ackerzipfel[40] an sich reißen könne. Bei Manz kam noch ein wunderbarer Sinn für Symmetrie und parallele Linien hinzu und er fühlte sich wahrhaft gekränkt durch den aberwitzigen[41] Eigensinn, mit welchem Marti auf dem Dasein des unsinnigsten und mutwilligsten Schnör-
35 kels beharrte. Beide aber trafen zusammen in der Überzeugung, daß der andere, den anderen so frech und plump übervorteilend, ihn notwendig für einen verächtlichen Dummkopf halten müsse, da man dergleichen

[26] *innocent*

[27] *men (folk)*

[28] *plowed up*
[29] *boundary*
[30] *from time immemorial*

[31] *would not attempt to*

[32] *saw what a pass things had come to*
[33] *bailiff*
[34] *get a court attachment on the piece of land*

[35] *prudent*
[36] *short (-sighted) as chopped straw*
[37] *sense of justice*
[38] *unlawfully*
[39] *arbitrarily*
[40] *the insignificant corner of land in question*
[41] *ridiculous*

The total predictability of the Manz-Marti action is sealed by the author: *. . . ruhten nicht, ehe sie beide zugrunde gerichtet waren.* This is an epic technique familiar since Homer. The outcome is known. Does this diminish interest? Are there kinds of fiction where this would be out of place?

The long paragraph *Die Gedanken . . .* offers Keller's diagnosis of the attitude and actions of the men. Comment.

[42] *Each one was alike convinced that the other, in taking such impertinent and crass advantage of him, must necessarily consider him . . . , since this was the sort of liberty one might take with . . . but not with . . . .*
[43] *tormented nightmare*
[44] *do battle with one another*
[45] *seized upon the source*
[46] *since their cause was unjust*
[47] *tricksters*
[48] *inflated their debased imaginings into enormous bubbles*
[49] *adventurers*
[50] *great windfall*
[51] *retinue of go-betweens, informers, and advisers*
[52] *nettles*

[53] *outdo*
[54] *shady deal*
[55] *put money on*
[56] *in vast numbers*

[57] *financial drain*

[58] *allowed himself to be worked up to a temper and enticed into the most absurd expenditure of money and a life of miserable and graceless carousing*
[59] *strife*
[60] *(refers to Dummköpfe)*

etwa einem armen haltlosen Teufel, nicht aber einem aufrechten, klugen und wehrhaften Manne gegenüber sich erlauben könne,[42] und jeder sah sich in seiner wunderlichen Ehre gekränkt und gab sich rückhaltlos der Leidenschaft des Streites und dem daraus erfolgenden Verfalle hin, und ihr Leben glich fortan der träumerischen Qual[43] zweier Verdammten, welche auf einem schmalen Brette einen dunklen Strom hinabtreibend sich befehden,[44] in die Luft hauen und sich selber anpacken und vernichten, in der Meinung, sie hätten ihr Unglück gefaßt.[45] Da sie eine faule Sache hatten,[46] so gerieten beide in die allerschlimmsten Hände von Tausendkünstlern,[47] welche ihre verdorbene Phantasie auftrieben zu ungeheuren Blasen,[48] die mit den nichtsnutzigsten Dingen angefüllt wurden. Vorzüglich waren es die Spekulanten[49] aus der Stadt Seldwyla, welchen dieser Handel ein gefundenes Essen[50] war, und bald hatte jeder der Streitenden einen Anhang von Unterhändlern, Zuträgern und Ratgebern[51] hinter sich, die alles bare Geld auf hundert Wegen abzuziehen wußten. Denn das Fleckchen Erde mit dem Steinhaufen darüber, auf welchem bereits wieder ein Wald von Nesseln[52] und Disteln blühte, war nur noch der erste Keim oder der Grundstein einer verworrenen Geschichte und Lebensweise, in welcher die zwei Fünfzigjährigen noch neue Gewohnheiten und Sitten, Grundsätze und Hoffnungen annahmen, als sie bisher geübt. Je mehr Geld sie verloren, desto sehnsüchtiger wünschten sie welches zu haben, und je weniger sie besaßen, desto hartnäckiger dachten sie reich zu werden und es dem andern zuvorzutun.[53] Sie ließen sich zu jedem Schwindel[54] verleiten und setzten[55] auch jahraus, jahrein in alle fremden Lotterien, deren Lose massenhaft[56] in Seldwyla zirkulierten. Aber nie bekamen sie einen Taler Gewinn zu Gesicht, sondern hörten nur immer vom Gewinnen anderer Leute und wie sie selbst beinahe gewonnen hätten, indessen diese Leidenschaft ein regelmäßiger Geldabfluß[57] für sie war. Bisweilen machten sich die Seldwyler den Spaß, beide Bauern, ohne ihr Wissen, am gleichen Lose teilnehmen zu lassen, so daß beide die Hoffnung auf Unterdrückung und Vernichtung des andern auf ein und dasselbe Los setzten. Sie brachten die Hälfte ihrer Zeit in der Stadt zu, wo jeder in einer Spelunke sein Hauptquartier hatte, sich den Kopf heißmachen und zu den lächerlichsten Ausgaben und einem elenden und ungeschickten Schlemmen verleiten ließ,[58] bei welchem ihm heimlich doch selber das Herz blutete, also daß beide, welche eigentlich nur in diesem Hader[59] lebten, um für keine Dummköpfe zu gelten, nun solche[60] von der besten Sorte darstellten und

---

Why is the concluding image of the two condemned souls appropriate? What is the effect of its focus on the *Strom* as environment (compared to the previous medium or setting)?
What is cruelly appropriate about making the men share the same lottery ticket?

von jedermann dafür angesehen wurden. Die andere Hälfte der Zeit lagen
sie verdrossen zu Hause oder gingen ihrer Arbeit nach,[61] wobei sie dann
durch ein tolles Überhasten und Antreiben[62] das Versäumte einzuholen
suchten und damit jeden ordentlichen und zuverlässigen[63] Arbeiter ver-
5 scheuchten.[64] So ging es gewaltig rückwärts mit ihnen, und ehe zehn Jahre
vorüber, steckten sie beide von Grund aus in Schulden und standen wie
die Störche auf einem Beine auf der Schwelle ihrer Besitztümer,[65] von der
jeder Lufthauch sie herunterwehte.[66] Aber wie es ihnen auch erging,[67] der
Haß zwischen ihnen wurde täglich größer, da jeder den andern als den
10 Urheber seines Unsterns[68] betrachtete, als seinen Erbfeind[69] und ganz
unvernünftigen Widersacher, den der Teufel absichtlich in die Welt gesetzt
habe, um ihn zu verderben. Sie spien aus, wenn sie sich nur von weitem
sahen; kein Glied ihres Hauses durfte mit Frau, Kind oder Gesinde des
andern ein Wort sprechen, bei Vermeidung[70] der gröbsten Mißhandlung.
15 Ihre Weiber verhielten sich verschieden bei dieser Verarmung und Ver-
schlechterung[71] des ganzen Wesens. Die Frau des Marti, welche von guter
Art war, hielt den Verfall nicht aus, härmte sich ab und starb, ehe ihre
Tochter vierzehn Jahre alt war. Die Frau des Manz hingegen bequemte
sich der veränderten Lebensweise an,[72] und um sich als eine schlechte
20 Genossin zu entfalten, hatte sie nichts zu tun, als einigen weiblichen
Fehlern, die ihr von jeher angehaftet,[73] den Zügel schießen zu lassen und
dieselben zu Lastern auszubilden. Ihre Naschhaftigkeit[74] wurde zu wilder
Begehrlichkeit,[75] ihre Zungenfertigkeit[76] zu einem grundfalschen und ver-
logenen Schmeichel- und Verleumdungswesen,[77] mit welchem sie jeden
25 Augenblick das Gegenteil von dem sagte, was sie dachte, alles hintereinander hetzte[78] und ihrem eigenen Manne ein X für ein U vormachte;[79] ihre
ursprüngliche Offenheit, mit der sie sich der unschuldigeren Plauderei
erfreut, ward nun zur abgehärteten[80] Schamlosigkeit, mit der sie jenes
falsche Wesen betrieb, und so, statt unter ihrem Manne zu leiden, drehte
30 sie ihm eine Nase;[81] wenn er es arg trieb, so machte sie es bunt,[82] ließ sich
nichts abgehen[83] und gedieh zu der dicksten Blüte einer Vorsteherin des
zerfallenden Hauses.[84]

So war es nun schlimm bestellt um die armen Kinder, welche weder
eine gute Hoffnung für ihre Zukunft fassen konnten, noch sich auch nur
35 einer lieblich frohen Jugend erfreuten, da überall nichts als Zank und
Sorge war. Vrenchen hatte anscheinend einen schlimmeren Stand als Sali,
da seine Mutter tot und es einsam in einem wüsten Hause der Tyrannei

[61] *went to their work*
[62] *precipitateness and urgency*
[63] *dependable*
[64] *scared off*

[65] *possessions*
[66] *threatened to blow them down*
[67] *no matter what happened to them individually*
[68] *ill-starred fate*
[69] *hereditary enemy*

[70] *on penalty of*

[71] *deterioration*

[72] *adapted to*

[73] *had characterized her*
[74] *sweet tooth*
[75] *gluttony*
[76] *quick tongue*
[77] *thoroughly false and mendacious pattern of flattery and slander*
[78] *got everything and everybody all mixed up*
[79] *made a dupe of her own husband*
[80] *hardened*
[81] *made a fool of him*
[82] *if he behaved badly, she carried on like mad*
[83] *indulged herself in all things*
[84] *burst into full flower as the presiding genius of a house headed for ruin*

The decline of the men and the fate of their wives is described epically, rather than presented
dramatically. Why is this more than merely economy in narrative time?

eines verwilderten Vaters anheimgegeben[85] war. Als es sechzehn Jahre zählte, war es schon ein schlankgewachsenes, ziervolles Mädchen;[86] seine dunkelbraunen Haare ringelten sich unablässig fast bis über die blitzenden braunen Augen, dunkelrotes Blut durchschimmerte die Wangen des bräunlichen Gesichtes und glänzte als tiefer Purpur auf den frischen Lippen, wie 5 man es selten sah, und was dem dunklen Kinde ein eigentümliches Ansehen und Kennzeichen[87] gab. Feurige Lebenslust und Fröhlichkeit zitterten in jeder Fiber dieses Wesens; es lachte und war aufgelegt zu Scherz und Spiel, wenn das Wetter nur im mindesten lieblich war, d. h. wenn es nicht zu sehr gequält wurde und nicht zu viel Sorgen ausstand. Diese plagten es 10 aber häufig genug; denn nicht nur hatte es den Kummer und das wachsende Elend des Hauses mit zu tragen, sondern es mußte noch sich selber in acht nehmen und mochte sich gern halbwegs ordentlich und reinlich kleiden, ohne daß der Vater ihm die geringsten Mittel dazu geben wollte. So hatte Vrenchen die größte Not, ihre anmutige Person einigermaßen 15 auszustaffieren,[88] sich ein allerbescheidenstes Sonntagskleid zu erobern und einige bunte, fast wertlose Halstüchelchen zusammenzuhalten. Darum war das schöne wohlgemute junge Blut in jeder Weise gedemütigt[89] und gehemmt und konnte am wenigsten der Hoffart anheimfallen.[90] Überdies hatte es bei schon erwachendem Verstande das Leiden und den Tod 20 seiner Mutter gesehen, und dies Andenken war ein weiterer Zügel, der seinem lustigen und feurigen Wesen angelegt war, so daß es nun höchst lieblich, unbedenklich[91] und rührend sich ansah, wenn trotz alledem das gute Kind bei jedem Sonnenblick sich ermunterte und zum Lächeln bereit war. 25

Sali erging es nicht so hart auf den ersten Anschein; denn er war nun ein hübscher und kräftiger junger Bursche, der sich zu wehren wußte und dessen äußere Haltung wenigstens eine schlechte Behandlung von selbst unzulässig machte.[92] Er sah wohl die üble Wirtschaft seiner Eltern und glaubte sich erinnern zu können, daß es einst nicht so gewesen; ja, er 30 bewahrte noch das frühere Bild seines Vaters wohl in seinem Gedächtnisse als eines festen, klugen und ruhigen Bauers, desselben Mannes, den er jetzt als einen grauen Narren, Händelführer[93] und Müßiggänger vor sich sah, der mit Toben und Prahlen auf hundert törichten und verfänglichen Wegen wandelte und mit jeder Stunde rückwärts ruderte,[94] wie ein Krebs.[95] 35 Wenn ihm nun dies mißfiel und ihn oft mit Scham und Kummer erfüllte, während es seiner Unerfahrenheit nicht klar war, wie die Dinge so gekom-

---

[85] *delivered up to*

[86] *a pretty girl of tall and slender build*

[87] *distinguishing characteristic*

[88] *to get her charming self even moderately dressed up*

[89] *humiliated*

[90] *was not in the least danger of falling victim to pride*

[91] *innocent*

[92] *in itself ruled out*

[93] *troublemaker*

[94] *navigated*
[95] *crab*

The children fare differently. In what respects are their fates explicitly or implicitly compared? Is there any indication which will be closer to Keller's central concern?

men, so wurden seine Sorgen wieder betäubt durch die Schmeichelei, mit
der ihn die Mutter behandelte. Denn um in ihrem Unwesen ungestörter
zu sein und einen guten Parteigänger[96] zu haben, auch um ihrer Großtue-
rei[97] zu genügen, ließ sie ihm zukommen, was er wünschte, kleidete ihn
5 sauber und prahlerisch[98] und unterstützte ihn in allem, was er zu seinem
Vergnügen vornahm. Er ließ sich dies gefallen ohne viel Dankbarkeit, da
ihm die Mutter viel zu viel dazu schwatzte und log; und indem er so
wenig Freude daran empfand, tat er lässig und gedankenlos, was ihm gefiel,
ohne daß dies jedoch etwas Übles war, weil er für jetzt noch unbeschädigt
10 war von dem Beispiele der Alten und das jugendliche Bedürfnis fühlte, im
ganzen einfach, ruhig und leidlich tüchtig zu sein. Er war ziemlich genau so,
wie sein Vater in diesem Alter gewesen war, und dieses flößte demselben
eine unwillkürliche Achtung vor dem Sohne ein, in welchem er mit ver-
wirrtem Gewissen und gepeinigter Erinnerung seine eigene Jugend achtete.
15 Trotz dieser Freiheit, welche Sali genoß, ward er seines Lebens doch nicht
froh und fühlte wohl, wie er nichts Rechtes vor sich hatte und ebensowenig
etwas Rechtes lernte, da von einem zusammenhängenden und vernunft-
gemäßen Arbeiten in Manzens Hause längst nicht mehr die Rede war.[99]
Sein bester Trost war daher, stolz auf seine Unabhängigkeit und einst-
20 weilige Unbescholtenheit[1] zu sein, und in diesem Stolze ließ er die Tage
trotzig verstreichen[2] und wandte die Augen von der Zukunft ab.
Der einzige Zwang, dem er unterworfen, war die Feindschaft seines
Vaters gegen alles, was Marti hieß und an diesen erinnerte. Doch wußte
er nichts anderes, als daß Marti seinem Vater Schaden zugefügt und daß
25 man in dessen Hause ebenso feindlich gesinnt[3] sei, und es fiel ihm daher
nicht schwer, weder den Marti noch seine Tochter anzusehen und seinerseits auch einen angehenden,[4] doch ziemlich zahmen[5] Feind vorzustellen.
Vrenchen hingegen, welches mehr erdulden[6] mußte als Sali, und in seinem
Hause viel verlassener war, fühlte sich weniger zu einer förmlichen
30 Feindschaft aufgelegt und glaubte sich nur verachtet von dem wohlgekleide-
ten und scheinbar glücklicheren Sali; deshalb verbarg sie sich vor ihm, und
wenn er irgendwo nur in der Nähe war, so entfernte sie sich eilig, ohne daß
er sich die Mühe gab, ihr nachzublicken. So kam es, daß er das Mädchen
schon seit ein paar Jahren nicht mehr in der Nähe gesehen und gar nicht
35 wußte, wie es aussah, seit es herangewachsen. Und doch wunderte es ihn
zuweilen ganz gewaltig, und wenn überhaupt von den Martis[7] gesprochen
wurde, so dachte er unwillkürlich nur an die Tochter, deren jetziges

[96] *partisan (on her side)*

[97] *desire for ostentation*

[98] *showily*

[99] *there had long been no question of*

[1] *current state of good repute*

[2] *slip by*

[3] *inclined*

[4] *incipient*
[5] *tame*
[6] *endure*

[7] *Marti's family*

Aussehen ihm nicht deutlich und deren Andenken ihm gar nicht verhaßt war.

Doch war sein Vater Manz nun der erste von den beiden Feinden, der sich nicht mehr halten konnte und von Haus und Hof springen mußte.[8] Dieser Vortritt[9] rührte daher, daß er eine Frau besaß, die ihm geholfen, und einen Sohn, der doch auch einiges mit brauchte, während Marti der einzige Verzehrer war in seinem wackeligen[10] Königreich, und seine Tochter durfte wohl arbeiten wie ein Haustierchen,[11] aber nichts gebrauchen. Manz aber wußte nichts anderes anzufangen, als auf den Rat seiner Seldwyler Gönner in die Stadt zu ziehen und da sich als Wirt aufzutun. Es ist immer betrüblich anzusehen, wenn ein ehemaliger Landmann, der auf dem Felde alt geworden ist, mit den Trümmern seiner Habe in eine Stadt zieht und da eine Schenke oder Kneipe auftut, um als letzten Rettungsanker[12] den freundlichen und gewandten Wirt zu machen, während es ihm nichts weniger als freundlich zumut ist. Als die Manzen[13] vom Hofe zogen, sah man erst, wie arm sie bereits waren; denn sie luden lauter alten und zerfallenen Hausrat[14] auf, dem man es ansah, daß seit vielen Jahren nichts erneuert und angeschafft[15] worden war. Die Frau legte aber nichtsdestominder ihren besten Staat an, als sie sich oben auf die Gerümpelfuhre[16] setzte, und machte ein Gesicht voller Hoffnungen, als künftige Stadtfrau schon mit Verachtung auf die Dorfgenossen[17] herabsehend, welche voll Mitleid hinter den Hecken hervor dem bedenklichen Zuge zuschauten. Denn sie nahm sich vor, mit ihrer Liebenswürdigkeit und Klugheit die ganze Stadt zu bezaubern, und was ihr versimpelter[18] Mann nicht machen könne, das wolle sie schon ausrichten, wenn sie nur erst einmal als Frau Wirtin in einem stattlichen Gasthofe säße. Dieser Gasthof bestand aber in einer trübseligen Winkelschenke[19] in einem abgelegenen schmalen Gäßchen, auf der eben ein anderer zugrunde gegangen war und welche die Seldwyler dem Manz verpachteten,[20] da er noch einige hundert Taler einzuziehen hatte. Sie verkauften ihm auch ein paar Fäßchen angemachten[21] Weines und das Wirtschaftsmobiliar,[22] das aus einem Dutzend weißen geringen Flaschen, ebensoviel Gläsern und einigen tannenen Tischen und Bänken bestand, welche einst blutrot angestrichen gewesen und jetzt vielfältig abgescheuert[23] waren. Vor dem Fenster knarrte ein eiserner Reifen in einem Haken, und in dem Reifen schenkte eine blecherne[24] Hand Rotwein aus einem Schöppchen in ein Glas. Überdies hing ein verdorrter Busch von Stechpalme[25] über der Haustüre, was Manz alles mit in

---

[8] who could no longer support himself and had to leave house and home
[9] position of priority
[10] rickety
[11] little beast of burden

[12] anchor to windward

[13] Manz and his family

[14] household goods
[15] bought new
[16] junk wagon

[17] fellow villagers

[18] addled

[19] little tavern

[20] leased out
[21] adulterated
[22] furnishings

[23] worn off in spots

[24] tin

[25] holly

Is there any appropriateness—as there is overt reason—for Manz being the first to lose out? In his financial and spiritual collapse, Manz moves to the city. Does this perhaps express a value judgment on Keller's part?

die Pacht bekam. Um deswillen[26] war er nicht so wohlgemut wie seine Frau, sondern trieb mit schlimmer Ahnung und voll Ingrimm[27] die magern Pferde an, welche er vom neuen Bauern geliehen. Das letzte schäbige Knechtchen, das er gehabt, hatte ihn schon seit einigen Wochen verlassen.

5 Als er solcherweise abfuhr, sah er wohl, wie Marti voll Hohn und Schadenfreude sich unfern der Straße zu schaffen machte, fluchte ihm und hielt denselben für den alleinigen[28] Urheber seines Unglücks. Sali aber, sobald das Fuhrwerk im Gange war, beschleunigte[29] seine Schritte, eilte voraus und ging allein auf Seitenwegen nach der Stadt.

10 „Da wären wir!" sagte Manz, als die Fuhre vor dem Spelunkelein anhielt. Die Frau erschrak darüber, denn das war in der Tat ein trauriger Gasthof. Die Leute traten eilfertig unter die Fenster und vor die Häuser, um sich den neuen Bauernwirt[30] anzusehen, und machten mit ihrer Seldwyler Überlegenheit mitleidig spöttische Gesichter. Zornig und mit 15 nassen Augen kletterte die Manzin[31] vom Wagen herunter und lief, ihre Zunge vorläufig wetzend,[32] in das Haus, um sich heute vornehm nicht wieder blicken zu lassen; denn sie schämte sich des schlechten Gerätes und der verdorbenen Betten, welche nun abgeladen wurden. Sali schämte sich auch, aber er mußte helfen und machte mit seinem Vater einen seltsamen 20 Verlag[33] in dem Gäßchen, auf welchem alsbald die Kinder der Falliten[34] herumsprangen und sich über das verlumpte Bauernpack[35] lustig machten. Im Hause aber sah es noch trübseliger aus, und es glich einer vollkommenen Räuberhöhle. Die Wände waren schlecht geweißtes feuchtes Mauerwerk, außer der dunklen unfreundlichen Gaststube mit ihren ehemals 25 blutroten Tischen waren nur noch ein paar Kämmerchen da, und überall hatte der ausgezogene Vorgänger den trostlosesten Schmutz und Kehricht[36] zurückgelassen.

So war der Anfang, und so ging es auch fort. Während der ersten Wochen kamen, besonders am Abend, wohl hin und wieder ein Tisch voll 30 Leute aus Neugierde, den Bauernwirt zu sehen, und ob es da vielleicht einigen Spaß absetzte.[37] Am Wirt hatten sie nicht viel zu betrachten, denn Manz war ungelenk,[38] starr, unfreundlich und melancholisch und wußte sich gar nicht zu benehmen, wollte es auch nicht wissen. Er füllte langsam und ungeschickt die Schöppchen, stellte sie mürrisch vor die Gäste und 35 versuchte etwas zu sagen, brachte aber nichts heraus. Desto eifriger warf sich nun seine Frau ins Geschirr[39] und hielt die Leute wirklich einige Tage zusammen, aber in einem ganz anderen Sinne, als sie meinte. Die ziemlich

[26] *for that reason*
[27] *suppressed anger*
[28] *sole*
[29] *hastened*
[30] *(here and below) farmer turned innkeeper*
[31] *Manz's wife*
[32] *sharpening*
[33] *display of goods*
[34] *bankrupt (people of Seldwyla)*
[35] *pack of peasants*
[36] *rubbish*
[37] *see whether they could have any fun*
[38] *clumsy*
[39] *threw herself into the job*

How would you characterize the essential nature of Manz's wife and her attitude toward reality and other people. Keller's women are generally stronger than his men. Is she?

Note that the community of Seldwyla (Keller's epitomization of small-town Swiss life—the device is familiar from Abdera to Winesburg) has an active role in the action. Of what sort?

[40] *outfit*

[41] *undyed peasant skirt*

[42] *ordinary white collar*

[43] *comical*

[44] *wagged and wiggled (danced and pranced)*

[45] *puckered up her mouth*

[46] *nimbly*

[47] *salted cheese*

[48] *(nonsense word)*

[49] *by George!*

[50] *hell's fire!*

[51] *boob*

[52] *higher class*

[53] *yawned at*

[54] *bustle*

[55] *hole in the wall*

dicke Frau hatte sich eine eigene Haustracht[40] zusammengesetzt, in der sie unwiderstehlich zu sein glaubte. Zu einem leinenen ungefärbten Land-rock[41] trug sie einen alten grünseidenen Spenser, eine baumwollene Schürze und einen schlimmen weißen Halskragen.[42] Von ihrem nicht mehr dichten Haar hatte sie an den Schläfen possierliche[43] Schnecken gewik-kelt und in das Zöpfchen hinten einen hohen Kamm gesteckt. So schwän-zelte und tänzelte[44] sie mit angestrengter Anmut herum, spitzte lächerlich das Maul,[45] daß es süß aussehen sollte, hüpfte elastisch[46] an die Tische hin, und das Glas oder den Teller mit gesalzenem Käse[47] hinsetzend, sagte sie lächelnd: ,,So, so? so, soli!"[48] herrlich, herrlich, ihr Herren!" und solches dummes Zeug mehr; denn obwohl sie sonst eine geschliffene Zunge hatte, so wußte sie jetzt doch nichts Gescheites vorzubringen, da sie fremd war und die Leute nicht kannte. Die Seldwyler von der schlechtesten Sorte, die da hockten, hielten die Hand vor den Mund, wollten vor Lachen ersticken, stießen sich unter dem Tisch mit den Füßen und sagten: ,,Potz tausig!"[49] das ist ja eine Herrliche!" — ,,Eine Himmlische!" sagte ein anderer, ,,beim ewigen Hagel!"[50] es ist der Mühe wert, hieher zu kommen, so eine haben wir lange nicht gesehen!" Ihr Mann bemerkte das wohl mit finsterem Blicke; er gab ihr einen Stoß in die Rippen und flüsterte: ,,Du alte Kuh! Was machst du denn?" — ,,Störe mich nicht", sagte sie un-willig, ,,du alter Tolpatsch![51] siehst du nicht, wie ich mir Mühe gebe und mit den Leuten umzugehen weiß? Das sind aber nur Lumpen von deinem Anhang! Laß mich nur machen, ich will bald fürnehmere[52] Kundschaft hier haben!" Dies alles war beleuchtet von einem oder zwei dünnen Talglichten; Sali, der Sohn, aber ging hinaus in die dunkle Küche, setzte sich auf den Herd und weinte über Vater und Mutter.

Die Gäste hatten aber das Schauspiel bald satt, welches ihnen die gute Frau Manz gewährte, und blieben wieder, wo es ihnen wohler war und sie über die wunderliche Wirtschaft lachen konnten; nur dann und wann erschien ein einzelner, der ein Glas trank und die Wände angähnte,[53] oder es kam ausnahmsweise eine ganze Bande, die armen Leute mit einem vorübergehenden Trubel[54] und Lärm zu täuschen. Es ward ihnen angst und bange in dem engen Mauerwinkel,[55] wo sie kaum die Sonne sahen, und Manz, welcher sonst gewohnt war, tagelang in der Stadt zu liegen, fand es jetzt unerträglich zwischen diesen Mauern. Wenn er an die freie Weite der Felder dachte, so stierte er finster brütend an die Decke oder auf den Boden, lief unter die enge Haustüre und wieder zurück, da die

---

Keller describes Manz's wife, in her new manifestation, with remorseless, almost savage irony. It is one of the most uncomfortable portraits of sham and self-delusion in his large gallery of such "originals." Characterize the technique. Are there any redeeming features? What is the effect of the concluding words *Dies alles war beleuchtet . . .?*

Nachbaren den bösen Wirt, wie sie ihn schon nannten, angafften. Nun dauerte es aber nicht mehr lange und sie verarmten gänzlich und hatten gar nichts mehr in der Hand;[56] sie mußten, um etwas zu essen, warten, bis einer kam und für wenig Geld etwas von dem noch vorhandenen

5 Wein verzehrte, und wenn er eine Wurst[57] oder dergleichen begehrte, so hatten sie oft die größte Angst und Sorge, dieselbe beizutreiben.[58] Bald hatten sie auch den Wein nur noch in einer großen Flasche verborgen, die sie heimlich in einer andern Kneipe füllen ließen, und so sollten sie nun die Wirte machen ohne Wein und Brot und freundlich sein, ohne

10 ordentlich gegessen zu haben. Sie waren beinahe froh, wenn nur niemand kam, und hockten so in ihrem Kneipchen, ohne leben noch sterben zu können. Als die Frau diese traurigen Erfahrungen machte, zog sie den grünen Spenser wieder aus und nahm abermals eine Veränderung vor, indem sie nun, wie früher die Fehler, so nun einige weibliche Tugen-

15 den aufkommen ließ und mehr ausbildete, da Not an den Mann ging.[59] Sie übte Geduld und suchte den Alten aufrecht zu halten und den Jungen zum Guten anzuweisen; sie opferte sich vielfältig in allerlei Dingen, kurz sie übte in ihrer Weise eine Art von wohltätigem Einfluß, der zwar nicht weit reichte und nicht viel besserte, aber immerhin besser war

20 als gar nichts oder als das Gegenteil und die Zeit wenigstens verbringen half, welche sonst viel früher hätte brechen müssen[60] für diese Leute. Sie wußte manchen Rat zu geben nunmehr in erbärmlichen Dingen, nach ihrem Verstande, und wenn der Rat nichts zu taugen schien und fehlschlug, so ertrug sie willig den Grimm der Männer, kurzum, sie tat jetzt

25 alles, da sie alt war, was besser gedient hätte, wenn sie es früher geübt.

Um wenigstens etwas Beißbares[61] zu erwerben und die Zeit zu verbringen, verlegten sich Vater und Sohn auf die Fischerei,[62] d. h. mit der Angelrute, soweit es für jeden erlaubt war, sie in den Fluß zu hängen. Dies war auch

30 eine Hauptbeschäftigung der Seldwyler, nachdem sie falliert[63] hatten. Bei günstigem Wetter, wenn die Fische gern anbissen,[64] sah man sie dutzendweise hinauswandern mit Rute und Eimer, und wenn man an den Ufern des Flusses wandelte, hockte alle Spanne lang[65] einer, der angelte, der eine in einem langen braunen Bürgerrock,[66] die bloßen Füße im Wasser, der

35 andere in einem spitzen blauen Frack auf einer alten Weide stehend, den alten Filz schief auf dem Ohre; weiterhin angelte gar einer im zerrissenen großblumigen[67] Schlafrock, da er keinen andern mehr besaß, die lange

[56] *had absolutely nothing left*

[57] *sausage*

[58] *lay their hands on*

[59] *now that the going was rough*

[60] *would have had to come to an end much sooner*

[61] *something to eat*

[62] *took up the business of fishing*

[63] *gone bankrupt*

[64] *were biting*

[65] *every few yards*

[66] *street coat*

[67] *with a big flower pattern*

Note the change in Manz's wife. Can you explain the change either psychologically or in terms of purpose in the narrative?

Fishing as a last resort is understandable on a literal plane. Has it any apparent metaphoric importance, or possible relationship to other "environments" of the story?

[68] *pot-belly*

[69] *stark naked*

[70] *fish worms (earth-worms)*

Pfeife in der einen, die Rute in der andern Hand, und wenn man um eine Krümmung des Flusses bog, stand ein alter kahlköpfiger Dickbauch[68] faselnackt[69] auf einem Stein und angelte; dieser hatte, trotz des Aufenthaltes am Wasser, so schwarze Füße, daß man glaubte, er habe die Stiefel anbehalten. Jeder hatte ein Töpfchen oder ein Schächtelchen neben sich, ₅ in welchem Regenwürmer[70] wimmelten, nach denen sie zu andern Stunden zu graben pflegten. Wenn der Himmel mit Wolken bezogen und es ein schwüles dämmeriges Wetter war, welches Regen verkündete, so standen diese Gestalten am zahlreichsten an dem ziehenden Strome, regungslos, gleich einer Galerie von Heiligen- oder Prophetenbildern. Achtlos zogen ₁₀ die Landleute mit Vieh und Wagen an ihnen vorüber, und die Schiffer auf dem Flusse sahen sie nicht an, während sie leise murrten über die störenden Schiffe.

[71] *would have flared up more than a little*
[72] *upstream*

Wenn man Manz vor zwölf Jahren, als er mit einem schönen Gespann pflügte auf dem Hügel über dem Ufer, geweissagt hätte, er würde sich ₁₅ einst zu diesen wunderlichen Heiligen gesellen und gleich ihnen Fische fangen, so wäre er nicht übel aufgefahren.[71] Auch eilte er jetzt hastig an ihnen vorüber hinter ihrem Rücken und eilte stromaufwärts,[72] gleich einem eigensinnigen Schatten der Unterwelt, der sich zu seiner Verdammnis ein bequemes einsames Plätzchen sucht an den dunklen Wässern. Mit ₂₀ der Angelrute zu stehen hatten er und sein Sohn indessen keine Geduld, und sie erinnerten sich der Art, wie die Bauern auf manche andere Weise etwa Fische fangen, wenn sie übermütig sind, besonders mit den Händen in den Bächen; daher nahmen sie die Ruten nur zum Schein mit und gingen an den Borden der Bäche hinauf, wo sie wußten, daß es teuere und ₂₅ gute Forellen gab.

[73] *meadowlands*
[74] *pools*

Dem auf dem Lande zurückgebliebenen Marti ging es inzwischen auch immer schlimmer, und es war ihm höchst langweilig dabei, so daß er, anstatt auf seinem vernachlässigten Felde zu arbeiten, ebenfalls auf das Fischen verfiel und tagelang im Wasser herumplätscherte. Vrenchen ₃₀ durfte nicht von seiner Seite und mußte ihm Eimer und Geräte nachtragen durch nasse Wiesengründe,[73] durch Bäche und Wassertümpel[74] aller Art, bei Regen und Sonnenschein, indessen sie das Notwendigste zu Hause liegen lassen mußte. Denn es war sonst keine Seele mehr da und wurde auch keine gebraucht, da Marti das meiste Land schon verloren ₃₅ hatte und nur noch wenige Äcker besaß, die er mit seiner Tochter liederlich genug oder gar nicht bebaute.

Their mutual economic ruin brings the two men together again, and with them the young people. A new segment of the narrative commences. How does it differ in technique of presentation from the segment preceding? What is the relationship of *Erzählzeit* and

So kam es, daß, als er eines Abends einen ziemlich tiefen und reißenden[75] *rapid*
Bach entlang ging, in welchem die Forellen fleißig sprangen, da der Himmel voll Gewitterwolken hing, er unverhofft auf seinen Feind Manz traf,
der an dem andern Ufer daherkam. Sobald er ihn sah, stieg ein schreck-
5 licher Groll und Hohn in ihm auf; sie waren sich seit Jahren nicht so nahe
gewesen, ausgenommen vor den Gerichtsschranken,[76] wo sie nicht [76] *bar of justice*
schelten durften, und Marti rief jetzt voll Grimm: „Was tust du hier du
Hund? Kannst du nicht in deinem Lotterneste[77] bleiben, du Seldwyler [77] *filthy hole (of a town)*
Lumpenhund?"

10 „Wirst nächstens wohl auch ankommen, du Schelm!" rief Manz.
„Fische fängst du ja auch schon und wirst deshalb nicht viel mehr zu
versäumen haben!"

„Schweig, du Galgenhund!"[78] schrie Marti, da hier die Wellen des [78] *lousy dog*
Baches stärker rauschten, „du hast mich ins Unglück gebracht!" Und da
15 jetzt auch die Weiden am Bache gewaltig zu rauschen anfingen im aufge-
henden Wetterwind, so mußte Manz noch lauter schreien: „Wenn dem
nur so wäre,[79] so wollte ich mich freuen, du elender Tropf!" — „O du [79] *if that were only true*
Hund!" schrie Marti herüber und Manz hinüber: „O du Kalb, wie dumm
tust du!" Und jener sprang wie ein Tiger den Bach entlang und suchte her-
20 überzukommen. Der Grund, warum er der Wütendere war, lag in seiner
Meinung, daß Manz als Wirt wenigstens genug zu essen und zu trinken
hätte und gewissermaßen ein kurzweiliges Leben[80] führe, während es unge- [80] *life of leisure*
rechterweise ihm so langweilig wäre auf seinem zertrümmerten Hofe. Manz
schritt indessen auch grimmig genug an der andern Seite hin; hinter ihm sein
25 Sohn, welcher, statt auf den bösen Streit zu hören, neugierig und verwundert nach Vrenchen hinübersah, welche hinter ihrem Vater ging, vor Scham
in die Erde sehend, daß ihr die braunen krausen Haare ins Gesicht fielen.
Sie trug einen hölzernen Fischeimer in der einen Hand, in der andern
hatte sie Schuh und Strümpfe getragen und ihr Kleid der Nässe wegen
30 aufgeschürzt.[81] Seit aber Sali auf der andern Seite ging, hatte sie es [81] *pulled up*
schamhaft sinken lassen und war nun dreifach belästigt und gequält, da
sie alle das Zeug tragen, den Rock zusammenhalten und des Streites
wegen sich grämen mußte. Hätte sie aufgesehen und nach Sali geblickt, so
würde sie entdeckt haben, daß er weder vornehm noch sehr stolz mehr
35 aussah und selbst bekümmert genug war. Während Vrenchen so ganz
beschämt und verwirrt auf die Erde sah und Sali nur diese in allem
Elende schlanke und anmutige Gestalt im Auge hatte, die so verlegen und

erzählte Zeit in each? What was the last occurrence of dialogue between Manz and Marti?
What aspect of the pathetic fallacy is involved? Discuss the appropriateness of such effects.
How long have Sali and Vrenchen been separated?

[82] *modest*

demütig[82] dahinschritt, beachteten sie dabei nicht, wie ihre Väter still geworden, aber mit verstärkter Wut einem hölzernen Stege zueilten, der in kleiner Entfernung über den Bach führte und eben sichtbar wurde. Es fing an zu blitzen und erleuchtete seltsam die dunkle melancholische Wassergegend; es donnerte auch in den grauschwarzen Wolken mit 5 dumpfem Grolle und schwere Regentropfen fielen, als die verwilderten Männer gleichzeitig auf die schmale, unter ihren Tritten schwankende Brücke stürzten, sich gegenseitig packten und die Fäuste in die vor Zorn und ausbrechendem Kummer bleichen zitternden[83] Gesichter schlugen.

[83] *pale and trembling with anger and sudden anxiety*
[84] *when men of otherwise steady disposition get themselves involved in a situation where . . .*
[85] *self-defense*
[86] *trivial game*

Es ist nichts Anmutiges und nichts weniger als artig, wenn sonst gesetzte 10 Menschen noch in den Fall kommen,[84] aus Übermut, Unbedacht oder Notwehr[85] unter allerhand Volk, das sie nicht näher berührt, Schläge auszuteilen oder welche zu bekommen; allein dies ist eine harmlose Spielerei[86] gegen das tiefe Elend, das zwei alte Menschen überwältigt, die sich wohl kennen und seit lange kennen, wenn diese aus innerster Feindschaft 15 und aus dem Gange einer ganzen Lebensgeschichte heraus sich mit nackten Händen anfassen und mit Fäusten schlagen. So taten jetzt diese beiden ergrauten Männer; vor fünfzig Jahren vielleicht hatten sie sich als Buben zum letztenmal gerauft,[87] dann aber fünfzig lange Jahre mit keiner Hand mehr berührt, ausgenommen in ihrer guten Zeit, wo sie sich etwa 20 zum Gruß die Hände geschüttelt, und auch dies nur selten bei ihrem trockenen und sicheren Wesen. Nachdem sie ein- oder zweimal geschlagen, hielten sie inne und rangen still zitternd miteinander, nur zuweilen aufstöhnend[88] und elendiglich knirschend, und einer suchte den andern über das knackende Geländer[89] ins Wasser zu werfen. Jetzt waren aber auch 25 ihre Kinder nachgekommen und sahen den erbärmlichen Auftritt. Sali sprang eines Satzes heran, um seinem Vater beizustehen und ihm zu helfen, dem gehaßten Feinde den Garaus zu machen,[90] der ohnehin der schwächere schien und eben zu unterliegen drohte. Aber auch Vrenchen sprang, alles wegwerfend, mit einem langen Aufschrei herzu und um- 30 klammerte ihren Vater, um ihn zu schützen, während sie ihn dadurch nur hinderte und beschwerte. Tränen strömten aus ihren Augen, und sie sah flehend den Sali an, der im Begriff war, ihren Vater ebenfalls zu fassen und vollends zu überwältigen. Unwillkürlich legte er aber seine Hand an seinen eigenen Vater und suchte denselben mit festem Arm von dem 35 Gegner loszubringen und zu beruhigen, so daß der Kampf eine kleine Weile ruhte oder vielmehr die ganze Gruppe unruhig hin und her drängte,

[87] *scuffled*

[88] *groaning*
[89] *railing*

[90] *finish off*

What is the irony behind the specific scene of their encounter (the bridge)?

Does the adjective used of the *Männer* in this same sentence have any validity beyond the immediate situation?

Interpret Keller's technique in introducing a paragraph of general observations immediately after the first blows are struck.

In an unusual and pathetic development, the fight becomes the ironic instrument of Sali and Vrenchen's renewed physical contact. Interpret.

ohne auseinanderzukommen. Darüber waren die jungen Leute, sich mehr
zwischen die Alten schiebend, in dichte Berührung gekommen, und in
diesem Augenblicke erhellte ein Wolkenriß,[91] der den grellen Abendschein
durchließ, das nahe Gesicht des Mädchens, und Sali sah in dies ihm so
5 wohlbekannte und doch so viel anders und schöner gewordene Gesicht.
Vrenchen sah in diesem Augenblicke auch sein Erstaunen, und es lächelte
ganz kurz und geschwind mitten in seinem Schrecken und seinen Tränen
ihn an. Doch ermannte sich Sali, geweckt durch die Anstrengungen
seines Vaters, ihn abzuschütteln, und brachte ihn mit eindringlich bitten-
10 den Worten und fester Haltung endlich ganz von seinem Feinde weg.
Beide alte Gesellen atmeten hoch auf und begannen jetzt wieder zu
schelten und zu schreien, sich voneinander abwendend; ihre Kinder aber
atmeten kaum und waren still wie der Tod, gaben sich aber im Wegwenden
und Trennen, ungesehen von den Alten, schnell die Hände, welche
15 vom Wasser und von den Fischen feucht und kühl waren.

Als die grollenden Parteien ihrer Wege gingen, hatten die Wolken sich
wieder geschlossen, es dunkelte mehr und mehr, und der Regen goß nun
in Bächen durch die Luft. Manz schlenderte voraus auf den dunklen
nassen Wegen, er duckte sich, beide Hände in den Taschen, unter den
20 Regengüssen,[92] zitterte noch in seinen Gesichtszügen und mit den Zähnen,
und ungesehene Tränen rieselten ihm in den Stoppelbart,[93] die er fließen
ließ, um sie durch das Wegwischen nicht zu verraten. Sein Sohn hatte
aber nichts gesehen, weil er in glückseligen Bildern verloren daherging.
Er merkte weder Regen noch Sturm, weder Dunkelheit noch Elend;
25 sondern leicht, hell und warm war es ihm innen und außen, und er fühlte
sich so reich und wohlgeborgen wie ein Königssohn. Er sah fortwährend
das sekundenlange Lächeln des nahen schönen Gesichtes und erwiderte
dasselbe erst jetzt, eine gute halbe Stunde nachher, indem er voll Liebe in
Nacht und Wetter hinein und das liebe Gesicht anlachte,[94] das ihm aller-
30 wegen[95] aus dem Dunkel entgegentrat, so daß er glaubte, Vrenchen müsse
auf seinen Wegen dies Lachen notwendig sehen und seiner inne werden.[96]

Sein Vater war des andern Tags wie zerschlagen und wollte nicht aus
dem Hause. Der ganze Handel und das vieljährige Elend nahm heute eine
neue, deutlichere Gestalt an und breitete sich dunkel aus in der drückenden
35 Luft der Spelunke, also daß Mann und Frau matt und scheu um das
Gespenst herumschlichen, aus der Stube in die dunklen Kämmerchen,
von da in die Küche, und aus dieser wieder sich in die Stube schleppten, in

[91] *break in the clouds*

[92] *bursts of rain*
[93] *stubbly beard*

[94] (hinein- *and* an- *both go with* -lachte)
[95] *from every direction*
[96] *be aware of*

The attraction of Sali and Vrenchen actually saves the fathers from a worse fate, at least momentarily. This is both plausible and symbolic, but to what extent the latter?
What effect does Keller create with the description of Sali's and Vrenchen's handclasp?
Men in the grip of consuming emotions are often devoid of self-awareness. Manz knows his
state and avoids betraying his tears. What does this say about him?
The paradoxical truth that Sali finds in the sordid fight the renewal of his acquaintance and the
consciousness of his love gives a deeply poignant effect to the scene, but also an ominous one.
Explain.

welcher kein Gast sich sehen ließ. Zuletzt hockte jedes in einem Winkel und begann den Tag über ein müdes, halbtotes Zanken und Vorhalten⁹⁷ mit dem andern, wobei sie zeitweise⁹⁸ einschliefen, von unruhigen Tagträumen geplagt, welche aus dem Gewissen kamen und sie wieder weckten. Nur Sali sah und hörte nichts davon, denn er dachte nur an Vrenchen. Es war ihm immer noch zumut, nicht nur als ob er unsäglich reich wäre, sondern auch was Rechts gelernt hätte und unendlich viel Schönes und Gutes wüßte, da er nun so deutlich und bestimmt um das wußte, was er gestern gesehen. Diese Wissenschaft war ihm wie vom Himmel gefallen, und er war in einer unaufhörlichen glücklichen Verwunderung darüber; und doch war es ihm, als ob er es eigentlich von jeher gewußt und gekannt hätte, was ihn jetzt mit so wundersamer Süßigkeit erfüllte. Denn nichts gleicht dem Reichtum und der Unergründlichkeit eines Glückes, das an den Menschen herantritt in einer so klaren und deutlichen Gestalt, vom Pfäfflein getauft und wohl versehen mit einem eigenen Namen, der nicht tönt wie andere Namen.

Sali fühlte sich an diesem Tage weder müßig noch unglücklich, weder arm noch hoffnungslos; vielmehr war er vollauf beschäftigt, sich Vrenchens Gesicht und Gestalt vorzustellen, unaufhörlich eine Stunde wie die andere; über dieser aufgeregten Tätigkeit aber verschwand ihm der Gegenstand derselben fast vollständig, das heißt, er bildete sich endlich ein, nun doch nicht zu wissen, wie Vrenchen recht genau aussehe, er habe wohl ein allgemeines Bild von ihr im Gedächtnis, aber wenn er sie beschreiben sollte, so könnte er das nicht. Er sah fortwährend dies Bild, als ob es vor ihm stände, und fühlte seinen angenehmen Eindruck, und doch sah er es nur wie etwas, das man eben nur einmal gesehen, in dessen Gewalt man liegt und das man doch noch nicht kennt. Er erinnerte sich genau der Gesichtszüge, welche das kleine Dirnchen einst gehabt, mit großem Wohlgefallen, aber nicht eigentlich derjenigen,⁹⁹ welche er gestern gesehen. Hätte er Vrenchen nie wieder zu sehen bekommen, so hätten sich seine Erinnerungskräfte schon behelfen müssen und das liebe Gesicht säuberlich wieder zusammengetragen, daß nicht ein Zug daran fehlte. Jetzt aber versagten sie schlau und hartnäckig ihren Dienst, weil die Augen nach ihrem Recht und ihrer Lust verlangten, und als am Nachmittage die Sonne warm und hell die oberen Stockwerke der schwarzen Häuser beschien, strich Sali aus dem Tore und seiner alten Heimat zu, welche ihm jetzt erst ein himmlisches Jerusalem zu sein schien mit zwölf glänzenden Pforten, und die sein Herz klopfen machte, als er sich ihr näherte.

The contrast of consequences, for father and son, continues. Sali's bliss is described by the author in terms which demonstrate what "point of view"? That is, what does the author know and tell about the inner workings of his character's mind? If this is "author omniscience" is it the same as identity with the character, or does it permit distance and commentary?

Er stieß auf dem Wege auf Vrenchens Vater, welcher nach der Stadt zu gehen schien. Der sah sehr wild und liederlich aus, sein grau gewordener Bart war seit Wochen nicht geschoren, und er sah aus wie ein recht böser verlorener Bauersmann, der sein Feld verscherzt[1] hat und nun geht,
5 um andern Übles zuzufügen. Dennoch sah ihn Sali, als sie sich vorübergingen, nicht mehr mit Haß, sondern voll Furcht und Scheu an, als ob sein Leben in dessen Hand stände und er es lieber von ihm erflehen als ertrotzen[2] möchte. Marti aber maß ihn mit einem bösen Blicke von oben bis unten und ging seines Weges. Das war indessen dem Sali recht, welchem
10 es nun, da er den Alten das Dorf verlassen sah, deutlicher wurde, was er eigentlich da wolle, und er schlich sich auf altbekannten Pfaden so lange um das Dorf herum und durch dessen verdeckte Gäßchen, bis er sich Martis Haus und Hof gegenüber befand. Seit mehreren Jahren hatte er diese Stätte nicht mehr so nah gesehen; denn auch als sie noch hier
15 wohnten, hüteten sich die verfeindeten Leute gegenseitig, sich ins Gehege zu kommen.[3] Deshalb war er nun erstaunt über das, was er doch an seinem eigenen Vaterhause erlebt, und starrte voll Verwunderung in die Wüstenei, die er vor sich sah. Dem Marti war ein Stück Ackerland um das andere abgepfändet[4] worden, er besaß nichts mehr als das Haus und den Platz
20 davor nebst etwas Garten und dem Acker auf der Höhe am Flusse, von welchem er hartnäckig am längsten nicht lassen wollte.

Es war aber keine Rede mehr von einer ordentlichen Bebauung, und auf dem Acker, der einst so schön im gleichmäßigen Korne gewogt, wenn die Ernte kam, waren jetzt allerhand abfällige Samenreste[5] gesäet und auf-
25 gegangen, aus alten Schachteln und zerrissenen Tüten[6] zusammengekehrt,[7] Rüben, Kraut und dergleichen und etwas Kartoffeln, so daß der Acker aussah wie ein recht übel gepflegter Gemüseplatz, und eine wunderliche Musterkarte[8] war, dazu angelegt, um von der Hand in den Mund zu leben, hier eine Handvoll Rüben auszureißen, wenn man Hunger hatte und nichts
30 Besseres wußte, dort eine Tracht[9] Kartoffeln oder Kraut, und das übrige fortwuchern oder verfaulen[10] zu lassen, wie es mochte. Auch lief jedermann darin herum, wie es ihm gefiel, und das schöne breite Stück Feld sah beinahe so aus wie einst der herrenlose Acker, von dem alles Unheil herkam. Deshalb war um das Haus nicht eine Spur von Ackerwirtschaft[11]
35 zu sehen. Der Stall war leer, die Türe hing nur in einer Angel, und unzählige Kreuzspinnen,[12] den Sommer hindurch halb groß geworden, ließen ihre Fäden in der Sonne glänzen vor dem dunklen Eingang. An dem offen stehenden Scheunentor, wo einst die Früchte des festen Landes

[1] *lost (by his own folly)*

[2] *gain (it) by force*

[3] *the two hostile families avoided trespassing on one another's property*
[4] *foreclosed*

[5] *bits of left-over seeds*
[6] *paper bags*
[7] *gathered up carelessly*

[8] *sampler (with varieties of plants)*
[9] *load (*Tracht *is used as parallel of* Handvoll*)*
[10] *grow rank or rot away*

[11] *cultivation*

[12] *garden spiders*

The seeming overstatement of the simile (as of Sali, in contemplating the village) *wie ein himmlisches Jerusalem* is typical of Keller. What attitude toward the character does it imply? For example, is Keller patronizing?

Keller soon makes the comparison explicit: What is the point of the increasing parallel between Marti's place and the disputed field?

[13] *messing around in the water*

[14] *puddles*
[15] *symbol*

[16] *it would have been possible to*
[17] *to wring pure water from this foul state of affairs*
[18] *washing*
[19] *accumulations*
[20] *split trough*

[21] *calico neckerchiefs*

[22] *wallflowers*

[23] *rake handle*

[24] *worn out broom*

[25] *eaten away*
[26] (=Helbarte; see text)

[27] *ladder*

[28] *from time immemorial*

[29] *hospitable*

eingefahren, hing schlechtes Fischergeräte, zum Zeugnis der verkehrten Wasserpfuscherei,[13] auf dem Hofe war nicht ein Huhn und nicht eine Taube, weder Katze noch Hund zu sehen; nur der Brunnen war noch als etwas Lebendiges da, aber er floß nicht mehr durch die Röhre, sondern sprang durch einen Riß nahe am Boden über diesen hin und setzte überall 5 kleine Tümpel[14] an, so daß er das beste Sinnbild[15] der Faulheit abgab. Denn während mit wenig Mühe des Vaters das Loch zu verstopfen und die Röhre herzustellen gewesen wäre,[16] mußte sich Vrenchen nun abquälen, selbst das lautere Wasser dieser Verkommenheit abzugewinnen[17] und seine Wäscherei[18] in den seichten Sammlungen[19] am Boden vorzunehmen, statt in 10 dem vertrockneten und zerspellten Troge.[20] Das Haus selbst war ebenso kläglich anzusehen; die Fenster waren vielfältig zerbrochen und mit Papier verklebt, aber doch waren sie das Freundlichste an dem Verfall; denn sie waren, selbst die zerbrochenen Scheiben, klar und sauber gewaschen, ja förmlich poliert und glänzten so hell wie Vrenchens Augen, 15 welche ihm in seiner Armut ja auch allen übrigen Staat ersetzen mußten. Und wie die krausen Haare und die rotgelben Kattunhalstücher[21] zu Vrenchens Augen, stand zu diesen blinkenden Fenstern das wilde grüne Gewächs, was da durcheinander rankte um das Haus, flatternde Bohnenwäldchen und eine ganze duftende Wildnis von rotgelbem Goldlack.[22] Die 20 Bohnen hielten sich, so gut sie konnten, hier an einem Harkenstiel[23] oder an einem verkehrt in die Erde gesteckten Stumpfbesen,[24] dort an einer von Rost zerfressenen[25] Helbarte oder Sponton,[26] wie man es nannte, als Vrenchens Großvater das Ding als Wachtmeister getragen, welches es jetzt aus Not in die Bohnen gepflanzt hatte; dort kletterten sie wieder 25 lustig eine verwitterte Leiter[27] empor, die am Hause lehnte seit undenklichen Zeiten,[28] und hingen von da an in die klaren Fensterchen hinunter wie Vrenchens Kräuselhaare in seine Augen. Dieser mehr malerische als wirtliche[29] Hof lag etwas beiseit und hatte keine näheren Nachbarhäuser, auch ließ sich in diesem Augenblicke nirgends eine lebendige Seele wahr- 30 nehmen; Sali lehnte daher in aller Sicherheit an einem alten Scheunchen, etwa dreißig Schritte entfernt, und schaute unverwandt nach dem stillen wüsten Hause hinüber. Eine geraume Zeit lehnte und schaute er so, als Vrenchen unter die Haustür kam und lange vor sich hin blickte, wie mit allen ihren Gedanken an einem Gegenstande hängend. Sali rührte sich 35 nicht und wandte kein Auge von ihr. Als sie endlich zufällig in dieser Richtung hinsah, fiel er ihr in die Augen. Sie sahen sich eine Weile an,

---

Disintegration in the external ways of life parallels inner degradation. Which came first? What aspects of outer chaos does Keller stress? Does Keller describe the two worlds (inner and outer) separately, or does he "bridge" within paragraphs? Be sure to interpret the use and effect of the *Brunnen* (and water in general), *Trog, Scheiben, das grüne Gewächs, Helbarte* (why, e.g., not a stick?)

herüber und hinüber, als ob sie eine Lufterscheinung[30] betrachteten, bis   [30] *optical illusion*
sich Sali endlich aufrichtete und langsam über die Straße und über den
Hof ging auf Vrenchen los. Als er dem Mädchen nahe war, streckte es seine
Hände gegen ihn aus und sagte: „Sali!" Er ergriff die Hände und sah ihr
5 immerfort ins Gesicht. Tränen stürzten aus ihren Augen, während sie
unter seinen Blicken vollends dunkelrot wurde, und sie sagte: „Was
willst du hier?" — „Nur dich sehen!" erwiderte er, „wollen wir nicht
wieder gute Freunde sein?" — „Und unsere Eltern?" fragte Vrenchen,
sein weinendes Gesicht zur Seite neigend, da es die Hände nicht frei hatte,
10 um es zu bedecken: „Sind wir schuld an dem, was sie getan und geworden
sind?" sagte Sali, „vielleicht können wir das Elend nur gutmachen, wenn
wir zwei zusammenhalten und uns recht lieb sind!" — „Es wird nie gut
kommen", antwortete Vrenchen mit einem tiefen Seufzer, „geh in Gottes
Namen deiner Wege, Sali!" — „Bist du allein?" fragte dieser, „kann ich
15 einen Augenblick hineinkommen?" — „Der Vater ist zur Stadt, wie er   [31] *bring some charge*
sagte, um deinem Vater irgend etwas anzuhängen,[31] aber hereinkommen   *against*
kannst du nicht, weil du später vielleicht nicht so ungesehen weggehen
kannst wie jetzt. Noch ist alles still und niemand um den Weg, ich bitte
dich, geh jetzt!" — „Nein, so geh' ich nicht! ich mußte seit gestern immer
20 an dich denken, und ich geh' nicht so fort, wir müssen miteinander reden,
wenigstens eine halbe Stunde lang oder eine Stunde, das wird uns gut
tun!" Vrenchen besann sich ein Weilchen und sagte dann: „Ich geh'
gegen Abend auf unsern Acker hinaus, du weißt welchen, wir haben nur
noch den, und hole etwas Gemüse. Ich weiß, daß niemand weiter dort sein
25 wird, weil die Leute anderswo schneiden; wenn du willst, so komm dorthin,
aber jetzt geh und nimm dich in acht, daß dich niemand sieht! Wenn auch
kein Mensch hier mehr mit uns umgeht, so würden sie doch ein solches
Gerede machen, daß es der Vater sogleich vernähme." Sie ließen sich
jetzt die Hände frei, ergriffen sie aber auf der Stelle wieder, und beide
30 sagten gleichzeitig: „Und wie geht es dir auch?" Aber statt sich zu
antworten, fragten sie das gleiche aufs neue, und die Antwort lag nur in
den beredten[32] Augen, da sie nach Art der Verliebten die Worte nicht   [32] *eloquent*
mehr zu lenken wußten und ohne sich weiter etwas zu sagen, endlich halb
selig und halb traurig auseinanderhuschten.[33] „Ich komme recht bald   [33] *slipped away (from*
35 hinaus, geh nur gleich hin!" rief Vrenchen noch nach.   *one another)*

Sali ging auch alsobald auf die stille schöne Anhöhe hinaus, über welche
die zwei Äcker sich erstreckten, und die prächtige stille Julisonne, die

---

Analyze Keller's summation *mehr malerisch als wirtlich*.
Note carefully the difference in Sali and Vrenchen's assessment of the future. Is it possible to
say who is "right"?

[34] *drifting*

fahrenden[34] weißen Wolken, welche über das reife wallende Kornfeld wegzogen, der glänzende blaue Fluß, der unten vorüberwallte, alles dies erfüllte ihn zum ersten Male seit langen Jahren wieder mit Glück und Zufriedenheit, statt mit Kummer, und er warf sich der Länge nach in den durchsichtigen Halbschatten des Kornes, wo dasselbe Martis wilden 5

[35] *bounded on*

Acker begrenzte[35] und guckte glückselig in den Himmel.

Obgleich es kaum eine Viertelstunde währte, bis Vrenchen nachkam und er an nichts anderes dachte als an sein Glück und dessen Namen, stand es doch plötzlich und unverhofft vor ihm, auf ihn niederlächelnd, und froh erschreckt sprang er auf, ,,Vreeli!'' rief er, und dieses gab ihm still und 10 lächelnd beide Hände, und Hand in Hand gingen sie nun das flüsternde Korn entlang, bis gegen den Fluß hinunter und wieder zurück, ohne viel zu reden; sie legten zwei- oder dreimal den Hin- und Herweg zurück, still, glückselig und ruhig, so daß dieses einige Paar nun auch einem Sternbilde

[36] *curve*
[37] *sure and steady plow lines*
[38] *once*
[39] *cornflowers*

glich, welches über die sonnige Rundung[36] der Anhöhe und hinter derselben 15 niederging, wie einst die sichergehenden Pflugzüge[37] ihrer Väter. Als sie aber einsmals[38] die Augen von den blauen Kornblumen[39] aufschlugen, an denen sie gehaftet, sahen sie plötzlich einen andern dunklen Stern vor sich hergehen, einen schwärzlichen Kerl, von dem sie nicht wußten, woher er so unversehens gekommen. Er mußte im Korne gelegen haben; Vrenchen 20 zuckte zusammen, und Sali sagte erschreckt: ,,Der schwarze Geiger!'' In der Tat trug der Kerl, der vor ihnen herstrich, eine Geige mit dem Bogen unter dem Arm und sah übrigens schwarz genug aus; neben einem

[40] *sooty*

schwarzen Filzhütchen und einem schwarzen rußigen[40] Kittel, den er trug, war auch sein Haar pechschwarz, so wie der ungeschorene Bart, das 25 Gesicht und die Hände aber ebenfalls geschwärzt; denn er trieb allerlei Handwerk, meistens Kesselflicken,[41] half auch den Kohlenbrennern und

[41] *repairing pots and pans*
[42] *charcoal burners and pitch boilers (two traditionally poverty-stricken occupations)*
[43] *in search of a good deal*

Pechsiedern[42] in den Wäldern und ging mit der Geige nur auf einen guten Schick[43] aus, wenn die Bauern irgendwo lustig waren und ein Fest feierten. Sali und Vrenchen gingen mäuschenstill hinter ihm drein und dachten, er 30 würde vom Felde gehen und verschwinden, ohne sich umzusehen; und so schien es auch zu sein, denn er tat, als ob er nichts von ihnen merkte. Dazu waren sie in einem seltsamen Bann, daß sie nicht wagten, den schmalen Pfad zu verlassen, und dem unheimlichen Gesellen unwillkürlich folgten, bis an das Ende des Feldes, wo jener ungerechte Steinhaufen lag, 35 der das immer noch streitige Ackerzipfelchen bedeckte. Eine zahllose

---

Every sign points to a renewal of the idyllic interlude, under the present circumstances a literal Utopia of happiness, for Sali and Vrenchen. The interruption comes quickly. Note the two devices which, at this moment, force the reader's recall of the very first scene of the narrative.
What are the principal attributes of the fiddler?
Music becomes thematic in the story, starting (though pianissimo) here. What sort of associations does it therefore carry from the beginning?
Interpret the fact that Sali and Vrenchen are *in einem seltsamen Bann*. What does it forebode?

Menge von Mohnblumen oder Klatschrosen hatte sich darauf angesiedelt,[44]   [44] *established themselves*
weshalb der kleine Berg feuerrot aussah zur Zeit. Plötzlich sprang der
schwarze Geiger mit einem Satze auf die rotbekleidete Steinmasse hinauf,
kehrte sich und sah ringsum. Das Pärchen blieb stehen und sah verlegen
5 zu dem dunklen Burschen hinauf; denn vorbei konnten sie nicht gehen,
weil der Weg in das Dorf führte, und umkehren mochten sie auch nicht vor
seinen Augen. Er sah sie scharf an und rief: ,,Ich kenne euch, ihr seid die
Kinder derer, die mir den Boden hier gestohlen haben! Es freut mich zu
sehen, wie gut ihr gefahren seid, und werde gewiß noch erleben, daß ihr
10 vor mir den Weg alles Fleisches geht! Seht mich nur an, ihr zwei Spatzen!
Gefällt euch meine Nase, wie?" In der Tat besaß er eine schreckbare[45]   [45] *fearful*
Nase, welche wie ein großes Winkelmaß[46] aus dem dürren schwarzen   [46] *carpenter's (90°) square*
Gesicht ragte oder eigentlich mehr einem tüchtigen Knebel[47] oder Prügel   [47] *cudgel*
glich, welcher in dies Gesicht geworfen worden war, und unter dem ein
15 kleines rundes Löchelchen[48] von einem Munde sich seltsam stutzte und   [48] *(diminutive of* Loch)
zusammenzog,[49] aus dem er unaufhörlich pustete, pfiff und zischte. Dazu   [49] *took on curious shapes, pouting and contracting*
stand das kleine Filzhütchen ganz unheimlich, welches nicht rund und
nicht eckig[50] und so sonderlich geformt war, daß es alle Augenblicke seine   [50] *angular*
Gestalt zu verändern schien, obgleich es unbeweglich saß; und von den
20 Augen des Kerls war fast nichts als das Weiße zu sehen, da die Sterne
unaufhörlich auf einer blitzschnellen Wanderung begriffen waren und
wie zwei Hasen im Zickzack umhersprangen. ,,Seht mich nur an", fuhr er
fort, ,,eure Väter kennen mich wohl, und jedermann in diesem Dorfe weiß,
wer ich bin, wenn er nur meine Nase ansieht. Da haben sie vor Jahren
25 ausgeschrieben,[51] daß ein Stück Geld für den Erben dieses Ackers bereit   [51] *announced publicly*
liege; ich habe mich zwanzigmal gemeldet, aber ich habe keinen Tauf-
schein und keinen Heimatschein,[52] und meine Freunde, die Heimatlosen,   [52] *certificate of citizenship*
die meine Geburt gesehen, haben kein gültiges[53] Zeugnis, und so ist die   [53] *valid*
Frist[54] längst verlaufen und ich bin um den blutigen Pfennig[55] gekommen,   [54] *time limit* [55] *miserable few pennies*
30 mit dem ich hätte auswandern können! Ich habe eure Väter angefleht, daß
sie mir bezeugen[56] möchten, sie müßten mich nach ihrem Gewissen für   [56] *bear witness for me*
den rechten Erben halten; aber sie haben mich von ihren Höfen gejagt,
und nun sind sie selbst zum Teufel gegangen! Item,[57] das ist der Welt Lauf,   [57] *well, just one more of the same*
mir kann's recht sein, ich will euch doch geigen, wenn ihr tanzen wollt!"
35 Damit sprang er auf der andern Seite von den Steinen hinunter und
machte sich dem Dorfe zu, wo gegen Abend der Erntesegen[58] eingebracht   [58] *rich harvest*

What is the mood created by the picture of the fiddler on the rock pile? Color?

The facial features of the fiddler evoke an unmistakable archetype. It is not to be taken too
literally, but it is also not to be discounted. There is an abundance of evidence.

Why, in essence, did the fiddler fail to get his due? What responsibility did the community
bear? Manz and Marti?

What light do the fiddler's words *(Ich habe eure Väter angefleht)* cast on Manz and Marti's
conversation in the first scene?

wurde und die Leute guter Dinge waren. Als er verschwunden, ließ sich das Paar ganz mutlos und betrübt auf die Steine nieder; sie ließen ihre verschlungenen Hände fahren und stützten die traurigen Köpfe darauf; denn die Erscheinung des Geigers und seine Worte hatten sie aus der glücklichen Vergessenheit gerissen, in welcher sie wie zwei Kinder auf und 5 ab gewandelt; und wie sie nun auf dem harten Grund ihres Elendes saßen, verdunkelte sich das heitere Lebenslicht,[59] und ihre Gemüter wurden so schwer wie Steine.

Da erinnerte sich Vrenchen unversehens der wunderlichen Gestalt und der Nase des Geigers, es mußte plötzlich hell auflachen und rief: „Der 10 arme Kerl sieht gar zu spaßhaft aus! Was für eine Nase!" Und eine allerliebste, sonnenhelle[60] Lustigkeit verbreitete sich über des Mädchens Gesicht, als ob sie nur geharrt hätte, bis des Geigers Nase die trüben Wolken wegstieße. Sali sah Vrenchen an und sah diese Fröhlichkeit. Es hatte die Ursache aber schon wieder vergessen und lachte nur noch auf eigene Rech- 15 nung dem Sali ins Gesicht. Dieser, verblüfft und erstaunt, starrte unwillkürlich mit lachendem Munde auf die Augen, gleich einem Hungrigen, der ein süßes Weizenbrot[61] erblickt und rief: „Bei Gott, Vreeli! wie schön bist du!" Vrenchen lachte ihn nur noch mehr an und hauchte dazu aus klangvoller[62] Kehle einige kurze mutwillige Lachtöne,[63] welche 20 dem armen Sali nicht anders dünkten als der Gesang einer Nachtigall. „O du Hexe!" rief er, „wo hast du das gelernt? Welche Teufelskünste[64] treibst du da?" — „Ach du lieber Gott!" sagte Vrenchen mit schmeichelnder Stimme und nahm Salis Hand, „das sind keine Teufelskünste. Wie lange hätte ich gern einmal gelacht![65] Ich habe wohl zuweilen, wenn 25 ich ganz allein war, über irgend etwas lachen müssen, aber es war nichts Rechts dabei,[66] jetzt aber möchte ich dich immer und ewig anlachen, wenn ich dich sehe, und ich möchte dich wohl immer und ewig sehen! Bist du mir auch ein bißchen recht gut?"[67] „O Vreeli!" sagte er und sah ihr ergeben und treuherzig in die Augen, „ich habe noch nie ein 30 Mädchen angesehen, es war mir immer, als ob ich dich einst liebhaben müßte, und ohne daß ich wollte oder wußte, hast du mir doch immer im Sinn gelegen!" — „Und du mir auch", sagte Vrenchen, „und das noch vielmehr; denn du hast mich nie angesehen und wußtest nicht, wie ich geworden bin; ich aber habe dich zuzeiten[68] aus der Ferne und 35 sogar heimlich aus der Nähe recht gut betrachtet und wußte immer, wie du aussiehst! Weißt du noch, wie oft wir als Kinder hiehergekommen

[59] *light of life*

[60] *sunny*

[61] *loaf of wheat bread*

[62] *full-sounding*
[63] *peals of laughter*

[64] *black arts (devil's tricks)*

[65] *how long it's been since I could really laugh*
[66] *it just wasn't real*

[67] *do you sort of like me a little too?*

[68] *sometimes*

What, in abstract terms, is the effect of the fiddler on Sali and Vrenchen? That is, not just that he makes them *mutlos und betrübt* but that he compels them to move from which sphere of perceived reality to which other?

Is Vrenchen's "recovery" in character?

In their attempt to find happiness and to express their love and need of love, Sali and Vrenchen carry on what the author himself calls *einfältige Reden*. The contrast is particularly acute in view of Keller's often complex descriptive-narrative style. What is the point and effect?

sind? Denkst du noch des kleinen Wagens? Wie kleine Leute sind wir
damals gewesen, und wie lang ist es her! Man sollte denken, wir wären
recht alt." — „Wie alt bist du jetzt?" fragte Sali voll Vergnügen und
Zufriedenheit, „du mußt ungefähr siebzehn sein?" — „Siebzehn und ein
5 halbes Jahr bin ich alt!" erwiderte Vrenchen, „und wie alt bist du? Ich
weiß aber schon, du bist bald zwanzig?" — „Woher weißt du das?"
fragte Sali. „Gelt, wenn ich es sagen wollte!"[69] — „Du willst es nicht   [69] *do you think I'd tell*
sagen?" — „Nein!" — „Gewiß nicht?" — „Nein, nein!" — „Du sollst es
sagen!" — „Willst du mich etwa zwingen?" — „Das wollen wir sehen!"
10 Diese einfältigen Reden führte Sali, um seine Hände zu beschäftigen und
mit ungeschickten Liebkosungen, welche wie eine Strafe aussehen sollten,
das schöne Mädchen zu bedrängen. Sie führte auch, sich wehrend, mit
vieler Langmut den albernen Wortwechsel fort, der trotz seiner Leerheit
beide witzig und süß genug dünkte, bis Sali erbost und kühn genug war,
15 Vrenchens Hände zu bezwingen und es in die Mohnblumen zu drücken.
Da lag es nun und zwinkerte in der Sonne mit den Augen; seine Wangen
glühten wie Purpur, und sein Mund war halb geöffnet und ließ zwei Reihen
weiße Zähne durchschimmern. Fein und schön flossen die dunklen Augenbrauen ineinander, und die junge Brust hob und senkte sich mutwillig
20 unter sämtlichen vier Händen, welche sich kunterbunt[70] darauf streichelten   [70] *all higgledy-piggledy*
und bekriegten.[71] Sali wußte sich nicht zu lassen vor Freuden,[72] das   *(in a confused*
schlanke schöne Geschöpf vor sich zu sehen, es sein eigen zu wissen, und es   *tangle)*
dünkte ihm ein Königreich. „Alle deine weißen Zähne hast du noch!" lachte   [71] *did battle*
                                                                              [72] *was beside himself*
er, „weißt du noch, wie oft wir sie einst gezählt haben? Kannst du jetzt   *with happiness*
25 zählen?" — „Das sind ja nicht die gleichen, du Kind!" sagte Vrenchen,
„jene sind längst ausgefallen!" Sali wollte nun in seiner Einfalt jenes Spiel
wieder erneuern und die glänzenden Zahnperlen[73] zählen; aber Vrenchen   [73] *pearly teeth*
verschloß plötzlich den roten Mund, richtete sich auf und begann einen
Kranz von Mohnrosen[74] zu winden, den es sich auf den Kopf setzte. Der   [74] *poppies*
30 Kranz war voll und breit und gab der bräunlichen Dirne ein fabelhaftes,[75] [75] *marvelous*
reizendes Ansehen, und der arme Sali hielt in seinem Arm, was reiche
Leute teuer bezahlt hätten, wenn sie es nur gemalt an ihren Wänden hätten sehen können. Jetzt sprang sie aber empor und rief: „Himmel, wie heiß ist es hier! Da sitzen wir wie die Narren und lassen uns
35 versengen![76] Komm, mein Lieber! laß uns ins hohe Korn sitzen!" Sie   [76] *be scorched*
schlüpften hinein so geschickt und sachte, daß sie kaum eine Spur
zurückließen, und bauten sich einen engen Kerker[77] in den goldenen   [77] *prison*

Vrenchen's teeth again figure as a sort of motif, but in a quite different psychological atmosphere or level of maturity. Keller's use of the literal, indeed matter-of-fact truth for subtle
   metaphoric value is perfectly illustrated here: Vrenchen's teeth *sind ja nicht die gleichen*.
   What else has changed?
The *Kranz von Mohnrosen* again forces recall and comparison. With what? The interpretation
   moves, by extension, into the realm of the ominous and tragic. Explain.

[78] ears of grain

[79] . . . or whatever we call it when the kisses of two people in love are momentarily suspended and the surviving minute or two brings to them, in the ecstasy of their prime, a sense of the transitoriness of all life

[80] flashing

[81] promptly

[82] it's settled

[83] I had a thousand foolish notions stirring around (in my head)

[84] I'll bet you've got lots of ideas in your head

Ähren,[78] die ihnen hoch über den Kopf ragten, als sie drin saßen, so daß sie nur den tiefblauen Himmel über sich sahen und sonst nichts von der Welt. Sie umhalsten sich und küßten sich unverweilt und so lange, bis sie einstweilen müde waren, oder wie man es nennen will, wenn das Küssen zweier Verliebter auf eine oder zwei Minuten sich selbst 5 überlebt und die Vergänglichkeit alles Lebens mitten im Rausche der Blütezeit ahnen läßt.[79] Sie hörten die Lerchen singen hoch über sich und suchten dieselben mit ihren scharfen Augen, und wenn sie glaubten, flüchtig eine in der Sonne aufblitzen zu sehen, gleich einem plötzlich aufleuchtenden[80] oder hinschießenden Stern am blauen Himmel, so küßten 10 sie sich wieder zur Belohnung und suchten einander zu übervorteilen und zu täuschen, so viel sie konnten. „Siehst du, dort blitzt eine!" flüsterte Sali, und Vrenchen erwiderte ebenso leise: „Ich höre sie wohl, aber ich sehe sie nicht!" — „Doch, paß nur auf, dort, wo das weiße Wölkchen steht, ein wenig rechts davon!" Und beide sahen eifrig hin und sperrten 15 vorläufig ihre Schnäbel auf, wie die jungen Wachteln im Neste, um sie unverzüglich[81] aufeinander zu heften, wenn sie sich einbildeten, die Lerche gesehen zu haben. Auf einmal hielt Vrenchen inne und sagte: „Dies ist also eine ausgemachte Sache,[82] daß jedes von uns einen Schatz hat, dünkt es dich nicht so?" — „Ja", sagte Sali, „es scheint mir auch so!" — „Wie 20 gefällt dir denn dein Schätzchen", sagte Vrenchen, „was ist es für ein Ding, was hast du von ihm zu melden?" — „Es ist ein gar feines Ding", sagte Sali, „es hat zwei braune Augen, einen roten Mund und läuft auf zwei Füßen, aber seinen Sinn kenn' ich weniger als den Papst zu Rom! Und was kannst du von deinem Schatz berichten?" — „Er hat zwei blaue 25 Augen, einen nichtsnutzigen Mund und braucht zwei verwegene starke Arme; aber seine Gedanken sind mir unbekannter als der türkische Kaiser!" — „Es ist eigentlich wahr", sagte Sali, „daß wir uns weniger kennen, als wenn wir uns nie gesehen hätten, so fremd hat uns die lange Zeit gemacht, seit wir groß geworden sind! Was ist alles vorgegangen in 30 deinem Köpfchen, mein liebes Kind?" — „Ach, nicht viel! Tausend Narrenspossen haben sich wollen regen,[83] aber es ist mir immer so trübselig ergangen, daß sie nicht aufkommen konnten!" — „Du armes Schätzchen", sagte Sali, „ich glaube aber, du hast es hinter den Ohren,[84] nicht?" — „Das kannst du ja nach und nach erfahren, wenn du mich recht lieb hast!" — 35 „Wenn du einst meine Frau bist?" Vrenchen zitterte leis bei diesem letzten Worte und schmiegte sich tiefer in Salis Arme, ihn von neuem lange und

---

Now, almost literally, the young people construct a Utopia. Note all its details, accounting for *Himmel, Welt, Vergänglichkeit, Lerchen, Stern, Wachteln im Nest*—both in their function here and in their analogues elsewhere.

What words cause a break in the mood of the lovers? Keller acts as his own interpreter (. . . *da ihnen ihre . . . Zukunft . . .*). Could the dialogue have been left to speak for itself? What is the difference in effect? Which technique generates the greater pathos?

zärtlich küssend. Es traten ihr dabei Tränen in die Augen, und beide
wurden auf einmal traurig, da ihnen ihre hoffnungsarme[85] Zukunft in den   [85] *nearly hopeless*
Sinn kam und die Feindschaft ihrer Eltern. Vrenchen seufzte und sagte:
„Komm, ich muß nun gehen!" und so erhoben sie sich und gingen Hand
5 in Hand aus dem Kornfeld, als sie Vrenchens Vater spähend vor sich
sahen. Mit dem kleinlichen[86] Scharfsinn des müßigen Elendes hatte dieser,   [86] *petty*
als er dem Sali begegnet, neugierig gegrübelt, was der wohl allein im
Dorfe zu suchen ginge; und sich des gestrigen Vorfalles erinnernd, verfiel
er, immer nach der Stadt zu schlendernd, endlich auf die richtige Spur,
10 rein aus Groll und unbeschäftigter[87] Bosheit, und nicht sobald[88] gewann   [87] *idle*
der Verdacht eine bestimmte Gestalt, als er mitten in den Gassen von   [88] *no sooner (. . . than . . .)*
Seldwyla umkehrte und wieder in das Dorf hinaustrollte,[89] wo er seine   [89] *sauntered out*
Tochter in Haus und Hof und rings in den Hecken vergeblich suchte. Mit
wachsender Neugier rannte er auf den Acker hinaus, und als er da Vren-
15 chens Korb liegen sah, in welchem es die Früchte zu holen pflegte, das
Mädchen selbst aber nirgends erblickte, spähte er eben am Korne des
Nachbarn herum, als die erschrockenen Kinder herauskamen.
Sie standen wie versteinert, und Marti stand erst auch da und beschaute
sie mit bösen Blicken, bleich wie Blei; dann fing er fürchterlich an zu
20 toben in Gebärden und Schimpfworten und langte zugleich grimmig nach
dem jungen Burschen, um ihn zu würgen; Sali wich aus und floh einige
Schritte zurück, entsetzt über den wilden Mann, sprang aber sogleich
wieder zu,[90] als er sah, daß der Alte statt seiner nun das zitternde Mädchen   [90] *leaped back (at him)*
faßte, ihm eine Ohrfeige gab, daß der rote Kranz herunterflog und seine
25 Haare um die Hand wickelte, um es mit sich fortzureißen und weiter zu
mißhandeln. Ohne sich zu besinnen, raffte er einen Stein auf und schlug mit
demselben den Alten gegen den Kopf, halb in Angst um Vrenchen und
halb im Jähzorn. Marti taumelte erst ein wenig, sank dann bewußtlos auf
den Steinhaufen nieder und zog das erbärmlich aufschreiende Vrenchen
30 mit. Sali befreite noch dessen Haare aus der Hand des Bewußtlosen und
richtete es auf; dann stand er da wie eine Bildsäule, ratlos und gedankenlos.
Das Mädchen, als es den wie tot daliegenden Vater sah, fuhr sich mit den
Händen über das erbleichende Gesicht, schüttelte sich und sagte: „Hast
du ihn erschlagen?" Sali nickte lautlos und Vrenchen schrie: „O Gott, du
35 lieber Gott! Es ist mein Vater! Der arme Mann!" Und sinnlos warf es sich
über ihn und hob seinen Kopf auf, an welchem indessen kein Blut floß.
Es ließ ihn wieder sinken; Sali ließ sich auf der andern Seite des Mannes

---

Return to the original scene is a motif in the story. What natural motivation is here ascribed to
Marti?
Other motifs become frequent and intense. Account for *der rote Kranz, mißhandeln, Stein,
Steinhaufen*. What is the complex of associations involved?
Sali's blow, which nearly kills Marti, has been compared to Romeo's slaying of Tybalt. Examine
the parallel carefully.

nieder, und beide schauten, still wie das Grab und mit erlahmten reglosen Händen, in das leblose Gesicht. Um nur etwas anzufangen, sagte endlich Sali: „Er wird doch nicht gleich tot sein müssen? Das ist gar nicht ausgemacht!"[91] Vrenchen riß ein Blatt von einer Klatschrose ab und legte es auf die erblaßten Lippen, und es bewegte sich schwach. „Er atmet noch", 5 rief es, „so lauf doch ins Dorf und hol' Hilfe!" Als Sali aufsprang und laufen wollte, streckte es ihm die Hand nach und rief ihn zurück: „Komm aber nicht mit zurück und sage nichts, wie es zugegangen, ich werde auch schweigen, man soll nichts aus mir herausbringen!" sagte es, und sein Gesicht, das es dem armen, ratlosen Burschen zuwandte, überfloß von 10 schmerzlichen Tränen. „Komm, küss' mich noch einmal! Nein, geh, mach dich fort! Es ist aus, es ist ewig aus, wir können nicht zusammenkommen!" Es stieß ihn fort, und er lief willenlos dem Dorfe zu. Er begegnete einem Knäbchen, das ihn nicht kannte; diesem trug er auf, die nächsten Leute zu holen und beschrieb ihm genau, wo die Hilfe nötig sei. Dann machte er 15 sich verzweifelt fort und irrte die ganze Nacht im Gehölze herum. Am Morgen schlich er in die Felder, um zu erspähen, wie es gegangen sei, und hörte von frühen Leuten, welche miteinander sprachen, daß Marti noch lebe, aber nichts von sich wisse,[92] und wie das eine seltsame Sache wäre, da kein Mensch wisse, was ihm zugestoßen. Erst jetzt ging er in die Stadt 20 zurück und verbarg sich in dem dunklen Elend des Hauses.

Vrenchen hielt ihm Wort; es war nichts aus ihm herauszufragen,[93] als daß es selbst den Vater so gefunden habe, und da er am andern Tage sich wieder tüchtig regte und atmete, freilich ohne Bewußtsein, und überdies kein Kläger[94] da war, so nahm man an, er sei betrunken gewesen und auf 25 die Steine gefallen und ließ die Sache auf sich beruhen. Vrenchen pflegte ihn und ging nicht von seiner Seite, außer um die Arzneimittel zu holen beim Doktor und etwa für sich selbst eine schlechte Suppe zu kochen; denn es lebte beinahe von nichts, obgleich es Tag und Nacht wach sein mußte und niemand ihm half. Es dauerte beinahe sechs Wochen, bis der 30 Kranke allmählich zu seinem Bewußtsein kam, obgleich er vorher schon wieder aß und in seinem Bette ziemlich munter war. Aber es war nicht das alte Bewußtsein, das er jetzt erlangte, sondern es zeigte sich immer deutlicher, je mehr er sprach, daß er blödsinnig geworden, und zwar auf die wunderlichste Weise. Er erinnerte sich nur dunkel an das Geschehene und 35 wie an etwas sehr Lustiges, was ihn nicht weiter berührte, lachte immer wie ein Narr und war guter Dinge. Noch im Bette liegend brachte er

[91] *We don't know for sure that he's dead, do we? It's not really certain.*

[92] *had completely lost his memory*

[93] *no one could get a word out of her*

[94] *no one to lodge a complaint*

The struggle and its outcome raise the question of the degree of guilt that falls to Sali (and Vrenchen). This can be examined even in the context of the relative innocence of the young people. Remember that this is a story, with its own kind and order of reality (different from "life"), yet inevitably and by the author's intent (revealed in his technique, i.a. by the introduction) real in its human psychology.

hundert närrische, sinnlos mutwillige Redensarten und Einfälle zum Vorschein, schnitt Gesichter und zog sich die schwarzwollene Zipfelmütze in
die Augen und über die Nase herunter, daß diese aussah, wie ein Sarg
unter einem Bahrtuch.[95] Das bleiche und abgehärmte Vrenchen hörte ihm
5 geduldig zu, Tränen vergießend über das törichte Wesen, welches die arme
Tochter noch mehr ängstigte, als die frühere Bosheit; aber wenn der Alte
zuweilen etwas gar zu Drolliges anstellte, so mußte es mitten in seiner
Qual laut auflachen, da sein unterdrücktes Wesen immer zur Lust aufzu-
springen[96] bereit war, wie ein gespannter Bogen, worauf dann eine um so
10 tiefere Betrübnis erfolgte. Als der Alte aber aufstehen konnte, war gar
nichts mehr mit ihm anzustellen; er machte nichts als Dummheiten;
lachte und stöberte um das Haus herum, setzte sich in die Sonne und
streckte die Zunge heraus oder hielt lange Reden in die Bohnen hinein.

Um die gleiche Zeit aber war es auch aus mit den wenigen Überbleib-
15 seln[97] seines ehemaligen Besitzes und die Unordnung so weit gediehen,
daß auch sein Haus und der letzte Acker, seit geraumer Zeit verpfändet,[98]
nun gerichtlich verkauft wurden. Denn der Bauer, welcher die zwei
Äcker des Manz gekauft, benutzte die gänzliche Verkommenheit Martis
und seine Krankheit und führte den alten Streit wegen des streitigen
20 Steinfleckes[99] kurz und entschlossen zu Ende, und der verlorene Prozeß
trieb Martis Faß vollends den Boden aus,[1] indessen er in seinem Blödsinne
nichts mehr von diesen Dingen wußte. Die Versteigerung fand statt;
Marti wurde von der Gemeinde in einer Stiftung für dergleichen arme
Tröpfe auf öffentliche Kosten untergebracht. Diese Anstalt befand sich
25 in der Hauptstadt des Ländchens; der gesunde und eßbegierige[2] Blöd-
sinnige wurde noch gut gefüttert, dann auf ein mit Ochsen bespanntes
Wägelchen geladen, das ein ärmlicher Bauersmann nach der Stadt führte,
um zugleich einen oder zwei Säcke Kartoffeln zu verkaufen, und Vrenchen
setzte sich zu dem Vater auf das Fuhrwerk, um ihn auf diesem letzten
30 Gange zu dem lebendigen Begräbnis zu begleiten. Es war eine traurige und
bittere Fahrt, aber Vrenchen wachte sorgfältig über seinen Vater und ließ
es ihm an nichts fehlen,[3] und es sah sich nicht um und ward nicht ungeduldig, wenn durch die Kapriolen des Unglücklichen die Leute aufmerksam wurden und dem Wägelchen nachliefen, wo sie durchfuhren.
35 Endlich erreichten sie das weitläufige Gebäude in der Stadt, wo die langen
Gänge, die Höfe und ein freundlicher Garten von einer Menge ähnlicher
Tröpfe belebt waren, die alle in weiße Kittel gekleidet waren und dauerhafte

[95] *pall*

[96] *burst into merriment*

[97] *remnants*
[98] *mortgaged*

[99] *stony plot of ground*
[1] *was the last straw for Marti*

[2] *gluttonous*

[3] *took care of his every need*

Assess Vrenchen's responsibility.
Marti's mental state invites the most drastic equivalence with, or bridging back to, the early
    episode in the middle field. It places that episode in a singular focus. Analyze the parallel,
    noting the light shed by one part upon the other. (In what category of crime or terminal fate
    does the end of the doll's head fit? The answering phrase is actually used below.)

Lederkäppchen auf den harten Köpfen trugen. Auch Marti wurde noch vor Vrenchens Augen in diese Tracht gekleidet, und er freute sich wie ein Kind darüber und tanzte singend umher. „Gott grüß euch, ihr geehrten Herren!" rief er seine neuen Genossen an, „ein schönes Haus habt ihr hier! Geh heim, Vrenggel,[4] und sag' der Mutter, ich komme nicht mehr 5 nach Haus, hier gefällt's mir bei Gott! Juchhei![5] Es kreucht ein Igel über den Hag,[6] ich hab' ihn hören bellen! O Meitli, küss' kein' alten Knab', küss' nur die jungen Gesellen! Alle die Wässerlein laufen in Rhein,[7] die mit den Pflaumenaug',[8] die muß es sein! Gehst du schon, Vreeli? Du siehst ja aus wie der Tod im Häfelein,[9] und geht es mir doch so erfreulich! 10 Die Füchsin schreit im Felde: Halleo, halleo![10] das Herz tut ihr weho![11] hoho!" Ein Aufseher gebot ihm Ruhe und führte ihn zu einer leichten Arbeit, und Vrenchen ging das Fuhrwerk aufzusuchen. Es setzte sich auf den Wagen, zog ein Stückchen Brot hervor und aß dasselbe; dann schlief es, bis der Bauer kam und mit ihm nach dem Dorfe zurückfuhr. Sie kamen 15 erst in der Nacht an. Vrenchen ging nach dem Hause, in dem es geboren und nur zwei Tage bleiben durfte, und es war jetzt zum erstenmal in seinem Leben ganz allein darin. Es machte ein Feuer, um das letzte Restchen Kaffee zu kochen, das es noch besaß, und setzte sich auf den Herd, denn es war ihm ganz elendiglich zumut. Es sehnte sich und 20 härmte sich ab, den Sali nur ein einziges Mal zu sehen, und dachte inbrünstig an ihn; aber die Sorgen und der Kummer verbitterten[12] seine Sehnsucht, und diese machte die Sorgen wieder viel schwerer. So saß es und stützte den Kopf in die Hände, als jemand durch die offen stehende Tür hereinkam. „Sali!" rief Vrenchen, als es aufsah, und fiel ihm um den 25 Hals; dann sahen sich aber beide erschrocken an und riefen: „Wie siehst du elend aus!" Denn Sali sah nicht minder als Vrenchen bleich und abgezehrt[13] aus. Alles vergessend zog es ihn zu sich auf den Herd und sagte: „Bist du krank gewesen, oder ist es dir auch so schlimm gegangen?" Sali antwortete: „Nein, ich bin gerade nicht krank, außer vor Heimweh 30 nach dir! Bei uns geht es jetzt hoch und herrlich zu; der Vater hat einen Einzug und Unterschleif[14] von auswärtigem Gesindel, und ich glaube, so viel ich merke, ist er ein Diebshehler[15] geworden. Deshalb ist jetzt einstweilen Hülle und Fülle in unserer Taverne, solang es geht und bis es ein Ende mit Schrecken nimmt.[16] Die Mutter hilft dazu, aus bitterlicher Gier, 35 nur etwas im Hause zu sehen, und glaubt den Unfug noch durch eine gewisse Aufsicht[17] und Ordnung annehmlich[18] und nützlich zu machen!

[4] Vrenggel = Vrenchen

[5] yippee!

[6] (In his demented state, Marti sings or intones bits of old folk songs. kreucht = kriecht; Hag = hedge.)

[7] Rhine

[8] plum-colored eyes

[9] death warmed over (actually from II Kings, 4 :40)

[10] tally-ho

[11] (= weh + o)

[12] embittered

[13] gaunt

[14] shelter and hideout

[15] fence

[16] comes to a terrible end

[17] control

[18] tolerable

What are the stages of Vrenchen's progressive isolation?
In one sense Sali's fate is the opposite of Vrenchen's. In another it is identical. Specify.

Mich fragt man nicht, und ich konnte mich nicht viel darum kümmern; denn ich kann nur an dich denken Tag und Nacht. Da allerhand Landstreicher bei uns einkehren, so haben wir alle Tage gehört, was bei euch vorgeht, worüber mein Vater sich freut wie ein kleines Kind. Daß dein

5 Vater heute nach dem Spittel[19] gebracht wurde, haben wir auch vernommen; ich habe gedacht, du werdest jetzt allein sein, und bin gekommen, um dich zu sehen!" Vrenchen klagte ihm jetzt auch alles, was sie drückte und was sie erlitt, aber mit so leichter zutraulicher Zunge, als ob sie ein großes Glück beschriebe, weil sie glücklich war, Sali neben sich zu sehen.

10 Sie brachte inzwischen notdürftig ein Becken voll warmen Kaffee zusammen, welchen mit ihr zu teilen sie den Geliebten zwang. „Also übermorgen mußt du hier weg?" sagte Sali, „was soll denn um's Himmels willen werden?" — „Das weiß ich nicht", sagte Vrenchen, „ich werde dienen[20] müssen und in die Welt hinaus! Ich werde es aber nicht aushalten ohne

15 dich, und doch kann ich dich nie bekommen, auch wenn alles andere nicht wäre, bloß weil du meinen Vater geschlagen und um den Verstand gebracht hast! Dies würde immer ein schlechter Grundstein unserer Ehe sein und wir beide nie sorglos werden, nie!" Sali seufzte und sagte: „Ich wollte auch schon hundertmal Soldat werden oder mich in einer fremden Gegend

20 als Knecht verdingen, aber ich kann noch nicht fortgehen, solange du hier bist, und hernach wird es mich aufreiben. Ich glaube, das Elend macht meine Liebe zu dir stärker und schmerzhafter, so daß es um Leben und Tod geht! Ich habe von dergleichen keine Ahnung gehabt!" Vrenchen sah ihn liebevoll lächelnd an; sie lehnten sich an die Wand zurück und sprachen

25 nichts mehr, sondern gaben sich schweigend der glückseligen Empfindung hin, die sich über allen Gram erhob, daß sie sich im größten Ernste gut wären und geliebt wüßten. Darüber schliefen sie friedlich ein auf dem unbequemen Herde, ohne Kissen und Pfühl,[21] und schliefen so sanft und ruhig wie zwei Kinder in einer Wiege. Schon graute der Morgen, als Sali

30 zuerst erwachte; er weckte Vrenchen, so sacht er konnte; aber es duckte sich immer wieder an ihn, schlaftrunken, und wollte sich nicht ermuntern. Da küßte er es heftig auf den Mund, und Vrenchen fuhr empor, machte die Augen weit auf, und als es Sali erblickte, rief es: „Herrgott! ich habe eben noch von dir geträumt! Es träumte mir, wir tanzten miteinander auf

35 unserer Hochzeit, lange, lange Stunden! und waren so glücklich, sauber geschmückt, und es fehlte uns an nichts. Da wollten wir uns endlich küssen und dürsteten darnach, aber immer zog uns etwas auseinander, und

[19] *hospital*

[20] *go into service (be a servant)*

[21] *pillow*

Vrenchen mentions explicitly both marriage and the obstacle to marriage. Since the impossibility of a happy marriage is assured by the title, and since fault plays a part in both Romeo and Sali, it is important to compare carefully the two men and their situation.

nun bist du es selbst gewesen, der uns gestört und gehindert hat! Aber wie
gut, daß du gleich da bist!" Gierig fiel es ihm um den Hals und küßte ihn,
als ob es kein Ende nehmen sollte. „Und was hast du denn geträumt?"
fragte sie und streichelte ihm Wangen und Kinn, „Mir träumte, ich ginge
endlos auf einer langen Straße durch einen Wald und du in der Ferne 5
immer vor mir her; zuweilen sahest du nach mir um, winktest mir und
lachtest, und dann war ich wie im Himmel. Das ist alles!" Sie traten unter
die offen gebliebene Küchentüre, die unmittelbar ins Freie führte, und
mußten lachen, als sie sich ins Gesicht sahen. Denn die rechte Wange
Vrenchens und die linke Salis, welche im Schlafe aneinandergelehnt 10
hatten, waren von dem Drucke ganz rot gefärbt, während die Blässe der
andern durch die kühle Nachtluft noch erhöht war. Sie rieben sich zärtlich
die kalte bleiche Seite ihrer Gesichter, um sie auch rot zu machen; die

²² *dewy*

frische Morgenluft, der tauige²² stille Frieden, der über der Gegend lag,
das junge Morgenrot machten sie fröhlich und selbstvergessen, und beson- 15
ders in Vrenchen schien ein freundlicher Geist der Sorglosigkeit gefahren
zu sein. „Morgen abend muß ich also aus diesem Hause fort", sagte es,
„und ein anderes Obdach suchen. Vorher möchte ich einmal, nur einmal
recht lustig sein, und zwar mit dir; ich möchte recht herzlich und fleißig
mit dir tanzen irgendwo, denn das Tanzen aus dem Traume steckt mir 20
immerfort im Sinn!" — „Jedenfalls will ich dabei sein und sehen, wo du
unterkommst", sagte Sali, „und tanzen wollte ich auch gerne mit dir, du
herziges Kind! aber wo?" — „Es ist morgen Kirchweih an zwei Orten
nicht sehr weit von hier", erwiderte Vrenchen, „da kennt und beachtet
man uns weniger; draußen am Wasser will ich auf dich warten, und dann 25
können wir gehen, wohin es uns gefällt, um uns lustig zu machen, einmal,

²³ *but oh my*

einmal nur! Aber je,²³ wir haben ja gar kein Geld!" setzte es traurig hinzu,
„da kann nichts daraus werden!" — „Laß nur", sagte Sali, „ich will schon
etwas mitbringen!" — „Doch nicht von deinem Vater, von — von dem
Gestohlenen?" — „Nein, sei nur ruhig! Ich habe noch meine silberne 30
Uhr bewahrt bis dahin, die will ich verkaufen." — „Ich will dir nicht

²⁴ *tell you not to*

abraten",²⁴ sagte Vrenchen errötend, „denn ich glaube, ich müßte sterben,
wenn ich nicht morgen mit dir tanzen könnte." — „Es wäre das beste, wir
beide könnten sterben!" sagte Sali; sie umarmten sich wehmütig und
schmerzlich zum Abschied, und als sie voneinander ließen, lachten sie 35
sich doch freundlich an in der sicheren Hoffnung auf den nächsten Tag.
„Aber wann willst du denn kommen?" rief Vrenchen noch. „Spätestens

---

What bearing on their situation does Vrenchen's dream have? Sali's?
The pathos and irony implicit in words and situations will only be evident in retrospect, but
much can be apprehended already. E.g., *Vorher möchte ich einmal, nur einmal recht lustig
sein. . . .*
Why should Vrenchen wait by the river?; why not by the field?
Why should Sali sell his watch and not, e.g., a good coat? (Cue: what is a watch for, and what
is its mode of operation?)

um eilf Uhr mittags", erwiderte er, „wir wollen recht ordentlich zusammen Mittag essen!" — „Gut, gut! komm lieber um halb eilf schon!" Doch als Sali schon im Gehen war, rief sie ihn noch einmal zurück und zeigte ein plötzlich verändertes, verzweiflungsvolles Gesicht. „Es wird

5 doch nichts daraus", sagte sie bitterlich weinend, „ich habe keine Sonntagsschuhe mehr. Schon gestern habe ich diese groben hier anziehen müssen, um nach der Stadt zu kommen! Ich weiß keine Schuhe aufzubringen!"[25] Sali stand ratlos und verblüfft. „Keine Schuhe!" sagte er, „da mußt du halt in diesen kommen!" — „Nein, nein, in denen kann ich nicht

10 tanzen!" — „Nun, so müssen wir welche kaufen!" — „Wo, mit was?" — „Ei, in Seldwyl, da gibt es Schuhläden genug! Geld werde ich in minder als zwei Stunden haben." — „Aber ich kann doch nicht mit dir in Seldwyl herumgehen, und dann wird das Geld nicht langen, auch noch Schuhe zu kaufen!" — „Es muß! und ich will die Schuhe kaufen und morgen

15 mitbringen!" — „O du Närrchen, sie werden ja nicht passen, die du kaufst!" — „So gib mir einen alten Schuh mit, oder halt, noch besser, ich will dir das Maß nehmen, das wird doch kein Hexenwerk[26] sein!" — „Das Maß nehmen? Wahrhaftig, daran hab' ich nicht gedacht! Komm, komm, ich will dir ein Schnürchen suchen!" Sie setzte sich wieder auf den Herd,

20 zog den Rock etwas zurück und streifte den Schuh vom Fuße, der noch von der gestrigen Reise her mit einem weißen Strumpfe bekleidet war. Sali kniete nieder und nahm, so gut er es verstand, das Maß, indem er den zierlichen Fuß der Länge und Breite nach umspannte[27] mit dem Schnürchen und sorgfältig Knoten[28] in dasselbe knüpfte. „Du Schuhmacher!"

25 sagte Vrenchen und lachte errötend und freundschaftlich zu ihm nieder. Sali wurde aber auch rot und hielt den Fuß fest in seinen Händen, länger als nötig war, so daß Vrenchen ihn noch tiefer errötend zurückzog, den verwirrten Sali aber noch einmal stürmisch umhalste und küßte, dann aber fortschickte.

30 Sobald er in der Stadt war, trug er seine Uhr zu einem Uhrmacher, der ihm sechs oder sieben Gulden dafür gab; für die silberne Kette bekam er auch einige Gulden, und er dünkte sich nun reich genug, denn er hatte, seit er groß war, nie so viel Geld besessen auf einmal. Wenn nur erst der Tag vorüber und der Sonntag angebrochen wäre, um das Glück damit zu

35 erkaufen, das er sich von dem Tage versprach, dachte er; denn wenn das Übermorgen auch um so dunkler und unbekannter hereinragte,[29] so gewann die ersehnte Lustbarkeit von morgen nur einen seltsamern erhöhten Glanz

[25] *I won't be able to find any shoes at all*

[26] *trick*

[27] *measured around*

[28] *knots*

[29] *loomed*

Thoughts of death and eagerness to dance coincide, and dancing takes on an extensive but subtle connotation of sensuality. The aspect of sexual attraction can no more be ignored here than in *Romeo and Juliet*. Follow with care the development of this complex of motifs.

The rhythm of the rest of the story is a pendular movement between tender affection and approaching finality. How is it manifested here?

Why does the following day gain *einen . . . erhöhten Glanz und Schein?*

und Schein. Indessen brachte er die Zeit noch leidlich hin, indem er ein Paar Schuhe für Vrenchen suchte, und dies war ihm das vergnügteste Geschäft, das er je betrieben. Er ging von einem Schuhmacher zum andern, ließ sich alle Weiberschuhe zeigen, die vorhanden waren, und endlich handelte er ein leichtes und feines Paar ein,[30] so hübsch, wie sie Vrenchen 5 noch nie getragen. Er verbarg die Schuhe unter seiner Weste und tat sie die übrige Zeit des Tages nicht mehr von sich; er nahm sie sogar mit ins Bett und legte sie unter das Kopfkissen. Da er das Mädchen heute früh noch gesehen und morgen wieder sehen sollte, so schlief er fest und ruhig, war aber in aller Frühe[31] munter und begann seinen dürftigen Sonntags- 10 staat zurechtzumachen und auszuputzen,[32] so gut es gelingen wollte. Es fiel seiner Mutter auf, und sie fragte verwundert, was er vorhabe, da er sich schon lange nicht mehr so sorglich angezogen. Er wolle einmal über Land gehen und sich ein wenig umtun, erwiderte er, er werde sonst krank in diesem Hause. „Das ist mir die Zeit her[33] ein merkwürdiges Leben", 15 murrte der Vater, „und ein Herumschleichen!" — „Laß ihn nur gehen", sagte aber die Mutter, „es tut ihm vielleicht gut, es ist ja ein Elend, wie er aussieht!" — „Hast du Geld zum Spazierengehen? woher hast du es?" sagte der Alte. „Ich brauche keines!" sagte Sali. „Da hast du einen Gulden!" versetzte der Alte und warf ihm denselben hin. „Du kannst im 20 Dorf ins Wirtshaus gehen und ihn dort verzehren, damit sie nicht glauben, wir seien hier so übel dran." — „Ich will nicht ins Dorf und brauche den Gulden nicht, behaltet ihn nur!" — „So hast du ihn gehabt, es wäre schad, wenn du ihn haben müßtest, du Starrkopf!" rief Manz und schob seinen Gulden wieder in die Tasche. Seine Frau aber, welche nicht wußte, warum 25 sie heute ihres Sohnes wegen so wehmütig und gerührt war, brachte ihm ein großes schwarzes Mailänder Halstuch mit rotem Rande, das sie nur selten getragen und er schon früher gern gehabt hätte. Er schlang es um den Hals und ließ die langen Zipfel fliegen; auch stellte er zum erstenmal den Hemdkragen, den er sonst immer umgeschlagen, ehrbar und männlich 30 in die Höhe, bis über die Ohren hinauf, in einer Anwandlung ländlichen Stolzes, und machte sich dann, seine Schuhe in der Brusttasche des Rockes, schon nach sieben Uhr auf den Weg. Als er die Stube verließ, drängte ihn ein seltsames Gefühl, Vater und Mutter die Hand zu geben, und auf der Straße sah er sich noch einmal nach dem Hause um. „Ich glaube am 35 Ende", sagte Manz, „der Bursche streicht irgendeinem Weibsbild[34] nach; das hätten wir gerade noch nötig!" Die Frau sagte: „O wollte Gott! daß

[30] *purchased*

[31] *bright and early*

[32] *neaten up*

[33] *lately*

[34] *woman*

Characterize the reactions of Manz and his wife, and what they reveal of their characters. Why is the sight of Vrenchen so moving to Sali—and for that matter to the reader?

er vielleicht ein Glück machte! das täte dem armen Buben gut!" —
"Richtig!" sagte der Mann, "das fehlt nicht![35] das wird ein himmlisches   *that's for sure*[35]
Glück geben, wenn er nur erst an eine solche Maultasche[36] zu geraten das   *loudmouth*[36]
Unglück hat! das täte dem armen Bübchen gut! natürlich!"

5 Sali richtete seinen Schritt erst nach dem Flusse zu, wo er Vrenchen
erwarten wollte; aber unterwegs ward er anderen Sinnes und ging geradezu
ins Dorf, um Vrenchen im Hause selbst abzuholen, weil es ihm zu lang
währte bis halb eilf. Was kümmern uns die Leute! dachte er. Niemand
hilft uns, und ich bin ehrlich und fürchte niemand! So trat er unerwartet
10 in Vrenchens Stube, und ebenso unerwartet fand er es schon vollkommen
angekleidet und geschmückt dasitzen und der Zeit harren, wo es gehen
könne; nur die Schuhe fehlten ihm noch. Aber Sali stand mit offenem
Munde still in der Mitte der Stube, als er das Mädchen erblickte, so schön
sah es aus. Es hatte nur ein einfaches Kleid an von blaugefärbter[37] Lein-   *blue colored*[37]
15 wand, aber dasselbe war frisch und sauber und saß ihm sehr gut um den
schlanken Leib. Darüber trug es ein schneeweißes Musselinehalstuch,[38]   *muslin neckerchief*[38]
und dies war der ganze Anzug. Das braune gekräuselte Haar war sehr
wohl geordnet, und die sonst so wilden Löckchen lagen nun fein und
lieblich um den Kopf; da Vrenchen seit vielen Wochen fast nicht aus dem
20 Hause gekommen, so war seine Farbe zarter und durchsichtiger geworden,
so wie auch vom Kummer; aber in diese Durchsichtigkeit goß jetzt die Liebe
und die Freude ein Rot um das andere, und an der Brust trug es einen
schönen Blumenstrauß von Rosmarin,[39] Rosen und prächtigen Astern.   *rosemary*[39]
Es saß am offenen Fenster und atmete still und hold die frisch durch-
25 sonnte[40] Morgenluft; wie es aber Sali erscheinen sah, streckte es ihm beide   *sun-drenched*[40]
hübsche Arme entgegen, welche vom Ellbogen an bloß waren, und rief:
"Wie recht hast du, daß du schon jetzt und hieher kommst! Aber hast du
mir Schuhe gebracht? Gewiß? Nun steh ich nicht auf, bis ich sie anhabe!"
Er zog die ersehnten aus der Tasche und gab sie dem begierigen schönen
30 Mädchen; es schleuderte die alten von sich, schlüpfte in die neuen, und
sie paßten sehr gut. Erst jetzt erhob es sich vom Stuhl, wiegte sich in den
neuen Schuhen und ging eifrig einige Male auf und nieder. Es zog das
lange blaue Kleid etwas zurück und beschaute wohlgefällig die roten
wollenen Schleifen, welche die Schuhe zierten, während Sali unaufhörlich
35 die feine reizende Gestalt betrachtete, welche da in lieblicher Aufregung
vor ihm sich regte und freute. "Du beschaust meinen Strauß?" sagte
Vrenchen, "hab ich nicht einen schönen zusammengebracht? Du mußt

What do the flowers stand for? (Anyone who knows specific flower symbolism may have special
insights to offer.)

wissen, dies sind die letzten Blumen, die ich noch aufgefunden in dieser
Wüstenei. Hier war noch ein Röschen, dort eine Aster, und wie sie nun
gebunden sind, würde man es ihnen nicht ansehen, daß sie aus einem
Untergange zusammengesucht sind! Nun ist es aber Zeit, daß ich fort-
komme, nicht ein Blümchen mehr im Garten, und das Haus auch leer!" 5

[41] *(movable) possessions*   Sali sah sich um und bemerkte erst jetzt, daß alle Fahrhabe,[41] die noch
dagewesen, weggebracht war. „Du armes Vreeli!" sagte er, „haben sie dir
schon alles genommen?" — „Gestern", erwiderte es, „haben sie's wegge-
holt, was sich von der Stelle bewegen ließ, und mir kaum mehr mein Bett
gelassen. Ich hab's aber auch gleich verkauft und hab' jetzt auch Geld, 10
sieh!" Es holte einige neue glänzende Talerstücke aus der Tasche seines

[42] *town overseer (of orphans)*   Kleides und zeigte sie ihm. „Damit", fuhr es fort, „sagte der Waisenvogt,[42]
der auch hier war, solle ich mir einen Dienst suchen in einer Stadt, und
ich solle mich heute gleich auf den Weg machen!" — „Da ist aber auch
gar nichts mehr vorhanden", sagte Sali, nachdem er in die Küche geguckt 15

[43] *not a single pan*   hatte, „ich sehe kein Hölzchen, kein Pfännchen,[43] kein Messer! Hast du
denn auch nicht zu Morgen gegessen?" — „Nichts!" sagte Vrenchen, „ich
hätte mir etwas holen können, aber ich dachte, ich wolle lieber hungrig
bleiben, damit ich recht viel essen könne mit dir zusammen, denn ich freue
mich so sehr darauf; du glaubst nicht, wie ich mich freue!" — „Wenn 20
ich dich nur anrühren dürfte", sagte Sali, „so wollte ich dir zeigen, wie es
mir ist, du schönes, schönes Ding!" — „Du hast recht, du würdest
meinen ganzen Staat verderben, und wenn wir die Blumen ein bißchen
schonen, so kommt es zugleich meinem armen Kopf zugut, den du mir

[44] *treat*   übel zuzurichten[44] pflegst!" — „So komm, jetzt wollen wir ausrücken!"[45] 25
[45] *leave*   — „Noch müssen wir warten, bis das Bett abgeholt wird; denn nachher
schließe ich das leere Haus zu und gehe nicht mehr hieher zurück! Mein
Bündelchen gebe ich der Frau aufzuheben, die das Bett gekauft hat." Sie
setzten sich daher einander gegenüber und warteten; die Bäuerin kam

[46] *square-built*   bald, eine vierschrötige[46] Frau mit lautem Mundwerk,[47] und hatte einen 30
[47] *with a noisy tongue*   Burschen bei sich, welcher die Bettstelle tragen sollte. Als diese Frau
Vrenchens Liebhaber erblickte und das geputzte Mädchen selbst, sperrte
sie Maul und Augen auf, stemmte die Arme unter und schrie: „Ei sieh da,
Vreeli! Du treibst es ja schon gut! Hast einen Besucher und bist gerüstet
wie eine Prinzeß?" — „Gelt aber!" sagte Vrenchen freundlich lachend, 35

[48] *East is East and West is West*   „wißt Ihr auch, wer das ist?" — „Ei, ich denke, das ist wohl der Sali
Manz? Berg und Tal kommen nicht zusammen,[48] sagt man, aber die Leute!"

What or who also came *aus einem Untergange?*
Why has Vrenchen sold even her bed?
The arrival of the farm woman occasions in Vrenchen a long and complicated phantasy, at
first in effect a monologue, with increasing (and very funny) involvement of the credulous

Aber nimm dich doch in acht, Kind, und denk, wie es euren Eltern ergangen ist!" — „Ei, das hat sich jetzt gewendet, und alles ist gut geworden", erwiderte Vrenchen lächelnd und freundlich mitteilsam, ja beinahe herablassend,[49] „seht, Sali ist mein Hochzeiter!" — „Dein Hochzeiter! was du sagst!" — „Ja, und er ist ein reicher Herr, er hat hunderttausend Gulden in der Lotterie gewonnen! Denket einmal, Frau!" Diese tat einen Sprung, schlug ganz erschrocken die Hände zusammen und schrie: „Hund — hunderttausend Gulden!" — „Hunderttausend Gulden!" versicherte Vrenchen ernsthaft. „Herr du meines Lebens! Es ist aber nicht wahr, du lügst mich an, Kind!" — „Nun, glaubt was Ihr wollt!" — „Aber wenn es wahr ist und du heiratest ihn, was wollt ihr denn machen mit dem Gelde? Willst du wirklich eine vornehme Frau werden?" — „Versteht sich, in drei Wochen halten wir die Hochzeit!" —„Geh mir weg, du bist eine häßliche Lügnerin!" — „Das schönste Haus hat er schon gekauft in Weldwyl, mit einem großen Garten und Weinberg; Ihr müßt mich auch besuchen, wenn wir eingerichtet sind, ich zähle darauf!" — „Allweg, du Teufelshexlein,[50] was du bist!" — „Ihr werdet sehen, wie schön es da ist! Einen herrlichen Kaffee werde ich machen und Euch mit feinem Eierbrot[51] aufwarten, mit Butter und Honig!" — „O du Schelmenkind![52] zähl' drauf, daß ich komme!" rief die Frau mit lüsternem[53] Gesicht und der Mund wässerte ihr. „Kommt Ihr aber um die Mittagszeit und seid ermüdet vom Markt, so soll Euch eine kräftige Fleischbrühe[54] und ein Glas Wein immer parat[55] stehen!" — „Das wird mir baß[56] tun!" — „Und an etwas Zuckerwerk oder weißen Wecken[57] für die lieben Kinder zu Hause soll es Euch auch nicht fehlen!" — „Es wird mir ganz schmachtend!" — „Ein artiges Halstüchelchen oder ein Restchen Seidenzeug oder ein hübsches altes Band für Euere Röcke, oder ein Stück Zeug zu einer neuen Schürze wird gewiß auch zu finden sein, wenn wir meine Kisten und Kasten durchmustern in einer vertrauten Stunde!" Die Frau drehte sich auf den Hacken herum und schüttelte jauchzend ihre Röcke. „Und wenn Euer Mann ein vorteilhaftes Geschäft machen könnte mit einem Land- oder Viehhandel,[58] und er mangelt des Geldes, so wißt Ihr, wo Ihr anklopfen sollt. Mein lieber Sali wird froh sein, jederzeit[59] ein Stück Bares[60] sicher und erfreulich anzulegen! Ich selbst werde auch etwa einen Sparpfennig[61] haben, einer vertrauten Freundin beizustehen!" Jetzt war der Frau nicht mehr zu helfen, sie sagte gerührt: „Ich habe immer gesagt, du seist ein braves und gutes und schönes Kind! Der Herr wolle es dir wohl ergehen lassen[62]

[49] *condescendingly*

[50] *little witch*
[51] *(egg) bread*
[52] *little rascal*
[53] *greedy*

[54] *beef broth*
[55] *ready*
[56] *(=besser)*
[57] *sweet rolls*

[58] *real estate or cattle dealer*
[59] *at any time*
[60] *a bit of cash*
[61] *penny or two saved up*

[62] *make you prosper*

Bäuerin. Vrenchen's vision is both ecstatic and pathetic. What is it, in essence, and what does it reveal about her? In this poignant encounter of reality and illusion, humor and pathos, Keller shows another side of his versatile style.

[63] bless

immer und ewiglich und es dir gesegnen,[63] was du an mir tust!" —
„Dagegen verlange ich aber auch, daß Ihr es gut mit mir meint!" —
„Allweg kannst du das verlangen!" — „Und daß Ihr jederzeit Eure Ware,
sei es Obst, seien es Kartoffeln, sei es Gemüse, erst zu mir bringet und
mir anbietet, ehe Ihr auf den Markt gehet, damit ich sicher sei, eine rechte 5
Bäuerin an der Hand zu haben, auf die ich mich verlassen kann! Was
irgendeiner gibt für die Ware, werde ich gewiß auch geben mit tausend
Freuden, Ihr kennt mich ja! Ach, es ist nichts Schöneres, als wenn eine
wohlhabende Stadtfrau, die so ratlos in ihren Mauern sitzt und doch so

[64] is in need of

vieler Dinge benötigt ist,[64] und eine rechtschaffene, ehrliche Landfrau, 10
erfahren in allem Wichtigen und Nützlichen, eine gute und dauerhafte
Freundschaft zusammen haben! Es kommt einem zugut in hundert Fällen,

[65] baptisms

in Freud und Leid, bei Gevatterschaften[65] und Hochzeiten, wenn die
Kinder unterrichtet werden und konfirmiert, wenn sie in die Lehre kom-

[66] poor harvest

men und wenn sie in die Fremde sollen! Bei Mißwachs[66] und Überschwem- 15

[67] fire and hail

mungen, bei Feuersbrünsten und Hagelschlag,[67] wofür uns Gott behüte!"
— „Wofür uns Gott behüte!" sagte die gute Frau schluchzend und trocknete mit ihrer Schürze die Augen; „welch ein verständiges und tiefsinniges
Bräutlein bist du; ja, dir wird es gut gehen, da müßte keine Gerechtigkeit
in der Welt sein! Schön, sauber, klug und weise bist du, arbeitsam und 20
geschickt zu allen Dingen! Keine ist feiner und besser als du, in und außer
dem Dorfe; und wer dich hat, der muß meinen, er sei im Himmelreich,[68]

[68] (Kingdom of)
Heaven
[69] will have to answer
to me
[70] kind
[71] show you who's boss
[72] lucky thing

oder er ist ein Schelm und hat es mit mir zu tun.[69] Hör', Sali, daß du nur
recht artlich[70] bist mit meinem Vreeli, oder ich will dir den Meister
zeigen,[71] du Glückskind,[72] das du bist, ein solches Röslein zu brechen!" — 25
„So nehmt jetzt auch hier noch mein Bündel mit, wie Ihr mir versprochen
habt, bis ich es abholen lassen werde! Vielleicht komme ich aber selbst
in der Kutsche und hole es ab, wenn Ihr nichts dagegen habt! Ein Töpfchen
Milch werdet Ihr mir nicht abschlagen alsdann, und etwa eine schöne

[73] almond cake

Mandeltorte[73] dazu werde ich schon selbst mitbringen!" — „Tausends- 30

[74] sweet child

kind![74] Gib her den Bündel!" Vrenchen lud ihr auf das zusammenge-
bundene Bett, das sie schon auf dem Kopfe trug, einen langen Sack, in

[75] possessions

welchen es sein Plunder und Habseliges[75] gestopft, so daß die arme Frau
mit einem schwankenden Turme auf dem Haupte dastand. „Es wird mir
doch fast zu schwer auf einmal", sagte sie, „könnte ich nicht zweimal dran 35
machen?" — „Nein, nein! wir müssen jetzt augenblicklich gehen, denn
wir haben einen weiten Weg, um vornehme Verwandte zu besuchen, die

---

The ending is appropriately comic, as the farm woman suddenly comes out of her trance-like
enthusiasm. Explain.

sich jetzt gezeigt haben, seit wir reich sind! Ihr wißt ja, wie es geht!" — „Weiß wohl! so behüt' dich Gott, und denk' an mich in deiner Herrlichkeit!"

Die Bäuerin zog ab mit ihrem Bündelturme,[76] mit Mühe das Gleich-
5 gewicht[77] behauptend, und hinter ihr drein ging ihr Knechtchen, das sich in Vrenchens einst buntbemalte[78] Bettstatt hineinstellte, den Kopf gegen den mit verblichenen Sternen bedeckten Himmel derselben stemmte und, ein zweiter Simson,[79] die zwei vorderen zierlich geschnitzten[80] Säulen faßte, welche diesen Himmel trugen. Als Vrenchen, an Sali gelehnt, dem
10 Zuge nachschaute und den wandelnden Tempel zwischen den Gärten sah, sagte es: „Das gäbe noch ein artiges Gartenhäuschen oder eine Laube, wenn man's in einen Garten pflanzte, ein Tischchen und ein Bänklein drein stellte und Winden drum herumsäete! Wolltest du mit darin sitzen, Sali?" — „Ja, Vreeli! besonders wenn die Winden aufgewachsen wären!" —
15 „Was stehen wir noch?" sagte Vrenchen, „nichts hält uns mehr zurück!" — „So komm und schließ das Haus zu!" — „Wem willst du denn den Schlüssel übergeben?" Vrenchen sah sich um. „Hier an die Helbart wollen wir ihn hängen; sie ist über hundert Jahr in diesem Hause gewesen, habe ich den Vater oft sagen hören, nun steht sie da als der letzte Wächter!"
20 Sie hingen den rostigen Hausschlüssel an einen rostigen Schnörkel der alten Waffe, an welcher die Bohnen rankten, und gingen davon. Vrenchen wurde aber bleicher und verhüllte ein Weilchen die Augen, daß Sali es führen mußte, bis sie ein Dutzend Schritte entfernt waren. Es sah aber nicht zurück. „Wo gehen wir nun zuerst hin?" fragte es. „Wir wollen
25 ordentlich über Land gehen", erwiderte Sali, „wo es uns freut den ganzen Tag, uns nicht übereilen, und gegen Abend werden wir dann schon einen Tanzplatz finden!" — „Gut!" sagte Vrenchen, „den ganzen Tag werden wir beisammen sein und gehen, wo wir Lust haben. Jetzt ist mir aber elend, wir wollen gleich im andern Dorf einen Kaffee trinken!" —
30 „Versteht sich!" sagte Sali, „mach' nur, daß wir aus diesem Dorf wegkommen!"

Bald waren sie auch im freien Felde und gingen still nebeneinander durch die Fluren; es war ein schöner Sonntagmorgen im September, keine Wolke stand am Himmel, die Höhen und die Wälder waren mit einem zarten
35 Duftgewebe[81] bekleidet, welches die Gegend geheimnisvoller und feierlicher machte, und von allen Seiten tönten die Kirchenglocken herüber, hier das harmonische tiefe Geläute einer reichen Ortschaft, dort die

[76] *tower of bundles*

[77] *balance*

[78] *brightly painted*

[79] *Samson (Judges 16:3)*

[80] *carved*

[81] *veil of mist*

Vrenchen's final departure from her home is full of realistic features which are at the same time of metaphoric effect. For example?

Note and interpret the "environment" of their leave-taking: season, time, landscape, sounds, etc.

284 GOTTFRIED KELLER

geschwätzigen zwei Bimmelglöcklein[82] eines kleinen armen Dörfchens. Das liebende Paar vergaß, was am Ende dieses Tages werden sollte, und gab sich einzig der hoch aufatmenden[83] wortlosen Freude hin, sauber gekleidet und frei, wie zwei Glückliche, die sich von Rechts wegen[84] angehören, in den Sonntag hineinzuwandeln. Jeder in der Sonntagsstille verhallende Ton oder ferne Ruf klang ihnen erschütternd durch die Seele; denn die Liebe ist eine Glocke, welche das Entlegenste[85] und Gleichgültigste widertönen[86] läßt und in eine besondere Musik verwandelt. Obgleich sie hungrig waren, dünkte sie die halbe Stunde Weges bis zum nächsten Dorfe nur ein Katzensprung[87] lang zu sein, und sie betraten zögernd das Wirtshaus am Eingang des Ortes. Sali bestellte ein gutes Frühstück, und während es bereitet wurde, sahen sie mäuschenstill der sichern und freundlichen Wirtschaft in der großen reinlichen Gaststube zu. Der Wirt war zugleich ein Bäcker, das eben Gebackene durchduftete[88] angenehm das ganze Haus, und Brot allerart wurde in gehäuften Körben herbeigetragen, da nach der Kirche die Leute hier ihr Weißbrot holten oder ihren Frühschoppen[89] tranken. Die Wirtin, eine artige und saubere Frau, putzte gelassen und freundlich ihre Kinder heraus, und so wie eines entlassen war, kam es zutraulich zu Vrenchen gelaufen, zeigte ihm seine Herrlichkeiten und erzählte von allem, dessen es sich erfreute und rühmte. Wie nun der wohlduftende[90] starke Kaffee kam, setzten sich die zwei Leutchen schüchtern an den Tisch, als ob sie da zu Gast gebeten wären. Sie ermunterten sich jedoch bald und flüsterten bescheiden, aber glückselig miteinander; ach wie schmeckte dem aufblühenden Vrenchen der gute Kaffee, der fette Rahm,[91] die frischen noch warmen Brötchen, die schöne Butter und der Honig, der Eierkuchen und was alles noch für Leckerbissen da waren! Sie schmeckten ihm, weil es den Sali dazu ansah, und es aß so vergnügt, als ob es ein Jahr lang gefastet hätte. Dazu freute es sich über das feine Geschirr, über die silbernen Kaffeelöffelchen; denn die Wirtin schien sie für rechtliche junge Leutchen zu halten, die man anständig bedienen müsse, und setzte sich auch ab und zu plaudernd zu ihnen; und die beiden gaben ihr verständigen Bescheid,[92] welches ihr gefiel. Es war dem guten Vrenchen so wählig[93] zumut, daß es nicht wußte, mochte es lieber wieder ins Freie, um allein mit seinem Schatz herumzuschweifen durch Auen oder Wälder, oder mochte es lieber in der gastlichen Stube bleiben, um wenigstens auf Stunden sich an einem stattlichen Orte zu Hause zu träumen. Doch Sali erleichterte die Wahl, indem er ehrbar und

Margin notes: [82] tinkling bells [83] heart-filling (lit. inhaling deeply) [84] by rights [85] most distant things [86] ring in echo [87] a skip and a jump [88] permeated [89] morning glass (of wine) [90] fragrant [91] cream [92] gave her sensible answers to her questions [93] happy

Was am Ende dieses Tages werden sollte can only imply one thing and with one particular degree of certainty. Explain.
The inn at which they stop affords a painful contrast; with what?

geschäftig zum Aufbruch mahnte, als ob sie einen bestimmten und wichtigen Weg zu machen hätten. Die Wirtin und der Wirt begleiteten sie bis vor das Haus und entließen sie auf das wohlwollendste wegen ihres guten Benehmens, trotz der durchscheinenden[94] Dürftigkeit, und das arme junge

5 Blut verabschiedete sich mit den besten Manieren von der Welt und wandelte sittig und ehrbar von hinnen.[95] Aber auch als sie schon wieder im Freien waren und einen stundenlangen Eichwald betraten, gingen sie noch in dieser Weise nebeneinander her, in angenehme Träume vertieft, als ob sie nicht aus zank- und elenderfüllten[96] vernichteten Häusern herkämen,

10 sondern guter Leute Kinder wären, welche in lieblicher Hoffnung wandelten. Vrenchen senkte das Köpfchen tiefsinnig gegen seine blumengeschmückte[97] Brust und ging, die Hände sorglich an das Gewand gelegt, einher auf dem glatten feuchten Waldboden; Sali dagegen schritt schlank aufgerichtet, rasch und nachdenklich, die Augen auf die festen Eichen-

15 stämme geheftet wie ein Bauer, der überlegt, welche Bäume er am vorteilhaftesten fällen[98] soll. Endlich erwachten sie aus diesen vergeblichen Träumen, sahen sich an und entdeckten, daß sie immer noch in der Haltung gingen, in welcher sie das Gasthaus verlassen, erröteten und ließen traurig die Köpfe hängen. Aber Jugend hat keine Tugend,[99] der

20 Wald war grün, der Himmel blau und sie allein in der weiten Welt, und sie überließen sich alsbald wieder diesem Gefühle. Doch blieben sie nicht lange mehr allein, da die schöne Waldstraße sich belebte mit lustwandelnden[1] Gruppen von jungen Leuten, sowie mit einzelnen Paaren, welche schäkernd[2] und singend die Zeit nach der Kirche verbrachten. Denn die

25 Landleute haben so gut ihre ausgesuchten Promenaden und Lustwälder[3] wie die Städter,[4] nur mit dem Unterschied, daß dieselben keine Unterhaltung kosten und noch schöner sind; sie spazieren nicht nur mit einem besonderen Sinn des Sonntags durch ihre blühenden und reifenden Felder, sondern sie machen sehr gewählte Gänge durch Gehölze und an grünen

30 Halden[5] entlang, setzen sich hier auf eine anmutige, fernsichtige[6] Höhe, dort an einen Waldrand, lassen ihre Lieder ertönen und die schöne Wildnis ganz behaglich auf sich einwirken;[7] und da sie dies offenbar nicht zu ihrer Pönitenz[8] tun, sondern zu ihrem Vergnügen, so ist wohl anzunehmen, daß sie Sinn für die Natur haben, auch abgesehen von[9] ihrer Nützlichkeit.

35 Immer brechen sie was Grünes ab, junge Burschen wie alte Mütterchen,[10] welche die alten Wege ihrer Jugend aufsuchen, und selbst steife Landmänner in den besten Geschäftsjahren, wenn sie über Land gehen, schneiden

---

[94] *transparent*

[95] *(from) thence*

[96] *filled with discord and misery*

[97] *flower-decked*

[98] *fell*

[99] *youth will be youth*

[1] *promenading*

[2] *flirting*

[3] *woods for promenades*

[4] *city folk*

[5] *slopes*

[6] *with a distant view*

[7] *enjoy the effect of*

[8] *penance*

[9] *quite apart from*

[10] *old ladies*

Their walk is in a sense another idyllic interlude, but its context is ironic and painful. Explain, and indicate what the prospects of resolution are.

sich gern eine schlanke Gerte, sobald sie durch einen Wald gehen, und schälen die Blätter ab, von denen sie nur oben ein grünes Büschel stehen lassen. Solche Rute tragen sie wie ein Zepter vor sich hin; wenn sie in eine Amtsstube oder Kanzlei treten, so stellen sie die Gerte ehrerbietig in einen Winkel, vergessen aber auch nach den ernstesten Verhandlungen 5 nie, dieselbe säuberlich wieder mitzunehmen und unversehrt nach Hause zu tragen, wo es erst dem kleinsten Söhnchen gestattet ist, sie zugrunde zu richten. — Als Sali und Vrenchen die vielen Spaziergänger sahen, lachten

[11] *suppressed a laugh*

sie ins Fäustchen[11] und freuten sich, auch gepaart zu sein, schlüpften aber seitwärts auf engere Waldpfade, wo sie sich in tiefen Einsamkeiten verloren. 10 Sie hielten sich auf, wo es sie freute, eilten vorwärts und ruhten wieder, und wie keine Wolke am reinen Himmel stand, trübte auch keine Sorge in diesen Stunden ihr Gemüt; sie vergaßen, woher sie kamen und wohin sie gingen, und benahmen sich so fein und ordentlich dabei, daß trotz aller frohen Erregung und Bewegung Vrenchens niedlicher einfacher Aufputz[12] 15

[12] *finery*

so frisch und unversehrt blieb, wie er am Morgen gewesen war. Sali betrug sich auf diesem Wege nicht wie ein beinahe zwanzigjähriger Landbursche

[13] *barkeep*

oder der Sohn eines verkommenen Schenkwirtes,[13] sondern wie wenn er einige Jahre jünger und sehr wohl erzogen wäre, und es war beinahe komisch, wie er nur immer sein feines lustiges Vrenchen ansah, voll 20 Zärtlichkeit, Sorgfalt und Achtung. Denn die armen Leutchen mußten

[14] *aspects*

an diesem einen Tage, der ihnen vergönnt war, alle Manieren[14] und Stimmungen der Liebe durchleben und sowohl die verlorenen Tage der

[15] *anticipate*

zarteren Zeit nachholen als das leidenschaftliche Ende vorausnehmen[15] mit der Hingabe ihres Lebens. 25

So liefen sie sich wieder hungrig und waren erfreut, von der Höhe eines

[16] *heavily shaded*
[17] *spend the noon hour*

schattenreichen[16] Berges ein glänzendes Dorf vor sich zu sehen, wo sie Mittag halten[17] wollten. Sie stiegen rasch hinunter, betraten dann aber ebenso sittsam diesen Ort, wie sie den vorigen verlassen. Es war niemand um den Weg, der sie erkannt hätte; denn besonders Vrenchen war die 30 letzten Jahre hindurch gar nicht unter die Leute und noch weniger in andere Dörfer gekommen. Deshalb stellten sie ein wohlgefälliges, ehr-

[18] *respectable*
[19] *important*

sames[18] Pärchen vor, das irgendeinen angelegentlichen[19] Gang tut. Sie gingen ins erste Wirtshaus des Dorfes, wo Sali ein erkleckliches Mahl

[20] *in Sunday elegance*
[21] *gazed at*
[22] *paneled*
[23] *polished*

bestellte; ein eigener Tisch wurde ihnen sonntäglich[20] gedeckt, und sie 35 saßen wieder still und bescheiden daran und beguckten[21] die schön getä-felten[22] Wände von gebohntem[23] Nußbaumholz, das ländliche, aber glän-

---

The sentence *Denn die armen Leutchen* . . . extends the author's interpretation of this day and his explicit indication of its ultimate direction. The last vestige of "suspense" is removed. Interpret and evaluate.

zende und wohlbestellte Büfett[24] von gleichem Holze und die klaren weißen Fenstervorhänge. Die Wirtin trat zutulich herzu und setzte ein Geschirr voll frischer Blumen auf den Tisch. „Bis die Suppe kommt", sagte sie, „könnt Ihr, wenn es Euch gefällig ist, einstweilen die Augen sättigen an
5 dem Strauße. Allem Anschein nach, wenn es erlaubt ist zu fragen, seid Ihr ein junges Brautpaar, das gewiß nach der Stadt geht, um sich morgen kopulieren zu lassen?" Vrenchen wurde rot und wagte nicht aufzusehen, Sali sagte auch nichts, und die Wirtin fuhr fort: „Nun, Ihr seid beide noch wohl jung, aber jung geheiratet lebt lang,[25] sagt man zuweilen, und Ihr
10 seht wenigstens hübsch und brav aus und braucht Euch nicht zu verbergen. Ordentliche Leute können etwas zuwege bringen, wenn sie so jung zusammenkommen und fleißig und treu sind. Aber das muß man freilich sein, denn die Zeit ist kurz und doch lang, und es kommen viele Tage, viele Tage! Je nun, schön genug sind sie und amüsant[26] dazu, wenn man gut
15 Haus hält damit! Nichts für ungut, aber es freut mich, Euch anzusehen, so ein schmuckes Pärchen seid Ihr!" Die Kellnerin brachte die Suppe, und da sie einen Teil dieser Worte noch gehört und lieber selbst geheiratet hätte, so sah sie Vrenchen mit scheelen[27] Augen an, welches nach ihrer Meinung so gedeihliche Wege ging.[28] In der Nebenstube ließ die unlieb-
20 liche[29] Person ihren Unmut frei und sagte zur Wirtin, welche dort zu schaffen hatte, so laut, daß man es hören konnte: „Das ist wieder ein rechtes Hudelvölkchen, das wie es geht und steht[30] nach der Stadt läuft und sich kopulieren läßt, ohne einen Pfennig, ohne Freude, ohne Aussteuer und ohne Aussicht, als auf Armut und Bettelei![31] Wo soll das noch hinaus,
25 wenn solche Dinger heiraten, die die Jüppe[32] noch nicht allein anziehen und keine Suppe kochen können? Ach, der hübsche junge Mensch kann mich nur dauern,[33] der ist schön petschiert[34] mit seiner jungen Gungeline!"[35] — „Bscht![36] willst du wohl schweigen, du hässiges[37] Ding!" sagte die Wirtin, „denen lasse ich nichts geschehen![38] Das sind gewiß
30 zwei recht ordentliche Leutlein aus den Bergen, wo die Fabriken[39] sind; dürftig sind sie gekleidet, aber sauber; und wenn sie sich nur gern haben und arbeitsam sind, so werden sie weiter kommen, als du mit deinem bösen Maul! Du kannst freilich noch lang warten, bis dich einer abholt, wenn du nicht freundlicher bist, du Essighafen!"[40]
35 So genoß Vrenchen alle Wonnen einer Braut, die zur Hochzeit reiset: die wohlwollende Ansprache und Aufmunterung[41] einer vernünftigen Frau, den Neid einer heiratslustigen[42] bösen Person, welche aus Ärger den Ge-

---

What is added by the episode of the jealous waitress?

liebten lobte und bedauerte, und ein leckeres[43] Mittagsmahl an der Seite eben dieses Geliebten. Es glühte im Gesicht wie eine rote Nelke, das Herz klopfte ihm, aber es aß und trank nichtsdestominder mit gutem Appetit und war mit der aufwartenden Kellnerin nur um so artiger, konnte aber nicht unterlassen, dabei den Sali zärtlich anzusehen und mit ihm zu ⁵ lispeln, so daß es diesem auch ganz kraus im Gemüt wurde.[44] Sie saßen indessen lang und gemächlich[45] am Tische, wie wenn sie zögerten und sich scheuten, aus der holden Täuschung herauszugehen. Die Wirtin brachte zum Nachtisch[46] süßes Backwerk, und Sali bestellte feineren und stärkeren Wein dazu, welcher Vrenchen feurig durch die Adern rollte, als es ein ¹⁰ wenig davon trank; aber es nahm sich in acht, nippte bloß zuweilen und saß so züchtig[47] und verschämt da, wie eine wirkliche Braut. Halb spielte es aus Schalkheit[48] diese Rolle und aus Lust, zu versuchen, wie es tue, halb war es ihm in der Tat so zumut, und vor Bangigkeit und heißer Liebe wollte ihm das Herz brechen, so daß es ihm zu eng ward innerhalb der vier· ¹⁵ Wände und es zu gehen begehrte. Es war, als ob sie sich scheuten, auf dem Wege wieder so abseits und allein zu sein; denn sie gingen unverabredet[49] auf der Hauptstraße weiter, mitten durch die Leute, und sahen weder rechts noch links. Als sie aber aus dem Dorfe waren und auf das nächstgelegene zugingen, wo Kirchweih war, hing sich Vrenchen an Salis ²⁰ Arm und flüsterte mit zitternden Worten: ,,Sali! warum sollen wir uns nicht haben und glücklich sein!" — ,,Ich weiß auch nicht warum!" erwiderte er und heftete seine Augen an den milden Herbstsonnenschein, der auf den Auen webte, und er mußte sich bezwingen und das Gesicht ganz sonderbar verziehen. Sie standen still, um sich zu küssen; aber es ²⁵ zeigten sich Leute, und sie unterließen es und zogen weiter. Das große Kirchdorf, in dem Kirchweih war, belebte sich schon von der Lust des Volkes; und aus dem stattlichen Gasthofe tönte eine pomphafte[50] Tanzmusik, da die jungen Dörfler bereits um Mittag den Tanz angehoben, und auf dem Platz vor dem Wirtshause war ein kleiner Markt aufgeschlagen, ³⁰ bestehend aus einigen Tischen mit Süßigkeiten und Backwerk, und ein paar Buden mit Flitterstaat,[51] um welche sich die Kinder und dasjenige Volk drängten, welches sich einstweilen mehr mit Zusehen begnügte. Sali und Vrenchen traten auch zu den Herrlichkeiten und ließen ihre Augen darüber fliegen; denn beide hatten zugleich die Hand in der Tasche, und ³⁵ jedes wünschte dem andern etwas zu schenken, da sie zum ersten und einzigen Male miteinander zu Markt waren; Sali kaufte ein großes Haus

---

[43] tasty

[44] all flustered
[45] comfortable

[46] dessert

[47] modest
[48] roguishness

[49] without having discussed the matter

[50] loud and brassy

[51] cheap finery

von Lebkuchen,[52] das mit Zuckerzeug freundlich geweißt war, mit einem
grünen Dach, auf welchem weiße Tauben saßen und aus dessen Schornstein ein Amörchen[53] guckte als Kaminfeger;[54] an den offenen Fenstern
umarmten sich pausbäckige Leutchen mit winzig kleinen roten Mündchen,
5 die sich recht eigentlich küßten, da der flüchtige praktische Maler mit
einem Kleckschen[55] gleich zwei Mündchen gemacht, die so ineinander
verflossen. Schwarze Pünktchen stellten muntere Äuglein vor. Auf der
rosenroten Haustür aber waren diese Verse zu lesen:

Tritt in mein Haus, o Liebste!
10 Doch sei dir unverhehlt:[56]
Drin wird allein nach Küssen
Gerechnet und gezählt.

Die Liebste sprach: ,,O Liebster,
Mich schrecket nichts zurück![57]
15 Hab' alles wohl erwogen:
In dir nur lebt mein Glück!

,,Und wenn ich's recht bedenke,
Kam ich deswegen auch!"
Nun denn, spazier' mit Segen
20 Herein und üb' den Brauch![58]

Ein Herr in einem blauen Frack und eine Dame mit einem sehr hohen
Busen komplimentierten sich[59] diesen Versen gemäß[60] in das Haus hinein,
links und rechts an die Mauer gemalt. Vrenchen schenkte Sali dagegen ein
Herz, auf dessen einer Seite ein Zettelchen klebte mit den Worten:

25 Ein süßer Mandelkern steckt in dem Herze hier,
Doch süßer als der Mandelkern ist meine Lieb' zu dir!

Und auf der andern Seite:

Wenn du dies Herz gegessen, vergiß dies Sprüchlein nicht!
Viel eh'r als meine Liebe mein braunes Auge bricht!

52 gingerbread

53 cupid
54 chimney-sweep

55 daub

56 no secret

57 frighten . . . away

58 do as custom wills

59 bowed one another
60 in accordance with

Sie lasen eifrig die Sprüche, und nie ist etwas Gereimtes und Bedrucktes schöner befunden und tiefer empfunden worden als diese Pfefferkuchensprüche;[61] sie hielten, was sie lasen, in besonderer Absicht auf sich gemacht, so gut schien es ihnen zu passen. „Ach", seufzte Vrenchen, „du schenkst mir ein Haus! Ich habe dir auch eines und erst das wahre geschenkt; denn unser Herz ist jetzt unser Haus, darin wir wohnen, und wir tragen so unsere Wohnung mit uns, wie die Schnecken! Andere haben wir nicht!" — „Dann sind wir aber zwei Schnecken, von denen jede das Häuschen der andern trägt!" sagte Sali, und Vrenchen erwiderte: „Desto weniger dürfen wir voneinander gehen, damit jedes seiner Wohnung nah bleibt!" Doch wußten sie nicht, daß sie in ihren Reden eben solche Witze machten, als auf den vielfach geformten Lebkuchen zu lesen waren, und fuhren fort, diese süße einfache Liebesliteratur zu studieren, die da ausgebreitet lag und besonders auf vielfach verzierte kleine und große Herzen geklebt war. Alles dünkte sie schön und einzig zutreffend; als Vrenchen auf einem vergoldeten Herzen, das wie eine Lyra[62] mit Saiten bespannt war, las: Mein Herz ist wie ein Zitherspiel,[63] rührt man es viel, so tönt es viel! ward ihm so musikalisch zumut, daß es glaubte, sein eigenes Herz klingen zu hören. Ein Napoleonsbild war da, welches aber auch der Träger eines verliebten Spruches sein mußte, denn es stand darunter geschrieben: Groß war der Held Napoleon, sein Schwert von Stahl, sein Herz von Ton,[64] meine Liebe trägt ein Röslein frei, doch ist ihr Herz wie Stahl so treu! — Während sie aber beiderseitig in das Lesen vertieft schienen, nahm jedes die Gelegenheit wahr, einen heimlichen Einkauf zu machen. Sali kaufte für Vrenchen ein vergoldetes Ringelchen[65] mit einem grünen Glassteinchen, und Vrenchen einen Ring von schwarzem Gemshorn,[66] auf welchem ein goldenes Vergißmeinnicht[67] eingelegt war. Wahrscheinlich hatten sie die gleichen Gedanken, sich diese armen Zeichen bei der Trennung zu geben.

Während sie in diese Dinge sich versenkten, waren sie so vergessen, daß sie nicht bemerkten, wie nach und nach ein weiter Ring sich um sie gebildet hatte von Leuten, die sie aufmerksam und neugierig betrachteten. Denn da viele junge Bursche und Mädchen aus ihrem Dorfe hier waren, so waren sie erkannt worden, und alles stand jetzt in einiger Entfernung um sie herum und sah mit Verwunderung auf das wohlgeputzte[68] Paar, welches in andächtiger Innigkeit die Welt um sich her zu vergessen schien. „Ei seht!" hieß es, „das ist ja wahrhaftig das Vrenchen Marti und der

Marginal notes:

[61] *gingerbread mottos*

[62] *lyre*
[63] *zither*

[64] *clay*

[65] *(dimin. of* Ring*)*
[66] *chamois horn*
[67] *forget-me-not*

[68] *neatly dressed*

Note and interpret these features of Sali and Vrenchen's walk; church and church fair; the nature of their gifts; the level of artistry and sentiment involved (and the effect of this); the author's point of view and judgment, especially in the remark *Doch wußten sie nicht . . .* and

Sali aus der Stadt! Die haben sich ja säuberlich gefunden und verbunden!
Und welche Zärtlichkeit und Freundschaft, seht doch, seht! Wo die wohl
hinaus wollen?"[69] Die Verwunderung dieser Zuschauer war ganz seltsam
gemischt aus Mitleid mit dem Unglück, aus Verachtung der Verkommen-
5 heit und Schlechtigkeit[70] der Eltern und aus Neid gegen das Glück und
die Einigkeit[71] des Paares, welches auf eine ganz ungewöhnliche und fast
vornehme Weise verliebt und aufgeregt war und in dieser rückhaltlosen
Hingebung und Selbstvergessenheit dem rohen Völkchen ebenso fremd
erschien, wie in seiner Verlassenheit und Armut. Als sie daher endlich
10 aufwachten und um sich sahen, erschauten sie nichts als gaffende Gesichter
von allen Seiten; niemand grüßte sie, und sie wußten nicht, sollten sie
jemand grüßen; und diese Verfremdung[72] und Unfreundlichkeit war von
beiden Seiten mehr Verlegenheit als Absicht. Es wurde Vrenchen bang
und heiß, es wurde bleich und rot; Sali nahm es aber bei der Hand und
15 führte das arme Wesen hinweg, das ihm mit seinem Haus in der Hand
willig folgte, obgleich die Trompeten im Wirtshause lustig schmetterten
und Vrenchen so gern tanzen wollte. „Hier können wir nicht tanzen!"
sagte Sali, als sie sich etwas entfernt hatten, „wir würden hier wenig
Freude haben, wie es scheint!" — „Jedenfalls", sagte Vrenchen traurig,
20 „es wird auch am besten sein, wir lassen es ganz bleiben, und ich sehe,
wo ich ein Unterkommen finde!" — „Nein", rief Sali, „du sollst einmal
tanzen, ich habe dir darum Schuhe gebracht. Wir wollen gehen, wo das
arme Volk sich lustig macht, zu dem wir jetzt auch gehören, da werden
sie uns nicht verachten; im Paradiesgärtchen wird jedesmal auch getanzt,
25 wenn hier Kirchweih ist, da es in die Kirchgemeinde[73] gehört; und dorthin wollen wir gehen, dort kannst du zur Not auch übernachten." Vrenchen schauerte zusammen bei dem Gedanken, nun zum erstenmal an
einem unbekannten Ort zu schlafen; doch folgte es willenlos seinem Führer, der jetzt alles war, was es in der Welt hatte. Das Paradiesgärtlein
30 war ein schöngelegenes Wirtshaus an einer einsamen Berghalde,[74] das
weit über das Land wegsah, in welchem aber an solchen Vergnügungs-
tagen[75] nur das ärmere Volk, die Kinder der ganz kleinen Bauern und
Tagelöhner und sogar mancherlei fahrendes Gesinde[76] verkehrte. Vor
hundert Jahren war es als ein kleines Landhaus von einem reichen Sonder-
35 ling gebaut worden, nach welchem niemand mehr da wohnen mochte; und
da der Platz sonst zu nichts zu gebrauchen war, so geriet der wunderliche
Landsitz[77] in Verfall und zuletzt in die Hände eines Wirtes, der da sein

[69] *where do you suppose they're headed*

[70] *depravity*

[71] *unity*

[72] *alienation*

[73] *parish*

[74] *mountain slope*

[75] *holidays*

[76] *vagrants*

[77] *country seat*

---

in the next paragraph *wahrscheinlich hatten sie die gleichen Gedanken*; the encounter with
people who know them; the importance of dancing.

Wesen trieb. Der Name und die demselben entsprechende Bauart waren aber dem Hause geblieben. Es bestand nur aus einem Erdgeschoß, über welchem ein offener Estrich gebaut war, dessen Dach an den vier Ecken von Bildern aus Sandstein getragen wurde, so die vier Erzengel vorstellten und gänzlich verwittert waren. Auf dem Gesimse des Daches saßen 5 ringsherum kleine musizierende Engel mit dicken Köpfen und Bäuchen, den Triangel, die Geige, die Flöte,[78] Zimbel und Tamburin spielend, ebenfalls aus Sandstein, und die Instrumente waren ursprünglich vergoldet gewesen. Die Decke inwendig[79] sowie die Brustwehr[80] des Estrichs und das übrige Gemäuer des Hauses waren mit verwaschenen Fresko- 10 malereien[81] bedeckt, welche lustige Engelscharen sowie singende und tanzende Heilige darstellten. Aber alles war verwischt und undeutlich wie ein Traum und überdies reichlich mit Weinreben übersponnen,[82] und blaue reifende Trauben hingen überall in dem Laube. Um das Haus herum standen verwilderte Kastanienbäume, und knorrige[83] starke Rosenbüsche, 15 auf eigene Hand fortlebend, wuchsen da und dort so wild herum, wie anderswo die Holunderbäume. Der Estrich diente zum Tanzsaal; als Sali mit Vrenchen daherkam, sahen sie schon von weitem die Paare unter dem offenen Dache sich drehen, und rund um das Haus zechten[84] und lärmten eine Menge lustiger Gäste. Vrenchen, welches andächtig und 20 wehmütig sein Liebeshaus[85] trug, glich einer heiligen Kirchenpatronin[86] auf alten Bildern, welche das Modell eines Domes oder Klosters auf der Hand hält, so sie gestiftet; aber aus der frommen Stiftung, die ihr im Sinne lag, konnte nichts werden. Als es aber die wilde Musik hörte, welche vom Estrich ertönte, vergaß es sein Leid und verlangte endlich nichts, als 25 mit Sali zu tanzen. Sie drängten sich durch die Gäste, die vor dem Hause saßen und in der Stube, verlumpte Leute aus Seldwyla, die eine billige Landpartie[87] machten, armes Volk von allen Enden, und stiegen die Treppe hinauf, und sogleich drehten sie sich im Walzer herum, keinen Blick voneinander abwendend. Erst als der Walzer zu Ende, sahen sie sich um; 30 Vrenchen hatte sein Haus zerdrückt und zerbrochen und wollte eben betrübt darüber werden, als es noch mehr erschrak über den schwarzen Geiger, in dessen Nähe sie standen. Er saß auf einer Bank, die auf einem Tische stand, und sah so schwarz aus wie gewöhnlich; nur hatte er heute einen grünen Tannenbusch[88] auf sein Hütchen gesteckt; zu seinen Füßen 35 hatte er eine Flasche Rotwein und ein Glas stehen, welche er nie umstieß,[89] obgleich er fortwährend mit den Beinen strampelte,[90] wenn er geigte, und

Margin notes:
[78] *flute*
[79] *on the inside*
[80] *balustrade*
[81] *fresco paintings*
[82] *overgrown with grapevines*
[83] *gnarled*
[84] *caroused*
[85] *(candy) love-house*
[86] *patroness of the church*
[87] *excursion*
[88] *fir sprig*
[89] *knocked over*
[90] *stamped*

The *Paradiesgärtlein*: is it another idyllic interlude? Why are they there and not elsewhere? What is the "sociological variable" involved? What is the meaning of its origin? What of the *vier Erzengel,* who are *gänzlich verwittert?* Music again! Why *undeutlich wie ein Traum,* the *Weinreben,* and *verwildert?*

The people are drastically different, the candy house is crushed, the Black Fiddler appears. Again both in reality and symbol, the situation tells the reader and Sali and Vrenchen one thing about their future. Explain.

so eine Art von Eiertanz[91] damit vollbrachte. Neben ihm saß noch ein
schöner, aber trauriger junger Mensch mit einem Waldhorn, und ein
Buckliger stand an einer Baßgeige. Sali erschrak auch, als er den Geiger
erblickte; dieser grüßte sie aber auf das freundlichste und rief: „Ich
5 habe doch gewußt, daß ich euch noch einmal aufspielen werde! So macht
euch nur recht lustig, ihr Schätzchen, und tut mir Bescheid!" Er bot
Sali das volle Glas, und Sali trank und tat ihm Bescheid. Als der Geiger
sah, wie erschrocken Vrenchen war, suchte er ihm freundlich zuzureden
und machte einige fast anmutige Scherze, die es zum Lachen brachten. Es
10 ermunterte sich wieder, und nun waren sie froh, hier einen Bekannten zu
haben und gewissermaßen unter dem besonderen Schutze des Geigers zu
stehen. Sie tanzten nun ohne Unterlaß,[92] sich und die Welt vergessend in
dem Drehen, Singen und Lärmen, welches in und außer dem Hause rumorte und vom Berge weit in die Gegend hinausschallte, welche sich
15 allmählich in den silbernen Duft des Herbstabends hüllte. Sie tanzten, bis
es dunkelte und der größere Teil der lustigen Gäste sich schwankend und
johlend nach allen Seiten entfernte. Was noch zurückblieb, war das
eigentliche Hudelvölkchen, welches nirgends zu Hause war und sich zum
guten Tag auch noch eine gute Nacht machen wollte. Unter diesen waren
20 einige, welche mit dem Geiger gut bekannt schienen und fremdartig
aussahen in ihrer zusammengewürfelten[93] Tracht. Besonders ein junger
Bursche fiel auf, der eine grüne Manchesterjacke[94] trug und einen zer-
knitterten[95] Strohhut, um den er einen Kranz von Ebereschen oder Vogel-
beerbüscheln[96] gebunden hatte. Dieser führte eine wilde Person mit sich,
25 die einen Rock von kirschrotem, weiß getüpfeltem Kattun[97] trug und sich
einen Reifen von Rebenschossen[98] um den Kopf gebunden, so daß an jeder
Schläfe eine blaue Traube hing. Dies Paar war das ausgelassenste von
allen, tanzte und sang unermüdlich und war in allen Ecken zugleich. Dann
war noch ein schlankes hübsches Mädchen da, welches ein schwarzseidenes
30 abgeschossenes[99] Kleid trug und ein weißes Tuch um den Kopf, daß der
Zipfel über den Rücken fiel. Das Tuch zeigte rote, eingewobene Streifen,
und war eine gute leinene Handzwehle[1] oder Serviette. Darunter leuchteten
aber ein Paar veilchenblaue Augen hervor. Um den Hals und auf der Brust
hing eine sechsfache Kette von Vogelbeeren[2] auf einen Faden gezogen und
35 ersetzte die schönste Korallenschnur. Diese Gestalt tanzte fortwährend
allein mit sich selbst und verweigerte hartnäckig mit einem der Gesellen zu
tanzen. Nichtsdestominder bewegte sie sich anmutig und leicht herum und

[91] *egg dance (between two rows of eggs, blindfolded)*

[92] *without interruption*

[93] *motley*
[94] *corduroy jacket*
[95] *crumpled*
[96] *mountain ash or laurel sprigs*
[97] *cherry red tufted calico*
[98] *grape sprigs*

[99] *worn and faded*

[1] *towel*

[2] *mountain-ash berries*

The same direction, once taken, characterizes the situation as the hour advances. Keys: their
closeness to the fiddler, the *Hudelvölkchen*, the girl with the vine sprigs in her hair, the girl
with the necklace. What sort of life is here represented—and offered to Sali and Vrenchen?
Do we know in advance their reaction?

lächelte jedesmal, wenn sie sich an dem traurigen Waldhornbläser vorüberdrehte, wozu dieser immer den Kopf abwandte. Noch einige andere vergnügte Frauensleute waren da mit ihren Beschützern,[3] alle von dürftigem Aussehen, aber sie waren um so lustiger und in bester Eintracht[4] untereinander. Als es gänzlich dunkel war, wollte der Wirt keine Lichter anzünden, da er behauptete, der Wind lösche sie aus, auch ginge der Vollmond sogleich auf und für das, was ihm diese Herrschaften einbrächten, sei das Mondlicht gut genug. Diese Eröffnung wurde mit großem Wohlgefallen aufgenommen; die ganze Gesellschaft stellte sich an die Brüstung des luftigen[5] Saales und sah dem Aufgange des Gestirnes entgegen, dessen Röte schon am Horizonte stand; und sobald der Mond aufging und sein Licht quer durch den Estrich des Paradiesgärtels warf, tanzten sie im Mondschein weiter, und zwar so still, artig und seelenvergnügt, als ob sie im Glanze von hundert Wachskerzen tanzten. Das seltsame Licht machte alle vertrauter und so konnten Sali und Vrenchen nicht umhin, sich unter die gemeinsame Lustbarkeit zu mischen und auch mit andern zu tanzen. Aber jedesmal, wenn sie ein Weilchen getrennt gewesen, flogen sie zusammen und feierten ein Wiedersehen,[6] als ob sie sich jahrelang gesucht und endlich gefunden. Sali machte ein trauriges und unmutiges Gesicht, wenn er mit einer andern tanzte, und drehte fortwährend das Gesicht nach Vrenchen hin, welches ihn nicht ansah, wenn es vorüberschwebte, glühte wie eine Purpurrose und überglücklich[7] schien, mit wem es auch tanzte. „Bist du eifersüchtig, Sali?" fragte es ihn, als die Musikanten müde waren und aufhörten. „Gott bewahre!" sagte er, „ich wüßte nicht, wie ich es anfangen sollte!" — „Warum bist du denn so bös, wenn ich mit andern tanze?" — „Ich bin nicht darüber bös, sondern weil ich mit andern tanzen muß! Ich kann kein anderes Mädchen ausstehen, es ist mir, als wenn ich ein Stück Holz im Arm habe, wenn du es nicht bist! Und du? wie geht es dir?" — „O, ich bin immer wie im Himmel, wenn ich nur tanze und weiß, daß du zugegen bist! Aber ich glaube, ich würde sogleich tot umfallen, wenn du weggingest und mich daließest!" Sie waren hinabgegangen und standen vor dem Hause; Vrenchen umschloß[8] ihn mit beiden Armen, schmiegte seinen schlanken zitternden Leib an ihn, drückte seine glühende Wange, die von heißen Tränen feucht war, an sein Gesicht und sagte schluchzend: „Wir können nicht zusammen sein und doch kann ich nicht von dir lassen, nicht einen Augenblick mehr, nicht eine Minute!" Sali umarmte und drückte das Mädchen heftig an sich und

3 *protectors*

4 *harmony*

5 *airy*

6 *reunion*

7 *overjoyed*

8 *embraced*

The refusal of the tavern owner to light any candles is natural enough, but it also indicates the nature of the world into which the story is moving.

Vrenchen expresses their dilemma, omitting only the possibility of resolution (*Wir können nicht zusammen sein und doch . . .*). Explain.

bedeckte es mit Küssen. Seine verwirrten Gedanken rangen nach einem Ausweg, aber er sah keinen. Wenn auch das Elend und die Hoffnungslosigkeit seiner Herkunft zu überwinden gewesen wäre, so war seine Jugend und unerfahrene Leidenschaft nicht beschaffen, sich eine lange Zeit der Prüfung und Entsagung vorzunehmen und zu überstehen, und dann wäre erst noch Vrenchens Vater dagewesen, welchen er zeitlebens elend gemacht. Das Gefühl, in der bürgerlichen Welt nur in einer ganz ehrlichen und gewissenfreien[9] Ehe glücklich sein zu können, war in ihm ebenso lebendig wie in Vrenchen, und in beiden verlassenen Wesen war es die letzte Flamme der Ehre, die in früheren Zeiten in ihren Häusern geglüht hatte und welche die sich sicher fühlenden Väter durch einen unscheinbaren Mißgriff[10] ausgeblasen[11] und zerstört hatten, als sie, eben diese Ehre zu äufnen[12] während durch Vermehrung ihres Eigentums, so gedankenlos sich das Gut eines Verschollenen[13] aneigneten,[14] ganz gefahrlos, wie sie meinten. Das geschieht nun freilich alle Tage, aber zuweilen stellt das Schicksal ein Exempel auf und läßt zwei solche Äufner ihrer Hausehre[15] und ihres Gutes zusammentreffen, die sich dann unfehlbar aufreiben und auffressen wie zwei wilde Tiere. Denn die Mehrer des Reiches[16] verrechnen sich[17] nicht nur auf den Thronen, sondern zuweilen auch in den niedersten Hütten und langen ganz am entgegengesetzten Ende an, als wohin sie zu kommen trachteten, und der Schild[18] der Ehre ist im Umsehen[19] eine Tafel der Schande. Sali und Vrenchen hatten aber noch die Ehre ihres Hauses gesehen in zarten Kinderjahren[20] und erinnerten sich, wie wohlgepflegte[21] Kinderchen sie gewesen und daß ihre Väter ausgesehen wie andere Männer, geachtet und sicher. Dann waren sie auf lange getrennt worden, und als sie sich wiederfanden, sahen sie in sich zugleich das verschwundene Glück des Hauses, und beider Neigung klammerte sich nur um so heftiger ineinander. Sie mochten so gern fröhlich und glücklich sein, aber nur auf einem guten Grund und Boden, und dieser schien ihnen unerreichbar, während ihr wallendes Blut am liebsten gleich zusammengeströmt wäre. „Nun ist es Nacht", rief Vrenchen, „und wir sollen uns trennen?" — „Ich soll nach Hause gehen und dich allein lassen?" rief Sali, „nein, das kann ich nicht!" — „Dann wird es Tag werden und nicht besser um uns stehen!"

„Ich will euch einen Rat geben, ihr närrischen Dinger!" tönte eine schrille Stimme hinter ihnen und der Geiger trat vor sie hin. „Da steht ihr", sagte er, „wißt nicht wo hinaus[22] und hättet euch gern. Ich rate euch, nehmt euch, wie ihr seid, und säumet nicht. Kommt mit mir und

[9] *conscience-free*

[10] *blunder*
[11] *extinguished*
[12] *aggrandize (v.i. Äufner)*
[13] *missing person*
[14] *appropriated*

[15] *domestic honor*

[16] *Empire Builders*
[17] *miscalculate*

[18] *shield*
[19] *becomes in a trice*

[20] *childhood*
[21] *well cared for*

[22] *don't know which way to turn*

The enormous importance, to both, of conventional and traditional mores, and the equal weight of *Ehre* require special attention. Without these restraints, what possibility is obvious? The conflict between love and this particular concept of honor, carefully explained by Keller, in effect seals the dilemma of Sali and Vrenchen. How is it "resolved"?

meinen guten Freunden in die Berge, da brauchet ihr keinen Pfarrer, kein Geld, keine Schriften, keine Ehre, kein Bett, nichts als eueren guten Willen! Es ist gar nicht so übel bei uns, gesunde Luft und genug zu essen, wenn man tätig ist; die grünen Wälder sind unser Haus, wo wir uns liebhaben, wie es uns gefällt, und im Winter machen wir uns die wärmsten Schlupf- [5] winkel oder kriechen den Bauern ins warme Heu. Also kurz entschlossen, haltet gleich hier Hochzeit und kommt mit uns, dann seid ihr aller Sorgen los und habt euch für immer und ewiglich, solang es euch gefällt wenigstens; denn alt werdet ihr bei unserem freien Leben, das könnt ihr glauben! Denkt nicht etwa, daß ich euch nachtragen[23] will, was eure Alten an mir [10] getan! Nein! es macht mir zwar Vergnügen, euch da angekommen zu sehen, wo ihr seid; allein damit bin ich zufrieden und werde euch behilflich und dienstfertig sein, wenn ihr mir folgt.'' Er sagte das wirklich in einem aufrichtigen und gemütlichen[24] Tone. ,,Nun besinnt euch ein bißchen, aber folgt mir, wenn ich euch gut zum Rat bin!''[25] Laßt fahren die Welt [15] und nehmet euch und fraget niemandem was nach! Denkt an das lustige Hochzeitbett im tiefen Wald oder auf einem Heustock,[26] wenn es euch zu kalt ist!'' Damit ging er ins Haus. Vrenchen zitterte in Salis Armen und dieser sagte: ,,Was meinst du dazu? Mich dünkt, es wäre nicht übel, die ganze Welt in den Wind zu schlagen und uns dafür zu lieben ohne Hinder- [20] nis und Schranken!''[27] Er sagte es aber mehr als einen verzweifelten Scherz, denn im Ernst. Vrenchen aber erwiderte ganz treuherzig und küßte ihn: ,,Nein, dahin möchte ich nicht gehen, denn da geht es auch nicht nach meinem Sinne zu. Der junge Mensch mit dem Waldhorn und das Mädchen mit dem seidenen Rocke gehören auch so zueinander und sollen sehr [25] verliebt gewesen sein. Nun sei letzte Woche die Person ihm zum erstenmal untreu geworden, was ihm nicht in den Kopf wolle, und deshalb sei er so traurig und schmolle mit ihr und mit den andern, die ihn auslachen. Sie aber tut eine mutwillige Buße, indem sie allein tanzt und mit niemandem spricht, und lacht ihn auch nur aus damit. Dem armen Musikanten sieht [30] man es jedoch an, daß er sich noch heute mit ihr versöhnen wird. Wo es aber so hergeht, möchte ich nicht sein, denn nie möcht' ich dir untreu werden, wenn ich auch sonst noch alles ertragen würde, um dich zu besitzen!'' Indessen aber fieberte das arme Vrenchen immer heftiger an Salis Brust; denn schon seit dem Mittag, wo jene Wirtin es für eine Braut gehalten [35] und es eine solche ohne Widerrede[28] vorgestellt, lohte[29] ihm das Brautwesen[30] im Blute, und je hoffnungsloser es war, um so wilder und un-

[23] *hold against*

[24] *pleasant*
[25] *if you like my advice*

[26] *haystack*

[27] *barriers*

[28] *contradiction*
[29] *burned*
[30] *idea of marriage*

The indecision of Sali and Vrenchen is countered by a "solution" offered by the fiddler. Has it been implied before? Is it acceptable?

bezwinglicher. Dem Sali erging es ebenso schlimm, da die Reden des Geigers, so wenig er ihnen folgen mochte, dennoch seinen Kopf verwirrten, und er sagte mit ratlos stockender Stimme: „Komm herein, wir müssen wenigstens noch was essen und trinken." Sie gingen in die Gaststube, wo
5 niemand mehr war, als die kleine Gesellschaft der Heimatlosen, welche bereits um einen Tisch saß und eine spärliche Mahlzeit hielt. „Da kommt unser Hochzeitspaar!" rief der Geiger, „jetzt seid lustig und fröhlich und laßt euch zusammengeben!" Sie wurden an den Tisch genötigt und flüchteten sich[31] vor sich selbst an denselben hin; sie waren froh, nur für den
10 Augenblick unter Leuten zu sein. Sali bestellte Wein und reichlichere Speisen, und es begann eine große Fröhlichkeit. Der Schmollende hatte sich mit der Untreuen versöhnt und das Paar liebkoste sich in begieriger Seligkeit; das andere wilde Paar sang und trank und ließ es ebenfalls nicht an Liebesbezeigungen[32] fehlen, und der Geiger nebst dem buckligen
15 Baßgeiger lärmten ins Blaue hinein. Sali und Vrenchen waren still und hielten sich umschlungen; auf einmal gebot der Geiger Stille und führte eine spaßhafte Zeremonie auf, welche eine Trauung vorstellen sollte. Sie mußten sich die Hände geben und die Gesellschaft stand auf und trat der Reihe nach zu ihnen, um sie zu beglückwünschen[33] und in ihrer Ver-
20 brüderung[34] willkommen zu heißen. Sie ließen es geschehen, ohne ein Wort zu sagen, und betrachteten es als einen Spaß, während es sie doch kalt und heiß durchschauderte.[35]

Die kleine Versammlung wurde jetzt immer lauter und aufgeregter, angefeuert[36] durch den stärkeren Wein, bis plötzlich der Geiger zum
25 Aufbruch mahnte. „Wir haben weit", rief er, „und Mitternacht ist vorüber! Auf! wir wollen dem Brautpaar das Geleit[37] geben und ich will vorausgeigen, daß es eine Art hat!"[38] Da die ratlosen Verlassenen nichts Besseres wußten und überhaupt ganz verwirrt waren, ließen sie abermals geschehen, daß man sie voranstellte und die übrigen zwei Paare einen Zug
30 hinter ihnen formierten, welchen der Bucklige abschloß mit seiner Baßgeige über der Schulter. Der Schwarze zog voraus und spielte auf seiner Geige wie besessen den Berg hinunter, und die andern lachten, sangen und sprangen hintendrein.[39] So strich der tolle nächtliche Zug durch die stillen Felder und durch das Heimatdorf Salis und Vrenchens, dessen Bewohner
35 längst schliefen.

Als sie durch die stillen Gassen kamen und an ihren verlorenen Vaterhäusern vorüber, ergriff sie eine schmerzhafte wilde Laune, und sie tanzten

[31] *fled*

[32] *signs of affection*

[33] *congratulate*

[34] *brotherhood*

[35] *hot and cold shivers went through them*

[36] *inflamed*

[37] *escort*

[38] *so that there's some real style to it*

[39] *along behind them*

Vrenchen draws the lesson implicit in the fate of the French hornist and his girl. Why is it so important to her?

What is the import of the sensual atmosphere?

mit den andern um die Wette hinter dem Geiger her, küßten sich, lachten und weinten. Sie tanzten auch den Hügel hinauf, über welchen der Geiger sie führte, wo die drei Äcker lagen, und oben strich der schwärzliche Kerl die Geige noch einmal so wild, sprang und hüpfte wie ein Gespenst, und seine Gefährten blieben nicht zurück in der Ausgelassenheit, so daß es ein [5] wahrer Blocksberg[40] war auf der stillen Höhe; selbst der Bucklige sprang keuchend mit seiner Last herum, und keines schien mehr das andere zu sehen. Sali faßte Vrenchen fester in den Arm und zwang es stillzustehen; denn er war zuerst zu sich gekommen. Er küßte es, damit es schweige, heftig auf den Mund, da es sich ganz vergessen hatte und laut sang. Es ver- [10] stand ihn endlich und sie standen still und lauschend, bis ihr tobendes Hochzeitgeleite[41] das Feld entlang gerast war und, ohne sie zu vermissen, am Ufer des Stromes hinauf sich verzog. Die Geige, das Gelächter der Mädchen und die Jauchzer[42] der Bursche tönten aber noch eine gute Zeit durch die Nacht, bis zuletzt alles verklang[43] und still wurde. [15]

„Diesen sind wir entflohen", sagte Sali, „aber wie entfliehen wir uns selbst? Wie meiden wir uns?"[44]

Vrenchen war nicht imstande zu antworten und lag hochaufatmend an seinem Halse. „Soll ich dich nicht lieber ins Dorf zurückbringen und Leute wecken, daß sie dich aufnehmen? Morgen kannst du ja dann deines [20] Weges ziehen und gewiß wird es dir wohl gehen, du kommst überall fort!"

„Fortkommen, ohne dich!"

„Du mußt mich vergessen!"

„Das werde ich nie! Könntest denn du es tun?" [25]

„Darauf kommt's nicht an, mein Herz!" sagte Sali und streichelte ihm die heißen Wangen, je nachdem es sie leidenschaftlich an seiner Brust herumwarf, „es handelt sich jetzt nur um dich; du bist noch so ganz jung und es kann dir noch auf allen Wegen gut gehen!"

„Und dir nicht auch, du alter Mann?" [30]

„Komm!" sagte Sali und zog es fort. Aber sie gingen nur einige Schritte und standen wieder still, um sich bequemer zu umschlingen und zu herzen. Die Stille der Welt sang und musizierte ihnen durch die Seelen, man hörte nur den Fluß unten sacht und lieblich rauschen im langsamen Ziehen.

„Wie schön ist es da ringsherum! Hörst du nicht etwas tönen, wie ein [35] schöner Gesang oder ein Geläute?"

„Es ist das Wasser, das rauscht! Sonst ist alles still."

---

[40] *Witches' Sabbath*

[41] *wedding procession*

[42] *shouts*

[43] *died away*

[44] *keep away from one another*

The mock wedding ceremony causes a mixed reaction in Sali and Vrenchen. Explain.
What does it really mean when Sali and Vrenchen set out to follow the wild procession?
What is the effect of the allusion to the *Blocksberg*?
Sali restrains Vrenchen. The procession disappears. What has he, in effect, done? What now is the meaning (if any) of the mock wedding?

„Nein, es ist noch etwas anderes hier, dort hinaus, überall tönt's!"

„Ich glaube, wir hören unser eigenes Blut in unsern Ohren rauschen!"

Sie horchten ein Weilchen auf diese eingebildeten oder wirklichen Töne, welche von der großen Stille herrührten[45] oder welche sie mit den

5 magischen Wirkungen des Mondlichtes verwechselten,[46] welches nah und fern über die weißen Herbstnebel wallte, welche tief auf den Gründen lagen. Plötzlich fiel Vrenchen etwas ein; es suchte in seinem Brustgewand[47] und sagte: „Ich habe dir noch ein Andenken gekauft, das ich dir geben wollte!" Und es gab ihm den einfachen Ring und steckte ihm denselben selbst an

10 den Finger. Sali nahm sein Ringlein auch hervor und steckte ihn an Vrenchens Hand, indem er sagte: „So haben wir die gleichen Gedanken gehabt!" Vrenchen hielt seine Hand in das bleiche Silberlicht und betrachtete den Ring. „Ei, wie ein feiner Ring!" sagte es lachend; „nun sind wir aber doch verlobt und versprochen, du bist mein Mann und ich deine Frau,

15 wir wollen es einmal einen Augenblick lang denken, nur bis jener Nebelstreif am Mond vorüber ist oder bis wir zwölf gezählt haben! Küsse mich zwölfmal!"

Sali liebte gewiß ebenso stark als Vrenchen, aber die Heiratsfrage war in ihm doch nicht so leidenschaftlich lebendig als ein bestimmtes Entweder-

20 Oder, als ein unmittelbares Sein oder Nichtsein,[48] wie in Vrenchen, welches nur das eine zu fühlen fähig war und mit leidenschaftlicher Entschiedenheit unmittelbar Tod oder Leben darin sah. Aber jetzt ging ihm endlich ein Licht auf, und das weibliche Gefühl des jungen Mädchens ward in ihm auf der Stelle zu einem wilden und heißen Verlangen und eine glühende

25 Klarheit erhellte ihm die Sinne. So heftig er Vrenchen schon umarmt und liebkost hatte, tat er es jetzt doch ganz anders und stürmischer und übersäete[49] es mit Küssen. Vrenchen fühlte trotz aller eigenen Leidenschaft auf der Stelle diesen Wechsel, und ein heftiges Zittern durchfuhr sein ganzes Wesen, aber ehe jener Nebelstreif am Monde vorüber war, war es

30 auch davon ergriffen. Im heftigen Schmeicheln und Ringen begegneten sich ihre ringgeschmückten Hände und faßten sich fest, wie von selbst eine Trauung vollziehend, ohne den Befehl eines Willens. Salis Herz klopfte bald wie mit Hämmern, bald stand es still, er atmete schwer und sagte leise: „Es gibt eines für uns, Vrenchen, wir halten Hochzeit zu dieser Stunde

35 und gehen dann aus der Welt — dort ist das tiefe Wasser — dort scheidet uns niemand mehr und wir sind zusammen gewesen — ob kurz oder lang, das kann uns dann gleich sein." —

What comes of Sali and Vrenchen's attempt to discover a way out for one another?

Music and the water figure prominently. What is the symbolic force?

Why the exchange of rings? Were they not already married (by the fiddler)?

When Sali comprehends what their situation means to Vrenchen, he is the one to make the final and tragic decision. Vrenchen agrees. What is his logic, expressed and implied?

Marginal glosses:

[45] *came from*
[46] *confused*
[47] *bodice*
[48] *immediate question of to be or not to be*
[49] *covered*

Vrenchen sagte sogleich: ,,Sali — was du da sagst, habe ich schon lang
bei mir gedacht und ausgemacht, nämlich daß wir sterben könnten und
dann alles vorbei wäre — so schwör mir es, daß du es mit mir tun willst!"

,,Es ist schon so gut wie getan, es nimmt dich niemand mehr aus meiner
Hand, als der Tod!" rief Sali außer sich. Vrenchen aber atmete hoch auf, 5
Tränen der Freude entströmten seinen Augen; es raffte sich auf und sprang
leicht wie ein Vogel über das Feld gegen den Fluß hinunter. Sali eilte
ihm nach; denn er glaubte, es wolle ihm entfliehen, und Vrenchen glaubte,
er wolle es zurückhalten, so sprangen sie einander nach und Vrenchen
lachte wie ein Kind, welches sich nicht will fangen lassen. ,,Bereust du es 10
schon?" rief eines zum andern, als sie am Flusse angekommen waren und
sich ergriffen; ,,nein! es freut mich immer mehr!" erwiderte ein jedes.
Aller Sorgen ledig gingen sie am Ufer hinunter und überholten die eilenden
Wasser, so hastig suchten sie eine Stätte, um sich niederzulassen; denn ihre
Leidenschaft sah jetzt nur den Rausch der Seligkeit, der in ihrer Vereini- 15
gung lag, und der ganze Wert und Inhalt des übrigen Lebens drängte
sich in diesem zusammen; was danach kam, Tod und Untergang, war
ihnen ein Hauch, ein Nichts, und sie dachten weniger daran, als ein
Leichtsinniger denkt, wie er den andern Tag leben will, wenn er seine
letzte Habe verzehrt. 20

,,Meine Blumen gehen mir voraus", rief Vrenchen, ,,sieh, sie sind ganz
dahin und verwelkt!" Es nahm sie von der Brust, warf sie ins Wasser und
sang laut dazu: ,,Doch süßer als ein Mandelkern ist meine Lieb' zu dir!"

,,Halt!" rief Sali, ,,hier ist dein Brautbett!"[50]

Sie waren an einen Fahrweg gekommen, der vom Dorfe her an den Fluß 25
führte, und hier war eine Landungsstelle,[51] wo ein großes Schiff, hoch mit
Heu beladen,[52] angebunden lag. In wilder Laune begann er unverweilt die
starken Seile loszubinden, Vrenchen fiel ihm lachend in den Arm und rief:
,,Was willst du tun? Wollen wir den Bauern ihr Heuschiff stehlen zu guter
Letzt?" — ,,Das soll die Aussteuer sein, die sie uns geben, eine schwim- 30
mende Bettstelle und ein Bett, wie noch keine Braut gehabt! Sie werden
überdies ihr Eigentum unten wieder finden, wo es ja doch hin soll, und
werden nicht wissen, was damit geschehen ist. Sieh, schon schwankt es und
will hinaus!"

Das Schiff lag einige Schritte vom Ufer entfernt im tieferen Wasser. 35
Sali hob Vrenchen mit seinen Armen hoch empor und schritt durch das

[50] *bridal bed*

[51] *boat landing*

[52] *loaded*

How does this culmination conform to or differ from that of *Romeo and Juliet?*
What makes it possible and credible that the decision is so firm, so soon?
The components of their conflict are still present in Sali and Vrenchen. What now, in this
  ultimate moment, are the respective weights, in the scales of their minds and feelings, of
  spiritual love, physical love, *Ehre*, conventional mores?
What is the meaning of Vrenchen's sudden worry over the hay barge?

Wasser gegen das Schiff; aber es liebkoste ihn so heftig ungebärdig[53] und zappelte wie ein Fisch, daß er im ziehenden Wasser keinen Stand halten konnte. Es strebte Gesicht und Hände ins Wasser zu tauchen und rief: „Ich will auch das kühle Wasser versuchen! Weißt du noch, wie kalt und
5 naß unsere Hände waren, als wir sie uns zum erstenmal gaben? Fische fingen wir damals, jetzt werden wir selber Fische sein und zwei schöne große!" — „Sei ruhig, du lieber Teufel!" sagte Sali, der Mühe hatte, zwischen dem tobenden Liebchen und den Wellen sich aufrecht zu halten, „es zieht mich sonst fort!" Er hob seine Last in das Schiff und schwang
10 sich nach; er hob sie auf die hochgebettete[54] weiche und duftende Ladung[55] und schwang sich auch hinauf, und als sie oben saßen, trieb das Schiff allmählich in die Mitte des Stromes hinaus und schwamm dann, sich langsam drehend, zu Tal.

Der Fluß zog bald durch hohe dunkle Wälder, die ihn überschatteten,
15 bald durch offenes Land; bald an stillen Dörfern vorbei, bald an einzelnen Hütten; hier geriet er in eine Stille, daß er einem ruhigen See glich und das Schiff beinahe stillhielt, dort strömte er um Felsen und ließ die schlafenden Ufer schnell hinter sich; und als die Morgenröte aufstieg, tauchte zugleich eine Stadt mit ihren Türmen aus dem silbergrauen Strome. Der unter-
20 gehende Mond, rot wie Gold, legte eine glänzende Bahn den Strom hinauf und auf dieser kam das Schiff langsam überquer[56] gefahren. Als es sich der Stadt näherte, glitten im Froste des Herbstmorgens zwei bleiche Gestalten, die sich fest umwanden,[57] von der dunklen Masse herunter in die kalten Fluten.

25 Das Schiff legte sich eine Weile nachher unbeschädigt an eine Brücke und blieb da stehen. Als man später unterhalb der Stadt die Leichen fand und ihre Herkunft ausgemittelt hatte, war in den Zeitungen zu lesen, zwei junge Leute, die Kinder zweier blutarmen,[58] zugrunde gegangenen Familien, welche in unversöhnlicher[59] Feindschaft lebten, hätten im Wasser den
30 Tod gesucht, nachdem sie einen ganzen Nachmittag herzlich miteinander getanzt und sich belustigt auf einer Kirchweih. Es sei dies Ereignis vermut-
lich in Verbindung zu bringen mit einem Heuschiff aus jener Gegend, welches ohne Schiffsleute[60] in der Stadt gelandet sei, und man nehme an, die jungen Leute haben das Schiff entwendet,[61] um darauf ihre verzweifelte
35 und gottverlassene Hochzeit zu halten, abermals ein Zeichen von der um sich greifenden Entsittlichung[62] und Verwilderung der Leidenschaften.[63]

[53] *in such a violent and uncontrolled fashion*

[54] *high-piled*
[55] *cargo*

[56] *across*

[57] *held each other tightly clasped*

[58] *impoverished*
[59] *irreconcilable*

[60] *crew*
[61] *stolen*
[62] *moral corruption*
[63] *uncontrolled passions*

In an explicit metaphor of circularity, Vrenchen herself brings the focus back to the first moment of their adult contact—but in what context?

Examine the appropriateness of Sali and Vrenchen's final recourse. How does it resolve the hopeless conflict of their lives?

What is the validity, irony, and ultimate effect of the return to the frame of ordinary reality (in the form of the common or vulgar judgement, couched in language very similar to the news-paper report which gave Keller his inspiration)? How is the thematic word *Verwilderung* to be interpreted here? Remember the application of the term to the middle field. Does the pattern of the three fields (wild, rankly growing, stony ground between two cultivated areas) take on symbolic validity in retrospect? •

8

THEODOR STORM

Der Schimmelreiter

Was ich zu berichten beabsichtige, ist mir vor reichlich einem halben Jahrhundert im Hause meiner Urgroßmutter, der alten Frau Senator[1] Feddersen, kund geworden, während ich, an ihrem Lehnstuhl sitzend, mich mit dem Lesen eines in blaue Pappe[2] eingebundenen Zeitschriftenheftes[3] beschäftigte; ich vermag mich nicht mehr zu entsinnen,[4] ob von den 5 „Leipziger" oder von „Pappes Hamburger Lesefrüchten".[5] Noch fühl ich es gleich einem Schauer, wie dabei die linde Hand der über Achtzigjährigen mitunter liebkosend über das Haupthaar ihres Urenkels hinglitt. Sie selbst und jene Zeit sind längst begraben; vergebens auch habe ich seitdem jenen Blättern nachgeforscht, und ich kann daher um so 10 weniger weder die Wahrheit der Tatsachen verbürgen,[6] als, wenn jemand sie bestreiten wollte, dafür aufstehen;[7] nur so viel kann ich versichern, daß ich sie seit jener Zeit, obgleich sie durch keinen äußeren Anlaß in mir aufs neue belebt wurden, niemals aus dem Gedächtnis verloren habe.

Es war im dritten Jahrzehnt unseres Jahrhunderts, an einem Okto- 15 bernachmittag — so begann der damalige Erzähler —, als ich bei starkem Unwetter auf einem nordfriesischen Deich entlang ritt. Zur Linken hatte ich jetzt schon seit über einer Stunde die öde, bereits von allem Vieh geleerte Marsch, zur Rechten, und zwar in unbehaglichster Nähe, das Wattenmeer der Nordsee; zwar sollte man vom Deiche aus auf Halligen 20 und Inseln sehen können; aber ich sah nichts als die gelbgrauen Wellen, die unaufhörlich wie mit Wutgebrüll[8] an den Deich hinaufschlugen und

[1] *Senator (member of provincial government, or distinguished business-man)*
[2] *pasteboard*
[3] *issue of a periodical*
[4] *recall*
[5] *(two well-known periodicals)*
[6] *vouch for*
[7] *defend it*
[8] *angry roar*

Questions for Storm's *Novelle* are fewer than for the other works in this book, and they are arranged differently, not because the story is less significant or devoid of problems in structure and symbol, but because the narrative style is basically transparent and the work raises its own questions. Storm writes in the great narrative tradition of Realism, and his characters and scenes stand before us in the proportions and attributes of primarily representational art. Even the mysterious aspects of the horse are as real as superstition itself. Of all the human figures in all these *Novellen* we know more of Hauke Haien than of anyone else. (In this the work is like a novel.) His life is recognizable in terms of our own—or in the human terms that

mitunter mich und das Pferd mit schmutzigem Schaum bespritzten; dahinter wüste Dämmerung, die Himmel und Erde nicht unterscheiden ließ; denn auch der halbe Mond, der jetzt in der Höhe stand, war meist von treibendem Wolkendunkel[9] überzogen. Es war eiskalt; meine verklomme-
5 nen Hände konnten kaum den Zügel halten, und ich verdachte es nicht[10] den Krähen und Möwen, die sich fortwährend krächzend[11] und gackernd vom Sturm ins Land hineintreiben ließen. Die Nachtdämmerung hatte begonnen, und schon konnte ich nicht mehr mit Sicherheit die Hufe meines Pferdes erkennen; keine Menschenseele war mir begegnet, ich hörte
10 nichts als das Geschrei der Vögel, wenn sie mich oder meine treue Stute fast mit den langen Flügeln streiften, und das Toben von Wind und Was-ser. Ich leugne nicht, ich wünschte mich mitunter in sicheres Quartier.

Das Wetter dauerte jetzt in den dritten Tag, und ich hatte mich schon über Gebühr[12] von einem mir besonders lieben Verwandten auf seinem
15 Hofe halten lassen, den er in einer der nördlicheren Harden[13] besaß. Heute aber ging es nicht länger; ich hatte Geschäfte in der Stadt, die auch jetzt wohl noch ein paar Stunden weit nach Süden vor mir lag, und trotz aller Überredungskünste[14] des Vetters und seiner lieben Frau, trotz der schönen selbstgezogenen[15] Perinette- und Grand-Richard-Äpfel,[16] die
20 noch zu probieren[17] waren, am Nachmittag war ich davongeritten. „Wart nur, bis du ans Meer kommst", hatte er noch an seiner Haustür mir nachgerufen; „du kehrst noch wieder um; dein Zimmer wird dir vorbe-halten!"

Und wirklich, einen Augenblick, als eine schwarze Wolkenschicht es
25 pechfinster um mich machte und gleichzeitig die heulenden Böen mich samt meiner Stute vom Deich herabzudrängen suchten, fuhr es mir wohl durch den Kopf: „Sei kein Narr! Kehr um und setz dich zu deinen Freun-den ins warme Nest." Dann aber fiel's mir ein, der Weg zurück war wohl noch länger als der nach meinem Reiseziel; und so trabte ich weiter,
30 den Kragen meines Mantels um die Ohren ziehend.

Jetzt aber kam auf dem Deiche etwas gegen mich heran; ich hörte nichts; aber immer deutlicher, wenn der halbe Mond ein karges[18] Licht herabließ, glaubte ich eine dunkle Gestalt zu erkennen, und bald, da sie näher kam, sah ich es, sie saß auf einem Pferde, einem hochbeinigen[19] hageren Schim-
35 mel; ein dunkler Mantel flatterte um ihre Schultern, und im Vorbei-fliegen sahen mich zwei brennende Augen aus einem bleichen Antlitz an. Wer war das? Was wollte der? — Und jetzt fiel mir bei,[20] ich hatte

[9] dark clouds
[10] didn't blame
[11] cawing

[12] unduly
[13] (small) districts

[14] arts of persuasion
[15] home grown
[16] Perinettes and Grand Richards
[17] still to be tasted

[18] meager

[19] long-legged

[20] occurred

seemed to Storm of transcending importance: will, ambition, altruism, pride, weakness, love, sacrifice. It bears witness to the primary modes of reality through which the universe relates to the individual: chance, destiny, the supernatural, fate, and tragedy. (Religious faith may be one of the missing elements.) The questions to be raised as to content are therefore as clear as those we raise in examining the meaning of our lives—and almost as difficult of final answer. Storm selects and distills but does not formulate. The questions of style and form are not as crucial as they are, say, for Arnim or Hofmannsthal, because the mould in which the story is cast is a familiar one—but no less great because of that.
All questions are gathered at the end.

keinen Hufschlag, kein Keuchen des Pferdes vernommen; und Roß und Reiter waren doch hart an mir vorbeigefahren!

In Gedanken darüber ritt ich weiter, aber ich hatte nicht lange Zeit zum Denken, schon fuhr es von rückwärts wieder an mir vorbei; mir war, als streifte mich der fliegende Mantel, und die Erscheinung war, wie das erste Mal, lautlos an mir vorüber gestoben.[21] Dann sah ich sie fern und ferner vor mir; dann war's, als säh ich plötzlich ihren Schatten an der Binnenseite des Deiches hinuntergehen.

Etwas zögernd ritt ich hinterdrein. Als ich jene Stelle erreicht hatte, sah ich hart am Deich im Kooge unten das Wasser einer großen Wehle blinken — so nennen sie dort die Brüche, welche von den Sturmfluten in das Land gerissen werden, und die dann meist als kleine, aber tiefgründige[22] Teiche stehenbleiben.

Das Wasser war, trotz des schützenden Deiches, auffallend unbewegt;[23] der Reiter konnte es nicht getrübt haben; ich sah nichts weiter von ihm. Aber ein anderes sah ich, das ich mit Freuden jetzt begrüßte: vor mir, von unten aus dem Kooge, schimmerten eine Menge zerstreuter Lichtscheine zu mir herauf; sie schienen aus jenen langgestreckten friesischen Häusern zu kommen, die vereinzelt[24] auf mehr oder minder hohen Werften lagen; dicht vor mir aber auf halber Höhe des Binnendeiches lag ein großes Haus derselben Art; an der Südseite, rechts von der Haustür, sah ich alle Fenster erleuchtet; dahinter gewahrte ich Menschen und glaubte trotz des Sturmes sie zu hören. Mein Pferd war schon von selbst auf den Weg am Deich hinabgeschritten, der mich vor die Tür des Hauses führte. Ich sah wohl, daß es ein Wirtshaus war; denn vor den Fenstern gewahrte ich die sogenannten „Ricks",[25] das heißt auf zwei Ständern ruhende Balken mit großen eisernen Ringen, zum Anbinden des Viehes und der Pferde, die hier haltmachten.

Ich band das meine an einen derselben und überwies[26] es dann dem Knechte, der mir beim Eintritt in den Flur entgegenkam. „Ist hier Versammlung?" frug ich ihn, da mir jetzt deutlich ein Geräusch von Menschenstimmen und Gläserklirren aus der Stubentür entgegendrang.

„Is wull so wat",[27] entgegnete der Knecht auf plattdeutsch[28] — und ich erfuhr, nachher, daß dieses neben dem Friesischen hier schon seit über hundert Jahren im Schwange gewesen sei — „Diekgraf und Gevollmächtigten un wecke von de annern Interessenten! Dat is um't hoge Water!"[29]

[21] *flown past*

[22] *with deep bottoms*

[23] *unruffled*

[24] *isolated*

[25] *(explained in text)*

[26] *entrusted*
[27] (Ist wohl so was)
[28] *Low German*
[29] (Deichgraf und Gevollmächtigte und welche von den anderen Interessenten. Das ist um das hohe Wasser— wegen des hohen Wassers)

Als ich eintrat, sah ich etwa ein Dutzend Männer an einem Tische sitzen, der unter den Fenstern entlang lief; eine Punschbowle stand darauf, und ein besonders stattlicher Mann schien die Herrschaft über sie zu führen.[30]

[30] be presiding over them
[31] readily

Ich grüßte und bat, mich zu ihnen setzen zu dürfen, was bereitwillig[31]
5 gestattet wurde. „Sie halten hier die Wacht!" sagte ich, mich zu jenem Manne wendend, „es ist bös Wetter draußen; die Deiche werden ihre Not haben!"

„Gewiß", erwiderte er; „wir, hier an der Ostseite, aber glauben, jetzt außer Gefahr zu sein; nur drüben an der andern Seite ist's nicht sicher;
10 die Deiche sind dort meist noch mehr nach altem Muster; unser Hauptdeich ist schon im vorigen Jahrhundert umgelegt.[32] — Uns ist vorhin da

[32] rebuilt

draußen kalt geworden, und Ihnen", setzte er hinzu, „wird es ebenso gegangen sein; aber wir müssen hier noch ein paar Stunden aushalten; wir haben sichere Leute draußen, die uns Bericht erstatten." Und ehe ich
15 meine Bestellung bei dem Wirte machen konnte, war schon ein dampfendes Glas mir hingeschoben.

Ich erfuhr bald, daß mein freundlicher Nachbar der Deichgraf sei; wir waren ins Gespräch gekommen, und ich hatte begonnen, ihm meine seltsame Begegnung auf dem Deiche zu erzählen. Er wurde aufmerksam,
20 und ich bemerkte plötzlich, daß alles Gespräch umher verstummt war. „Der Schimmelreiter!" rief einer aus der Gesellschaft, und eine Bewegung des Erschreckens ging durch die übrigen.

Der Deichgraf war aufgestanden. „Ihr braucht nicht zu erschrecken", sprach er über den Tisch hin; „das ist nicht bloß für uns; Anno 17[33] hat es

[33] in the year (18)17

25 auch denen drüben gegolten: mögen sie auf alles vorgefaßt sein!"

Mich wollte nachträglich ein Grauen überlaufen: „Verzeiht!" sprach ich, „was ist das mit dem Schimmelreiter?"

Abseits hinter dem Ofen, ein wenig gebückt, saß ein kleiner hagerer Mann in einem abgeschabten[34] schwarzen Röcklein; die eine Schulter

[34] frayed

30 schien ein wenig ausgewachsen.[35] Er hatte mit keinem Worte an der Unter-

[35] humped

haltung der andern teilgenommen, aber seine bei dem spärlichen grauen Haupthaar noch immer mit dunklen Wimpern besäumten[36] Augen zeigten

[36] rimmed

deutlich, daß er nicht zum Schlaf hier sitze.

Gegen diesen streckte der Deichgraf seine Hand: „Unser Schulmeister",
35 sagte er mit erhobener Stimme, „wird von uns hier Ihnen das am besten erzählen können; freilich nur in seiner Weise und nicht so richtig, wie zu Haus meine alte Wirtschafterin Antje Vollmers es beschaffen würde."

[37] compare

„Ihr scherzet, Deichgraf!" kam die etwas kränkliche Stimme des Schulmeisters hinter dem Ofen hervor, „daß Ihr mir Euern dummen Drachen wollt zur Seite stellen!"[37]

„Ja, ja, Schulmeister!" erwiderte der andere, „aber bei den Drachen sollen derlei Geschichten am besten in Verwahrung sein!"[38]

[38] such stories are supposed to be in the safest custody with . . .

„Freilich!" sagte der kleine Herr; „wir sind hierin nicht ganz derselben Meinung"; und ein überlegenes Lächeln glitt über das feine Gesicht.

„Sie sehen wohl", raunte der Deichgraf mir ins Ohr; „er ist immer noch ein wenig hochmütig,[39] er hat in seiner Jugend einmal Theologie studiert und ist nur einer verfehlten Brautschaft[40] wegen hier in seiner Heimat als Schulmeister behangen geblieben."[41]

[39] arrogant
[40] unhappy love affair
[41] was stuck here
[42] corner by the stove

Dieser war inzwischen aus seiner Ofenecke[42] hervorgekommen und hatte sich neben mir an den langen Tisch gesetzt. „Erzählt, erzählt nur, Schulmeister", riefen ein paar der Jüngeren aus der Gesellschaft.

„Nun freilich", sagte der Alte, sich zu mir wendend, „will ich gern zu Willen sein; aber es ist viel Aberglaube dazwischen und eine Kunst, es ohne diesen zu erzählen."

„Ich muß Euch bitten, den nicht auszulassen", erwiderte ich: „traut mir nur zu,[43] daß ich schon selbst die Spreu vom Weizen sondern[44] werde!"

[43] trust me
[44] separate the wheat from the chaff

Der Alte sah mich mit verständnisvollem Lächeln an: „Nun also!" sagte er. „In der Mitte des vorigen Jahrhunderts, oder vielmehr, um genauer zu bestimmen, vor und nach derselben, gab es hier einen Deichgrafen, der von Deich- und Sielsachen mehr verstand, als Bauern und Hofbesitzer sonst zu verstehen pflegen; aber es reichte doch wohl kaum, denn was die studierten Fachleute[45] darüber niedergeschrieben, davon hatte er wenig gelesen; sein Wissen hatte er sich, wenn auch von Kindesbeinen an, nur selber ausgesonnen. Ihr hörtet wohl schon, Herr, die Friesen rechnen gut, und habet auch wohl schon über unsern Hans Mommsen von Fahretoft[46] reden hören, der ein Bauer war und doch Bussolen[47] und Seeuhren,[48] Teleskopen und Orgeln machen konnte. Nun, ein Stück von solch einem Manne war auch der Vater des nachherigen[49] Deichgrafen gewesen; freilich wohl nur ein kleines. Er hatte ein paar Fennen, wo er Raps[50] und Bohnen baute, auch eine Kuh graste, ging unterweilen[51] im Herbst und Frühjahr auch aufs Landmessen[52] und saß im Winter, wenn der Nordwest von draußen kam und an seinen Läden rüttelte, zu ritzen und zu prickeln,[53] in seiner Stube. Der Junge saß meist dabei und sah über seine Fibel oder Bibel weg[54] dem Vater zu, wie er maß und berechnete, und grub sich mit der Hand in seinen blonden

[45] experts

[46] (see text for identification)
[47] compasses
[48] marine chronometers
[49] succeeding
[50] rape-seed
[51] occasionally
[52] went out surveying
[53] scribbling and sketching
[54] looked up from his primer or his Bible

Haaren. Und eines Abends frug er den Alten, warum denn das, was er eben hingeschrieben[55] hatte, gerade so sein müsse und nicht anders sein könne, und stellte dann eine eigene Meinung darüber auf. Aber der Vater, der darauf nicht zu antworten wußte, schüttelte den Kopf und sprach: ‚Das
5 kann ich dir nicht sagen; genug, es ist so, und du selber irrst dich. Willst du mehr wissen, so suche morgen aus der Kiste, die auf unserm Boden steht, ein Buch, einer, der Euklid hieß, hat's geschrieben; das wird's dir sagen!‘

— Der Junge war tags darauf zum Boden gelaufen und hatte auch bald das Buch gefunden; denn viele Bücher gab es überhaupt nicht in dem
10 Hause; aber der Vater lachte, als er es vor ihm auf den Tisch legte. Es war ein holländischer Euklid, und Holländisch, wenngleich es doch halb Deutsch war, verstanden alle beide nicht. ‚Ja, ja‘, sagte er, ‚das Buch ist noch von meinem Vater, der verstand es; ist denn kein deutscher da?‘

Der Junge, der von wenig Worten war, sah den Vater ruhig an und
15 sagte nur: ‚Darf ich's behalten? Ein deutscher ist nicht da.‘

Und als der Alte nickte, wies er noch ein zweites, halbzerrissenes Büchlein vor.[56] ‚Auch das?‘ frug er wieder.

‚Nimm sie alle beide!‘ sagte Tede Haien; ‚sie werden dir nicht viel nützen.‘

20 Aber das zweite Buch war eine kleine holländische Grammatik,[57] und da der Winter noch lange nicht vorüber war, so hatte es, als endlich die Stachelbeeren[58] in ihrem Garten wieder blühten, dem Jungen schon so weit geholfen, daß er den Euklid, welcher damals stark im Schwange war, fast überall verstand.

25 Es ist mir nicht unbekannt, Herr“, unterbrach sich der Erzähler, „daß dieser Umstand auch von Hans Mommsen erzählt wird; aber vor dessen Geburt ist hier bei uns schon die Sache von Hauke Haien — so hieß der Knabe — berichtet worden. Ihr wisset auch wohl, es braucht nur einmal ein Größerer zu kommen, so wird ihm alles aufgeladen, was in Ernst oder
30 Schimpf seine Vorgänger einst mögen verübt haben.[59]

Als der Alte sah, daß der Junge weder für Kühe noch Schafe Sinn hatte und kaum gewahrte, wenn die Bohnen blühten, was doch die Freude von jedem Marschmann ist, und weiterhin bedachte, daß die kleine Stelle wohl mit einem Bauer und einem Jungen, aber nicht mit einem Halbgelehrten[60]
35 und einem Knecht bestehen könne, ingleichen, daß er auch selber nicht auf einen grünen Zweig gekommen sei, so schickte er seinen großen Jungen an den Deich, wo er mit andern Arbeitern von Ostern bis Martini Erde karren

[55] *written down*

[56] *brought out and showed him*

[57] *grammar*

[58] *gooseberries*

[59] *he is saddled with whatever his predecessors may have committed, in jest or in earnest*

[60] *half a scholar*

mußte. ‚Das wird ihn vom Euklid kurieren‘, sprach er bei sich selber.

Und der Junge karrte; aber den Euklid hatte er allzeit in der Tasche, und wenn die Arbeiter ihr Frühstück oder Vesper[61] aßen, saß er auf seinem umgestülpten Schubkarren[62] mit dem Buche in der Hand. Und wenn im Herbst die Fluten höher stiegen und manch ein Mal die Arbeit eingestellt[63] werden mußte, dann ging er nicht mit den andern nach Haus, sondern blieb, die Hände über die Knie gefaltet, an der abfallenden Seeseite des Deiches sitzen und sah stundenlang zu, wie die trüben Nordseewellen immer höher an die Grasnarbe des Deiches hinaufschlugen; erst wenn ihm die Füße überspült waren und der Schaum ihm ins Gesicht spritzte, rückte er ein paar Fuß höher und blieb dann wieder sitzen. Er hörte weder das Klatschen des Wassers noch das Geschrei der Möwen und Strandvögel, die um oder über ihm flogen und ihn fast mit ihren Flügeln streiften, mit den schwarzen Augen in die seinen blitzend; er sah auch nicht, wie vor ihm über die weite, wilde Wasserwüste sich die Nacht ausbreitete; was er allein hier sah, war der brandende Saum des Wassers, der, als die Flut stand, mit hartem Schlage immer wieder dieselbe Stelle traf und vor seinen Augen die Grasnarbe des steilen Deiches auswusch.

Nach langem Hinstarren nickte er wohl langsam mit dem Kopfe oder zeichnete, ohne aufzusehen, mit der Hand eine weiche Linie in die Luft, als ob er dem Deiche damit einen sanfteren Abfall geben wollte. Wurde es so dunkel, daß alle Erdendinge vor seinen Augen verschwanden und nur die Flut ihm in die Ohren donnerte, dann stand er auf und trabte halb durchnäßt[64] nach Hause.

Als er so eines Abends zu seinem Vater in die Stube trat, der an seinen Meßgeräten[65] putzte, fuhr dieser auf: ‚Was treibst du draußen? Du hättest ja versaufen[66] können; die Wasser beißen heute in den Deich.‘

Hauke sah ihn trotzig an.

— ‚Hörst du mich nicht? Ich sag, du hättst versaufen können.‘

‚Ja‘, sagte Hauke; ‚ich bin doch nicht versoffen!‘

‚Nein‘, erwiderte nach einer Weile der Alte und sah ihm wie abwesend ins Gesicht — ‚diesmal noch nicht.‘

‚Aber‘, sagte Hauke wieder, ‚unsere Deiche sind nichts wert!‘

— ‚Was für was,[67] Junge?‘

‚Die Deiche, sag ich!‘

— ‚Was sind die Deiche?‘

‚Sie taugen nichts, Vater!‘ erwiderte Hauke.

---

[61] afternoon snack
[62] upturned wheel-barrow
[63] stopped
[64] soaked
[65] surveyor's tools
[66] drowned
[67] how's that again?

Der Alte lachte ihm ins Gesicht. ‚Was denn, Junge? Du bist wohl das Wunderkind aus Lübeck!'[68]

Aber der Junge ließ sich nicht irren.[69] ‚Die Wasserseite ist zu steil', sagte er; ‚wenn es einmal kommt, wie es mehr als einmal schon gekommen
5 ist, so können wir hier auch hinterm Deich ersaufen!'[70]

Der Alte holte seinen Kautabak aus der Tasche, drehte einen Schrot[71] ab und schob ihn hinter die Zähne. ‚Und wieviel Karren hast du heut geschoben?' frug er ärgerlich; denn er sah wohl, daß auch die Deicharbeit bei dem Jungen die Denkarbeit[72] nicht hatte vertreiben können.

10 ‚Weiß nicht, Vater', sagte dieser, ‚so, was die andern machten; vielleicht ein halbes Dutzend mehr; aber — die Deiche müssen anders werden!'

‚Nun', meinte der Alte und stieß ein Lachen aus; ‚du kannst es ja vielleicht zum Deichgraf bringen; dann mach sie anders!'

‚Ja, Vater!' erwiderte der Junge.

15 Der Alte sah ihn an und schluckte[73] ein paarmal; dann ging er aus der Tür; er wußte nicht, was er dem Jungen antworten sollte.

Auch als zu Ende Oktobers die Deicharbeit vorbei war, blieb der Gang nordwärts nach dem Haf hinaus für Hauke Haien die beste Unterhaltung; den Allerheiligentag, um den herum die Äquinoktialstürme zu tosen
20 pflegen, von dem wir sagen, daß Friesland ihn wohl beklagen mag,[74] erwartete er wie heut die Kinder das Christfest. Stand eine Springflut bevor, so konnte man sicher sein, er lag trotz Sturm und Wetter weit draußen am Deiche mutterseelenallein; und wenn die Möwen gackerten, wenn die Wasser gegen den Deich tobten und beim Zurückrollen ganze
25 Fetzen von der Grasdecke mit ins Meer hinabrissen, dann hätte man Haukes zorniges Lachen hören können. ‚Ihr könnt nichts Rechtes', schrie er in den Lärm hinaus, ‚sowie die Menschen auch nichts können!' Und endlich, oft im Finstern, trabte er aus der weiten Öde den Deich entlang nach Hause, bis seine aufgeschossene Gestalt die niedrige Tür unter seines
30 Vaters Rohrdach erreicht hatte und darunter durch in das kleine Zimmer schlüpfte.

Manchmal hatte er eine Faust voll Kleierde mitgebracht; dann setzte er sich neben den Alten, der ihn jetzt gewähren ließ, und knetete bei dem Schein der dünnen Unschlittkerze allerlei Deichmodelle, legte sie in ein
35 flaches Gefäß mit Wasser und suchte darin die Ausspülung[75] der Wellen nachzumachen, oder er nahm seine Schiefertafel[76] und zeichnete darauf das

[68] child prodigy of Lübeck (a boy named Heineken, who died, at four, having already learned—it is said —several languages, scores of hymns, mathematics, etc.)
[69] stuck to his guns
[70] drown
[71] plug
[72] brain work

[73] swallowed

[74] has no cause to celebrate the day

[75] eroding effect
[76] slate

Profil der Deiche nach der Seeseite, wie es nach seiner Meinung sein mußte.

Mit denen zu verkehren, die mit ihm auf der Schulbank gesessen hatten, fiel ihm nicht ein; auch schien es, als ob ihnen an dem Träumer nichts gelegen sei. Als es wieder Winter geworden und der Frost hereingebrochen war, wanderte er noch weiter, wohin er früher nie gekommen, auf den Deich hinaus, bis die unabsehbare eisbedeckte Fläche der Watten vor ihm lag.

Im Februar bei dauerndem Frostwetter wurden angetriebene Leichen aufgefunden; draußen am offenen Haf auf den gefrorenen Watten hatten sie gelegen. Ein junges Weib, die dabei gewesen war, als man sie in das Dorf geholt hatte, stand redselig vor dem alten Haien: ,Glaubt nicht, daß sie wie Menschen aussahen', rief sie; ,nein, wie die Seeteufel! So große Köpfe', und sie hielt die ausgespreizten Hände von weitem gegeneinander, ,gnidderschwarz[77] und blank, wie frischgebacken Brot! Und die Krabben hatten sie angeknabbert;[78] und die Kinder schrien laut, als sie sie sahen!'

Dem alten Haien war so was just nichts Neues: ,Sie haben wohl seit November schon in See getrieben!' sagte er gleichmütig.

Hauke stand schweigend daneben; aber sobald er konnte, schlich er sich auf den Deich hinaus; es war nicht zu sagen, wollte er noch nach weiteren Toten suchen, oder zog ihn nur das Grauen, das noch auf den jetzt verlassenen Stellen brüten mußte. Er lief weiter und weiter, bis er einsam in der Öde stand, wo nur die Winde über den Deich wehten, wo nichts war als die klagenden Stimmen der großen Vögel, die rasch vorüberschossen; zu seiner Linken die leere weite Marsch, zur andern Seite der unabsehbare Strand mit seiner jetzt vom Eise schimmernden Fläche der Watten; es war, als liege die ganze Welt in weißem Tod.

Hauke blieb oben auf dem Deiche stehen, und seine scharfen Augen schweiften weit umher; aber von Toten war nichts mehr zu sehen; nur wo die unsichtbaren Wattströme sich darunter drängten, hob und senkte die Eisfläche sich in stromartigen Linien.

Er lief nach Hause; aber an einem der nächsten Abende war er wiederum da draußen. Auf jenen Stellen war jetzt das Eis gespalten; wie Rauchwolken stieg es aus den Rissen, und über das ganze Watt spann sich ein Netz von Dampf und Nebel, das sich seltsam mit der Dämmerung des Abends mischte. Hauke sah mit starren Augen darauf hin; denn in dem Nebel schritten dunkle Gestalten auf und ab, sie schienen ihm so groß wie Menschen. Würdevoll, aber mit seltsamen, erschreckenden Gebärden;

[77] *black as pitch*
[78] *nibbled at*

mit langen Nasen und Hälsen sah er sie fern an den rauchenden Spalten
auf und ab spazieren; plötzlich begannen sie wie Narren unheimlich auf
und ab zu springen, die großen über die kleinen und die kleinen gegen die
großen; dann breiteten sie sich aus und verloren alle Form.

5 ‚Was wollen die? Sind es die Geister der Ertrunkenen?‘ dachte Hauke.
‚Hoiho!‘ schrie er laut in die Nacht hinaus; aber die draußen kehrten sich
nicht an seinen Schrei, sondern trieben ihr wunderliches Wesen fort.

Da kamen ihm die furchtbaren norwegischen Seegespenster in den Sinn,
von denen ein alter Kapitän ihm einst erzählt hatte, die statt des Angesichts
10 einen stumpfen Pull[79] von Seegras auf dem Nacken tragen; aber er lief
nicht fort, sondern bohrte die Hacken seiner Stiefel fest in den Klei des
Deiches und sah starr dem possenhaften Unwesen[80] zu, das in der ein-
fallenden[81] Dämmerung vor seinen Augen fortspielte. ‚Seid ihr auch hier
bei uns?‘ sprach er mit harter Stimme; ‚ihr sollt mich nicht vertreiben!‘

15 Erst als die Finsternis alles bedeckte, schritt er steifen, langsamen
Schrittes heimwärts. Aber hinter ihm drein kam es wie Flügelrauschen und
hallendes Geschrei. Er sah nicht um; aber er ging auch nicht schneller
und kam erst spät nach Hause; doch niemals soll er seinem Vater oder
einem andern davon erzählt haben. Erst viele Jahre später hat er sein
20 blödes Mädchen, womit später der Herrgott ihn belastete, um dieselbe
Tages- und Jahreszeit mit sich auf den Deich hinausgenommen, und dasselbe Wesen soll sich derzeit draußen auf den Watten gezeigt haben; aber
er hat ihr gesagt, sie solle sich nicht fürchten, das seien nur die Fischrei-
her[82] und die Krähen, die im Nebel so groß und fürchterlich erschienen;
25 die holten sich die Fische aus den offenen Spalten.

„Weiß Gott, Herr!“ unterbrach sich der Schulmeister, „es gibt auf Erden
allerlei Dinge, die ein ehrlich Christenherz verwirren können; aber der
Hauke war weder ein Narr noch ein Dummkopf.“

Da ich nichts erwiderte, wollte er fortfahren; aber unter den übrigen
30 Gästen, die bisher lautlos zugehört hatten, nur mit dichterem Tabaksqualm
das niedrige Zimmer füllend, entstand eine plötzliche Bewegung; erst
einzelne, dann fast alle wandten sich dem Fenster zu. Draußen — man sah
es durch die unverhangenen Fenster — trieb der Sturm die Wolken, und
Licht und Dunkel jagten durcheinander; aber auch mir war es, als hätte
35 ich den hageren Reiter auf seinem Schimmel vorbeisausen gesehen.

„Wart Er ein wenig, Schulmeister!“ sagte der Deichgraf leise.

„Ihr braucht Euch nicht zu fürchten, Deichgraf!“ erwiderte der kleine

[79] *clump*

[80] *grotesque perform-
ance*
[81] *approaching*

[82] *herons*

⁸³ *spoken ill of*

Erzähler, „ich habe ihn nicht geschmäht,⁸³ und hab auch dessen keine Ursach'"; und er sah mit seinen kleinen, klugen Augen zu ihm auf.

„Ja, ja", meinte der andere; „laß Er Sein Glas nur wieder füllen." Und nachdem das geschehen war und die Zuhörer, meist mit etwas verdutzten Gesichtern, sich wieder zu ihm gewandt hatten, fuhr er in seiner Ge- 5 schichte fort:

⁸⁴ *had been confirmed*

„So für sich, und am liebsten nur mit Wind und Wasser und mit den Bildern der Einsamkeit verkehrend, wuchs Hauke zu einem langen, hageren Burschen auf. Er war schon über ein Jahr lang eingesegnet,⁸⁴ da wurde es auf einmal anders mit ihm, und das kam von dem alten weißen Angorakater, 10 welchen der alten Trin' Jans einst ihr später verunglückter Sohn von seiner spanischen Seereise mitgebracht hatte. Trin' wohnte ein gut Stück hinaus auf dem Deiche in einer kleinen Kate, und wenn die Alte in ihrem Hause herumarbeitete, so pflegte diese Unform⁸⁵ von einem Kater vor der Haustür

⁸⁵ *monster*

zu sitzen und in den Sommertag und nach den vorüberfliegenden Kie- 15 bitzen⁸⁶ hinauszublinzeln. Ging Hauke vorbei, so mauzte der Kater ihn an, und Hauke nickte ihm zu; die beiden wußten, was sie miteinander hatten.

⁸⁶ *peewit*

Nun aber war's einmal im Frühjahr, und Hauke lag nach seiner Gewohnheit oft draußen am Deich, schon weiter unten dem Wasser zu, zwischen 20 Strandnelken⁸⁷ und dem duftenden Seewermut,⁸⁸ und ließ sich von der schon kräftigen Sonne bescheinen. Er hatte sich tags zuvor droben auf der Geest die Taschen voll von Kieseln gesammelt, und als in der Ebbezeit die Watten bloßgelegt waren und die kleinen grauen Strandläufer schreiend darüber hinhuschten, holte er jählings einen Stein hervor und warf ihn 25 nach den Vögeln. Er hatte das von Kindesbeinen an geübt, und meistens blieb einer auf dem Schlicke liegen; aber ebenso oft war er dort auch nicht zu holen; Hauke hatte schon daran gedacht, den Kater mitzunehmen und

⁸⁷ *sea-pinks*
⁸⁸ *sea wormwood*

⁸⁹ *retriever*
⁹⁰ *train*
⁹¹ *sand deposits*
⁹² *in such cases*

als apportierenden Jagdhund⁸⁹ zu dressieren.⁹⁰ Aber es gab auch hier und dort feste Stellen oder Sandlager;⁹¹ solchenfalls⁹² lief er hinaus und holte 30 sich seine Beute selbst. Saß der Kater bei seiner Rückkehr noch vor der Haustür, dann schrie das Tier vor nicht zu bergender Raubgier so lange, bis Hauke ihm einen der erbeuteten Vögel zuwarf.

Als er heute, seine Jacke auf der Schulter, heimging, trug er nur einen ihm noch unbekannten, aber wie mit bunter Seide und Metall gefiederten⁹³ 35 Vogel mit nach Hause, und der Kater mauzte wie gewöhnlich, als er ihn kommen sah. Aber Hauke wollte seine Beute — es mag ein Eisvogel⁹⁴

⁹³ *with plumage like colored silk and metal*
⁹⁴ *kingfisher*

gewesen sein — diesmal nicht hergeben und kehrte sich nicht an die Gier des Tieres. ‚Umschicht!‘[95] rief er ihm zu, ‚heute mir, morgen dir; das hier ist kein Katerfressen!‘[96] Aber der Kater kam vorsichtigen Schrittes herangeschlichen; Hauke stand und sah ihn an, der Vogel hing an seiner Hand, 5 und der Kater blieb mit erhobener Tatze stehen. Doch der Bursch schien seinen Katzenfreund noch nicht so ganz zu kennen; denn während er ihm seinen Rücken zugewandt hatte und eben fürbaß wollte, fühlte er mit einem Ruck die Jagdbeute[97] sich entrissen, und zugleich schlug eine scharfe Kralle ihm ins Fleisch. Ein Grimm, wie gleichfalls eines Raubtiers, flog 10 dem jungen Menschen ins Blut; er griff wie rasend um sich und hatte den Räuber schon am Genicke[98] gepackt. Mit der Faust hielt er das mächtige Tier empor und würgte es, daß die Augen ihm aus den rauhen Haaren vorquollen, nicht achtend, daß die starken Hintertatzen[99] ihm den Arm zerfleischten.[1] ‚Hoiho!‘ schrie er und packte ihn noch fester; ‚wollen sehen, 15 wer's von uns beiden am längsten aushält!‘

Plötzlich fielen die Hinterbeine der großen Katze schlaff herunter, und Hauke ging eine paar Schritte zurück und warf sie gegen die Kate der Alten. Da sie sich nicht rührte, wandte er sich und setzte seinen Weg nach Hause fort.

20 Aber der Angorakater war das Kleinod seiner Herrin; er war ihr Geselle und das einzige, was ihr Sohn, der Matrose,[2] ihr nachgelassen hatte, nachdem er hier an der Küste seinen jähen Tod gefunden hatte, da er im Sturm seiner Mutter beim Porrenfangen[3] hatte helfen wollen. Hauke mochte kaum hundert Schritte weiter getan haben, während er mit einem Tuch 25 das Blut aus seinen Wunden auffing, als schon von der Kate her ihm ein Geheul und Zetern in die Ohren gellte. Da wandte er sich und sah davor das alte Weib am Boden liegen; das greise Haar flog ihr im Winde um das rote Kopftuch:[4] ‚Tot!‘ rief sie, ‚tot!‘ und erhob dräuend ihren mageren Arm gegen ihn: ‚Du sollst verflucht sein! Du hast ihn totgeschlagen, du 30 nichtsnutziger Strandläufer; du warst nicht wert, ihm seinen Schwanz zu bürsten!‘ Sie warf sich über das Tier und wischte zärtlich mit ihrer Schürze ihm das Blut fort, das noch aus Nas' und Schnauze rann; dann hob sie aufs neue an zu zetern.

‚Bist du bald fertig?‘ rief Hauke ihr zu, ‚dann laß dir sagen: ich will dir 35 einen Kater schaffen, der mit Maus- und Rattenblut zufrieden ist!‘

Darauf ging er, scheinbar auf nichts mehr achtend, fürbaß. Aber die tote Katze mußte ihm doch im Kopfe Wirrsal machen, denn er ging, als

---

[95] take turns!
[96] cat food
[97] booty
[98] nape of the neck
[99] hind paws
[1] were lacerating
[2] sailor
[3] crabbing
[4] kerchief

er zu den Häusern gekommen war, dem seines Vaters und auch den übrigen vorbei und eine weite Strecke noch nach Süden auf dem Deich der Stadt zu.

Inmittelst wanderte auch Trin' Jans auf demselben in der gleichen Richtung; sie trug in einem alten blaukarierten Kissenüberzug[5] eine Last in ihren Armen, die sie sorgsam, als wär's ein Kind, umklammerte; ihr greises Haar flatterte in dem leichten Frühlingswind. ,Was schleppt Sie da, Trina?' frug ein Bauer, der ihr entgegenkam. ,Mehr als dein Haus und Hof', erwiderte die Alte; dann ging sie eifrig weiter. Als sie dem unten liegenden Hause des alten Haien nahe kam, ging sie den Akt, wie man bei uns die Trift- und Fußwege[6] nennt, die schräg an der Seite des Deiches hinab oder hinauf führen, zu den Häusern hinunter.

Der alte Tede Haien stand eben vor der Tür und sah ins Wetter: ,Na, Trin'!' sagte er, als sie pustend vor ihm stand und ihren Krückstock in die Erde bohrte, ,was bringt Sie Neues in Ihrem Sack?'

,Erst laß mich in die Stube, Tede Haien! dann soll Er's sehen!' und ihre Augen sahen ihn mit seltsamem Funkeln an.

,So komm Sie!' sagte der Alte. Was gingen ihn die Augen des dummen Weibes an.

Und als beide eingetreten waren, fuhr sie fort: ,Bring Er den alten Tabakskasten und das Schreibzeug[7] von dem Tisch — Was hat Er denn immer zu schreiben? — So; und nun wisch Er ihn sauber ab!'

Und der Alte, der fast neugierig wurde, tat alles, was sie sagte; dann nahm sie den blauen Überzug[8] bei beiden Zipfeln und schüttete daraus den großen Katerleichnam auf den Tisch. ,Da hat Er ihn!' rief sie; ,Sein Hauke hat ihn totgeschlagen.' Hierauf aber begann sie ein bitterliches Weinen; sie streichelte das dicke Fell des toten Tieres, legte ihm die Tatzen zusammen, neigte ihre lange Nase über dessen Kopf und raunte ihm unverständliche Zärtlichkeiten in die Ohren.

Tede Haien sah dem zu. ,So', sagte er; ,Hauke hat ihn totgeschlagen?' Er wußte nicht, was er mit dem heulenden Weibe machen sollte.

Die Alte nickte ihn grimmig an: ,Ja, ja; so Gott,[9] das hat er getan!' und sie wischte sich mit ihrer von Gicht[10] verkrümmten Hand das Wasser aus den Augen. ,Kein Kind, kein Lebigs mehr!' klagte sie. ,Und Er weiß es ja auch wohl, uns Alten, wenn's nach Allerheiligen kommt, frieren abends im Bett die Beine, und statt zu schlafen, hören wir den Nordwest an unseren Fensterläden rappeln.[11] Ich hör's nicht gern, Tede Haien, er kommt daher, wo mein Junge mir im Schlick versank.'

---

[5] *blue checked pillow-case (for large German pillow)*

[6] *cowpaths and foot trails*

[7] *writing things*

[8] *(v.s. 5)*

[9] *so help me God!*
[10] *arthritis*

[11] *rattle*

Tede Haien nickte, und die Alte streichelte das Fell ihres toten Katers: ‚Der aber‘, begann sie wieder, ‚wenn ich winters am Spinnrad saß, dann saß er bei mir und spann[12] auch und sah mich an mit seinen grünen Augen! Und kroch ich, wenn's mir kalt wurde, in mein Bett — es dauerte nicht
5 lang, so sprang er zu mir und legte sich auf meine frierenden Beine, und wir schliefen so warm mitsammen,[13] als hätte ich noch meinen jungen Schatz im Bett!‘ Die Alte, als suche sie bei dieser Erinnerung nach Zustimmung, sah den neben ihr am Tische stehenden Alten mit ihren funkelnden Augen an.

10 Tede Haien aber sagte bedächtig: ‚Ich weiß Ihr einen Rat, Trin' Jans‘, und er ging nach seiner Schatulle und nahm eine Silbermünze aus der Schublade — ‚Sie sagt, daß Hauke Ihr das Tier vom Leben gebracht hat, und ich weiß, Sie lügt nicht; aber hier ist ein Krontaler von Christian dem Vierten;[14] damit kauf Sie sich ein gegerbtes[15] Lammfell für Ihre kalten
15 Beine! Und wenn unsere Katze nächstens Junge wirft,[16] so mag Sie sich das größte davon aussuchen, das zusammen tut wohl einen altersschwachen Angorakater! Und nun nehm Sie das Vieh und bring Sie es meinethalb an den Racker[17] in der Stadt, und halt Sie das Maul, daß es hier auf meinem ehrlichen Tisch gelegen hat!‘

20 Während dieser Rede hatte das Weib schon nach dem Taler gegriffen und ihn in einer kleinen Tasche geborgen, die sie unter ihren Röcken trug; dann stopfte sie den Kater wieder in das Bettbühr,[18] wischte mit ihrer Schürze die Blutflecken von dem Tisch und stakte[19] zur Tür hinaus. ‚Vergiß Er mir nur den jungen Kater nicht!‘ rief sie noch zurück.

25 — Eine Weile später, als der alte Haien in dem engen Stüblein auf und ab schritt, trat Hauke herein und warf seinen bunten Vogel auf den Tisch; als er aber auf der weißgescheuerten Platte[20] den noch kennbaren Blutfleck sah, frug er, wie beiläufig: ‚Was ist denn das?‘

Der Vater blieb stehen: ‚Das ist Blut, was du hast fließen machen!‘
30 Dem Jungen schoß es doch heiß ins Gesicht: ‚Ist denn Trin' Jans mit ihrem Kater hier gewesen?‘

Der Alte nickte: ‚Weshalb hast du ihr den totgeschlagen?‘

Hauke entblößte seinen blutigen Arm. ‚Deshalb‘, sagte er; ‚er hatte mir den Vogel fortgerissen!‘

35 Der Alte sagte nichts hierauf; er begann eine Zeitlang wieder auf und ab zu gehen; dann blieb er vor dem Jungen stehn und sah eine Weile wie abwesend auf ihn hin. ‚Das mit dem Kater hab ich rein gemacht‘, sagte er dann; ‚aber, siehst du, Hauke, die Kate ist hier zu klein; zwei Herren

[12] (spinnen *also means purr*)

[13] (=zusammen)

[14] *a Christian IV crown (17th century coin)*
[15] *tanned and dressed*
[16] *has kittens*

[17] *horse-skinner*

[18] *bedding*
[19] *stalked*

[20] *rubbed white table top*

können darauf nicht sitzen — es ist nun Zeit, du mußt dir einen Dienst besorgen!'

,Ja, Vater', entgegnete Hauke; ,hab dergleichen auch gedacht.'

,Warum?' frug der Alte.

— ,Ja, man wird grimmig in sich, wenn man's nicht an einem ordent- 5
lichen Stück Arbeit auslassen kann.'

,So?', sagte der Alte, ,und darum hast du den Angorer totgeschlagen?
Das könnte leicht noch schlimmer werden!'

— ,Er mag wohl recht haben, Vater; aber der Deichgraf hat seinen
Kleinknecht fortgejagt; das könnt ich schon verrichten!' 10

Der Alte begann wieder auf und ab zu gehen und spritzte dabei die
schwarze Tabaksjauche[21] von sich: ,Der Deichgraf ist ein Dummkopf,
dumm wie 'ne Saatgans![22] Er ist nur Deichgraf, weil sein Vater und
Großvater es gewesen sind, und wegen seiner neunundzwanzig Fennen.
Wenn Martini herankommt und hernach die Deich- und Sielrechnungen 15
abgetan[23] werden müssen, dann füttert er den Schulmeister mit Gansbraten
und Met[24] und Weizenkringeln[25] und sitzt dabei und nickt, wenn der mit
seiner Feder die Zahlenreihen hinunterläuft, und sagt: Ja, ja, Schulmeister,
Gott vergönn's Ihm![26] Was kann Er rechnen?[27] Wenn aber einmal der
Schulmeister nicht kann oder auch nicht will, dann muß er selber dran[28] 20
und sitzt und schreibt und streicht wieder aus,[29] und der große dumme
Kopf wird ihm rot und heiß, und die Augen quellen wie Glaskugeln, als
wollte das bißchen Verstand da hinaus.'

Der Junge stand gerade auf vor dem Vater und wunderte sich, was der
reden könne; so hatte er's noch nicht von ihm gehört. ,Ja, Gott tröst!' 25
sagte er, ,dumm ist er wohl; aber seine Tochter Elke, die kann rechnen!'

Der Alte sah ihn scharf an. ,Ahoi,[30] Hauke', rief er; ,was weißt du von
Elke Volkerts?'

— ,Nichts, Vater; der Schulmeister hat's mir nur erzählt.'

Der Alte antwortete nicht darauf; er schob nur bedächtig seinen Tabaks- 30
knoten[31] aus einer Backe hinter die andere.

,Und du denkst', sagte er dann, ,du wirst dort auch mitrechnen können.'

,O ja, Vater, das möcht schon gehen', erwiderte der Sohn, und ein
ernstes Zucken lief um seinen Mund.

Der Alte schüttelte den Kopf: ,Nun, aber meinethalb; versuch einmal 35
dein Glück!'

,Dank auch, Vater!' sagte Hauke und stieg zu seiner Schlafstatt[32] auf
dem Boden; hier setzte er sich auf die Bettkante und sann, weshalb ihn

Margin notes:

[21] *tobacco juice*
[22] *fattened goose*
[23] *finished up*
[24] *beer*
[25] *pretzels*
[26] *God bless you!*
[27] *how can you do figures like that?*
[28] *he has to take his turn*
[29] *crosses out*
[30] *oho!*
[31] *chaw of tobacco*
[32] *sleeping place*

denn sein Vater um Elke Volkerts angerufen[33] habe. Er kannte sie freilich, das ranke[34] achtzehnjährige Mädchen mit dem bräunlichen schmalen Antlitz und den dunklen Brauen, die über den trotzigen Augen und der schmalen Nase ineinander liefen; doch hatte er noch kaum ein Wort mit
5 ihr gesprochen; nun, wenn er zu dem alten Tede Volkerts ging, wollte er sie doch besser darauf ansehen, was es mit dem Mädchen auf sich habe. Und gleich jetzt wollte er gehen, damit kein anderer ihm die Stelle abjage;[35] es war ja kaum noch Abend. Und so zog er seine Sonntagsjacke und seine besten Stiefel an und machte sich guten Mutes auf den Weg.
10 — Das langgestreckte Haus des Deichgrafen war durch seine hohe Werfte, besonders durch den höchsten Baum des Dorfes, eine gewaltige Esche, schon von weitem sichtbar; der Großvater des jetzigen, der erste Deichgraf des Geschlechtes, hatte in seiner Jugend eine solche osten der Haustür hier gesetzt; aber die beiden ersten Anpflanzungen waren ver-
15 gangen, und so hatte er an seinem Hochzeitsmorgen diesen dritten Baum gepflanzt, der noch jetzt mit seiner immer mächtiger werdenden Blätterkrone[36] in dem hier unablässigen Winde wie von alten Zeiten rauschte.

Als nach einer Weile der lang aufgeschossene Hauke die hohe Werfte hinaufstieg, welche an den Seiten mit Rüben und Kohl bepflanzt war, sah
20 er droben die Tochter des Hauswirts neben der niedrigen Haustür stehen. Ihr einer etwas hagerer Arm hing schlaff herab, die andere Hand schien im Rücken nach dem Eisenring zu greifen, von denen je einer zu beiden Seiten der Tür in der Mauer war, damit, wer vor das Haus ritt, sein Pferd daran befestigen könne. Die Dirne schien von dort ihre Augen über den
25 Deich hinaus nach dem Meer zu haben, wo an dem stillen Abend die Sonne eben in das Wasser hinabsank und zugleich das bräunliche Mädchen mit ihrem letzten Scheine vergoldete.

Hauke stieg etwas langsamer an der Werfte hinan und dachte bei sich: ,So ist sie nicht so dösig!' dann war er oben. ,Guten Abend auch!' sagte
30 er, zu ihr tretend; ,wonach guckst du denn mit deinen großen Augen, Jungfer Elke?'

,Nach dem', erwiderte sie, ,was hier alle Abend vor sich geht, aber hier nicht alle Abend just zu sehen ist.' Sie ließ den Ring aus der Hand fallen, daß er klingend gegen die Mauer schlug. ,Was willst du, Hauke Haien?'
35 frug sie.

,Was dir hoffentlich[37] nicht zuwider ist', sagte er. ,Dein Vater hat seinen Kleinknecht fortgejagt, da dachte ich bei euch in Dienst.'

Sie ließ ihre Blicke an ihm herunterlaufen: ,Du bist noch so was

[33] *caught him up when he mentioned E.V.*
[34] *slim*
[35] *snatch . . . away*
[36] *leafy crown*
[37] *I hope*

[38] *skinny*

schlanterig,[38] Hauke!' sagte sie; ,aber uns dienen zwei feste Augen besser
als zwei feste Arme!' Sie sah ihn dabei fast düster an, aber Hauke hielt
ihr tapfer stand. ,So komm', fuhr sie fort; ,der Wirt ist in der Stube, laß
uns hineingehen!'

[39] *glazed*

[40] *beholder*

Am andern Tage trat Tede Haien mit seinem Sohne in das geräumige 5
Zimmer des Deichgrafen; die Wände waren mit glasurten[39] Kacheln
bekleidet, auf denen hier ein Schiff mit vollen Segeln oder ein Angler an
einem Uferplatz, dort ein Rind, das kauend vor einem Bauernhause lag,
den Beschauer[40] vergnügen konnte, unterbrochen war diese dauerhafte
Tapete durch ein mächtiges Wandbett mit jetzt zugeschobenen Türen und 10
einen Wandschrank, der durch seine beiden Glastüren allerlei Porzellan-
und Silbergeschirr[41] erblicken ließ; neben der Tür zum anstoßenden Pesel
war hinter einer Glasscheibe eine holländische Schlaguhr[42] in die Wand
gelassen.

[41] *porcelain and silver*
[42] *striking clock*

[43] *apoplectic*
[44] *scoured and polished*
[45] *wool cushion*

Der starke, etwas schlagflüssige[43] Hauswirt saß am Ende des blank- 15
gescheuerten[44] Tisches im Lehnstuhl auf seinem bunten Wollenpolster.[45]
Er hatte seine Hände über dem Bauch gefaltet und starrte aus seinen
runden Augen befriedigt auf das Gerippe einer fetten Ente; Gabel und
Messer ruhten vor ihm auf dem Teller.

,Guten Tag, Deichgraf!' sagte Haien, und der Angeredete drehte lang- 20
sam Kopf und Augen zu ihm hin.

,Ihr seid es, Tede?' entgegnete er, und der Stimme war die verzehrte
fette Ente anzuhören, ,setzt Euch; es ist ein gut Stück von Euch zu mir
herüber!'

,Ich komme, Deichgraf', sagte Tede Haien, indem er sich auf die an der 25
Wand entlang laufende Bank dem andern im Winkel gegenübersetzte.
,Ihr habt Verdruß mit Euerem Kleinknecht gehabt und seid mit meinem
Jungen einig geworden, ihn an dessen Stelle zu setzen!'

Der Deichgraf nickte: ,Ja, ja, Tede; aber — was meint Ihr mit Verdruß?

[46] *we . . . have a remedy
for that*

Wir Marschleute haben, Gott tröst uns, was dagegen einzunehmen!'[46] und 30
er nahm das vor ihm liegende Messer und klopfte wie liebkosend auf das

[47] *favorite bird*

Gerippe der armen Ente. ,Das war mein Leibvogel',[47] setzte er behaglich
lachend hinzu; ,sie fraß mir aus der Hand!'

,Ich dachte', sagte der alte Haien, das letzte überhörend, ,der Bengel
hätte Euch Unheil im Stall gemacht.' 35

[48] *big dumbbell*

,Unheil? Ja, Tede; freilich Unheil genug! Der dicke Mopsbraten[48] hatte die Kälber nicht gebörnt;[49] aber er lag vollgetrunken[50] auf dem Heuboden,[51] und das Viehzeug[52] schrie die ganze Nacht vor Durst, daß ich bis Mittag nachschlafen[53] mußte; dabei kann die Wirtschaft nicht bestehen!'

,Nein, Deichgraf; aber dafür ist keine Gefahr bei meinem Jungen.'

5 Hauke stand, die Hände in den Seitentaschen, am Türpfosten, hatte den Kopf im Nacken und studierte an den Fensterrähmen[54] ihm gegenüber.

Der Deichgraf hatte die Augen zu ihm gehoben und nickte hinüber: ,Nein, nein, Tede'; und er nickte nun auch dem Alten zu; ,Euer Hauke wird mir die Nachtruh' nicht verstören; der Schulmeister hat's mir schon 10 vordem gesagt, der sitzt lieber vor der Rechentafel[55] als vor einem Glas mit Branntwein.'

Hauke hörte nicht auf diesen Zuspruch, denn Elke war in die Stube getreten und nahm mit ihrer leichten Hand die Reste der Speisen von dem Tisch, ihn mit ihren dunkeln Augen flüchtig streifend. Da fielen seine 15 Blicke auch auf sie. ,Bei Gott und Jesus', sprach er bei sich selber, ,sie sieht auch so nicht dösig aus!'

Das Mädchen war hinausgegangen. ,Ihr wisset, Tede', begann der Deichgraf wieder, ,unser Herrgott hat mir einen Sohn versagt!'

,Ja, Deichgraf; aber laßt Euch das nicht kränken', entgegnete der andere, 20 ,denn im dritten Gliede soll der Familienverstand ja verschleißen;[56] Euer Großvater, das wissen wir noch alle, war einer, der das Land geschützt hat!'

Der Deichgraf, nach einigem Besinnen, sah schier verdutzt aus: ,Wie meint Ihr das, Tede Haien?' sagte er und setzte sich in seinem Lehnstuhl auf, ,ich bin ja doch im dritten Gliede!'

25 ,Ja so! Nicht für ungut, Deichgraf; es geht nur so die Rede!' Und der hagere Tede Haien sah den alten Würdenträger[57] mit etwas boshaften Augen an.

Der aber sprach unbekümmert: ,Ihr müßt Euch von alten Weibern dergleichen Torheiten nicht aufschwatzen lassen,[58] Tede Haien; Ihr kennt 30 nur meine Tochter nicht, die rechnet mich selber dreimal um und um![59] Ich wollt nur sagen, Euer Hauke wird außer im Felde auch hier in meiner Stube mit Feder oder Rechenstift[60] so manches profitieren können, was ihm nicht schaden wird!'

,Ja, ja, Deichgraf, das wird er; da habt Ihr völlig recht!' sagte der alte 35 Haien und begann dann noch einige Vergünstigungen bei dem Mietkontrakt sich auszubedingen,[61] die abends vorher von seinem Sohne nicht bedacht waren. So sollte dieser außer seinen leinenen Hemden im Herbst

[49] *watered*
[50] *full to the gills*
[51] *hayloft*
[52] *animals*
[53] *sleep late*

[54] *studied the window frames*

[55] *slate (for arithmetic)*

[56] *the family brains are supposed to dry up by the third generation*

[57] *dignitary*

[58] *you mustn't get talked into believing such old wives' tales*
[59] *she can figure circles around me*
[60] *pencil*

[61] *negotiate certain more favorable terms in the employment contract*

[62] *supplement*

auch noch acht Paar wollene Strümpfe als Zugabe[62] seines Lohnes genießen; so wollte er selbst ihn im Frühling acht Tage bei der eigenen Arbeit haben, und was dergleichen mehr war. Aber der Deichgraf war zu allem willig; Hauke Haien schien ihm eben der rechte Kleinknecht.

— ,Nun, Gott tröst dich, Junge', sagte der Alte, da sie eben das Haus ₅ verlassen hatten, ,wenn der dir die Welt klarmachen soll!'

Aber Hauke erwiderte ruhig: ,Laß Er nur, Vater; es wird schon alles werden.'

Und Hauke hatte so unrecht nicht gehabt; die Welt, oder was ihm die Welt bedeutete, wurde ihm klarer, je länger sein Aufenthalt in diesem ₁₀ Hause dauerte; vielleicht um so mehr, je weniger ihm eine überlegene Einsicht zu Hülfe kam, und je mehr er auf seine eigene Kraft angewiesen war, mit der er sich von jeher beholfen hatte. Einer freilich war im Hause, für den er nicht der Rechte zu sein schien; das war der Groß-

[63] *fast-talking*

knecht Ole Peters, ein tüchtiger Arbeiter und ein maulfertiger[63] Geselle. ₁₅ Ihm war der träge, aber dumme und stämmige Kleinknecht von vorhin

[64] *ton (used loosely)*
[65] *to his heart's content*

besser nach seinem Sinn gewesen, dem er ruhig die Tonne[64] Hafer auf den Rücken hatte laden und den er nach Herzenslust[65] hatte herumstoßen können. Dem noch stilleren, aber ihn geistig überragenden Hauke ver-

[66] *get at*

mochte er in solcher Weise nicht beizukommen,[66] er hatte eine gar zu ₂₀ eigene Art, ihn anzublicken. Trotzdem verstand er es, Arbeiten für ihn

[67] *firmly developed*

auszusuchen, die seinem noch nicht gefesteten[67] Körper hätten gefährlich werden können, und Hauke, wenn der Großknecht sagte: ,Da hättest du den dicken Niß nur sehen sollen, dem ging es von der Hand!' faßte

[68] *difficulty*

nach Kräften an und brachte es, wenn auch mit Mühsal,[68] doch zu Ende. ₂₅ Ein Glück war es für ihn, daß Elke selbst oder durch ihren Vater das meistens abzustellen wußte. Man mag wohl fragen, was mitunter ganz fremde Menschen aneinander bindet; vielleicht — sie waren beide geborene Rechner, und das Mädchen konnte ihren Kameraden in der groben Arbeit nicht verderben sehen. ₃₀

Der Zwiespalt zwischen Groß- und Kleinknecht wurde auch im Winter nicht besser, als nach Martini die verschiedenen Deichrechnungen zur

[69] *for audit*

Revision[69] eingelaufen waren.

Es war an einem Maiabend, aber es war Novemberwetter; von drinnen im Hause hörte man draußen hinterm Deich die Brandung donnern. ,He, ₃₅ Hauke', sagte der Hausherr, ,komm herein; nun magst du weisen, ob du rechnen kannst!'

,Uns' Weert', entgegnete dieser — denn so nennen hier die Leute ihre Herrschaft —; ,ich soll aber erst das Jungvieh füttern!'

,Elke!' rief der Deichgraf; ,wo bist du, Elke! — Geh zu Ole und sag ihm, er solle das Jungvieh füttern; Hauke soll rechnen!'

5 Und Elke eilte in den Stall und machte dem Großknecht die Bestellung, der eben damit beschäftigt war, das über Tag gebrauchte Pferdegeschirr[70] wieder an seinen Platz zu hängen.

Ole Peters schlug mit einer Trense[71] gegen den Ständer, neben dem er sich beschäftigte, als wolle er sie kurz und klein haben:[72] ,Hol der Teufel 10 den verfluchten Schreiberknecht!'

Sie hörte die Worte noch, bevor sie die Stalltür wieder geschlossen hatte.

,Nun?' frug der Alte, als sie in die Stube trat.

,Ole wollte es schon besorgen',[73] sagte die Tochter, ein wenig sich die Lippen beißend, und setzte sich Hauke gegenüber auf einen grobge- 15 schnitzten[74] Holzstuhl, wie sie noch derzeit hier an Winterabenden im Hause selbst gemacht wurden. Sie hatte aus einem Schubkasten einen weißen Strumpf mit rotem Vogelmuster genommen, an dem sie nun weiterstrickte; die langbeinigen Kreaturen darauf mochten Reiher[75] oder Störche bedeuten sollen. Hauke saß ihr gegenüber in seine Rechnerei 20 vertieft, der Deichgraf selbst ruhte in seinem Lehnstuhl und blinzelte schläfrig nach Haukes Feder; auf dem Tisch brannten, wie immer im Deichgrafenhause, zwei Unschlittkerzen, und vor den beiden in Blei gefaßten Fenstern waren von außen die Läden vorgeschlagen und von innen zugeschroben,[76] mochte der Wind nun poltern, wie er wollte. 25 Mitunter hob Hauke seinen Kopf von der Arbeit und blickte einen Augenblick nach den Vogelstrümpfen oder nach dem schmalen ruhigen Gesicht des Mädchens.

Da tat es aus dem Lehnstuhl plötzlich einen lauten Schnarcher, und ein Blick und ein Lächeln flog zwischen den beiden jungen Menschen hin und 30 wider; dann folgte allmählich ein ruhigeres Atmen; man konnte wohl ein wenig plaudern; Hauke wußte nur nicht, was.

Als sie aber das Strickzeug[77] in die Höhe zog und die Vögel sich nun in ihrer ganzen Länge zeigten, flüsterte er über den Tisch herüber: ,Wo hast du das gelernt, Elke?'

35 ,Was gelernt?' frug das Mädchen zurück.

— ,Das Vogelstricken',[78] sagte Hauke.

,Das? Von Trin' Jans draußen am Deich; sie kann allerlei; sie war vorzeiten[79] einmal bei meinem Großvater hier im Dienst.'

---

[70] *the horses' gear used during the day*

[71] *snaffle bit*

[72] *cut it down to size*

[73] *Ole said he'd do it*

[74] *rough-carved*

[75] *herons*

[76] *pulled to and screwed shut from the inside*

[77] *knitting*

[78] *knitting bird designs*

[79] *long ago*

,Da warst du aber wohl noch nicht geboren?' sagte Hauke.

,Ich denk wohl nicht; aber sie ist noch oft ins Haus gekommen.'

,Hat denn die die Vögel gern?' frug Hauke; ,ich meint', sie hielt es nur mit Katzen!'

Elke schüttelte den Kopf: ,Sie zieht ja Enten und verkauft sie; aber im 5 vorigen Frühjahr, als du den Angorer totgeschlagen hattest, sind ihr hinten im Stall die Ratten dazwischengekommen,[80] nun will sie sich vorn am Hause einen andern bauen.'

,So', sagte Hauke und zog einen leisen Pfiff durch die Zähne, ,dazu hat sie von der Geest sich Lehm[81] und Steine hergeschleppt! Aber dann kommt 10 sie in den Binnenweg! — hat sie denn Konzession?'

,Weiß ich nicht', meinte Elke. Aber er hatte das letzte Wort so laut gesprochen, daß der Deichgraf aus seinem Schlummer auffuhr. ,Was Konzession?' frug er und sah fast wild von einem zu der andern. ,Was soll die Konzession?' 15

Als aber Hauke ihm dann die Sache vorgetragen hatte, klopfte er ihm lachend auf die Schulter: ,Ei was, der Binnenweg ist breit genug; Gott tröst den Deichgrafen, sollt' er sich auch noch um die Entenställe[82] kümmern!'

Hauke fiel es aufs Herz,[83] daß er die Alte mit ihren jungen Enten den 20 Ratten sollte preisgegeben haben, und er ließ sich mit dem Einwand abfinden.[84] ,Aber, uns' Weert', begann er wieder, ,es tät' wohl dem und jenem ein kleiner Zwicker gut, und wollet Ihr ihn nicht selber greifen, so zwicket den Gevollmächtigten, der auf die Deichordnung[85] passen soll!'

,Wie, was sagt der Junge?' und der Deichgraf setzte sich vollends auf, 25 und Elke ließ ihren künstlichen Strumpf sinken und wandte das Ohr hinüber.

,Ja, uns' Weert', fuhr Hauke fort, ,Ihr habt doch schon die Frühlingsschau[86] gehalten; aber trotzdem hat Peter Jansen auf seinem Stück das Unkraut auch noch heute nicht gebuscht;[87] im Sommer werden die Stieg- 30 litzer[88] da wieder lustig um die roten Distelblumen spielen! Und dicht daneben, ich weiß nicht, wem's gehört, ist an der Außenseite eine ganze Wiege[89] in dem Deich; bei schön Wetter liegt es immer voll von kleinen Kindern, die sich darin wälzen; aber — Gott bewahr uns vor Hochwasser!'

Die Augen des alten Deichgrafen waren immer größer geworden. 35

,Und dann —' sagte Hauke wieder.

,Was dann noch, Junge?' frug der Deichgraf; ,bist du noch nicht fertig?'

[80] got in and caused trouble

[81] loam

[82] duck pens

[83] Hauke's conscience troubled him

[84] made no objection to the (Dikegrave's) protestation

[85] dike regulations

[86] spring inspection

[87] cut down

[88] finches

[89] hollow spot

und es klang, als sei der Rede seines Kleinknechts ihm schon zuviel geworden.

‚Ja, dann, uns' Weert', sprach Hauke weiter; ‚Ihr kennt die dicke Vollina, die Tochter vom Gevollmächtigten Harders, die immer ihres Vaters
5 Pferde aus der Fenne holt — wenn sie nur eben mit ihren runden Waden[90] auf der alten gelben Stute sitzt, hü hopp![91] so geht's allemal schräg an der Dossierung[92] den Deich hinan!'

Hauke bemerkte erst jetzt, daß Elke ihre klugen Augen auf ihn gerichtet hatte und leise ihren Kopf schüttelte.

10 Er schwieg, aber ein Faustschlag, den der Alte auf den Tisch tat, dröhnte ihm in die Ohren; ‚da soll das Wetter dreinschlagen!'[93] rief er, und Hauke erschrak beinahe über die Bärenstimme, die plötzlich hier hervorbrach: ‚Zur Brüche! Notier mir das dicke Mensch zur Brüche,[94] Hauke! Die Dirne hat mir im letzten Sommer drei junge Enten weggefangen![95] Ja, ja,
15 notier nur', wiederholte er, als Hauke zögerte; ‚ich glaub sogar, es waren vier!'

‚Ei, Vater', sagte Elke, ‚war's nicht die Otter, die die Enten nahm?'

‚Eine große Otter!' rief der Alte schnaufend;[96] ‚werd doch die dicke Vollina und eine Otter auseinanderkennen![97] Nein, nein, vier Enten,
20 Hauke — aber was du im übrigen schwatzest, der Herr Oberdeichgraf und ich, nachdem wir zusammen in meinem Hause hier gefrühstückt hatten, sind im Frühjahr an deinem Unkraut und an deiner Wiege vorbeigefahren und haben's doch nicht sehen können. Ihr beide aber', und er nickte ein paarmal bedeutsam[98] gegen Hauke und seine Tochter, ‚danket
25 Gott, daß ihr nicht Deichgraf seid! Zwei Augen hat man nur, und mit hundert soll man sehen. — Nimm nur die Rechnungen über die Bestikkungsarbeiten, Hauke, und sieh sie nach; die Kerls rechnen oft zu liederlich!'

Dann lehnte er sich wieder in seinen Stuhl zurück, ruckte[99] den schweren
30 Körper ein paarmal und überließ sich bald dem sorgenlosen Schlummer.

Dergleichen wiederholte sich an manchem Abend. Hauke hatte scharfe Augen und unterließ es nicht, wenn sie beisammensaßen, das eine oder andre von schädlichem Tun oder Unterlassen[1] in Deichsachen dem Alten vor die Augen zu rücken; und da dieser sie nicht immer schließen konnte,
35 so kam unversehens ein lebhafterer Geschäftsgang[2] in die Verwaltung, und die, welche früher im alten Schlendrian fortgesündigt[3] hatten und jetzt

[90] *thighs*
[91] *giddyap*
[92] *up across the slope*

[93] *the devil take her!*

[94] *mark . . . down for a fine*
[95] *snatched away*

[96] *wheezing and snorting*
[97] *tell the difference between*

[98] *meaningfully*

[99] *shifted*

[1] *one or another instance of detrimental omission or commission*
[2] *way of doing business*
[3] *continued their sinful ways*

unerwartet ihre frevlen oder faulen Finger geklopft fühlten, sahen sich unwillig und verwundert um, woher die Schläge denn gekommen seien. Und Ole, der Großknecht, säumte nicht, möglichst weit die Offenbarung zu verbreiten und dadurch gegen Hauke und seinen Vater, der doch die Mitschuld[4] tragen mußte, in diesen Kreisen einen Widerwillen zu erregen; die andern aber, welche nicht getroffen waren, oder denen es um die Sache selbst zu tun war,[5] lachten und hatten ihre Freude, daß der Junge den Alten doch einmal etwas in Trab gebracht habe. ‚Schad nur', sagten sie, ‚daß der Bengel nicht den gehörigen Klei unter den Füßen hat; das gäbe später sonst einmal wieder einen Deichgrafen, wie vordem sie dagewesen sind; aber die paar Demat seines Alten, die täten's denn doch nicht!'

Als im nächsten Herbst der Herr Amtmann und Oberdeichgraf zur Schauung[6] kam, sah er sich den alten Tede Volkerts von oben bis unten an, während dieser ihn zum Frühstück nötigte. ‚Wahrhaftig, Deichgraf', sagte er, ‚ich dacht's mir schon, Ihr seid in der Tat um ein Halbstieg[7] Jahre jünger geworden; Ihr habt mir diesmal mit all Euern Vorschlägen warm gemacht; wenn wir mit alledem nur heute fertig werden!'

‚Wird schon, wird schon,[8] gestrenger[9] Herr Oberdeichgraf', erwiderte der Alte schmunzelnd; ‚der Gansbraten da wird schon die Kräfte stärken! Ja, Gott sei Dank, ich bin noch allezeit frisch und munter!' Er sah sich in der Stube um, ob auch nicht etwa Hauke um die Wege sei; dann setzte er in würdevoller Ruhe noch hinzu: ‚So hoffe ich zu Gott, noch meines Amtes ein paar Jahre in Segen warten zu können.'

‚Und darauf, lieber Deichgraf', erwiderte sein Vorgesetzter,[10] sich erhebend, ‚wollen wir dieses Glas zusammen trinken!'

Elke, die das Frühstück bestellt hatte, ging eben, während die Gläser aneinanderklangen, mit leisem Lachen aus der Stubentür. Dann holte sie eine Schüssel Abfall[11] aus der Küche und ging durch den Stall, um es vor der Außentür dem Federvieh[12] vorzuwerfen. Im Stall stand Hauke Haien und steckte den Kühen, die man der argen Witterung wegen schon jetzt hatte heraufnehmen müssen, mit der Furke Heu in ihre Raufen.[13] Als er aber das Mädchen kommen sah, stieß er die Furke auf den Grund. ‚Nu, Elke!' sagte er.

Sie blieb stehen und nickte ihm zu: ‚Ja, Hauke; aber eben hättest du drinnen sein müssen!'

‚Meinst du? Warum denn, Elke?'

‚Der Herr Oberdeichgraf hat den Wirt gelobt!'

---

[4] *common responsibility*

[5] *who were concerned as a matter of principle*

[6] *inspection*

[7] *half score*

[8] *we will, all right*
[9] *(formula of address, roughly "your Excellency")*

[10] *superior*

[11] *garbage*
[12] *ducks and chickens*

[13] *feeding racks*

,Den Wirt? Was tut das mir?'

,Nein, ich mein, den Deichgrafen hat er gelobt!'

Ein dunkles Rot flog über das Gesicht des jungen Menschen: ,Ich weiß wohl', sagte er, ,wohin du damit segeln willst!'

5 ,Werd nur nicht rot, Hauke, du warst es ja doch eigentlich, den der Oberdeichgraf lobte!'

Hauke sah sie mit halbem Lächeln an. ,Auch du doch, Elke!' sagte er.

Aber sie schüttelte den Kopf: ,Nein, Hauke; als ich allein der Helfer war, da wurden wir nicht gelobt. Ich kann ja auch nur rechnen; du aber 10 siehst draußen alles, was der Deichgraf doch wohl selber sehen sollte; du hast mich ausgestochen!'[14]

,Ich hab das nicht gewollt, dich am mindsten', sagte Hauke zaghaft, und er stieß den Kopf einer Kuh zur Seite: ,Komm, Rotbunt,[15] friß mir nicht die Furke auf, du sollst ja alles haben!'

15 ,Denk nur nicht, daß mir's leid tut, Hauke', sagte nach kurzem Sinnen das Mädchen; ,das ist ja Mannessache!'

Da streckte Hauke ihr den Arm entgegen: ,Elke, gib mir die Hand darauf!'

Ein tiefes Rot schoß unter die dunkeln Brauen des Mädchens. ,Warum? 20 Ich lüg ja nicht!' rief sie.

Hauke wollte antworten; aber sie war schon zum Stall hinaus, und er stand mit seiner Furke in der Hand und hörte nur, wie draußen die Enten und Hühner um sie schnatterten und krähten.

Es war im Januar von Haukes drittem Dienstjahr, als ein Winterfest 25 gehalten werden sollte; ,Eisboseln' nennen sie es hier. Ein ständiger[16] Frost hatte beim Ruhen der Küstenwinde alle Gräben zwischen den Fennen mit einer festen ebenen Kristallfläche belegt, so daß die zerschnittenen[17] Landstücke nun eine weite Bahn für das Werfen der kleinen mit Blei ausgegossenen[18] Holzkugeln bildeten, womit das Ziel erreicht 30 werden sollte. Tagaus, tagein wehte ein leichter Nordost; alles war schon in Ordnung; die Geestleute in dem zu Osten über der Marsch belegenen Kirchdorf, die im vorigen Jahre gesiegt[19] hatten, waren zum Wettkampf gefordert und hatten angenommen; von jeder Seite waren neun Werfer aufgestellt; auch der Obmann und die Kretler waren gewählt. Zu letzteren, 35 die bei Streitfällen[20] über einen zweifelhaften Wurf miteinander zu verhandeln hatten, wurden allezeit Leute genommen, die ihre Sache ins beste Licht zu rücken verstanden, am liebsten Burschen, die außer gesundem

[14] *beaten me out*

[15] *(cow's name)*

[16] *lasting*

[17] *cut up*

[18] *filled*

[19] *won*

[20] *cases of disagreement*

[21] *common sense*
Menschenverstand[21] auch noch ein lustig Mundwerk hatten. Dazu gehörte vor allen Ole Peters, der Großknecht des Deichgrafen. ‚Werft nur wie die Teufel', sagte er; ‚das Schwatzen tu ich schon umsonst!'

Es war gegen Abend vor dem Festtag; in der Nebenstube des Kirchspielkruges droben auf der Geest war eine Anzahl von den Werfern erschienen, um über die Aufnahme einiger zuletzt noch Angemeldeten zu beschließen. Hauke Haien war auch unter diesen; er hatte erst nicht wollen,

[22] *well-trained throwing arm*
[23] *position of respect*
obschon er seiner wurfgeübten Arme[22] sich wohl bewußt war; aber er fürchtete durch Ole Peters, der einen Ehrenposten[23] in dem Spiel bekleidete, zurückgewiesen zu werden; die Niederlage wollte er sich sparen. Aber Elke hatte ihm noch in der elften Stunde den Sinn gewandt: ‚Er wird's nicht wagen, Hauke', hatte sie gesagt; ‚er ist ein Tagelöhnersohn; dein Vater hat Kuh und Pferd und ist dazu der klügste Mann im Dorf!'

‚Aber, wenn er's dennoch fertigbringt?'

Sie sah ihn halb lächelnd aus ihren dunkeln Augen an. ‚Dann', sagte sie,

[24] *he can just forget it*
‚soll er sich den Mund wischen,[24] wenn er abends mit seines Wirts Tochter zu tanzen denkt!' — Da hatte Hauke ihr mutig zugenickt.

Nun standen die jungen Leute, die noch in das Spiel hineinwollten,

[25] *stamping their feet*
[26] *fieldstone*
frierend und fußtrampelnd[25] vor dem Kirchspielskrug und sahen nach der Spitze des aus Felsblöcken[26] gebauten Kirchturms hinauf, neben dem das Krughaus lag. Des Pastors Tauben, die sich im Sommer auf den Feldern des Dorfes nährten, kamen eben von den Höfen und Scheuern der Bauern zurück, wo sie sich jetzt ihre Körner gesucht hatten, und verschwanden unter den Schindeln des Turmes, hinter welchen sie ihre Nester hatten; im Westen über dem Haf stand ein glühendes Abendrot.

‚Wird gut Wetter morgen!' sagte der eine der jungen Burschen und begann heftig auf und ab zu wandern; ‚aber kalt! kalt!' Ein zweiter, als er keine Taube mehr fliegen sah, ging in das Haus und stellte sich horchend

[27] *confusion of voices*
neben die Tür der Stube, aus der jetzt ein lebhaftes Durcheinanderreden[27] herausscholl; auch des Deichgrafen Kleinknecht war neben ihn getreten. ‚Hör, Hauke', sagte er zu diesem; ‚nun schreien sie um dich!', und deutlich hörte man von drinnen Ole Peters' knarrende Stimme: ‚Kleinknechte und Jungens gehören nicht dazu!'

‚Komm', flüsterte der andre und suchte Hauke am Rockärmel an die

[28] *regard*
Stubentür zu ziehen, ‚hier kannst du lernen, wie hoch sie dich taxieren!'[28]

Aber Hauke riß sich los und ging wieder vor das Haus: ‚Sie haben uns nicht ausgesperrt, damit wir's hören sollen!' rief er zurück.

Vor dem Hause stand der dritte der Angemeldeten. ‚Ich fürcht, mit mir hat's einen Haken‘, rief er ihm entgegen; ‚ich hab kaum achtzehn Jahre; wenn sie nur den Taufschein nicht verlangen! Dich, Hauke, wird dein Großknecht schon herauskreteln!‘²⁹ *²⁹ bail you out*

5   ‚Ja, heraus!‘ brummte Hauke und schleuderte mit dem Fuße einen Stein über den Weg; ‚nur nicht hinein!‘

Der Lärm in der Stube wurde stärker; dann allmählich trat eine Stille ein; die draußen hörten wieder den leisen Nordost, der sich oben an der Kirchturmspitze brach. Der Horcher trat wieder zu ihnen. ‚Wen hatten sie
10   da drinnen?‘ frug der Achtzehnjährige.

‚Den da!‘ sagte jener und wies auf Hauke; ‚Ole Peters wollte ihn zum Jungen machen;³⁰ aber alle schrien dagegen. Und sein Vater hat Vieh und *³⁰ make out that he was just a boy* Land, sagte Jeß Hansen. Ja, Land, rief Ole Peters, das man auf dreizehn Karren wegfahren kann! — Zuletzt kam Ole Hensen: Still da! schrie er;
15   ich will's euch lehren: sagt nur, wer ist der erste Mann im Dorf? Da schwiegen sie erst und schienen sich zu besinnen; dann sagte eine Stimme: Das ist doch wohl der Deichgraf! Und alle anderen riefen: Nun ja, unsert- halb³¹ der Deichgraf! — Und wer ist denn der Deichgraf? rief Ole Hensen *³¹ so all right, it's the dikemaster* wieder; aber nun bedenkt euch recht!³² — Da begann einer leis zu lachen, *³² now think it over*
20   und dann wieder einer, bis zuletzt nichts in der Stube war als lauter Lachen. Nun, so ruft ihn, sagte Ole Hensen; ihr wollt doch nicht den Deichgrafen von der Tür stoßen! Ich glaub, sie lachen noch; aber Ole Peters' Stimme war nicht mehr zu hören!‘ schloß der Bursche seinen Bericht.

25   Fast in demselben Augenblick wurde drinnen im Hause die Stubentür aufgerissen, und: ‚Hauke! Hauke Haien!‘ rief es laut und fröhlich in die kalte Nacht hinaus.

Da trabte Hauke in das Haus und hörte nicht mehr, wer denn der Deich- graf sei; was in seinem Kopfe brütete, hat indessen niemand wohl erfah-
30   ren.

— Als er nach einer Weile sich dem Hause seiner Herrschaft nahte, sah er Elke drunten am Heck³³ der Auffahrt stehen, das Mondlicht schimmerte *³³ gateway* über die unermeßliche weiß bereifte Weidefläche. ‚Stehst du hier, Elke?‘ frug er.

35   Sie nickte nur: ‚Was ist geworden?‘ sagte sie; ‚hat er's gewagt?‘

— ‚Was sollt er nicht!‘³⁴ *³⁴ don't think he didn't*

‚Nun, und?‘

— ‚Ja, Elke; ich darf es morgen doch versuchen!‘

‚Gute Nacht, Hauke!‘ Und sie lief flüchtig die Werfte hinan und verschwand im Hause.

Langsam folgte er ihr.

Auf der weiten Weidefläche, die sich zu Osten an der Landseite des Deiches entlang zog, sah man am Nachmittag darauf eine dunkle Menschenmasse bald[35] unbeweglich stille stehen, bald, nachdem zweimal eine hölzerne Kugel aus derselben über den durch die Tagessonne jetzt von Reif befreiten Boden hingeflogen war, abwärts von den hinter ihr liegenden langen und niedrigen Häusern allmählich weiterrücken; die Parteien der Eisbosler in der Mitte, umgeben von alt und jung, was mit ihnen, sei es in jenen Häusern oder in denen droben auf der Geest, Wohnung oder Verbleib[36] hatte; die älteren Männer in langen Röcken, bedächtig aus kurzen Pfeifen rauchend, die Weiber in Tüchern und Jacken, auch wohl Kinder an den Händen ziehend oder auf den Armen tragend. Aus den gefrorenen Gräben, welche allmählich überschritten wurden, funkelte durch die scharfen Schilfspitzen der bleiche Schein der Nachmittagssonne; es fror mächtig, aber das Spiel ging unablässig vorwärts, und aller Augen verfolgten immer wieder die fliegende Kugel, denn an ihr hing heute für das ganze Dorf die Ehre des Tages. Der Kretler der Parteien trug hier einen weißen, bei den Geestleuten einen schwarzen Stab mit eiserner Spitze; wo die Kugel ihren Lauf geendet hatte, wurde dieser, je nachdem, unter schweigender Anerkennung oder dem Hohngelächter[37] der Gegenpartei in den gefrorenen Boden eingeschlagen, und wessen Kugel zuerst das Ziel erreichte, der hatte für seine Partei das Spiel gewonnen.

Gesprochen wurde von all den Menschen wenig; nur wenn ein Kapitalwurf[38] geschah, hörte man wohl einen Ruf der jungen Männer oder Weiber; oder von den Alten einer nahm seine Pfeife aus dem Mund und klopfte damit unter ein paar guten Worten den Werfer auf die Schulter: ‚Das war ein Wurf, sagte Zacharies und warf sein Weib aus der Luke!‘[39] oder: ‚So warf dein Vater auch; Gott tröst ihn in der Ewigkeit!‘ oder was sie sonst für Gutes sagten.

Bei seinem ersten Wurfe war das Glück nicht mit Hauke gewesen: als er eben den Arm hinten ausschwang, um die Kugel fortzuschleudern, war eine Wolke von der Sonne fortgezogen, die sie vorhin bedeckt hatte, und diese traf mit ihrem vollen Strahl in seine Augen; der Wurf wurde zu

---

[35] (bald ... stille stehen, bald ... weiterrücken)

[36] *abode*

[37] *mocking laughter*

[38] *particularly fine throw*

[39] *(humorous formula :) That was a heave, said Z., as he threw his wife out the dormer window*

kurz, die Kugel fiel auf einen Graben und blieb im Bummeis⁴⁰ stecken.

‚Gilt nicht! Gilt nicht! Hauke, noch einmal‘, riefen seine Partner.

Aber der Kretler der Geestleute sprang dagegen auf: ‚Muß wohl gelten; geworfen ist geworfen!‘⁴¹

5 ‚Ole! Ole Peters!‘ schrie die Marschjugend. ‚Wo ist Ole? Wo, zum Teufel, steckt er?‘

Aber er war schon da: ‚Schreit nur nicht so! Soll Hauke wo geflickt werden!⁴² Ich dacht's mir schon.‘

— ‚Ei was! Hauke muß noch einmal werfen; nun zeig, daß du das Maul
10 am rechten Fleck hast!‘

‚Das hab ich schon!‘ rief Ole und trat dem Geestkretler gegenüber und redete einen Haufen Gallimathias⁴³ aufeinander. Aber die Spitzen und Schärfen, die sonst aus seinen Worten blitzten, waren diesmal nicht dabei. Ihm zur Seite stand das Mädchen mit den Rätselbrauen⁴⁴ und sah
15 scharf aus zornigen Augen auf ihn hin; aber reden durfte sie nicht, denn die Frauen hatten keine Stimme in dem Spiel.

‚Du leierst Unsinn‘,⁴⁵ rief der andere Kretler, ‚weil dir der Sinn nicht dienen kann!⁴⁶ Sonne, Mond und Sterne sind für uns alle gleich und allezeit am Himmel; der Wurf war ungeschickt, und alle ungeschickten Würfe
20 gelten!‘

So redeten sie noch eine Weile gegeneinander; aber das Ende war, daß nach Bescheid des Obmanns Hauke seinen Wurf nicht wiederholen durfte.

‚Vorwärts!‘ riefen die Geestleute, und ihr Kretler zog den schwarzen Stab dem Boden, und der Werfer trat auf seinen Nummerruf dort an
25 und schleuderte die Kugel vorwärts. Als der Großknecht des Deichgrafen dem Wurfe zusehen wollte, hatte er an Elke Volkerts vorbei müssen: ‚Wem zuliebe ließest du heut deinen Verstand zu Hause?‘ raunte sie ihm zu.

Da sah er sie fast grimmig an, und aller Spaß war aus seinem breiten
30 Gesichte verschwunden. ‚Dir zulieb!‘ sagte er, ‚denn du hast deinen auch vergessen!‘

‚Geh nur; ich kenne dich, Ole Peters!‘ erwiderte das Mädchen, sich hoch aufrichtend; er aber kehrte den Kopf ab und tat, als habe er das nicht gehört.

35 Und das Spiel und der schwarze und der weiße Stab gingen weiter. Als Hauke wieder am Wurf war, flog seine Kugel schon so weit, daß das Ziel, die große weiß gekalkte⁴⁷ Tonne, klar in Sicht kam.⁴⁸ Er war jetzt ein fester

⁴⁰ *thin broken ice*
⁴¹ *a throw is a throw*
⁴² *do we have to do a repair job on Hauke?*
⁴³ *nonsense*
⁴⁴ *mysterious eyebrows*
⁴⁵ *you're just talking nonsense*
⁴⁶ *because there's no sense on your side*
⁴⁷ *whitewashed*
⁴⁸ *came . . . into view*

junger Kerl, und Mathematik und Wurfkunst[49] hatte er täglich während seiner Knabenzeit getrieben. ‚Oho, Hauke!‘ rief es aus dem Haufen; ‚das war ja, als habe der Erzengel Michael selbst geworfen!‘ Eine alte Frau mit Kuchen und Branntwein drängte sich durch den Haufen zu ihm; sie schenkte ein Glas voll und bot es ihm; ‚Komm‘, sagte sie, ‚wir wollen uns vertragen: das heut ist besser, als da du mir die Katze totschlugst!‘ Als er sie ansah, erkannte er, daß es Trin' Jans war. ‚Ich dank dir, Alte‘, sagte er; ‚aber ich trink das nicht.‘ Er griff in seine Tasche und drückte ihr ein frischgeprägtes Markstück[50] in die Hand: ‚Nimm das und trink selber das Glas aus, Trin'; so haben wir uns vertragen!‘

‚Hast recht, Hauke!‘ erwiderte die Alte, indem sie seiner Anweisung folgte; ‚hast recht; das ist auch besser für ein altes Weib wie ich!‘

‚Wie geht's mit deinen Enten?‘ rief er ihr noch nach, als sie sich schon mit ihrem Korbe fortmachte; aber sie schüttelte nur den Kopf, ohne sich umzuwenden, und patschte mit ihren alten Händen[51] in die Luft. ‚Nichts, nichts, Hauke; da sind zu viele Ratten in euren Gräben; Gott tröst mich; man muß sich anders nähren!‘ Und somit drängte sie sich in den Menschenhaufen und bot wieder ihren Schnaps[52] und ihre Honigkuchen[53] an.

Die Sonne war endlich schon hinter den Deich hinabgesunken; statt ihrer glimmte ein rotvioletter Schimmer empor; mitunter flogen schwarze Krähen vorüber und waren auf Augenblicke wie vergoldet, es wurde Abend. Auf den Fennen aber rückte der dunkle Menschentrupp noch immer weiter von den schwarzen schon fern liegenden Häusern nach der Tonne zu; ein besonders tüchtiger Wurf mußte sie jetzt erreichen können. Die Marschleute waren an der Reihe; Hauke sollte werfen.

Die kreidige Tonne zeichnete sich weiß in dem breiten Abendschatten, der jetzt von dem Deiche über die Fläche fiel. ‚Die werdet ihr uns diesmal wohl noch lassen!‘ rief einer von den Geestleuten, denn es ging scharf her;[54] sie waren um mindestens ein halb Stieg[55] Fuß im Vorteil.

Die hagere Gestalt des Genannten trat eben aus der Menge; die grauen Augen sahen aus dem langen Friesengesicht vorwärts nach der Tonne; in der herabhängenden Hand lag die Kugel.

‚Der Vogel ist dir wohl zu groß‘, hörte er in diesem Augenblicke Ole Peters' Knarrstimme dicht vor seinen Ohren; ‚sollen wir ihn um einen grauen Topf vertauschen?‘

Hauke wandte sich und blickte ihn mit festen Augen an: ‚Ich werfe für die Marsch!‘ sagte er. ‚Wohin gehörst denn du?‘

‚Ich denke, auch dahin, du wirfst doch wohl für Elke Volkerts!'

‚Beiseit!' schrie Hauke und stellte sich wieder in Positur. Aber Ole drängte mit dem Kopf noch näher auf ihn zu. Da plötzlich, bevor noch Hauke selber etwas dagegen unternehmen konnte, packte den Zudring-
5 lichen eine Hand und riß ihn rückwärts, daß der Bursche gegen seine lachenden Kameraden taumelte. Es war keine große Hand gewesen, die das getan hatte; denn als Hauke flüchtig den Kopf wandte, sah er neben sich Elke Volkerts ihren Ärmel zurechtzupfen,[56] und die dunkeln Brauen standen ihr wie zornig in dem heißen Antlitz.

10 Da flog es wie eine Stahlkraft[57] in Haukes Arm; er neigte sich ein wenig, er wiegte[58] die Kugel ein paarmal in der Hand; dann holte er aus,[59] und eine Todesstille war[60] auf beiden Seiten; alle Augen folgten der fliegenden Kugel, man hörte ihr Sausen, wie sie die Luft durchschnitt; plötzlich, schon weit vom Wurfplatz,[61] verdeckten sie die Flügel einer Silbermöwe,
15 die, ihren Schrei ausstoßend, vom Deich herüberkam; zugleich aber hörte man es in der Ferne an die Tonne klatschen. ‚Hurra für Hauke!' riefen die Marschleute, und lärmend ging es durch die Menge: ‚Hauke! Hauke Haien hat das Spiel gewonnen!'

Der aber, da ihn alle dicht umdrängten, hatte seitwärts nur nach einer
20 Hand gegriffen! Auch da sie wieder riefen: ‚Was stehst du, Hauke? Die Kugel liegt ja in der Tonne!' nickte er nur und ging nicht von der Stelle; erst als er fühlte, daß sich die kleine Hand fest an die seine schloß, sagte er: ‚Ihr mögt schon recht haben; ich glaube auch, ich hab gewonnen!'

Dann strömte der ganze Trupp zurück, und Elke und Hauke wurden
25 getrennt und von der Menge auf den Weg zum Kruge fortgerissen, der an des Deichgrafen Werfte nach der Geest hinaufbog. Hier aber entschlüpften beide dem Gedränge, und während Elke auf ihre Kammer ging, stand Hauke hinten vor der Stalltür auf der Werfte und sah, wie der dunkle Menschentrupp allmählich nach dort hinaufwanderte, wo im Kirch-
30 spielskrug ein Raum für die Tanzenden bereitstand. Das Dunkel breitete sich allmählich über die weite Gegend; es wurde immer stiller um ihn her, nur hinter ihm im Stalle regte sich das Vieh; oben von der Geest her glaubte er schon das Pfeifen der Klarinetten aus dem Kruge zu vernehmen. Da hörte er um die Ecke des Hauses das Rauschen eines Kleides, und
35 kleine feste Schritte gingen den Fußsteig hinab, der durch die Fennen nach der Geest hinaufführte. Nun sah er auch im Dämmer die Gestalt dahinschreiten und sah, daß es Elke war; sie ging auch zum Tanze nach

56 straightening out

57 power of steel
58 hefted
59 drew back (to throw)
60 it was deathly quiet

*61 spot from which it
was thrown*

dem Krug. Das Blut schoß ihm in den Hals hinauf; sollte er ihr nicht nachlaufen und mit ihr gehen? Aber Hauke war kein Held den Frauen gegenüber; mit dieser Frage sich beschäftigend, blieb er stehen, bis sie im Dunkel seinem Blick entschwunden war.

Dann, als die Gefahr, sie einzuholen, vorüber war, ging auch er den- 5 selben Weg, bis er droben den Krug bei der Kirche erreicht hatte und das Schwatzen und Schreien der vor dem Hause und auf dem Flur sich Drängenden und das Schrillen[62] der Geigen und Klarinetten betäubend ihn umrauschte.[63] Unbeachtet drückte er sich in den ,Gildesaal';[64] er war nicht groß und so voll, daß man kaum einen Schritt weit vor sich hinsehen 10 konnte. Schweigend stellte er sich an den Türpfosten und blickte in das unruhige Gewimmel,[65] die Menschen kamen ihm wie Narren vor; er hatte auch nicht zu sorgen,[66] daß jemand noch an den Kampf des Nachmittags dachte, und wer vor einer Stunde erst das Spiel gewonnen hatte; jeder sah nur auf seine Dirne und drehte sich mit ihr im Kreis herum. Seine Augen 15 suchten nur die eine, und endlich — dort! Sie tanzte mit ihrem Vetter, dem jungen Deichgevollmächtigten; aber schon sah er sie nicht mehr, nur andere Dirnen aus Marsch und Geest, die ihn nicht kümmerten. Dann schnappten Violinen und Klarinetten plötzlich ab,[67] und der Tanz war zu Ende; aber gleich begann auch schon ein anderer. Hauke flog es durch 20 den Kopf, ob denn Elke ihm auch Wort halten, ob sie nicht mit Ole Peters ihm vorbeitanzen werde. Fast hätte er einen Schrei bei dem Gedanken ausgestoßen; dann — ja, was wollte er dann? Aber sie schien bei diesem Tanze gar nicht mitzuhalten,[68] und endlich ging auch der zu Ende, und ein anderer, ein Zweitritt,[69] der eben erst hier in die Mode gekommen war, 25 folgte. Wie rasend setzte die Musik ein, die jungen Kerle stürzten zu den Dirnen, die Lichter an den Wänden flirrten. Hauke reckte sich fast den Hals aus,[70] um die Tanzenden zu erkennen; und dort, im dritten Paare, das war Ole Peters; aber wer war die Tänzerin? Ein breiter Marschbursche stand vor ihr und deckte ihr Gesicht! Doch der Tanz raste weiter, und Ole 30 mit seiner Partnerin drehte sich heraus. ,Vollina! Vollina Harders!' rief Hauke fast laut und seufzte dann gleich wieder erleichtert auf. Aber wo blieb Elke? Hatte sie keinen Tänzer, oder hatte sie alle ausgeschlagen, weil sie nicht mit Ole hatte tanzen wollen? — Und die Musik setzte wieder ab, und ein neuer Tanz begann; aber wieder sah er Elke nicht! Doch dort 35 kam Ole, noch immer die dicke Vollina in den Armen! ,Nun, nun', sagte Hauke; ,da wird Jeß Harders mit seinen fünfundzwanzig Demat auch wohl bald aufs Altenteil müssen! — Aber wo ist Elke?'

[62] *shrill sound*

[63] *enveloped him in deafening sound*
[64] *guild hall*

[65] *bustle*
[66] *he didn't have to worry (that anyone would . . .)*

[67] *suddenly broke off playing*

[68] *take any interest or part in*
[69] *two-step*

[70] *almost twisted his head off*

Er verließ seinen Türpfosten und drängte sich weiter in den Saal hinein; da stand er plötzlich vor ihr, die mit einer älteren Freundin in einer Ecke saß. ,Hauke!' rief sie, mit ihrem schmalen Antlitz zu ihm aufblickend; ,bist du hier? Ich sah dich doch nicht tanzen!'

5 ,Ich tanzte auch nicht', erwiderte er.

— ,Weshalb nicht, Hauke?' und sich halb erhebend, setzte sie hinzu: ,Willst du mit mir tanzen? Ich hab es Ole Peters nicht gegönnt; der kommt nicht wieder!'

Aber Hauke machte keine Anstalt:[71] ,Ich danke, Elke', sagte er; ,ich 10 verstehe das nicht gut genug; sie könnten über dich lachen; und dann . . .' Er stockte plötzlich und sah sie nur aus seinen grauen Augen herzlich an, als ob er's ihnen überlassen müsse, das übrige zu sagen.

,Was meinst du, Hauke?' frug sie leise.

— ,Ich mein, Elke, es kann ja doch der Tag nicht schöner für mich 15 ausgehn, als er's schon getan hat.'

,Ja', sagte sie, ,du hast das Spiel gewonnen.'

,Elke!' mahnte er kaum hörbar.

Da schlug ihr eine heiße Lohe[72] in das Angesicht: ,Geh!' sagte sie; ,was willst du?' und schlug die Augen nieder.

20 Als aber die Freundin jetzt von einem Burschen zum Tanze fortgezogen wurde, sagte Hauke lauter: ,Ich dachte, Elke, ich hätt was Besseres gewonnen!'

Noch ein paar Augenblicke suchten ihre Augen auf dem Boden; dann hob sie sie langsam, und ein Blick, mit der stillen Kraft ihres Wesens, traf 25 in die seinen, der ihn wie Sommerluft durchströmte.[73] ,Tu, wie dir ums Herz ist,[74] Hauke!' sprach sie; ,wir sollten uns wohl kennen!'

Elke tanzte an diesem Abend nicht mehr, und als beide dann nach Hause gingen, hatten sie sich Hand in Hand gefaßt, aus der Himmelshöhe funkelten die Sterne über der schweigenden Marsch; ein leichter Ostwind 30 wehte und brachte strenge Kälte; die beiden aber gingen, ohne viel Tücher und Umhang,[75] dahin, als sei es plötzlich Frühling worden.

Hauke hatte sich auf ein Ding besonnen, dessen passende Verwendung[76] zwar in ungewisser Zukunft lag, mit dem er sich aber eine stille Feier zu bereiten gedachte. Deshalb ging er am nächsten Sonntag in die Stadt zum 35 alten Goldschmied Andersen und bestellte einen starken Goldring. ,Streckt den Finger her, damit wir messen!' sagte der Alte und faßte ihm nach dem Goldfinger. ,Nun', meinte er, ,der ist nicht gar so dick, wie sie bei

[71] *made no move*

[72] *flame*

[73] *suffused*
[74] *do what your heart tells you*

[75] *wraps*

[76] *use*

euch Leuten sonst zu sein pflegen!' Aber Hauke sagte: ‚Messet lieber am kleinen Finger!' und hielt ihm den entgegen.

Der Goldschmied sah ihn etwas verdutzt an; aber was kümmerten ihn die Einfälle der jungen Bauernburschen: ‚Da werden wir schon so einen unter den Mädchenringen haben!' sagte er, und Hauke schoß das Blut durch beide Wangen. Aber der kleine Goldring paßte auf seinen kleinen Finger, und er nahm ihn hastig und bezahlte ihn mit blankem Silber; dann steckte er ihn unter lautem Herzklopfen, und als ob er einen feierlichen Akt begehe, in die Westentasche. Dort trug er ihn seitdem an jedem Tage mit Unruhe und doch mit Stolz, als sei die Westentasche nur dazu da, um einen Ring darin zu tragen.

Er trug ihn so über Jahr und Tag, ja der Ring mußte sogar aus dieser noch in eine neue Westentasche wandern; die Gelegenheit zu seiner Befreiung hatte sich noch immer nicht ergeben wollen. Wohl war's ihm durch den Kopf geflogen, nur gradenwegs[77] vor seinen Wirt hinzutreten; sein Vater war ja doch auch ein Eingesessener! Aber wenn er ruhiger wurde, dann wußte er wohl, der alte Deichgraf würde seinen Kleinknecht ausgelacht haben. Und so lebten er und des Deichgrafen Tochter nebeneinander hin; auch sie in mädchenhaftem[78] Schweigen, und beide doch, als ob sie allzeit Hand in Hand gingen.

Ein Jahr nach jenem Winterfesttag hatte Ole Peters seinen Dienst gekündigt und mit Vollina Harders Hochzeit gemacht; Hauke hatte recht gehabt; der Alte war auf Altenteil gegangen, und statt der dicken Tochter ritt nun der muntere Schwiegersohn die gelbe Stute in die Fenne und, wie es hieß, rückwärts allzeit gegen den Deich hinan. Hauke war Groß-knecht geworden und ein Jüngerer an seine Stelle getreten; wohl hatte der Deichgraf ihn erst nicht wollen aufrücken lassen: ‚Kleinknecht ist besser!' hatte er gebrummt; ‚ich brauch ihn hier bei meinen Büchern!' Aber Elke hatte ihm vorgehalten:[79] ‚Dann geht auch Hauke, Vater!' Da war dem Alten bange geworden, und Hauke war zum Großknecht aufgerückt, hatte aber trotz dessen nach wie vor auch an der Deichgrafschaft[80] mitgeholfen.

Nach einem andern Jahr aber begann er gegen Elke davon zu reden, sein Vater werde kümmerlich, und die paar Tage, die der Wirt ihn im Sommer in dessen Wirtschaft lasse, täten's nun nicht mehr; der Alte quäle sich, er dürfe das nicht länger ansehn. — Es war ein Sommerabend; die beiden standen im Dämmerschein[81] unter der großen Esche vor der Haustür. Das Mädchen sah eine Weile stumm in die Zweige des Baumes hinauf; dann

[77] straight

[78] girlish

[79] reminded

[80] dikemaster's affairs

[81] half-light

entgegnete sie: ‚Ich hab's nicht sagen wollen, Hauke; ich dachte, du würdest selber wohl das Rechte treffen.'

‚Ich muß dann fort aus eurem Hause', sagte er, ‚und kann nicht wiederkommen.'

5 Sie schwiegen eine Weile und sahen in das Abendrot, das drüben hinterm Deiche in das Meer versank. ‚Du mußt es wissen', sagte sie; ‚ich war heut morgen noch bei deinem Vater und fand ihn in seinem Lehnstuhl eingeschlafen; die Reißfeder in der Hand, das Reißbrett mit einer halben Zeichnung lag vor ihm auf dem Tisch; — und da er erwacht war und 10 mühsam ein Viertelstündchen mit mir geplaudert hatte, und ich nun gehen wollte, da hielt er mich so angstvoll an der Hand zurück, als fürchte er, es sei zum letzten Mal; aber . . .'

‚Was aber, Elke?' frug Hauke, da sie fortzufahren zögerte.

Ein paar Tränen rannen über die Wangen des Mädchens. ‚Ich dachte 15 nur an meinen Vater', sagte sie; ‚glaub mir, es wird ihm schwer ankommen, dich zu missen.'[82] Und als ob sie zu dem Worte sich ermannen müsse, fügte sie hinzu: ‚Mir ist es oft, als ob er auf seine Totenkammer[83] rüste.'

Hauke antwortete nicht; ihm war es plötzlich, als rühre sich der Ring in seiner Tasche; aber noch bevor er seinen Unmut über diese unwillkürliche 20 Lebensregung unterdrückt hatte, fuhr Elke fort: ‚Nein, zürn nicht, Hauke! Ich trau, du wirst auch so uns nicht verlassen!'

Da ergriff er eifrig ihre Hand, und sie entzog sie ihm nicht. Noch eine Weile standen die jungen Menschen in dem sinkenden Dunkel beieinander, bis ihre Hände auseinanderglitten und jedes seine Wege ging. — Ein 25 Windstoß fuhr empor und rauschte durch die Eschenblätter und machte die Läden klappern, die an der Vorderseite des Hauses waren; allmählich aber kam die Nacht, und Stille lag über der ungeheueren Ebene.

Durch Elkes Zutun war Hauke von dem alten Deichgrafen seines Dienstes entlassen worden, obgleich er ihm rechtzeitig nicht gekündigt 30 hatte, und zwei neue Knechte waren jetzt im Hause. — Noch ein paar Monate weiter, dann starb Tede Haien; aber bevor er starb, rief er den Sohn an seine Lagerstatt:[84] ‚Setz dich zu mir, mein Kind', sagte der Alte mit matter Stimme, ‚dicht zu mir! Du brauchst dich nicht zu fürchten; wer bei mir ist, das ist nur der dunkle Engel des Herrn, der mich zu rufen 35 kommt.'

Und der erschütterte Sohn setzte sich dicht an das dunkle Wandbett:

[82] *it will be hard for him to get along without you*
[83] *deathbed*
[84] *bedside*

‚Sprecht, Vater, was Ihr noch zu sagen habt!'

‚Ja, mein Sohn, noch etwas', sagte der Alte und streckte seine Hände über das Deckbett. ‚Als du, noch ein halber Junge, zu dem Deichgrafen in Dienst gingst, da lag's in deinem Kopf, das selbst einmal zu werden. Das hatte mich angesteckt, und ich dachte auch allmählich, du seiest der rechte Mann dazu. Aber dein Erbe war für solch ein Amt zu klein — ich habe während deiner Dienstzeit knapp gelebt — ich dacht' es zu vermehren.' 5

Hauke faßte heftig seines Vaters Hände, und der Alte suchte sich aufzurichten, daß er ihn sehen könne. ‚Ja, ja, mein Sohn', sagte er, ‚dort in der obersten Schublade der Schatulle liegt das Dokument. Du weißt, die alte Antje Wohlers hat eine Fenne von fünf und einem halben Demat; aber sie konnte mit dem Mietgelde allein in ihrem krüppelhaften Alter nicht mehr durchfinden;[85] da habe ich allzeit um Martini eine bestimmte Summe, und auch mehr, wenn ich es hatte, dem armen Mensch gegeben; und dafür hat sie die Fenne mir übertragen; es ist alles gerichtlich fertig. — Nun liegt auch sie am Tode: die Krankheit unserer Marschen, der Krebs,[86] hat sie befallen; du wirst nicht mehr zu zahlen brauchen!' 10 15

Eine Weile schloß er die Augen; dann sagte er noch: ‚Es ist nicht viel; doch hast du mehr dann, als du bei mir gewohnt warst. Mög es dir zu deinem Erdenleben dienen!' 20

Unter den Dankesworten des Sohnes schlief der Alte ein. Er hatte nichts mehr zu besorgen; und schon nach einigen Tagen hatte der dunkle Engel des Herrn ihm seine Augen für immer zugedrückt, und Hauke trat sein väterliches Erbe an.

— Am Tage nach dem Begräbnis kam Elke in dessen Haus. ‚Dank, daß du einguckst, Elke!' rief Hauke ihr als Gruß entgegen. 25

Aber sie erwiderte: ‚Ich guck nicht ein; ich will bei dir ein wenig Ordnung schaffen, damit du ordentlich in deinem Hause wohnen kannst! Dein Vater hat vor seinen Zahlen und Rissen[87] nicht viel um sich gesehen, und auch der Tod schafft Wirrsal; ich will's dir wieder ein wenig lebig machen!' 30

Er sah aus seinen grauen Augen voll Vertrauen auf sie hin: ‚So schaff nur Ordnung!' sagte er; ‚ich hab's auch lieber.'

Und dann begann sie aufzuräumen: das Reißbrett, das noch dalag, wurde abgestäubt und auf den Boden getragen, Reißfedern und Bleistift und Kreide sorgfältig in einer Schatullenschublade weggeschlossen; dann wurde die junge Dienstmagd zur Hülfe hereingerufen und mit ihr das 35

[85] *get along on*

[86] *cancer*

[87] *with all his figuring and sketching*

Geräte der ganzen Stube in eine andere und bessere Stellung gebracht, so daß es anschien, als sei dieselbe nun heller und größer geworden. Lächelnd sagte Elke: ‚Das können nur wir Frauen!' und Hauke, trotz seiner Trauer um den Vater, hatte mit glücklichen Augen zugesehen, auch wohl selber, 5 wo es nötig war, geholfen.

Und als gegen die Dämmerung — es war zu Anfang des Septembers — alles war, wie sie es für ihn wollte, faßte sie seine Hand und nickte ihm mit ihren dunkeln Augen zu: ‚Nun komm und iß bei uns zu Abend; denn meinem Vater hab ich's versprechen müssen, dich mitzubringen; wenn du 10 dann heimgehst, kannst du ruhig in dein Haus treten!'

Als sie dann in die geräumige Wohnstube des Deichgrafen traten, wo bei verschlossenen Läden schon die beiden Lichter auf dem Tische brannten, wollte dieser aus seinem Lehnstuhl in die Höhe, aber mit seinem schweren Körper zurücksinkend, rief er nur seinem früheren Knecht entgegen: 15 ‚Recht, recht, Hauke, daß du deine alten Freunde aufsuchst! Komm nur näher, immer näher!' Und als Hauke an seinen Stuhl getreten war, faßte er dessen Hand mit seinen beiden runden Händen: ‚Nun, nun, mein Junge', sagte er, ‚sei nur ruhig jetzt, denn sterben müssen wir alle, und dein Vater war keiner von den Schlechtesten! — Aber, Elke, nun sorg, daß du den 20 Braten auf den Tisch kriegst; wir müssen uns stärken! Es gibt viel Arbeit für uns, Hauke! Die Herbstschau ist in Anmarsch;[88] Deich- und Siel-rechnungen haushoch; der neuliche Deichschaden am Westerkoog — ich weiß nicht, wo mir der Kopf steht, aber deiner, gottlob, ist um ein gut Stück jünger; du bist ein braver Junge, Hauke!'

25 Und nach dieser langen Rede, womit der Alte sein ganzes Herz dargelegt hatte, ließ er sich in seinen Stuhl zurückfallen und blinzelte sehnsüchtig nach der Tür, durch welche Elke eben mit der Bratenschüssel hereintrat. Hauke stand lächelnd neben ihm. ‚Nun setz dich', sagte der Deichgraf, ‚damit wir nicht unnötig Zeit verspillen;[89] kalt schmeckt das nicht!'

30 Und Hauke setzte sich; es schien ihm Selbstverstand,[90] die Arbeit von Elkes Vater mitzutun.[91] Und als die Herbstschau dann gekommen war und ein paar Monde mehr ins Jahr gingen, da hatte er freilich auch den besten Teil daran getan.‟

Der Erzähler hielt inne und blickte um sich. Ein Möwenschrei war gegen 35 das Fenster geschlagen, und draußen vom Hausflur aus wurde ein Trampeln[92] hörbar, als ob einer den Klei von seinen schweren Stiefeln abtrete.

[88] *approaching*

[89] *waste*

[90] *a matter of course*

[91] *help with*

[92] *stamping*

Deichgraf und Gevollmächtigte wandten die Köpfe gegen die Stubentür. „Was ist?" rief der erstere.

Ein starker Mann, den Südwester[93] auf dem Kopf, war eingetreten. „Herr", sagte er, „wir beide haben es gesehen, Hans Nickels und ich: der Schimmelreiter hat sich in den Bruch gestürzt!" 5

„Wo saht Ihr das?" frug der Deichgraf.

— „Es ist ja nur die eine Wehle; in Jansens Fenne, wo der Hauke-Haien-Koog beginnt."

„Saht Ihr's nur einmal?"

— „Nur einmal; es war auch nur wie Schatten, aber es braucht drum 10 nicht das erste Mal gewesen zu sein."

Der Deichgraf war aufgestanden. „Sie wollen entschuldigen", sagte er, sich zu mir wendend, „wir müssen draußen nachsehn, wo das Unheil hin will!" Dann ging er mit dem Boten zur Tür hinaus; aber auch die übrige Gesellschaft brach auf und folgte ihm. 15

Ich blieb mit dem Schullehrer allein in dem großen öden Zimmer; durch die unverhangenen Fenster, welche nun nicht mehr durch die Rücken der davorsitzenden Gäste verdeckt wurden, sah man frei hinaus, und wie der Sturm die dunklen Wolken über den Himmel jagte.

Der Alte saß noch auf seinem Platze, ein überlegenes, fast mitleidiges 20 Lächeln auf seinen Lippen. „Es ist hier zu leer geworden", sagte er; „darf ich Sie zu mir auf mein Zimmer laden? Ich wohne hier im Hause; und glauben Sie mir, ich kenne die Wetter hier am Deich; für uns ist nichts zu fürchten."

Ich nahm das dankend an, denn auch mich wollte hier zu frösteln 25 anfangen, und wir stiegen unter Mitnahme eines Lichtes[94] die Stiegen zu einer Giebelstube hinauf, die zwar gleichfalls gegen Westen hinauslag,[95] deren Fenster aber jetzt mit dunklen Wollteppichen verhangen waren. In einem Bücherregal[96] sah ich eine kleine Bibliothek,[97] daneben die Porträte zweier alter Professoren; vor einem Tische stand ein großer Ohrenlehn- 30 stuhl. „Machen Sie sich's bequem!" sagte mein freundlicher Wirt und warf einige Torf[98] in den noch glimmenden kleinen Ofen, der oben von einem Blechkessel,[99] gekrönt war. „Nur noch ein Weilchen! Er wird bald sausen; dann brau[1] ich uns ein Gläschen Grog, das hält Sie munter!"

„Dessen bedarf es nicht", sagte ich; „ich werd nicht schläfrig, wenn ich 35 Ihren Hauke auf seinem Lebensweg begleite!"

— „Meinen Sie?" und er nickte mit seinen klugen Augen zu mir

herüber, nachdem ich behaglich in seinem Lehnstuhl untergebracht war.
„Nun, wo blieben wir denn? — Ja, ja; ich weiß schon! Also:

Hauke hatte sein väterliches Erbe angetreten, und da die alte Antje
Wohlers auch ihrem Leiden erlegen[2] war, so hatte deren Fenne es vermehrt.
5 Aber seit dem Tode oder, richtiger, seit den letzten Worten seines Vaters
war in ihm etwas aufgewachsen, dessen Keim er schon seit seiner Knabenzeit in sich getragen hatte; er wiederholte es sich mehr als zu oft, er sei der
rechte Mann, wenn's einen neuen Deichgrafen geben müsse. Das war es;
sein Vater, der es verstehen mußte, der ja der klügste Mann im Dorf
10 gewesen war, hatte ihm dieses Wort wie eine letzte Gabe seinem Erbe
beigelegt:[3] die Wohlerssche Fenne, die er ihm auch verdankte, sollte den
ersten Trittstein zu dieser Höhe bilden! Denn, freilich, auch mit dieser —
ein Deichgraf mußte noch einen andern Grundbesitz aufweisen können![4]
— Aber sein Vater hatte sich einsame Jahre knapp beholfen, und mit dem,
15 was er sich entzogen hatte, war er des neuen Besitzes Herr geworden; das
konnte er auch, er konnte noch mehr; denn seines Vaters Kraft war schon
verbraucht gewesen, er aber konnte noch jahrelang die schwerste Arbeit
tun! — Freilich, wenn er es dadurch nach dieser Seite hin erzwang,[5] durch
die Schärfen und Spitzen, die er der Verwaltung seines alten Dienstherrn[6]
20 zugesetzt[7] hatte, war ihm eben keine Freundschaft im Dorf zuwege gebracht worden, und Ole Peters, sein alter Widersacher, hatte jüngsthin[8] eine
Erbschaft getan und begann ein wohlhabender Mann zu werden! Eine
Reihe von Gesichtern ging vor seinem innern Blick vorüber, und sie sahen
ihn alle mit bösen Augen an; da faßte ihn ein Groll gegen diese Menschen:
25 er streckte die Arme aus, als griffe er nach ihnen, denn sie wollten ihn vom
Amte drängen, zu dem von allen nur er berufen war. — Und die Gedanken ließen ihn nicht; sie waren immer wieder da, und so wuchsen in
seinem jungen Herzen neben der Ehrenhaftigkeit[9] und Liebe auch die
Ehrsucht[10] und der Haß. Aber diese beiden verschloß er tief in seinem
30 Innern; selbst Elke ahnte nichts davon.

— Als das neue Jahr gekommen war, gab es eine Hochzeit; die Braut war
eine Verwandte von den Haiens, und Hauke und Elke waren beide dort geladene Gäste; ja, bei dem Hochzeitessen traf es sich durch das Ausbleiben
eines näheren Verwandten, daß sie ihre Plätze nebeneinander fanden. Nur
35 ein Lächeln, das über beider Antlitz glitt, verriet ihre Freude darüber.
Aber Elke saß heute teilnahmlos in dem Geräusche des Plauderns und
Gläserklirrens.

[2] *succumbed*

[3] *added*

[4] *had to be able to point to yet another piece of property*

[5] *even if thereby he gained his goal in this direction*
[6] *master*
[7] *incorporated in*
[8] *recently*

[9] *rectitude*
[10] *pride (note the common stem:* Ehre*)*

‚Fehlt dir etwas?' frug Hauke.

— ‚Oh, eigentlich nichts; es sind mir nur zu viele Menschen hier.'

‚Aber du siehst so traurig aus!'

Sie schüttelte den Kopf; dann sprachen sie wieder nicht.

Da stieg es über ihr Schweigen wie Eifersucht in ihm auf,[11] und heimlich unter dem überhängenden Tischtuch ergriff er ihre Hand; aber sie zuckte nicht, sie schloß sich wie vertrauensvoll um seine. Hatte ein Gefühl der Verlassenheit sie befallen, da ihre Augen täglich auf der hinfälligen Gestalt des Vaters haften mußten? — Hauke dachte nicht daran, sich so zu fragen; aber ihm stand der Atem still, als er jetzt seinen Goldring aus der Tasche zog. ‚Läßt du ihn sitzen?' frug er zitternd, während er den Ring auf den Goldfinger der schmalen Hand schob.

Gegenüber am Tische saß die Frau Pastorin; sie legte plötzlich ihre Gabel hin und wandte sich zu ihrem Nachbar: ‚Mein Gott, das Mädchen!' rief sie; ‚sie wird ja totenblaß!'

Aber das Blut kehrte schon zurück in Elkes Antlitz. ‚Kannst du warten, Hauke?' frug sie leise.

Der kluge Friese besann sich doch noch ein paar Augenblicke. ‚Auf was?' sagte er dann.

— ‚Du weißt das wohl; ich brauch dir's nicht zu sagen.'

‚Du hast recht', sagte er; ‚ja, Elke, ich kann warten — wenn's nur ein menschlich Absehen hat!'[12]

‚O Gott, ich fürcht, ein nahes! Sprich nicht so, Hauke; du sprichst von meines Vaters Tod!' Sie legte die andere Hand auf ihre Brust: ‚Bis dahin', sagte sie, ‚trag ich den Goldring hier; du sollst nicht fürchten, daß du bei meiner Lebzeit[13] ihn zurückbekommst!'

Da lächelten sie beide, und ihre Hände preßten sich ineinander, daß bei anderer Gelegenheit das Mädchen wohl laut aufgeschrien hätte.

Die Frau Pastorin hatte indessen unablässig nach Elkes Augen hingesehen, die jetzt unter dem Spitzenstrich[14] des goldbrokatenen[15] Käppchens wie in dunklem Feuer brannten. Bei dem zunehmenden Getöse am Tische aber hatte sie nichts verstanden; auch an ihren Nachbar wandte sie sich nicht wieder, denn keimende Ehen — und um eine solche schien es ihr sich denn doch hier zu handeln — schon um des daneben keimenden Traupfennigs[16] für ihren Mann, den Pastor, pflegte sie nicht zu stören.

Elkes Vorahnung[17] war in Erfüllung gegangen; eines Morgens nach Ostern hatte man den Deichgrafen Tede Volkerts tot in seinem Bett

[11] *then, in reaction to her silence, something like jealousy rose up in him*

[12] *if only the end is within human limits*

[13] *as long as I live*

[14] *lace border*
[15] *gold brocaded*

[16] *wedding fee*
[17] *presentiment*

gefunden; man sah's an seinem Antlitz, ein ruhiges Ende war darauf geschrieben. Er hatte auch mehrfach in den letzten Monden Lebensüberdruß[18] geäußert; sein Leibgericht, der Ofenbraten,[19] selbst seine Enten hatten ihm nicht mehr schmecken wollen.

5 Und nun gab es eine große Leiche im Dorf. Droben auf der Geest auf dem Begräbnisplatz um die Kirche war zu Westen eine mit Schmiedegitter umhegte Grabstätte,[20] ein breiter blauer Grabstein stand jetzt aufgehoben gegen eine Traueresche,[21] auf welchem das Bild des Todes mit stark gezahnten Kiefern[22] ausgehauen war; darunter in großen Buchstaben:

10 Dat is de Dod, de allens fritt,
Nimmt Kunst un Wetenschop di mit,
De kloke Mann is nu vergahn,
Gott gäw'em selig Uperstahn.[23]

Es war die Begräbnisstätte des früheren Deichgrafen Volkert Tedsen; 15 nun war eine frische Grube gegraben, wo hinein dessen Sohn, der jetzt verstorbene Deichgraf Tede Volkerts, begraben werden sollte. Und schon kam unten aus der Marsch der Leichenzug heran, eine Menge Wagen aus allen Kirchspielsdörfern; auf dem vordersten stand der schwere Sarg, die beiden blanken Rappen[24] des deichgräflichen Stalles zogen ihn schon den 20 sandigen Anberg[25] zur Geest hinauf; Schweife und Mähnen der Pferde wehten in dem scharfen Frühjahrswind. Der Gottesacker[26] um die Kirche war bis an die Wälle mit Menschen angefüllt, selbst auf dem gemauerten[27] Tore huckten[28] Buben mit kleinen Kindern in den Armen; sie wollten alle das Begraben ansehn.

25 Im Hause drunten in der Marsch hatte Elke in Pesel und Wohngelaß das Leichenmahl gerüstet; alter Wein wurde bei den Gedecken hingestellt; an den Platz des Oberdeichgrafen — denn auch er war heut nicht ausgeblieben — und an den des Pastors je eine Flasche Langkork.[29] Als alles besorgt war, ging sie durch den Stall vor die Hoftür; sie traf niemanden auf ihrem Wege; 30 die Knechte waren mit zwei Gespannen in der Leichenfuhr.[30] Hier blieb sie stehen und sah, während ihre Trauerkleider im Frühlingswinde flatterten, wie drüben an dem Dorfe jetzt die letzten Wagen zur Kirche hinauffuhren. Nach einer Weile entstand dort ein Gewühl, dem eine Totenstille zu folgen schien. Elke faltete die Hände; sie senkten wohl den Sarg jetzt in 35 die Grube: ‚Und zur Erde wieder sollst du werden!‘ Unwillkürlich, leise,

[18] *weariness with life*
[19] *favorite dish, an oven roast*

[20] *a grave site enclosed with a wrought iron fence*
[21] *weeping ash*
[22] *with heavy-toothed jaws*

[23] (Das ist der Tod, der alles frißt, / Nimmt Kunst und Wissenschaft auch mit, / Der kluge Mann ist nun vergangen, / Gott geb'ihm seliges Auferstehen [*resurrection*])
[24] *black horses*
[25] *slope*
[26] *cemetery*
[27] *walled*
[28] (=hockten)

[29] *Langkork (a vintage wine)*
[30] *funeral procession*

als hätte sie von dort es hören können, sprach sie die Worte nach,[31] dann füllten ihre Augen sich mit Tränen, ihre über der Brust gefalteten Hände sanken in den Schoß; ‚Vater unser, der du bist im Himmel!‘ betete sie voll Inbrunst. Und als das Gebet des Herrn zu Ende war, stand sie noch lange unbeweglich, sie, die jetzige Herrin dieses großen Marschhofes; und 5 Gedanken des Todes und des Lebens begannen sich in ihr zu streiten.

Ein fernes Rollen weckte sie. Als sie die Augen öffnete, sah sie schon wieder einen Wagen um den anderen in rascher Fahrt von der Marsch herab und gegen ihren Hof herankommen. Sie richtete sich auf, blickte noch einmal scharf hinaus und ging dann, wie sie gekommen war, durch 10 den Stall in die feierlich hergestellten Wohnräume[32] zurück. Auch hier war niemand; nur durch die Mauer hörte sie das Rumoren der Mägde in der Küche. Die Festtafel[33] stand so still und einsam; der Spiegel zwischen den Fenstern war mit weißen Tüchern zugesteckt[34] und ebenso die Messingknöpfe[35] an dem Beilegerofen,[36] es blinkte nichts mehr in der Stube. Elke 15 sah die Türen vor dem Wandbett, in dem ihr Vater seinen letzten Schlaf getan hatte, offenstehen und ging hinzu und schob sie fest zusammen; wie gedankenlos las sie den Sinnspruch,[37] der zwischen Rosen und Nelken mit goldenen Buchstaben darauf geschrieben stand:

Hest du din Dagwerk richtig dan,   20
Da kummt de Slap von sülvst heran.[38]

Das war noch von dem Großvater! — Einen Blick warf sie auf den Wandschrank; er war fast leer, aber durch die Glastüren sah sie noch den geschliffenen Pokal[39] darin, der ihrem Vater, wie er gern erzählt hatte, einst bei einem Ringreiten[40] in seiner Jugend als Preis zuteil geworden war. 25 Sie nahm ihn heraus und setzte ihn bei dem Gedeck des Oberdeichgrafen. Dann ging sie ans Fenster, denn schon hörte sie die Wagen an der Werfte heraufrollen; einer um den andern hielt vor dem Hause, und munterer, als sie gekommen waren, sprangen jetzt die Gäste von ihren Sitzen auf den Boden. Händereibend und plaudernd drängte sich alles in die Stube; 30 nicht lange, so setzte man sich an die festliche Tafel, auf der die wohlbereiteten Speisen dampften, im Pesel der Oberdeichgraf mit dem Pastor; und Lärm und lautes Schwatzen lief den Tisch entlang, als ob hier nimmer der Tod seine furchtbare Stille ausgebreitet hätte. Stumm, das Auge auf ihre Gäste, ging Elke mit den Mägden an den Tischen herum, daß an dem 35

---

[32] *living quarters*

[33] *festive table*

[34] *pinned over and covered*
[35] *brass fixtures*
[36] *connecting iron stove (in one room, with fire fed from another)*
[37] *maxim*

[38] *(Hast du dein Tagewerk richtig getan, / Dann kommt der Schlaf von selbst heran.)*

[39] *goblet*
[40] *ring-spearing (on horseback with a long pole)*

Leichenmahle nichts versehen werde. Auch Hauke Haien saß im Wohnzimmer neben Ole Peters und anderen kleineren Besitzern.

Nachdem das Mahl beendet war, wurden die weißen Tonpfeifen[41] aus
der Ecke geholt und angebrannt,[42] und Elke war wiederum geschäftig, die
5 gefüllten Kaffeetassen den Gästen anzubieten; denn auch der wurde
heute nicht gespart. Im Wohnzimmer an dem Pulte[43] des eben Begrabenen
stand der Oberdeichgraf im Gespräche mit dem Pastor und dem weiß-
haarigen Deichgevollmächtigten Jewe Manners. ‚Alles gut, ihr Herren‘,
sagte der erste, ‚den alten Deichgrafen haben wir mit Ehren beigesetzt,[44]
10 aber woher nehmen wir den neuen? Ich denke, Manners, Ihr werdet Euch
dieser Würde unterziehen müssen!‘[45]

Der alte Manners hob lächelnd das schwarze Sammetkäppchen von
seinen weißen Haaren: ‚Herr Oberdeichgraf‘, sagte er, ‚das Spiel würde zu
kurz werden; als der verstorbene Tede Volkerts Deichgraf, da wurde ich
15 Gevollmächtigter und bin es nun schon vierzig Jahre!‘

‚Das ist kein Mangel, Manners; so kennt Ihr die Geschäfte um so besser
und werdet nicht Not mit ihnen haben!‘

Aber der Alte schüttelte den Kopf: ‚Nein, nein, Euer Gnaden, lasset
mich, wo ich bin, so laufe ich wohl noch ein paar Jahre mit!‘

20 Der Pastor stand ihm bei: ‚Weshalb‘, sagte er, ‚nicht den ins Amt nehmen, der es tatsächlich in den letzten Jahren doch geführt hat?‘

Der Oberdeichgraf sah ihn an: ‚Ich verstehe nicht, Herr Pastor!‘

Aber der Pastor wies mit dem Finger in den Pesel, wo Hauke in langsam
ernster Weise zwei älteren Leuten etwas zu erklären schien. ‚Dort steht er‘,
25 sagte er, ‚die lange Friesengestalt mit den klugen grauen Augen neben der
hageren Nase und den zwei Schädelwölbungen[46] darüber! Er war des Alten
Knecht und sitzt jetzt auf seiner eigenen kleinen Stelle; er ist zwar etwas
jung!‘

‚Er scheint ein Dreißiger‘, sagte der Oberdeichgraf, den ihm so Vorge-
30 stellten musternd.

‚Er ist kaum vierundzwanzig‘, bemerkte der Gevollmächtigte Manners;
‚aber der Pastor hat recht: was in den letzten Jahren Gutes für Deiche und
Siele und dergleichen vom Deichgrafenamt in Vorschlag kam, das war von
ihm; mit dem Alten war's doch zuletzt nichts mehr.‘

35 ‚So, so?‘ machte der Oberdeichgraf; ‚und Ihr meinet, er wäre nun auch
der Mann, um in das Amt seines alten Herrn einzurücken?‘

‚Der Mann wäre er schon‘, entgegnete Jewe Manners; ‚aber ihm fehlt das,
was man hier Klei unter den Füßen nennt; sein Vater hatte so um fünfzehn,

[41] *clay pipes*

[42] *lit up*

[43] *writing desk*

[44] *buried*

[45] *you'll have to submit
to this honor*

[46] *heavy (skull) ridges*

er mag gut zwanzig Demat haben; aber damit ist bis jetzt hier niemand Deichgraf geworden.'

Der Pastor tat schon den Mund auf, als wolle er etwas einwenden, da trat Elke Volkerts, die eine Weile schon im Zimmer gewesen, plötzlich zu ihnen: ‚Wollen Euer Gnaden mir ein Wort erlauben?' sprach sie zu dem Oberbeamten; ‚es ist nur, damit aus einem Irrtum nicht ein Unrecht werde!'

‚So sprecht, Jungfer Elke!' entgegnete dieser; ‚Weisheit von hübschen Mädchenlippen hört sich allzeit gut!'[47]

— ‚Es ist nicht Weisheit, Euer Gnaden; ich will nur die Wahrheit sagen.'

‚Auch die muß man ja hören können, Jungfer Elke!'

Das Mädchen ließ ihre dunklen Augen noch einmal zur Seite gehen, als ob sie wegen überflüssiger Ohren sich versichern wolle:[48] ‚Euer Gnaden', begann sie dann, und ihre Brust hob sich in stärkerer Bewegung, ‚mein Pate, Jewe Manners, sagte Ihnen, daß Hauke Haien nur etwa zwanzig Demat im Besitz habe; das ist im Augenblick auch richtig, aber sobald es sein muß, wird Hauke noch um so viel mehr sein eigen nennen, als dieser, meines Vaters, jetzt mein Hof, an Dematzahl beträgt;[49] für einen Deichgrafen wird das zusammen denn wohl reichen.'

Der alte Manners reckte den weißen Kopf gegen sie, als müsse er erst sehen, wer denn eigentlich da rede: ‚Was ist das?' sagte er; ‚Kind, was sprichst du da?'

Aber Elke zog an einem schwarzen Bändchen einen blinkenden Goldring aus ihrem Mieder: ‚Ich bin verlobt, Pate Manners', sagte sie; ‚hier ist der Ring, und Hauke Haien ist mein Bräutigam.'

— ‚Und wann — ich darf's wohl fragen, da ich dich aus der Taufe hob,[50] Elke Volkerts — wann ist denn das passiert?'

— ‚Das war schon vor geraumer Zeit; doch war ich mündig,[51] Pate Manners', sagte sie; ‚mein Vater war schon hinfällig worden, und da ich ihn kannte, so wollt' ich ihn nicht mehr damit beunruhigen; itzt,[52] da er bei Gott ist, wird er einsehen, daß sein Kind bei diesem Manne wohlgeborgen ist. Ich hätte es auch das Trauerjahr hindurch schon ausgeschwiegen;[53] jetzt aber, um Haukes und um des Kooges willen, hab ich reden müssen.' Und zum Oberdeichgrafen gewandt, setzte sie hinzu: ‚Euer Gnaden wollen mir das verzeihen!'

Die drei Männer sahen sich an; der Pastor lachte, der alte Gevollmächtigte ließ es bei einem ‚Hm, hm!' bewenden, während der Ober-

[47] is always good to hear

[48] have some assurance against unwanted listeners

[49] will have in addition as many acres as are in this farm of my father's, which is now mine

[50] since I'm your godfather

[51] of age

[52] (=jetzt)

[53] could have kept silent about it

deichgraf wie vor einer wichtigen Entscheidung sich die Stirn rieb. ‚Ja, liebe Jungfer‘, sagte er endlich, ‚aber wie steht es denn hier im Kooge mit den ehelichen Güterrechten?[54] Ich muß gestehen, ich bin augenblicklich nicht recht kapitelfest[55] in diesem Wirrsal!‘

5 ‚Das brauchen Euer Gnaden auch nicht‘, entgegnete des Deichgrafen Tochter, ‚ich werde vor der Hochzeit meinem Bräutigam die Güter übertragen. Ich habe auch meinen kleinen Stolz‘, setzte sie lächelnd hinzu; ‚ich will den reichsten Mann im Dorfe heiraten!‘

‚Nun, Manners‘, meinte der Pastor, ‚ich denke, Sie werden auch als
10 Pate nichts dagegen haben, wenn ich den jungen Deichgrafen mit des alten Tochter zusammengebe!‘

Der Alte schüttelte leis den Kopf: ‚Unser Herrgott gebe seinen Segen!‘ sagte er andächtig.

Der Oberdeichgraf aber reichte dem Mädchen seine Hand: ‚Wahr und
15 weise habt Ihr gesprochen, Elke Volkerts; ich danke Euch für so kräftige Erläuterungen[56] und hoffe auch in Zukunft, und bei freundlicheren Gelegenheiten als heute, der Gast Eueres Hauses zu sein; aber — daß ein Deichgraf von solch junger Jungfer gemacht wurde, das ist das Wunderbare an der Sache!‘

20 ‚Euer Gnaden‘, erwiderte Elke und sah den gütigen Oberbeamten noch einmal mit ihren ernsten Augen an, ‚einem rechten Manne wird auch die Frau wohl helfen dürfen!‘ Dann ging sie in den anstoßenden Pesel und legte schweigend ihre Hand in Hauke Haiens.

Es war um mehrere Jahre später: in dem kleinen Hause Tede Haiens
25 wohnte jetzt ein rüstiger Arbeiter mit Frau und Kind; der junge Deichgraf Hauke Haien saß mit seinem Weibe Elke Volkerts auf deren väterlicher Hofstelle. Im Sommer rauschte die gewaltige Esche nach wie vor am Hause; aber auf der Bank, die jetzt darunter stand, sah man abends meist nur die junge Frau, einsam mit einer häuslichen Arbeit in den Händen;
30 noch immer fehlte ein Kind in dieser Ehe; der Mann aber hatte anderes zu tun, als Feierabend vor der Tür zu halten, denn trotz seiner früheren Mithülfe[57] lagen aus des Alten Amtsführung[58] eine Menge unerledigter[59] Dinge, an die auch er derzeit zu rühren nicht für gut gefunden hatte; jetzt aber mußte allmählich alles aus dem Wege; er fegte mit einem scharfen
35 Besen.[60] Dazu kam die Bewirtschaftung[61] der durch seinen eigenen Landbesitz[62] vergrößerten Stelle, bei der er gleichwohl den Kleinknecht noch zu

[54] *marital property rights (joint tenancy)*
[55] *well-versed*

[56] *explanations*

[57] *assistance*
[58] *administration*
[59] *unfinished*

[60] *broom*
[61] *management*
[62] *landholdings*

[63] *when they went to church*
[64] *at daybreak and dusk*

[65] *stayed for a drink*

[66] *municipal and higher officials*
[67] *town government expenditures and levies*
[68] *dike levies*
[69] *in need of repair*

[70] *tricky*

[71] *make a big hit*

[72] *why did you let yourselves be saddled with him?*

[73] *nothing can change it*

[74] *his clever formulation*

[75] *around the public table of an inn*

[76] *malevolent*

[77] *didn't O.P. marry into his position?*
[78] *got by marrying*

sparen suchte; so sahen sich die beiden Eheleute, außer am Sonntag, wo Kirchgang gehalten wurde,[63] meist nur bei dem von Hauke eilig besorgten Mittagessen und beim Auf- und Niedergang des Tages;[64] es war ein Leben fortgesetzter Arbeit, doch gleichwohl ein zufriedenes.

Dann kam ein störendes Wort in Umlauf. — Als von den jüngeren Besitzern der Marsch- und Geestgemeinde eines Sonntags nach der Kirche ein etwas unruhiger Trupp im Kruge droben am Trunke festgeblieben[65] war, redeten sie beim vierten oder fünften Glase zwar nicht über König und Regierung — so hoch wurde damals noch nicht gegriffen —, wohl aber über Kommunal- und Oberbeamte,[66] vor allem über Gemeindeabgaben und -lasten,[67] und je länger sie redeten, desto weniger fand davon Gnade vor ihren Augen, insonders nicht die neuen Deichlasten;[68] alle Siele und Schleusen, die sonst immer gehalten hätten, seien jetzt reparaturbedürftig;[69] am Deiche fänden sich immer neue Stellen, die Hunderte von Karren Erde nötig hätten; der Teufel möchte die Geschichte holen!

‚Das kommt von eurem klugen Deichgrafen', rief einer von den Geestleuten, ‚der immer grübeln geht und seine Finger dann in alles steckt!'

‚Ja, Marten', sagte Ole Peters, der dem Sprecher gegenübersaß; ‚recht hast du, er ist hinterspinnig[70] und sucht beim Oberdeichgraf sich 'nen weißen Fuß zu machen;[71] aber wir haben ihn nun einmal!'

‚Warum habt ihr ihn euch aufhucken lassen?'[72] sagte der andre; ‚nun müßt ihr's bar bezahlen.'

Ole Peters lachte. ‚Ja, Marten Fedders, das ist nun so bei uns, und davon ist nichts abzukratzen;[73] der alte wurde Deichgraf von seines Vaters, der neue von seines Weibes wegen.' Das Gelächter, das jetzt um den Tisch lief, zeigte, welchen Beifall das geprägte Wort[74] gefunden hatte.

Aber es war an öffentlicher Wirtstafel[75] gesprochen worden, es blieb nicht da, es lief bald um im Geest wie unten in dem Marschdorf; so kam es auch an Hauke. Und wieder ging vor seinem inneren Auge die Reihe übelwollender[76] Gesichter vorüber, und noch höhnischer, als es gewesen war, hörte er das Gelächter an dem Wirtshaustische. ‚Hunde!' schrie er, und seine Augen sahen grimmig zur Seite, als wolle er sie peitschen lassen.

Da legte Elke ihre Hand auf seinen Arm: ‚Laß sie; die wären alle gern, was du bist!'

— ‚Das ist es eben!' entgegnete er grollend.

‚Und', fuhr sie fort, ‚hat denn Ole Peters sich nicht selber eingefreit?'[77]

‚Das hat er, Elke; aber was er mit Vollina freite,[78] das reichte nicht zum Deichgrafen!'

— ,Sag lieber: *er* reichte nicht dazu!' und Elke drehte ihren Mann, so daß er sich im Spiegel sehen mußte, denn sie standen zwischen den Fenstern in ihrem Zimmer. ,Da steht der Deichgraf!' sagte sie; ,nun sieh ihn an; nur wer ein Amt regieren kann, der hat es!'

,Du hast nicht unrecht', entgegnete er sinnend, ,und doch... Nun, Elke; ich muß zur Osterschleuse,[79] die Türen schließen wieder nicht!'

[79] *(proper name)*

Sie drückte ihm die Hand: ,Komm, sieh mich erst einmal an! Was hast du, deine Augen sehen so ins Weite?'

,Nichts, Elke, du hast ja recht.'

Er ging; aber nicht lange war er gegangen, so war die Schleusenreparatur[80] vergessen. Ein anderer Gedanke, den er halb nur ausgedacht und seit Jahren mit sich umhergetragen hatte, der aber vor den drängenden Amtsgeschäften ganz zurückgetreten war, bemächtigte sich seiner jetzt aufs neue und mächtiger als je zuvor, als seien plötzlich die Flügel ihm gewachsen.

[80] *sluice repairs*

Kaum daß er es selber wußte, befand er sich oben auf dem Hafdeich, schon eine weite Strecke südwärts nach der Stadt zu; das Dorf, das nach dieser Seite hinauslag, war ihm zur Linken längst verschwunden; noch immer schritt er weiter, seine Augen unablässig nach der Seeseite auf das breite Vorland gerichtet; wäre jemand neben ihm gegangen, er hätte es sehen müssen, welche eindringliche Geistesarbeit hinter diesen Augen vorging. Endlich blieb er stehen: das Vorland schwand hier zu einem schmalen Streifen an dem Deich zusammen.[81] ,Es muß gehen!' sprach er bei sich selbst. ,Sieben Jahr im Amt; sie sollen nicht mehr sagen, daß ich nur Deichgraf bin von meines Weibes wegen!'

[81] *shrank*

Noch immer stand er, und seine Blicke schweiften scharf und bedächtig nach allen Seiten über das grüne Vorland; dann ging er zurück, bis wo auch hier ein schmaler Streifen grünen Weidelands die vor ihm liegende breite Landfläche ablöste. Hart an dem Deiche aber schoß ein starker Meeresstrom durch diese, der fast das ganze Vorland von dem Festlande trennte und zu einer Hallig machte; eine rohe Holzbrücke führte nach dort hinüber, damit man mit Vieh und Heu- und Getreidewagen hinüber und wieder zurück gelangen könne. Jetzt war es Ebbzeit, und die goldene Septembersonne glitzerte auf dem etwa hundert Schritte breiten Schlickstreifen und auf dem tiefen Priel in seiner Mitte, durch den auch jetzt das Meer noch seine Wasser trieb. ,Das läßt sich dämmen!' sprach Hauke bei sich selber, nachdem er diesem Spiele eine Zeitlang zugesehen; dann blickte er auf, und von dem Deiche, auf dem er stand, über den Priel hinweg, zog er in

Gedanken eine Linie längs dem Rande des abgetrennten Landes, nach Süden herum und ostwärts wiederum zurück über die dortige Fortsetzung des Prieles und an den Deich heran. Die Linie aber, welche er unsichtbar gezogen hatte, war ein neuer Deich, neu auch in der Konstruktion seines Profiles, welches bis jetzt nur noch in seinem Kopf vorhanden war. 5

,Das gäbe einen Koog von zirka tausend Demat', sprach er lächelnd zu sich selber; ,nicht groß just; aber . . .'

Eine andere Kalkulation überkam ihn: das Vorland gehörte hier der Gemeinde, ihren einzelnen Mitgliedern eine Zahl von Anteilen, je nach der Größe ihres Besitzes im Gemeindebezirk[82] oder nach sonst zu Recht 10 bestehender Erwerbung.[83] Er begann zusammenzuzählen, wieviel Anteile er von seinem, wie viele er von Elkes Vater überkommen, und was an solchen er während seiner Ehe schon selbst gekauft hatte, teils in dem dunklen Gefühle eines künftigen Vorteils, teils bei Vermehrung seiner Schafzucht. Es war schon eine ansehnliche Menge; denn auch von Ole 15 Peters hatte er dessen sämtliche Teile angekauft,[84] da es diesem zum Verdruß geschlagen war, als bei einer teilweisen Überströmung ihm sein bester Schafbock[85] ertrunken war. Aber das war ein seltsamer Unfall[86] gewesen, denn so weit Haukes Gedächtnis reichte, waren selbst bei hohen Fluten dort nur die Ränder überströmt worden. Welch treffliches 20 Weide- und Kornland mußte es geben und von welchem Werte, wenn das alles von seinem neuen Deich umgeben war! Wie ein Rausch stieg es ihm ins Gehirn; aber er preßte die Nägel in seine Handflächen[87] und zwang seine Augen, klar und nüchtern zu sehen, was dort vor ihm lag: eine große deichlose Fläche, wer wußt' es, welchen Stürmen und Fluten schon in den 25 nächsten Jahren preisgegeben, an deren äußerstem Rande jetzt ein Trupp von schmutzigen Schafen langsam grasend entlang wanderte; dazu für ihn ein Haufen Arbeit, Kampf und Ärger! Trotz alledem, als er vom Deich hinab und den Fußsteig über die Fennen auf seine Werfte zuging, ihm war's, als brächte er einen großen Schatz mit sich nach Hause. 30

Auf dem Flur trat Elke ihm entgegen: ,Wie war es mit der Schleuse?' frug sie.

Er sah mit geheimnisvollem Lächeln auf sie nieder. ,Wir werden bald eine andere Schleuse brauchen', sagte er: ,und Sielen und einen neuen Deich!' 35

,Ich versteh dich nicht', entgegnete Elke, während sie in das Zimmer gingen; ,was willst du, Hauke?'

[82] municipal district
[83] other legal form of acquisition
[84] bought up
[85] ram
[86] accident
[87] palms

‚Ich will', sagte er langsam und hielt dann einen Augenblick inne, ‚ich will, daß das große Vorland, das unserer Hofstatt gegenüber beginnt und dann nach Westen ausgeht, zu einem festen Kooge eingedeicht werde; die hohen Fluten haben fast ein Menschenalter[88] uns in Ruh' gelassen; wenn aber eine von den schlimmen wiederkommt und den Anwachs[89] stört, so kann mit einem Mal die ganze Herrlichkeit zu Ende sein; nur der alte Schlendrian hat das bis heut so lassen können!'

[88] generation

[89] grass cover

Sie sah ihn voll Erstaunen an: ‚So schiltst du dich ja selber!' sagte sie.

— ‚Das tu ich, Elke; aber es war bisher auch so viel anderes zu beschaffen!'

‚Ja, Hauke; gewiß, du hast genug getan!'

Er hatte sich in den Lehnstuhl des alten Deichgrafen gesetzt, und seine Hände griffen fest um beide Lehnen.

‚Hast du denn guten Mut dazu?' frug ihn sein Weib.

— ‚Das hab ich, Elke!' sprach er hastig.

‚Sei nicht zu rasch, Hauke; das ist ein Werk auf Tod und Leben;[90] und fast alle werden dir entgegen sein, man wird dir deine Müh' und Sorg' nicht danken!'

[90] life and death undertaking

Er nickte: ‚Ich weiß!' sagte er.

‚Und wenn es nun nicht gelänge!' rief sie wieder; ‚von Kindesbeinen an hab ich gehört, der Priel sei nicht zu stopfen, und darum dürfe nicht daran gerührt werden.'

‚Das war ein Vorwand für die Faulen!' sagte Hauke; ‚weshalb denn sollte man den Priel nicht stopfen können?'

— ‚Das hört' ich nicht; vielleicht, weil er gerade durchgeht; die Spülung[91] ist zu stark.' — Eine Erinnerung überkam sie, und ein fast schelmisches Lächeln brach aus ihren ernsten Augen: ‚Als ich Kind war', sprach sie, ‚hörte ich einmal die Knechte darüber reden; sie meinten, wenn ein Damm dort halten solle, müsse was Lebigs da hineingeworfen und mit verdämmt[92] werden; bei einem Deichbau auf der andern Seite, vor wohl hundert Jahren, sei ein Zigeunerkind[93] verdämmt worden, das sie um schweres Geld[94] der Mutter abgehandelt hätten; jetzt aber würde wohl keine ihr Kind verkaufen!'

[91] wash

[92] buried in the dam (here and below)
[93] gypsy child
[94] for a lot of money

Hauke schüttelte den Kopf: ‚Da ist es gut, daß wir keins haben, sie würden es sonst noch schier von uns verlangen!'

‚Sie sollten's nicht bekommen!' sagte Elke und schlug wie in Angst die Arme über ihren Leib.

Und Hauke lächelte; doch sie frug noch einmal: ‚Und die ungeheuren Kosten? Hast du das bedacht?'

— ‚Das hab ich, Elke; was wir dort herausbringen, wird sie bei weitem überholen, auch die Erhaltungskosten des alten Deiches gehen für ein gut Stück in dem neuen unter;[95] wir arbeiten ja selbst und haben über achtzig Gespanne in der Gemeinde, und an jungen Fäusten ist hier auch kein Mangel. Du sollst mich wenigstens nicht umsonst zum Deichgrafen gemacht haben, Elke; ich will ihnen zeigen, daß ich einer bin!'

Sie hatte sich vor ihm niedergehuckt[96] und ihn sorgvoll angeblickt; nun erhob sie sich mit einem Seufzer: ‚Ich muß weiter zu meinem Tagewerk', sagte sie, und ihre Hand strich langsam über seine Wange; ‚tu du das deine, Hauke!'

‚Amen, Elke!' sprach er mit ernstem Lächeln; ‚Arbeit ist für uns beide da!'

— Und es war Arbeit genug für beide, die schwerste Last aber fiel jetzt auf des Mannes Schulter. An Sonntagnachmittagen, oft auch nach Feierabend, saß Hauke mit einem tüchtigen Feldmesser zusammen, vertieft in Rechenaufgaben, Zeichnungen und Rissen; war er allein, dann ging es ebenso und endete oft weit nach Mitternacht. Dann schlich er in die gemeinsame Schlafkammer — denn die dumpfen Wandbetten im Wohngemach wurden in Haukes Wirtschaft nicht mehr gebraucht — und sein Weib, damit er endlich nur zur Ruhe komme, lag wie schlafend mit geschlossenen Augen, obgleich sie mit klopfendem Herzen nur auf ihn gewartet hatte; dann küßte er mitunter ihre Stirn und sprach ein leises Liebeswort dabei und legte sich selbst zum Schlafe, der ihm oft nur beim ersten Hahnenkraht zu Willen war.[97] Im Wintersturm lief er auf den Deich hinaus, mit Bleistift und Papier in der Hand, und stand und zeichnete und notierte, während ein Windstoß ihm die Mütze vom Kopf riß und das lange, fahle Haar ihm um sein heißes Antlitz flog; bald fuhr er, solange nur das Eis ihm nicht den Weg versperrte,[98] mit einem Knecht zu Boot ins Wattenmeer hinaus und maß dort mit Lot[99] und Stange die Tiefen der Ströme, über die er noch nicht sicher war. Elke zitterte oft genug für ihn; aber war er wieder da, so hätte er das nur aus ihrem festen Händedruck oder dem leuchtenden Blitz aus ihren sonst so stillen Augen merken können. ‚Geduld, Elke', sagte er, da ihm einmal war, als ob sein Weib ihn nicht lassen könne; ‚ich muß erst selbst im reinen sein, bevor ich meinen Antrag stelle!' Da nickte sie und ließ ihn gehen. Der Ritte in die Stadt zum

Oberdeichgrafen wurden auch nicht wenige,[1] und allem diesen und den Mühen in Haus- und Landwirtschaft folgten immer wieder die Arbeiten in die Nacht hinein. Sein Verkehr mit anderen Menschen außer in Arbeit und Geschäft verschwand fast ganz; selbst der mit seinem Weibe wurde
5 immer weniger. ‚Es sind schlimme Zeiten, und sie werden noch lange dauern‘, sprach Elke bei sich selber und ging an ihre Arbeit.

Endlich, Sonne und Frühlingswinde hatten schon überall das Eis gebrochen, war auch die letzte Vorarbeit[2] getan; die Eingabe an den Oberdeichgrafen zu Befürwortung an höherem Orte, enthaltend den Vorschlag
10 einer Bedeichung des erwähnten Vorlandes, zur Förderung des öffentlichen Besten,[3] insonders des Kooges, wie nicht weniger der Herrschaftlichen Kasse, da höchstderselben in kurzen Jahren die Abgaben von zirka tausend Demat daraus erwachsen würden,[4] — war sauber abgeschrieben und nebst anliegenden[5] Rissen und Zeichnungen aller Lokalitäten,[6] jetzt und künftig,
15 der Schleusen und Siele und was noch sonst dazugehörte[7] in ein festes Konvolut[8] gepackt und mit dem deichgräflichen Amtssiegel versehen worden.

‚Da ist es, Elke‘, sagte der junge Deichgraf, ‚nun gib ihm deinen Segen!‘

Elke legte ihre Hand in seine: ‚Wir wollen fest zusammenhalten‘, sagte
20 sie.

— ‚Das wollen wir.‘

Dann wurde die Eingabe durch einen reitenden Boten in die Stadt gesandt.

„Sie wollen bemerken, lieber Herr“, unterbrach der Schulmeister seine
25 Erzählung, mich freundlich mit seinen feinen Augen fixierend, „daß ich das bisher Berichtete während meiner fast vierzigjährigen Wirksamkeit in diesem Kooge aus den Überlieferungen verständiger Leute oder aus Erzählungen der Enkel und Urenkel solcher zusammengefunden[9] habe; was ich, damit Sie dieses mit dem endlichen Verlauf in Einklang zu
30 bringen[10] vermögen, Ihnen jetzt vorzutragen habe, das war derzeit und ist auch jetzt noch das Geschwätz des ganzen Marschdorfes, sobald nur um Allerheiligen die Spinnräder an zu schnurren fangen.

Von der Hofstelle des Deichgrafen, etwa fünf- bis sechshundert Schritte weiter nordwärts, sah man derzeit, wenn man auf dem Deiche stand, ein
35 paar tausend Schritt ins Wattenmeer hinaus und etwas weiter von dem

[1] *rides . . . were frequent enough*

[2] *preliminary work*

[3] *. . . for submission to higher authorities, containing the proposal for a new dike to enclose the section of foreland indicated, in furtherance of the public welfare, . . . (the style being that of formal, official documents)*
[4] *since in a few years tax revenues . . . would accrue to it (the government treasury)*
[5] *attached*
[6] *locations*
[7] *appertained thereto*
[8] *packet*

[9] *gathered together*

[10] *reconcile*

gegenüberliegenden Marschufer entfernt eine kleine Hallig, die sie ‚Jevers-sand‘, auch ‚Jevershallig‘ nannten. Von den derzeitigen[11] Großvätern war sie noch zur Schafweide benutzt worden, denn Gras war damals noch darauf gewachsen; aber auch das hatte aufgehört, weil die niedrige Hallig ein paarmal, und just im Hochsommer, unter Seewasser gekommen und der Graswuchs[12] dadurch verkümmert und auch zur Schafweide unnutz-bar[13] geworden war. So kam es denn, daß außer von Möwen und den andern Vögeln, die am Strande fliegen, und etwa einmal von einem Fischadler,[14] dort kein Besuch mehr stattfand; und an mondhellen Aben-den sah man vom Deiche aus nur die Nebeldünste[15] leichter oder schwerer darüber hinziehen. Ein paar weißgebleichte Knochengerüste[16] ertrunkener Schafe und das Gerippe eines Pferdes, von dem freilich niemand begriff, wie es dort hingekommen sei, wollte man, wenn der Mond von Osten auf die Hallig schien, dort auch erkennen können.

Es war zu Ende März, als an dieser Stelle nach Feierabend der Tagelöh-ner aus dem Tede Haienschen[17] Hause und Iven Johns, der Knecht des jungen Deichgrafen, nebeneinanderstanden und unbeweglich nach der im trüben Mondduft[18] kaum erkennbaren Hallig hinüberstarrten; etwas Auf-fälliges schien sie dort so festzuhalten. Der Tagelöhner steckte die Hände in die Tasche und schüttelte sich: ‚Komm, Iven‘, sagte er, ‚das ist nichts Gutes; laß uns nach Haus gehen!‘

Der andere lachte, wenn auch ein Grauen bei ihm hindurchklang.[19] ‚Ei was, es ist eine lebige Kreatur, eine große! Wer, zum Teufel, hat sie nach dem Schlickstück[20] hinaufgejagt! Sieh nur, nun reckt's den Hals zu uns hinüber! Nein, es senkt den Kopf; es frißt! Ich dächt', es wär' dort nichts zu fressen! Was es nur sein mag?‘

‚Was geht das uns an!‘ entgegnete der andere. ‚Gute Nacht, Iven, wenn du nicht mitwillst; ich gehe nach Haus!‘

— ‚Ja, ja; du hast ein Weib, du kommst ins warme Bett! Bei mir ist auch in meiner Kammer lauter Märzenluft!‘

‚Gut Nacht denn!‘ rief der Tagelöhner zurück, während er auf dem Deich nach Hause trabte. Der Knecht sah sich ein paarmal nach dem Fortlaufenden um; aber die Begier, Unheimliches zu schauen, hielt ihn noch fest. Da kam eine untersetzte, dunkle Gestalt auf dem Deich vom Dorf her gegen ihn heran; es war der Dienstjunge des Deichgrafen. ‚Was willst du, Carsten?‘ rief ihm der Knecht entgegen.

‚Ich? — nichts‘, sagte der Junge; ‚aber unser Wirt will dich sprechen, Iven Johns!‘

Der Knecht hatte die Augen schon wieder nach der Hallig: ‚Gleich; ich komme gleich!‘ sagte er.

‚Wonach guckst du denn so?‘ frug der Junge.

Der Knecht hob den Arm und wies stumm nach der Hallig. ‚Oha!‘ flüsterte der Junge; ‚da geht ein Pferd — ein Schimmel — das muß der Teufel reiten — wie kommt ein Pferd nach Jevershallig?‘

— ‚Weiß nicht, Carsten; wenn’s nur ein richtiges Pferd ist!‘

‚Ja, ja, Iven; sieh nur, es frißt ganz wie ein Pferd! Aber wer hat’s dahin gebracht; wir haben im Dorf so große Böte gar nicht! Vielleicht auch ist es nur ein Schaf; Peter Ohm sagt, im Mondschein wird aus zehn Torfringeln[21] ein ganzes Dorf. Nein, sieh! Nun springt es — es muß doch ein Pferd sein!‘

Beide standen eine Weile schweigend, die Augen nur nach dem gerichtet, was sie drüben undeutlich vor sich gehen sahen. Der Mond stand hoch am Himmel und beschien das weite Wattenmeer, das eben in der steigenden Flut seine Wasser über die glitzernden Schlickflächen zu spülen begann. Nur das leise Geräusch des Wassers, keine Tierstimme war in der ungeheueren Weite hier zu hören; auch in der Marsch, hinter dem Deiche, war es leer; Kühe und Rinder waren alle noch in den Ställen. Nichts regte sich; nur was sie für ein Pferd, einen Schimmel, hielten, schien dort auf Jevershallig noch beweglich. ‚Es wird heller‘, unterbrach der Knecht die Stille; ‚ich sehe deutlich die weißen Schafgerippe schimmern!‘

‚Ich auch‘, sagte der Junge und reckte den Hals; dann aber, als komme es ihm plötzlich, zupfte er den Knecht am Ärmel: ‚Iven‘, raunte er, ‚das Pferdgerippe, das sonst dabeilag,[22] wo ist es? Ich kann’s nicht sehen!‘

‚Ich seh es auch nicht! Seltsam!‘ sagte der Knecht.

— ‚Nicht so seltsam, Iven! Mitunter, ich weiß nicht in welchen Nächten, sollen die Knochen sich erheben und tun, als ob sie lebig wären!‘

‚So?‘ machte der Knecht; ‚das ist ja Altweiberglaube!‘[23]

‚Kann sein, Iven‘, meinte der Junge.

‚Aber, ich mein, du sollst mich holen; komm, wir müssen nach Haus! Es bleibt hier immer doch dasselbe.‘

Der Junge war nicht fortzubringen, bis der Knecht ihn mit Gewalt herumgedreht und auf den Weg gebracht hatte. ‚Hör, Carsten‘, sagte dieser, als die gespensterhafte Hallig ihnen schon ein gut Stück im Rücken lag, ‚du giltst ja für einen Allerweltsbengel;[24] ich glaub, du möchtest das am liebsten selber untersuchen!‘

[21] *mounds of peat*

[22] *was lying next to it*

[23] *an old wives' tale*

[24] *daredevil*

‚Ja', entgegnete Carsten, nachträglich noch ein wenig schaudernd, ‚ja, das möcht ich, Iven!'

— ‚Ist das dein Ernst? — dann', sagte der Knecht, nachdem der Junge ihm nachdrücklich darauf die Hand geboten hatte, ‚lösen wir morgen abend unser Boot; du fährst nach Jeverssand; ich bleib solange auf dem Deiche stehen.'

‚Ja', erwiderte der Junge, ‚das geht! Ich nehme meine Peitsche mit!'

‚Tu das!'

Schweigend kamen sie an das Haus ihrer Herrschaft, zu dem sie langsam die hohe Werft hinanstiegen.

Um dieselbe Zeit des folgenden Abends saß der Knecht auf dem großen Steine vor der Stalltür, als der Junge mit seiner Peitsche knallend zu ihm kam. ‚Das pfeift ja wunderlich!' sagte jener.

‚Freilich, nimm dich in acht', entgegnete der Junge; ‚ich hab auch Nägel in die Schnur geflochten.'

‚So komm!' sagte der andere.

Der Mond stand, wie gestern, am Osthimmel und schien klar aus seiner Höhe. Bald waren beide wieder draußen auf dem Deich und sahen hinüber nach Jevershallig, die wie ein Nebelfleck im Wasser stand. ‚Da geht es wieder', sagte der Knecht; ‚nach Mittag war ich hier, da war's nicht da; aber ich sah deutlich das weiße Pferdsgeripppe liegen!'

Der Junge reckte den Hals: ‚Das ist jetzt nicht da, Iven', flüsterte er.

‚Nun, Carsten, wie ist's?' sagte der Knecht. ‚Juckt's dich noch, hinüberzufahren?'

Carsten besann sich einen Augenblick; dann klatschte er mit seiner Peitsche in die Luft: ‚Mach nur das Boot los, Iven!'

Drüben aber war es, als hebe, was dorten[25] ging, den Hals und recke gegen das Festland hin den Kopf. Sie sahen es nicht mehr; sie gingen schon den Deich hinab und bis zur Stelle, wo das Boot gelegen war. ‚Nun, steig nur ein!' sagte der Knecht, nachdem er es losgebunden hatte. ‚Ich bleib, bis du zurück bist! Zu Osten mußt du anlegen; da hat man immer landen können!' Und der Junge nickte schweigend und fuhr mit seiner Peitsche in die Mondnacht[26] hinaus; der Knecht wanderte unterm Deich zurück und bestieg ihn wieder an der Stelle, wo sie vorhin gestanden hatten. Bald sah er, wie drüben bei einer schroffen,[27] dunkeln Stelle, an die ein breiter Priel hinanführte, das Boot sich beilegte[28] und eine unter-

[25] over there

[26] moonlit night

[27] steep

[28] hove to

setzte Gestalt daraus ans Land sprang. — War's nicht, als klatschte der Junge mit seiner Peitsche? Aber es konnte auch das Geräusch der steigenden Flut sein. Mehrere hundert Schritte nordwärts sah er, was sie für einen Schimmel angesehen hatten; und jetzt! — ja, die Gestalt des Jungen
5 kam gerade darauf zugegangen. Nun hob es den Kopf, als ob es stutze; und der Junge — es war deutlich jetzt zu hören — klatschte mit der Peitsche. Aber — was fiel ihm ein? er kehrte um, er ging den Weg zurück, den er gekommen war. Das drüben schien unablässig fortzuweiden,[29] kein Wiehern war von dort zu hören gewesen; wie weiße Wasserstreifen schien
10 es mitunter über die Erscheinung hinzuziehen. Der Knecht sah wie gebannt hinüber.

    Da hörte er das Anlegen des Bootes am diesseitigen Ufer, und bald sah er aus der Dämmerung den Jungen gegen sich am Deich heraufsteigen. ‚Nun, Carsten', frug er, ‚was war es?'
15   Der Junge schüttelte den Kopf. ‚Nichts war es!' sagte er. ‚Noch kurz vom Boot aus hatt ich es gesehen; dann aber, als ich auf der Hallig war — weiß der Henker, wo sich das Tier verkrochen hatte, der Mond schien doch hell genug; aber als ich an die Stelle kam, war nichts da als die bleichen Knochen von einem halben Dutzend Schafen, und etwas weiter lag auch
20 das Pferdsgerippe mit seinem weißen, langen Schädel und ließ den Mond in seine leeren Augenhöhlen[30] scheinen!'

    ‚Hm!' meinte der Knecht; ‚hast auch recht zugesehen?'

    ‚Ja, Iven, ich stand dabei; ein gottvergessener Kiewiet,[31] der hinter dem Gerippe sich zur Nachtruh' hingeduckt[32] hatte, flog schreiend auf, daß ich
25 erschrak und ein paarmal mit der Peitsche hintennach klatschte.'

    ‚Und das war alles?'

    ‚Ja, Iven; ich weiß nicht mehr.'

    ‚Es ist auch genug', sagte der Knecht, zog den Jungen am Arm zu sich heran und wies hinüber nach der Hallig. ‚Dort, siehst du etwas, Carsten?'
30   — ‚Wahrhaftig, da geht's ja wieder!'

    ‚Wieder?' sagte der Knecht; ‚ich hab die ganze Zeit hinübergeschaut, aber es ist gar nicht fortgewesen; du gingst ja gerade auf das Unwesen los!'

    Der Junge starrte ihn an; ein Entsetzen lag plötzlich auf seinem sonst so kecken Angesicht, das auch dem Knechte nicht entging. ‚Komm!' sagte
35 dieser, ‚wir wollen nach Haus: von hier aus geht's wie lebig, und drüben liegen nur die Knochen — das ist mehr, als du und ich begreifen können. Schweig aber still davon, man darf dergleichen nicht verreden!'[33]

[29] *to be grazing on*

[30] *sockets*

[31] *peewit (or lapwing)*
[32] *slipped off*

[33] *talk around about*

So wandten sie sich, und der Junge trabte neben ihm; sie sprachen nicht, und die Marsch lag in lautlosem Schweigen an ihrer Seite.

— Nachdem aber der Mond zurückgegangen und die Nächte dunkel geworden waren, geschah ein anderes.

Hauke Haien war zur Zeit des Pferdemarktes in die Stadt geritten, ohne jedoch mit diesem dort zu tun zu haben. Gleichwohl, da er gegen Abend heimkam, brachte er ein zweites Pferd mit sich nach Hause; aber es war rauhhaarig und mager, daß man jede Rippe zählen konnte, und die Augen lagen ihm matt und eingefallen[34] in den Schädelhöhlen.[35] Elke war vor die Haustür getreten, um ihren Eheliebsten[36] zu empfangen: ,Hilf Himmel!' rief sie, ,was soll uns[37] der alte Schimmel?' Denn da Hauke mit ihm vor das Haus geritten kam und unter der Esche hielt, hatte sie gesehen, daß die arme Kreatur auch lahmte.[38]

Der junge Deichgraf aber sprang lachend von seinem braunen Wallach: ,Laß nur, Elke; es kostet auch nicht viel!'

Die kluge Frau erwiderte; ,Du weißt doch, das Wohlfeilste ist auch meist das Teuerste.'

— ,Aber nicht immer, Elke; das Tier ist höchstens vier Jahre alt; sieh es dir nur genauer an! Es ist verhungert und mißhandelt; da soll ihm unser Hafer gut tun; ich werd es selbst versorgen, damit sie mir's nicht überfüttern.'

Das Tier stand indessen mit gesenktem Kopf; die Mähnen hingen lang am Hals herunter. Frau Elke, während ihr Mann nach den Knechten rief, ging betrachtend um dasselbe herum; aber sie schüttelte den Kopf: ,So eins ist noch nie in unserm Stall gewesen!'

Als jetzt der Dienstjunge[39] um die Hausecke kam, blieb er plötzlich mit erschrocknen Augen stehen. ,Nun, Carsten', rief der Deichgraf, ,was fährt dir in die Knochen?[40] Gefällt dir mein Schimmel nicht?'

,Ja — o ja, uns' Weert, warum denn nicht!'

— ,So bring die Tiere in den Stall; gib ihnen kein Futter;[41] ich komme gleich selber hin!'

Der Junge faßte mit Vorsicht den Halfter des Schimmels und griff dann hastig, wie zum Schutze, nach dem Zügel des ihm ebenfalls vertrauten Wallachs. Hauke aber ging mit seinem Weibe in das Zimmer; ein Warmbier[42] hatte sie für ihn bereit, und Brot und Butter waren auch zur Stelle.

Er war bald gesättigt; dann stand er auf und ging mit seiner Frau im Zimmer auf und ab. ,Laß dir erzählen, Elke', sagte er, während der Abend-

[34] *sunken*
[35] *sockets of his skull*
[36] *spouse*
[37] *what do we want with*
[38] *was lame*
[39] *servant boy*
[40] *what's got into you?*
[41] *fodder*
[42] *warm beer soup (of milk, flour, eggs, beer)*

schein auf den Kacheln an den Wänden spielte, ‚wie ich zu dem Tier
gekommen bin: Ich war wohl eine Stunde beim Oberdeichgrafen gewesen;
er hatte gute Kunde für mich — es wird wohl dies und jenes anders werden
als in meinen Rissen; aber die Hauptsache, mein Profil, ist akzeptiert, und
5 schon in den nächsten Tagen kann der Befehl zum neuen Deichbau da
sein!'

Elke seufzte unwillkürlich: ‚Also doch?' sagte sie sorgenvoll.[43]

‚Ja, Frau', entgegnete Hauke; ‚hart wird's hergehen; aber dazu, denk
ich, hat der Herrgott uns zusammengebracht! Unsere Wirtschaft ist
10 jetzt so gut in Ordnung; ein groß Teil kannst du schon auf deine Schultern
nehmen; denk nur um zehn Jahr weiter — dann stehen wir vor einem
andern Besitz.'

Sie hatte bei seinen ersten Worten die Hand ihres Mannes versichernd
in die ihrigen gepreßt; seine letzten Worte konnten sie nicht erfreuen.
15 ‚Für wen soll der Besitz?' sagte sie. ‚Du müßtest denn ein ander Weib
nehmen; ich bring dir keine Kinder.'

Tränen schossen ihr in die Augen; aber er zog sie fest in seine Arme:
‚Das überlassen wir dem Herrgott', sagte er; ‚jetzt aber und auch dann
noch sind wir jung genug, um uns der Früchte unserer Arbeit selbst zu
20 freuen.'

Sie sah ihn lange, während er sie hielt, aus ihren dunkeln Augen an.
‚Verzeih, Hauke', sprach sie; ‚ich bin mitunter ein verzagt Weib!'

Er neigte sich zu ihrem Antlitz und küßte sie: ‚Du bist mein Weib und
ich dein Mann, Elke! Und anders wird es nun nicht mehr.'

25 Da legte sie die Arme fest um seinen Nacken: ‚Du hast recht,
Hauke, und was kommt, kommt für uns beide.' Dann löste sie sich
errötend von ihm. ‚Du wolltest von dem Schimmel mir erzählen', sagte
sie leise.

‚Das wollt' ich, Elke. Ich sagte dir schon, mir war Kopf und Herz voll
30 Freude über die gute Nachricht, die der Oberdeichgraf mir gegeben hatte;
so ritt ich eben wieder aus der Stadt hinaus, da, auf dem Damm, hinter
dem Hafen, begegnet mir ein ruppiger[44] Kerl; ich wußt' nicht, war's ein
Vagabund, ein Kesselflicker[45] oder was denn sonst. Der Kerl zog den
Schimmel am Halfter hinter sich; das Tier aber hob den Kopf und sah
35 mich aus blöden Augen an; mir war's, als ob es mich um etwas bitten
wolle; ich war ja auch in diesem Augenblicke reich genug. He, Landsmann!
rief ich, wo wollt Ihr mit der Kracke[46] hin?

[43] *anxiously*

[44] *ragged*

[45] *tinker (sometimes used for gypsy)*

[46] *nag*

Der Kerl blieb stehen und der Schimmel auch. Verkaufen! sagte jener und nickte mir listig zu.

Nur nicht an mich! rief ich lustig.

Ich denke doch! sagte er; das ist ein wacker Pferd und unter hundert Talern nicht bezahlt.

Ich lachte ihm ins Gesicht.

Nun, sagte er, lacht nicht so hart; Ihr sollt's mir ja nicht zahlen! Aber ich kann's nicht brauchen, bei mir verkommt's; es würd bei Euch bald ander Ansehen haben!

Da sprang ich von meinem Wallach und sah dem Schimmel ins Maul, und sah wohl, es war noch ein junges Tier. Was soll's denn kosten? rief ich, da auch das Pferd mich wiederum wie bittend ansah.

Herr, nehmt's für dreißig Taler! sagte der Kerl, und den Halfter geb ich Euch darein!

Und da, Frau, hab ich dem Burschen in die dargebotne braune Hand, die fast wie eine Klaue aussah, eingeschlagen.[47] So haben wir den Schimmel, und ich denk auch, wohlfeil genug! Wunderlich nur war es, als ich mit den Pferden wegritt, hört' ich bald hinter mir ein Lachen, und als ich den Kopf wandte, sah ich den Slowaken;[48] der stand noch sperrbeinig,[49] die Arme auf dem Rücken, und lachte wie ein Teufel hinter mir darein.'

,Pfui', rief Elke; ,wenn der Schimmel nur nichts von seinem alten Herrn zubringt! Mög er dir gedeihen, Hauke!'

,Er selber soll es[50] wenigstens, soweit ich's leisten kann!' Und der Deichgraf ging in den Stall, wie er vorhin dem Jungen es gesagt hatte.

— Aber nicht allein an jenem Abend fütterte er den Schimmel, er tat es fortan immer selbst und ließ kein Auge von dem Tiere; er wollte zeigen, daß er einen Priesterhandel[51] gemacht habe; jedenfalls sollte nichts versehen werden. — Und schon nach wenig Wochen hob sich die Haltung des Tieres; allmählich verschwanden die rauhen Haare; ein blankes, blau geapfeltes[52] Fell kam zum Vorschein, und da er es eines Tages auf der Hofstatt umherführte, schritt es schlank auf seinen festen Beinen. Hauke dachte des abenteuerlichen Verkäufers: ,Der Kerl war ein Narr oder ein Schuft, der es gestohlen hatte!' murmelte er bei sich selber. — Bald auch, wenn das Pferd im Stall nur seine Schritte hörte, warf es den Kopf herum und wieherte ihm entgegen; nun sah er auch, es hatte, was die Araber verlangen, ein fleischlos Angesicht; draus blitzten ein Paar feurige braune Augen. Dann führte er es aus dem Stall und legte ihm einen leichten Sattel auf; aber kaum saß er droben, so fuhr dem Tier ein Wiehern wie ein Lust-

[47] *shook*

[48] *Slovak (also for gypsy)*
[49] *with feet planted far apart*

[50] *(=gedeihen)*

[51] *lucky deal*

[52] *dappled*

schrei aus der Kehle; es flog mit ihm davon, die Werfte hinab auf den Weg und dann dem Deiche zu; doch der Reiter saß fest, und als sie oben waren, ging es ruhiger, leicht, wie tanzend, und warf den Kopf dem Meere zu. Er klopfte und streichelte ihm den blanken Hals, aber es bedurfte dieser
5 Liebkosung schon nicht mehr; das Pferd schien völlig eins mit seinem Reiter, und nachdem er eine Strecke nordwärts den Deich hinausgeritten war, wandte er es leicht und gelangte wieder an die Hofstatt.

Die Knechte standen unten an der Auffahrt und warteten der Rückkunft ihres Wirtes. ‚So, John‘, rief dieser, indem er von seinem Pferde
10 sprang, ‚nun reite du es in die Fenne zu den andern; es trägt dich wie in einer Wiege!‘

Der Schimmel schüttelte den Kopf und wieherte laut in die sonnige Marschlandschaft hinaus, während ihm der Knecht den Sattel abschnallte[53] und der Junge damit zur Geschirrkammer[54] lief; dann legte er
15 den Kopf auf seines Herrn Schulter und duldete behaglich dessen Liebkosung. Als aber der Knecht sich jetzt auf seinen Rücken schwingen wollte, sprang er mit einem jähen Satz zur Seite und stand dann wieder unbeweglich, die schönen Augen auf seinen Herrn gerichtet. ‚Hoho, Iven‘, rief dieser, ‚hat er dir Leids getan?‘ und suchte seinem Knecht vom Boden
20 aufzuhelfen.

Der rieb sich eifrig an der Hüfte: ‚Nein, Herr, es geht noch; aber den Schimmel reit’ der Teufel!‘

‚Und ich!‘ setzte Hauke lachend hinzu. ‚So bring ihn am Zügel in die Fenne!‘
25 Und als der Knecht etwas beschämt gehorchte, ließ sich der Schimmel ruhig von ihm führen.

— Einige Abende später standen Knecht und Junge miteinander vor der Stalltür; hinterm Deiche war das Abendrot erloschen, innerhalb desselben war schon der Koog von tiefer Dämmerung überwallt;[55] nur
30 selten kam aus der Ferne das Gebrüll eines aufgestörten[56] Rindes oder der Schrei einer Lerche, deren Leben unter dem Überfall eines Wiesels oder einer Wasserratte endete. Der Knecht lehnte gegen den Türpfosten und rauchte aus einer kurzen Pfeife, deren Rauch er schon nicht mehr sehen konnte; gesprochen hatten er und der Junge noch nicht zusammen. Dem
35 letzteren aber drückte etwas auf die Seele, er wußte nur nicht, wie er dem schweigsamen[57] Knechte ankommen sollte. ‚Du, Iven!‘ sagte er endlich, ‚weißt du, das Pferdsgerippp auf Jeverssand!‘

‚Was ist damit?‘ frug der Knecht.

[53] *unbuckled*
[54] *tack room*

[55] *covered*
[56] *startled*

[57] *taciturn*

,Ja, Iven, was ist damit? Es ist gar nicht mehr da; weder Tages noch bei Mondschein; wohl zwanzigmal bin ich auf den Deich hinausgelaufen!'

[58] *collapsed in a heap*

,Die alten Knochen sind wohl zusammengepoltert?'[58] sagte Iven und rauchte ruhig weiter.

,Aber ich war auch bei Mondschein draußen; es geht auch drüben nichts 5 auf Jeverssand!'

,Ja', sagte der Knecht, ,sind die Knochen auseinandergefallen, so wird's wohl nicht mehr aufstehen können!'

,Mach keinen Spaß, Iven! Ich weiß jetzt; ich kann dir sagen, wo es ist!'

Der Knecht drehte sich jäh zu ihm: ,Nun, wo ist es denn?' 10

,Wo?' wiederholte der Junge nachdrücklich. ,Es steht in unserem Stall; da steht's, seit es nicht mehr auf der Hallig ist. Es ist auch nicht umsonst, daß der Wirt es allzeit selber füttert; ich weiß Bescheid, Iven!'

[59] *puffed away*

Der Knecht paffte[59] eine Weile heftig in die Nacht hinaus. ,Du bist nicht klug, Carsten', sagte er dann; ,unser Schimmel? Wenn je ein Pferd 15 ein lebigs war, so ist es der! Wie kann so ein Allerweltsjunge wie du in

[60] *how can a smart fellow like you be taken in by an old wives' tale of that sort?*
[61] *to be converted*

solch Altem-Weiberglauben sitzen!'[60]

— Aber der Junge war nicht zu bekehren:[61] wenn der Teufel in dem Schimmel steckte, warum sollte er dann nicht lebendig sein? Im Gegenteil, um desto schlimmer! — Er fuhr jedesmal erschreckt zusammen, wenn er 20 gegen Abend den Stall betrat, in dem auch sommers das Tier mitunter eingestellt wurde, und es dann den feurigen Kopf so jäh nach ihm herumwarf. ,Hol's der Teufel!' brummte er dann; ,wir bleiben auch nicht lange mehr zusammen!'

So tat er sich denn heimlich nach einem neuen Dienste um, kündigte 25 und trat um Allerheiligen als Knecht bei Ole Peters ein. Hier fand er andächtige Zuhörer für seine Geschichte von dem Teufelspferd des

[62] *dull-witted*

Deichgrafen; die dicke Frau Vollina und deren geistesstumpfer[62] Vater, der frühere Deichgevollmächtigte Jeß Harders, hörten in behaglichem

[63] *shudder*

Gruseln[63] zu und erzählten sie später allen, die gegen den Deichgrafen einen 30 Groll im Herzen, oder die an derart Dingen ihr Gefallen hatten.

[64] *head dikemaster's office*

Inzwischen war schon Ende März durch die Oberdeichgrafschaft[64] der Befehl zur neuen Eindeichung eingetroffen. Hauke berief zunächst die Deichgevollmächtigten zusammen, und im Kruge oben bei der Kirche waren eines Tages alle erschienen und hörten zu, wie er ihnen die Haupt- 35

punkte aus den bisher erwachsenen Schriftstücken vorlas: aus seinem Antrage, aus dem Bericht des Oberdeichgrafen, zuletzt den schließlichen Bescheid, worin vor allem auch die Annahme des von ihm vorgeschlagenen Profiles enthalten war, und der neue Deich nicht steil wie früher, sondern
5 allmählich verlaufend nach der Seeseite abfallen sollte; aber mit heiteren oder auch nur zufriedenen Gesichtern hörten sie nicht.

,Ja, ja', sagte ein alter Gevollmächtigter, ,da haben wir nun die Be-scherung,[65] und Proteste werden nicht helfen, da der Oberdeichgraf unserm Deichgrafen den Daumen hält!'[66]

10 ,Hast wohl recht, Detlev Wiens', setzte ein zweiter hinzu; ,die Früh-lingsarbeit steht vor der Tür, und nun soll auch ein millionenlanger[67] Deich gemacht werden — da muß ja alles liegenbleiben.'

,Das könnt ihr dies Jahr noch zu Ende bringen', sagte Hauke; ,so rasch wird der Stecken nicht vom Zaun gebrochen!'[68]

15 Das wollten wenige zugeben. ,Aber dein Profil!' sprach ein dritter, was Neues auf die Bahn bringend; ,der Deich wird ja auch an der Außenseite nach dem Wasser so breit, wie Lawrenz sein Kind nicht lang war![69] Wo soll das Material herkommen? Wann soll die Arbeit fertig werden?'

,Wenn nicht in diesem, so im nächsten Jahre; das wird am meisten von
20 uns selber abhängen!' sagte Hauke.

Ein ärgerliches Lachen ging durch die Gesellschaft. ,Aber wozu die unnütze Arbeit; der Deich soll ja nicht höher werden als der alte', rief eine neue Stimme; ,und ich mein, der steht schon über dreißig Jahre!'

,Da sagt Ihr recht', sprach Hauke, ,vor dreißig Jahren ist der alte Deich
25 gebrochen; dann rückwärts vor fünfunddreißig, und wiederum vor fünf-undvierzig Jahren; seitdem aber, obgleich er noch immer steil und un-vernünftig dasteht, haben die höchsten Fluten uns verschont. Der neue Deich aber soll trotz solcher hundert und aber hundert Jahre stehen; denn er wird nicht durchbrochen werden, weil der milde Abfall nach der Seeseite
30 den Wellen keinen Angriffspunkt entgegenstellt, und so werdet ihr für euch und euere Kinder ein sicheres Land gewinnen, und das ist es, weshalb die Herrschaft und der Oberdeichgraf mir den Daumen halten; das ist es auch, was ihr zu eurem eigenen Vorteil einsehen solltet!'

Als die Versammelten hierauf nicht sogleich zu antworten bereit waren,
35 erhob sich ein alter weißhaariger Mann mühsam von seinem Stuhle; es war Frau Elkes Pate, Jewe Manners, der auf Haukes Bitten noch immer in seinem Gevollmächtigtenamt verblieben[70] war. ,Deichgraf Hauke Haien',

[65] *now we're in for it*

[66] *(here and below) always backs up*

[67] *a million miles long*

[68] *you'll have time the rest of the year to finish it; Rome wasn't built in a day*

[69] *broader than Law-rence's boy was tall (since, according to some sources, a man named Laurentius had, around 1600, a nearly 10 foot tall son)*

[70] *remained*

sprach er, ,du machst uns viel Unruhe und Kosten, und ich wollte, du
hättest damit gewartet, bis mich der Herrgott hätt' zur Ruhe gehen lassen;
aber — recht hast du, das kann nur die Unvernunft bestreiten. Wir haben
Gott mit jedem Tag zu danken, daß er uns trotz unserer Trägheit das
kostbare Stück Vorland gegen Sturm und Wasserdrang[71] erhalten hat; 5
jetzt aber ist es wohl die elfte Stunde, in der wir selbst die Hand anlegen
müssen, es auch nach all unserm Wissen und Können selber uns zu
wahren und auf Gottes Langmut weiter nicht zu trotzen.[72] Ich, meine
Freunde, bin ein Greis; ich habe Deiche bauen und brechen sehen; aber
den Deich, den Hauke Haien nach ihm von Gott verliehener Einsicht 10
projektiert[73] und bei der Herrschaft für euch durchgesetzt hat, den wird
niemand von euch Lebenden brechen sehen, und wolltet ihr ihm selbst
nicht danken, euere Enkel werden ihm den Ehrenkranz doch einstens[74]
nicht versagen können!'

Jewe Manners setzte sich wieder, er nahm sein blaues Schnupftuch aus 15
der Tasche und wischte sich ein paar Tropfen von der Stirn. Der Greis
war noch immer als ein Mann von Tüchtigkeit[75] und unantastbarer[76]
Rechtschaffenheit bekannt, und da die Versammlung eben nicht geneigt
war, ihm zuzustimmen, so schwieg sie weiter. Aber Hauke Haien nahm
das Wort; doch sahen alle, daß er bleich geworden. ,Ich danke Euch, Jewe 20
Manners', sprach er, ,daß Ihr noch hier seid und daß Ihr das Wort gesprochen habt; ihr andern Herren Gevollmächtigten wollet den neuen Deichbau, der freilich mir zur Last fällt, zum mindesten ansehen als ein Ding,
das nun nicht mehr zu ändern steht, und lasset uns demgemäß[77] beschließen, was nun not ist!' 25

,Sprechet!' sagte einer der Gevollmächtigten. Und Hauke breitete die
Karte des neuen Deiches auf dem Tische aus: ,Es hat vorhin einer gefragt',
begann er, ,woher die viele Erde nehmen? — Ihr seht, so weit das Vorland
in die Watten hinausgeht, ist außerhalb der Deichlinie ein Streifen Landes
freigelassen; daher und von dem Vorlande, das nach Nord und Süd von 30
dem neuen Kooge an dem Deiche hinläuft, können wir die Erde nehmen;
haben wir an den Wasserseiten nur eine tüchtige Lage[78] Klei, nach innen
oder in der Mitte kann auch Sand genommen werden! — Nun aber ist
zunächst ein Feldmesser zu berufen, der die Linie des neuen Deiches auf
dem Vorland absteckt! Der mir bei Ausarbeitung des Planes behülflich 35
gewesen, wird wohl am besten dazu passen. Ferner werden wir zur Heran-

---

[71] *force of the water*

[72] *not try God's patience*

[73] *planned*

[74] *some day*

[75] *ability*
[76] *unassailable*

[77] *accordingly*

[78] *bed*

holung[79] des Kleis oder sonstigen Materiales die Anfertigung[80] einspän-
niger Sturzkarren mit Gabeldeichsel[81] bei einigen Stellmachern[82] verdingen
müssen; wir werden für die Durchdämmung[83] des Prieles und nach den
Binnenseiten, wo wir etwa mit Sand fürliebnehmen[84] müssen, ich kann
jetzt nicht sagen, wieviel hundert Fuder Stroh zur Bestickung des Deiches
gebrauchen, vielleicht mehr, als in der Marsch hier wird entbehrlich sein!
— Lasset uns denn beraten, wie zunächst dies alles zu beschaffen und
einzurichten ist; auch die neue Schleuse hier an der Westseite gegen das
Wasser zu ist später einem tüchtigen Zimmermann[85] zur Herstellung zu
übergeben.'

Die Versammelten hatten sich um den Tisch gestellt, betrachteten mit
halbem Aug' die Karte und begannen allgemach zu sprechen; doch war's,
als geschähe es, damit nur überhaupt etwas gesprochen werde. Als es sich
um Zuziehung[86] des Feldmessers handelte, meinte einer der Jüngeren:
,Ihr habt es ausgesonnen, Deichgraf; Ihr müsset selbst am besten wissen,
wer dazu taugen mag.'

Aber Hauke entgegnete: ,Da ihr Geschworene[87] seid, so müsset ihr aus
eigener, nicht aus meiner Meinung sprechen, Jakob Meyen; und wenn
ihr's dann besser sagt, so werd ich meinen Vorschlag fallen lassen!'

,Nun ja, es wird schon recht sein', sagte Jakob Meyen.

Aber einem der Älteren war es doch nicht völlig recht; er hatte einen
Brudersohn:[88] so einer im Feldmessen sollte hier in der Marsch noch nicht
gewesen sein, der sollte noch über des Deichgrafen Vater, den seligen
Tede Haien, gehen!

So wurde denn über die beiden Feldmesser verhandelt und endlich
beschlossen, ihnen gemeinschaftlich das Werk zu übertragen. Ähnlich ging
es bei den Sturzkarren, bei der Strohlieferung[89] und allem andern, und
Hauke kam spät und fast erschöpft auf seinem Wallach, den er noch derzeit
ritt, zu Hause an. Aber als er in dem alten Lehnstuhl saß, der noch von
seinem gewichtigen,[90] aber leichter lebenden Vorgänger stammte,[91] war
auch sein Weib ihm schon zur Seite: ,Du siehst so müd aus, Hauke', sprach
sie und strich mit ihrer schmalen Hand das Haar ihm von der Stirn.

,Ein wenig wohl' erwiderte er.

— ,Und geht es denn?'

,Es geht schon', sagte er mit bitterem Lächeln; ,aber ich selber muß die
Räder schieben und froh sein, wenn sie nicht zurückgehalten werden!'

[79] *transporting*
[80] *building*
[81] *forked wagon tongue*
[82] *wheelwrights*
[83] *damming over*
[84] *make do*
[85] *carpenter*
[86] *selection and hiring*
[87] *duly constituted officials*
[88] *nephew*
[89] *straw delivery*
[90] *substantial*
[91] *came*

— ‚Aber doch nicht von allen?‘

‚Nein, Elke; dein Pate, Jewe Manners, ist ein guter Mann; ich wollt’, er
wär um dreißig Jahre jünger.‘

Als nach einigen Wochen die Deichlinie abgesteckt und der größte Teil
der Sturzkarren geliefert war, waren sämtliche Anteilbesitzer des einzu- ₅
deichenden Kooges, ingleichen die Besitzer der hinter dem alten Deich
belegenen Ländereien, durch den Deichgrafen im Kirchspielskrug versammelt worden; es galt, ihnen einen Plan über die Verteilung der Arbeit und
Kosten vorzulegen und ihre etwaigen[92] Einwendungen zu vernehmen; denn
auch die letzteren hatten, sofern der neue Deich und die neuen Siele die ₁₀
Unterhaltungskosten der älteren Werke verminderte,[93] ihren Teil zu schaff-
en und zu tragen. Dieser Plan war für Hauke ein schwer Stück Arbeit
gewesen, und wenn ihm durch Vermittelung des Oberdeichgrafen neben
einem Deichboten[94] nicht auch noch ein Deichschreiber wäre zugeordnet[95]
worden, er würde es so bald nicht fertiggebracht haben, obwohl auch jetzt ₁₅
wieder an jedem neuen Tage in die Nacht hinein gearbeitet war. Wenn er
dann todmüde sein Lager suchte, so hatte nicht wie vordem sein Weib in
nur verstelltem Schlafe seiner gewartet; auch sie hatte so vollgemessen[96]
ihre tägliche Arbeit, daß sie nachts wie am Grunde eines tiefen Brunnens
in unstörbarem[97] Schlafe lag. ₂₀

Als Hauke jetzt seinen Plan verlesen[98] und die Papiere, die freilich schon
drei Tage hier im Kruge zur Einsicht ausgelegen[99] hatten, wieder auf den
Tisch breitete, waren zwar ernste Männer zugegen, die mit Ehrerbietung
diesen gewissenhaften Fleiß betrachteten und sich nach ruhiger Überlegung den billigen Ansätzen[1] ihres Deichgrafen unterwarfen; andere aber, ₂₅
deren Anteile an dem neuen Lande von ihnen selbst oder ihren Vätern
oder sonstigen Vorbesitzern[2] waren veräußert[3] worden, beschwerten sich,[4]
daß sie zu den Kosten des neuen Kooges hinzugezogen[5] seien, dessen Land
sie nichts mehr angehe, uneingedenk,[6] daß durch die neuen Arbeiten auch
ihre alten Ländereien nach und nach entbürdet[7] würden; und wieder ₃₀
andere, die mit Anteilen in dem neuen Koog gesegnet waren, schrien, man
möge ihnen doch dieselben abnehmen, sie sollten um ein Geringes feil sein;
denn wegen der unbilligen[8] Leistungen, die ihnen dafür aufgebürdet[9]
würden, könnten sie nicht damit bestehen. Ole Peters aber, der mit grimmigem Gesicht am Türpfosten lehnte, rief dazwischen: ‚Besinnt euch erst ₃₅

[92] *possible*

[93] *reduced*

[94] *dike (message) runner*
[95] *assigned*

[96] *in such full measure*

[97] *imperturbable*

[98] *read out*
[99] *had been on display*

[1] *proposals*

[2] *previous owners*
[3] *sold off*
[4] *complained*
[5] *drawn in on*
[6] *oblivious of the fact*
[7] *relieved of tax bur-
dens*

[8] *undue*
[9] *demanded of*

und dann vertrauet unserm Deichgrafen! der versteht zu rechnen; er hatte schon die meisten Anteile, da wußte er auch mir die meinen abzu-handeln,[10] und als er sie hatte, beschloß er, diesen neuen Koog zu deichen!'

Es war nach diesen Worten einen Augenblick totenstill in der Versamm-
5 lung. Der Deichgraf stand an dem Tisch, auf dem er zuvor seine Papiere gebreitet hatte; er hob seinen Kopf und sah nach Ole Peters hinüber: ,Du weißt wohl, Ole Peters', sprach er, ,daß du mich verleumdest; du tust es dennoch, weil du überdies auch weißt, daß doch ein gut Teil des Schmutzes, womit du mich bewirfst,[11] an mir wird hängenbleiben! Die Wahrheit ist,
10 daß du deine Anteile los sein wolltest, und daß ich ihrer derzeit für meine Schafzucht bedurfte; und willst du weiteres wissen, das ungewaschene Wort,[12] das dir im Krug vom Mund gefahren, ich sei nur Deichgraf meines Weibes wegen, das hat mich aufgerüttelt,[13] und ich hab euch zeigen wollen, daß ich wohl um meiner selbst willen Deichgraf sein könne; und
15 somit, Ole Peters, hab ich getan, was schon der Deichgraf vor mir hätte tun sollen. Trägst du mir aber Groll, daß derzeit deine Anteile die meinen geworden sind — du hörst es ja, es sind genug, die jetzt die ihrigen um ein billiges feilbieten, nur weil die Arbeit ihnen jetzt zuviel ist!'

Von einem kleinen Teil der versammelten Männer ging ein Beifalls-
20 murmeln aus, und der alte Jewe Manners, der dazwischenstand, rief laut: ,Bravo, Hauke Haien! Unser Herrgott wird dir dein Werk gelingen lassen!'

Aber man kam doch nicht zu Ende, obgleich Ole Peters schwieg und die Leute erst zum Abendbrote auseinandergingen; erst in einer zweiten Versammlung wurde alles geordnet; aber auch nur, nachdem Hauke statt
25 der ihm zukommenden drei Gespanne für den nächsten Monat deren vier auf sich genommen hatte.

Endlich, als schon die Pfingstglocken durch das Land läuteten, hatte die Arbeit begonnen: unablässig fuhren die Sturzkarren von dem Vorlande an die Deichlinie, um den geholten Klei dort abzustürzen, und gleicher-
30 weise war dieselbe Anzahl schon wieder auf der Rückfahrt, um auf dem Vorland neuen aufzuladen; an der Deichlinie selber standen Männer mit Schaufeln und Spaten, um das Abgeworfene an seinen Platz zu bringen und zu ebnen; ungeheuere Fuder Stroh wurden angefahren und abgeladen; nicht nur zur Bedeckung des leichteren Materials, wie Sand und lose
35 Erde, dessen man an den Binnenseiten sich bediente, wurde das Stroh benutzt; allmählich wurden einzelne Strecken des Deiches fertig, und die Grassoden,[14] womit man sie belegt hatte, wurden stellenweis[15] zum Schutz

[10] *talk me into selling mine*

[11] *that you throw at me*

[12] *foul talk*
[13] *shook me up*

[14] *pieces of sod*
[15] *in various spots*

gegen die nagenden Wellen mit fester Strohbestickung überzogen. Bestellte Aufseher gingen hin und her, und wenn es stürmte, standen sie mit aufgerissenen Mäulern und schrien ihre Befehle durch Wind und Wetter; dazwischen ritt der Deichgraf auf seinem Schimmel, den er jetzt ausschließlich in Gebrauch hatte, und das Tier flog mit dem Reiter hin und 5 wider, wenn er rasch und trocken seine Anordnungen machte, wenn er die Arbeiter lobte oder, wie es wohl geschah, einen Faulen oder Ungeschickten ohn Erbarmen aus der Arbeit wies. ‚Das hilft nicht!‘ rief er dann; ‚um deine Faulheit darf uns nicht der Deich verderben!‘ Schon von weitem, wenn er unten aus dem Koog heraufkam, hörten sie das Schnauben seines 10 Rosses, und alle Hände faßten fester in die Arbeit: ‚Frisch zu! Der Schimmelreiter kommt!‘

War es um die Frühstückszeit, wo die Arbeiter mit ihrem Morgenbrot haufenweis[16] beisammen auf der Erde lagen, dann ritt Hauke an den verlassenen Werken entlang, und seine Augen waren scharf, wo liederliche 15 Hände den Spaten geführt hatten. Wenn er aber zu den Leuten ritt und ihnen auseinandersetzte, wie die Arbeit müsse beschafft werden, sahen sie wohl zu ihm auf und kauten geduldig an ihrem Brote weiter; aber eine Zustimmung oder auch nur eine Äußerung hörte er nicht von ihnen. Einmal zu solcher Tageszeit, es war schon spät, da er an einer Deichstelle 20 die Arbeit in besonderer Ordnung gefunden hatte, ritt er zu dem nächsten Haufen der Frühstückenden, sprang von seinem Schimmel und frug heiter, wer dort so sauberes Tagewerk verrichtet hätte; aber sie sahen ihn nur scheu und düster an, und nur langsam und wie widerwillig wurden ein paar Namen genannt. Der Mensch, dem er sein Pferd gegeben hatte, das 25 ruhig wie ein Lamm stand, hielt es mit beiden Händen und blickte wie angstvoll nach den schönen Augen des Tieres, die es, wie gewöhnlich, auf seinen Herrn gerichtet hielt.

‚Nun, Marten!‘ rief Hauke; ‚was stehst du, als ob dir der Donner in die Beine gefahren sei?‘[17] 30

— ‚Herr, Euer Pferd, es ist so ruhig, als ob es Böses vorhabe!‘

Hauke lachte und nahm das Pferd selbst am Zügel, das sogleich liebkosend den Kopf an seiner Schulter rieb. Von den Arbeitern sahen einige scheu zu Roß und Reiter hinüber, andere, als ob das alles sie nicht kümmere, aßen schweigend ihre Frühkost,[18] dann und wann den Möwen einen 35 Brocken hinaufwerfend, die sich den Futterplatz[19] gemerkt hatten und mit ihren schlanken Flügeln sich fast auf ihre Köpfe senkten. Der Deichgraf

[16] *in groups*

[17] *as if you were thunderstruck*

[18] *morning meal*

[19] *feeding place*

blickte eine Weile wie gedankenlos auf die bettelnden Vögel und wie sie
die zugeworfenen Bissen[20] mit ihren Schnäbeln haschten; dann sprang er
in den Sattel und ritt, ohne sich nach den Leuten umzusehen, davon;
einige Worte, die jetzt unter ihnen laut wurden, klangen ihm fast wie
5 Hohn. ‚Was ist das?‘ sprach er bei sich selber. ‚Hatte denn Elke recht, daß
sie alle gegen mich sind? Auch diese Knechte und kleinen Leute, von
denen vielen durch meinen neuen Deich doch eine Wohlhabenheit ins
Haus wächst?‘

Er gab seinem Pferde die Sporen, daß es wie toll in den Koog hinabflog.
10 Von dem unheimlichen Glanze freilich, mit dem sein früherer Dienstjunge
den Schimmelreiter bekleidet hatte, wußte er selber nichts; aber die Leute
hätten ihn jetzt nur sehen sollen, wie aus seinem hageren Gesicht die
Augen starrten, wie sein Mantel flog und wie der Schimmel sprühte!

— So war der Sommer und der Herbst vergangen; noch bis gegen Ende
15 November war gearbeitet worden, dann geboten Frost und Schnee dem
Werke Halt; man war nicht fertig geworden und beschloß, den Koog offen
liegenzulassen. Acht Fuß ragte der Deich aus der Fläche hervor; nur wo
westwärts gegen das Wasser hin die Schleuse gelegt werden sollte, hatte
man eine Lücke gelassen; auch oben vor dem alten Deiche war der Priel
20 noch unberührt. So konnte die Flut, wie in den letzten dreißig Jahren, in
den Koog hineindringen, ohne dort oder an dem neuen Deiche großen
Schaden anzurichten. Und so uberließ man dem großen Gott das Werk der
Menschenhände und stellte es in seinen Schutz, bis die Frühlingssonne
die Vollendung würde möglich machen.

25 — Inzwischen hatte im Hause des Deichgrafen sich ein frohes Ereignis
vorbereitet: im neunten Ehejahre war noch ein Kind geboren worden. Es
war rot und hutzelig[21] und wog seine sieben Pfund,[22] wie es für neugeborene
Kinder sich gebührt, wenn sie, wie dies, dem weiblichen Geschlechte
angehören; nur sein Geschrei war wunderlich verhohlen[23] und hatte der
30 Wehmutter[24] nicht gefallen wollen. Das schlimmste war: am dritten Tage
lag Elke im hellen[25] Kindbettfieber, redete Irrsal[26] und kannte weder ihren
Mann noch ihre alte Helferin. Die unbändige Freude, die Hauke beim
Anblick seines Kindes ergriffen hatte, war zu Trübsal[27] geworden; der
Arzt aus der Stadt war geholt, er saß am Bett und fühlte den Puls und
35 verschrieb und sah ratlos um sich her. Hauke schüttelte den Kopf: ‚Der
hilft nicht; nur Gott kann helfen!‘ Er hatte sich sein eigen Christentum
zurecht gerechnet,[28] aber es war etwas, das sein Gebet zurückhielt. Als der

[20] *bites*

[21] *wrinkly*
[22] *pounds*

[23] *muffled*
[24] *midwife*
[25] *high*
[26] *what she said made no sense, and she . . .*
[27] *sorrow*

[28] *worked out his own kind of Christian faith*

alte Doktor davongefahren war, stand er am Fenster, in den winterlichen Tag hinausstarrend, und während die Kranke aus ihren Phantasien auf-

schrie, schränkte er die Hände zusammen;[29] er wußte selber nicht, war es aus Andacht oder war es nur, um in der ungeheueren Angst sich selbst nicht zu verlieren.   5

,Wasser! Das Wasser!' wimmerte die Kranke. ,Halt mich!' schrie sie; ,halt mich, Hauke!' Dann sank die Stimme; es klang, als ob sie weine: ,In See, ins Haf hinaus? O lieber Gott, ich seh ihn nimmer wieder!'

Da wandte er sich und schob die Wärterin von ihrem Bette; er fiel auf seine Knie, umfaßte sein Weib und riß sie an sich: ,Elke! Elke, so kenn 10 mich doch, ich bin ja bei dir!'

[30] *burning with fever*
[31] *lost beyond rescue*

Aber sie öffnete nur die fieberglühenden[30] Augen weit und sah wie rettungslos verloren[31] um sich.

Er legte sie zurück auf ihre Kissen; dann krampfte er die Hände inein-ander: ,Herr, mein Gott', schrie er; ,nimm sie mir nicht! Du weißt, ich 15 kann sie nicht entbehren!' Dann war's, als ob er sich besinne, und leiser setzte er hinzu: ,Ich weiß ja wohl, du kannst nicht allezeit, wie du willst,

[32] *all-wise*

auch du nicht; du bist allweise,[32] du mußt nach deiner Weisheit tun — o Herr, sprich nur durch einen Hauch zu mir!'

Es war, als ob plötzlich eine Stille eingetreten sei; er hörte nur ein leises 20 Atmen; als er sich zum Bette kehrte, lag sein Weib in ruhigem Schlaf, nur die Wärterin sah mit entsetzten Augen auf ihn. Er hörte die Tür gehen. ,Wer war das?' frug er.

[33] *baby basket*

,Herr, die Magd Ann Grete ging hinaus; sie hatte den Warmkorb[33] hereingebracht.'   25

[34] *confused and frightened*

— ,Was sieht Sie mich denn so verfahren[34] an, Frau Levke?'

,Ich? Ich hab mich ob Eurem Gebet erschrocken; damit betet Ihr keinen vom Tode los!'

Hauke sah sie mit seinen durchdringenden Augen an: ,Besucht Sie denn auch, wie unsere Ann Grete, die Konventikel bei dem holländischen 30

[35] *tailor (who does odd jobs)*

Flickschneider[35] Jantje?'

,Ja, Herr; wir haben beide den lebendigen Glauben!'

Hauke antwortete ihr nicht. Das damals stark im Schwange gehende separatistische Konventikelwesen hatte auch unter den Friesen seine

[36] *down at the heels*

Blüten getrieben; heruntergekommene[36] Handwerker oder wegen Trunkes 35 abgesetzte Schulmeister spielten darin die Hauptrolle, und Dirnen, junge und alte Weiber, Faulenzer und einsame Menschen liefen eifrig in die

heimlichen Versammlungen, in denen jeder den Priester spielen konnte.
Aus des Deichgrafen Hause brachten Ann Grete und der in sie verliebte
Dienstjunge ihre freien Abende dort zu. Freilich hatte Elke ihre Bedenken
darüber gegen Hauke nicht zurückgehalten; aber er hatte gemeint, in
5 Glaubenssachen solle man keinem dreinreden:[37] das schade niemandem,   [37] *try to persuade*
und besser dort doch als im Schnapskrug![38]   [38] *gin-shop*

So war es dabei geblieben, und so hatte er auch jetzt geschwiegen. Aber
freilich über ihn schwieg man nicht; seine Gebetsworte liefen um von
Haus zu Haus: er hatte Gottes Allmacht bestritten; was war ein Gott denn
10 ohne Allmacht? Er war ein Gottesleugner;[39] die Sache mit dem Teufels-   [39] *atheist*
pferde mochte auch am Ende richtig sein!

Hauke erfuhr nichts davon; er hatte in diesen Tagen nur Ohren und
Augen für sein Weib, selbst das Kind war für ihn nicht mehr auf der Welt.

Der alte Arzt kam wieder, kam jeden Tag, mitunter zweimal, blieb dann
15 eine ganze Nacht, schrieb wieder ein Rezept,[40] und der Knecht Iven Johns   [40] *prescription*
ritt damit im Flug zur Apotheke. Dann aber wurde sein Gesicht freund-
licher, er nickte dem Deichgrafen vertraulich zu: ‚Es geht! Es geht! Mit
Gottes Hülfe!‘ Und eines Tags — hatte nun seine Kunst die Krankheit
besiegt, oder hatte auf Haukes Gebet der liebe Gott doch noch einen
20 Ausweg finden können —, als der Doktor mit der Kranken allein war,
sprach er zu ihr, und seine alten Augen lachten: ‚Frau, jetzt kann ich's
getrost Euch sagen; heut hat der Doktor seinen Festtag; es stand schlimm
um Euch, aber nun gehöret Ihr wieder zu uns, zu den Lebendigen!‘

Da brach es wie ein Strahlenmeer[41] aus ihren dunklen Augen: ‚Hauke!   [41] *pool of light*
25 Hauke, wo bist du?‘ rief sie, und als er auf den hellen Ruf ins Zimmer und
an ihr Bett stürzte, schlug sie die Arme um seinen Nacken: ‚Hauke, mein
Mann, gerettet! Ich bleibe bei dir!‘

Da zog der alte Doktor sein seiden Schnupftuch aus der Tasche, fuhr
sich damit über Stirn und Wangen und ging kopfnickend aus dem
30 Zimmer.

— Am dritten Abend nach diesem Tage sprach ein frommer Redner —
es war ein vom Deichgrafen aus der Arbeit gejagter Pantoffelmacher —
im Konventikel bei dem holländischen Schneider,[42] da er seinen Zuhörern [42] *tailor*
die Eigenschaften Gottes auseinandersetzte: ‚Wer aber Gottes Allmacht
35 widerstreitet,[43] wer da sagt: Ich weiß, du kannst nicht, was du willst —   [43] *disputes*
wir kennen den Unglückseligen ja alle; er lastet gleich einem Stein auf
der Gemeinde —, der ist von Gott gefallen und suchet den Feind Gottes,

den Freund der Sünde, zu seinem Tröster; denn nach irgendeinem Stabe muß die Hand des Menschen greifen. Ihr aber, hütet euch vor dem, der also betet; sein Gebet ist Fluch!'

— Auch das lief um von Haus zu Haus. Was läuft nicht um in einer kleinen Gemeinde? Und auch zu Haukes Ohren kam es. Er sprach kein Wort darüber, nicht einmal zu seinem Weibe; nur mitunter konnte er sie heftig umfassen und an sich ziehen: ,Bleib mir treu, Elke! Bleib mir treu!' — Dann sahen ihre Augen voll Staunen zu ihm auf: ,Dir treu? Wem sollte ich denn anders treu sein?' — Nach einer kurzen Weile aber hatte sie sein Wort verstanden: ,Ja, Hauke, wir sind uns treu; nicht nur, weil wir uns brauchen.' Und dann ging jedes seinen Arbeitsweg.[44]

Das wäre soweit gut gewesen;[45] aber es war doch trotz aller lebendigen Arbeit eine Einsamkeit um ihn, und in seinem Herzen nistete sich ein Trotz und abgeschlossenes Wesen gegen andere Menschen ein,[46] nur gegen sein Weib blieb er allezeit der gleiche, und an der Wiege seines Kindes lag er abends und morgens auf den Knien, als sei dort die Stätte seines ewigen Heils. Gegen Gesinde und Arbeiter aber wurde er strenger; die Ungeschickten und Fahrlässigen, die er früher durch ruhigen Tadel zurechtgewiesen[47] hatte, wurden jetzt durch hartes Anfahren aufgeschreckt, und Elke ging mitunter leise bessern.[48]

Als der Frühling nahte, begannen wieder die Deicharbeiten; mit einem Kajedeich[49] wurde zum Schutz der jetzt aufzubauenden neuen Schleuse die Lücke in der westlichen Deichlinie geschlossen, halbmondförmig nach innen und ebenso nach außen; und gleich der Schleuse wuchs allmählich auch der Hauptdeich zu seiner immer rascher herzustellenden Höhe empor. Leichter wurde dem leitenden Deichgrafen seine Arbeit nicht, denn an Stelle des im Winter verstorbenen Jewe Manners war Ole Peters als Deichgevollmächtigter eingetreten. Hauke hatte nicht versuchen wollen, es zu hindern; aber anstatt der ermutigenden Worte und der dazugehörigen zutunlichen Schläge auf seine linke Schulter, die er so oft von dem alten Paten seines Weibes einkassiert[50] hatte, kamen ihm jetzt von dem Nachfolger ein heimliches Widerhalten[51] und unnötige Einwände und waren mit unnötigen Gründen zu bekämpfen; denn Ole gehörte zwar zu den Wichtigen, aber in Deichsachen nicht zu den Klugen; auch war von früher her der ,Schreiberknecht' ihm immer noch im Wege.

Der glänzendste Himmel breitete sich wieder über Meer und Marsch,

(margin notes:)
[44] *each went the way his work took him*
[45] *that might have been all right as far as it went*
[46] *took root and grew*
[47] *corrected*
[48] *had to set things quietly right again*
[49] *temporary dike*
[50] *collected*
[51] *resistance*

und der Koog wurde wieder bunt von starken Rindern, deren Gebrüll von Zeit zu Zeit die weite Stille unterbrach; unablässig sangen in hoher Himmelsluft die Lerchen, aber man hörte es erst, wenn einmal auf eines Atemzuges Länge der Gesang verstummt war. Kein Unwetter störte die Arbeit, und die Schleuse stand schon mit ihrem ungestrichenen Balkengefüge,[52] ohne daß auch nur in einer Nacht sie eines Schutzes von dem Interimsdeich bedurft hätte; der Herrgott schien seine Gunst dem neuen Werke zuzuwenden. Auch Frau Elkes Augen lachten ihrem Manne zu, wenn er auf seinem Schimmel draußen von dem Deich nach Hause kam: ,Bist doch ein braves Tier geworden!' sagte sie dann und klopfte den blanken Hals des Pferdes. Hauke aber, wenn sie das Kind am Halse hatte, sprang herab und ließ das winzige Dinglein auf seinen Armen tanzen;[53] wenn dann der Schimmel seine braunen Augen auf das Kind gerichtet hielt, dann sprach er wohl: ,Komm her; sollst auch die Ehre haben!' und er setzte die kleine Wienke — denn so war sie getauft worden — auf seinen Sattel und führte den Schimmel auf der Werft im Kreise herum. Auch der alte Eschenbaum hatte mitunter die Ehre; er setzte das Kind auf einen schwanken[54] Ast und ließ es schaukeln. Die Mutter stand mit lachenden Augen in der Haustür; das Kind aber lachte nicht, seine Augen, zwischen denen ein feines Näschen stand, schauten ein wenig stumpf ins Weite, und die kleinen Hände griffen nicht nach dem Stöckchen, das der Vater ihr hinhielt. Hauke achtete nicht darauf, er wußte auch nichts von so kleinen Kindern; nur Elke, wenn sie das helläugige Mädchen auf dem Arm ihrer Arbeitsfrau[55] erblickte, die mit ihr zugleich das Wochenbett bestanden hatte,[56] sagte mitunter schmerzlich: ,Das Meine ist noch nicht so weit wie deines, Stina!' und die Frau, ihren dicken Jungen, den sie an der Hand hatte, mit derber Liebe schüttelnd, rief dann wohl: ,Ja, Frau, die Kinder sind verschieden; der da, der stahl mir schon die Äpfel aus der Kammer, bevor er übers zweite Jahr hinaus war!' Und Elke strich dem dicken Buben sein Kraushaar aus den Augen und drückte dann heimlich ihr stilles Kind ans Herz.

— Als es in den Oktober hineinging, stand an der Westseite die neue Schleuse schon fest in dem von beiden Seiten schließenden Hauptdeich, der bis auf die Lücken bei dem Priele nun mit seinem sanften Profile ringsum nach den Wasserseiten abfiel und um fünfzehn Fuß die ordinäre Flut überragte. Von seiner Nordwestecke sah man an Jevershallig vorbei ungehindert in das Wattenmeer hinaus; aber freilich auch die Winde

[52] *unpainted timber framework*

[53] *bounced . . . in his arms*

[54] *swaying*

[55] *cleaning woman*
[56] *had had a child at the same time*

faßten hier schärfer; die Haare flogen, und wer hier ausschauen wollte, der mußte die Mütze fest auf dem Kopf haben.

Zu Ende November, wo Sturm und Regen eingefallen waren, blieb nur noch hart am alten Deich die Schlucht zu schließen, auf deren Grunde an der Nordseite das Meerwasser durch den Priel in den neuen Koog hinein- schoß. Zu beiden Seiten standen die Wände des Deiches; der Abgrund zwischen ihnen mußte jetzt verschwinden. Ein trocken Sommerwetter hätte die Arbeit wohl erleichtert; aber auch so mußte sie getan werden, denn ein aufbrechender Sturm konnte das ganze Werk gefährden. Und Hauke setzte alles daran, um jetzt den Schluß herbeizuführen.[57] Der Regen strömte, der Wind pfiff; aber seine hagere Gestalt auf dem feuri- gen Schimmel tauchte bald hier, bald dort aus den schwarzen Menschen- massen empor, die oben wie unten an der Nordseite des Deiches neben der Schlucht beschäftigt waren. Jetzt sah man ihn unten bei den Sturzkar- ren, die schon weither die Kleierde aus dem Vorlande holen mußten, und von denen eben ein gedrängter Haufen bei dem Priele anlangte und seine Last dort abzuwerfen suchte. Durch das Geklatsch[58] des Regens und das Brausen des Windes klangen von Zeit zu Zeit die scharfen Befehls- worte des Deichgrafen, der heute hier allein gebieten wollte; er rief die Karren nach den Nummern vor[59] und wies die Drängenden zurück; ein ‚Halt!' scholl von seinem Munde, dann ruhte unten die Arbeit; ‚Stroh! ein Fuder Stroh hinab!' rief er denen droben zu, und von einem der oben haltenden Fuder stürzte es auf den nassen Klei hinunter. Unten sprangen Männer dazwischen und zerrten es auseinander und schrien nach oben, sie nur nicht zu begraben. Und wieder kamen neue Karren, und Hauke war schon wieder oben und sah von seinem Schimmel in die Schlucht hinab, und wie sie dort schaufelten und stürzten; dann warf er seine Augen nach dem Haf hinaus. Es wehte scharf, und er sah, wie mehr und mehr der Wassersaum am Deich hinaufklimmte, und wie die Wellen sich noch höher hoben; er sah auch, wie die Leute trieften und kaum atmen konnten in der schweren Arbeit vor dem Winde, der ihnen die Luft am Munde abschnitt, und vor dem kalten Regen, der sie überströmte. ‚Ausgehalten, Leute![60] Ausgehalten!' schrie er zu ihnen hinab. ‚Nur einen Fuß noch höher; dann ist's genug für diese Flut!' Und durch alles Getöse des Wetters hörte man das Geräusch der Arbeiter: das Klatschen der hinein- gestürzten Kleimassen, das Rasseln der Karren und das Rauschen des von oben hinabgelassenen Strohes ging unaufhaltsam vorwärts; dazwischen

[57] *bring things to a conclusion*

[58] *beating*

[59] *called up*

[60] *keep it up, men*

war mitunter das Winseln eines kleinen gelben Hundes lautgeworden, der frierend und wie verloren zwischen Menschen und Fuhrwerken herumgestoßen wurde; plötzlich aber scholl ein jammervoller Schrei des kleinen Tieres von unten aus der Schlucht herauf. Hauke blickte hinab; er hatte es 5 von oben hinunterschleudern sehen; eine jähe Zornröte stieg ihm ins Gesicht. ‚Halt! Haltet ein!‘ schrie er zu den Karren hinunter; denn der nasse Klei wurde unaufhaltsam aufgeschüttet.[61]

    ‚Warum?‘ schrie eine rauhe Stimme von unten herauf; ‚doch um die elende Hundekreatur[62] nicht?‘

10 ‚Halt! sag ich‘, schrie Hauke wieder; ‚bringt mir den Hund! Bei userm Werke soll kein Frevel sein!‘

    Aber es rührte sich keine Hand; nur ein paar Spaten zähen Kleis flogen noch neben das schreiende Tier. Da gab er seinem Schimmel die Sporen, daß das Tier einen Schrei ausstieß, und stürmte den Deich hinab, und 15 alles wich vor ihm zurück. ‚Den Hund!‘ schrie er; ‚ich will den Hund!‘

    Eine Hand schlug sanft auf seine Schulter, als wäre es die Hand des alten Jewe Manners; doch als er umsah, war es nur ein Freund des Alten. ‚Nehmt Euch in acht, Deichgraf!‘ raunte er ihm zu. ‚Ihr habt nicht Freunde unter diesen Leuten; laßt es mit dem Hunde gehen!‘

20 Der Wind pfiff, der Regen klatschte; die Leute hatten die Spaten in den Grund gesteckt, einige sie fortgeworfen. Hauke neigte sich zu dem Alten: ‚Wollt Ihr meinen Schimmel halten, Harke Jens?‘ frug er; und als jener noch kaum den Zügel in der Hand hatte, war Hauke schon in die Kluft gesprungen und hielt das kleine winselnde Tier in seinem Arm; und fast 25 im selben Augenblick saß er auch wieder hoch im Sattel und sprengte auf den Deich zurück. Seine Augen flogen über die Männer, die bei den Wagen standen. ‚Wer war es?‘ rief er. ‚Wer hat die Kreatur hinabgeworfen?‘

    Einen Augenblick schwieg alles, denn aus dem hageren Gesicht des 30 Deichgrafen sprühte der Zorn, und sie hatten abergläubische Furcht vor ihm. Da trat von einem Fuhrwerk ein stiernackiger Kerl vor ihn hin. ‚Ich tat es nicht, Deichgraf‘, sagte er und biß von einer Rolle Kautabak ein Endchen ab, das er sich erst ruhig in den Mund schob; ‚aber der es tat, hat recht getan; soll Euer Deich sich halten, so muß was Lebiges hinein!‘

35 — ‚Was Lebiges? Aus welchem Katechismus hast du das gelernt?‘

    ‚Aus keinem, Herr!‘ entgegnete der Kerl, und aus seiner Kehle stieß ein freches Lachen; ‚das haben unsere Großväter schon gewußt, die sich mit

[61] *kept being piled on*

[62] *mutt*

Euch im Christentum wohl messen durften! Ein Kind ist besser noch; wenn das nicht da ist, tut's auch wohl ein Hund!'

[63] *heathen teachings*

,Schweig du mit deinen Heidenlehren',[63] schrie ihn Hauke an, ,es stopfte besser, wenn man dich hineinwürfe.'

,Oho!' erscholl es; aus einem Dutzend Kehlen war der Laut gekommen, 5 und der Deichgraf gewahrte ringsum grimmige Gesichter und geballte Fäuste; er sah wohl, daß das keine Freunde waren; der Gedanke an seinen Deich überfiel ihn wie ein Schrecken: was sollte werden, wenn jetzt alle ihre Spaten hinwürfen? — Und als er nun den Blick nach unten richtete, sah er wieder den Freund des alten Jewe Manners; der ging dort zwischen den 10 Arbeitern, sprach zu dem und jenem, lachte hier einem zu, klopfte dort mit freundlichem Gesicht einem auf die Schulter, und einer nach dem andern faßte wieder seinen Spaten; noch einige Augenblicke, und die Arbeit war wieder in vollem Gange. — Was wollte er denn noch? Der Priel mußte geschlossen werden, und den Hund barg er sicher genug in den Falten 15 seines Mantels. Mit plötzlichem Entschluß wandte er seinen Schimmel

[64] *edge*
[65] *imperiously*
[66] *driver*

gegen den nächsten Wagen: ,Stroh an die Kante!'[64] rief er herrisch,[65] und wie mechanisch gehorchte ihm der Fuhrknecht;[66] bald rauschte es hinab in die Tiefe, und von allen Seiten regte es sich aufs neue und mit allen

[67] *all hands were at work again everywhere*

Armen.[67] 20

Eine Stunde war noch so gearbeitet; es war nach sechs Uhr, und schon brach tiefe Dämmerung herein; der Regen hatte aufgehört, da rief Hauke die Aufseher an sein Pferd: ,Morgen früh vier Uhr', sagte er, ,ist alles wieder auf dem Platz; der Mond wird noch am Himmel sein; da machen

[68] *God willing*

wir mit Gott[68] den Schluß! Und dann noch eines!' rief er, als sie gehen 25 wollten: ,Kennt ihr den Hund?' und er nahm das zitternde Tier aus seinem Mantel.

Sie verneinten das; nur einer sagte: ,Der hat sich taglang schon im Dorf herumgebettelt; der gehört gar keinem!'

,Dann ist er mein!' entgegnete der Deichgraf. ,Vergesset nicht: morgen 30 früh vier Uhr!' und ritt davon.

Als er heimkam, trat Ann Grete aus der Tür: sie hatte saubere Kleidung an, und es fuhr ihm durch den Kopf, sie gehe jetzt zum Konventikel-schneider: ,Halt die Schürze auf!' rief er ihr zu, und da sie es unwill-

[69] *clay-bespattered*

kürlich tat, warf er das kleibeschmutzte[69] Hündlein ihr hinein: ,Bring ihn 35 der kleinen Wienke; er soll ihr Spielkamerad werden! Aber wasch und wärm ihn zuvor; so tust du auch ein gottgefällig[70] Werk, denn die Kreatur

[70] *pious*

ist schier verklommen.'

Und Ann Grete konnte nicht lassen, ihrem Wirt Gehorsam zu leisten, und kam deshalb heute nicht in den Konventikel.

Und am andern Tage wurde der letzte Spatenstich[71] am neuen Deich getan; der Wind hatte sich gelegt; in anmutigem Fluge schwebten Möwen und Avosetten[72] über Land und Wasser hin und wider; von Jevershallig tönte das tausendstimmige Geknorr der Rottgänse,[73] die sich's noch heute an der Küste der Nordsee wohl sein ließen, und aus den weißen Morgennebeln, welche die weite Marsch bedeckten, stieg allmählich ein goldner Herbsttag und beleuchtete das neue Werk der Menschenhände.

Nach einigen Wochen kamen mit dem Oberdeichgrafen die herrschaftlichen Kommissäre zur Besichtigung desselben; ein großes Festmahl,[74] das erste nach dem Leichenmahl des alten Tede Volkerts, wurde im deichgräflichen Hause gehalten; alle Deichgevollmächtigten und die größten Interessenten waren dazu geladen. Nach Tische wurden sämtliche Wagen der Gäste und des Deichgrafen angespannt; Frau Elke wurde von dem Oberdeichgrafen in die Karriole gehoben, vor der der braune Wallach mit seinen Hufen stampfte;[75] dann sprang er selber hinten nach und nahm die Zügel in die Hand; er wollte die gescheite Frau seines Deichgrafen selber fahren. So ging es munter von der Werfte und in den Weg hinaus, den Akt zum neuen Deich hinan und auf demselben um den jungen Koog herum. Es war inmittelst ein leichter Nordwestwind aufgekommen, und an der Nord- und Westseite des neuen Deiches wurde die Flut hinaufgetrieben; aber es war unverkennbar, der sanfte Abfall bedingte einen sanfteren Anschlag;[76] aus dem Munde der herrschaftlichen Kommissäre strömte das Lob des Deichgrafen, daß die Bedenken, welche hie und da von den Gevollmächtigten dagegen langsam vorgebracht wurden, gar bald darin erstickten.

— Auch das ging vorüber; aber noch eine Genugtuung empfing der Deichgraf eines Tages, da er in stillem, selbstbewußtem Sinnen auf dem neuen Deich entlang ritt. Es mochte ihm wohl die Frage kommen, weshalb der Koog, der ohne ihn nicht da wäre, in dem sein Schweiß und seine Nachtwachen[77] steckten, nun schließlich nach einer der herrschaftlichen Prinzessinnen ‚der neue Karolinenkoog' getauft sei; aber es war doch so: auf allen dahingehörigen[78] Schriftstücken stand der Name, auf einigen sogar in roter Frakturschrift.[79] Da, als er aufblickte, sah er zwei Arbeiter mit ihren Feldgerätschaften,[80] der eine etwa zwanzig Schritte hinter dem andern, sich entgegenkommen: ‚So wart doch!' hörte er den nachfolgenden[81] rufen; der andere aber — er stand eben an einem Akt, der in den Koog hinunterführte — rief ihm entgegen: ‚Ein andermal, Jens! Es ist schon spät; ich soll hier Klei schlagen!'

— ‚Wo denn?'

‚Nun hier, im Hauke-Haien-Koog!'

Er rief es laut, indem er den Akt hinabtrabte, als solle die ganze Marsch es hören, die darunter lag. Hauke aber war es, als höre er seinen Ruhm verkünden; er hob sich im Sattel, gab seinem Schimmel die Sporen und sah mit festen Augen über die weite Landschaft hin, die zu seiner Linken lag. ‚Hauke-Haien-Koog!' wiederholte er leis; das klang, als könnt es alle Zeit nicht anders heißen! Mochten sie trotzen, wie sie wollten, um seinen Namen war doch nicht herumzukommen;[82] der Prinzessinnenname — würde er nicht bald nur noch in alten Schriften modern?[83] Der Schimmel ging in stolzem Galopp; vor seinen Ohren aber summte es: ‚Hauke-Haien-Koog! Hauke-Haien-Koog!' In seinen Gedanken wuchs fast der neue Deich zu einem achten Weltwunder,[84] in ganz Friesland war nicht seinesgleichen![85] Und er ließ den Schimmel tanzen; ihm war, er stünde inmitten aller Friesen; er überragte sie um Kopfeshöhe,[86] und seine Blicke flogen scharf und mitleidig über sie hin.

— Allmählich waren drei Jahre seit der Eindeichung hingegangen; das neue Werk hatte sich bewährt, die Reparaturkosten[87] waren nur gering gewesen; im Kooge aber blühte jetzt fast überall der weiße Klee, und ging man über die geschützten Weiden, so trug der Sommerwind einem ganze Wolken süßen Dufts entgegen. Da war die Zeit gekommen, die bisher nur idealen[88] Anteile in wirkliche zu verwandeln und allen Teilnehmern ihre bestimmten Stücke für immer eigentümlich zuzusetzen.[89] Hauke war nicht müßig gewesen, vorher noch einige neue zu erwerben; Ole Peters hatte sich verbissen zurückgehalten, ihm gehörte nichts im neuen Kooge. Ohne Verdruß und Streit hatte auch so die Teilung nicht abgehen können, aber fertig war er gleichwohl geworden; auch dieser Tag lag hinter dem Deichgrafen.

Fortan lebte er einsam seinen Pflichten als Hofwirt[90] wie als Deichgraf und denen, die ihm am nächsten angehörten; die alten Freunde waren nicht mehr in der Zeitlichkeit,[91] neue zu erwerben, war er nicht geeignet. Aber unter seinem Dach war Frieden, den auch das stille Kind nicht störte; es sprach wenig, das stete Fragen, was den aufgeweckten[92] Kindern eigen

---

[81] *the one who was try-*
    ing to catch up

[82] *get by without*
    (using) his name
[83] *molder*

[84] *eighth wonder of the*
    world
[85] *nothing to rival it*
[86] *by a head*

[87] *costs of repair*

[88] *hypothetical*

[89] *assign . . . in perma-*
    nent ownership

[90] *devoted himself to his*
    duties as farm
    owner
[91] *in this world*

[92] *bright*

ist, kam selten und meist so, daß dem Gefragten die Antwort darauf
schwer wurde; aber ihr liebes, einfältiges Gesichtlein trug fast immer den
Ausdruck der Zufriedenheit. Zwei Spielkameraden hatte sie, die waren ihr
genug: wenn sie über die Werfte wanderte, sprang das gerettete gelbe
5 Hündlein stets um sie herum, und wenn der Hund sich zeigte, war auch
klein Wienke nicht mehr fern. Der zweite Kamerad war eine Lachmöwe,[93]   [93] *peewit gull*
und wie der Hund ‚Perle‘, so hieß die Möwe ‚Claus‘.

Claus war durch ein greises Menschenkind[94] auf dem Hofe installiert   [94] *person*
worden: die achtzigjährige Trin’ Jans hatte in ihrer Kate auf dem Außen-
10 deich sich nicht mehr durchbringen[95] können; da hatte Frau Elke gemeint,   [95] *get along*
die verlebte[96] Dienstmagd ihres Großvaters könnte bei ihnen noch ein   [96] *old, tired out*
paar stille Abendstunden und eine gute Sterbekammer finden, und so,
halb mit Gewalt, war sie von ihr und Hauke nach dem Hofe geholt und in
dem Nordweststübchen der neuen Scheuer untergebracht worden, die der
15 Deichgraf vor einigen Jahren neben dem Haupthause bei der Vergrößerung seiner Wirtschaft hatte bauen müssen. Ein paar der Mägde hatten
daneben ihre Kammer erhalten und konnten der Greisin nachts zur Hand
gehen. Rings an den Wänden hatte sie ihr altes Hausgerät: eine Schatulle
von Zuckerkistenholz,[97] darüber zwei bunte Bilder vom verlorenen Sohn,   [97] *red cedar*
20 ein längst zur Ruhe gestelltes Spinnrad und ein sehr sauberes Gardinenbett,
vor dem ein ungefüger,[98] mit dem weißen Fell des weiland[99] Angorakaters   [98] *crude*
überzogener Schemel stand. Aber auch was Lebiges hatte sie noch um sich   [99] *late*
gehabt und mit hiehergebracht: das war die Möwe Claus, die sich schon
jahrelang zu ihr gehalten hatte und von ihr gefüttert worden war; freilich,
25 wenn es Winter wurde, flog sie mit den andern Möwen südwärts und kam
erst wieder, wenn am Strand der Wermut[1] duftete.   [1] *wormwood*

Die Scheuer lag etwas tiefer an der Werfte; die Alte konnte von ihrem
Fenster aus nicht über den Deich auf die See hinausblicken. ‚Du hast mich
hier als wie gefangen, Deichgraf!‘ murrte sie eines Tages, als Hauke zu ihr
30 eintrat, und wies mit ihrem verkrümmten Finger nach den Fennen hinaus,
die sich dort unten breiteten. ‚Wo ist denn Jeverssand? Da über den roten
oder über den schwarzen Ochsen hinaus?‘

‚Was will Sie denn mit Jeverssand?‘ frug Hauke.

— ‚Ach was, Jeverssand!‘ brummte die Alte. ‚Aber ich will doch sehen,
35 wo mein Jung mir derzeit ist zu Gott gegangen!‘

— ‚Wenn Sie das sehen will‘, entgegnete Hauke, ‚so muß Sie sich oben
unter den Eschenbaum setzen, da sieht Sie das ganze Haf!‘

‚Ja‘, sagte die Alte; ‚ja, wenn ich deine jungen Beine hätte, Deichgraf!‘

Dergleichen blieb lange der Dank für die Hülfe, die ihr die Deich-
grafsleute angedeihen ließen,[2] dann aber wurde es auf einmal anders. Der
kleine Kindskopf Wienkes guckte eines Morgens durch die halbgeöffnete
Tür zu ihr herein. ‚Na‘, rief die Alte, welche mit den Händen ineinander
auf ihrem Holzstuhl saß, ‚was hast du denn zu bestellen?‘[3]

Aber das Kind kam schweigend näher und sah sie mit ihren gleich-
gültigen Augen unablässig an.

‚Bist du das Deichgrafskind?‘ frug sie Trin' Jans, und da das Kind wie
nickend das Köpfchen senkte, fuhr sie fort: ‚So setz dich hier auf meinen
Schemel! Ein Angorakater ist's gewesen — so groß! Aber dein Vater hat
ihn totgeschlagen. Wenn er noch lebig wäre, so könntst du auf ihm reiten.‘

Wienke richtete stumm ihre Augen auf das weiße Fell; dann kniete sie
nieder und begann es mit ihren kleinen Händen zu streicheln, wie Kinder
es bei einer lebenden Katze oder einem Hunde zu machen pflegen. ‚Armer
Kater!‘ sagte sie dann und fuhr wieder in ihren Liebkosungen fort.

‚So!‘ rief nach einer Weile die Alte; ‚jetzt ist es genug; und sitzen kannst
du auch noch heut auf ihm; vielleicht hat dein Vater ihn auch nur um deshalb[4] totgeschlagen!‘ Dann hob sie das Kind an beiden Armen in die Höhe
und setzte es derb auf den Schemel nieder. Da es aber stumm und unbeweglich sitzenblieb und sie nur immer ansah, begann sie mit dem Kopfe
zu schütteln: ‚Du strafst ihn, Gott der Herr! Ja, ja, du strafst ihn!‘ murmelte sie; aber ein Erbarmen mit dem Kinde schien sie doch zu überkommen; ihre knöcherne Hand strich über das dürftige Haar desselben,
und aus den Augen der Kleinen kam es, als ob ihr damit wohlgeschehe.[5]

Von nun an kam Wienke täglich zu der Alten in die Kammer; sie setzte
sich bald von selbst auf den Angoraschemel, und Trin' Jans gab ihr kleine
Fleisch- und Brotstückchen in ihre Händchen, welche sie allezeit in Vorrat
hatte, und ließ sie diese auf den Fußboden werfen; dann kam mit Gekreisch[6]
und ausgespreizten Flügeln die Möwe aus irgendeinem Winkel hervor-
geschossen und machte sich darüber her. Erst erschrak das Kind und
schrie auf vor dem großen stürmenden Vogel; bald aber war es wie ein
eingelerntes Spiel,[7] und wenn sie nur ihr Köpfchen durch den Türspalt[8]
steckte, schoß schon der Vogel auf sie zu und setzte sich ihr auf Kopf oder
Schulter, bis die Alte ihr zu Hülfe kam und die Fütterung beginnen konnte.
Trin' Jans, die es sonst nicht hatte leiden können, daß einer auch nur die
Hand nach ihrem ‚Claus‘ ausstreckte, sah jetzt geduldig zu, wie das Kind
allmählich ihr den Vogel völlig abgewann. Er ließ sich willig von ihr

[2] *extended*

[3] *what do you want to tell me?*

[4] *maybe that's the only reason*

[5] *something in the little girl's eyes seemed to show that this felt good to her*

[6] *screeching*

[7] *a game they had learned*
[8] *crack in the door*

haschen; sie trug ihn umher und wickelte ihn in ihre Schürze, und wenn dann auf der Werfte etwa das gelbe Hündlein um sie herum und eifersüchtig gegen den Vogel aufsprang, dann rief sie wohl: ‚Nicht du, nicht du,

5 Perle!' und hob mit ihren Ärmchen die Möwe so hoch, daß diese, sich selbst befreiend, schreiend über die Werfte hinflog und statt ihrer nun der Hund durch Schmeicheln und Springen den Platz auf ihren Armen zu erobern suchte.

Fielen zufällig Haukes oder Elkes Augen auf dies wunderliche Vierblatt, das nur durch einen gleichen Mangel am selben Stengel festgehalten

10 wurde,[9] dann flog wohl ein zärtlicher Blick auf ihr Kind; hatten sie sich gewandt, so blieb nur noch ein Schmerz auf ihrem Antlitz, den jedes einsam mit sich von dannen trug, denn das erlösende Wort war zwischen ihnen noch nicht gesprochen worden. Da eines Sommervormittages, als Wienke mit der Alten und den beiden Tieren auf den großen Steinen vor

15 der Scheuntür saß, gingen ihre beiden Eltern, der Deichgraf seinen Schimmel hinter sich, die Zügel über dem Arme, hier vorüber; er wollte auf den Deich hinaus und hatte das Pferd sich selber von der Fenne heraufgeholt; sein Weib hatte auf der Werfte sich an seinen Arm gehängt. Die Sonne schien warm hernieder; es war fast schwül, und mitunter kam

20 ein Windstoß aus Südsüdost. Dem Kinde mochte es auf dem Platze unbehaglich werden: ‚Wienke will mit!' rief sie, schüttelte die Möwe von ihrem Schoß und griff nach der Hand ihres Vaters.

‚So komm!' sagte dieser.

— Frau Elke aber rief: ‚In dem Wind? Sie fliegt dir weg!'

25 ‚Ich halt sie schon; und heut haben wir warme Luft und lustig Wasser, da kann sie's tanzen sehen.'

Und Elke lief ins Haus und holte noch ein Tüchlein und ein Käppchen für ihr Kind. ‚Aber es gibt ein Wetter', sagte sie; ‚macht, daß ihr fortkommt,[10] und seid bald wieder hier!'

30 Hauke lachte: ‚Das soll uns nicht zu fassen kriegen!' und hob das Kind zu sich auf den Sattel. Frau Elke blieb noch eine Weile auf der Werfte und sah, mit der Hand ihre Augen beschattend, die beiden auf den Weg und nach dem Deich hinübertraben; Trin' Jans saß auf dem Stein und murmelte Unverständliches mit ihren welken Lippen.

35 Das Kind lag regungslos im Arm des Vaters; es war, als atme es beklommen unter dem Druck der Gewitterluft; er neigte den Kopf zu ihr: ‚Nun, Wienke?' frug er.

[9] *this strange foursome, like a four-leaf-clover, held together on the same stem only by the bond of a common deficiency and need*

[10] *hurry along*

Das Kind sah ihn eine Weile an: ‚Vater', sagte es, ‚du kannst das doch! Kannst du nicht alles?'

‚Was soll ich können, Wienke?'

Aber sie schwieg; sie schien die eigene Frage nicht verstanden zu haben.

Es war Hochflut; als sie auf den Deich hinaufkamen, schlug der Wider- 5
schein der Sonne von dem weiten Wasser ihr in die Augen, ein Wirbel-

wind trieb die Wellen strudelnd¹¹ in die Höhe, und neue kamen heran und schlugen klatschend gegen den Strand; da klammerte sie ihre Händchen angstvoll um die Faust ihres Vaters, die den Zügel führte, daß der Schimmel mit einem Satz zur Seite fuhr. Die blaßblauen Augen sahen in 10 wirrem Schreck zu Hauke auf: ‚Das Wasser, Vater! das Wasser!' rief sie.

Aber er löste sich sanft und sagte: ‚Still, Kind, du bist bei deinem Vater; das Wasser tut dir nichts!'

Sie strich sich das fahlblonde Haar aus der Stirn und wagte es wieder, auf die See hinauszusehen. ‚Es tut mir nichts', sagte sie zitternd; ‚nein, sag, 15 daß es uns nichts tun soll; du kannst das, und dann tut es uns auch nichts!'

‚Nicht ich kann das, Kind', entgegnete Hauke ernst; ‚aber der Deich, auf dem wir reiten, der schützt uns, und den hat dein Vater ausgedacht und bauen lassen.'

Ihre Augen gingen wider ihn, als ob sie das nicht ganz verstünde; dann 20 barg sie ihr auffallend kleines Köpfchen in dem weiten Rocke ihres Vaters.

‚Warum versteckst du dich, Wienke?' raunte der ihr zu; ‚ist dir noch immer bange?' Und ein zitterndes Stimmchen kam aus den Falten des Rockes: ‚Wienke will lieber nicht sehen; aber du kannst doch alles, Vater?' 25

Ein ferner Donner rollte gegen den Wind herauf. ‚Hoho?' rief Hauke, ‚da kommt es!' und wandte sein Pferd zur Rückkehr. ‚Nun wollen wir heim zur Mutter!'

Das Kind tat einen tiefen Atemzug; aber erst, als sie die Werfte und das Haus erreicht hatten, hob es das Köpfchen von seines Vaters Brust. Als 30 dann Frau Elke ihr im Zimmer das Tüchelchen und die Kapuze¹² abge-

nommen hatte, blieb sie wie ein kleiner stummer Kegel¹³ vor der Mutter stehen. ‚Nun, Wienke', sagte diese und schüttelte sie leise, ‚magst du das große Wasser leiden?'

Aber das Kind riß die Augen auf: ‚Es spricht', sagte sie; ‚Wienke ist 35 bange!'

— ‚Es spricht nicht; es rauscht und toset nur!'

Das Kind sah ins Weite: ‚Hat es Beine?' frug es wieder; ‚kann es über den Deich kommen?'

— ‚Nein, Wienke; dafür paßt dein Vater auf, er ist der Deichgraf.'

‚Ja', sagte das Kind und klatschte mit blödem Lächeln in seine Händ-
5 chen; ‚Vater kann alles — alles!' Dann plötzlich, sich von der Mutter abwendend, rief sie: ‚Laß Wienke zu Trin' Jans, die hat rote Äpfel!'

Und Elke öffnete die Tür und ließ das Kind hinaus. Als sie dieselbe wieder geschlossen hatte, schlug sie mit einem Ausdruck des tiefsten Grams die Augen zu ihrem Manne auf, aus denen ihm sonst nur Trost und Mut
10 zu Hülfe gekommen war.

Er reichte ihr die Hand und drückte sie, als ob es zwischen ihnen keines weiteren Wortes bedürfe; sie aber sagte leis: ‚Nein, Hauke, laß mich sprechen: das Kind, das ich nach Jahren dir geboren habe, es wird für immer ein Kind bleiben. O lieber Gott! es ist schwachsinnig; ich muß es
15 einmal vor dir sagen.'

‚Ich wußte es längst', sagte Hauke und hielt die Hand seines Weibes fest, die sie ihm entziehen wollte.

‚So sind wir denn doch allein geblieben', sprach sie wieder.

Aber Hauke schüttelte den Kopf: ‚Ich hab sie lieb, und sie schlägt ihre
20 Ärmchen um mich und drückt sich fest an meine Brust; um alle Schätze wollt' ich das nicht missen!'

Die Frau sah finster vor sich hin: ‚Aber warum?' sprach sie; ‚was hab ich arme Mutter denn verschuldet?'

— ‚Ja, Elke, das hab ich freilich auch gefragt, den, der allein es wissen
25 kann; aber du weißt ja auch, der Allmächtige gibt den Menschen keine Antwort — vielleicht, weil wir sie nicht begreifen würden.'

Er hatte auch die andere Hand seines Weibes gefaßt und zog sie sanft zu sich heran: ‚Laß dich nicht irren, dein Kind, wie du es tust,[14] zu lieben; sei sicher, das versteht es!'
30 Da warf sich Elke an ihres Mannes Brust und weinte sich satt und war mit ihrem Leid nicht mehr allein. Dann plötzlich lächelte sie ihn an; nach einem heftigen Händedruck lief sie hinaus und holte sich ihr Kind aus der Kammer der alten Trin' Jans und nahm es auf ihren Schoß und hätschelte und küßte es, bis es stammelnd sagte: ‚Mutter, meine liebe Mutter!'

35 So lebten die Menschen auf dem Deichgrafshofe still beisammen; wäre das Kind nicht dagewesen, es hätte viel gefehlt.

[14] *don't let anything keep you from loving your child, as you do*

Allmählich verfloß der Sommer; die Zugvögel waren durchgezogen, die
Luft wurde leer vom Gesang der Lerchen; nur vor den Scheunen, wo sie
beim Dreschen[15] Körner pickten, hörte man hie und da einige kreischend
davonfliegen; schon war alles hart gefroren. In der Küche des Haupt-
hauses saß eines Nachmittags die alte Trin' Jans auf der Holzstufe einer 5
Treppe, die neben dem Feuerherd[16] nach dem Boden lief. Es war in den
letzten Wochen, als sei sie aufgelebt;[17] sie kam jetzt gern einmal in die
Küche und sah Frau Elke hier hantieren; es war keine Rede mehr davon,
daß ihre Beine sie nicht hätten dahin tragen können, seit eines Tages klein
Wienke sie an der Schürze hier heraufgezogen hatte. Jetzt kniete das Kind 10
an ihrer Seite und sah mit seinen stillen Augen in die Flammen, die aus dem
Herdloch[18] aufflackerten; ihr eines Händchen klammerte sich an den
Ärmel der Alten, das andere lag in ihrem eigenen fahlblonden Haar. Trin'
Jans erzählte: ‚Du weißt‘, sagte sie, ‚ich stand in Dienst bei deinem
Urgroßvater, als Hausmagd, und dann mußt ich die Schweine füttern; der 15
war klüger als sie alle — da war es, es ist grausam lange her, aber eines
Abends, der Mond schien, da ließen sie die Hafschleuse schließen, und sie
konnte nicht wieder zurück in See. Oh, wie sie schrie und mit ihren Fisch-
händen sich in ihre harten, struppigen[19] Haare griff! Ja, Kind, ich sah es
und hörte sie selber schreien! Die Gräben zwischen den Fennen waren alle 20
voll Wasser, und der Mond schien darauf, daß sie wie Silber glänzten, und
sie schwamm aus einem Graben in den andren und hob die Arme und
schlug, was ihre Hände waren, aneinander, daß man es weither klatschen
hörte, als wenn sie beten wollte; aber, Kind, beten können die Kreaturen
nicht. Ich saß vor der Haustür auf ein paar Balken, die zum Bauen ange- 25
fahren waren, und sah weithin über die Fennen; und das Wasserweib
schwamm noch immer in den Gräben, und wenn sie die Arme aufhob, so
glitzerten auch die wie Silber und Demanten.[20] Zuletzt sah ich sie nicht
mehr, und die Wildgäns' und Möwen, die ich all die Zeit nicht gehört
hatte, zogen wieder mit Pfeifen und Schnattern durch die Luft.‘ 30

Die Alte schwieg; das Kind hatte ein Wort sich aufgefangen: ‚Konnte
sie beten?‘ frug sie. ‚Was sagst du? Wer war es?‘

‚Kind‘, sagte die Alte; ‚die Wasserfrau war es; das sind Undinger,[21] die
nicht selig werden können.‘

‚Nicht selig!‘ wiederholte das Kind, und ein tiefer Seufzer, als habe sie 35
das verstanden, hob die kleine Brust.

— ‚Trin' Jans!‘ kam eine tiefe Stimme von der Küchentür, und die Alte
zuckte leicht zusammen. Es war der Deichgraf Hauke Haien, der dort am

[15] *threshing*

[16] *hearth*
[17] *come to life again*

[18] *fire-hole*

[19] *bristly*

[20] (= Diamanten)

[21] *freakish beings*

Ständer lehnte: ‚Was redet Sie dem Kinde vor?²² Hab ich Ihr nicht geboten, Ihre Mären²³ für sich zu behalten oder sie den Gäns' und Hühnern zu erzählen?'

Die Alte sah ihn mit einem bösen Blick an und schob die Kleine von sich
5 fort: ‚Das sind keine Mären', murmelte sie in sich hinein, ‚das hat mein Großohm mir erzählt.'

— ‚Ihr Großohm, Trin'? Sie wollte es ja eben selbst erlebt haben.'

‚Das ist egal',²⁴ sagte die Alte; ‚aber Ihr glaubt nicht, Hauke Haien; Ihr wollt wohl meinen Großohm noch zum Lügner machen!' Dann rückte sie
10 näher an den Herd und streckte die Hände über die Flammen des Feuerlochs.

Der Deichgraf warf einen Blick gegen das Fenster; draußen dämmerte es noch kaum. ‚Komm, Wienke!' sagte er und zog sein schwachsinniges Kind zu sich heran; ‚komm mit mir, ich will dir draußen vom Deich aus etwas
15 zeigen! Nur müssen wir zu Fuß gehen; der Schimmel ist beim Schmied.'²⁵ Dann ging er mit ihr in die Stube, und Elke band dem Kinde dicke wollene Tücher um Hals und Schultern; und bald danach ging der Vater mit ihr auf dem alten Deiche nach Nordwest hinauf, Jeverssand vorbei, bis wo die Watten breit, fast unübersehbar wurden.

20 Bald hatte er sie getragen, bald ging sie an seiner Hand; die Dämmerung wuchs allmählich; in der Ferne verschwand alles in Dunst und Duft. Aber dort, wohin noch das Auge reichte, hatten die unsichtbar schwellenden Wattströme das Eis zerrissen, und, wie Hauke Haien es in seiner Jugend einst gesehen hatte, aus den Spalten stiegen wie damals die rauchenden
25 Nebel, und daran entlang waren wiederum die unheimlichen närrischen Gestalten und hüpften gegeneinander und dienerten²⁶ und dehnten sich plötzlich schreckhaft in die Breite.

Das Kind klammerte sich angstvoll an seinen Vater und deckte dessen Hand über sein Gesichtlein: ‚Die Seeteufel!' raunte es zitternd zwischen
30 seine Finger; ‚die Seeteufel!'

Er schüttelte den Kopf: ‚Nein, Wienke, weder Wasserweiber noch Seeteufel; so etwas gibt es nicht; wer hat dir davon gesagt?'

Sie sah mit stumpfem Blicke zu ihm herauf; aber sie antwortete nicht. Er strich ihr zärtlich über die Wangen: ‚Sieh nur wieder hin!' sagte er,
35 ‚das sind nur arme hungrige Vögel! Sieh nur, wie jetzt der große seine Flügel breitet; die holen sich die Fische, die in die rauchenden Spalten kommen.'

‚Fische', wiederholte Wienke.

,Ja, Kind, das alles ist lebig, so wie wir; es gibt nichts anderes; aber der liebe Gott ist überall!'

Klein Wienke hatte ihre Augen fest auf den Boden gerichtet und hielt den Atem an; es war, als sähe sie erschrocken in einen Abgrund. Es war vielleicht nur so; der Vater blickte lange auf sie hin, er bückte sich und sah in ihr Gesichtlein; aber keine Regung der verschlossenen Seele wurde darin kund. Er hob sie auf den Arm und steckte ihre verklommenen Händchen in einen seiner dicken Wollhandschuhe: ,So, mein Wienke' — und das Kind vernahm wohl nicht den Ton von heftiger Innigkeit in seinen Worten —, ,so, wärm dich bei mir! Du bist doch unser Kind, unser einziges. Du hast uns lieb . . . !' Die Stimme brach dem Manne; aber die Kleine drückte zärtlich ihr Köpfchen in seinen rauhen Bart.

So gingen sie friedlich heimwärts.

Nach Neujahr war wieder einmal die Sorge in das Haus getreten; ein Marschfieber[27] hatte den Deichgrafen ergriffen; auch mit ihm ging es nah am Rand der Grube her,[28] und als er unter Frau Elkes Pfleg' und Sorge wiedererstanden war,[29] schien er kaum derselbe Mann. Die Mattigkeit des Körpers lag auch auf seinem Geiste, und Elke sah mit Besorgnis, wie er allzeit leicht zufrieden war. Dennoch, gegen Ende des März, drängte es ihn, seinen Schimmel zu besteigen und zum ersten Male wieder auf seinem Deich entlang zu reiten; es war an einem Nachmittage, und die Sonne, die zuvor geschienen hatte, lag längst schon wieder hinter trübem Duft.

Im Winter hatte es ein paarmal Hochwasser gegeben; aber es war nicht von Belang[30] gewesen; nur drüben am andern Ufer war auf einer Hallig eine Herde Schafe ertrunken und ein Stück vom Vorland abgerissen worden; hier an dieser Seite und am neuen Kooge war ein nennenswerter Schaden nicht geschehen.[31] Aber in der letzten Nacht hatte ein stärkerer Sturm getobt; jetzt mußte der Deichgraf selbst hinaus und alles mit eigenem Aug' besichtigen. Schon war er unten von der Südostecke aus auf dem neuen Deich herumgeritten, und es war alles wohl erhalten; als er aber an die Nordostecke gekommen war, dort, wo der neue Deich auf den alten stößt, war zwar der erstere unversehrt, aber wo früher der Priel den alten erreicht hatte und an ihm entlang geflossen war, sah er in großer Breite die Grasnarbe zerstört und fortgerissen und in dem Körper des Deiches eine von der Flut gewühlte Höhlung, durch welche überdies ein Gewirr von Mäusegängen[32] bloßgelegt war. Hauke stieg vom Pferde und besichtigte

Margin notes:

[27] *swamp fever*

[28] *came close to the edge of the abyss (close to death)*

[29] *recovered*

[30] *of no seriousness*

[31] *no damage worthy of note had occurred*

[32] *mouse tunnels*

den Schaden in der Nähe: das Mäuseunheil schien unverkennbar noch unsichtbar weiter fortzulaufen.[33]

Er erschrak heftig; gegen alles dieses hätte schon beim Bau des neuen Deiches Obacht genommen werden müssen;[34] da es damals übersehen worden, so mußte es jetzt geschehen! — Das Vieh war noch nicht auf den Fennen, das Gras war ungewohnt zurückgeblieben,[35] wohin er blickte, es sah ihn leer und öde an. Er bestieg wieder sein Pferd und ritt am Ufer hin und her: es war Ebbe, und er gewahrte wohl, wie der Strom von außen her sich wieder ein neues Bett im Schlick gewühlt hatte und jetzt von Nordwesten auf den alten Deich gestoßen war; der neue aber, soweit es ihn traf, hatte mit seinem sanfteren Profile dem Anprall[36] widerstehen können.

Ein Haufen neuer Plag'[37] und Arbeit erhob sich vor der Seele des Deichgrafen; nicht nur der alte Deich mußte hier verstärkt, auch dessen Profil dem des neuen angenähert[38] werden; vor allem aber mußte der als gefährlich wieder aufgetretene[39] Priel durch neu zu legende Dämme oder Lahnungen abgeleitet werden. Noch einmal ritt er auf dem neuen Deich bis an die äußerste Nordwestecke, dann wieder rückwärts, die Augen unablässig auf das neugewühlte Bett des Prieles heftend, der ihm zur Seite sich deutlich genug in dem bloßgelegten Schlickgrund abzeichnete. Der Schimmel drängte vorwärts und schnob und schlug mit den Vorderhufen; aber der Reiter drückte ihn zurück, er wollte langsam reiten, er wollte auch die innere Unruhe bändigen,[40] die immer wilder in ihm aufgor.[41]

Wenn eine Sturmflut wiederkäme — eine, wie 1655 dagewesen, wo Gut und Menschen ungezählt[42] verschlungen wurden —, wenn sie wiederkäme, wie sie schon mehrmals einst gekommen war! — Ein heißer Schauer überrieselte[43] den Reiter — der alte Deich, er würde den Stoß nicht aushalten, der gegen ihn heraufschösse! Was dann, was sollte dann geschehen? — Nur eines, ein einzig Mittel würde es geben, um vielleicht den alten Koog und Gut und Leben darin zu retten. Hauke fühlte sein Herz stillstehen, sein sonst so fester Kopf schwindelte; er sprach es nicht aus, aber in ihm sprach es stark genug: Dein Koog, der Hauke-Haien-Koog müßte preisgegeben und der neue Deich durchstochen werden!

Schon sah er im Geist die stürzende Hochflut hereinbrechen und Gras und Klee mit ihrem salzen schäumenden Gischt[44] bedecken. Ein Sporenstich fuhr in die Weichen des Schimmels, und einen Schrei ausstoßend, flog er auf dem Deich entlang und dann den Akt hinab, der deichgräflichen Werfte zu.

[33] *seemed beyond doubt to continue farther on though not visible to the eye*
[34] *measures should have been taken*
[35] *had been unusually slow to grow*
[36] *impact*
[37] *trouble*
[38] *approximated*
[39] *which had put in its appearance again as a source of danger*
[40] *subdue*
[41] *welled up* (auf-gären)
[42] *in uncounted numbers*
[43] *ran through ... like a shiver*
[44] *salty seething foam*

Den Kopf voll von innerem Schrecknis und ungeordneten Plänen kam er nach Hause. Er warf sich in seinen Lehnstuhl, und als Elke mit der Tochter in das Zimmer trat, stand er wieder auf und hob das Kind zu sich empor und küßte es; dann jagte er das gelbe Hündlein mit ein paar leichten Schlägen von sich. ‚Ich muß noch einmal droben nach dem Krug!‘ sagte er 5 und nahm seine Mütze vom Türhaken, wohin er sie eben erst gehängt hatte.

Seine Frau sah ihn sorgvoll an: ‚Was willst du dort? Es wird schon Abend, Hauke!‘

‚Deichgeschichten!‘ murmelte er vor sich hin, ‚ich treffe von[45] den Gevollmächtigten dort.‘ 10

Sie ging ihm nach und drückte ihm die Hand, denn er war mit diesen Worten schon zur Tür hinaus. Hauke Haien, der sonst alles bei sich selber abgeschlossen hatte, drängte es jetzt, ein Wort von jenen zu erhalten, die er sonst kaum eines Anteils wert[46] gehalten hatte. Im Gastzimmer traf er Ole Peters mit zweien der Gevollmächtigten und einem Koogseinwohner am 15 Kartentisch.

‚Du kommst wohl von draußen, Deichgraf?‘ sagte der erstere, nahm die halb ausgeteilten Karten auf und warf sie wieder hin.

‚Ja, Ole‘, erwiderte Hauke; ‚ich war dort; es sieht übel aus.‘

‚Übel? — Nun, ein paar hundert Soden und eine Bestickung wird’s 20 wohl kosten; ich war dort auch am Nachmittag.‘

‚So wohlfeil wird’s nicht abgehen, Ole‘, erwiderte der Deichgraf, ‚der Priel ist wieder da, und wenn er jetzt auch nicht von Norden auf den alten Deich stößt, so tut er’s doch von Nordwesten!‘

‚Du hättst ihn lassen sollen, wo du ihn fandest!‘ sagte Ole trocken. 25

‚Das heißt‘, entgegnete Hauke, ‚der neue Koog geht dich nichts an; und darum sollte er nicht existieren. Das ist deine eigne Schuld! Aber wenn wir Lahnungen legen müssen, um den alten Deich zu schützen, der grüne Klee hinter dem neuen bringt das übermäßig[47] ein!‘

‚Was sagt Ihr, Deichgraf?‘ riefen die Gevollmächtigten; ‚Lahnungen? 30 Wie viele denn? Ihr liebt es, alles beim teuersten Ende anzufassen!‘[48]

Die Karten lagen unberührt auf dem Tisch. ‚Ich will’s dir sagen, Deichgraf‘, sagte Ole Peters und stemmte beide Arme auf, ‚dein neuer Koog ist ein fressend Werk, was du uns gestiftet hast![49] Noch laboriert alles[50] an den schweren Kosten deiner breiten Deiche; nun frißt er uns auch den 35 alten Deich, und wir sollen ihn verneuen![51] — Zum Glück ist’s nicht so schlimm; er hat diesmal gehalten und wird es auch noch ferner tun! Steig

[45] *some of*

[46] *worthy of a part in the decision*

[47] *more than proportionately*

[48] *do everything the expensive way*

[49] *the new polder you gave us is eating us up*
[50] *everyone is still suffering*
[51] *rebuild*

nur morgen wieder auf deinen Schimmel und sieh es dir noch einmal an!'

Hauke war aus dem Frieden seines Hauses hieher gekommen; hinter den immerhin noch gemäßigten[52] Worten, die er eben hörte, lag — er konnte es nicht verkennen — ein zäher Widerstand; ihm war, als fehle ihm dagegen noch die alte Kraft. ,Ich will tun, wie du es rätst, Ole', sprach er; ,nur fürcht ich, ich werd es finden, wie ich es heut gesehen habe.'

— Eine unruhige Nacht folgte diesem Tage; Hauke wälzte sich schlaflos in seinen Kissen. ,Was ist dir?' frug ihn Elke, welche die Sorge um ihren Mann wachhielt; ,drückt dich etwas, so sprich es von dir; wir haben's ja immer so gehalten!'

,Es hat nichts auf sich, Elke!' erwiderte er, ,am Deiche, an den Schleusen ist was zu reparieren; du weißt, daß ich das allzeit nachts in mir zu verarbeiten[53] habe.' Weiter sagte er nichts; er wollte sich die Freiheit seines Handelns vorbehalten; ihm unbewußt war die klare Einsicht und der kräftige Geist seines Weibes ihm in seiner augenblicklichen Schwäche ein Hindernis, dem er unwillkürlich auswich.

— Am folgenden Vormittag, als er wieder auf den Deich hinauskam, war die Welt eine andere, als wie er sie tags zuvor gefunden hatte; zwar war wieder hohl Ebbe,[54] aber der Tag war noch im Steigen,[55] und eine lichte Frühlingssonne ließ ihre Strahlen fast senkrecht[56] auf die unabsehbaren Watten fallen; die weißen Möwen schwebten ruhig hin und wider, und unsichtbar über ihnen, hoch unter dem azurblauen Himmel, sangen die Lerchen ihre ewige Melodie. Hauke, der nicht wußte, wie uns die Natur mit ihrem Reiz betrügen kann, stand auf der Nordwestecke des Deiches und suchte nach dem neuen Bett des Prieles, das ihn gestern so erschreckt hatte; aber bei dem vom Zenit herabschießenden Sonnenlichte fand er es anfänglich nicht einmal. Erst da er gegen die blendenden Strahlen seine Augen mit der Hand beschattete, konnte er es nicht verkennen; aber dennoch, die Schatten in der gestrigen Dämmerung mußten ihn getäuscht haben: es kennzeichnete sich jetzt nur schwach,[57] die bloßgelegte Mäusewirtschaft[58] mußte mehr als die Flut den Schaden in dem Deich veranlaßt haben. Freilich, Wandel mußte hier geschafft werden, aber durch sorgfältiges Aufgraben und, wie Ole Peters gesagt hatte, durch frische Soden und einige Ruten Strohbestickung war der Schaden auszuheilen.

,Es war so schlimm nicht', sprach er erleichtert zu sich selber, ,du bist gestern doch dein eigner Narr gewesen!'[59] — Er berief die Gevollmächtigten, und die Arbeiten wurden ohne Widerspruch beschlossen, was bisher

[52] *moderate*

[53] *work it out in my mind*

[54] *low tide*
[55] *it was still early in the day*
[56] *vertically*

[57] *was only barely distinguishable*
[58] *work of the mice*

[59] *you fooled yourself*

noch nie geschehen war. Der Deichgraf meinte eine stärkende Ruhe in seinem noch geschwächten Körper sich verbreiten zu fühlen, und nach einigen Wochen war alles sauber ausgeführt.

Das Jahr ging weiter, aber je weiter es ging, und je ungestörter die neugelegten Rasen durch die Strohdecke grünten,[60] um so unruhiger ging 5 oder ritt Hauke an dieser Stelle vorüber, er wandte die Augen ab, er ritt hart an der Binnenseite des Deiches, ein paarmal, wo er dort hätte vorüber müssen, ließ er sein schon gesatteltes Pferd wieder in den Stall zurückführen; dann wieder, wo er nichts dort zu tun hatte, wanderte er, um nur rasch und ungesehen von seiner Werfte fortzukommen, plötzlich und zu 10 Fuß dahin; manchmal auch war er umgekehrt, er hatte es sich nicht zumuten können, die unheimliche Stelle aufs neue zu betrachten; und endlich, mit den Händen hätte er alles wieder aufreißen mögen, denn wie ein Gewissensbiß, der außer ihm Gestalt gewonnen hatte, lag dies Stück des Deiches ihm vor Augen. Und doch, seine Hand konnte nicht mehr daran 15 rühren; und niemandem, selbst nicht seinem Weibe, durfte er davon reden. So war der September gekommen; nachts hatte ein mäßiger Sturm getobt und war zuletzt nach Nordwest umgesprungen. An trübem Vormittag danach, zur Ebbezeit, ritt Hauke auf den Deich hinaus, und es durchfuhr ihn, als er seine Augen über die Watten schweifen ließ; dort, von Nordwest 20 herauf, sah er plötzlich wieder, und schärfer und tiefer ausgewühlt,[61] das gespenstische neue Bett des Prieles; so sehr er seine Augen anstrengte, es wollte nicht mehr weichen.

Als er nach Haus kam, ergriff Elke seine Hand: ,Was hast du, Hauke?' sprach sie, als sie in sein düstres Antlitz sah; ,es ist doch kein neues Unheil? 25 Wir sind jetzt so glücklich; mir ist, du hast nun Frieden mit ihnen allen!'

Diesen Worten gegenüber vermochte er seine verworrene Furcht nicht in Worten kundzugeben.

,Nein, Elke', sagte er, ,mich feindet niemand an;[62] es ist nur ein verantwortlich Amt, die Gemeinde vor unseres Herrgotts Meer zu schützen.' 30 Er machte sich los, um weiteren Fragen des geliebten Weibes auszuweichen. Er ging in Stall und Scheuer, als ob er alles revidieren müsse; aber er sah nichts um sich her; er war nur beflissen, seinen Gewissensbiß zur Ruhe, ihn sich selber als eine krankhaft übertriebene Angst zur Überzeugung zu bringen.[63] 35

— Das Jahr, von dem ich Ihnen erzähle", sagte nach einer Weile mein Gastfreund, der Schulmeister, „war das Jahr 1756, das in dieser Gegend

[60] grew green

[61] eroded

[62] no one is hostile to me

[63] (bringen with two zur phrases) : intent upon quieting his pangs of conscience and convincing himself that they were only morbidly exaggerated fears

nie vergessen wird; im Hause Hauke Haiens brachte es eine Tote. Zu Ende des Septembers war in der Kammer, welche ihr in der Scheune eingeräumt war, die fast neunzigjährige Trin' Jans am Sterben. Man hatte sie nach ihrem Wunsche in den Kissen aufgerichtet, und ihre Augen
5 gingen durch die kleinen bleigefaßten[64] Scheiben in die Ferne; es mußte dort am Himmel eine dünnere Luftschicht[65] über einer dichteren liegen, denn es war hohe Kimmung,[66] und die Spiegelung[67] hob in diesem Augenblick das Meer wie einen flimmernden Silberstreifen über den Rand des Deiches, so daß es blendend in die Kammer schimmerte; auch die Süd-
10 spitze von Jeverssand war sichtbar.

Am Fußende des Bettes kauerte die kleine Wienke und hielt mit der einen Hand sich fest an der ihres Vaters, der danebenstand. In das Antlitz der Sterbenden grub eben der Tod das hippokratische Gesicht,[68] und das Kind starrte atemlos auf die unheimliche, ihr unverständliche Verwandlung
15 des unschönen, aber ihr vertrauten Angesichts.

,Was macht sie? Was ist das, Vater?' flüsterte sie angstvoll und grub die Fingernägel in ihres Vaters Hand.

,Sie stirbt!' sagte der Deichgraf.

,Stirbt!' wiederholte das Kind und schien in verworrenes Sinnen zu
20 verfallen.

Aber die Alte rührte noch einmal ihre Lippen: ,Jins! Jins!' und kreischend, wie ein Notschrei,[69] brach es hervor, und ihre knöchernen Arme streckten sich gegen die draußen flimmernde Meeresspiegelung:[70] ,Hölp mi! Hölp mi! Du bist ja bawen Water ... Gott gnad de annern!'[71]
25 Ihre Arme sanken, ein leises Krachen der Bettstatt wurde hörbar; sie hatte aufgehört zu leben.

Das Kind tat einen tiefen Seufzer und warf die blassen Augen zu ihrem Vater auf: ,Stirbt sie noch immer?' frug es.

,Sie hat es vollbracht!' sagte der Deichgraf und nahm das Kind auf
30 seinen Arm: ,Sie ist nun weit von uns, beim lieben Gott.'

,Beim lieben Gott!' wiederholte das Kind und schwieg eine Weile, als müsse es den Worten nachsinnen. ,Ist das gut, beim lieben Gott?'

,Ja, das ist das Beste.' — In Haukes Innerm aber klang schwer die letzte Rede der Sterbenden. ,Gott gnad de annern!' sprach es leise in
35 ihm. ,Was wollte die alte Hexe? Sind denn die Sterbenden Propheten —?'

— Bald, nachdem Trin' Jans oben bei der Kirche eingegraben[72] war, begann man immer lauter von allerlei Unheil und seltsamem Geschmeiß zu

[64] *leaded*

[65] *layer of air*

[66] *there was a high mirage effect (in which the sea appears at a higher level than it actually is)*

[67] *reflection*

[68] *the death lines as Hippocrates described them*

[69] *cry of distress*

[70] *ocean mirage*

[71] (Hilf mir! Du bist ja über Wasser ... Gott sei den anderen gnädig!)

[72] *buried*

[73] *fourth Sunday in Lent*

reden, das die Menschen in Nordfriesland erschreckt haben sollte: und sicher war es, am Sonntage Lätare[73] war droben von der Turmspitze der goldne Hahn durch einen Wirbelwind herabgeworfen worden; auch das war richtig: im Hochsommer fiel, wie ein Schnee, ein groß Geschmeiß vom Himmel, daß man die Augen davor nicht auftun konnte und es hernach 5 fast handhoch auf den Fennen lag, und hatte niemand je so was gesehen. Als aber nach Ende September der Großknecht mit Korn und die Magd Ann Grete mit Butter in die Stadt zu Markt gefahren waren, kletterten sie bei ihrer Rückkunft mit schreckensbleichen Gesichtern von ihrem Wagen. ‚Was ist? Was habt ihr?' riefen die andern Dirnen, die hinausgelaufen 10 waren, da sie den Wagen rollen hörten.

Ann Grete in ihrem Reiseanzug trat atemlos in die geräumige Küche.

[74] *where has the trouble started now?*

‚Nun, so erzähl doch!' riefen die Dirnen wieder, ‚wo ist das Unglück los?'[74]

[75] *(name and farm;) Old Mary of the Z.*

‚Ach, unser lieber Jesus wolle uns behüten!' rief Ann Grete. ‚Ihr wißt, von drüben, überm Wasser, das alt' Mariken vom Ziegelhof,[75] wir stehen 15 mit unserer Butter ja allzeit zusammen an der Apothekerecke, die hat es mir erzählt, und Iven Johns sagte auch, das gibt ein Unglück! sagte er; ein Unglück über ganz Nordfriesland; glaub mir's, Ann Gret! Und' — sie dämpfte ihre Stimme — ‚mit des Deichgrafs Schimmel ist's am Ende auch nicht richtig!' 20

‚Scht! scht!' machten die andern Dirnen.

— ‚Ja, ja; was kümmert's mich! Aber drüben, an der andern Seite, geht's noch schlimmer als bei uns! Nicht bloß Fliegen und Geschmeiß, auch Blut ist wie Regen vom Himmel gefallen; und da am Sonntagmorgen danach der Pastor sein Waschbecken vorgenommen hat, sind fünf Toten- 25

[76] *death's heads*

[77] *caterpillars*

köpfe,[76] wie Erbsen groß, darin gewesen, und alle sind gekommen, um das zu sehen; im Monat Augusti sind grausige rotköpfige Raupenwürmer[77] über das Land gezogen und haben Korn und Mehl und Brot, und was sie fanden, weggefressen, und hat kein Feuer sie vertilgen können!'

Die Erzählerin verstummte plötzlich; keine der Mägde hatte bemerkt, 30 daß die Hausfrau in die Küche getreten war. ‚Was redet ihr da?' sprach diese. ‚Laßt das den Wirt nicht hören!' Und da sie alle jetzt erzählen wollten: ‚Es tut nicht not; ich habe genug davon vernommen; geht an euere Arbeit, das bringt euch besseren Segen!' Dann nahm sie Ann Grete

[78] *settled accounts*

mit sich in die Stube und hielt mit dieser Abrechnung[78] über ihre Markt- 35 geschäfte.

So fand im Hause des Deichgrafen das abergläubige Geschwätz bei der

[79] *support*

Herrschaft keinen Anhalt;[79] aber in die übrigen Häuser, und je länger die

Abende wurden, um desto leichter drang es mehr und mehr hinein. Wie schwere Luft lag es auf allen, und heimlich sagte man es sich, ein Unheil, ein schweres, würde über Nordfriesland kommen.

Es war vor Allerheiligen, im Oktober. Tag über[80] hatte es stark aus Südwest gestürmt; abends stand ein halber Mond am Himmel, dunkelbraune Wolken jagten überhin,[81] und Schatten und trübes Licht flogen auf der Erde durcheinander; der Sturm war im Wachsen. Im Zimmer des Deichgrafen stand noch der geleerte Abendtisch; die Knechte waren in den Stall gewiesen, um dort des Viehes zu achten; die Mägde mußten im Hause und auf den Böden nachsehen, ob Türen und Luken wohlverschlossen seien, daß nicht der Sturm hineinfasse und Unheil anrichte. Drinnen stand Hauke neben seiner Frau am Fenster; er hatte eben sein Abendbrot hinabgeschlungen; er war draußen auf dem Deich gewesen. Zu Fuße war er hinausgetrabt, schon früh am Nachmittag; spitze Pfähle und Säcke voll Klei oder Erde hatte er hie und dort, wo der Deich eine Schwäche zu verraten schien, zusammentragen lassen; überall hatte er Leute angestellt, um die Pfähle einzurammen[82] und mit den Säcken vorzudämmen,[83] sobald die Flut den Deich zu schädigen[84] beginne; an dem Winkel zu Nordwesten, wo der alte und der neue Deich zusammenstießen, hatte er die meisten Menschen hingestellt, nur im Notfall[85] durften sie von den angewiesenen Plätzen weichen. Das hatte er zurückgelassen;[86] dann, vor kaum einer Viertelstunde, naß, zerzaust, war er in seinem Hause angekommen, und jetzt, das Ohr nach den Windböen,[87] welche die in Blei gefaßten Scheiben rasseln machten, blickte er wie gedankenlos in die wüste Nacht hinaus; die Wanduhr hinter ihrer Glasscheibe schlug eben acht. Das Kind, das neben der Mutter stand, fuhr zusammen und barg den Kopf in deren Kleider. ‚Claus!‘ rief sie weinend; ‚wo ist mein Claus?‘

Sie konnte wohl so fragen, denn die Möwe hatte, wie schon im vorigen Jahre, so auch jetzt ihre Winterreise nicht mehr angetreten. Der Vater überhörte die Frage; die Mutter aber nahm das Kind auf ihren Arm. ‚Dein Claus ist in der Scheune‘, sagte sie; ‚da sitzt er warm.‘

‚Warum?‘ sagte Wienke, ‚ist das gut?‘

— ‚Ja, das ist gut.‘

Der Hausherr stand noch am Fenster: ‚Es geht nicht länger, Elke!‘ sagte er; ‚ruf eine von den Dirnen; der Sturm drückt uns die Scheiben ein, die Luken müssen angeschroben[88] werden!‘

Auf das Wort der Hausfrau war die Magd hinausgelaufen; man sah vom

[80] *all day*

[81] *overhead*

[82] *drive in*
[83] *dam up in front*
[84] *damage*

[85] *in an emergency*

[86] *that's the way he had left it*

[87] *gusts of wind*

[88] *screwed shut*

[89] splintered

Zimmer aus, wie ihr die Röcke flogen; aber als sie die Klammern gelöst hatte, riß ihr der Sturm den Laden aus der Hand und warf ihn gegen die Fenster, daß ein paar Scheiben zersplittert[89] in die Stube flogen und eins der Lichter qualmend auslosch. Hauke mußte selbst hinaus, zu helfen, und nur mit Not kamen allmählich die Luken vor die Fenster. Als sie beim 5 Wiedereintritt in das Haus die Tür aufrissen, fuhr eine Böe hinterdrein, daß Glas und Silber im Wandschrank durcheinanderklirrten; oben im Hause über ihren Köpfen zitterten und krachten die Balken, als wolle der Sturm das Dach von den Mauern reißen. Aber Hauke kam nicht wieder in

[90] threshing floor

das Zimmer; Elke hörte, wie er durch die Tenne[90] nach dem Stalle schritt. 10 ,Den Schimmel! Den Schimmel, John! Rasch!' So hörte sie ihn rufen; dann kam er wieder in die Stube, das Haar zerzaust, aber die grauen Augen leuchtend. ,Der Wind ist umgesprungen!' rief er — ,nach Nordwest, auf halber Springflut! Kein Wind — wir haben solchen Sturm noch nicht erlebt!' 15

Elke war totenblaß geworden: ,Und du mußt noch einmal hinaus?'

Er ergriff ihre beiden Hände und drückte sie wie im Krampfe in die seinen: ,Das muß ich, Elke.'

Sie erhob langsam ihre dunkeln Augen zu ihm, und ein paar Sekunden lang sahen sie sich an; doch war's wie eine Ewigkeit. ,Ja, Hauke', sagte das 20 Weib; ,ich weiß es wohl, du mußt!'

Da trabte es draußen vor der Haustür. Sie fiel ihm um den Hals, und einen Augenblick war's, als könne sie ihn nicht lassen; aber auch das war nur ein Augenblick. ,Das ist unser Kampf!' sprach Hauke; ,ihr seid hier sicher; an dies Haus ist noch keine Flut gestiegen. Und bete zu Gott, daß 25 er auch mit mir sei!'

Hauke hüllte sich in seinen Mantel, und Elke nahm ein Tuch und wickelte es ihm sorgsam um den Hals; sie wollte ein Wort sprechen, aber die zitternden Lippen versagten es ihr.

Draußen wieherte der Schimmel, daß es wie Trompetenschall in das 30 Heulen des Sturmes hineinklang. Elke war mit ihrem Mann hinausge-

[91] split and fall

gangen: die alte Esche knarrte, als ob sie auseinanderstürzen[91] solle. ,Steigt auf, Herr!' rief der Knecht, ,der Schimmel ist wie toll; die Zügel könnten reißen.' Hauke schlug die Arme um sein Weib: ,Bei Sonnenaufgang bin ich wieder da!' 35

Schon war er auf sein Pferd gesprungen; das Tier stieg mit den Vorder-

[92] warhorse

hufen in die Höhe, dann, gleich einem Streithengst,[92] der sich in die

Schlacht[93] stürzt, jagte es mit seinem Reiter die Werfte hinunter, in Nacht und Sturmgeheul hinaus. ‚Vater, mein Vater!' schrie eine klägliche Kinderstimme hinter ihm darein; ‚mein lieber Vater!' 　　　　　　　　　　　　　 [93] *battle*

Wienke war im Dunkeln hinter dem Fortjagenden hergelaufen; aber
5 schon nach hundert Schritten strauchelte sie über einen Erdhaufen[94] und 　 [94] *mound of earth*
fiel zu Boden.

Der Knecht Iven Johns brachte das weinende Kind der Mutter zurück; die lehnte am Stamme der Esche, deren Zweige über ihr die Luft peitschten, und starrte wie abwesend in die Nacht hinaus, in der ihr Mann ver-
10 schwunden war; wenn das Brüllen des Sturmes und das ferne Klatschen des Meeres einen Augenblick aussetzten, fuhr sie wie in Schreck zusammen; ihr war jetzt, als suche alles nur ihn zu verderben und werde jäh verstummen, wenn es ihn gefaßt habe. Ihre Knie zitterten, ihre Haare hatte der Sturm gelöst und trieb damit sein Spiel. ‚Hier ist das Kind, Frau!' schrie
15 John ihr zu; ‚haltet es fest!' und drückte die Kleine der Mutter in den Arm.

‚Das Kind? — Ich hatte dich vergessen, Wienke!' rief sie; ‚Gott verzeih mir's.' Dann hob sie es an ihre Brust, so fest nur Liebe fassen kann, und stürzte mit ihr in die Knie: ‚Herr Gott und du, mein Jesus, laß uns nicht
20 Witwe und nicht Waise werden! Schütz ihn, o lieber Gott; nur du und ich, wir kennen ihn allein!' Und der Sturm setzte nicht mehr aus; es tönte und donnerte, als solle die ganze Welt in ungeheuerem Hall und Schall[95] 　　 [95] *sound and fury*
zugrunde gehen.

‚Geht in das Haus, Frau!' sagte John; ‚kommt!' und er half ihnen auf
25 und leitete die beiden in das Haus und in die Stube.

— Der Deichgraf Hauke Haien jagte auf seinem Schimmel dem Deiche zu. Der schmale Weg war grundlos, denn die Tage vorher war unermeßlicher Regen gefallen; aber der nasse, saugende Klei schien gleichwohl die Hufen des Tieres nicht zu halten, es war, als hätte es festen Sommer-
30 boden unter sich. Wie eine wilde Jagd trieben die Wolken am Himmel; unten lag die weite Marsch wie eine unerkennbare, von unruhigen Schatten erfüllte Wüste; von dem Wasser hinter dem Deiche, immer ungeheurer, kam ein dumpfes Tosen, als müsse es alles andere verschlingen. ‚Vorwärts, Schimmel!' rief Hauke; ‚wir reiten unseren
35 schlimmsten Ritt!'

Da klang es wie ein Todesschrei unter den Hufen seines Rosses. Er riß den Zügel zurück; er sah sich um: ihm zur Seite dicht über dem Boden, halb fliegend, halb vom Sturme geschleudert, zog eine Schar von weißen Möwen, ein höhnisches Gegacker⁹⁶ ausstoßend; sie suchten Schutz im Lande. Eine von ihnen — der Mond schien flüchtig durch die Wolken — lag am Weg zertreten;⁹⁷ dem Reiter war's, als flattere ein rotes Band an ihrem Halse. ‚Claus!' rief er. ‚Armer Claus!'   5

War es der Vogel seines Kindes? Hatte er Roß und Reiter erkannt und sich bei ihnen bergen wollen? — Der Reiter wußte es nicht. ‚Vorwärts!' rief er wieder, und schon hob der Schimmel zu neuem Rennen seine Hufen; da setzte der Sturm plötzlich aus, eine Totenstille trat an seine Stelle; nur eine Sekunde lang, dann kam er mit erneuter Wut zurück; aber Menschen- 10 stimmen und verlorenes Hundegebell waren inzwischen an des Reiters Ohr geschlagen, und als er rückwärts nach seinem Dorf den Kopf wandte, erkannte er in dem Mondlicht, das hervorbrach, auf den Werften und vor den Häusern Menschen an hochbeladenen⁹⁸ Wagen umherhantierend;

er sah, wie im Fluge,⁹⁹ noch andere Wagen eilend nach der Geest hinauffah- 15 ren; Gebrüll von Rindern traf sein Ohr, die aus den warmen Ställen nach dort hinaufgetrieben wurden. ‚Gott Dank! sie sind dabei, sich und ihr Vieh zu retten!' rief es in ihm; und dann mit einem Angstschrei: ‚Mein Weib! Mein Kind! — Nein, nein; auf unsere Werfte steigt das Wasser nicht!'   20

Aber nur ein Augenblick war es; nur wie eine Vision flog alles an ihm vorbei.

Eine furchtbare Böe kam brüllend vom Meer herüber, und ihr entgegen stürmten Roß und Reiter den schmalen Akt zum Deich hinan. Als sie oben waren, stoppte Hauke mit Gewalt sein Pferd. Aber wo war das Meer? Wo 25 Jeverssand? Wo blieb das Ufer drüben? — Nur Berge von Wasser sah er vor sich, die dräuend gegen den nächtlichen Himmel stiegen, die in der furchtbaren Dämmerung sich übereinander zu türmen suchten und über- einander gegen das feste Land schlugen. Mit weißen Kronen kamen sie

daher, heulend, als sei in ihnen der Schrei alles furchtbaren Raubgetiers¹ der 30 Wildnis. Der Schimmel schlug mit den Vorderhufen und schnob mit seinen Nüstern in den Lärm hinaus; den Reiter aber wollte es überfallen,² als sei hier alle Menschenmacht zu Ende; als müsse jetzt die Nacht, der Tod, das Nichts hereinbrechen.

Doch er besann sich: es war ja Sturmflut; nur hatte er sie selbst noch 35 nimmer so gesehen; sein Weib, sein Kind, sie saßen sicher auf der hohen Werfte, in dem festen Hause; sein Deich aber — und wie ein Stolz flog es

ihm durch die Brust — der Hauke-Haien-Deich, wie ihn die Leute nannten, der mochte jetzt beweisen, wie man Deiche bauen müsse!

Aber — was war das? — Er hielt an dem Winkel zwischen beiden
Deichen; wo waren die Leute, die er hieher gestellt, die hier die Wacht zu
5 halten hatten? — Er blickte nach Norden den alten Deich hinauf, denn
auch dorthin hatte er einzelne beordert. Weder hier noch dort vermochte er
einen Menschen zu erblicken; er ritt ein Stück hinaus, aber er blieb allein;
nur das Wehen des Sturmes und das Brausen des Meeres bis aus uner-
messener Ferne schlug betäubend an sein Ohr. Er wandte das Pferd
10 zurück: er kam wieder zu der verlassenen Ecke und ließ seine Augen
längs der Linie des neuen Deiches gleiten; er erkannte deutlich: langsamer,
weniger gewaltig rollten hier die Wellen heran; fast schien's, als wäre dort
ein ander Wasser. ‚Der soll schon stehen!‘ murmelte er, und wie ein
Lachen stieg es in ihm herauf.

15 Aber das Lachen verging ihm, als seine Blicke weiter an der Linie seines
Deichs entlang glitten: an der Nordwestecke — was war das dort? Ein
dunkler Haufen wimmelte durcheinander; er sah, wie es sich emsig rührte
und drängte — kein Zweifel, es waren Menschen! Was wollten, was arbeiteten die jetzt an seinem Deich? — Und schon saßen seine Sporen dem
20 Schimmel in den Weichen, und das Tier flog mit ihm dahin; der Sturm
kam von der Breitseite; mitunter drängten die Böen so gewaltig, daß sie
fast vom Deiche in den neuen Koog hinabgeschleudert wären; aber Roß
und Reiter wußten, wo sie ritten. Schon gewahrte Hauke, daß wohl ein
paar Dutzend Menschen in eifriger Arbeit dort beisammen seien, und
25 schon sah er deutlich, daß eine Rinne quer durch den neuen Deich gegraben war. Gewaltsam stoppte er sein Pferd: ‚Halt!‘ schrie er; ‚halt! Was
treibt ihr hier für Teufelsunfug?‘

Sie hatten in Schreck die Spaten ruhen lassen, als sie auf einmal den
Deichgraf unter sich gewahrten; seine Worte hatte der Sturm ihnen
30 zugetragen, und er sah wohl, daß mehrere ihm zu antworten strebten;
aber er gewahrte nur ihre heftigen Gebärden, denn sie standen alle ihm
zur Linken, und was sie sprachen, nahm der Sturm hinweg, der hier
draußen jetzt die Menschen mitunter wie im Taumel[3] gegeneinander
warf, so daß sie sich dicht zusammenscharten.[4] Hauke maß mit seinen
35 raschen Augen die gegrabene Rinne und den Stand des Wassers, das,
trotz des neuen Profiles, fast an die Höhe des Deichs hinaufklatschte und
Roß und Reiter überspritzte. Nur noch zehn Minuten Arbeit — er sah es

[3] *reeling*
[4] *huddled together*

wohl — dann brach die Hochflut durch die Rinne, und der Hauke-Haien-Koog wurde vom Meer begraben!

Der Deichgraf winkte einem der Arbeiter an die andere Seite seines Pferdes. ‚Nun, so sprich!' schrie er, ‚was treibt ihr hier, was soll das heißen?'

Und der Mensch schrie dagegen: ‚Wir sollen den neuen Deich durch- 5
stechen, Herr, damit der alte Deich nicht bricht!'

‚Was sollt ihr?'

— ‚Den neuen Deich durchstechen!'

‚Und den Koog verschütten? — Welcher Teufel hat euch das befohlen?'

‚Nein, Herr, kein Teufel; der Gevollmächtigte Ole Peters ist hier 10
gewesen, der hat's befohlen!'

Der Zorn stieg dem Reiter in die Augen: ‚Kennt ihr mich?' schrie er.
‚Wo ich bin, hat Ole Peters nichts zu ordinieren!⁵ Fort mit euch! An euere
Plätze, wo ich euch hingestellt!'

Und da sie zögerten, sprengte er mit seinem Schimmel zwischen sie: 15
‚Fort, zu euerer oder des Teufels Großmutter!'

‚Herr, hütet Euch!' rief einer aus dem Haufen und stieß mit seinem
Spaten gegen das wie rasend sich gebärdende Tier; aber ein Hufschlag
schleuderte ihm den Spaten aus der Hand, ein anderer stürzte zu Boden.
Da plötzlich erhob sich ein Schrei aus dem übrigen Haufen, ein Schrei, 20
wie ihn nur die Todesangst einer Menschenkehle zu entreißen pflegt;
einen Augenblick war alles, auch der Deichgraf und der Schimmel, wie
gelähmt; nur ein Arbeiter hatte gleich einem Wegweiser seinen Arm
gestreckt; der wies nach der Nordwestecke der beiden Deiche, dort wo
der neue auf den alten stieß. Nur das Tosen des Sturmes und das Rauschen 25
des Wassers war zu hören. Hauke drehte sich im Sattel; was gab das dort?
Seine Augen wurden groß: ‚Herr Gott! Ein Bruch! Ein Bruch im alten
Deich!'

‚Euere Schuld, Deichgraf!' schrie eine Stimme aus dem Haufen:
‚Euere Schuld! Nehmt's mit vor Gottes Thron!' 30

Haukes zornrotes Antlitz war totenbleich geworden; der Mond, der es
beschien, konnte es nicht bleicher machen; seine Arme hingen schlaff, er
wußte kaum, daß er den Zügel hielt. Aber auch das war nur ein Augenblick;
schon richtete er sich auf, ein hartes Stöhnen brach aus seinem Munde;
dann wandte er stumm sein Pferd, und der Schimmel schnob und raste 35
ostwärts auf dem Deich mit ihm dahin. Des Reiters Augen flogen scharf
nach allen Seiten; in seinem Kopfe wühlten die Gedanken: Was hatte er
für Schuld vor Gottes Thron zu tragen? — Der Durchstich des neuen

⁵ *no orders to give*

Deichs — vielleicht, sie hätten's fertiggebracht, wenn er sein Halt nicht gerufen hätte; aber — es war noch eins, und es schoß ihm heiß zu Herzen, er wußte es nur zu gut — im vorigen Sommer, hätte damals Ole Peters' böses Maul ihn nicht zurückgehalten — da lag's![6] Er allein   [6] *that was it*

5 hatte die Schwäche des alten Deichs erkannt; er hätte trotz alledem das neue Werk betreiben müssen: ,Herr Gott, ja ich bekenn es', rief er plötzlich laut in den Sturm hinaus, ,ich habe meines Amtes schlecht gewartet!'

Zu seiner Linken, dicht an des Pferdes Hufen, tobte das Meer; vor ihm,
10 und jetzt in voller Finsternis, lag der alte Koog mit seinen Werften und heimatlichen Häusern; das bleiche Himmelslicht war völlig ausgetan; nur von einer Stelle brach ein Lichtschein durch das Dunkel. Und wie ein Trost kam es an des Mannes Herz; es mußte von seinem Haus herüberscheinen, es war ihm wie ein Gruß von Weib und Kind. Gottlob, die saßen
15 sicher auf der hohen Werfte! Die andern, gewiß, sie waren schon im Geestdorf droben; von dorther[7] schimmerte so viel Lichtschein, wie er   [7] *from over there* niemals noch gesehen hatte; ja selbst hoch oben aus der Luft, es mochte wohl vom Kirchturm sein, brach solcher in die Nacht hinaus. ,Sie werden alle fort sein, alle!' sprach Hauke bei sich selber; ,freilich auf mancher
20 Werfte wird ein Haus in Trümmern liegen, schlechte Jahre werden für die überschwemmten Fennen kommen, Siele und Schleusen zu reparieren sein! Wir müssen's tragen, und ich will helfen, auch denen, die mir Leids getan; nur, Herr, mein Gott, sei gnädig mit uns Menschen!'

Da warf er seine Augen seitwärts nach dem neuen Koog; um ihn
25 schäumte das Meer; aber in ihm lag es wie nächtlicher Friede. Ein unwillkürliches Jauchzen brach aus des Reiters Brust: ,Der Hauke-Haien-Deich, er soll schon halten; er wird es noch nach hundert Jahren tun!'

Ein donnerartiges[8] Rauschen zu seinen Füßen weckte ihn aus diesen   [8] *thundrous* Träumen; der Schimmel wollte nicht mehr vorwärts. Was war das? —
30 Das Pferd sprang zurück, und er fühlte es, ein Deichstück stürzte vor ihm in die Tiefe. Er riß die Augen auf und schüttelte alles Sinnen von sich: er hielt am alten Deich, der Schimmel hatte mit den Vorderhufen schon daraufgestanden. Unwillkürlich riß er das Pferd zurück; da flog der letzte Wolkenmantel[9] von dem Mond, und das milde Gestirn beleuchtete den   [9] *mantle of cloud*
35 Graus,[10] der schäumend, zischend vor ihm in die Tiefe stürzte, in den alten   [10] *horror* Koog hinab.

Wie sinnlos starrte Hauke darauf hin; eine Sündflut[11] war's, um Tier   [11] *deluge* und Menschen zu verschlingen. Da blinkte wieder ihm der Lichtschein in die Augen; es war derselbe, den er vorhin gewahrt hatte; noch immer brannte der auf seiner Werfte; und als er jetzt ermutigt in den Koog hinabsah, gewahrte er wohl, daß hinter dem sinnverwirrenden Strudel,[12] der tosend vor ihm hinabstürzte, nur noch eine Breite von etwa hundert Schritten überflutet war; dahinter konnte er deutlich den Weg erkennen, ₅ der vom Koog heranführte. Er sah noch mehr; ein Wagen, nein, eine zweirädrige[13] Karriole kam wie toll gegen den Deich herangefahren; ein Weib, ja auch ein Kind saßen darin. Und jetzt — war das nicht das kreischende Gebell eines kleinen Hundes, das im Sturm vorüberflog? Allmächtiger Gott! Sein Weib, sein Kind waren es; schon kamen sie dicht ₁₀ heran, und die schäumende Wassermasse drängte auf sie zu. Ein Schrei, ein Verzweiflungsschrei brach aus der Brust des Reiters: ‚Elke!' schrie er; ‚Elke! Zurück! Zurück!'

Aber Sturm und Meer waren nicht barmherzig, ihr Toben zerwehte[14] seine Worte; nur seinen Mantel hatte der Sturm erfaßt, es hätte ihn bald ₁₅ vom Pferd herabgerissen; und das Fuhrwerk flog ohne Aufenthalt der stürzenden Flut entgegen. Da sah er, daß das Weib wie gegen ihn hinauf die Arme streckte: Hatte sie ihn erkannt? Hatte die Sehnsucht, die Todesangst um ihn sie aus dem sicheren Haus getrieben? Und jetzt — rief sie ein letztes Wort ihm zu? — Die Fragen fuhren durch sein Hirn; sie ₂₀ blieben ohne Antwort: von ihr zu ihm, von ihm zu ihr waren die Worte all verloren; nur ein Brausen wie vom Weltenuntergang[15] füllte ihre Ohren und ließ keinen andern Laut hinein.

‚Mein Kind! O Elke, o getreue Elke!' schrie Hauke in den Sturm hinaus. Da sank aufs neue ein großes Stück des Deiches vor ihm in die Tiefe, und ₂₅ donnernd stürzte das Meer sich hinterdrein; noch einmal sah er drunten den Kopf des Pferdes, die Räder des Gefährtes[16] aus dem wüsten Greuel emportauchen und dann quirlend[17] darin untergehen. Die starren Augen des Reiters, der so einsam auf dem Deiche hielt, sahen weiter nichts. ‚Das Ende!' sprach er leise vor sich hin; dann ritt er an den Abgrund, wo unter ₃₀ ihm die Wasser, unheimlich rauschend, sein Heimatsdorf zu überfluten begannen; noch immer sah er das Licht von seinem Hause schimmern; es war ihm wie entseelt. Er richtete sich hoch auf und stieß dem Schimmel die Sporen in die Weichen; das Tier bäumte sich, es hätte sich fast überschlagen;[18] aber die Kraft des Mannes drückte es herunter. ‚Vorwärts!' ₃₅ rief er noch einmal, wie er es so oft zum festen Ritt gerufen hatte: ‚Herr Gott, nimm mich; verschon die andern!'

---

[12] *stupefying maelstrom*

[13] *two-wheeled*

[14] *blasted away*

[15] *end of the world*

[16] *carriage*

[17] *twisting*

[18] *fell over backward*

Noch ein Sporenstich;[19] ein Schrei des Schimmels, der Sturm und Wellenbrausen überschrie;[20] dann unten aus dem hinabstürzenden Strom ein dumpfer Schall, ein kurzer Kampf.

[19] dig of the spurs
[20] drowned out

Der Mond sah leuchtend aus der Höhe; aber unten auf dem Deiche
5 war kein Leben mehr, als nur die wilden Wasser, die bald den alten Koog fast völlig überflutet hatten. Noch immer aber ragte die Werfte von Hauke Haiens Hofstatt aus dem Schwall hervor, noch schimmerte von dort der Lichtschein, und von der Geest her, wo die Häuser allmählich dunkel wurden, warf noch die einsame Leuchte aus dem Kirchturm ihre zitternden
10 Lichtfunken über die schäumenden Wellen."

Der Erzähler schwieg; ich griff nach dem gefüllten Glase, das seit lange vor mir stand; aber ich führte es nicht zum Munde; meine Hand blieb auf dem Tische ruhen.

„Das ist die Geschichte von Hauke Haien", begann mein Wirt noch
15 einmal, „wie ich sie nach bestem Wissen nur berichten konnte. Freilich, die Wirtschafterin unseres Deichgrafen würde sie Ihnen anders erzählt haben; denn auch das weiß man zu berichten: jenes weiße Pferdsgerippe ist nach der Flut wiederum, wie vormals, im Mondschein auf Jevershallig zu sehen gewesen; das ganze Dorf will es gesehen haben. — Soviel ist sicher:
20 Hauke Haien mit Weib und Kind ging unter in dieser Flut; nicht einmal ihre Grabstätte hab ich droben auf dem Kirchhof[21] finden können; die toten Körper werden von dem abströmenden[22] Wasser durch den Bruch ins Meer hinausgetrieben und auf dessen Grunde allmählich in ihre Urbestandteile[23] aufgelöst sein — so haben sie Ruhe vor den Menschen
25 gehabt. Aber der Hauke-Haien-Deich steht noch jetzt nach hundert Jahren, und wenn Sie morgen nach der Stadt reiten und die halbe Stunde Umweg nicht scheuen wollen, so werden Sie ihn unter den Hufen Ihres Pferdes haben.

[21] cemetery
[22] receding
[23] original components

Der Dank, den einstmals Jewe Manners bei den Enkeln seinem Erbauer
30 versprochen hatte, ist, wie Sie gesehen haben, ausgeblieben; denn so ist es, Herr: dem Sokrates gaben sie ein Gift zu trinken,[24] und unsern Herrn Christus schlugen sie an das Kreuz! Das geht in den letzten Zeiten nicht mehr so leicht; aber — einen Gewaltsmenschen[25] oder einen bösen, stiernackigen Pfaffen zum Heiligen oder einen tüchtigen Kerl, nur weil er uns
35 um Kopfeslänge[26] überwachsen war, zum Spuk und Nachtgespenst[27] zu machen — das geht noch alle Tage."

[24] (Socrates and the hemlock)
[25] tyrant
[26] by a head
[27] ghost

Als das ernsthafte Männlein das gesagt hatte, stand es auf und horchte nach draußen. „Es ist dort etwas anders worden", sagte er und zog die Wolldecke[28] vom Fenster; es war heller Mondschein. „Seht nur", fuhr er fort, „dort kommen die Gevollmächtigten zurück; aber sie zerstreuen sich, sie gehen nach Hause — drüben am andern Ufer muß ein Bruch geschehen 5 sein; das Wasser ist gefallen."

Ich blickte neben ihm hinaus; die Fenster hier oben lagen über dem Rand des Deiches; es war, wie er gesagt hatte. Ich nahm mein Glas und trank den Rest: „Haben Sie Dank für diesen Abend!" sagte ich; „ich denk, wir können ruhig schlafen!" 10

„Das können wir", entgegnete der kleine Herr; „ich wünsche von Herzen eine wohlschlafende Nacht!"[29]

— Beim Hinabgehen traf ich unten auf dem Flur den Deichgrafen; er wollte noch eine Karte, die er in der Schenkstube[30] gelassen hatte, mit nach Hause nehmen. „Alles vorüber!" sagte er. „Aber unser Schulmeister 15 hat Ihnen wohl schön was weisgemacht; er gehört zu den Aufklärern!"[31]

— „Er scheint ein verständiger Mann!"

„Ja, ja, gewiß; aber Sie können Ihren eigenen Augen doch nicht mißtrauen; und drüben an der andern Seite, ich sagte es ja voraus, ist der Deich gebrochen!" 20

Ich zuckte die Achseln: „Das muß beschlafen[32] werden! Gute Nacht, Herr Deichgraf!"

Er lachte: „Gute Nacht!"

— Am andern Morgen, beim goldensten Sonnenlichte, das über einer weiten Verwüstung aufgegangen war, ritt ich über den Hauke-Haien- 25 Deich zur Stadt hinunter.

[28] *wool curtain*

[29] *a good night's sleep*

[30] *tavern room*

[31] *has doubtless told you quite a story; he's one of those Rationalists (who, in the then current Enlightenment tradition, praised reason and progress, while condemning superstition and irrationality)*

[32] *I'll have to sleep on that*

Plot and Character

Examination of the content of the *Schimmelreiter* almost inevitably centers on the search for a satisfactory interpretation of Hauke Haien's tragedy.

Is he the man apart, the thinker among the unreflecting? Is his fall the inevitable fate of the superior man dragged down by unrelenting ordinariness or destructive envy? Is he, like Hebbel's prototype of the tragic hero, the man ahead of his time, and destroyed by it?

Or is he, to a significant degree, the architect of his own downfall, driven by pride and ambition, failing adequately to inform and educate his fellow men, often misanthropic (*da faßte ihn ein Groll gegen diese Menschen*)?

Is it a sense of guilt, stemming from his failure to do what he knew was demanded of him, that drives him to plunge into the breaking dike? Or a recognition of the inevitability of the patterning of fate which the more superstitious see only in terms of animal sacrifice (the dog)? Or a desperate attempt to placate by the offering of his life whatever supernatural forces unleashed, and might yet bring back to submission, a malevolent nature? Or a simple and final "redressing of the balance," his wife and child being dead, and his life work apparently lost?

The remorseless sequence of one error leading to ever greater complications is as inevitable as in Aeschylus' *Agamemnon*. What was Hauke's miscalculation? What brought it about—and would, under ordinary circumstances, exculpate him? What sort of man lives under this sort of rule, that he may make no mistake?

If the *Novelle* is like drama, as Storm said, what, in analogy with classical drama, might be the hybris of Hauke Haien? Does he, like Oedipus, think that man's reason can conquer all things? Is he overbearing?

Schuld figures explicitly in his thinking: *Herr Gott, ja ich bekenn' es . . . ich habe meines Amtes schlecht gewartet.* Comment.

The measure of Hauke's suffering is great: his isolation, the suspicion and opposition of others, his wife's illness and his own, his child's feeble-mindedness, the danger to his dike. Is there any countervailing optimism in the story?

Who or what is the great antagonist? Other men? Death? Suffering? A man's own frailty? The sea as manifestation of remorseless nature?

The story covers the entire life of Hauke Haien. Does he change as he matures? What signs of the grown man are in the youth?

What do other people mean to him? His father, Elke, Jewe Manners, Wienke, Trin Jans, Ole Peters?

What is the weight and effect of the supernatural? On one plane it may be a part of the essential meaning of the story, and Hauke may be colored by it. On another it may be purely a combination of perceptual aberration and superstition, thus no part of Hauke but only of his environment. (There is evidence in the frame. Do not ignore it.)

Is Wienke's feeble-mindedness nemesis or merely chance?

The role of religious faith and God, in Hauke and in the *Novelle* in general, is hard to assess. Try to reach a just verdict.

Form and Style

Storm was one of the leading theoreticians of the *Novelle* and his characterization is famous:

> *Die heutige Novelle ist die Schwester des Dramas und die strengste Form der Prosadichtung. Gleich dem Drama behandelt sie die tiefsten Probleme des Menschenlebens; gleich diesem verlangt sie zu ihrer Vollendung einen im Mittelpunkt stehenden Konflikt, von welchem aus das Ganze sich organisiert, und demzufolge, die geschlossenste Form und die Ausscheidung alles Unwesentlichen.*

In what respects does the present story conform to this statement? In what ways does it differ? Considering the criteria advanced in the Introduction, ask yourself in what ways the *Schimmelreiter* is like other *Novellen*, in what ways it may lean toward the novel. (Interestingly, Storm objected to certain of the traditional marks of the genre, e.g. *das Ungewöhnliche, Wendepunkt.* Does the *Schimmelreiter* bear out Storm or the conventions of the genre?) Compare not only the other stories in this book but also other works of Storm that you know.

The frame, a device frequent in Storm, here reaches an extreme of levels and complexity. What is the effect intended or achieved?

How much of the narration is linear, i.e. without flashbacks? What are the time span and the gaps in time?

Is Hauke's great plan (like Faust's reclaiming of land from the sea) symbolical or merely characteristic and inevitable, given the locale?

Does the coincident development of the dike and Wienke seem like an intended and significant aspect of structure?

In a basically realistic narration, symbol is not excluded but tends to be rather suggested and selective than primary and dictated. The picture is further complicated by the traditional reliance of the *Novelle* on images, motifs, and symbols (including *Dingsymbole*). What stature as symbol do these have: the horse, the dog, the cat, Claus, Wienke, and Trin Jans? Are interludes such as the ice game symbolic (thus *Novelle*-like) or illustrative episodes (as in a novel)?

GERHART HAUPTMANN

Bahnwärter Thiel

I

¹ *(here and below; small town near Berlin)*

Allsonntäglich saß der Bahnwärter Thiel in der Kirche zu Neu-Zittau,¹ ausgenommen die Tage, an denen er Dienst hatte oder krank war und zu Bette lag. Im Verlaufe von zehn Jahren war er zweimal krank gewesen; das eine Mal infolge eines vom Tender einer Maschine während des Vor- beifahrens herabgefallenen Stückes Kohle, welches ihn getroffen und mit 5

² *ditch by the railroad track*

zerschmettertem Bein in den Bahngraben² geschleudert hatte; das andere Mal einer Weinflasche wegen, die aus dem vorüberrasenden Schnellzuge mitten auf seine Brust geflogen war. Außer diesen beiden Unglücksfällen hatte nichts vermocht, ihn, sobald er frei war, von der Kirche fern zu halten. 10

³ *(name of settlement; see text)*

⁴ *slender*

Die ersten fünf Jahre hatte er den Weg von Schön-Schornstein,³ einer Kolonie an der Spree, herüber nach Neu-Zittau allein machen müssen. Eines schönen Tages war er dann in Begleitung eines schmächtigen⁴ und kränklich aussehenden Frauenzimmers erschienen, die, wie die Leute meinten, zu seiner herkulischen Gestalt wenig gepaßt hatte. Und wiederum 15 eines schönen Sonntagnachmittags reichte er dieser selben Person am Altare der Kirche feierlich die Hand zum Bunde fürs Leben. Zwei Jahre nun saß das junge, zarte Weib ihm zur Seite in der Kirchenbank; zwei Jahre blickte ihr hohlwangiges, feines Gesicht neben seinem vom Wetter

⁵ *tanned*

gebräunten⁵ in das uralte Gesangbuch —; und plötzlich saß der Bahn- 20 wärter wieder allein wie zuvor.

Naturalism, of which Hauptmann was one of the earliest representatives, extended the stylistic directions of Realism into even more exact recording of speech as it is, and the domain of character types into the lower classes (generally not considered fit or interesting topics for literary works, at least serious ones). It tended to emphasize those forces which limited man or "determined" his behavior: heredity, environment, drives and urges. It tried, ostensibly, to reproduce a "slice of life." In *Thiel*, try to identify such tendencies.

The Naturalist's approach to reality and its literary rendering, thus interpreted, is not apt to generate a great deal of imagery or symbolism nor a tightly patterned narrative structure. A "slice of life" is not like that. *Thiel*, however, has a surprising number of these stylistic

An einem der vorangegangenen Wochentage hatte die Sterbeglocke geläutet; das war das Ganze.

An dem Wärter hatte man, wie die Leute versicherten, kaum eine Veränderung wahrgenommen. Die Knöpfe seiner sauberen Sonntagsuni-
5 form waren so blank geputzt wie je zuvor, seine roten Haare so wohl geölt[6] und militärisch gescheitelt wie immer, nur daß er den breiten, behaarten[7] Nacken ein wenig gesenkt trug und noch eifriger der Predigt lauschte oder sang, als er es früher getan hatte. Es war die allgemeine Ansicht, daß ihm der Tod seiner Frau nicht sehr nahe gegangen sei;[8] und
10 diese Ansicht erhielt eine Bekräftigung,[9] als sich Thiel nach Verlauf eines Jahres zum zweiten Male, und zwar mit einem dicken und starken Frauen-zimmer, einer Kuhmagd aus Alte-Grund,[10] verheiratete.

Auch der Pastor gestattete sich, als Thiel die Trauung anzumelden kam, einige Bedenken zu äußern:

15 „Ihr wollt also schon wieder heiraten?"

„Mit der Toten kann ich nicht wirtschaften, Herr Prediger!"

„Nun ja wohl — aber ich meine — Ihr eilt ein wenig."

„Der Junge geht mir drauf,[11] Herr Prediger."

Thiels Frau war im Wochenbett gestorben, und der Junge, welchen sie
20 zur Welt gebracht, lebte und hatte den Namen Tobias erhalten.

„Ach so, der Junge", sagte der Geistliche und machte eine Bewegung, die deutlich zeigte, daß er sich des Kleinen erst jetzt erinnere. „Das ist etwas anderes — wo habt Ihr ihn denn untergebracht, während Ihr im Dienst seid?"

25 Thiel erzählte nun, wie er Tobias einer alten Frau übergeben, die ihn einmal beinahe habe verbrennen lassen, während er ein anderes Mal von ihrem Schoß auf die Erde gekugelt sei, ohne glücklicherweise mehr als eine große Beule[12] davonzutragen. Das könnte nicht so weitergehen, meinte er, zudem der Junge, schwächlich wie er sei, eine ganz besondere Pflege
30 benötige.[13] Deswegen und ferner, weil er der Verstorbenen in die Hand gelobt, für die Wohlfahrt[14] des Jungen zu jeder Zeit ausgiebig[15] Sorge zu tragen, habe er sich zu dem Schritt entschlossen. —

Gegen das neue Paar, welches nun allsonntäglich zur Kirche kam, hatten die Leute äußerlich durchaus nichts einzuwenden. Die frühere Kuhmagd
35 schien für den Wärter wie geschaffen. Sie war kaum einen halben Kopf kleiner als er und übertraf ihn an Gliederfülle.[16] Auch war ihr Gesicht ganz so grob geschnitten wie das seine, nur daß ihm im Gegensatz zu dem des Wärters die Seele abging.[17]

[6] slicked down

[7] hairy

[8] had not affected him very deeply
[9] confirmation

[10] (place name)

[11] it's too hard on the boy

[12] bump

[13] required
[14] welfare
[15] full(y)

[16] fullness of build

[17] it was . . . devoid of soul

---

devices, as more recent critics like Benno von Wiese have pointed out. Be sure to note them and characterize their relationship to the more typically Naturalistic aspects.

Consider Thiel as to occupation, and position in society.

All that Hauptmann tells of Thiel's previous life is in effect on one page. Why?

Characterize the "events" of his life and Thiel's role in them.

How is the second wife different from the first? Which is more typical of Thiel? (of Naturalism?)

Devices of anticipation cannot be firmly identified except in retrospect, but they are surprisingly numerous. Even the colors become motifs. What happens to Tobias is also a foreshadowing.

Tobias is *schwächlich*. Of what is this a reminder?

[18] *exemplary*

Wenn Thiel den Wunsch gehegt hatte, in seiner zweiten Frau eine unverwüstliche Arbeiterin, eine musterhafte[18] Wirtschafterin zu haben, so war dieser Wunsch in überraschender Weise in Erfüllung gegangen. Drei Dinge jedoch hatte er, ohne es zu wissen, mit seiner Frau in Kauf genommen:[19] eine harte, herrschsüchtige Gemütsart,[20] Zanksucht[21] und brutale [5] Leidenschaftlichkeit. Nach Verlauf eines halben Jahres war es ortsbekannt,[22] wer in dem Häuschen des Wärters das Regiment führte.[23] Man bedauerte den Wärter.

[19] *got in the bargain, along with his wife*
[20] *domineering disposition*
[21] *quarrelsomeness*
[22] *known all over town*
[23] *ran things*
[24] *indignant*
[25] *have a really rough time of it*
[26] *could be tamed, surely*

Es sei ein Glück für „das Mensch", daß sie so ein gutes Schaf wie den Thiel zum Manne bekommen habe, äußerten die aufgebrachten[24] Ehemänner; es gäbe welche, bei denen sie greulich anlaufen[25] würde. So ein [10] „Tier" müsse doch kirre zu machen sein,[26] meinten sie, und wenn es nicht anders ginge, denn mit Schlägen. Durchgewalkt müsse sie werden, aber dann gleich so, daß es zöge.

[27] *got excited over*

[28] *cause him no headaches*

[29] *tempo*

[30] *nagging*

[31] *seemed unable to affect him much*

Sie durchzuwalken aber war Thiel trotz seiner sehnigen Arme nicht der Mann. Das, worüber sich die Leute ereiferten,[27] schien ihm wenig Kopfzer- [15] brechen zu machen.[28] Die endlosen Predigten seiner Frau ließ er gewöhnlich wortlos über sich ergehen, und wenn er einmal antwortete, so stand das schleppende Zeitmaß[29] sowie der leise, kühle Ton seiner Rede in seltsamstem Gegensatz zu dem kreischenden Gekeif[30] seiner Frau. Die Außen- [20] welt schien ihm wenig anhaben zu können:[31] es war, als trüge er etwas in sich, wodurch er alles Böse, was sie ihm antat, reichlich mit Gutem aufgewogen erhielt.[32]

[32] *kept all the evil the world did him more than amply balanced by his own goodness*
[33] *in connection with*
[34] *childlike, kindly*
[35] *touch*
[36] *intractable*

Trotz seines unverwüstlichen Phlegmas hatte er doch Augenblicke, in denen er nicht mit sich spaßen ließ. Es war dies immer anläßlich[33] solcher [25] Dinge, die Tobiaschen betrafen. Sein kindgutes,[34] nachgiebiges Wesen gewann dann einen Anstrich[35] von Festigkeit, dem selbst ein so unzähmbares[36] Gemüt wie das Lenes nicht entgegenzutreten wagte.

[37] *revealed*

[38] *domineering*

[39] *with which he had countered*

Die Augenblicke indes, darin er diese Seite seines Wesens herauskehrte,[37] wurden mit der Zeit immer seltener und verloren sich zuletzt [30] ganz. Ein gewisser leidender Widerstand, den er der Herrschsucht[38] Lenens während des ersten Jahres entgegengesetzt,[39] verlor sich ebenfalls im zweiten. Er ging nicht mehr mit der früheren Gleichgültigkeit zum Dienst, nachdem er einen Auftritt mit ihr gehabt, wenn er sie nicht vorher besänftigt[40] hatte. Er ließ sich am Ende nicht selten herab,[41] sie zu bitten, [35] doch wieder gut zu sein. — Nicht wie sonst mehr war ihm sein einsamer Posten inmitten des märkischen Kiefernforstes sein liebster Aufenthalt.

[40] *appeased*
[41] *lowered himself to the point of*

The paragraph *Wenn Thiel . . .* is a classic instance of "author intrusion." Would you expect much of this in Naturalism? Why? (Examine carefully.)

What characteristics of Naturalistic style in dialogue are already apparent?

The previous paragraphs have evoked the concept of "soul," as wholly missing in Lene. Is there indication of any such quality in Thiel?

The relationship of Thiel to Lene is succinctly stated by Hauptmann, and explicitly compared to that with his first wife. What danger is inherent in his treatment of her memory, of Lene, of the *Bude*? (There is a medical term that should occur to you.)

Die stillen, hingebenden Gedanken an sein verstorbenes Weib wurden von denen an die Lebende durchkreuzt. Nicht widerwillig, wie die erste Zeit, trat er den Heimweg an, sondern mit leidenschaftlicher Hast, nachdem er vorher oft Stunden und Minuten bis zur Zeit der Ablösung gezählt hatte.

5 Er, der mit seinem ersten Weibe durch eine mehr vergeistigte[42] Liebe verbunden gewesen war, geriet durch die Macht roher Triebe in die Gewalt seiner zweiten Frau und wurde zuletzt in allem fast unbedingt von ihr abhängig. — Zu Zeiten empfand er Gewissensbisse über diesen Umschwung[43] der Dinge, und er bedurfte einer Anzahl außergewöhnlicher
10 Hilfsmittel, um sich darüber hinwegzuhelfen.[44] So erklärte er sein Wärterhäuschen und die Bahnstrecke,[45] die er zu besorgen hatte, insgeheim gleichsam für geheiligtes Land, welches ausschließlich den Manen[46] der Toten gewidmet[47] sein sollte. Mit Hilfe von allerhand Vorwänden war es ihm in der Tat bisher gelungen, seine Frau davon abzuhalten, ihn dahin
15 zu begleiten.

Er hoffte, es auch fernerhin[48] tun zu können. Sie hätte nicht gewußt, welche Richtung sie einschlagen sollte, um seine „Bude", deren Nummer sie nicht einmal kannte, aufzufinden.

Dadurch, daß er die ihm zu Gebote stehende Zeit somit gewissenhaft
20 zwischen die Lebende und die Tote zu teilen vermochte, beruhigte Thiel sein Gewissen in der Tat.

Oft freilich und besonders in Augenblicken einsamer Andacht, wenn er recht innig mit der Verstorbenen verbunden gewesen war, sah er seinen jetzigen Zustand im Lichte der Wahrheit und empfand davor Ekel.

25 Hatte er Tagdienst, so beschränkte sich sein geistiger Verkehr mit der Verstorbenen auf eine Menge lieber Erinnerungen aus der Zeit seines Zusammenlebens mit ihr. Im Dunkel jedoch, wenn der Schneesturm durch die Kiefern und über die Strecke raste, in tiefer Mitternacht beim Scheine seiner Laterne, da wurde das Wärterhäuschen zur Kapelle.

30 Eine verblichene Photographie der Verstorbenen vor sich auf dem Tisch, Gesangbuch und Bibel aufgeschlagen, las und sang er abwechselnd die lange Nacht hindurch, nur von den in Zwischenräumen vorbeitobenden Bahnzügen unterbrochen, und geriet hierbei in eine Ekstase, die sich zu Gesichten steigerte, in denen er die Tote leibhaftig[49] vor sich sah.

35 Der Posten, den der Wärter nun schon zehn volle Jahre ununterbrochen innehatte,[50] war aber in seiner Abgelegenheit dazu angetan, seine mystischen Neigungen zu fördern.

---

[42] *spiritual*

[43] *reversal*
[44] *get himself over this obstacle*
[45] *section of track*
[46] *protecting spirits*
[47] *dedicated*

[48] *in future*

[49] *physically*

[50] *occupied*

Is it significant that Lene's name was not mentioned for over a page after her introduction, and that we don't know his first wife's name yet?

If Thiel feels *Ekel* at his present state and makes the *Bude* into a shrine, what is it that binds him to Lene?

Comment on the conjunction of hymn singing and passing trains.

Nach allen vier Windrichtungen[51] mindestens durch einen dreiviertelstündigen Weg von jeder menschlichen Wohnung entfernt, lag die Bude inmitten des Forstes dicht neben einem Bahnübergang, dessen Barrieren der Wärter zu bedienen hatte.

Im Sommer vergingen Tage, im Winter Wochen, ohne daß ein menschlicher Fuß, außer denen des Wärters und seines Kollegen, die Strecke passierte. Das Wetter und der Wechsel der Jahreszeiten brachten in ihrer periodischen Wiederkehr fast die einzige Abwechslung in diese Einöde. Die Ereignisse, welche im übrigen den regelmäßigen Ablauf der Dienstzeit Thiels außer den beiden Unglücksfällen unterbrochen hatten, waren unschwer zu überblicken.[52] Vor vier Jahren war der kaiserliche Extrazug,[53] der den Kaiser nach Breslau[54] gebracht hatte, vorübergejagt. In einer Winternacht hatte der Schnellzug einen Rehbock[55] überfahren. An einem heißen Sommertage hatte Thiel bei seiner Streckenrevision[56] eine verkorkte[57] Weinflasche gefunden, die sich glühendheiß anfaßte[58] und deren Inhalt deshalb von ihm für sehr gut gehalten wurde, weil er nach Entfernung des Korkes einer Fontäne gleich herausquoll, also augenscheinlich[59] gegoren war. Diese Flasche, von Thiel in den seichten Rand eines Waldsees gelegt, um abzukühlen, war von dort auf irgendwelche Weise abhanden gekommen,[60] so daß er noch nach Jahren ihren Verlust bedauern mußte.

Einige Zerstreuung vermittelte dem Wärter ein Brunnen dicht hinter seinem Häuschen. Von Zeit zu Zeit nahmen in der Nähe beschäftigte Bahn- oder Telegraphenarbeiter einen Trunk daraus, wobei natürlich ein kurzes Gespräch mit unterlief.[61] Auch der Förster kam zuweilen, um seinen Durst zu löschen.

Tobias entwickelte sich nur langsam: erst gegen Ablauf seines zweiten Lebensjahres[62] lernte er notdürftig sprechen und gehen. Dem Vater bewies er eine ganz besondere Zuneigung. Wie er verständiger wurde, erwachte auch die alte Liebe des Vaters wieder. In dem Maße, wie diese zunahm, verringerte sich die Liebe der Stiefmutter zu Tobias und schlug sogar in unverkennbare Abneigung um, als Lene nach Verlauf eines neuen Jahres ebenfalls einen Jungen gebar.

Von da ab begann für Tobias eine schlimme Zeit. Er wurde besonders in Abwesenheit des Vaters unaufhörlich geplagt und mußte ohne die geringste Belohnung dafür seine schwachen Kräfte im Dienste des kleinen Schreihalses[63] einsetzen, wobei er sich mehr und mehr aufrieb. Sein Kopf

[52] *not hard to enumerate*
[53] *special express*
[54] *(large city in Silesia, now Polish)*
[55] *deer (roebuck)*
[56] *track inspection*
[57] *with the cork in*
[58] *was burning hot to the touch*

[59] *obviously*

[60] *had got lost*

[61] *slipped in occasionally*

[62] *year*

[63] *bawler*

Again the "events" of his life; what point is being made?
Why is Tobias' fate all too explicable?
What do the two babies mean to Thiel and Lene?
What characteristics of Tobias and the new baby are salient?

bekam einen ungewöhnlichen Umfang; die brandroten Haare und das kreidige Gesicht darunter machten einen unschönen und im Verein mit[64] der übrigen kläglichen Gestalt erbarmungswürdigen[65] Eindruck. Wenn sich der zurückgebliebene Tobias solchergestalt, das kleine, von Gesund-
5 heit strotzende[66] Brüderchen auf dem Arme, hinunter zur Spree schleppte, so wurden hinter den Fenstern der Hütten Verwünschungen laut, die sich jedoch niemals hervorwagten.[67] Thiel aber, welchen die Sache doch vor allem anging, schien keine Augen für sie zu haben und wollte auch die Winke nicht verstehen, welche ihm von wohlmeinenden Nachbarsleuten
10 gegeben wurden.

II

An einem Junimorgen gegen sieben Uhr kam Thiel aus dem Dienst. Seine Frau hatte nicht so bald ihre Begrüßung beendet, als sie schon in gewohnter Weise zu lamentieren begann. Der Pachtacker,[68] welcher bisher den Kartoffelbedarf[69] der Familie gedeckt hatte, war vor Wochen gekündigt
15 worden, ohne daß es Lenen bisher gelungen war, einen Ersatz[70] dafür ausfindig zu machen.[71] Wenngleich nun die Sorge um den Acker zu ihren Obliegenheiten[72] gehörte, so mußte doch Thiel einmal übers andere hören, daß niemand als er daran schuld sei, wenn man in diesem Jahre zehn Sack Kartoffeln für schweres Geld kaufen müsse. Thiel brummte nur und
20 begab sich, Lenens Reden wenig Beachtung schenkend, sogleich an das Bett seines Ältesten, welches er in den Nächten, wo er nicht im Dienst war, mit ihm teilte. Hier ließ er sich nieder und beobachtete mit einem sorg- lichen Ausdruck seines guten Gesichts das schlafende Kind, welches er, nachdem er die zudringlichen Fliegen eine Weile von ihm abgehalten,
25 schließlich weckte. In den blauen, tiefliegenden Augen des Erwachenden malte sich eine rührende Freude. Er griff hastig nach der Hand des Vaters, indes sich seine Mundwinkel zu einem kläglichen Lächeln verzogen. Der Wärter half ihm sogleich beim Anziehen der wenigen Kleidungsstücke, wobei plötzlich etwas wie ein Schatten durch seine Mienen lief, als er
30 bemerkte, daß sich auf der rechten ein wenig angeschwollenen Backe einige Fingerspuren weiß in rot abzeichneten.
Als Lene beim Frühstück mit vergrößertem Eifer auf vorberegte Wirt- schaftsangelegenheit[73] zurückkam, schnitt er ihr das Wort ab[74] mit der

[64] *in conjunction with*
[65] *pitiable*
[66] *bursting*
[67] *which never came out in the open*
[68] *leased field*
[69] *need for a potato supply*
[70] *substitute*
[71] *locate*
[72] *duties*
[73] *aforementioned house- hold question*
[74] *interrupted*

Are we to assume that Thiel knows what is going on?
Why the description of Thiel at the bedside of his child, and why the attributive *gut*? Who is saying this?
How, in a work of Naturalism, is pathos evoked?

Nachricht, daß ihm der Bahnmeister ein Stück Land längs des Bahndammes in unmittelbarer Nähe umsonst überlassen habe, angeblich[75] weil es ihm, dem Bahnmeister, zu abgelegen sei.

Lene wollte das anfänglich nicht glauben. Nach und nach wichen jedoch ihre Zweifel, und nun geriet sie in merklich[76] gute Laune. Ihre Fragen nach Größe und Güte des Ackers sowie andre mehr verschlangen sich förmlich,[77] und als sie erfuhr, daß bei alledem noch zwei Zwergobstbäume darauf stünden, wurde sie rein närrisch. Als nichts mehr zu erfragen[78] übrig blieb, zudem die Türglocke des Krämers, die man, beiläufig gesagt, in jedem einzelnen Hause des Ortes vernehmen konnte, unaufhörlich anschlug, schoß sie davon, um die Neuigkeit im Örtchen auszusprengen.[79]

Während Lene in die dunkle, mit Waren überfüllte Kammer des Krämers kam, beschäftigte sich der Wärter daheim ausschließlich mit Tobias. Der Junge saß auf seinen Knien und spielte mit einigen Kiefernzapfen,[80] die Thiel aus dem Walde mitgebracht hatte.

„Was willst du werden?" fragte ihn der Vater, und diese Frage war stereotyp wie die Antwort des Jungen: „Ein Bahnmeister." Es war keine Scherzfrage, denn die Träume des Wärters verstiegen sich[81] in der Tat in solche Höhen, und er hegte allen Ernstes den Wunsch und die Hoffnung, daß aus Tobias mit Gottes Hilfe etwas Außergewöhnliches werden sollte. Sobald die Antwort „ein Bahnmeister" von den blutlosen Lippen des Kleinen kam, der natürlich nicht wußte, was sie bedeuten sollte, begann Thiels Gesicht sich aufzuhellen,[82] bis es förmlich strahlte von innerer Glückseligkeit.

„Geh, Tobias, geh spielen!" sagte er kurz darauf, indem er eine Pfeife Tabak mit einem im Herdfeuer entzündeten Span in Brand steckte, und der Kleine drückte sich alsbald in scheuer Freude zur Tür hinaus. Thiel entkleidete sich, ging zu Bett und entschlief, nachdem er geraume Zeit gedankenvoll die niedrige und rissige Stubendecke[83] angestarrt hatte. Gegen zwölf Uhr mittags erwachte er, kleidete sich an und ging, während seine Frau in ihrer lärmenden Weise das Mittagbrot bereitete, hinaus auf die Straße, wo er Tobiaschen sogleich aufgriff, der mit den Fingern Kalk[84] aus einem Loche in der Wand kratzte und in den Mund steckte. Der Wärter nahm ihn bei der Hand und ging mit ihm an den etwa acht Häuschen des Ortes vorüber bis hinunter zur Spree, die schwarz und glasig zwischen schwach belaubten[85] Pappeln lag. Dicht am Rande des Wassers befand sich ein Granitblock, auf welchen Thiel sich niederließ.

Sidenotes:

[75] ostensibly
[76] noticeably
[77] her questions literally came one on the heels of the other
[78] ask about
[79] spread
[80] pine cones
[81] did climb
[82] brighten
[83] cracked ceiling
[84] plaster lime
[85] thinly leaved

What is the effect of implying that the goal of *Bahnmeister* is impossibly high?
Why Thiel's interest in children?
Characterize and indicate the significance of Thiel's preparations for going to work. In actuality,

Der ganze Ort hatte sich gewöhnt, ihn bei nur irgend erträglichem[86] Wetter an dieser Stelle zu erblicken. Die Kinder besonders hingen an ihm, nannten ihn „Vater Thiel" und wurden von ihm besonders in mancherlei Spielen unterrichtet, deren er sich aus seiner Jugendzeit erinnerte. Das
5 Beste jedoch von dem Inhalt seiner Erinnerungen war für Tobias. Er schnitzelte ihm Fitschepfeile,[87] die höher flogen wie die aller anderen Jungen. Er schnitt ihm Weidenpfeifchen[88] und ließ sich sogar herbei,[89] mit seinem verrosteten[90] Baß das Beschwörungslied[91] zu singen, während er mit dem Horngriff seines Taschenmessers die Rinde leise klopfte.
10 Die Leute verübelten ihm[92] seine Läppschereien;[93] es war ihnen unerfindlich,[94] wie er sich mit den Rotznasen[95] so viel abgeben konnte. Im Grunde durften sie jedoch damit zufrieden sein, denn die Kinder waren unter seiner Obhut gut aufgehoben.[96] Überdies nahm Thiel auch ernste Dinge mit ihnen vor, hörte den Großen ihre Schulaufgaben ab,[97] half ihnen
15 beim Lernen der Bibel- und Gesangbuchverse und buchstabierte[98] mit den Kleinen a-b-ab, d-u-du und so fort.

Nach dem Essen legte sich der Wärter abermals zu kurzer Ruhe nieder. Nachdem sie beendigt war, trank er den Nachmittagskaffee und begann gleich darauf, sich für den Gang in den Dienst vorzubereiten. Er brauchte
20 dazu, wie zu allen seinen Verrichtungen,[99] viel Zeit; jeder Handgriff[1] war seit Jahren geregelt;[2] in stets gleicher Reihenfolge wanderten die sorgsam auf der kleinen Nußbaumkommode[3] ausgebreiteten Gegenstände: Messer, Notizbuch,[4] Kamm, ein Pferdezahn, die alte eingekapselte[5] Uhr, in die Taschen seiner Kleider. Ein kleines, in rotes Papier eingeschlagenes
25 Büchelchen[6] wurde mit besonderer Sorgfalt behandelt. Es lag während der Nacht unter dem Kopfkissen des Wärters und wurde am Tage von ihm stets in der Brusttasche des Dienstrockes herumgetragen. Auf der Etikette[7] unter dem Umschlag stand in unbeholfenen, aber verschnörkelten Schriftzügen,[8] von Thiels Hand geschrieben: Sparkassenbuch[9] des Tobias
30 Thiel.

Die Wanduhr mit dem langen Pendel[10] und dem gelbsüchtigen Zifferblatt[11] zeigte dreiviertel fünf, als Thiel fortging. Ein kleiner Kahn, sein Eigentum, brachte ihn über den Fluß. Am jenseitigen Spreeufer blieb er einige Male stehen und lauschte nach dem Ort zurück. Endlich bog er in
35 einen breiten Waldweg und befand sich nach wenigen Minuten inmitten des tiefaufrauschenden[12] Kiefernforstes, dessen Nadelmassen einem schwarzgrünen, wellenwerfenden[13] Meere glichen. Unhörbar wie auf Filz

[86] *remotely tolerable weather*
[87] *whittled little darts*
[88] *willow whistles*
[89] *deigned*
[90] *creaky*
[91] *magic incantation*
[92] *criticized him for*
[93] *foolish ways*
[94] *inexplicable*
[95] *little brats*
[96] *safe and well cared for*
[97] *helped . . . with their schoolwork (by listening to them recite)*
[98] *spelled out words*
[99] *activities*
[1] *motion*
[2] *established and regulated*
[3] *walnut dresser*
[4] *notebook*
[5] *in a case*
[6] *little book*
[7] *label*
[8] *ornate letters*
[9] *savings book*
[10] *pendulum*
[11] *jaundiced face*
[12] *deep rustling*
[13] *undulating*

---

we know as much about him now as we ever will. Further developments are an extension of known characteristics. What is he like? What is the special meaning of the bank book?

¹⁴ *layer of moss and needles*

¹⁵ *densely intertwined*

¹⁶ *new growth*
¹⁷ *preserved*
¹⁸ *laden*

¹⁹ *puddles*

²⁰ *sandwich*

²¹ *oar strokes*
²² *rowed across*
²³ *sweating*
²⁴ *ascending*
²⁵ *tarred board fence of a tenant farmer's dooryard*
²⁶ *hooded crow*
²⁷ *ear-splitting caw*

schritt er über die feuchte Moos- und Nadelschicht[14] des Waldbodens. Er fand seinen Weg, ohne aufzublicken, hier durch die rostbraunen Säulen des Hochwaldes, dort weiterhin durch dichtverschlungenes[15] Jungholz, noch weiter über ausgedehnte Schonungen, die von einzelnen hohen und schlanken Kiefern überschattet wurden, welche man zum Schutze für den Nachwuchs[16] aufbehalten[17] hatte. Ein bläulicher, durchsichtiger, mit allerhand Düften geschwängerter[18] Dunst stieg aus der Erde auf und ließ die Formen der Bäume verwaschen erscheinen. Ein schwerer, milchiger Himmel hing tief herab über die Baumwipfel. Krähenschwärme badeten gleichsam im Grau der Luft, unaufhörlich ihre knarrenden Rufe ausstoßend. Schwarze Wasserlachen[19] füllten die Vertiefungen des Weges und spiegelten die trübe Natur noch trüber wider.

Ein furchtbares Wetter, dachte Thiel, als er aus tiefem Nachdenken erwachte und aufschaute.

Plötzlich jedoch bekamen seine Gedanken eine andere Richtung. Er fühlte dunkel, daß er etwas daheim vergessen haben müsse, und wirklich vermißte er beim Durchsuchen seiner Taschen das Butterbrot,[20] welches er der langen Dienstzeit halber stets mitzunehmen genötigt war. Unschlüssig blieb er eine Weile stehen, wandte sich dann aber plötzlich und eilte in der Richtung des Dorfes zurück.

In kurzer Zeit hatte er die Spree erreicht, setzte mit wenigen kräftigen Ruderschlägen[21] über[22] und stieg gleich darauf, am ganzen Körper schwitzend,[23] die sanft ansteigende[24] Dorfstraße hinauf. Der alte, schäbige Pudel des Krämers lag mitten auf der Straße. Auf dem geteerten Plankenzaune eines Kossätenhofes[25] saß eine Nebelkrähe.[26] Sie spreizte die Federn, schüttelte sich, nickte, stieß ein ohrenzerreißendes Krä-Krä[27] aus und erhob sich mit pfeifendem Flügelschlag, um sich vom Winde in der Richtung des Forstes davontreiben zu lassen.

Von den Bewohnern der kleinen Kolonie, etwa zwanzig Fischern und Waldarbeitern mit ihren Familien, war nichts zu sehen.

Der Ton einer kreischenden Stimme unterbrach die Stille so laut und schrill, daß der Wärter unwillkürlich mit Laufen innehielt. Ein Schwall heftig herausgestoßener, mißtönender Laute schlug an sein Ohr, die aus dem offenen Giebelfenster eines niedrigen Häuschens zu kommen schienen, welches er nur zu wohl kannte.

Das Geräusch seiner Schritte nach Möglichkeit dämpfend, schlich er sich näher und unterschied nun ganz deutlich die Stimme seiner Frau.

Thiel's trip back for the missing sandwich can lead to only one discovery. Try to anticipate it—and show why it is foreseeable.

Nur noch wenige Bewegungen, und die meisten ihrer Worte wurden ihm verständlich.

„Was, du unbarmherziger, herzloser Schuft! Soll sich das elende Wurm die Plautze ausschreien[28] vor Hunger? — wie? Na, wart nur, wart, ich will
5 dich lehren aufpassen! — Du sollst dran denken." Einige Augenblicke blieb es still; dann hörte man ein Geräusch, wie wenn Kleidungsstücke ausgeklopft würden; unmittelbar darauf entlud sich ein neues Hagelwetter[29] von Schimpfworten.

„Du erbärmlicher Grünschnabel",[30] scholl es im schnellsten Tempo
10 herunter, „meinst du, ich sollte mein leibliches Kind wegen solch einem Jammerlappen,[31] wie du bist, verhungern lassen? Halt's Maul!" schrie es, als ein leises Wimmern hörbar wurde, „oder du sollst eine Portion kriegen, an der du acht Tage zu fressen hast."[32]

Das Wimmern verstummte nicht.

15 Der Wärter fühlte, wie sein Herz in schweren, unregelmäßigen Schlägen ging. Er begann leise zu zittern. Seine Blicke hingen wie abwesend am Boden fest, und die plumpe und harte Hand strich mehrmals ein Büschel nasser Haare zur Seite, das immer von neuem in die sommersprossige Stirn hineinfiel.

20 Einen Augenblick drohte es ihn zu überwältigen. Es war ein Krampf, der die Muskeln schwellen machte und die Finger der Hand zur Faust zusammenzog. Er ließ nach, und dumpfe Mattigkeit blieb zurück.

Unsicheren Schrittes trat der Wärter in den engen, ziegelgepflasterten[33] Hausflur. Müde und langsam erklomm er die knarrende Holzstiege.

25 „Pfui, pfui, pfui!" hob es wieder an; dabei hörte man, wie jemand dreimal hintereinander mit allen Zeichen der Wut und Verachtung ausspie.[34] „Du erbärmlicher, niederträchtiger,[35] hinterlistiger,[36] hämischer, feiger, gemeiner Lümmel!" Die Worte folgten einander in steigender Betonung, und die Stimme, welche sie herausstieß,[37] schnappte zuweilen
30 über[38] vor Anstrengung. „Meinen Buben willst du schlagen, was? Du elende Göre[39] unterstehst dich, das arme, hilflose Kind aufs Maul zu schlagen? — wie? — he, wie? — Ich will mich nur nicht dreckig machen[40] an dir, sonst — . . ."

In diesem Augenblick öffnete Thiel die Tür des Wohnzimmers, weshalb
35 der erschrockenen Frau das Ende des begonnenen Satzes in der Kehle steckenblieb. Sie war kreidebleich[41] vor Zorn; ihre Lippen zuckten bösartig: sie hatte die Rechte erhoben, senkte sie und griff nach dem Milchtopf,

[28] *yell his lungs out*

[29] *hailstorm*

[30] *little squirt*

[31] *cry-baby*

[32] *you'll get something you can chew over for a week*

[33] *tiled*

[34] *spit*
[35] *rotten*
[36] *sneaky*
[37] *uttered*
[38] *broke*
[39] *brat*
[40] *dirty my hands*

[41] *white as chalk*

Note carefully Thiel's reaction to what he hears. Why *wie abwesend*, the *Faust* but then the *Mattigkeit*? It is important to take this into account, because Thiel's failure to act is already sealed, even before the overwhelming power of his wife is overtly manifested.

⁴² *baby bottle*

⁴³ *out of control*

⁴⁴ *sound off at*

⁴⁵ *lustful*

⁴⁶ *inescapable*

⁴⁷ *frightened*

⁴⁸ *seat by the stove*

⁴⁹ *scheduled*

⁵⁰ *assistant guard*

⁵¹ *consumptive*

aus dem sie ein Kinderfläschchen⁴² vollzufüllen versuchte. Sie ließ jedoch diese Arbeit, da der größte Teil der Milch über den Flaschenhals auf den Tisch rann, halb verrichtet, griff vollkommen fassungslos⁴³ vor Erregung bald nach diesem, bald nach jenem Gegenstand, ohne ihn länger als einige Augenblicke festhalten zu können, und ermannte sich endlich so weit, 5 ihren Mann heftig anzulassen:⁴⁴ was es denn heißen solle, daß er um diese ungewöhnliche Zeit nach Hause käme, er würde sie doch nicht etwa gar belauschen wollen; „das wäre noch das letzte", meinte sie, und gleich darauf: sie habe ein reines Gewissen und brauche vor niemand die Augen niederzuschlagen. 10

Thiel hörte kaum, was sie sagte. Seine Blicke streiften flüchtig das heulende Tobiaschen. Einen Augenblick schien es, als müsse er gewaltsam etwas Furchtbares zurückhalten, was in ihm aufstieg; dann legte sich über die gespannten Mienen plötzlich das alte Phlegma, von einem verstohlenen begehrlichen⁴⁵ Aufblitzen der Augen seltsam belebt. Sekundenlang spielte 15 sein Blick über den starken Gliedmaßen seines Weibes, das, mit abgewandtem Gesicht herumhantierend, noch immer nach Fassung suchte. Ihre vollen, halbnackten Brüste blähten sich vor Erregung und drohten das Mieder zu sprengen, und ihre aufgerafften Röcke ließen die breiten Hüften noch breiter erscheinen. Eine Kraft schien von dem Weibe auszugehen, 20 unbezwingbar, unentrinnbar,⁴⁶ der Thiel sich nicht gewachsen fühlte.

Leicht, gleich einem feinen Spinngewebe und doch fest wie ein Netz von Eisen legte es sich um ihn, fesselnd, überwindend, erschlaffend. Er hätte in diesem Zustand überhaupt kein Wort an sie zu richten vermocht, am allerwenigsten ein hartes, und so mußte Tobias, der in Tränen gebadet 25 und verängstet⁴⁷ in einer Ecke hockte, sehen, wie der Vater, ohne sich auch nur weiter nach ihm umzuschauen, das vergessene Brot von der Ofenbank⁴⁸ nahm, es der Mutter als einzige Erklärung hinhielt und mit einem kurzen, zerstreuten Kopfnicken sogleich wieder verschwand.

III

Obgleich Thiel den Weg in seine Waldeinsamkeit mit möglichster Eile 30 zurücklegte, kam er doch erst fünfzehn Minuten nach der ordnungsmäßigen⁴⁹ Zeit an den Ort seiner Bestimmung.

Der Hilfswärter,⁵⁰ ein infolge des bei seinem Dienst unumgänglichen schnellen Temperaturwechsels schwindsüchtig⁵¹ gewordener Mensch, der

---

The description of Lene's reaction when she is surprised by Thiel is a masterpiece. Have we previously encountered such perception in the portrayal of this sort of behavior?

Two facets of Thiel's personality are cited—accurately and appropriately: *Phlegma, Aufblitzen der Augen*. Explain.

The nature of Lene's mastery and Thiel's servitude is now explicit. (It is also a favorite theme of Hauptmann's Naturalistic period: *Vor Sonnenaufgang, Rose Bernd, Fuhrmann Henschel*.)

mit ihm im Dienst abwechselte, stand schon fertig zum Aufbruch auf der kleinen, sandigen Plattform des Häuschens, dessen große Nummer schwarz auf weiß weithin durch die Stämme leuchtete.

Die beiden Männer reichten sich die Hände, machten sich einige kurze Mitteilungen und trennten sich. Der eine verschwand im Innern der Bude, der andere ging quer über die Strecke, die Fortsetzung jener Straße benutzend, welche Thiel gekommen war. Man hörte sein krampfhaftes Husten erst näher, dann ferner durch die Stämme, und mit ihm verstummte der einzige menschliche Laut in dieser Einöde. Thiel begann wie immer so auch heute damit, das enge, viereckige Steingebauer der Wärterbude[52] auf seine Art für die Nacht herzurichten.[53] Er tat es mechanisch, während sein Geist mit dem Eindruck der letzten Stunden beschäftigt war. Er legte sein Abendbrot auf den schmalen, braungestrichenen[54] Tisch an einem der beiden schlitzartigen[55] Seitenfenster, von denen aus man die Strecke bequem übersehen konnte. Hierauf entzündete er in dem kleinen, rostigen Öfchen ein Feuer und stellte einen Topf kalten Wassers darauf. Nachdem er schließlich noch in die Gerätschaften, Schaufel, Spaten, Schraubstock[56] und so weiter, einige Ordnung gebracht hatte, begab er sich ans Putzen seiner Laterne, die er zugleich mit frischem Petroleum[57] versorgte.

Als dies geschehen war, meldete die Glocke mit drei schrillen Schlägen, die sich wiederholten, daß ein Zug in der Richtung von Breslau her aus der nächstliegenden Station abgelassen sei.[58] Ohne die mindeste Hast zu zeigen, blieb Thiel noch eine gute Weile im Innern der Bude, trat endlich, Fahne und Patronentasche in der Hand, langsam ins Freie und bewegte sich trägen und schlürfenden Ganges über den schmalen Sandpfad, dem etwa zwanzig Schritt entfernten Bahnübergang zu. Seine Barrieren schloß und öffnete Thiel vor und nach jedem Zuge gewissenhaft, obgleich der Weg nur selten von jemand passiert wurde.

Er hatte seine Arbeit beendet und lehnte jetzt wartend an der schwarzweißen Sperrstange.[59]

Die Strecke schnitt rechts und links geradlinig[60] in den unabsehbaren grünen Forst hinein; zu ihren beiden Seiten stauten die Nadelmassen gleichsam zurück,[61] zwischen sich eine Gasse freilassend, die der rötlichbraune, kiesbestreute[62] Bahndamm ausfüllte. Die schwarzen, parallellaufenden Geleise darauf glichen in ihrer Gesamtheit[63] einer ungeheuren, eisernen Netzmasche,[64] deren schmale Strähnen[65] sich im äußersten Süden und Norden in einem Punkte des Horizontes zusammenzogen.

[52] the cramped rectangular stone cubicle which was his sentry box
[53] by fixing up
[54] brown painted
[55] slit-like
[56] vise
[57] kerosene
[58] had been dispatched
[59] crossing gate
[60] in a straight line
[61] were banked back
[62] graveled
[63] entirety
[64] mesh
[65] strands

Surprising in this description is the double simile; note carefully its components.
The dimensions of Thiel's responsibility (or guilt) are now clear. They will be extended but not altered. Consider in this respect all the other persons of the story.
Waldeinsamkeit!
Thiel's performance of his duty is utterly mechanical and predictable. Why is this so important to him as a person—and as a character in fiction?

Der Wind hatte sich erhoben und trieb leise Wellen den Waldrand hinunter und in die Ferne hinein. Aus den Telegraphenstangen, die die Strecke begleiteten, tönten summende Akkorde. Auf den Drähten,[66] die sich wie das Gewebe[67] einer Riesenspinne von Stange zu Stange fortrankten, klebten in dichten Reihen Scharen zwitschernder Vögel. Ein Specht ₅ flog lachend über Thiels Kopf weg, ohne daß er eines Blickes gewürdigt wurde.

Die Sonne, welche soeben unter dem Rande mächtiger Wolken herabhing, um in das schwarzgrüne Wipfelmeer[68] zu versinken, goß Ströme von Purpur über den Forst. Die Säulenarkaden der Kiefernstämme jenseits des ₁₀ Dammes entzündeten sich gleichsam von innen heraus und glühten wie Eisen.

Auch die Geleise begannen zu glühen, feurigen Schlangen gleich; aber sie erloschen zuerst. Und nun stieg die Glut langsam vom Erdboden in die Höhe, erst die Schäfte der Kiefern, weiter den größten Teil ihrer Kronen ₁₅ in kaltem Verwesungslichte[69] zurücklassend, zuletzt nur noch den äußersten Rand der Wipfel mit einem rötlichen Schimmer streifend. Lautlos und feierlich vollzog sich das erhabene Schauspiel. Der Wärter stand noch immer regungslos an der Barriere. Endlich trat er einen Schritt vor. Ein dunkler Punkt am Horizont, da, wo die Geleise sich trafen, vergrößerte ₂₀ sich. Von Sekunde zu Sekunde wachsend, schien er doch auf einer Stelle zu stehen. Plötzlich bekam er Bewegung und näherte sich. Durch die Geleise ging ein Vibrieren und Summen, ein rhythmisches Geklirr, ein dumpfes Getöse, das lauter und lauter werdend, zuletzt den Hufschlägen eines heranbrausenden Reitergeschwaders[70] nicht unähnlich war. ₂₅

Ein Keuchen und Brausen schwoll stoßweise fernher durch die Luft. Dann plötzlich zerriß die Stille. Ein rasendes Tosen und Toben erfüllte den Raum, die Geleise bogen sich, die Erde zitterte — ein starker Luftdruck — eine Wolke von Staub, Dampf und Qualm, und das schwarze, schnaubende Ungetüm war vorüber. So wie sie anwuchsen, starben nach ₃₀ und nach die Geräusche. Der Dunst verzog sich. Zum Punkte eingeschrumpft,[71] schwand der Zug in die Ferne, und das alte heilige Schweigen[72] schlug über dem Waldwinkel zusammen.

* *

*

The several paragraphs starting with *Die Strecke* . . . are quite unlike previous descriptions, being dense with metaphors and images. Examine their nature, antecedents, meaning, and appropriateness. How are they transformed when motion and change are introduced (with the sunset)? When the train approaches? (What new sensory domain of images here?) What

Marginal notes:

[66] *wires*
[67] *web*
[68] *sea of tree tops*
[69] *luminescence of decay*
[70] *onrushing troop of cavalry*
[71] *shrunken*
[72] *(the "ancient and holy silence," a poetic cliché in the German tradition)*

„Minna", flüsterte der Wärter wie aus einem Traum erwacht und ging
nach seiner Bude zurück. Nachdem er sich einen dünnen Kaffee aufge-
brüht,[73] ließ er sich nieder und starrte, von Zeit zu Zeit einen Schluck zu   [73] *brewed*
sich nehmend, auf ein schmutziges Stück Zeitungspapier, das er irgendwo
5 auf der Strecke aufgelesen.

Nach und nach überkam ihn eine seltsame Unruhe. Er schob es auf die
Backofenglut,[74] welche das Stübchen erfüllte, und riß Rock und Weste auf,   [74] *oven-like heat*
um sich zu erleichtern. Wie das nichts half, erhob er sich, nahm einen
Spaten aus der Ecke und begab sich auf das geschenkte Äckerchen.

10 Es war ein schmaler Streifen Sandes, von Unkraut dicht überwuchert.[75]   [75] *overrun*
Wie schneeweißer Schaum lag die junge Blütenpracht[76] auf den Zweigen   [76] *blossoms in all their*
der beiden Zwergobstbäumchen, welche darauf standen.   *glory*

Thiel wurde ruhig, und ein stilles Wohlgefallen beschlich ihn.

Nun also an die Arbeit.

15 Der Spaten schnitt knirschend in das Erdreich,[77] die nassen Schollen   [77] *earth*
fielen dumpf zurück und bröckelten auseinander.[78]   [78] *crumbled apart*

Eine Zeitlang grub er ohne Unterbrechung. Dann hielt er plötzlich inne
und sagte laut und vernehmlich vor sich hin, indem er dazu bedenklich
den Kopf hin und her wiegte: „Nein, nein, das geht ja nicht", und wieder
20 „nein, nein, das geht ja gar nicht."

Es war ihm plötzlich eingefallen, daß ja nun Lene des öftern herauskommen würde, um den Acker zu bestellen, wodurch dann die herge-
brachte[79] Lebensweise in bedenkliche Schwankungen geraten mußte.[80]   [79] *accustomed*
Und jäh verwandelte sich seine Freude über den Besitz des Ackers in   [80] *would inevitably be*
25 Widerwillen. Hastig, wie wenn er etwas Unrechtes zu tun im Begriff   *subjected to serious*
gestanden hätte, riß er den Spaten aus der Erde und trug ihn nach der   *changes*
Bude zurück. Hier versank er abermals in dumpfe Grübelei.[81] Er wußte   [81] *brooding*
kaum, warum, aber die Aussicht, Lene ganze Tage lang bei sich im Dienst
zu haben, wurde ihm, so sehr er auch versuchte, sich damit zu versöhnen,
30 immer unerträglicher. Es kam ihm vor, als habe er etwas ihm Wertes zu
verteidigen, als versuchte jemand, sein Heiligstes anzutasten,[82] und un-   [82] *lay hands on his most*
willkürlich spannten sich seine Muskeln in gelindem Krampfe, während   *sacred possession*
ein kurzes, herausforderndes Lachen seinen Lippen entfuhr.[83] Vom Wider-   [83] *escaped*
hall dieses Lachens erschreckt, blickte er auf und verlor dabei den Faden
35 seiner Betrachtungen. Als er ihn wiedergefunden, wühlte er sich gleichsam
in den alten Gegenstand.

---

colors stand out? Is all this merely realistic or naturalistic description? What sort of a world
is this?
Not even the airplane has become as firm and pervasive a symbol as the train. Symbol for what?
His first wife's name appears now for the first time. Effect?

[84] *clouded*

[85] *death-like*
[86] *incredulous*
[87] *hair-raising things*
[88] *trials and suffering*
[89] *confirm*

[90] *admit to himself*

[91] *self-tormenting*

[92] *his arms and legs were out of control*

[93] *pitch-dark*

[94] *mighty waves*
[95] *shaking*

Und plötzlich zerriß etwas wie ein dichter, schwarzer Vorhang in zwei Stücke, und seine umnebelten[84] Augen gewannen einen klaren Ausblick. Es war ihm auf einmal zumute, als erwache er aus einem zweijährigen, totenähnlichen[85] Schlaf und betrachte nun mit ungläubigem[86] Kopfschütteln all das Haarsträubende,[87] welches er in diesem Zustand begangen haben 5 sollte. Die Leidensgeschichte[88] seines Ältesten, welche die Eindrücke der letzten Stunden nur noch hatten besiegeln[89] können, trat deutlich vor seine Seele. Mitleid und Reue ergriff ihn, sowie auch eine tiefe Scham darüber, daß er diese ganze Zeit in schmachvoller Duldung hingelebt hatte, ohne sich des lieben, hilflosen Geschöpfes anzunehmen, ja, ohne nur die Kraft 10 zu finden, sich einzugestehen,[90] wie sehr dieses litt.

Über den selbstquälerischen[91] Vorstellungen all seiner Unterlassungssünden überkam ihn eine schwere Müdigkeit, und so entschlief er mit gekrümmtem Rücken, die Stirn auf die Hand, diese auf den Tisch gelegt.

Eine Zeitlang hatte er so gelegen, als er mit erstickter Stimme mehrmals 15 den Namen „Minna" rief.

Ein Brausen und Sausen füllte sein Ohr, wie von unermeßlichen Wassermassen; es wurde dunkel um ihn, er riß die Augen auf und erwachte. Seine Glieder flogen,[92] der Angstschweiß drang ihm aus allen Poren, sein Puls ging unregelmäßig, sein Gesicht war naß von Tränen. 20

Es war stockdunkel.[93] Er wollte einen Blick nach der Tür werfen, ohne zu wissen, wohin er sich wenden sollte. Taumelnd erhob er sich, noch immer währte seine Herzensangst. Der Wald draußen rauschte wie Meeresbrandung, der Wind warf Hagel und Regen gegen die Fenster des Häuschens. Thiel tastete ratlos mit den Händen umher. Einen Augenblick 25 kam er sich vor wie ein Ertrinkender — da plötzlich flammte es bläulich blendend auf, wie wenn Tropfen überirdischen Lichtes in die dunkle Erdatmosphäre herabsänken, um sogleich von ihr erstickt zu werden.

Der Augenblick genügte, um den Wärter zu sich selbst zu bringen. Er griff nach seiner Laterne, die er glücklich zu fassen bekam, und in diesem 30 Augenblick erwachte der Donner am fernsten Saume des märkischen Nachthimmels. Erst dumpf und verhalten grollend, wälzte er sich näher in kurzen, brandenden Erzwellen,[94] bis er, zu Riesenstößen anwachsend, sich endlich, die ganze Atmosphäre überflutend, dröhnend, schütternd[95] und brausend entlud. 35

Die Scheiben klirrten, die Erde erbebte.

Thiel hatte Licht gemacht. Sein erster Blick, nachdem er die Fassung

---

Note the narrative technique Hauptmann uses to describe Thiel's thoughts. The problem is of course special: to exhibit the workings of a terribly slow mind, a confused consciousness. The painful moment of insight is described as a literal breaking in of light. The abstract terms of guilt and shame pour out. And he falls asleep. The next stage is a brilliant, almost clinical description of what mental and physical state?

wiedergewonnen, galt der Uhr. Es lagen kaum fünf Minuten zwischen jetzt und der Ankunft des Schnellzuges. Da er glaubte, das Signal überhört zu haben, begab er sich, so schnell als Sturm und Dunkelheit erlaubten, nach der Barriere. Als er noch damit beschäftigt war, diese zu schließen,
5 erklang die Signalglocke. Der Wind zerriß ihre Töne und warf sie nach allen Richtungen auseinander. Die Kiefern bogen sich und rieben unheimlich knarrend und quietschend ihre Zweige aneinander. Einen Augenblick wurde der Mond sichtbar, wie er gleich einer blaßgoldenen Schale zwischen den Wolken lag. In seinem Lichte sah man das Wühlen
10 des Windes in den schwarzen Kronen der Kiefern. Die Blattgehänge[96] der Birken am Bahndamm wehten und flatterten wie gespenstige Roßschweife. Darunter lagen die Linien der Geleise, welche, vor Nässe glänzend, das blasse Mondlicht in einzelnen Flecken aufsogen.[97]

Thiel riß die Mütze vom Kopfe. Der Regen tat ihm wohl und lief ver-
15 mischt mit Tränen über sein Gesicht. Es gärte in seinem Hirn; unklare Erinnerungen an das, was er im Traum gesehen, verjagten einander.[98] Es war ihm gewesen, als würde Tobias von jemand mißhandelt, und zwar auf eine so entsetzliche Weise, daß ihm noch jetzt bei dem Gedanken daran das Herz stille stand. Einer anderen Erscheinung erinnerte er sich deut-
20 licher. Er hatte seine verstorbene Frau gesehen. Sie war irgendwoher aus der Ferne gekommen, auf einem der Bahngeleise. Sie hatte recht kränklich ausgesehen, und statt der Kleider hatte sie Lumpen getragen. Sie war an Thiels Häuschen vorübergekommen, ohne sich darnach umzuschauen, und schließlich — hier wurde die Erinnerung undeutlich — war sie aus
25 irgendwelchem Grunde nur mit großer Mühe vorwärtsgekommen und sogar mehrmals zusammengebrochen.

Thiel dachte weiter nach, und nun wußte er, daß sie sich auf der Flucht befunden hatte. Es lag außer allem Zweifel, denn weshalb hätte sie sonst diese Blicke voll Herzensangst nach rückwärts gesandt und sich weiterge-
30 schleppt, obgleich ihr die Füße den Dienst versagten. O diese entsetzlichen Blicke!

Aber es war etwas, das sie mit sich trug, in Tücher gewickelt, etwas Schlaffes, Blutiges, Bleiches, und die Art, mit der sie darauf niederblickte, erinnerte ihn an Szenen der Vergangenheit.
35 Er dachte an eine sterbende Frau, die ihr kaum geborenes Kind, das sie zurücklassen mußte, unverwandt anblickte, mit einem Ausdruck tiefsten Schmerzes, unfaßbarer[99] Qual, jenem Ausdruck, den Thiel eben-

96 *leafy canopy*

97 *absorbed*

98 *flashed successively across his mind*

99 *inconceivable*

Immediately the train again. What is the atmosphere now? Compare the earlier description.
Is this, in a Naturalistic story, the pathetic fallacy at work?
Thiel has obviously not transcended his crisis. His dream returns. What are its components?
What is its relation to reality? If his vision of Minna is a foreshadowing, what are we to say to the question of realism and plausibility? How can an omen be real?

sowenig vergessen konnte, wie daß er einen Vater und eine Mutter habe.

Wo war sie hingekommen? Er wußte es nicht. Das aber trat ihm klar vor die Seele: sie hatte sich von ihm losgesagt, ihn nicht beachtet, sie hatte sich fortgeschleppt immer weiter und weiter durch die stürmische, dunkle Nacht. Er hatte sie gerufen: „Minna, Minna", und davon war er erwacht. 5

¹ *goggle-eyes*

Zwei rote, runde Lichter durchdrangen wie die Glotzaugen¹ eines riesigen Ungetüms die Dunkelheit. Ein blutiger Schein ging vor ihnen her, der die

² *within its range*

Regentropfen in seinem Bereich² in Blutstropfen verwandelte. Es war, als fiele ein Blutregen vom Himmel.

³ *reality*

Thiel fühlte ein Grauen, und je näher der Zug kam, eine um so größere 10 Angst; Traum und Wirklichkeit³ verschmolzen ihm in eins. Noch immer sah er das wandernde Weib auf den Schienen, und seine Hand irrte nach der Patronentasche, als habe er die Absicht, den rasenden Zug zum Stehen zu bringen. Zum Glück war es zu spät, denn schon flirrte es vor Thiels Augen von Lichtern, und der Zug raste vorüber. 15

Den übrigen Teil der Nacht fand Thiel wenig Ruhe mehr in seinem Dienst. Es drängte ihn, daheim zu sein. Er sehnte sich, Tobiaschen wieder-zusehen. Es war ihm zumute, als sei er durch Jahre von ihm getrennt gewe-

⁴ *concern*

sen. Zuletzt war er, in steigender Bekümmernis⁴ um das Befinden des Jungen, mehrmals versucht, den Dienst zu verlassen. 20

Um die Zeit hinzubringen, beschloß Thiel, sobald es dämmerte, seine Strecke zu revidieren. In der Linken einen Stock, in der Rechten einen langen, eisernen Schraubschlüssel, schritt er denn auch alsbald auf dem Rücken einer Bahnschiene in das schmutziggraue Zwielicht hinein.

⁵ *bolt*

Hin und wieder zog er mit dem Schraubschlüssel einen Bolzen⁵ fest 25 oder schlug an eine der runden Eisenstangen, welche die Geleise unter-einander verbanden.

⁶ *torn*

Regen und Wind hatten nachgelassen, und zwischen zerschlissenen⁶ Wolkenschichten wurden hie und da Stücke eines blaßblauen Himmels sichtbar. 30

Das eintönige Klappen der Sohlen auf dem harten Metall, verbunden mit dem schläfrigen Geräusch der tropfenden Bäume, beruhigte Thiel nach und nach.

⁷ *without delay*

Um sechs Uhr früh wurde er abgelöst und trat ohne Verzug⁷ den Heimweg an. 35

Es war ein herrlicher Sonntagmorgen.

⁸ *dispersed*

Die Wolken hatten sich zerteilt⁸ und waren mittlerweile hinter den Umkreis des Horizontes hinabgesunken. Die Sonne goß, im Aufgehen

---

The images become drastic and overpowering. Can they be interpreted realistically? What is the technique involved in the mention of blood? Why is the train so intimately associated with his agony?

If a man cannot distinguish dream and reality . . . ?

Es war ein herrlicher Sonntagmorgen—but what do the images say?

gleich einem ungeheuren, blutroten Edelstein funkelnd, wahre Licht-
massen über den Forst.

In scharfen Linien schossen die Strahlenbündel[9] durch das Gewirr der
Stämme, hier eine Insel zarter Farnkräuter, deren Wedel[10] feingeklöppelten
Spitzen[11] glichen, mit Glut behauchend,[12] dort die silbergrauen Flechten[13]
des Waldgrundes zu roten Korallen umwandelnd.

Von Wipfeln, Stämmen und Gräsern floß der Feuertau.[14] Eine Sintflut[15]
von Licht schien über die Erde ausgegossen. Es lag eine Frische in der
Luft, die bis ins Herz drang, und auch hinter Thiels Stirn mußten die
Bilder der Nacht allmählich verblassen.

Mit dem Augenblick jedoch, wo er in die Stube trat und Tobiaschen
rotwangiger als je im sonnenbeschienenen[16] Bette liegen sah, waren sie
ganz verschwunden.

Wohl wahr! Im Verlauf des Tages glaubte Lene mehrmals etwas Be-
fremdliches[17] an ihm wahrzunehmen; so im Kirchenstuhle,[18] als er, statt
ins Buch zu schauen, sie selbst von der Seite betrachtete, und dann auch
um die Mittagszeit, als er, ohne ein Wort zu sagen, das Kleine, welches
Tobias wie gewöhnlich auf die Straße tragen sollte, aus dessen Arm nahm
und ihr auf den Schoß setzte. Sonst aber hatte er nicht das geringste Auf-
fällige an sich.

Thiel, der den Tag über nicht dazu gekommen war, sich niederzulegen,
kroch, da er die folgende Woche Tagdienst hatte, bereits gegen neun Uhr
abends ins Bett. Gerade als er im Begriff war einzuschlafen, eröffnete ihm
die Frau, daß sie am folgenden Morgen mit nach dem Walde gehen werde,
um das Land umzugraben und Kartoffeln zu stecken.

Thiel zuckte zusammen; er war ganz wach geworden, hielt jedoch die
Augen fest geschlossen.

Es sei die höchste Zeit, meinte Lene, wenn aus den Kartoffeln noch
etwas werden sollte, und fügte bei, daß sie die Kinder werde mitnehmen
müssen, da vermutlich der ganze Tag draufgehen[19] würde. Der Wärter
brummte einige unverständliche Worte, die Lene weiter nicht beachtete.
Sie hatte ihm den Rücken gewandt und war beim Scheine eines Talglichtes
damit beschäftigt, das Mieder aufzunesteln[20] und die Röcke herabzulassen.

Plötzlich fuhr sie herum, ohne selbst zu wissen, aus welchem Grunde,
und blickte in das von Leidenschaften verzerrte, erdfarbene[21] Gesicht
ihres Mannes, der sie, halb aufgerichtet, die Hände auf der Bettkante, mit
brennenden Augen anstarrte.

„Thiel!" — schrie die Frau halb zornig, halb erschreckt, und wie ein

[9] *beams of light*
[10] *fronds*
[11] *beautifully made lacework*
[12] *suffusing*
[13] *lichens*
[14] *drops of fiery dew*
[15] *deluge*
[16] *sunlit*
[17] *odd*
[18] *pew*
[19] *be spent*
[20] *unlace*
[21] *earthen-colored*

The same ambivalence applies to Tobias. Why?
The imagined danger becomes real. What, if anything, could or should Thiel have done?
Why is the sexual fascination so terrible here? What does Hauptmann achieve by this proximity
  of motifs?

[22] *stammered*

Nachtwandler, den man beim Namen ruft, erwachte er aus seiner Betäubung, stotterte[22] einige verwirrte Worte, warf sich in die Kissen zurück und zog das Deckbett über die Ohren.

Lene war die erste, welche sich am folgenden Morgen vom Bett erhob. Ohne dabei Lärm zu machen, bereitete sie alles Nötige für den Ausflug vor. 5 Der Kleinste wurde in den Kinderwagen gelegt, darauf Tobias geweckt und angezogen. Als er erfuhr, wohin es gehen sollte, mußte er lächeln. Nachdem alles bereit war und auch der Kaffee fertig auf dem Tisch stand, erwachte

[23] *uneasiness*

Thiel. Mißbehagen[23] war sein erstes Gefühl beim Anblick all der getroffenen Vorbereitungen. Er hätte wohl gern ein Wort dagegen gesagt, aber 10

[24] *valid*

er wußte nicht, womit beginnen. Und welche für Lene stichhaltigen[24] Gründe hätte er auch angeben sollen?

Allmählich begann dann das mehr und mehr strahlende Gesichtchen

[25] *exert*

seinen Einfluß auf Thiel auszuüben,[25] so daß er schließlich schon um der

[26] *occasioned*

Freude willen, welche dem Jungen der Ausflug bereitete,[26] nicht daran 15 denken konnte, Widerspruch zu erheben. Nichtsdestoweniger blieb Thiel während der Wanderung durch den Wald nicht frei von Unruhe. Er stieß das Kinderwägelchen mühsam durch den tiefen Sand und hatte allerhand Blumen darauf liegen, die Tobias gesammelt hatte.

Der Junge war ausnehmend lustig. Er hüpfte in seinem braunen Plüsch- 20 mützchen zwischen den Farnkräutern umher und suchte auf eine

[27] *glassy-winged dragonflies*

freilich etwas unbeholfene Art, die glasflügligen Libellen[27] zu fangen, die darüber hingaukelten. Sobald man angelangt war, nahm Lene den Acker in Augenschein. Sie warf das Säckchen mit Kartoffelstücken, welches sie zur Saat mitgebracht hatte, auf den Grasrand eines kleinen Birkengehöl- 25

[28] *birch grove*

zes,[28] kniete nieder und ließ den etwas dunkel gefärbten Sand durch ihre harten Finger laufen.

Thiel beobachtete sie gespannt: „Nun, wie ist er?"

„Reichlich so gut wie die Spree-Ecke!" Dem Wärter fiel eine Last von der Seele. Er hatte gefürchtet, sie würde unzufrieden sein, und kratzte 30

[29] *stubbly beard*

beruhigt seine Bartstoppeln.[29]

[30] *bread crust*

Nachdem die Frau hastig eine dicke Brotkante[30] verzehrt hatte, warf sie Tuch und Jacke fort und begann zu graben, mit der Geschwindigkeit und Ausdauer einer Maschine.

In bestimmten Zwischenräumen richtete sie sich auf und holte in tiefen 35 Zügen Luft, aber es war jeweilig nur ein Augenblick, wenn nicht etwa das Kleine gestillt werden mußte, was mit keuchender schweißtropfender Brust hastig geschah.

The overcoming of Thiel's anxiety is plausibly explained. How?
Why is the comparison of Lene to a machine so effective and significant? What are its associations?

„Ich muß die Strecke belaufen,[31] ich werde Tobias mitnehmen", rief der [31] *walk*
Wärter nach einer Weile von der Plattform vor der Bude aus zu ihr
herüber.

„Ach was — Unsinn!" schrie sie zurück, „wer soll bei dem Kleinen
5 bleiben? — Hierher kommst du!" setzte sie noch lauter hinzu, während der
Wärter, als ob er sie nicht hören könne, mit Tobiaschen davonging.

Im ersten Augenblick erwog sie, ob sie nicht nachlaufen solle, und nur
der Zeitverlust bestimmte sie, davon abzusehen. Thiel ging mit Tobias die
Strecke entlang. Der Kleine war nicht wenig erregt; alles war ihm neu,
10 fremd. Er begriff nicht, was die schmalen, schwarzen, vom Sonnenlicht
erwärmten Schienen zu bedeuten hatten. Unaufhörlich tat er allerhand sonderbare Fragen. Vor allem verwunderlich war ihm das Klingen der Telegraphenstangen. Thiel kannte den Ton jeder einzelnen seines Reviers, so
daß er mit geschlossenen Augen stets gewußt haben würde, in welchem
15 Teil der Strecke er sich gerade befand.

Oft blieb er, Tobiaschen an der Hand, stehen, um den wunderbaren
Lauten zu lauschen, die aus dem Holze wie sonore[32] Choräle aus dem [32] *sonorous*
Innern einer Kirche hervorströmten. Die Stange am Südende des Reviers
hatte einen besonders vollen und schönen Akkord. Es war ein Gewühl von
20 Tönen in ihrem Innern, die ohne Unterbrechung gleichsam in einem Atem
fortklangen, und Tobias lief rings um das verwitterte Holz, um, wie er
glaubte, durch eine Öffnung die Urheber des lieblichen Getöns[33] zu ent- [33] *sound*
decken. Der Wärter wurde weihevoll gestimmt,[34] ähnlich wie in der Kirche. [34] *fell into a solemn mood*
Zudem unterschied er mit der Zeit eine Stimme, die ihn an seine verstor-
25 bene Frau erinnerte. Er stellte sich vor, es sei ein Chor seliger Geister, in
den sie ja auch ihre Stimme mische, und diese Vorstellung erweckte in ihm
eine Sehnsucht, eine Rührung bis zu Tränen.

Tobias verlangte nach den Blumen, die seitab standen, und Thiel, wie
immer, gab ihm nach.

30 Stücke blauen Himmels schienen auf den Boden des Haines[35] herab- [35] *grove*
gesunken, so wunderbar dicht standen kleine, blaue Blüten darauf. Farbigen Wimpeln[36] gleich flatterten und gaukelten die Schmetterlinge lautlos [36] *pennants*
zwischen dem leuchtenden Weiß der Stämme, indes durch die zartgrünen
Blätterwolken[37] der Birkenkronen ein sanftes Rieseln ging. [37] *leafy clouds*

35 Tobias rupfte[38] Blumen, und der Vater schaute ihm sinnend zu. Zuweilen [38] *plucked*
erhob sich auch der Blick des letzteren und suchte durch die Lücken der
Blätter den Himmel, der wie eine riesige, makellos[39] blaue Kristallschale [39] *flawlessly*
das Goldlicht der Sonne auffing.

Thiel does the right thing in taking Tobias with him. This is highly germane to the story, in
   view of what happens later.
What does the stretch of track mean to the boy, to Thiel?

„Vater, ist das der liebe Gott?" fragte der Kleine plötzlich, auf ein braunes Eichhörnchen deutend, das unter kratzenden Geräuschen am Stamme einer alleinstehenden Kiefer hinanhuschte.

„Närrischer Kerl", war alles, was Thiel erwidern konnte, während losgerissene Borkenstückchen[40] den Stamm herunter vor seine Füße 5 fielen.

Die Mutter grub noch immer, als Thiel und Tobias zurückkamen. Die Hälfte des Ackers war bereits umgeworfen.

Die Bahnzüge folgten einander in kurzen Zwischenräumen, und Tobias sah sie jedesmal mit offenem Munde vorübertoben. 10

Die Mutter selbst hatte ihren Spaß an seinen drolligen Grimassen.

Das Mittagessen, bestehend aus Kartoffeln und einem Restchen kalten Schweinebratens, verzehrte man in der Bude. Lene war aufgeräumt, und auch Thiel schien sich in das Unvermeidliche mit gutem Anstand fügen zu wollen. Er unterhielt seine Frau während des Essens mit allerlei Dingen, 15 die in seinen Beruf schlugen. So fragte er sie, ob sie sich denken könne, daß in einer einzigen Bahnschiene sechsundvierzig Schrauben säßen und anderes mehr.

Am Vormittag war Lene mit Umgraben fertig geworden; am Nachmittag sollten die Kartoffeln gesteckt werden. Sie bestand darauf, daß Tobias 20 jetzt das Kleine warte, und nahm ihn mit sich.

„Paß auf . . .", rief Thiel ihr nach, von plötzlicher Besorgnis ergriffen, „paß auf, daß er den Geleisen nicht zu nahe kommt."

Ein Achselzucken Lenens war die Antwort.

* *

*

Der schlesische[41] Schnellzug war gemeldet, und Thiel mußte auf seinen 25 Posten. Kaum stand er dienstfertig an der Barriere, so hörte er ihn auch schon heranbrausen.

Der Zug wurde sichtbar — er kam näher — in unzählbaren, sich überhastenden Stößen fauchte[42] der Dampf aus dem schwarzen Maschinenschlote.[43] Da: ein — zwei — drei milchweiße Dampfstrahlen[44] quollen 30 kerzengerade empor, und gleich darauf brachte die Luft den Pfiff der Maschine getragen. Dreimal hintereinander, kurz, grell, beängstigend. Sie bremsen, dachte Thiel, warum nur? Und wieder gellten die Notpfiffe[45]

Margin notes:
[40] *little bits of bark*
[41] *Silesian*
[42] *puffed out in innumerable, almost uninterrupted bursts*
[43] *stack (of the locomotive)*
[44] *jets of steam*
[45] *emergency whistles*

Tobias' tentative identification of the squirrel with God is amusingly credible—explain it— yet strangely unsettling. Why?

The whole interlude at the new field and in the *Bude* is an idyll in a story of disaster and pathos, even tragedy. Examine it in comparison with others, e.g. Kleist's, Arnim's.

schreiend, den Widerhall weckend, diesmal in langer, ununterbrochener Reihe.

Thiel trat vor, um die Strecke überschauen[46] zu können. Mechanisch zog er die rote Fahne aus dem Futteral und hielt sie gerade vor sich hin über
5 die Geleise. — Jesus Christus — war er blind gewesen? Jesus Christus — o Jesus, Jesus, Jesus Christus! was war das? Dort! — dort zwischen den Schienen . . . ,,Halt!" schrie der Wärter aus Leibeskräften. Zu spät. Eine dunkle Masse war unter den Zug geraten und wurde zwischen den Rädern wie ein Gummiball[47] hin und her geworfen. Noch einige Augenblicke, und
10 man hörte das Knarren und Quietschen der Bremsen. Der Zug stand.

Die einsame Strecke belebte sich. Zugführer und Schaffner[48] rannten über den Kies nach dem Ende des Zuges. Aus jedem Fenster blickten neugierige Gesichter, und jetzt — die Menge knäulte sich[49] und kam nach vorn.
15 Thiel keuchte; er mußte sich festhalten, um nicht umzusinken wie ein gefällter[50] Stier. Wahrhaftig, man winkt ihm — ,,nein!"

Ein Ausfschrei zerreißt die Luft von der Unglücksstelle[51] her, ein Geheul folgt, wie aus der Kehle eines Tieres kommend. Wer war das? Lene?! Es war nicht ihre Stimme, und doch . . .
20 Ein Mann kommt in Eile die Strecke herauf.

,,Wärter!"

,,Was gibt's?"

,,Ein Unglück!" . . . Der Bote schrickt zurück, denn des Wärters Augen spielen seltsam. Die Mütze sitzt schief, die roten Haare scheinen sich
25 aufzubäumen.[52]

,,Er lebt noch, vielleicht ist noch Hilfe."

Ein Röcheln ist die einzige Antwort.

,,Kommen Sie schnell, schnell!"

Thiel reißt sich auf mit gewaltiger Anstrengung. Seine schlaffen Mus-
30 keln spannen sich; er richtet sich hoch auf, sein Gesicht ist blöd und tot.

Er rennt mit dem Boten, er sieht nicht die todbleichen, erschreckten Gesichter der Reisenden in den Zugfenstern. Eine junge Frau schaut heraus, ein Handlungsreisender[53] im Fez, ein junges Paar, anscheinend auf der Hochzeitsreise.[54] Was geht's ihn an? Er hat sich nie um den Inhalt
35 dieser Polterkasten[55] gekümmert; — sein Ohr füllt das Geheul Lenens. Vor seinen Augen schwimmt es durcheinander,[56] gelbe Punkte, Glühwürmchen gleich, unzählig. Er schrickt zurück — er steht. Aus dem Tanze der Glüh-

Marginal glosses:
[46] survey
[47] rubber ball
[48] conductors
[49] bunched together in a knot
[50] felled
[51] scene of the accident
[52] stand on end
[53] traveling salesman
[54] honeymoon
[55] rattle-traps
[56] his eyes go blurry with . . .

With your knowledge of narrative technique, in such idyllic interludes, what do you say to Thiel's words *paß auf . . .*?

The suddenness of the accident is overwhelming. Comment on Hauptmann's technique in its timing and narration. What features of the story have not only prepared for this eventuality but made it inevitable?

würmchen tritt es hervor, blaß, schlaff, blutrünstig.[57] Eine Stirn, braun und blau geschlagen, blaue Lippen, über die schwarzes Blut tröpfelt. Er ist es.

Thiel spricht nicht. Sein Gesicht nimmt eine schmutzige Blässe an. Er lächelt wie abwesend; endlich beugt er sich; er fühlt die schlaffen, toten 5 Gliedmaßen schwer in seinen Armen; die rote Fahne wickelt sich darum.

Er geht.

Wohin?

„Zum Bahnarzt, zum Bahnarzt" tönt es durcheinander.

„Wir nehmen ihn gleich mit", ruft der Packmeister und macht in seinem 10 Wagen aus Dienströcken und Büchern ein Lager zurecht. „Nun also?"

Thiel macht keine Anstalten, den Verunglückten loszulassen. Man drängt in ihn. Vergebens. Der Packmeister läßt eine Bahre aus dem Pack-

[58] *baggage car* wagen[58] reichen und beordert einen Mann, dem Vater beizustehen.

Die Zeit ist kostbar. Die Pfeife des Zugführers trillert. Münzen regnen 15 aus den Fenstern.

Lene gebärdet sich wie wahnsinnig. „Das arme, arme Weib" heißt es

[59] *compartments* in den Coupés,[59] „die arme, arme Mutter."

Der Zugführer trillert abermals — ein Pfiff — die Maschine stößt weiße,

[60] *piston cylinders* zischende Dämpfe aus ihren Zylindern[60] und streckt ihre eisernen Sehnen; 20

[61] *special (courier) express* einige Sekunden, und der Kurierzug[61] braust mit wehender Rauchfahne[62]

[62] *plume of smoke* in doppelter Geschwindigkeit durch den Forst.

Der Wärter, anderen Sinnes geworden, legt den halbtoten Jungen auf

[63] *with his battered and ruined body* die Bahre. Da liegt er da in seiner verkommenen Körpergestalt,[63] und hin und wieder hebt ein langer, rasselnder Atemzug die knöcherne Brust, 25 welche unter dem zerfetzten Hemd sichtbar wird. Die Ärmchen und Beinchen, nicht nur in den Gelenken zerbrochen, nehmen die unnatürlichsten Stellungen ein. Die Ferse des kleinen Fußes ist nach vorn gedreht. Die Arme schlottern über den Rand der Bahre.

Lene wimmert in einem fort; jede Spur ihres einstigen Trotzes ist aus 30 ihrem Wesen gewichen. Sie wiederholt fortwährend eine Geschichte, die

[64] *clear* sie von jeder Schuld an dem Vorfall reinwaschen[64] soll.

Thiel scheint sie nicht zu beachten; mit entsetzlich bangem Ausdruck haften seine Augen an dem Kinde.

Es ist still ringsum geworden, totenstill; schwarz und heiß ruhen die 35 Geleise auf dem blendenden Kies. Der Mittag hat die Winde erstickt, und regungslos, wie aus Stein, steht der Forst.

Discuss the description of Thiel's actions and mental state immediately after the accident. Consider particularly the picture contained in the paragraph *Thiel spricht nicht* . . . What is its bearing on the patterned composition of the story?
The irony behind the pity expressed for Lene is pretty obvious. The metaphor of the locomotive stretching its iron sinews is perhaps not on the same level with the other images of the story. To say of Lene *jede Spur ihres einstigen Trotzes ist aus ihrem Wesen gewichen* may not be as effective or, in the terms of this story, as appropriate and consistent as the immediately following statement. These are perhaps the reservations only of the present editor, but not

Die Männer beraten sich leise. Man muß, um auf dem schnellsten Wege nach Friedrichshagen[65] zu kommen, nach der Station zurück, die nach der Richtung Breslau liegt, da der nächste Zug, ein beschleunigter Personenzug,[66] auf der Friedrichshagen nähergelegenen nicht anhält.

Thiel scheint zu überlegen, ob er mitgehen solle. Augenblicklich ist niemand da, der den Dienst versteht. Eine stumme Handbewegung bedeutet seiner Frau, die Bahre aufzunehmen; sie wagt nicht, sich zu widersetzen,[67] obgleich sie um den zurückbleibenden Säugling besorgt ist. Sie und der fremde Mann tragen die Bahre. Thiel begleitet den Zug bis an die Grenze seines Reviers, dann bleibt er stehen und schaut ihm lange nach. Plötzlich schlägt er sich mit der flachen Hand vor die Stirn, daß es weithin schallt.

Er meint sich zu erwecken „denn es wird ein Traum sein, wie der gestern", sagt er sich. — Vergebens.— Mehr taumelnd als laufend erreichte er sein Häuschen. Drinnen fiel er auf die Erde, das Gesicht voran. Seine Mütze rollte in die Ecke, seine peinlich gepflegte Uhr fiel aus seiner Tasche, die Kapsel[68] sprang, das Glas zerbrach. Es war, als hielte ihn eine eiserne Faust im Nacken gepackt, so fest, daß er sich nicht bewegen konnte, so sehr er auch unter Ächzen und Stöhnen sich freizumachen suchte. Seine Stirn war kalt, seine Augen trocken, sein Schlund[69] brannte.

Die Signalglocke weckte ihn. Unter dem Eindruck jener sich wiederholenden drei Glockenschläge ließ der Anfall nach. Thiel konnte sich erheben und seinen Dienst tun. Zwar waren seine Füße bleischwer, zwar kreiste um ihn die Strecke wie die Speiche[70] eines ungeheuren Rades, dessen Achse[71] sein Kopf war; aber er gewann doch wenigstens so viel Kraft, sich für einige Zeit aufrecht zu erhalten.

Der Personenzug kam heran. Tobias mußte darin sein. Je näher er rückte, um so mehr verschwammen die Bilder vor Thiels Augen. Am Ende sah er nur noch den zerschlagenen Jungen mit dem blutigen Munde. Dann wurde es Nacht.

Nach einer Weile erwachte er aus einer Ohnmacht. Er fand sich dicht an der Barriere im heißen Sande liegen. Er stand auf, schüttelte die Sandkörner aus seinen Kleidern und spie sie aus seinem Munde. Sein Kopf wurde ein wenig freier, er vermochte ruhiger zu denken.

In der Bude nahm er sogleich seine Uhr vom Boden auf und legte sie auf den Tisch. Sie war trotz des Falles nicht stehengeblieben. Er zählte während zweier Stunden die Sekunden und Minuten, indem er sich vor-

Footnotes:

[65] (place name, here and below)

[66] fast passenger train

[67] offer any resistance

[68] case

[69] throat

[70] spoke

[71] axle

---

even the greatest work has to be flawless, and discussion pro or con is certainly warranted.

Evaluative criticism is the hardest kind, but it is essential to the job and pleasure of reading.

Examine and interpret the use of tenses.

Recall the importance of the timepiece in Keller, and comment on the meaning of it here.

Recount the stages leading to Thiel's collapse.

Can the fact that the watch is still running be interpreted as foretelling anything about the action to come?

stellte, was indes mit Tobias geschehen mochte. Jetzt kam Lene mit ihm an; jetzt stand sie vor dem Arzte. Dieser betrachtete und betastete den Jungen und schüttelte den Kopf.

„Schlimm, sehr schlimm — aber vielleicht . . . wer weiß." Er untersuchte genauer. „Nein", sagte er dann, „nein, es ist vorbei." 5

„Vorbei, vorbei", stöhnte der Wärter, dann aber richtete er sich hoch auf und schrie, die rollenden Augen an die Decke geheftet, die erhobenen Hände unbewußt zur Faust ballend und mit einer Stimme, als müsse der enge Raum davon zerbersten: „Er muß, muß leben, ich sage dir, er muß, muß leben." Und schon stieß er die Tür des Häuschens von neuem auf, 10 durch die das rote Feuer des Abends hereinbrach, und rannte mehr als er ging nach der Barriere zurück. Hier blieb er eine Weile wie betroffen stehen und schritt dann plötzlich, beide Arme ausbreitend, bis in die Mitte des Dammes, als wenn er etwas aufhalten wollte, was aus der Richtung des Personenzuges kam. Dabei machten seine weit offenen Augen den Ein- 15 druck der Blindheit.

Während er, rückwärts schreitend, vor etwas zu weichen schien, stieß er in einem fort halbverständliche Worte zwischen den Zähnen hervor: „Du — hörst du — bleib doch — du — hör doch — bleib — gib ihn wieder — er ist braun und blau geschlagen — ja, ja — gut, ich will sie wieder braun 20 und blau schlagen — hörst du? bleib doch — gib ihn mir wieder."

Es schien, als ob etwas an ihm vorüber wandle, denn er wandte sich und bewegte sich, wie um es zu verfolgen, nach der andern Richtung.

„Du, Minna" — seine Stimme wurde weinerlich,[72] wie die eines kleinen Kindes. „Du, Minna, hörst du? — gib ihn wieder — ich will . . ." Er 25 tastete in die Luft, wie um jemand festzuhalten. „Weibchen — ja — und da will ich sie . . . und da will ich sie auch schlagen — braun und blau — auch schlagen — und da will ich mit dem Beil[73] — siehst du? — Küchen- beil — mit dem Küchenbeil will ich sie schlagen, und da wird sie verrecken.[74] 30

Und da . . . ja mit dem Beil — Küchenbeil ja — schwarzes Blut!" Schaum stand vor seinem Munde, seine gläsernen[75] Pupillen bewegten sich unaufhörlich.

Ein sanfter Abendhauch strich leis und nachhaltig über den Forst, und rosaflammiges Wolkengelock[76] hing über dem westlichen Himmel. 35

Etwa hundert Schritt hatte er so das unsichtbare Etwas verfolgt, als er anscheinend mutlos stehenblieb, und mit entsetzlicher Angst in den

[72] *tearful*

[73] (=Küchenbeil, *here and below*) *(kitchen) cleaver*
[74] *die (like a dog)*

[75] *glassy*

[76] *flaming pink curls of clouds*

Thiel sees himself punished by his deified first wife for the abuse of his trust. But the terms of his vision are not the abstract terminology of guilt and supplication. Characterize and define his mental state, in his terms.

Mienen streckte der Mann seine Arme aus, flehend, beschwörend. Er
strengte seine Augen an und beschattete sie mit der Hand, wie um noch
einmal in weiter Ferne das Wesenlose[77] zu entdecken. Schließlich sank die
Hand, und der gespannte Ausdruck seines Gesichts verkehrte sich in
5 stumpfe Ausdruckslosigkeit; er wandte sich und schleppte sich den Weg
zurück, den er gekommen.

Die Sonne goß ihre letzte Glut über den Forst, dann erlosch sie. Die
Stämme der Kiefern streckten sich wie bleiches, verwestes[78] Gebein
zwischen die Wipfel hinein, die wie grauschwarze Moderschichten[79] auf
10 ihnen lasteten. Das Hämmern eines Spechtes durchdrang die Stille.
Durch den kalten, stahlblauen Himmelsraum ging ein einziges, verspätetes
Rosengewölk.[80] Der Windhauch[81] wurde kellerkalt,[82] so daß es den Wärter
fröstelte. Alles war ihm neu, alles fremd. Er wußte nicht, was das war,
worauf er ging, oder das, was ihn umgab. Da huschte ein Eichhorn über die
15 Strecke, und Thiel besann sich. Er mußte an den lieben Gott denken, ohne
zu wissen, warum. „Der liebe Gott springt über den Weg, der liebe Gott
springt über den Weg." Er wiederholte diesen Satz mehrmals, gleichsam
um auf etwas zu kommen, das damit zusammenhing. Er unterbrach sich,
ein Lichtschein fiel in sein Hirn: „Aber mein Gott, das ist ja Wahnsinn."
20 Er vergaß alles und wandte sich gegen diesen neuen Feind. Er suchte
Ordnung in seine Gedanken zu bringen, vergebens! Es war ein haltloses
Streifen und Schweifen.[83] Er ertappte sich[84] auf den unsinnigsten Vorstellungen und schauderte zusammen im Bewußtsein der Machtlosigkeit.

Aus dem nahen Birkenwäldchen kam Kindergeschrei. Es war das Signal
25 zur Raserei.[85] Fast gegen seinen Willen mußte er darauf zueilen und fand
das Kleine, um welches sich niemand mehr gekümmert hatte, weinend und
strampelnd ohne Bettchen im Wagen liegen. Was wollte er tun? Was trieb
ihn hierher? Ein wirbelnder Strom von Gefühlen und Gedanken verschlang diese Fragen.

30 „Der liebe Gott springt über den Weg", jetzt wußte er, was das bedeuten
wollte. „Tobias" — sie hatte ihn gemordet — Lene — ihr war er anver-
traut[86] — „Stiefmutter, Rabenmutter",[87] knirschte er, „und ihr Balg[88] lebt."
Ein roter Nebel umwölkte[89] seine Sinne, zwei Kinderaugen durchdrangen
ihn; er fühlte etwas Weiches, Fleischiges[90] zwischen seinen Fingern. Gur-
35 gelnde und pfeifende Laute, untermischt[91] mit heiseren Ausrufen, von
denen er nicht wußte, wer sie ausstieß, trafen sein Ohr.

Da fiel etwas in sein Hirn wie Tropfen heißen Siegellacks,[92] und es hob

[77] *insubstantial something*

[78] *rotted*

[79] *layers of decayed matter*

[80] *rosy cloud*
[81] *puff of wind*
[82] *cold as an underground vault*

[83] *aimless wandering to and fro*
[84] *caught himself*

[85] *madness*

[86] *entrusted*
[87] *unnatural mother*
[88] *brat*
[89] *(be)clouded*
[90] *fleshy*
[91] *(inter)mixed*

[92] *sealing wax*

Interpret the imagery of Thiel's final descent into madness. Account, among others, for
schwarzes Blut, rosaflammig, letzte Glut, verwestes Gebein, kellerkalt.
What new meaning does the simile squirrel=God assume?
Is Thiel really capable of self-awareness sufficient to recognize the approach of insanity?
Why *ein roter Nebel?*

[93] *a kind of numbness was lifted from his mind*
[94] *echo of the signal bell*
[95] *suddenly*

[96] *during the day*

[97] *generous schedule*

[98] *long drawn out*

[99] *blow her nose*

sich wie eine Starre[93] von seinem Geist. Zum Bewußtsein kommend, hörte er den Nachhall der Meldeglocke[94] durch die Luft zittern.

Mit eins[95] begriff er, was er hatte tun wollen: seine Hand löste sich von der Kehle des Kindes, welches sich unter seinem Griffe wand. — Es rang nach Luft, dann begann es zu husten und zu schreien. 5

„Es lebt! Gott sei Dank, es lebt!" Er ließ es liegen und eilte nach dem Übergange. Dunkler Qualm wälzte sich fernher über die Strecke, und der Wind drückte ihn zu Boden. Hinter sich vernahm er das Keuchen einer Maschine, welches wie das stoßweise gequälte Atmen eines kranken Riesen klang. 10

Ein kaltes Zwielicht lag über der Gegend.

Nach einer Weile, als die Rauchwolken auseinandergingen, erkannte Thiel den Kieszug, der mit geleerten Loren zurückging und die Arbeiter mit sich führte, welche tagsüber[96] auf der Strecke gearbeitet hatten.

Der Zug hatte eine reichbemessene Fahrzeit[97] und durfte überall 15 anhalten, um die hie und da beschäftigten Arbeiter aufzunehmen, andere hingegen abzusetzen. Ein gutes Stück vor Thiels Bude begann man zu bremsen. Ein lautes Quietschen, Schnarren, Rasseln und Klirren durchdrang weithin die Abendstille, bis der Zug unter einem einzigen schrillen, langgedehnten[98] Ton stillstand. 20

Etwa fünfzig Arbeiter und Arbeiterinnen waren in den Loren verteilt. Fast alle standen aufrecht, einige unter den Männern mit entblößtem Kopfe. In ihrer aller Wesen lag eine rätselhafte Feierlichkeit. Als sie des Wärters ansichtig wurden, erhob sich ein Flüstern unter ihnen. Die Alten zogen die Tabakspfeifen zwischen den gelben Zähnen hervor und hielten 25 sie respektvoll in den Händen. Hie und da wandte sich ein Frauenzimmer, um sich zu schneuzen.[99] Der Zugführer stieg auf die Strecke herunter und trat auf Thiel zu. Die Arbeiter sahen, wie er ihm feierlich die Hand schüttelte, worauf Thiel mit langsamem, fast militärisch steifem Schritt auf den letzten Wagen zuschritt. 30

Keiner der Arbeiter wagte ihn anzureden, obgleich sie ihn alle kannten.

Aus dem letzten Wagen hob man soeben das kleine Tobiaschen.

Es war tot.

Lene folgte ihm: ihr Gesicht war bläulichweiß, braune Kreise lagen um ihre Augen. 35

Thiel würdigte sie keines Blickes; sie aber erschrak beim Anblick ihres Mannes. Seine Wangen waren hohl, Wimpern und Barthaare verklebt, der Scheitel, so schien es ihr, ergrauter als bisher. Die Spuren vertrockneter

To what degree is the near murder of Lene's child appropriate in the framework of the story?

Tränen überall auf dem Gesicht, dazu ein unstetes[1] Licht in seinen Augen, davor sie ein Grauen ankam.

Auch die Tragbahre[2] hatte man wieder mitgebracht, um die Leiche transportieren zu können.

5   Eine Weile herrschte unheimliche Stille. Eine tiefe, entsetzliche Versonnenheit[3] hatte sich Thiels bemächtigt. Es wurde dunkler. Ein Rudel[4] Rehe setzte seitab auf den Bahndamm. Der Bock blieb stehen, mitten zwischen den Geleisen. Er wandte den gelenken[5] Hals neugierig herum, da pfiff die Maschine, und blitzartig[6] verschwand er samt seiner Herde.

10   In dem Augenblick, als der Zug sich in Bewegung setzen wollte, brach Thiel zusammen.

Der Zug hielt abermals, und es entspann sich eine Beratung über das, was nun zu tun sei. Man entschied sich dafür, die Leiche des Kindes einstweilen im Wärterhaus unterzubringen und statt ihrer den durch kein
15   Mittel wieder ins Bewußtsein zu rufenden Wärter mittels[7] der Bahre nach Hause zu bringen.

Und so geschah es. Zwei Männer trugen die Bahre mit dem Bewußtlosen, gefolgt von Lene, die, fortwährend schluchzend, mit tränenüberströmtem Gesicht den Kinderwagen mit dem Kleinsten durch den Sand stieß.

20   Wie eine riesige, purpurglühende Kugel lag der Mond zwischen den Kiefernschäften am Waldesgrund. Je höher er rückte, um so kleiner schien er zu werden, um so mehr verblaßte er. Endlich hing er, einer Ampel[8] vergleichbar, über dem Forst, durch alle Spalten und Lücken der Kronen einen matten Lichtdunst[9] drängend, welcher die Gesichter der Dahin-
25   schreitenden leichenhaft anmalte.[10]

Rüstig, aber vorsichtig schritt man vorwärts, jetzt durch enggedrängtes[11] Jungholz, dann wieder an weiten, hochwaldumstandenen[12] Schonungen entlang, darin sich das bleiche Licht wie in großen, dunklen Becken angesammelt[13] hatte.

30   Der Bewußtlose röchelte von Zeit zu Zeit oder begann zu phantasieren.[14] Mehrmals ballte er die Fäuste und versuchte mit geschlossenen Augen sich emporzurichten.

Es kostete Mühe, ihn über die Spree zu bringen; man mußte ein zweites Mal übersetzen, um die Frau und das Kind nachzuholen.

35   Als man die kleine Anhöhe des Ortes emporstieg, begegnete man einigen Einwohnern, welche die Botschaft des geschehenen Unglücks sofort verbreiteten.

Die ganze Kolonie kam auf die Beine.

[1] *unsteady*
[2] *stretcher*
[3] *trance-like state*
[4] *herd*
[5] *supple*
[6] *in a flash*
[7] *by means of*
[8] *hanging lamp*
[9] *misty light*
[10] *gave a corpse-like color to*
[11] *thick, tangled*
[12] *surrounded by high forest*
[13] *gathered*
[14] *hallucinate*

The final collapse of Thiel is surrounded by a strange concatenation of images: the deer and the locomotive. Interpret.
What is happening to the sentence and paragraph structure?

Angesichts ihrer Bekannten brach Lene in erneutes Klagen aus.

[15] transported

Man beförderte[15] den Kranken mühsam die schmale Stiege hinauf in seine Wohnung und brachte ihn sofort zu Bett. Die Arbeiter kehrten sogleich um, um Tobiaschens Leiche nachzuholen.

[16] advised
[17] circumspection
[18] towels
[19] heated them through

Alte, erfahrene Leute hatten kalte Umschläge angeraten,[16] und Lene befolgte ihre Weisung mit Eifer und Umsicht.[17] Sie legte Handtücher[18] in eiskaltes Brunnenwasser und erneuerte sie, sobald die brennende Stirn des Bewußtlosen sie durchhitzt[19] hatte. Ängstlich beobachtete sie die Atemzüge des Kranken, welche ihr mit jeder Minute regelmäßiger zu werden schienen.

[20] exhausted
[21] no matter

Die Aufregungen des Tages hatten sie doch stark mitgenommen,[20] und sie beschloß, ein wenig zu schlafen, fand jedoch keine Ruhe. Gleichviel[21] ob sie die Augen öffnete oder schloß, unaufhörlich zogen die Ereignisse der Vergangenheit daran vorüber. Das Kleine schlief, sie hatte sich entgegen ihrer sonstigen Gewohnheit wenig darum bekümmert. Sie war überhaupt eine andere geworden. Nirgend eine Spur des früheren Trotzes. Ja, dieser kranke Mann mit dem farblosen, schweißglänzenden Gesicht regierte sie im Schlaf.

[22] orb of the moon
[23] breathing
[24] leaden

Eine Wolke verdeckte die Mondkugel,[22] es wurde finster im Zimmer, und Lene hörte nur noch das schwere, aber gleichmäßige Atemholen[23] ihres Mannes. Sie überlegte, ob sie Licht machen sollte. Es wurde ihr unheimlich im Dunkeln. Als sie aufstehen wollte, lag es ihr bleiern[24] in allen Gliedern, die Lider fielen ihr zu, sie entschlief.

Nach Verlauf von einigen Stunden, als die Männer mit der Kindesleiche zurückkehrten, fanden sie die Haustür weit offen. Verwundert über diesen Umstand stiegen sie die Treppe hinauf, in die obere Wohnung, deren Tür ebenfalls weit geöffnet war.

Man rief mehrmals den Namen der Frau, ohne eine Antwort zu erhalten.

[25] sulfur match
[26] flaring up

Endlich strich man ein Schwefelholz[25] an der Wand, und der aufzuckende[26] Lichtschein enthüllte eine grauenvolle Verwüstung.

„Mord! Mord!"

[27] skull

Lene lag in ihrem Blut, das Gesicht unkenntlich, mit zerschlagener Hirnschale.[27]

„Er hat seine Frau ermordet, er hat seine Frau ermordet!"

[28] in total confusion

Kopflos[28] lief man umher. Die Nachbarn kamen, einer stieß an die Wiege. „Heiliger Himmel!" Und er fuhr zurück, bleich, mit entsetzensstarrem[29] Blick. Da lag das Kind mit durchschnittenem Halse.

[29] rigid with horror

Analyze carefully the present condition of Lene as Hauptmann describes it, and assess her transformation: *überhaupt eine andere geworden.*

That the murder scene is in total darkness and is suddenly revealed by *der aufzuckende Lichtschein* is logical enough in itself but also accords with the construction of the story. Explain.

Indicate why the factual style of narration in the last several paragraphs is appropriate to the content.

Did you notice that Thiel's name has disappeared from the story? When was it last mentioned? Why did Hauptmann choose to do this? What does he use instead?

Obviously the cap stands, in Thiel's deranged mind, for Tobias—or is Tobias. The *Sorgfalt und Zärtlichkeit* may be equally obvious as to source or cause, but it may also have an extended meaning. (What has been Thiel's awareness of responsibility and fault?)

Der Wärter war verschwunden; die Nachforschungen, welche man noch in derselben Nacht anstellte, blieben erfolglos. Den Morgen darauf fand ihn der diensttuende[30] Wärter zwischen den Bahngeleisen und an der Stelle sitzend, wo Tobiaschen überfahren worden war.

5 Er hielt das braune Pudelmützchen[31] im Arm und liebkoste es ununter-brochen wie etwas, das Leben hat.

Der Wärter richtete einige Fragen an ihn, bekam jedoch keine Antwort und bemerkte bald, daß er es mit einem Irrsinnigen[32] zu tun habe.

Der Wärter am Block,[33] davon in Kenntnis gesetzt, erbat telegraphisch 10 Hilfe.[34]

Nun versuchten mehrere Männer ihn durch gutes Zureden von den Geleisen fortzulocken; jedoch vergebens.

Der Schnellzug, der um diese Zeit passierte, mußte anhalten, und erst der Übermacht seines Personals gelang es, den Kranken, der alsbald 15 furchtbar zu toben begann, mit Gewalt von der Strecke zu entfernen.

Man mußte ihm Hände und Füße binden, und der inzwischen requi-rierte Gendarm[35] überwachte seinen Transport[36] nach dem Berliner Unter-suchungsgefängnisse,[37] von wo aus er jedoch schon am ersten Tage nach der Irrenabteilung der Charité überführt wurde.[38] Noch bei der Einlie-20 ferung[39] hielt er das braune Mützchen in Händen und bewachte es mit eifersüchtiger Sorgfalt und Zärtlichkeit.

[30] *on duty*
[31] *little fur cap*
[32] *insane person*
[33] *signal box*
[34] *telegraphed for help*
[35] *policeman who had been summoned*
[36] *supervised his transfer*
[37] *detention prison*
[38] *was moved to the psychiatric ward of the hospital*
[39] *commitment*

Particularly in an author who recognizes deterministic explanations of human behavior, it is essential to assess carefully the presence of guilt and fault. What freedom of choice or will does Thiel have? Is the question of "flaw" a sensible one to raise?

Summarize the Naturalistic elements in the story.

Explore in retrospect the symbolic world of the *Novelle*. As a beginning, what does red signify? How many instances are there? (You should be able to catalogue about a dozen passages in which the color figures.) What about the animals? In how many ways do the tracks function as images or symbols, and with what interrelationships? How much is there of omen or foreshadowing?

What is the position of man in nature? In society? Is there a "social message"?

Characterize the structure of the narration: main divisions, transitional points, *Erzählzeit* and *erzählte Zeit*; balance of description, narration, and dialogue.

Assess the position of the author–narrator: point of view, intrusion, degree of "omniscience."

10

HUGO VON HOFMANNSTHAL

Reitergeschichte

[1] *(just before the defeat of the Italians and Radetzky's march on Milan)*

[2] *Wallmoden (Count of W., commanding general at Milan, of the Austrian 6th) Cuirassiers*

[3] *(Casino San Alessandro, small town NE of Milan)*

[4] *encountered a buzzing hail of bullets, which made a curiously loud, cat-like whine*

[5] *(Luciano Manara, revolutionary leader of Milan uprisings against Austrian rule)*

[6] *approach*

[7] *carbines*

[8] *Pisan (of Pisa, Tuscan city, south of Milan, near Florence)*

[9] *in Bergamasque costume (Bergamo, city near Milan, to the north)*

Den 22. Juli 1848,[1] vor 6 Uhr morgens, verließ ein Streifkommando, die zweite Eskadron von Wallmodenkürassieren,[2] Rittmeister Baron Rofrano mit einhundertsieben Reitern, das Kasino San Alessandro[3] und ritt gegen Mailand. Über der freien, glänzenden Landschaft lag eine unbeschreibliche Stille; von den Gipfeln der fernen Berge stiegen Morgenwolken wie stille [5] Rauchwolken gegen den leuchtenden Himmel; der Mais stand regungslos, und zwischen Baumgruppen, die aussahen wie gewaschen, glänzten Landhäuser und Kirchen her. Kaum hatte das Streifkommando die äußerste Vorpostenlinie der eigenen Armee etwa um eine Meile hinter sich gelassen, als zwischen den Maisfeldern Waffen aufblitzten und die Avantgarde [10] feindliche Fußtruppen meldete. Die Schwadron formierte sich neben der Landstraße zur Attacke, wurde von eigentümlich lauten, fast miauenden Kugeln überschwirrt,[4] attackierte querfeldein und trieb einen Trupp ungleichmäßig bewaffneter Menschen wie die Wachteln vor sich her. Es waren Leute der Legion Manaras,[5] mit sonderbaren Kopfbedeckungen. Die [15] Gefangenen wurden einem Korporal und acht Gemeinen übergeben und nach rückwärts geschickt. Vor einer schönen Villa, deren Zufahrt[6] uralte Zypressen flankierten, meldete die Avantgarde verdächtige Gestalten. Der Wachtmeister Anton Lerch saß ab, nahm zwölf mit Karabinern[7] bewaffnete Leute, umstellte die Fenster und nahm achtzehn Studenten der Pisaner[8] [20] Legion gefangen, wohlerzogene und hübsche junge Leute mit weißen Händen und halblangem Haar. Eine halbe Stunde später hob die Schwadron einen Mann auf, der in der Tracht eines Bergamasken[9] vorüberging

---

The year 1848 was a time of social and political ferment in Italy: pressure for constitutional reform, revolutionary changes in several states, uprisings and open war against Austrian control of the north; successful revolt in Milan, leading to Austrian retaliation, and in July 23–25 the defeat of the Italians by Austrian troops under Radetzky. Piedmont was active against Austria, and even the Papal States were involved.

The first sentence of the story establishes a highly specific and historically identifiable setting, factually noted. It ends with what seems to be a realistic denouement. Between, it is profoundly symbolic, dense with imagery, essentially *un*-realistic or at least highly selective. Be ready to interpret the contrast, in retrospect.

What are the principal attributes of the ride to Milan, the surroundings, etc.? How is it described (i.e. naturalistically or otherwise)?

und durch sein allzu harmloses und unscheinbares Auftreten verdächtig wurde. Der Mann trug im Rockfutter[10] eingenäht die wichtigsten Detailpläne, die Errichtung von Freikorps[11] in den Giudikarien[12] und deren Kooperation mit der piemontesischen Armee betreffend. Gegen 10 Uhr
5 vormittags fiel dem Streifkommando eine Herde Vieh in die Hände. Unmittelbar nachher stellte sich ihm ein starker feindlicher Trupp entgegen und beschoß[13] die Avantgarde von einer Friedhofsmauer[14] aus. Der Tete-Zug[15] des Leutnants Grafen Trautsohn übersprang die niedrige Mauer und hieb zwischen den Gräbern auf die ganz verwirrten Feindlichen
10 ein, von denen ein großer Teil in die Kirche und von dort durch die Sakristeitür in ein dichtes Gehölz sich rettete. Die siebenundzwanzig neuen Gefangenen meldeten sich als neapolitanische Freischaren[16] unter päpstlichen Offizieren. Die Schwadron hatte einen Toten.[17] Einer das Gehölz umreitenden Rotte, bestehend aus dem Gefreiten Wotrubek und
15 den Dragonern[18] Holl und Haindl, fiel eine mit zwei Ackergäulen[19] bespannte leichte Haubitze in die Hände, indem sie auf die Bedeckung einhieben und die Gäule[20] am Kopfzeug[21] packten und umwendeten. Der Gefreite Wotrubek wurde als leicht verwundet mit der Meldung der bestandenen Gefechte und anderer Glücksfälle ins Hauptquartier zurück-
20 geschickt, die Gefangenen gleichfalls nach rückwärts transportiert, die Haubitze aber von der nach abgegebener Eskorte[22] noch achtundsiebzig Reiter zählenden Eskadron mitgenommen.

Nachdem laut übereinstimmender Aussagen der verschiedenen Gefangenen[23] die Stadt Mailand von den feindlichen sowohl regulären als irregu-
25 lären Truppen vollständig verlassen, auch von allem Geschütz und Kriegsvorrat entblößt war, konnte der Rittmeister sich selbst und der Schwadron nicht versagen, in diese große und schöne, wehrlos[24] daliegende Stadt einzureiten. Unter[25] dem Geläute der Mittagsglocken, der Generalmarsch von den vier Trompeten hinaufgeschmettert in den stählern funkelnden Him-
30 mel, an tausend Fenstern hinklirrend und zurückgeblitzt auf achtundsiebzig Kürasse, achtundsiebzig aufgestemmte nackte Klingen; Straße rechts, Straße links wie ein aufgewühlter Ameishaufen[26] sich füllend mit staunenden Gesichtern; fluchende und erbleichende Gestalten hinter Haustoren verschwindend, verschlafene Fenster aufgerissen von den
35 entblößten Armen schöner Unbekannter; vorbei an Santa Babila,[27] an San Fedele, an San Carlo, am weltberühmten marmornen Dom,[28] an San Satiro, San Giorgio, San Lorenzo, San Eustorgio; deren uralte Erztore[29]

[10] lining of his coat
[11] volunteer corps
[12] Giudicaria, or Giudicarie, refers to a populous part of the Italian Tirol, around Tione)
[13] fired upon
[14] cemetery wall
[15] forward troop

[16] Neapolitan irregulars
[17] lost one man killed
[18] dragoons (foot or horse soldiers)
[19] farm horses
[20] horses
[21] headgear
[22] deducting the escort troops furnished (to go with the howitzer)
[23] as was confirmed by unanimous testimony of various prisoners
[24] defenseless
[25] (starting a long series of montages— grammatically, paratactic phrases —describing the surroundings of the march into Milan —with the single main clause at the end of the paragraph: so ritt . . .)
[26] upturned anthill
[27] (commencing a series of famous Milanese churches)
[28] marble Cathedral (the Duomo, largest church in Europe and, with its square, the center of Milan)
[29] bronze doors

What images or similes appear? Do they strike you as in any way unusual?

The two engagements with the "irregulars" set an important tone for the "battles" of this story. How hard fought are they?

The author is free to select any characteristic in describing persons. Why, of the Pisa students, *wohlerzogen, hübsch, weiße Hände, halblanges Haar*?

The spy and his business are again factually portrayed, but the next encounter is with cattle. What sort of campaign is this?

The next skirmish is more conventional, but the atmosphere and outcome are in line with what precedes. Hofmannsthal provides the key words for the progress of the campaign and the growing mood of the soldiery. Identify.

In this light, consider the entry into Milan.

30 clouds of incense
31 and women, dressed in
   brocades, with
   flashing eyes,
   beckoning from
   within
32 garrets
33 arched gateways
34 shops (or taverns)
35 shots to be expected
   (but instead . . .)
36 half-grown-up
37 blood-spattered
38 (two gates of the old
   city of Milan)
39 glacis (embankment)
40 ground-level

41 got a stone caught
   from the road
42 in the rear guard
43 could fall out

44 in question

45 opening

46 disheveled and
   tattered

47 geraniums

48 plaster

49 mirrored pillar

50 a Croatian paymaster
   non-com

51 call to mind

alle sich auftuend und unter Kerzenschein und Weihrauchqualm[30] silberne Heilige und brokatgekleidete strahlenäugige Frauen hevorwinkend;[31] aus tausend Dachkammern,[32] dunklen Torbogen,[33] niedrigen Butiken[34] Schüsse zu gewärtigen,[35] und immer wieder nur halbwüchsige[36] Mädchen und Buben, die weißen Zähne und dunklen Haare zeigend; vom trabenden Pferde herab funkelnden Auges auf alles dies hervorblickend aus einer Larve von blutgesprengtem[37] Staub; zur Porta Venezia hinein, zur Porta Ticinese[38] wieder hinaus: so ritt die schöne Schwadron durch Mailand.

Nicht weit vom letztgenannten Stadttor, wo sich ein mit hübschen Platanen bewachsenes Glacis[39] erstreckte, glaubte der Wachtmeister Anton Lerch am ebenerdigen[40] Fenster eines neugebauten hellgelben Hauses ein ihm bekanntes weibliches Gesicht zu sehen. Neugierde bewog ihn, sich im Sattel umzuwenden, und da er gleichzeitig aus einigen steifen Tritten seines Pferdes vermutete, es hätte in eines der vorderen Eisen einen Straßenstein eingetreten,[41] er auch an der Queue[42] der Eskadron ritt und ohne Störung aus dem Gliede konnte,[43] so bewog ihn alles dies zusammen, abzusitzen, und zwar nachdem er gerade das Vorderteil seines Pferdes in den Flur des betreffenden[44] Hauses gelenkt hatte. Kaum hatte er hier den zweiten weißgestiefelten Vorderfuß seines Braunen in die Höhe gehoben, um den Huf zu prüfen, als wirklich eine aus dem Innern des Hauses ganz vorne in den Flur mündende[45] Zimmertür aufging und in einem etwas zerstörten[46] Morgenanzug eine üppige, beinahe noch junge Frau sichtbar wurde, hinter ihr aber ein helles Zimmer mit Gartenfenstern, worauf ein paar Töpfchen Basilika und rote Pelargonien,[47] ferner mit einem Mahagonischrank und einer mythologischen Gruppe aus Biskuit[48] dem Wachtmeister sich zeigte, während seinem scharfen Blick noch gleichzeitig in einem Pfeilerspiegel[49] die Gegenwand des Zimmers sich verriet, ausgefüllt von einem großen weißen Bette und einer Tapetentür, durch welche sich ein beleibter vollständig rasierter älterer Mann im Augenblicke zurückzog.

Indem aber dem Wachtmeister der Name der Frau einfiel und gleichzeitig eine Menge anderes: daß sie die Witwe oder geschiedene Frau eines kroatischen Rechnungsunteroffiziers[50] war, daß er mit ihr vor neun oder zehn Jahren in Wien in Gesellschaft eines anderen, ihres damaligen eigentlichen Liebhabers, einige Abende und halbe Nächte verbracht hatte, suchte er nun mit den Augen unter ihrer jetzigen Fülle die damalige üppig-magere Gestalt wieder hervorzuziehen.[51] Die Dastehende aber lächelte ihn in einer

---

What aspects of the city are most prominent? Which may be taken as perceptions of the soldiery (cf. the factually described route)?

What is the effect of the *Larve von blutgesprengtem Staub?*

The hesitation of the horse becomes symbolic. Watch for it again.

"Realistic" considerations for Lerch's dismounting are given—e.g. he rides at the end of the column; the horse's hoof—but are they enough?

Note carefully the attributes of the woman. Which are special and likely to be important to the story? (Among others, her presence in Milan?)

Why the fat man? (He reappears, in a curious way.) What does he add to the picture of the woman?

halb geschmeichelten slawischen Weise an, die ihm das Blut in den starken
Hals und unter die Augen trieb, während eine gewisse gezierte Manier,
mit der sie ihn anredete, sowie auch der Morgenanzug und die Zimmer-
einrichtung[52] ihn einschüchterten. Im Augenblick aber, während er mit
5 etwas schwerfälligem[53] Blick einer großen Fliege nachsah, die über den
Haarkamm[54] der Frau lief, und äußerlich auf nichts achtete, als wie er seine
Hand, diese Fliege zu scheuchen, sogleich auf den weißen, warm und
kühlen Nacken legen würde, erfüllte ihn das Bewußtsein der heute bestandenen Gefechte und anderer Glücksfälle von oben bis unten, so daß er
10 ihren Kopf mit schwerer Hand nach vorwärts drückte und dazu sagte:
„Vuic" — diesen ihren Namen hatte er gewiß seit zehn Jahren nicht wieder
in den Mund genommen und ihren Taufnamen vollständig vergessen —,
„in acht Tagen rücken wir ein, und dann wird das da mein Quartier", auf
die halboffene Zimmertür deutend. Unter dem hörte er im Hause mehrfach
15 Türen zuschlagen, fühlte sich von seinem Pferde, zuerst durch stummes
Zerren am Zaum, dann indem es laut den anderen nachwieherte, fort-
gedrängt, saß auf und trabte der Schwadron nach, ohne von der Vuic
eine andere Antwort als ein verlegenes Lachen mit in den Nacken gezoge-
nem Kopf mitzunehmen.[55] Das ausgesprochene Wort aber machte seine
20 Gewalt geltend. Seitwärts der Rottenkolonne,[56] einen nicht mehr frischen
Schritt reitend, unter der schweren metallischen Glut des Himmels, den
Blick in der mitwandernden Staubwolke verfangen, lebte sich der Wachtmeister immer mehr in das Zimmer mit den Mahagonimöbeln und den
Basilikumtöpfen hinein und zugleich in eine Zivilatmosphäre,[57] durch
25 welche doch das Kriegsmäßige[58] durchschimmerte, eine Atmosphäre von
Behaglichkeit und angenehmer Gewalttätigkeit[59] ohne Dienstverhältnis,
eine Existenz in Hausschuhen, den Korb[60] des Säbels durch die linke
Tasche des Schlafrockes durchgesteckt. Der rasierte, beleibte Mann, der
durch die Tapetentür verschwunden war, ein Mittelding zwischen[61]
30 Geistlichem und pensioniertem[62] Kammerdiener, spielte darin eine bedeutende Rolle, fast mehr noch als das schöne breite Bett und die feine weiße
Haut der Vuic. Der Rasierte nahm bald die Stelle eines vertraulich be-
handelten, etwas unterwürfigen Freundes ein, der Hoftratsch[63] erzählte,
Tabak und Kapaunen[64] brachte, bald wurde er an die Wand gedrückt,
35 mußte Schweiggelder[65] zahlen, stand mit allen möglichen Umtrieben[66] in
Verbindung, war piemontesischer Vertrauter, päpstlicher Koch, Kuppler,[67]
Besitzer verdächtiger Häuser mit dunklen Gartensälen für politische

[52] *furnishings of the room*
[53] *dull and heavy*
[54] *comb*

[55] *no other answer . . . to take along with him except an embarrassed laugh and a toss of the head*
[56] *troop column*

[57] *atmosphere of civilian life*
[58] *military*
[59] *violence*
[60] *basket hilt*

[61] *something in between*
[62] *retired and pensioned*

[63] *court gossip*
[64] *capons*
[65] *hush money*
[66] *machinations*
[67] *pander*

Does Lerch's recalling of their past connection help characterize the woman?
The fly is only one of many creatures (six so far!) in the literal or metaphorical inventory of the
  Novelle. It is both specific and strange. Interpret.
What is Lerch's mood?
When a content word like *Glücksfälle* is used twice, it requires examination.
The horse seems in some ways more than ordinary.
Describe carefully Lerch's phantasy, its components, its mood, its relation to his present life.
  Watch carefully for the point at which he returns to reality.

[68] *soft, spongy*

[69] *bung-holes*

[70] *draw off*

[71] *gain*

[72] *ducats (coins)*

[73] *been awakened*

[74] *festered*

[75] *rested*

[76] *(Lodi, city south of Milan; Adda, river running from Lake Como to the Po)*

[77] *contact*

[78] *to be expected*

[79] *situated off the highway*

[80] *in some other way*

[81] *prize*

[82] *prepared*

[83] *flagstones*

[84] *slippery*

[85] *mortar*

[86] *lolling*

[87] *out of joint*

[88] *rear*

[89] *woman*

Zusammenkünfte, und wuchs zu einer schwammigen[68] Riesengestalt, der man an zwanzig Stellen Spundlöcher[69] in den Leib schlagen und statt Blut Gold abzapfen[70] konnte.

Dem Streifkommando begegnete in den Nachmittagsstunden nichts Neues, und die Träumereien des Wachtmeisters erfuhren keine Hemmungen. Aber in ihm war ein Durst nach unerwartetem Erwerb,[71] nach Gratifikationen, nach plötzlich in die Tasche fallenden Dukaten[72] rege geworden.[73] Denn der Gedanke an das bevorstehende erste Eintreten in das Zimmer mit den Mahagonimöbeln war der Splitter im Fleisch, um den herum alles von Wünschen und Begierden schwärte.[74]

Als nun gegen Abend das Streifkommando mit gefütterten und halbwegs ausgerasteten[75] Pferden in einem Bogen gegen Lodi und die Addabrücke[76] vorzudringen suchte, wo denn doch Fühlung[77] mit dem Feind sehr zu gewärtigen[78] war, schien dem Wachtmeister ein von der Landstraße abliegendes[79] Dorf, mit halbverfallenem Glockenturm in einer dunkelnden Mulde gelagert, auf verlockende Weise verdächtig, so daß er, die Gemeinen Holl und Scarmolin zu sich winkend, mit diesen beiden vom Marsche der Eskadron seitlich abbog und in dem Dorfe geradezu einen feindlichen General mit geringer Bedeckung zu überraschen und anzugreifen oder anderswie[80] ein ganz außerordentliches Prämium[81] zu verdienen hoffte, so aufgeregt war seine Einbildung. Vor dem elenden, scheinbar verödeten Nest angelangt, befahl er dem Scarmolin links, dem Holl rechts die Häuser außen zu umreiten, während er selbst, Pistole in der Faust, die Straße durchzugaloppieren sich anschickte,[82] bald aber, harte Steinplatten[83] unter sich fühlend, auf welchen noch dazu irgendein glitschriges[84] Fett ausgegossen war, sein Pferd in Schritt parieren mußte. Das Dorf blieb totenstill; kein Kind, kein Vogel, kein Lufthauch. Rechts und links standen schmutzige kleine Häuser, von deren Wänden der Mörtel[85] abgefallen war; auf den nackten Ziegeln war hie und da etwas Häßliches mit Kohle gezeichnet; zwischen bloßgelegten Türpfosten ins Innere schauend, sah der Wachtmeister hie und da eine faule, halbnackte Gestalt auf einer Bettstatt lungern[86] oder schleppend, wie mit ausgerenkten[87] Hüften, durchs Zimmer gehen. Sein Pferd ging schwer und schob die Hinterbeine mühsam unter, wie wenn sie von Blei wären. Indem er sich umwendete und bückte, um nach dem rückwärtigen[88] Eisen zu sehen, schlürften Schritte aus einem Hause, und da er sich aufrichtete, ging dicht vor seinem Pferde eine Frauensperson,[89] deren Gesicht er nicht sehen konnte. Sie

The paragraph *Dem Streifkommando . . .* contains the author-narrator's own analysis of Lerch. What has been the narrative "point of view" so far? What are the crucial psychological states diagnosed? Explain the image of the splinter.

The next paragraph (several pages) contains an episode of remarkable symbolic density, a nightmarish combination of reality and unreality. Try interpreting it as a journey into Death and/or to other levels of the human psyche, taking account, in your reading, of such events, characteristics, and motifs as the following: *abliegend; halbverfallen;* the nature of the village's attraction; *Prämium; glitschriges Fett; totenstill;* the inscriptions; the half-naked figures (reminiscent?); the horse's difficulty in walking; the *Frauensperson,* her *abgerissener*

war nur halb angekleidet; ihr schmutziger, abgerissener[90] Rock von geblüm-
ter[91] Seide schleppte im Rinnsal,[92] ihre nackten Füße staken in schmut-
zigen Pantoffeln; sie ging so dicht vor dem Pferde, daß der Hauch aus den
Nüstern den fettig[93] glänzenden Lockenbund[94] bewegte, der ihr unter
5 einem alten Strohhute in den entblößten Nacken hing, und doch ging sie
nicht schneller und wich dem Reiter nicht aus. Unter einer Türschwelle
zur Linken rollten zwei ineinander verbissene[95] blutende Ratten in die
Mitte der Straße, von denen die unterliegende so jämmerlich aufschrie,
daß das Pferd des Wachtmeisters sich verhielt und mit schiefem Kopf und
10 hörbarem Atem gegen den Boden stierte. Ein Schenkeldruck[96] brachte es
wieder vorwärts, und nun war die Frau in einem Hausflur verschwunden,
ohne daß der Wachtmeister hatte ihr Gesicht sehen können. Aus dem
nächsten Hause lief eilfertig mit gehobenem Kopfe ein Hund heraus, ließ
einen Knochen in der Mitte der Straße fallen und versuchte ihn in einer
15 Fuge[97] des Pflasters zu verscharren.[98] Es war eine weiße unreine Hündin
mit hängenden Zitzen;[99] mit teuflischer Hingabe scharrte sie, packte dann
den Knochen mit den Zähnen und trug ihn ein Stück weiter. Indessen sie
wieder zu scharren anfing, waren schon drei Hunde bei ihr: zwei waren
sehr jung, mit weichen Knochen und schlaffer Haut; ohne zu bellen und
20 ohne beißen zu können, zogen sie einander mit stumpfen Zähnen an den
Lefzen.[1] Der Hund, der zugleich mit ihnen gekommen war, war ein
lichtgelbes Windspiel von so aufgeschwollenem Leib, daß es nur ganz
langsam auf den vier dünnen Beinen sich weitertragen konnte. An dem
dicken wie eine Trommel gespannten Leib erschien der Kopf viel zu klein;
25 in den kleinen ruhelosen Augen war ein entsetzlicher Ausdruck von
Schmerz und Beklemmung. Sogleich sprangen noch zwei Hunde hinzu:
ein magerer, weißer, von äußerst gieriger Häßlichkeit, dem schwarze
Rinnen[2] von den entzündeten Augen herunterliefen, und ein schlechter
Dachshund auf hohen Beinen. Dieser hob seinen Kopf gegen den Wacht-
30 meister und schaute ihn an. Er mußte sehr alt sein. Seine Augen waren
unendlich müde und traurig. Die Hündin aber lief in blöder Hast vor dem
Reiter hin und her; die beiden jungen schnappten lautlos mit ihrem wei-
chen Maul nach den Fesseln[3] des Pferdes, und das Windspiel schleppte
seinen entsetzlichen Leib hart vor den Hufen. Der Braun konnte keinen
35 Schritt mehr tun. Als aber der Wachtmeister seine Pistole auf eines der
Tiere abdrücken[4] wollte und die Pistole versagte,[5] gab er dem Pferde beide
Sporen und dröhnte über das Steinpflaster hin. Nach wenigen Sätzen aber

[90] worn
[91] flowered
[92] gutter
[93] oily
[94] bun (of hair)

[95] with their teeth sunk into one another

[96] a push against its flanks

[97] crack
[98] bury
[99] teats

[1] lips

[2] strings of matter

[3] fetlocks

[4] fire
[5] failed to go off

Rock (*v.s. zerstörter Morgenanzug*), the Lockenbund (*v.s. Haarkamm*), the Nacken (*v.s. Nacken*); the hideous rats and the horse's reaction; the first, hectic dog (a female; why?); the grotesquely swollen one (reminiscent?); the contrast and opposition of horse and dogs (if the dogs are denial of life or degradation of human nature, what is the horse?); the complex image of the cow (to be slaughtered, terrified by blood and death, breathing the reddish mists, snatching the hay from the horse); the slowing of time; the reversal of perspective (with the vermin).
In an otherwise vastly different story, Konrad and Sanna, too, entered another symbolic world of ultimate danger. Comment.

mußte er das Pferd scharf parieren. Denn hier sperrte eine Kuh den Weg, die ein Bursche mit gespanntem Strick zur Schlachtbank[6] zerrte. Die Kuh aber, von dem Dunst des Blutes und der an den Türpfosten genagelten[7] frischen Haut eines schwarzen Kalbes zurückschaudernd,[8] stemmte sich auf ihren Füßen, sog mit geblähten[9] Nüstern den rötlichen Sonnendunst[10] des Abends in sich und riß sich, bevor der Bursche sie mit Prügel und Strick hinüberbekam, mit kläglichen Augen noch ein Maulvoll von dem Heu ab, das der Wachtmeister vorne am Sattel befestigt hatte. Er hatte nun das letzte Haus des Dorfes hinter sich und konnte, zwischen zwei niedrigen, abgebröckelten[11] Mauern reitend, jenseits einer alten einbogigen[12] Steinbrücke über einen anscheinend trockenen Graben den weiteren Verlauf des Weges absehen, fühlte aber in der Gangart seines Pferdes eine so unbeschreibliche Schwere, ein solches Nichtvorwärtskommen,[13] daß sich an seinem Blick jeder Fußbreit[14] der Mauern rechts und links, ja jeder von den dort sitzenden Tausendfüßen[15] und Asseln[16] mühselig vorbeischob,[17] und ihm war, als hätte er eine unmeßbare[18] Zeit mit dem Durchreiten des widerwärtigen Dorfes verbracht. Wie nun zugleich aus der Brust seines Pferdes ein schwerer rohrender Atem[19] hervordrang, er dies ihm völlig ungewohnte Geräusch aber nicht sogleich richtig erkannte und die Ursache davon zuerst über und neben sich und schließlich in der Entfernung suchte, bemerkte er jenseits der Steinbrücke und beiläufig in gleicher Entfernung von dieser als wie er sich selbst befand, einen Reiter des eigenen Regiments auf sich zukommen, und zwar einen Wachtmeister, und zwar auf einem Braunen mit weißgestiefelten Vorderbeinen. Da er nun wohl wußte, daß sich in der ganzen Schwadron kein solches Pferd befand, ausgenommen dasjenige, auf welchem er selbst in diesem Augenblicke saß, er das Gesicht des anderen Reiters aber immer noch nicht erkennen konnte, so trieb er ungeduldig sein Pferd sogar mit den Sporen zu einem sehr lebhaften Trab an, worauf auch der andere sein Tempo ganz im gleichen Maße verbesserte, so daß nun nur mehr ein Steinwurf sie trennte, und nun, indem die beiden Pferde, jedes von seiner Seite her, im gleichen Augenblick, jedes mit dem gleichen weißgestiefelten Vorfuß die Brücke betraten, der Wachtmeister, mit stierem[20] Blick in der Erscheinung sich selber erkennend, wie sinnlos sein Pferd zurückriß und die rechte Hand mit ausgespreizten Fingern gegen das Wesen vorstreckte, worauf die Gestalt, gleichfalls parierend und die Rechte erhebend, plötzlich nicht da war, die Gemeinen Holl und Scarmolin mit unbefangenen[21] Gesichtern von

Marginal glosses:
[6] *slaughterhouse*
[7] *nailed*
[8] *recoiling*
[9] *flared*
[10] *sunlit mist*
[11] *crumbling*
[12] *single arch*
[13] *immobility*
[14] *foot*
[15] *centipedes*
[16] *lice*
[17] *(the sense of immobilization is so great that these phenomena—each foot of wall, the insects—seem to drag past his eyes)*
[18] *immeasurable*
[19] *breath like the belling of a stag*
[20] *glassy*
[21] *innocent*

The unprecedented action of his horse initiates one of the story's *Wendepunkte* (others?), the approaching horse and rider. Describe the mirror effect of the approach.

What has Lerch seen, and where has he been? What is in store for him?

How is the transition back to ordinary reality effected: in space, in time, in sentence and paragraph structure?

Why the sudden violence of the renewed military action?

Lerch's appearance?

rechts und links aus dem trockenen Graben auftauchten und gleichzeitig
über die Hutweide her, stark und aus gar nicht großer Entfernung, die
Trompeten der Eskadron „Attacke"[22] bliesen. Im stärksten Galopp eine
Erdwelle hinansetzend,[23] sah der Wachtmeister die Schwadron schon im
5 Galopp auf ein Gehölz zu, aus welchem feindliche Reiter mit Piken eilfertig debouchierten;[24] sah, indem er, die vier losen Zügel in der Linken
versammelnd, den Handriemen[25] um die Rechte schlang, den vierten Zug
sich von der Schwadron ablösen und langsamer werden, war nun schon auf
dröhnendem Boden, nun in starkem Staubgeruch,[26] nun mitten im Feinde,
10 hieb auf einen blauen Arm ein, der eine Pike führte, sah dicht neben sich
das Gesicht des Rittmeisters mit weit aufgerissenen Augen und grimmig
entblößten Zähnen, war dann plötzlich unter lauter feindlichen Gesichtern
und fremden Farben eingekeilt,[27] tauchte unter in lauter geschwungenen
Klingen, stieß den nächsten in den Hals und vom Pferd herab, sah neben
15 sich den Gemeinen Scarmolin mit lachendem Gesicht einem die Finger
der Zügelhand ab- und tief in den Hals des Pferdes hineinhauen,[28] fühlte
die Mêlée[29] sich lockern und war auf einmal allein, am Rand eines kleinen
Baches, hinter einem feindlichen Offizier auf einem Eisenschimmel. Der
Offizier wollte über den Bach; der Eisenschimmel versagte. Der Offizier
20 riß ihn herum, wendete dem Wachtmeister ein junges, sehr bleiches
Gesicht und die Mündung[30] einer Pistole zu, als ihm ein Säbel in den
Mund fuhr, in dessen kleiner Spitze die Wucht[31] eines galoppierenden
Pferdes zusammengedrängt war. Der Wachtmeister riß den Säbel zurück
und erhaschte an der gleichen Stelle, wo die Finger des Herunterstürzenden
25 ihn losgelassen hatten, den Stangenzügel[32] des Eisenschimmels, der leicht
und zierlich wie ein Reh die Füße über seinen sterbenden Herrn hinhob.

Als der Wachtmeister mit dem schönen Beutepferd zurückritt, warf die
in schwerem Dunst untergehende Sonne eine ungeheure Röte über die
Hutweide. Auch an solchen Stellen, wo gar keine Hufspuren waren,
30 schienen ganze Lachen[33] von Blut zu stehen. Ein roter Widerschein lag auf
den weißen Uniformen und den lachenden Gesichtern, die Kürasse und
Schabracken[34] funkelten und glühten, und am stärksten drei kleine Feigen-
bäume,[35] an deren weichen Blättern die Reiter lachend die Blutrinnen[36]
ihrer Säbel abgewischt hatten. Seitwärts der rotgefleckten[37] Bäume hielt
35 der Rittmeister und neben ihm der Eskadronstrompeter, der die wie in
roten Saft getauchte Trompete an den Mund hob und Appell blies.[38] Der
Wachtmeister ritt von Zug zu Zug und sah, daß die Schwadron nicht einen

[22] *signal for attack*
[23] *dashing up*
[24] *debouched*
[25] *(hand) strap*
[26] *smell of dust*
[27] *wedged in*
[28] *cut off the fingers . . . and (cut) deep into . . .*
[29] *skirmish*
[30] *muzzle*
[31] *impact*
[32] *curb rein*
[33] *pools*
[34] *saddle cloths*
[35] *most of all, three little fig trees*
[36] *fullering (grooves along the flat of their swordblades)*
[37] *red-flecked*
[38] *blew for roll call*

The killing of the officer (what is he like?) is described in terms that also characterize Lerch.
Why the simile, for the officer's horse: *leicht und zierlich wie ein Reh?* (The function and meaning of horses is obviously special, both as they differ as to kind, and as they contrast with
other animals.)
Images of blood and redness increase in frequency. Laughter is mentioned again (*v.s.* Scarmolin's laughing face). Why the combination?

Mann verloren und dafür neun Handpferde gewonnen hatte. Er ritt zum Rittmeister und meldete, immer den Eisenschimmel neben sich, der mit gehobenem Kopf tänzelte und Luft einzog, wie ein junges, schönes und eitles Pferd, das es war. Der Rittmeister hörte die Meldung nur zerstreut an. Er winkte den Leutnant Grafen Trautsohn zu sich, der dann sogleich 5 absaß und mit sechs gleichfalls abgesessenen Kürassieren hinter der Front der Eskadron die erbeutete leichte Haubitze ausspannte,[39] das Geschütz von den sechs Mannschaften[40] zur Seite schleppen und in ein von dem Bach gebildetes kleines Sumpfwasser[41] versenken ließ, hierauf wieder aufsaß und, nachdem er die nunmehr überflüssigen beiden Zuggäule[42] mit 10 der flachen Klinge fortgejagt hatte, stillschweigend seinen Platz vor dem ersten Zug wieder einnahm. Während dieser Zeit verhielt sich die in zwei Gliedern formierte Eskadron nicht eigentlich unruhig, es herrschte aber doch eine nicht ganz gewöhnliche Stimmung, durch die Erregung von vier an einem Tage glücklich bestandenen Gefechten erklärlich,[43] die sich im 15 leichten Ausbrechen halb unterdrückten Lachens sowie in halblauten untereinander gewechselten Zurufen[44] äußerte. Auch standen die Pferde nicht ruhig, besonders diejenigen, zwischen denen fremde erbeutete Pferde eingeschoben waren. Nach solchen Glücksfällen schien allen der Aufstellungsraum[45] zu enge, und solche Reiter und Sieger verlangten sich inner- 20 lich, nun im offenen Schwarm auf einen neuen Gegner loszugehen, einzuhauen und neue Beutepferde zu packen. In diesem Augenblicke ritt der Rittmeister Baron Rofrano dicht an die Front seiner Eskadron, und indem er von den etwas schläfrigen blauen Augen die großen Lider hob, kommandierte er vernehmlich, aber ohne seine Stimme zu erheben: 25 „Handpferde auslassen!" Die Schwadron stand totenstill. Nur der Eisenschimmel neben dem Wachtmeister streckte den Hals und berührte mit seinen Nüstern fast die Stirne des Pferdes, auf welchem der Rittmeister saß. Der Rittmeister versorgte[46] seinen Säbel, zog eine seiner Pistolen aus dem Halfter, und indem er mit dem Rücken der Zügelhand ein wenig 30 Staub von dem blinkenden Lauf wegwischte, wiederholte er mit etwas lauterer Stimme sein Kommando und zählte gleich nachher „eins" und „zwei". Nachdem er das „zwei" gezählt hatte, heftete er seinen verschleierten Blick auf den Wachtmeister, der regungslos vor ihm im Sattel saß und ihm starr ins Gesicht sah. Während Anton Lerchs starr aushaltender Blick, 35 in dem nur dann und wann etwas Gedrücktes, Hündisches[47] aufflackerte und wieder verschwand, eine gewisse Art devoten,[48] aus vieljährigem

Margin glosses:
[39] *unhitched*
[40] *enlisted men*
[41] *bog*
[42] *draft horses*
[43] *easily explainable*
[44] *words of greeting*
[45] *marshaling grounds*
[46] *sheathed*
[47] *something of a suppressed and cringing expression*
[48] *loyal*

The encounter of Lerch and the Rittmeister begins. What is Lerch's mood? Dangers implicit in this?

What might the disposal of the howitzer and the draft horses portend?

What is the mood of the squadron, and its cause? (Again *Glücksfälle*.)

Why does the Baron order the release of the captured horses?

What can be read into the behavior of Lerch's *Beutepferd*?

Consider the Baron's drastic move from the point of view of military necessity, psychological verisimilitude, due cause (or not), symbolic validity.

Dienstverhältnisse hervorgegangenen Zutrauens ausdrücken mochte, war sein Bewußtsein von der ungeheuren Gespanntheit dieses Augenblicks fast gar nicht erfüllt, sondern von vielfältigen Bildern einer fremdartigen Behaglichkeit ganz überschwemmt, und aus einer ihm selbst völlig un-
5 bekannten Tiefe seines Innern stieg ein bestialischer Zorn gegen den Menschen da vor ihm auf, der ihm das Pferd wegnehmen wollte, ein so entsetzlicher Zorn über das Gesicht, die Stimme, die Haltung und das ganze Dasein dieses Menschen, wie er nur durch jahrelanges enges Zusammenleben auf geheimnisvolle Weise entstehen kann. Ob aber in dem
10 Rittmeister etwas Ähnliches vorging, oder ob sich ihm in diesem Augenblicke stummer Insubordination die ganze lautlos um sich greifende Gefährlichkeit kritischer Situationen zusammenzudrängen schien, bleibt im Zweifel: Er hob mit einer nachlässigen, beinahe gezierten Bewegung den Arm, und indem er, die Oberlippe verächtlich hinaufziehend, „drei"
15 zählte, krachte auch schon der Schuß, und der Wachtmeister taumelte, in die Stirn getroffen, mit dem Oberleib auf den Hals seines Pferdes, dann zwischen dem Braun und dem Eisenschimmel zu Boden. Er hatte aber noch nicht hingeschlagen,[49] als auch schon sämtliche Chargen und Gemeinen[50] sich ihrer Beutepferde mit einem Zügelriß oder Fußtritt entledigt
20 hatten und der Rittmeister, seine Pistole ruhig versorgend, die von einem blitzähnlichen Schlag noch nachzuckende[51] Schwadron dem in undeutlicher dämmernder Entfernung anscheinend sich ralliierenden[52] Feinde aufs neue entgegenführen konnte.[53] Der Feind nahm aber die neuerliche[54] Attacke nicht an, und kurze Zeit nachher erreichte das Streifkommando
25 unbehelligt[55] die südliche Vorpostenaufstellung[56] der eigenen Armee.

[49] *struck the ground*
[50] *officers and men*
[51] *trembling with the after-effects of*
[52] *rallying*
[53] *(continuing the clause introduced by* als auch: *. . . und der Rittmeister . . . die . . . Schwadron dem Feinde . . . entgegenführen konnte)*
[54] *renewed*
[55] *unmolested*
[56] *outpost position*

What is the psychological and psychic state of Lerch as he faces death? What specific clues does the author give?

Assess, in their bearing on Lerch's death: *Dienstverhältnis, Zutrauen, Behaglichkeit,* unknown depths of his being (of what retrospective importance?), *Zorn.*

What is the Baron's state of mind? What clues? Does Hofmannsthal equate class and rank differences with differences in character?

As a summative question, why does Lerch die?

To what sort of action does the squadron return?

What is left of the historical level of meaning?

Questions of technique: what is the relation of *Erzählzeit* to *erzählte Zeit*?; what point of view or degree of "omniscient authorship" is represented by the sentence *ob aber . . . , oder ob . . .* ?; how is the story divided as to segments of narrative; what is the span of "actual" time covered by the narration?; what is the function of Holl and Scarmolin in relation to Lerch?; what *Novelle* features appear?

11

ROBERT MUSIL

Die Portugiesin

[1] chronicles
[2] (Ital.=von Ketten)

[3] affiliation

[4] Brenner Pass
[5] (town south of the Brenner, on the Eisak River)
[6] vertical

[7] curtain

[8] rosy

[9] of medium height

Sie hießen in manchen Urkunden[1] delle Catene[2] und in andern Herren von Ketten; sie waren aus dem Norden gekommen und hatten vor der Schwelle des Südens halt gemacht; sie gebrauchten ihre deutsche oder welsche Zugehörigkeit,[3] wie es der Vorteil gebot, und fühlten sich nirgends hingehören als zu sich.   5

Seitlich des großen, über den Brenner[4] nach Italien führenden Wegs, zwischen Brixen[5] und Trient, lag auf einer fast freistehenden lotrechten[6] Wand ihre Burg; fünfhundert Fuß unter ihr tollte ein kleiner wilder Fluß so laut, daß man eine Kirchenglocke im selben Raum nicht gehört hätte, sobald man den Kopf aus dem Fenster bog. Kein Schall der Welt drang   10 von außen in das Schloß der Catene, durch diese davorhängende Matte[7] wilden Lärms hindurch; aber das gegen das Toben sich stemmende Auge fuhr ohne Hindernis durch diesen Widerstand und taumelte überrascht in die tiefe Rundheit des Ausblicks.

Als scharf und aufmerksam galten alle Herren von Ketten, und kein   15 Vorteil entging ihnen in weitem Umkreis. Und bös wie Messer waren sie, die gleich tief schneiden. Sie wurden nie rot vor Zorn oder rosig[8] vor Freude, sondern sie wurden dunkel im Zorn und in der Freude strahlten sie wie Gold, so schön und so selten. Sie sollen einander alle, wer immer sie im Lauf der Jahre und Jahrhunderte waren, auch noch darin geglichen   20 haben, daß sie früh weiße Fäden in ihr braunes Haupt- und Barthaar bekamen und vor dem sechzigsten Jahr starben; auch darin, daß in ihren mittelgroßen,[9] schlanken Körpern, die ungeheure Kraft, die sie manchmal

---

Polarity and antithetical contrasts figure prominently in Musil's work. Interpret in this light the location of the castle. (Recall the importance, in the German tradition, of the South, the Mediterranean, antiquity, Italy, Renaissance, light and warmth.)

What other attributes of the location are potentially significant? Cue: the story ends: *Kein Laut . . . drang aus diesen Mauern hinaus,* and the reference is to a religious matter.

What are the essential characteristics of the Kettens?

zeigten, gar nicht Platz und Ursprung zu haben, sondern aus ihren Augen und Stirnen zu kommen schien, doch war dies Gerede von eingeschüchterten Nachbarn und Knechten. Sie nahmen, was sie an sich bringen konnten, und gingen dabei redlich[10] oder gewaltsam oder listig zu Werk, je
5 wie es kam, aber stets ruhig und unabwendbar;[11] ihr kurzes Leben war ohne Hast und endete rasch, ohne nachzulassen, wenn sie ihr Teil erfüllt hatten.

    Es war Sitte im Geschlecht der Ketten, daß sie sich mit dem in ihrer Nähe ansässigen[12] Adel nicht versippten;[13] sie holten ihre Frauen von weit
10 her und holten reiche Frauen, um durch nichts in der Wahl ihrer Bündnisse und Feindschaften beschränkt zu sein. Der Herr von Ketten, welcher die schöne Portugiesin vor zwölf Jahren geheiratet hatte, stand damals in seinem dreißigsten Jahr. Die Hochzeit fand in der Fremde statt, und die sehr junge Frau sah ihrer Niederkunft entgegen,[14] als der schellenklin-
15 gende[15] Zug der Gefolgsleute und Knechte, Pferde, Dienerinnen, Saumtiere[16] und Hunde die Grenze des Gebiets der Catene überschritt; die Zeit war wie ein einjähriger Hochzeitsflug[17] vergangen. Denn alle Ketten waren glänzende Kavaliere, bloß zeigten sie es nur in dem einen Jahr ihres Lebens, wo sie freiten;[18] ihre Frauen waren schön, weil sie schöne Söhne
20 wollten, und es wäre ihnen anders nicht möglich gewesen, in der Fremde, wo sie nicht so viel galten wie daheim, solche Frauen zu gewinnen; sie wußten aber selbst nicht, zeigten sie sich in diesem einen Jahr so, wie sie wirklich waren, oder in all den andren. Ein Bote mit wichtiger Nachricht kam den Nahenden entgegen: noch waren die farbigen Gewänder und
25 Federwimpel[19] des Zugs wie ein großer Schmetterling, aber der Herr von Ketten hatte sich verändert. Er ritt, als er sie wieder eingeholt hatte, langsam neben seiner Frau weiter, als wollte er Eile für sich nicht gelten lassen,[20] aber sein Gesicht war fremd geworden wie eine Wolkenwand.[21] Als bei einer Biegung[22] des Wegs plötzlich das Schloß vor ihnen auftauchte,
30 nur noch eine Viertelstunde entfernt, brach er mit Anstrengung das Schweigen.

    Er wollte, daß seine Frau umkehre und zurückreise. Der Zug hielt an. Die Portugiesin bat und bestand darauf, daß sie weiterritten; umzukehren war auch Zeit, nachdem man die Gründe gehört hatte.
35   Die Bischöfe von Trient waren mächtige Herrn, und das Reichsgericht sprach ihnen zu Munde:[23] seit des Urgroßvaters Zeiten lagen die Ketten mit ihnen in Streit wegen Stücken Lands, und bald war es ein Rechts-

---

Marginal glosses:

[10] *honorably*
[11] *ineluctably*
[12] *located*
[13] *didn't marry into*
[14] *was anticipating her confinement*
[15] *tinkling*
[16] *pack animals*
[17] *wedding trip*
[18] *were courting*
[19] *plumes (or pennants)*
[20] *as if he didn't want to admit the existence of haste*
[21] *cloud bank*
[22] *turn*
[23] *the Imperial Courts were their spokesmen*

How does Musil prepare for one of his central contrasts, in the hero and others: *Körper* and *Geist*?

What is important about the fate of the Kettens?

What does marriage mean to them? Why the "wife from afar"?

Sie wußten aber selbst nicht. ... Does this have possible thematic importance? What about "point of view"? Does the author himself know?

streit²⁴ gewesen, bald waren aus Forderung²⁵ und Widerstand blutige Schlägereien²⁶ erwachsen, aber jedesmal waren es die Herrn von Ketten gewesen, die der Überlegenheit des Gegners nachgeben mußten. Der Blick, dem sonst kein Vorteil entging, wartete hier vergeblich, ihn zu gewahren; aber der Vater überlieferte die Aufgabe dem Sohn, und ihr Stolz wartete in der Geschlechterfolge,²⁷ ohne weich zu werden, weiter.

Es war dieser Herr von Ketten, dem sich der Vorteil darbot. Er erschrak darüber, daß er ihn beinahe versäumt hätte. Eine mächtige Partei im Adel lehnte sich gegen den Bischof auf,²⁸ es war beschlossen worden, ihn zu überfallen und gefangen zu nehmen, und der Ketten, als man vernommen hatte, daß er wiederkam, sollte ein Trumpf im Spiel sein. Ketten, seit Jahr und Tag abwesend, wußte nicht, wie es um die bischöfliche Kraft stand; aber das wußte er, daß es eine böse, jahrelange Probe von unsicherem Ausgang sein würde, und daß man sich nicht auf jeden bis zum bitteren Ende würde verlassen können, wenn es nicht gelang, Trient gleich anfangs zu überrumpeln.²⁹ Er grollte seiner schönen Frau, weil sie ihn beinahe die Gelegenheit hatte verspielen³⁰ lassen. So sehr gefiel sie ihm, der um einen Pferdehals zurück neben ihr ritt, wie immer; auch war sie ihm noch so geheimnisvoll wie die vielen Perlenketten, die sie besaß. Wie Erbsen hätte man solche Dinger zerdrücken können, wenn man sie in der hohlen, sehnengeflochtenen³¹ Hand wog, dachte er neben ihr reitend, aber sie lagen so unbegreiflich sicher darin. Nur war dieser Zauber von der neuen Nachricht beiseite geräumt worden wie die Mummenträume³² des Winters, wenn die knäbisch nackten ersten sonnenharten Tage³³ wieder da sind. Gesattelte Jahre³⁴ lagen vorauf,³⁵ in denen Weib und Kind fremd verschwanden.

Aber die Pferde waren inzwischen an den Fuß der Wand gelangt, worauf die Burg stand, und die Portugiesin, als sie alles angehört hatte, erklärte noch einmal, daß sie bleiben wolle. Wild stieg das Schloß auf. Da und dort saßen an der Felsbrust³⁶ verkümmerte Bäumchen wie einzelne Haare. Die Waldberge stürzten so auf und nieder, daß man diese Häßlichkeit einem, der nur die Meereswellen kannte, gar nicht hätte zu beschreiben vermögen. Voll kaltgewordener Würze³⁷ war die Luft, und alles war so, als ritte man in einen großen zerborstenen Topf hinein, der eine fremde grüne Farbe enthielt. Aber in den Wäldern gab es den Hirsch,³⁸ Bären, das Wildschwein,³⁹ den Wolf und vielleicht das Einhorn.⁴⁰ Weiter hinten hausten Steinböcke⁴¹ und Adler. Unergründete⁴² Schluchten boten den

Glossary (margin):
²⁴ legal contest · ²⁵ challenge · ²⁶ melées · ²⁷ through succeeding generations · ²⁸ was in revolt · ²⁹ overpower · ³⁰ forfeit · ³¹ sinewy · ³² masquerade visions · ³³ the first boyish bare sun-harsh days (sudden metaphor being part of Musil's technique) · ³⁴ saddled years (for "years in the saddle") · ³⁵ ahead · ³⁶ face of the cliff · ³⁷ chilled spice · ³⁸ stag · ³⁹ wild boar · ⁴⁰ unicorn · ⁴¹ ibexes · ⁴² unfathomed

Indicate specific attributes of the location. Note the common denominators, e.g. isolation. Others?
Why the mention of *Einhorn, nie . . . eines Christen Weg*, etc.?
Removal from conventional reality is frequent in Musil. Are there signs of it here?

Drachen Aufenthalt. Wochenweit und -tief[43] war der Wald, durch den nur
die Wildfährten[44] führten, und oben, wo das Gebirge ihm aufsaß,[45] begann
das Reich der Geister. Dämonen hausten dort mit dem Sturm und den
Wolken; nie führte eines Christen Weg hinauf, und wann es aus Fürwitz[46]
5 geschehen war, hatte es Widerfahrnisse zur Folge,[47] von denen die Mägde
in den Winterstuben mit leiser Stimme berichteten, während die Knechte
geschmeichelt schwiegen und die Schultern hochzogen, weil das Männer-
leben gefährlich ist und solche Abenteuer einem darin zustoßen können.
Von allem, was sie gehört hatte, erschien es aber der Portugiesin als das
10 Seltsamste: So wie noch keiner den Fuß des Regenbogens erreicht hat,
sollte es auch noch nie einem gelungen sein, über die großen Steinmauern
zu schaun; immer waren neue Mauern dahinter: Mulden waren dazwischen
gespannt wie Tücher voll Steinen, Steine so groß wie ein Haus, und noch
der feinste Schotter[48] unter den Füßen nicht kleiner als ein Kopf; es war
15 eine Welt, die eigentlich keine Welt war. Oft hatte sie sich in Träumen
dieses Land, aus dem der Mann kam, den sie liebte, nach seinem eigenen
Wesen vorgestellt und das Wesen dieses Mannes nach dem, was er ihr von
seiner Heimat erzählte. Müde des pfaublauen[49] Meers, hatte sie sich ein
Land erwartet, das voll Unerwartetem war wie die Sehne eines gespannten
20 Bogens; aber da sie das Geheimnis sah, fand sie es über alles Erwarten
häßlich und mochte fliehn. Wie aus Hühnerställen zusammengefügt[50] war
die Burg. Stein auf Fels getürmt. Schwindelnde Wände, an denen der
Moder[51] wuchs. Morsches Holz oder rohfeuchte[52] Stämme. Bauern- und
Kriegsgerät, Stallketten[53] und Wagenbäume.[54] Aber da sie nun hier war,
25 gehörte sie her, und vielleicht war das, was sie sah, gar nicht häßlich, sondern eine Schönheit wie die Sitten von Männern, an die man sich erst
gewöhnen mußte.
   Als der Herr von Ketten seine Frau den Berg hinaufreiten sah, mochte
er sie nicht anhalten. Er dankte es ihr nicht, aber es war etwas, das weder
30 seinen Willen überwand, noch ihm nachgab, sondern ausweichend ihn
anderswohin lockte und ihn unbeholfen schweigend hinter ihr dreinreiten
machte wie eine arme verlorene Seele.
   Zwei Tage später saß er wieder im Sattel.
   Und elf Jahre später tat er es noch. Der Handstreich[55] gegen Trient,
35 leichtfertig vorbereitet,[56] war mißlungen,[57] hatte der Rittermacht[58] gleich
am Anfang über ein Drittel ihres Gefolges gekostet und mehr als die
Hälfte ihres Wagemutes.[59] Der Herr von Ketten, am Rückzug verwundet,

[43] weeks wide and deep
[44] tracks of game
[45] sat on top of it (it=forest)
[46] curiosity
[47] entailed consequences (the like of which . . .)

[48] gravel

[49] peacock blue

[50] put together

[51] mold
[52] coarse, wet
[53] stable chains
[54] wagon poles

[55] coup
[56] too casually planned
[57] failed
[58] side of the knights
[59] daring

Stein auf Fels getürmt. What is the effect of the nominal style and the incomplete sentences?
The *etwas* that makes Ketten *wie eine arme verlorene Seele* is important to diagnose.
The one sentence paragraph marks a boundary between what elements of the narration?

[60] *preliminary discussions*

[61] *bull*

[62] *the laggards and the stingy*
[63] *gathered reinforcements*

[64] *talked to people*

[65] *enchanting*

kehrte nicht gleich nach Hause zurück; zwei Tage lang lag er in einer Bauernhütte verborgen, dann ritt er auf die Schlösser und fachte den Widerstand an. Zu spät gekommen zur Vorberatung[60] und Beratung des Unternehmens, hing er nach dem Fehlschlag daran wie der Hund am Ohr des Bullen.[61] Er stellte den Herrn vor, was ihrer wartete, wenn die bischöf- 5 liche Macht zum Gegenschlag kam, ehe ihre Reihen wieder geschlossen seien, trieb Säumige und Knausernde[62] an, preßte Geld aus ihnen, zog Verstärkungen herbei,[63] rüstete und ward zum Feldhauptmann des Adels gewählt. Seine Wunden bluteten anfangs noch so, daß er täglich zweimal die Tücher wechseln mußte; er wußte nicht, während er ritt und um- 10 sprach[64] und für jede Woche, um die er zu spät zur Stelle gewesen war, einen Tag fernblieb, ob er dabei an die zauberhafte[65] Portugiesin dachte, die sich ängsten mußte.

Fünf Tage nach der Kunde von seiner Verwundung kam er erst zu ihr und blieb bloß einen Tag. Sie sah ihn an, ohne zu fragen, prüfend, wie 15 man dem Flug eines Pfeils folgt, ob er treffen wird.

[66] *racket of men, whinny of horses, dragging of timbers*

[67] *helmet*

Er zog seine Leute herbei bis zum letzten erreichbaren Knaben, ließ die Burg in Verteidigungszustand setzen, ordnete und befahl. Knechtlärm, Pferdegewieher, Balkentragen,[66] Eisen- und Steinklang war dieser Tag. In der Nacht ritt er weiter. Er war freundlich und zärtlich wie zu einem edlen 20 Geschöpf, das man bewundert, aber sein Blick ging so gradaus wie aus einem Helm[67] hervor, auch wenn er keinen trug. Als der Abschied kam, bat die Portugiesin, plötzlich von Weiblichkeit überwältigt, wenigstens jetzt seine Wunde waschen und ihr frischen Verband auflegen zu dürfen, aber er ließ es nicht zu; eiliger, als es nötig war, nahm er Abschied, lachte 25 beim Abschied, und da lachte sie auch.

[68] *feminine*
[69] *treacherous*
[70] *in sacrifices made stage by stage, each postponed to the last possible moment*
[71] *did not suffice to gain adherents*
[72] *strategy*
[73] *drew back as soon as resistance sharpened*
[74] *thrust out*
[75] *if the siege could not be raised in time*
[76] *slaughter*

Die Art, wie der Gegner den Streit auskämpfte, war gewaltsam, wo sie es sein konnte, wie es dem harten, adeligen Mann entsprach, der das Bischofsgewand trug, aber sie war auch, wie es dieses frauenhafte[68] Gewand ihn gelehrt haben mochte, nachgiebig, hinterhältig[69] und zäh. Reichtum 30 und ausgedehnter Besitz entfalteten langsam ihre Wirkung in stufenweisen, bis zum letzten Augenblick hinaus verzögerten Opfern,[70] wenn Stellung und Einfluß nicht mehr ausreichen, um sich Helfer zu verbünden.[71] Entscheidungen wich diese Kampfweise[72] aus. Rollte sich ein, sobald sich der Widerstand zuspitzte:[73] stieß nach,[74] wo sie sein Erschlaffen erriet. So 35 kam es, daß manchmal eine Burg berannt wurde, und wenn sie nicht rechtzeitig entsetzt werden konnte,[75] unter blutigem Hinmorden[76] fiel,

---

Speculate on the image *Flug eines Pfeils* (*Cf.* above:*Sehne eines gespannten Bogens*).

Earlier it is said Ketten loves his wife; here *Weiblichkeit* appears. What is the bearing of this on Ketten's life?

Indicate the attributes of the opposition and its strategy. *Cf.* Ketten's position.

Again *zwei Kräfte*. What is the relation to other polarities?

manchmal aber auch durch Wochen Heerhaufen[77] in den Ortschaften
lagerten und nichts geschah, als daß den Bauern eine Kuh weggetrieben
oder ein paar Hühner abgestochen[78] wurden. Aus Wochen wurde Sommer
und Winter, und aus Jahreszeiten wurden Jahre. Zwei Kräfte rangen mit-
5 einander, die eine wild und angriffslustig, aber zu schwach, die andre wie
ein träger, weicher, aber grausam schwerer Körper, dem auch noch die
Zeit ihr Gewicht lieh.

    Der Herr von Ketten wußte das wohl. Er hatte Mühe, die verdrossene
und geschwächte Ritterschaft[79] davon abzuhalten, in einem plötzlich be-
10 schlossenen Angriff ihre letzte Kraft auszugeben.[80] Er lauerte auf die Blöße,
die Wendung, das Unwahrscheinliche, das nur noch der Zufall bringen
konnte. Sein Vater hatte gewartet und sein Großvater. Und wenn man
sehr lange wartet, kann auch das geschehn, was selten geschieht. Er wartete
elf Jahre. Er ritt elf Jahre lang zwischen den Adelssitzen[81] und den Kampf-
15 haufen[82] hin und her, um den Widerstand wach zu halten, erwarb in
hundert Scharmützeln[83] immer von neuem den Ruf verwegener Tapferkeit, um den Vorwurf zaghafter Kriegsführung[84] von sich fernzuhalten,
ließ es zeitweilig[85] auch zu großen blutigen Treffen[86] kommen, um den
Zornmut[87] der Genossen anzufachen, aber auch wich er ebenso gut wie der
20 Bischof einer Entscheidung aus. Er wurde oftmals leicht verwundet, aber
er war nie länger als zweimal zwölf Stunden zu Hause. Schrammen[88] und
das umherziehende[89] Leben bedeckten ihn mit ihrer Kruste. Er fürchtete
sich wohl, länger zu Hause zu bleiben, wie sich ein Müder nicht setzen
darf. Unruhige angehalfterte[90] Pferde, Männerlachen, Fackellicht, die
25 Säule eines Lagerfeuers wie ein Stamm Goldstaub[91] zwischen grün auf-
schimmernden[92] Waldbäumen, Regengeruch,[93] Flüche, aufschneidende[94]
Ritter, Hunde, an Verwundeten schnuppernd, gehobene Weiberröcke und
verschreckte[95] Bauern waren seine Zerstreuung in diesen Jahren. Er blieb
mitten drin schlank und fein. In sein braunes Haar begannen sich weiße
30 Haare zu schleichen, sein Gesicht kannte kein Alter. Er mußte grobe
Scherze erwidern und tat es wie ein Mann, aber seine Augen bewegten sich
wenig dabei. Er wußte dreinzufahren wie ein Ochsenknecht,[96] wo sich die
Manneszucht[97] lockerte; aber er schrie nicht, sein Wort war leis und kurz,
die Soldaten fürchteten ihn, nie schien der Zorn ihn selbst zu ergreifen,
35 aber er strahlte von ihm aus, und sein Gesicht wurde dunkel. Im Gefecht
vergaß er sich; da ging alles diesen Weg gewaltiger, Wunden schlagender
Gebärden aus ihm heraus,[98] er wurde tanztrunken, bluttrunken,[99] wußte

[77] *armed bodies of men*

[78] *killed*

[79] *knights*
[80] *expend(ing)*

[81] *seats of the nobility*
[82] *companies of fighting men*
[83] *skirmishes*
[84] *generalship*
[85] *on occasion*
[86] *engagements*
[87] *temper*

[88] *scars of wounds*
[89] *roving*

[90] *haltered*
[91] *gold-dust (perennial herb, a kind of Alyssum)*
[92] *shimmering*
[93] *smell of rain*
[94] *swaggering*
[95] *terrified*
[96] *lash out like an ox-driver*
[97] *discipline*
[98] *(continuing the image of emitted force:) it all emanated from him by this medium of mighty wound-dealing gestures*
[99] *drunk with motion, drunk with blood*

The concept of *Zufall* is later replaced by *Wunder*. What do these signify as modes of reality?
  What other modes have already figured in the story?
Er fürchtete sich wohl, länger zu Hause zu bleiben. Why?
Ketten does not really fit in his environment. Why not?

¹ *worshipped*

nicht, was er tat, und tat immer das Rechte. Die Soldaten vergötterten¹ ihn deshalb; es begann sich die Legende zu bilden, daß er sich aus Haß gegen den Bischof dem Teufel verschrieben habe und ihn heimlich besuchte, der in Gestalt einer schönen fremden Frau auf seiner Burg weilte.

Der Herr von Ketten, als er das zum erstenmal hörte, wurde nicht unwillig, noch lachte er, aber er wurde ganz dunkelgolden vor Freude. Oft, wenn er am Lagerfeuer saß oder an einem offenen Bauernherd, und der durchstreifte Tag, so wie regensteifes² Leder wieder weich wird, in der Wärme zerging,³ dachte er. Er dachte dann an den Bischof in Trient, der auf reinem Linnen lag, von gelehrten Klerikern umgeben, Maler in seinem Dienst, während er wie ein Wolf ihn umkreiste. Auch er konnte das haben. Einen Kaplan hatte er auf der Burg bestallt,⁴ damit für Unterhaltung des Geistes gesorgt sei, einen Schreiber zum Vorlesen, eine lustige Zofe;⁵ ein Koch wurde weither geholt, um von der Küche das Heimweh zu bannen, reisende Doktoren und Schüler fing man auf,⁶ um an ihrem Gespräch einige Tage der Zerstreuung zu gewinnen, kostbare Teppiche und Stoffe kamen, um mit ihnen die Wände zu bedecken; nur er hielt sich fern. Ein Jahr lang hatte er tolle Worte gesprochen, in der Fremde und auf der Reise, Spiel und Schmeichelei, — denn so wie jedes wohlgebaute Ding Geist hat, sei es Stahl oder starker Wein, ein Pferd oder ein Brunnenstrahl, hatten ihn auch die Catene; — aber seine Heimat lag damals fern, sein wahres Wesen war etwas, auf das man wochenlang zureiten konnte, ohne es zu erreichen. Auch jetzt sprach er noch zuweilen unüberlegte Worte, aber nur so lang, als die Pferde im Stall ruhten; er kam nachts und ritt am Morgen fort oder blieb vom Morgenläuten bis zum Ave.⁷ Er war vertraut wie ein Ding, das man schon lang an sich trägt. Wenn du lachst, lacht es auch hin und her, wenn du gehst, geht es mit, wenn deine Hand dich betastet, fühlst du es: aber wenn du es einmal hochhebst und ansiehst, schweigt es und sieht weg. Wäre er einmal länger geblieben, hätte er in Wahrheit sein müssen, wie er war. Aber er erinnerte sich, niemals gesagt zu haben, ich bin dies oder ich will jenes sein, sondern hatte ihr von Jagd, Abenteuern und Dingen, die er tat, erzählt; und auch sie hatte nie, wie junge Menschen es sonst wohl zu tun pflegen, ihn gefragt, wie er über dies und jenes denke, oder davon gesprochen, wie sie sein möchte, wenn sie älter sei, sondern sie hatte sich schweigend geöffnet wie eine Rose, so lebhaft sie vordem gewesen war, und stand schon auf der Kirchentreppe reisefertig, wie auf einen Stein gestiegen, von dem man sich aufs Pferd

² *stiff from rain*
³ *came to an end*

⁴ *installed*
⁵ *maid-in-waiting*

⁶ *picked up*

⁷ *from the morning bells to the Angelus*

The word *Geist* begins to appear. What does it seem to mean? (Beware of clichés.)
Wahres Wesen is obviously crucial (*v.* below: *ich bin dies oder ich will jenes sein*, things Ketten could not remember saying). Interpret the paragraph in this light.
Discuss the images of this paragraph, particularly the *Brunnenstrahl*.

schwingt, um zu jenem Leben zu reiten. Er kannte seine zwei Kinder kaum,
die sie ihm geboren hatte, aber auch diese beiden Söhne liebten schon
leidenschaftlich den fernen Vater, von dessen Ruhm ihre kleinen Ohren
voll waren, seit sie hörten. Seltsam war die Erinnerung an den Abend,
dem der zweite sein Leben dankte. Da war, als er kam, ein weiches hell-
graues Kleid mit dunkelgrauen Blumen, der schwarze Zopf war zur Nacht
geflochten, und die schöne Nase sprang scharf in das glatte Gelb eines
beleuchteten Buches mit geheimnisvollen Zeichnungen. Es war wie Zauberei. Ruhig saß, in ihrem reichen Gewand, mit dem Rock, der in un-
zählbaren Faltenbächen[8] herabfloß, die Gestalt, nur aus sich heraussteigend   [8] *cascades of cloth*
und in sich fallend; wie ein Brunnenstrahl; und kann ein Brunnenstrahl
erlöst werden, außer durch Zauberei oder ein Wunder, und aus seinem
sich selbst tragenden,[9] schwankenden Dasein ganz heraustreten? Man   [9] *self-sustaining*
mochte das Weib umarmen und plötzlich gegen den Schlag eines magi-
schen Widerstands stoßen; es geschah nicht so; aber ist Zärtlichkeit nicht
noch unheimlicher? Sie sah ihn an, der leise eingetreten war, wie man
einen Mantel wiedererkennt, den man lang an sich getragen und lang nicht
mehr gesehen hat, der etwas fremd bleibt und in den man hineinschlüpft.

Traulich erschienen ihm dagegen Kriegslist,[10] politische Lüge, Zorn und   [10] *stratagems of war*
Töten! Tat geschieht, weil andre Tat geschehn ist; der Bischof rechnet
mit seinen Goldstücken, und der Feldhauptmann mit der Widerstands-
kraft des Adels; Befehlen ist klar; taghell, dingfest[11] ist dieses Leben, der   [11] *of solid substance*
Stoß eines Speers unter den verschobenen Eisenkragen ist so einfach, wie
wenn man mit dem Finger weist und sagen kann, das ist dies. Das andre
aber ist fremd wie der Mond. Der Herr von Ketten liebte dieses andere
heimlich. Er hatte keine Freude an Ordnung, Hausstand[12] und wachsen-   [12] *domestic life*
dem Reichtum. Und ob er gleich um fremdes Gut jahrelang stritt, sein
Begehren griff nicht nach Frieden des Gewinns, sondern sehnte sich aus
der Seele hinaus; in den Stirnen saß die Gewalt der Catene, bloß kamen
stumme Taten aus den Stirnen. Wenn er morgens in den Sattel stieg, fühlte
er jedesmal noch das Glück, nicht nachzugeben, die Seele seiner Seele;
aber wenn er abends absaß, senkte sich nicht selten der mürrische Stumpfsinn alles durchlebten Übermaßes auf ihn, als hätte er einen Tag lang alle
seine Kräfte angestrengt, um nicht ohne alle Anstrengung etwas Schönes
zu sein, das er nicht nennen konnte. Der Bischof, der Schleicher,[13] konnte   [13] *hypocrite*
zu Gott beten, wenn Ketten ihn bedrängte; Ketten konnte nur über blü-
hende Saaten reiten, die widerspenstige Woge[14] des Pferdes unter sich   [14] *surge*

The paragraph *Traulich* . . . speaks of another aspect of existence. What are its attributes?
Note the importance of *Tat*, etc., vs. *dieses andere*.
If an author speaks as strongly as *Seele seiner Seele* and yet counters with repetition of *das
andere*, what is he establishing?

[15] *conjure up friendship with blows of iron shoes*

leben fühlen, Freundlichkeit mit Eisentritten herbeizaubern.[15] Aber es tat
ihm wohl, daß es dies gab. Daß man leben kann und sterben machen ohne
das andre. Es leugnete und vertrieb etwas, das sich zum Feuer schlich,
wenn man hineinstarrte, und fort war, so wie man sich, steif vom Träumen,
aufrichtete und herumdrehte. Der Herr von Ketten spann zuweilen lange
verschlungene Fäden, wenn er an den Bischof dachte, dem er das alles
antat, und ihm war, als könnte nur ein Wunder es ordnen.

Seine Frau nahm den alten Knecht, welcher der Burg vorstand, und
streifte mit ihm durch die Wälder, wenn sie nicht vor den Bildern in ihren
Büchern saß. Wald öffnet sich, aber seine Seele weicht zurück; sie brach

[16] *trails*

durch Holz, kletterte über Steine, sah Fährten[16] und Tiere, aber sie brachte
nicht mehr heim als diese kleinen Schrecknisse, überwundenen Schwierigkeiten und befriedigten Neugierden, die alle Spannung verloren, wenn

[17] *image (i.e. the picture she gained from his stories)*

man sie aus dem Wald heraustrug, und eben jenes grüne Spiegelbild,[17] das
sie schon nach den Erzählungen gekannt hatte, bevor sie ins Land gekommen war; sobald man nicht darauf eindrang, schloß es sich hinter dem
Rücken wieder zusammen. Lässig gut hielt sie indessen Ordnung am
Schloß. Ihre Söhne, von denen keiner das Meer gesehen hatte, waren das
ihre Kinder? Junge Wölfe, schien ihr zuweilen, waren es. Einmal brachte
man ihr einen jungen Wolf aus dem Wald. Auch ihn zog sie auf. Zwischen
ihm und den großen Hunden herrschte unbehagliche Duldung, Gewäh-
renlassen ohne Austausch von Zeichen. Wenn er über den Hof ging,
standen sie auf und sahn zu ihm herüber, aber sie bellten und knurrten[18]

[18] *growled*
[19] *squinted over in that direction*

nicht. Und er sah gradaus, wenn er auch hinüberschielte,[19] und ging kaum
ein wenig langsamer und steifer seines Wegs, um es sich nicht merken zu
lassen. Er folgte überallhin der Herrin; ohne Zeichen der Liebe und der
Vertrautheit; er sah sie mit seinen starken Augen oft an, aber sie sagte
nichts. Sie liebte diesen Wolf, weil seine Sehnen, sein braunes Haar, die
schweigende Wildheit und die Kraft der Augen sie an den Herrn von
Ketten erinnerten.

Einmal kam der Augenblick, auf den man warten muß; der Bischof fiel
in Krankheit und starb, das Kapitel war ohne Herrn. Ketten verkaufte,

[20] *took out loans on all his real property*
[21] *army*
[22] *negotiated*

was beweglich war, nahm Pfänder auf liegenden Besitz[20] und rüstete aus
allen Mitteln ein kleines, ihm eigenes Heer:[21] dann unterhandelte[22] er. Vor
die Wahl gestellt, den alten Streit gegen neu bewaffnete Kraft weiter-
führen zu müssen, ehe noch der kommende Herr sich entscheiden konnte,
oder einen billigen Abschluß zu finden, entschied sich das Kapitel für
dieses, und es konnte nicht anders geschehn, als daß der Ketten, der als

---

A dilemma is set up and said to be soluble only by a *Wunder*. The complex of dilemma and
   resolution will be repeated; watch for the recurrences.
What is the importance of the wife's new way of life?
Interpret the sudden juxtaposition of *wolf* as simile and *wolf* as reality.
Why *ohne Zeichen der Liebe und der Vertrautheit?*
Is the wolf an adequate surrogate for Ketten?
The *Augenblick*—is it *Wunder* or *Zufall?*
Again the short paragraph as boundary marker in the narrative. This is explicitly the end of a
   long development, yet not an end. Why so?

Letzter stark und drohend dastand, das meiste für sich einstrich,[23] wofür sich das Domkapitel[24] an Schwächeren und Zaghafteren schadlos hielt.[25]

So hatte ein Ende gefunden, was nun schon in der vierten Erbfolge[26] wie eine Zimmerwand gewesen war, die man jeden Morgen beim Frühbrot[27] vor sich sieht und nicht sieht: mit einem Male fehlte sie; bis hieher war alles gewesen wie im Leben aller Ketten, was noch zu tun blieb im Leben dieses Ketten, war runden und ordnen, ein Handwerker- und kein Herrenziel.[28]

Da stach ihn, als er heimritt, eine Fliege.

Die Hand schwoll augenblicklich an, und er wurde sehr müde. Er kehrte in der Schenke eines elenden kleinen Dorfes ein, und während er hinter dem schmierigen Holztisch saß, überwältigte ihn Schlummer. Er legte sein Haupt in den Schmutz und als er gegen Abend erwachte, fieberte er. Er wäre trotzdem weitergeritten, wenn er Eile gehabt hätte; aber er hatte keine Eile. Als er am Morgen aufs Pferd steigen wollte, fiel er hin vor Schwäche. Arm und Schulter waren aufgequollen,[29] er hatte sie in den Harnisch gepreßt und mußte sich wieder ausschnallen[30] lassen; während er stand und es geschehen ließ, befiel ihn ein Schüttelfrost,[31] wie er solchen noch nie gesehen; seine Muskeln zuckten und tanzten so, daß er die eine Hand nicht zur andern bringen konnte, und die halb aufgeschnallten Eisenteile[32] klapperten wie eine losgerissene Dachrinne[33] im Sturm. Er fühlte, daß das schwankhaft[34] war, und lachte mit grimmigem Kopf über sein Geklapper;[35] aber in den Beinen war er schwach wie ein Knabe. Er schickte einen Boten zu seiner Frau, andere nach einem Bader[36] und zu einem berühmten Arzt.

Der Bader, der als erster zur Stelle war, verordnete[37] heiße Umschläge von Heilkräutern[38] und bat, schneiden zu dürfen.[39] Ketten, der jetzt viel ungeduldiger war, nach Hause zu kommen, hieß ihn schneiden, bis er bald halb so viel neue Wunden davontrug, als er alte hatte. Seltsam waren diese Schmerzen, gegen die er sich nicht wehren durfte. Dann lag der Herr zwei Tage lang in den saugenden Kräuterverbänden,[40] ließ sich vom Kopf bis zu den Füßen einwickeln[41] und nach Hause schaffen; drei Tage dauerte dieser Marsch, aber die Gewaltkur,[42] die ebensogut hätte zum Tod führen können, indem sie alle Verteidigungskräfte des Lebens verbrauchte, schien der Krankheit Einhalt getan zu haben: als sie am Ziel eintrafen, lag der Vergiftete in hitzigem Fieber, aber der Eiter[43] hatte sich nicht mehr weiter ausgebreitet.

Dieses Fieber, wie eine weite brennende Grasfläche, dauerte Wochen.

---

[23] pocketed
[24] (cathedral) chapter
[25] recouped its losses on
[26] generation
[27] breakfast
[28] a goal for a tradesman, not for a nobleman
[29] had swollen up
[30] unbuckle
[31] chill
[32] steel pieces of his armor
[33] eaves trough
[34] like a bad joke
[35] clattering
[36] (here and below) barber (who doubled as a doctor)
[37] prescribed
[38] healing herbs
[39] asked for permission to bleed him
[40] herb compresses
[41] wrap up
[42] drastic treatment
[43] festering

Summarize the polarities set up thus far, considering concepts such as will, *Tat, Geist*, aggression, animal nature, vital essence, *wahres Wesen*, man and woman, weakness, love, life-goals, meaning, coincidence, *Wunder*.

What is the nature of the event that starts the new segment of the narrative? Why a *Fliege* (i.e., why not a fall from his horse, or an enemy arrow?)

Is there a *Wendepunkt* in the story?

In the following paragraphs, interpret the illness, noting *Schmutz, keine Eile, losgerissene Dachrinne, schwach wie ein Knabe, sich nicht wehren, schmolz ... zusammen, kindlich warm, schwache Seele, das mochte Gott sein.*

[44] *melted away*

[45] *evaporated*

Der Kranke schmolz in seinem Feuer täglich mehr zusammen,[44] aber auch die bösen Säfte schienen darin verzehrt und verdampft[45] zu werden. Mehr wußte selbst der berühmte Arzt davon nicht zu sagen, und nur die Portugiesin brachte außerdem noch geheime Zeichen an Tür und Bett an. Als eines Tages vom Herrn von Ketten nicht mehr übrig war als eine Form 5 voll weicher heißer Asche, sank plötzlich das Fieber um eine tiefe Stufe hinunter und glomm dort bloß noch sanft und ruhig.

[46] *in the midst of things ("with it")*

Waren schon Schmerzen seltsam, gegen die man sich nicht wehrt, so hatte der Kranke das Spätere überhaupt nicht so durchlebt wie einer, der mitten darin[46] ist. Er schlief viel und war auch mit offenen Augen ab- 10 wesend; wenn aber sein Bewußtsein zurückkehrte, so war doch dieser willenlose, kindlich warme und ohnmächtige Körper nicht seiner, und diese von einem Hauch erregte schwache Seele seine auch nicht. Gewiß

[47] *departed (in both senses)*

war er schon abgeschieden[47] und wartete während dieser ganzen Zeit bloß irgendwo darauf, ob er noch einmal zurückkehren müsse. Er hatte nie 15 gewußt, daß Sterben so friedlich sei; er war mit einem Teil seines Wesens

[48] *part of his being had died ahead of time*

vorangestorben[48] und hatte sich aufgelöst wie ein Zug Wanderer: Während die Knochen noch im Bett lagen, und das Bett da war, seine Frau sich über ihn beugte, und er, aus Neugierde, zur Abwechslung, die Bewegungen in ihrem aufmerksamen Gesicht beobachtete, war alles, was er liebte, schon 20

[49] *moon sorceress*

weit voran. Der Herr von Ketten und dessen mondmächtige Zauberin[49] waren aus ihm herausgetreten und hatten sich sacht entfernt: er sah sie noch, er wußte, mit einigen großen Sprüngen würde er sie danach einholen, nur jetzt wußte er nicht, war er schon bei ihnen oder noch hier. Das alles aber lag in einer riesigen gütigen Hand, die so mild war wie eine Wiege 25

[50] *weighed everything in the balance*

und zugleich alles abwog,[50] ohne aus der Entscheidung viel Wesens zu machen. Das mochte Gott sein. Er zweifelte nicht, es erregte ihn aber auch nicht; er wartete ab und antwortete auch nicht auf das Lächeln, das sich über ihn beugte, und die zärtlichen Worte.

[51] *summoned up*

Dann kam der Tag, wo er mit einemmal wußte, daß es der letzte sein 30 würde, wenn er nicht allen Willen zusammennahm,[51] um leben zu bleiben, und das war der Tag, an dessen Abend das Fieber sank.

[52] *rocky promontory*

Als er diese erste Stufe der Gesundung unter sich fühlte, ließ er sich täglich auf den kleinen grünen Fleck tragen, der die Felsnase[52] überzog, die mauerlos in die Luft sprang. In seine Tücher gewickelt, lag er dort in 35 der Sonne. Schlief, wachte, wußte nicht, was von beidem er tat.

Einmal, als er aufwachte, stand der Wolf da. Er blickte ihm in die ge-

---

What apparently brings about *die erste Stufe der Genesung*? What stage is behind him, what remains?

Why, so suddenly, the wolf, and why must he be killed? (That is, what does the wolf stand for, in terms of what we know of Ketten and his life?)

schliffenen Augen und konnte sich nicht rühren. Er wußte nicht, wieviel
Zeit verging, dann stand seine Frau neben ihm, den Wolf am Knie. Er
schloß wieder die Augen, als wäre er gar nicht wach gewesen. Aber da er
wieder in sein Bett getragen wurde, ließ er sich die Armbrust reichen. Er
5 war so schwach, daß er sie nicht spannen konnte; er staunte. Er winkte
den Knecht heran, gab ihm die Armbrust und befahl: der Wolf. Der
Knecht zögerte, aber er wurde zornig wie ein Kind, und am Abend hing
das Fell des Wolfes im Burghof.[53] Als die Portugiesin es sah, und erst von   [53] *courtyard*
den Knechten erfuhr, was geschehen war, blieb ihr das Blut in den Adern
10 stehn. Sie trat an sein Bett. Da lag er bleich wie die Wand und sah ihr zum
erstenmal wieder in die Augen. Sie lachte und sagte: Ich werde mir eine
Haube aus dem Fell machen lassen und dir nachts das Blut aussaugen.

Dann schickte er den Kleriker weg, der früher einmal gesagt hatte: der
Bischof kann zu Gott beten, das ist gefährlich für Euch, und später ihm
15 immerzu die letzte Ölung[54] gegeben hatte; aber das gelang nicht gleich, die   [54] *extreme unction*
Portugiesin legte sich ins Mittel und bat, den Kaplan noch zu dulden, bis
er ein anderes Unterkommen fände. Der Herr von Ketten gab nach. Er
war noch schwach und schlief noch immer viel auf dem Grasfleck in der
Sonne. Als er wieder einmal dort erwachte, war der Jugendfreund da. Er
20 stand neben der Portugiesin und war aus ihrer Heimat gekommen; hier
im Norden sah er ihr ähnlich. Er grüßte mit edlem Anstand und sprach
Worte, die nach dem Ausdruck seiner Mienen voll großer Liebenswürdigkeit sein mußten, indes der Ketten wie ein Hund im Gras lag und sich
schämte.
25 Überdies mochte das auch erst beim zweitenmal gewesen sein; er war
noch manchmal abwesend. Er bemerkte auch spät erst, daß ihm seine
Mütze zu groß geworden war. Die weiche Fellmütze, die immer etwas
stramm gesessen hatte, sank bei einem leichten Zug bis ans Ohr herunter,
das sie aufhielt. Sie waren selbdritt,[55] und seine Frau sagte: „Gott, dein   [55] *together, the three of them*
30 Kopf ist ja kleiner geworden!" — Sein erster Gedanke war, daß er sich
vielleicht habe die Haare zu kurz scheren lassen, er wußte bloß im Augenblick nicht, wann; er fuhr heimlich mit der Hand hin, aber das Haar war
länger, als es sein sollte, und ungepflegt,[56] seit er krank war. So wird sich   [56] *unkempt*
die Kappe geweitet haben, dachte er, aber sie war noch fast neu und wie
35 sollte sie sich geweitet haben, während sie unbenützt in einer Truhe[57] lag.   [57] *chest*
So machte er einen Scherz daraus und meinte, daß wohl in vielen Jahren,   [58] *mercenaries*
wo er nur mit Kriegsknechten[58] gelebt habe und nicht mit gebildeten[59]   [59] *cultivated*

The wolf is gone, the friend appears. Interpret.
The animal imagery increases. What is the effect of likening Ketten to a dog?
Mütze zu groß, dein Kopf ist ja kleiner geworden :—Is there any preparation (and explanation)
for such paradoxes in what goes before?

Kavalieren, sein Schädel kleiner geworden sein möge. Er fühlte, wie plump ihm der Scherz vom Munde kam, und auch die Frage war damit nicht weggeschafft, denn kann ein Schädel kleiner werden? Die Kraft in den Adern kann nachlassen, das Fett unter der Kopfhaut[60] kann im Fieber etwas zusammenschmelzen: aber was gibt das aus?![61] Nun tat er zuweilen, [5] als ob er sich das Haar glatt striche, schützte auch vor,[62] sich den Schweiß zu trocknen, oder trachtete, sich unbemerkt in den Schatten zurückzubeugen, und griff schnell, mit zwei Fingerspitzen wie mit einem Maurerzirkel, seinen Schädel ab,[63] ein paarmal, mit verschiedenen Griffen: aber es blieb kein Zweifel, der Kopf war kleiner geworden, und wenn man ihn [10] von innen, mit den Gedanken befühlte, so war er noch viel kleiner und wie zwei dünne aufeinandergeklappte[64] Schälchen.

Man kann ja vieles nicht erklären, aber man trägt es nicht auf den Schultern und fühlt es nicht jedesmal, wenn man den Hals nach zwei Menschen wendet, die sprechen, während man zu schlafen scheint. Er [15] hatte die fremde Sprache schon lange bis auf wenige Worte vergessen; aber einmal verstand er den Satz: „Du tust das nicht, was du willst, und tust das, was du nicht willst." Der Ton schien eher zu drängen als zu scherzen; was mochte er meinen? Ein andermal beugte er sich weit aus dem Fenster hinaus, ins Rauschen des Flusses; er tat das jetzt oft wie ein [20] Spiel: der Lärm, so wirr wie durcheinandergefegtes[65] Heu, schloß das Ohr, und wenn man aus der Taubheit zurückkehrte, tauchte klein darin und fern das Gespräch der Frau mit dem Andern auf; und es war ein lebhaftes Gespräch, ihre Seelen schienen sich wohl miteinander zu fühlen. Das drittemal lief er überhaupt nur den beiden nach, die abends noch in [25] den Hof gingen; wenn sie an der Fackel oben auf der Freitreppe[66] vorbeikamen, mußte ihr Schatten auf die Baumkronen[67] fallen; er beugte sich rasch vor, als dies geschah, aber in den Blättern verschwammen die Schatten von selbst in einen. Zu jeder andren Zeit hätte er versucht, mit Pferd und Knechten sich das Gift aus dem Leib zu jagen oder es im Wein zu [30] verbrennen. Aber der Kaplan und der Schreiber fraßen und tranken so, daß ihnen Wein und Speise bei den Mundwinkeln herausliefen, und der junge Ritter schwang ihnen lachend die Kanne zu,[68] wie man Hunde aufeinanderhetzt.[69] Der Wein ekelte Ketten, den die mit scholastischer Tünche[70] überzogenen Lümmel soffen. Sie sprachen vom tausendjährigen [35] Reich, von Doktorsfragen und Bettstrohgeschichten;[71] deutsch und in Kirchenlatein. Ein durchreisender[72] Humanist übersetzte, wo es fehlte,

[60] scalp
[61] what difference would that make?
[62] pretended
[63] measured off . . . as with a mason's compass
[64] inverted one on the other
[65] scattered with a broom
[66] open stairway
[67] tree tops
[68] toasted them with a swing of the pitcher
[69] sets dogs on one another
[70] whitewash
[71] of the Millenium, of scholarly questions and off-color affairs
[72] passing through

What does the friend mean to the *Portugiesin*?
What are the signs of the disintegration of Ketten's life and environment?
Ketten's second overt action during his illness (after having the wolf killed) is hitting the chap-

zwischen diesem Welsch und dem des Portugiesen; er hatte sich den Fuß
verstaucht[73] und heilte ihn hier kräftig aus.[74] „Er ist vom Pferd gefallen,
als ein Hase vorbeisprang", gab der Schreiber zum besten. „Er hielt ihn
für einen Lindwurm",[75] sagte mit unwilligem Spott der Herr von Ketten,
5 der zögernd dabeistand. „Aber das Pferd doch auch!" brüllte der Burg-
kaplan, „sonst wäre es nicht so gesprungen: Also hat der Magister[76] selbst
für einen Roßverstand mehr Einsicht[77] als der Herr!" Die Trunkenen
lachten über den Herrn von Ketten. Der sah sie an, trat einen Schritt
näher und schlug den Kaplan ins Gesicht. Das war ein runder junger
10 Bauer, er wurde rot über den Kopf, aber dann ganz bleich, und blieb
sitzen. Der junge Ritter stand lächelnd auf und ging die Freundin suchen.
„Warum habt Ihr ihn nicht erdolcht?!" zischte der Hasen-Humanist auf,[78]
als sie allein waren. „Er ist ja stark wie zwei Stiere", antwortete der
Kaplan, „und auch ist die christliche Lehre wahrhaft geeignet, um in
15 solchen Lagen Trost zu geben." Aber in Wahrheit war der Herr von
Ketten noch sehr schwach, und allzu langsam kehrte das Leben in ihn
wieder; er konnte die zweite Stufe der Genesung nicht finden.

Der Fremde reiste nicht weiter, und seine Gespielin verstand schlecht
die Andeutungen[79] ihres Herrn. Seit elf Jahren hatte sie auf den Gatten
20 gewartet, elf Jahre lang war er der Geliebte des Ruhms und der Phantasie
gewesen, nun ging er in Haus und Hof umher und sah, von Krankheit
zerschabt,[80] recht gewöhnlich aus neben Jugend und höfischem[81] Anstand.
Sie machte sich nicht viel Gedanken darüber, aber sie war ein wenig
müde dieses Lands geworden, das Unsagbares versprochen hatte, und
25 mochte sich nicht überwinden, schon wegen eines schiefen Gesichts den
Gespielen ziehen zu lassen, der den Duft der Heimat hatte und Gedanken,
bei denen man lachen konnte. Sie hatte sich nichts vorzuwerfen; ein
wenig oberflächlicher war sie seit Wochen, aber das tat wohl, und sie
fühlte, ihr Antlitz glänzte jetzt manchmal wieder so wie vor Jahren. Eine
30 Wahrsagerin, die er befragte, sagte dem Herrn von Ketten voraus: Ihr
werdet nur gesund, wenn Ihr etwas vollbringt —, aber da er in sie drang,
was das wäre, schwieg sie, suchte ihm zu entkommen[82] und erklärte
schließlich, daß sie es nicht finden könne.

Er hätte es immer verstanden, die Gastfreundschaft mit feinem Schnitt
35 zu lösen, statt sie zu brechen, auch ist die Heiligkeit[83] des Lebens und des
Gastrechts[84] für einen, der durch Jahre ungebetner[85] Gast bei seinen
Feinden war, kein unübersteigliches[86] Hindernis, aber die Schwäche der

[73] sprained
[74] was recovering from it here, in quite a fashion
[75] dragon
[76] the Master of Arts
[77] more insight into horse sense

[78] "Why didn't you draw your dagger and kill him?!" hissed the hare (-brained) Humanist

[79] hints

[80] worn down and seedy
[81] courtly

[82] escape

[83] sacredness
[84] rights of hospitality
[85] uninvited
[86] insuperable

lain. Such actions are explicitly (in part) *die zweite Stufe der Genesung.* Are they, however,
productive or destructive in terms of his recovery?
What sort of an action might meet the soothsayer's (obviously significant) statement that Ketten
must "accomplish" something?

[87] *crafty*

[88] *verbal cleverness*

[89] *surrounded and held*

[90] *near proximity of death*
[91] *newly polished*
[92] *on the surface*

[93] *admission (object of wollte)*
[94] *bow (i.e. humped her back)*

[95] *did not pursue*

[96] *inconspicuously*

[97] *another nature or alter ego*

Genesung machte ihn diesmal fast stolz darauf, unbeholfen zu sein; solche arglistige[87] Klugheit erschien ihm nicht besser als die kindische Wortklugheit[88] des Jungen. Seltsames widerfuhr ihm. In den Nebeln der Krankheit, die ihn umfangen hielten,[89] erschien ihm die Gestalt seiner Frau weicher, als es hätte sein müssen; sie erschien ihm nicht anders als früher, wenn es ihn gewundert hatte, ihre Liebe zuweilen heftiger wiederzufinden als sonst, während doch in der Abwesenheit keine Ursache lag. Er hätte nicht einmal sagen können, ob er heiter oder traurig war; genau so wie in jenen Tagen der tiefen Todesnähe.[90] Er konnte sich nicht rühren. Wenn er seiner Frau in die Augen sah, waren sie wie frischgeschliffen,[91] sein eignes Bild lag obenauf,[92] und sie ließen seinen Blick nicht ein. Ihm war zu Mut, es müßte ein Wunder geschehn, weil sonst nichts geschah, und man darf das Schicksal nicht reden heißen, wenn es schweigen will, sondern soll horchen, was kommen wird.

Eines Tags, als sie in Gesellschaft den Berg heraufkamen, war oben vor dem Tor die kleine Katze. Sie stand vor dem Tor, als wollte sie nicht nach Katzenart über die Mauer setzen, sondern nach Menschenart Einlaß,[93] machte einen Buckel[94] zum Willkomm und strich den ohne irgend einen Grund über ihre Anwesenheit erstaunten großen Geschöpfen um Rock und Stiefel. Sie wurde eingelassen, aber es war gleich, als ob man einen Gast empfinge, und schon am nächsten Tag zeigte sich, daß man vielleicht ein kleines Kind aufgenommen hatte, aber nicht bloß eine Katze: solche Ansprüche stellte das zierliche Tier, das nicht den Vergnügungen in Kellern und Dachböden nachging,[95] sondern keinen Augenblick aus der Gesellschaft der Menschen wich. Und es hatte die Gabe, ihre Zeit für sich zu beanspruchen, was recht unbegreiflich war, da es doch so viel andre, edlere Tiere am Schloß gab, und die Menschen auch mit sich selbst viel zu tun hatten; es schien geradezu davon zu kommen, daß sie die Augen zu Boden senken mußten, um dem kleinen Wesen zuzusehn, das sich ganz unauffällig[96] benahm und um ein klein wenig stiller, ja man könnte fast sagen trauriger und nachdenklicher war, als einer jungen Katze zukam. Die spielte so, wie sie wissen mußte, daß Menschen es von jungen Katzen erwarten, kletterte auf den Schoß und gab sich sogar ersichtlich Mühe, freundlich mit den Menschen zu sein, aber man konnte fühlen, daß sie nicht ganz dabei war; und gerade dies, was zu einer gewöhnlichen jungen Katze fehlte, war wie ein zweites Wesen, ein Ab-Wesen[97] oder ein stiller Heiligenschein, der sie umgab, ohne daß einer den Mut gefunden hätte,

---

Interpret the metaphor of the *frischgeschliffene Augen*.

What is the implication of *die* (rather than *eine*) *kleine Katze*?

Musil suggests for the cat certain symbolic values or equivalences, others are to be inferred. For example?

Explain the religious (specifically Christian) associations of the cat, e.g. *Heiligenschein, Ver-*

das auszusprechen. Die Portugiesin beugte sich zärtlich über das Geschöpf-
chen, das in ihrem Schoß am Rücken lag und mit den winzigen Krallen
nach ihren tändelnden Fingern schlug wie ein Kind, der junge Freund
beugte sich lachend und tief über Katze und Schoß, und Herrn von Ketten
5 erinnerte das zerstreute Spiel an seine halb überwundene Krankheit, als   [98] *gentleness of death*
wäre die, samt ihrer Todessanftheit,[98] in das Tierkörperchen verwandelt,
nun nicht mehr bloß in ihm, sondern zwischen ihnen. Ein Knecht sagte:
Die bekommt die Räude.[99]   [99] *mange*

Herr von Ketten wunderte sich, weil er das nicht selbst erkannt hatte;
10 der Knecht wiederholte: Die muß man beizeiten erschlagen.

Die kleine Katze hatte inzwischen einen Namen aus einem der Märchen-
bücher erhalten. Sie war noch sanfter und duldsamer geworden. Jetzt
konnte man auch schon bemerken, daß sie krank und fast leuchtend
schwach[1] wurde. Sie ruhte immer länger aus im Schoß von den Geschäften   [1] *luminously feeble*
15 der Welt, und ihre kleinen Krallen hielten sich mit zärtlicher Angst fest. Sie
begann jetzt auch einen um den andren anzusehn; den bleichen Ketten
und den jungen Portugiesen, der vorgeneigt saß und den Blick von ihr nicht
wendete, oder von dem Atmen des Schoßes, in dem sie lag. Sie sah sie an,
als wollte sie um Vergebung[2] dafür bitten, daß es häßlich sein werde, was   [2] *forgiveness*
20 sie in geheimer Vertretung[3] für alle litt. Und dann begann ihr Martyrium.   [3] *as secret surrogate*

Eines Nachts begann das Erbrechen, und sie erbrach bis zum Morgen;
sie war ganz matt und wirr im wiederkehrenden Tageslicht, als hätte sie
viele Schläge vor den Kopf erhalten. Aber vielleicht hatte man dem ver-
hungerten armen Kätzchen bloß im Übereifer[4] der Liebe zuviel zu fressen   [4] *excess*
25 gegeben: doch im Schlafzimmer konnte sie danach nicht mehr bleiben
und wurde zu den Burschen in die Hofkammer getan.[5] Aber die Burschen   [5] *shed*
klagten nach zwei Tagen, daß es nicht besser geworden sei, und wahr-
scheinlich hatten sie sie auch in der Nacht hinausgeworfen. Und sie
brach[6] jetzt nicht nur, sondern konnte auch den Stuhl nicht halten,[7] und   [6] *threw up*
                                                                                             [7] *control her stool*
30 nichts war vor ihr sicher. Das war nun eine schwere Probe, zwischen
einem kaum sichtbaren Heiligenschein und dem gräßlichen Schmutz, und
es entstand der Beschluß — man hatte inzwischen erfahren, woher sie
gekommen war, — sie dorthin zurücktragen zu lassen; es war ein Bauern-
haus unten am Fluß, nahe dem Fuß des Berges. Man würde heute sagen,
35 sie stellten sie ihrer Heimatgemeinde zurück[8] und wollten weder etwas   [8] *returned her to the*
verantworten, noch sich lächerlich machen; aber das Gewissen drückte   *care of her home*
sie alle, und sie gaben Milch und ein wenig Fleisch mit, sogar Geld, damit   *community*

---

wandlung, Vertretung für alle, Martyrium. How literally are these to be taken? (The story
ends, incidentally, with what the author or Ketten calls a blasphemy.)
In the parable of the cat, what is the relationship of actual reality, interpretation by the charac-
ters, and interpretation by Musil?
Discuss the paradox of *Heiligenschein* and *Schmutz.*
The word *Gewissen* is used for the first time. Explain.

ROBERT MUSIL

die Bauersleute, wo Schmutz nicht so viel ausmachte, gut für sie sorgten. Die Dienstleute schüttelten dennoch die Köpfe über ihre Herrn.

Der Knecht, der die kleine Katze hinuntergetragen hatte, erzählte, daß sie ihm nachgelaufen war, als er zurückging, und daß er noch einmal hatte umkehren müssen: zwei Tage später war sie wieder oben am Schloß. Die Hunde wichen ihr aus, die Dienstleute trauten sich wegen der Herrschaft nicht, sie fortzujagen, und als die sie erblickte, stand schweigend fest, daß jetzt niemand mehr ihr verweigern[9] wollte, hier oben zu sterben. Sie war ganz abgemagert und glanzlos[10] geworden, aber das ekelerregende Leiden schien sie überwunden zu haben und nahm bloß fast zusehends[11] an Körperlichkeit ab. Es folgten zwei Tage, die verstärkt alles noch einmal enthielten, was bisher gewesen war: langsames, zärtliches Umhergehen in dem Obdach, wo man sie hegte; zerstreutes Lächeln mit den Pfoten,[12] wenn sie nach einem Stückchen Papier schlug, das man vor ihr tanzen ließ; zuweilen ein leichtes Wanken vor Schwäche, obgleich vier Beine sie stützten, und am zweiten Tag fiel sie zuweilen auf die Seite. An einem Menschen würde man dieses Hinschwinden[13] nicht so seltsam empfunden haben, aber an dem Tier war es wie eine Menschwerdung.[14] Fast mit Ehrfurcht sahen sie ihr zu; keiner dieser drei Menschen in seiner besonderen Lage blieb von dem Gedanken verschont, daß es sein eigenes Schicksal sei, das in diese vom Irdischen schon halb gelöste kleine Katze übergegangen war. Aber am dritten Tag begannen wieder das Erbrechen und die Unreinlichkeit.[15] Der Knecht stand da, und wenn er sich auch nicht traute, es zu wiederholen, sagte doch sein Schweigen: man muß sie erschlagen. Der Portugiese senkte den Kopf wie bei einer Versuchung, dann sagte er zur Freundin: es wird nicht anders gehn; ihm kam es selbst vor, als hätte er sich zu seinem eigenen Todesurteil bekannt.[16] Und mit einemmal sahen alle den Herrn von Ketten an. Der war weiß wie die Wand geworden, stand auf und ging. Da sagte die Portugiesin zum Knecht:

Nimm sie zu dir.

Der Knecht hatte die Kranke auf seine Kammer genommen, und am nächsten Tag war sie fort. Niemand frug. Alle wußten, daß er sie erschlagen hatte. Alle fühlten sich von einer unaussprechlichen Schuld bedrückt; es war etwas von ihnen gegangen. Nur die Kinder fühlten nichts und fanden es in Ordnung, daß der Knecht eine schmutzige Katze erschlug, mit der man nicht mehr spielen konnte. Aber die Hunde am Hof schnupperten zuweilen an einem Grasfleck, auf den die Sonne schien, steiften die

---

Musil extends the allegory farther: *Menschwerdung, sein eigenes Schicksal.* What do you think he means?

The episode arouses in the human participants vague but powerful emotions, feelings of guilt, attempts to interpret the *Zeichen.* Musil does not provide the answers. What could the cat mean to Ketten, to his wife?

In what respects has Ketten changed?

[9] *deny her the right*
[10] *emaciated and lustreless*
[11] *perceptibly*
[12] *paws*
[13] *fading away*
[14] *incarnation*
[15] *filth*
[16] *agreed to*

Beine, sträubten das Fell und blickten schief zur Seite. In einem solchen
Augenblick begegneten sich Herr von Ketten und die Portugiesin. Sie
blieben beieinander stehn, sahn nach den Hunden hinüber und fanden
kein Wort. Das Zeichen war dagewesen, aber wie war es zu deuten, und
5 was sollte geschehn? Eine Kuppel von Stille war um die beiden.

Wenn sie ihn bis zum Abend nicht fortgeschickt hat, muß ich ihn töten
— dachte Herr von Ketten. Aber der Abend kam, und es hatte sich nichts
ereignet. Das Vesperbrot[17] war vorbei. Ketten saß ernst, von leichtem   [17] *evening meal*
Fieber gewärmt. Er ging in den Hof, sich zu kühlen, er blieb lange aus. Er
10 vermochte den letzten Entschluß nicht zu finden, der ihm sein ganzes
Dasein lang spielend leicht gewesen war. Pferde satteln, Harnisch anschnal-
len, ein Schwert ziehn, diese Musik seines Lebens war ihm mißtönend;
Kampf erschien ihm wie eine sinnlose fremde Bewegung, selbst der kurze
Weg eines Messers war wie eine unendlich lange Straße, auf der man
15 verdorrt. Aber auch Leiden war nicht seine Art; er fühlte, daß er nie
wieder ganz genesen würde, wenn er sich dem nicht entriß. Und neben
beidem gewann allmählich etwas anderes Raum:[18] als Knabe hatte er immer   [18] *gained ground (in his mind)*
die unersteigliche[19] Felswand unter dem Schloß hinaufklettern wollen;   [19] *unclimbable*
es war ein unsinniger und selbstmörderischer Gedanke, aber er gewann
20 dunkles Gefühl für sich wie ein Gottesurteil[20] oder ein nahendes Wunder.   [20] *ordeal (i.e. trial by battle, fire, etc., in which God reveals guilt or innocence)*
Nicht er, sondern die kleine Katze aus dem Jenseits würde diesen Weg wie-
derkommen, schien ihm. Er schüttelte leise lachend den Kopf, um ihn auf
den Schultern zu fühlen, aber dabei erkannte er sich unten auf dem
steinigen Weg, der den Berg hinabführte.

25 Tief beim Fluß bog er ab; Blöcke zwischen denen das Wasser trieb,
dann an Büschen hinauf an die Wand. Der Mond zeichnete mit Schatten-
punkten die kleinen Vertiefungen, in welche Finger und Zehen hinein-
greifen konnten. Plötzlich brach ein Stein unter dem Fuß weg; der Ruck
schoß in die Sehnen, dann ins Herz. Ketten horchte; es schien ohne Ende
30 zu dauern, bevor der Stein ins Wasser schlug; er mußte mindestens ein
Drittel der Wand schon unter sich haben. Da wachte er, so schien es
deutlich, auf und wußte, was er getan hatte. Unten ankommen konnte nur
ein Toter, und die Wand hinauf der Teufel. Er tastete suchend über sich.
Bei jedem Griff hing das Leben in den zehn Riemchen[21] der Fingersehnen;   [21] *small thongs (= sinews)*
35 Schweiß trat aus der Stirn, Hitze flog im Körper, die Nerven wurden wie
steinerne Fäden; aber, seltsam zu fühlen, begannen bei diesem Kampf
mit dem Tod Kraft und Gesundheit in die Glieder zu fließen, als kehrten

---

The concentration of motifs is strong: *Entschluß*, the active life vs. *Leiden; Gottesurteil, Wunder,*
the cat. Interpret.

Sudden transitions are common in Musil's work. This one (from reverie to physical presence
on the fateful path) is susceptible of "realistic" explanation. How?

Teufel and related words have occurred several times in the story, though not so frequently as
conventionally affirmative religious concepts. Explain.

sie von außen wieder in den Körper zurück. Und das Unwahrscheinliche gelang; noch mußte oben einem Überhang nach der Seite ausgewichen sein; dann schlang sich der Arm in ein Fenster. Es wäre wohl anders, als bei diesem Fenster emporzutauchen, auch gar nicht möglich gewesen; aber er wußte, wo er war; er schwang sich hinein, saß auf der Brüstung und ließ 5 die Beine ins Zimmer hängen. Mit der Kraft war die Wildheit wiedergekehrt. Er atmete sich aus.[22] Seinen Dolch an der Seite hatte er nicht verloren. Es kam ihm vor, daß das Bett leer sei. Aber er wartete, bis sein Herz und seine Lungen völlig ruhig seien. Es kam ihm dabei immer deutlicher vor, daß er in dem Zimmer allein war. Er schlich zum Bett: es hatte in 10 dieser Nacht niemand darin gelegen.

Der Herr von Ketten schlich durch Zimmer, Gänge, Türen, die keiner zum erstenmal findet, der nicht geführt ist, vor das Schlafgemach seiner Frau. Er lauschte und wartete, aber kein Flüstern verriet sich. Er glitt hinein; die Portugiesin atmete sanft im Schlaf; er bückte sich in dunkle 15 Ecken, tastete an Wänden, und als er sich wieder aus dem Zimmer drückte, hätte er beinahe gesungen vor Freude, die an seinem Unglauben[23] rüttelte. Er stöberte durch das Schloß, aber schon krachten die Dielen und Fliesen[24] unter seinem Tritt, als suchte er eine freudige Überraschung. Im Hof rief ihn ein Knecht an, wer er sei. Er fragte nach 20 dem Gast. Fortgeritten, meldete der Knecht, wie der Mond heraufkam. Der Herr von Ketten setzte sich auf einen Stapel[25] halbentrindeter[26] Hölzer, und die Wache wunderte sich, wie lang er saß. Plötzlich packte ihn die Gewißheit an, wenn er jetzt das Zimmer der Portugiesin wieder betrete, werde sie nicht mehr da sein. Er pochte heftig und trat ein; die 25 junge Frau fuhr auf, als hätte sie im Traum darauf gewartet, und sah ihn angekleidet vor sich stehn, so wie er fortgegangen war. Es war nichts bewiesen und nichts weggeschafft, aber sie fragte nicht, und er hätte nichts fragen können. Er zog den schweren Vorhang vom Fenster zurück, und der Vorhang des Brausens stieg auf, hinter dem alle Catene geboren wurden 30 und starben.

„Wenn Gott Mensch werden konnte, kann er auch Katze werden", sagte die Portugiesin, und er hätte ihr die Hand vor den Mund halten müssen, wegen der Gotteslästerung,[27] aber sie wußten, kein Laut davon drang aus diesen Mauern hinaus. 35

[22] *got his breath back*

[23] *disbelief*
[24] *floorboards and tiles*

[25] *pile*
[26] *half stripped*

[27] *blasphemy*

How, and with what meaning, is the return of *Kraft und Gesundheit* (also *Wildheit!*) portrayed?
What are Ketten's expectations as he climbs into the castle and as he walks through it?
Why the return to the "curtain of silence"?
Ketten recovers, apparently, everything he had lost or nearly lost. Conflict ends in reconciliation. What are the sources of this restoration? (Beware the easy or traditional assumption.) What roles were played in it by the two major "events," the cat and the climbing of the cliff? Would either have sufficed alone? Assess, too, the factors of love, faith, self-awareness, reality, sickness, will, spirit.
Is the story a religious parable? Argue the proposition cautiously.
Musil often spoke of the conflict or contrast of *Genauigkeit* and *Seele* (Flaubert's "exactitude" and "mystery"). Will these do as labels for the dichotomies of this story? What other polarities would you suggest?
Characterize the narrative technique of the story: "blocks" of time, point of view (omniscient author?), imagery.

12

THOMAS MANN

Mario und der Zauberer

(Ein tragisches Reiseerlebnis)

Die Erinnerung an Torre di Venere ist atmosphärisch unangenehm. Ärger, Gereiztheit,[1] Überspannung lagen von Anfang an in der Luft, und zum Schluß kam dann der Choc[2] mit diesem schrecklichen Cipolla, in dessen Person sich das eigentümlich Bösartige der Stimmung auf verhäng-
5 nishafte und übrigens menschlich sehr eindrucksvolle Weise zu verkör-pern[3] und bedrohlich zusammenzudrängen schien. Daß bei dem Ende mit Schrecken (einem, wie uns nachträglich schien, vorgezeichneten und im Wesen der Dinge liegenden Ende) auch noch die Kinder anwesend sein mußten, war eine traurige und auf Mißverständnis beruhende Ungehörig-
10 keit für sich, verschuldet durch die falschen Vorspiegelungen des merk-würdigen Mannes. Gottlob haben sie nicht verstanden, wo das aufhörte und die Katastrophe begann, und man hat sie in dem glücklichen Wahn gelassen, daß alles Theater gewesen sei.

Torre liegt etwa fünfzehn Kilometer von Portoclemente, einer der
15 beliebtesten Sommerfrischen[4] am Tyrrhenischen Meer,[5] städtisch-elegant und monatelang überfüllt, mit bunter Hotel- und Basarstraße[6] am Meere hin, breitem,[7] von Capannen, bewimpelten Burgen[8] und brauner Mensch-heit[9] bedecktem Strande und einem geräuschvollen Unterhaltungs-betrieb.[10] Da der Strand,[11] begleitet von Piniengehölz, auf das aus geringer
20 Entfernung die Berge herniederblicken, diese ganze Küste entlang seine wohnlich[12]-feinsandige Geräumigkeit behält, ist es kein Wunder, daß etwas weiterhin stillere Konkurrenz[13] sich schon zeitig aufgetan hat:

[1] *irritability*
[2] *traumatic experience*
[3] *to be embodied*
[4] *summer resorts*
[5] *Tyrrhenian Sea (w. of Italy)*
[6] *street of hotels and shops*
[7] *(mit . . . breitem . . . Strande)*
[8] *citadels with pennants flying (i.e. decor-ated beach cabanas, kiosks, etc., or possibly sand castles)*
[9] *humanity*
[10] *amusement industry*
[11] *(subject of* behält)
[12] *pleasant*
[13] *competition*

Mann is an acknowledged master of narrative technique. Summarize what the first paragraph tells (and implies) about the action to come. Note particularly the psychic atmosphere. Compare the "setting of the stage" in this story with that in *Die Portugiesin* and earlier tales, as to detail, claim to verisimilitude, etc.

[14] *tourist resort*

[15] *offshoot*

[16] *unspoiled and unworldly*

[17] *fictitious place name; a real Marina di Carrara exists)*

[18] *(reference:* Friede)

[19] *market place and fairground*

[20] *contemplative*

[21] *fashionable spa*

[22] *though not to such an extent as to keep it from being still . . .*

[23] *nearby*

[24] *in no respect*

[25] *vacationers*

[26] *shallow-bottomed (starting a new main clause whose verb is* schaukeln)

[27] *manned*

[28] *maintaining surveillance*

[29] *oysters*

[30] *butter rolls*

[31] *husky*

[32] *bloom*

[33] *(name of hotel)*

Torre di Venere, wo man sich übrigens nach dem Turm, dem es seinen Namen verdankt, längst vergebens umsieht, ist als Fremdenort[14] ein Ableger[15] des benachbarten Großbades und war während einiger Jahre ein Idyll für wenige, Zuflucht für Freunde des unverweltlichten[16] Elementes. Wie es aber mit solchen Plätzen zu gehen pflegt, so hat sich der Friede längst eine Strecke weiter begeben müssen, der Küste entlang, nach Marina Petriera[17] und Gott weiß wohin; die Welt, man kennt das, sucht ihn[18] und vertreibt ihn, indem sie sich in lächerlicher Sehnsucht auf ihn stürzt, wähnend, sie könne sich mit ihm vermählen, und wo sie ist, da könne er sein; ja, wenn sie an seiner Stelle schon ihren Jahrmarkt[19] aufgeschlagen hat, ist sie imstande zu glauben, er sei noch da. So ist Torre, wenn auch immer noch beschaulicher[20] und bescheidener als Portoclemente, bei Italienern und Fremden stark in Aufnahme gekommen. Man geht nicht mehr in das Weltbad,[21] wenn auch nur in dem Maße nicht mehr, daß dieses trotzdem[22] ein lärmend ausverkauftes Weltbad bleibt; man geht nebenan,[23] nach Torre, es ist sogar feiner, es ist außerdem billiger, und die Anziehungskraft dieser Eigenschaften fährt fort, sich zu bewähren, während die Eigenschaften selbst schon nicht mehr bestehen. Torre hat ein Grand Hôtel bekommen; zahlreiche Pensionen, anspruchsvolle und schlichtere, sind erstanden, die Besitzer und Mieter der Sommerhäuser und Pineta-Gärten oberhalb des Meeres sind am Strande keineswegs mehr ungestört; im Juli, August unterscheidet das Bild sich dort in nichts mehr[24] von dem in Portoclemente: es wimmelt von zeterndem, zankendem, jauchzendem Badevolk,[25] dem eine wie toll herabbrennende Sonne die Haut von den Nacken schält; flachbodige,[26] grell bemalte Boote, von Kindern bemannt,[27] deren tönende Vornamen, ausgestoßen von Ausschau haltenden[28] Müttern, in heiserer Besorgnis die Lüfte erfüllen, schaukeln auf der blitzenden Bläue, und über die Gliedmaßen der Lagernden tretend bieten die Verkäufer von Austern,[29] Getränken, Blumen, Korallenschmuck und Cornetti al burro,[30] auch sie mit der belegten[31] und offenen Stimme des Südens, ihre Ware an.

So sah es am Strande von Torre aus, als wir kamen — hübsch genug, aber wir fanden dennoch, wir seien zu früh gekommen. Es war Mitte August, die italienische Saison stand noch in vollem Flor;[32] das ist für Fremde der rechte Augenblick nicht, die Reize des Ortes schätzen zu lernen. Welch ein Gedränge nachmittags in den Garten-Cafés der Strandpromenade, zum Beispiel im „Esquisito",[33] wo wir zuweilen saßen, und wo

---

Mann does not share his countrymen's conventional longing for and image of Italy. Assuming the narrator to be identical with the author, characterize his view.

Mario uns bediente, derselbe Mario, von dem ich dann gleich erzählen werde! Man findet kaum einen Tisch, und die Musikkapellen,[34] ohne daß eine von der anderen wissen wollte, fallen einander wirr ins Wort. Gerade nachmittags gibt es übrigens täglich Zuzug aus Portoclemente; denn
5 natürlich ist Torre ein beliebtes Ausflugsziel[35] für die unruhige Gästeschaft[36] jenes Lustplatzes,[37] und dank den hin und her sausenden Fiat-Wagen[38] ist das Lorbeer-und Oleandergebüsch am Saum der verbindenden Landstraße von weißem Staube zolldick verschneit[39] — ein merkwürdiger, aber abstoßender[40] Anblick.

10 Ernstlich, man soll im September nach Torre di Venere gehen, wenn das Bad sich vom großen Publikum entleert hat, oder im Mai, bevor die Wärme des Meeres den Grad erreicht hat, der den Südländer dafür gewinnt, hineinzutauchen. Auch in der Vor- und Nachsaison ist es nicht leer dort, aber gedämpfter geht es dann zu und weniger national. Das
15 Englische, Deutsche, Französische herrscht vor[41] unter den Schattentüchern[42] der Capannen und in den Speisesälen der Pensionen, während der Fremde noch im August wenigstens das Grand Hôtel, wo wir mangels persönlicher Adressen Zimmer belegt hatten, so sehr in den Händen der florentinischen und römischen Gesellschaft findet, daß er sich isoliert und
20 augenblicksweise[43] wie ein Gast zweiten Ranges vorkommen mag.

Diese Erfahrung machten wir mit etwas Verdruß am Abend unserer Ankunft, als wir uns zum Diner im Speisesaal einfanden und uns von dem zuständigen[44] Kellner einen Tisch anweisen ließen. Es war gegen diesen Tisch nichts einzuwenden, aber uns fesselte das Bild der anstoßenden, auf
25 das Meer gehenden Glasveranda, die so stark[45] wie der Saal, aber nicht restlos besetzt war, und auf deren Tischchen rotbeschirmte[46] Lampen glühten. Die Kleinen zeigten sich entzückt von dieser Festlichkeit, und wir bekundeten einfach den Entschluß, unsere Mahlzeiten lieber in der Veranda einzunehmen — eine Äußerung der Unwissenheit, wie sich zeigte,
30 denn uns wurde mit etwas verlegener Höflichkeit bedeutet, daß jener anheimelnde[47] Aufenthalt „unserer Kundschaft", „ai nostri clienti",[48] vorbehalten sei. Unseren Klienten? Aber das waren wir. Wir waren keine Passanten[49] und Eintagsfliegen,[50] sondern für drei oder vier Wochen Hauszugehörige, Pensionäre.[51] Wir unterließen es übrigens, auf der
35 Klarstellung des Unterschiedes zwischen unsersgleichen[52] und jener Klientele, die bei rotglühenden Lämpchen speisen durfte, zu bestehen und nahmen das Pranzo[53] an unserm allgemein und sachlich beleuchteten

[34] *bands and orchestras*

[35] *goal of excursions*
[36] *clientele*
[37] *amusement spot*
[38] *Fiats*
[39] *covered with dust an inch thick*
[40] *repugnant*

[41] *the English . . . elements predominate*
[42] *awnings*

[43] *momentarily*

[44] *in charge*

[45] *(stark . . . besetzt)*

[46] *with red shades*

[47] *homey*
[48] *for our clients*
[49] *transients*
[50] *May-flies (or day-flies, of very brief life span)*
[51] *members of the household, pension guests*
[52] *the likes of us*
[53] *main meal (dinner)*

The concept of *erzählen* is introduced along with the name of the titular figure. Who is "telling" and who is "being told"?
How is the mood of alienation and irritability augmented?

[54] *common table*

[55] *not very tasty hotel fare*

[56] *inland*

[57] *had barely gotten settled in*

[58] *friends*

[59] *bell-boys*

[60] *love for the sea*

[61] *toadied to*

[62] *stamp*

[63] *high nobility*

[64] *Prince*

[65] *last traces*

[66] *echos*

[67] *imperturbable*

[68] *scope*

[69] *held it against*

[70] *adhered to*

[71] *consciousness*

[72] *protested to the management*

[73] *hastened*

[74] *change of quarters*

[75] *annex*

[76] *in the last stages of disappearance*

[77] *should be regarded as fully overcome*

[78] *granted*

[79] *to the attention of the medical profession*

[80] *arrangement*

[81] *inconvenience of a move*

[82] *past*

Saaltische[54] — eine recht mittelmäßige Mahlzeit, charakterloses und wenig schmackhaftes Hotelschema;[55] wir haben die Küche dann in der Pensione Eleonora, zehn Schritte landeinwärts,[56] viel besser gefunden.

Dorthin nämlich siedelten wir schon über, bevor wir im Grand Hôtel nur erst warm geworden,[57] nach drei oder vier Tagen, — nicht der Veranda und ihrer Lämpchen wegen: die Kinder, sofort befreundet[58] mit Kellnern und Pagen,[59] von Meereslust[60] ergriffen, hatten sich jene farbige Lockung sehr bald aus dem Sinn geschlagen. Aber mit gewissen Verandaklienten, oder richtiger wohl nur mit der Hotelleitung, die vor ihnen liebedienerte,[61] ergab sich sogleich einer dieser Konflikte, die einem Aufenthalt von Anfang an den Stempel[62] des Unbehaglichen aufdrücken können. Römischer Hochadel[63] befand sich darunter, ein Principe[64] X. mit Familie, und da die Zimmer dieser Herrschaften in Nachbarschaft der unsrigen lagen, war die Fürstin, große Dame und leidenschaftliche Mutter zugleich, in Schrecken versetzt worden durch die Restspuren[65] eines Keuchhustens, den unsere Kleinen kurz zuvor gemeinsam überstanden hatten, und von dem schwache Nachklänge[66] zuweilen noch nachts den sonst unerschütterlichen[67] Schlaf des Jüngsten unterbrachen. Das Wesen dieser Krankheit ist wenig geklärt, dem Aberglauben hier mancher Spielraum[68] gelassen, und so haben wir es unserer eleganten Nachbarin nie verargt,[69] daß sie der weitverbreiteten Meinung anhing,[70] der Keuchhusten sei akustisch ansteckend, und einfach für ihre Kleinen das schlechte Beispiel fürchtete. Im weiblichen Vollgefühl[71] ihres Ansehens wurde sie vorstellig bei der Direktion,[72] und diese, in der Person des bekannten Gehrockmanagers, beeilte sich,[73] uns mit vielem Bedauern zu bedeuten, unter diesen Verhältnissen sei unsere Umquartierung[74] in den Nebenbau[75] des Hotels eine unumgängliche Notwendigkeit. Wir hatten gut beteuern, die Kinderkrankheit befinde sich im Stadium letzten Abklingens,[76] sie habe als überwunden zu gelten[77] und stelle keinerlei Gefahr für die Umgebung mehr dar. Alles, was uns zugestanden[78] wurde, war, daß der Fall vor das medizinische Forum[79] gebracht und der Arzt des Hauses — nur dieser, nicht etwa ein von uns bestellter — zur Entscheidung berufen werden möge. Wir willigten in dieses Abkommen,[80] überzeugt, so sei zugleich die Fürstin zu beruhigen und für uns die Unbequemlichkeit eines Umzuges[81] zu vermeiden. Der Doktor kommt und erweist sich als ein loyaler und aufrechter Diener der Wissenschaft. Er untersucht den Kleinen, erklärt das Übel für abgelaufen[82] und verneint jede Bedenklichkeit. Schon glauben wir uns berechtigt, den Zwischenfall

---

What does the overreaction of the Roman family add to the picture?

The contrast of superstition and science, emotionalism and rationality, is important to the story. How is it presented in the paragraph *Dorthin . . .*?

Subtly, Mann has introduced a remarkable range of human types. Specify.

The places are fictitious, though based on real names and localities; the narrator is anonymous,

für beigelegt zu halten:[83] da erklärt der Manager, daß wir die Zimmer räumten und in der Dependance[84] Wohnung nähmen,[85] bleibe auch nach den Feststellungen des Arztes geboten.[86]

5 Dieser Byzantinismus[87] empörte uns. Es ist unwahrscheinlich, daß die wortbrüchige[88] Hartnäckigkeit, auf die wir stießen, diejenige der Fürstin war. Der servile Gastwirt hatte wohl nicht einmal gewagt, ihr von dem Votum[89] des Doktors Mitteilung zu machen. Jedenfalls verständigten wir ihn dahin,[90] wir zögen es vor, das Hotel überhaupt und sofort zu verlassen, — und packten. Wir konnten es leichten Herzens tun, denn schon mittler-
10 weile hatten wir zur Pensione Eleonora, deren freundlich privates Äußere uns gleich in die Augen gestochen hatte, im Vorübergehen Beziehungen angeknüpft und in der Person ihrer Besitzerin, Signora Angiolieri, eine sehr sympathische Bekanntschaft gemacht. Frau Angiolieri, eine zierliche, schwarzäugige Dame, toskanischen Typs, wohl anfangs der Dreißiger,[91]
15 mit dem matten Elfenbeinteint[92] der Südländerinnen, und ihr Gatte, ein sorgfältig gekleideter, stiller und kahler Mann, besaßen in Florenz ein größeres Fremdenheim[93] und standen nur im Sommer und frühen Herbst der Filiale[94] in Torre di Venere vor. Früher aber, vor ihrer Verheiratung, war unsere neue Wirtin Gesellschafterin, Reisebegleiterin, Garderobiere,[95]
20 ja Freundin der Duse[96] gewesen, eine Epoche, die sie offenbar als die große, die glückliche ihres Lebens betrachtete, und von der sie bei unserem ersten Besuch sogleich mit Lebhaftigkeit zu erzählen begann. Zahlreiche Photographien der großen Schauspielerin, mit herzlichen Widmungen[97] versehen, auch weitere Andenken an das Zusammenleben
25 von einst schmückten die Tischchen und Etageren[98] von Frau Angiolieris Salon,[99] und obgleich auf der Hand lag, daß der Kult ihrer interessanten Vergangenheit ein wenig auch die Anziehungskraft ihres gegenwärtigen Unternehmens erhöhen wollte, hörten wir doch, während wir durchs Haus geführt wurden, mit Vergnügen und Anteil ihren in stakkiertem[1] und klin-
30 gendem Toskanisch vorgetragenen Erzählungen von der leidenden Güte, dem Herzensgenie[2] und dem tiefen Zartsinn[3] ihrer verewigten[4] Herrin zu.

Dorthin also ließen wir unsere Sachen bringen, zum Leidwesen[5] des nach gut italienischer Art sehr kinderlieben[6] Personals vom Grand Hôtel; die uns eingeräumte Wohnung war geschlossen und angenehm, der
35 Kontakt mit dem Meere bequem, vermittelt durch eine Allee junger Platanen, die auf die Strandpromenade stieß, der Speisesaal, wo Madame Angiolieri jeden Mittag eigenhändig[7] die Suppe auffüllte,[8] kühl und rein-

---

[83] *justified in considering the incident settled*
[84] *annex*
[85] *(the* daß *clause is the subject of* bleibe *:) our vacating . . . and taking up quarters . . .*
[86] *remained a necessity*
[87] *Byzantine behavior (favoritism and arbitrariness)*
[88] *perfidious*
[89] *verdict*
[90] *informed him to the effect*

[91] *in her early thirties*
[92] *ivory complexion*

[93] *guest house*
[94] *branch*
[95] *wardrobe mistress*
[96] *(Eleanora Duse, famous Italian actress)*

[97] *(dedicatory) inscriptions*
[98] *what-not shelves*
[99] *drawing room*

[1] *staccato*

[2] *emotional brilliance*
[3] *sensitivity*
[4] *departed*
[5] *regret*
[6] *fond of children*

[7] *herself*
[8] *served*

---

the characters invented, but Eleanora Duse is historically real. Can you see where Mann is heading?

Is there any discernible reason that the first historically real character should be an artist, rather than a political figure, a scientist, a businessman?

[9] *meals*

lich, die Bedienung aufmerksam und gefällig, die Beköstigung[9] vortrefflich, sogar Wiener Bekannte fanden sich vor, mit denen man nach dem Diner vorm Hause plauderte, und die weitere Bekanntschaften vermittelten, und so hätte alles gut sein können — wir waren unseres Tausches vollkommen froh, und nichts fehlte eigentlich zu einem zufriedenstellenden Aufenthalt. 5

[10] *followed . . . along after us*

[11] *common variety of human behavior*
[12] *fawning*
[13] *find it hard to get over*
[14] *irritable*
[15] *excessive*
[16] *at odds with*

Dennoch wollte kein rechtes Behagen aufkommen. Vielleicht ging der törichte Anlaß unseres Quartierwechsels uns gleichwohl nach,[10] — ich persönlich gestehe, daß ich schwer über solche Zusammenstöße mit dem landläufig Menschlichen,[11] dem naiven Mißbrauch der Macht, der Ungerechtigkeit, der kriecherischen[12] Korruption hinwegkomme.[13] Sie beschäf- 10 tigten mich zu lange, stürzten mich in ein irritiertes[14] Nachdenken, das seine Fruchtlosigkeit der übergroßen[15] Selbstverständlichkeit und Natürlichkeit dieser Erscheinungen verdankt. Dabei fühlten wir uns mit dem Grand Hôtel nicht einmal überworfen.[16] Die Kinder unterhielten ihre Freundschaften dort nach wie vor, der Hausdiener besserte ihnen ihr 15 Spielzeug aus, und dann und wann tranken wir unseren Tee in dem Garten des Etablissements, nicht ohne der Fürstin ansichtig zu werden,

[17] *outlined brightly*

welche, die Lippen korallenrot aufgehöht,[17] mit zierlich festen Tritten erschien, um sich nach ihren von einer Engländerin betreuten Lieblingen umzusehen, und sich dabei unserer bedenklichen Nähe nicht vermutend 20

[18] *forbidden*

war, denn streng wurde unserem Kleinen, sobald sie sich zeigte, untersagt,[18] sich auch nur zu räuspern.

[19] *allude to*
[20] *reign of terror*
[21] *remorselessness*

Die Hitze war unmäßig, soll ich das anführen?[19] Sie war afrikanisch: die Schreckensherrschaft[20] der Sonne, sobald man sich vom Saum der indigoblauen Frische löste, von einer Unerbittlichkeit,[21] die die wenigen 25 Schritte vom Strande zum Mittagstisch, selbst im bloßen Pyjama, zu

[22] *an enterprise bemoaned in advance*

einem im voraus beseufzten Unternehmen[22] machte. Mögen Sie das? Mögen Sie es wochenlang? Gewiß, es ist der Süden, es ist klassisches

[23] *human civilization*
[24] *(the Greek poet; an allusion to Schiller's phrase "die Sonne Homers")*
[25] *unbroken intensity*

Wetter, das Klima erblühender Menschheitskultur,[23] die Sonne Homers[24] und so weiter. Aber nach einer Weile, ich kann mir nicht helfen, werde ich 30 leicht dahin gebracht, es stumpfsinnig zu finden. Die glühende Leere des Himmels Tag für Tag fällt mir bald zur Last, die Grellheit der Farben, die ungeheure Naivität und Ungebrochenheit[25] des Lichts erregt wohl festliche Gefühle, sie gewährt Sorglosigkeit und sichere Unabhängigkeit von

[26] *reverses and caprices of the weather*
[27] *less uncomplicated*

Wetterlaunen und -rückschlägen;[26] aber ohne daß man sich anfangs Rechen- 35 schaft davon gäbe, läßt sie tiefere, uneinfachere[27] Bedürfnisse der nordischen Seele auf verödende Weise unbefriedigt und flößt auf die Dauer

---

What is the effect of the return, after a brief respite, to the mood of the beginning (*irritiert*)? What is the impression created by the question *soll ich das anführen?* and the sudden introduction of *Sie*—that is, as to the narrative situation?

etwas wie Verachtung ein. Sie haben recht, ohne das dumme Geschichtchen mit dem Keuchhusten hätte ich es wohl nicht so empfunden; ich war gereizt, ich wollte es vielleicht empfinden und griff halb unbewußt ein bereitliegendes[28] geistiges Motiv auf, um die Empfindung damit wenn nicht zu erzeugen, so doch zu legitimieren[29] und zu verstärken. Aber rechnen Sie hier mit unserem bösen Willen, — was das Meer betrifft, den Vormittag im feinen Sande, verbracht vor seiner ewigen Herrlichkeit, so kann unmöglich dergleichen in Frage kommen, und doch war es so, daß wir uns, gegen alle Erfahrung,[30] auch am Strande nicht wohl, nicht glücklich fühlten.

Zu früh, zu früh, er war, wie gesagt, noch in den Händen der inländischen Mittelklasse, — eines augenfällig[31] erfreulichen Menschenschlages, auch da haben Sie recht, man sah unter der Jugend viel Wohlschaffenheit[32] und gesunde Anmut, war aber unvermeidlich doch auch umringt von menschlicher Mediokrität und bürgerlichem Kroppzeug,[33] das, geben Sie es zu, von dieser Zone geprägt[34] nicht reizender ist als unter unserem Himmel. *Stimmen* haben diese Frauen —! Es wird zuweilen recht unwahrscheinlich, daß man sich in der Heimat der abendländischen Gesangskunst befindet. „Fuggièro!" Ich habe den Ruf noch heute im Ohr, da ich ihn zwanzig Vormittage lang hundertmal dicht neben mir erschallen hörte, in heiserer Ungedecktheit,[35] gräßlich akzentuiert, mit grell offenem è, hervorgestoßen[36] von einer Art mechanisch gewordener Verzweiflung.[37] „Fuggièro! Rispondi al mèno!"[38] Wobei das sp populärerweise[39] nach deutscher Art wie schp gesprochen wurde — ein Ärgernis für sich, wenn sowieso üble Laune herrscht. Der Schrei galt einem abscheulichen Jungen mit ekelerregender Sonnenbrandwunde[40] zwischen den Schultern, der an Widerspenstigkeit, Unart[41] und Bosheit das Äußerste zum besten gab, was mir vorgekommen,[42] und außerdem ein großer Feigling war, imstande, durch seine empörende Wehleidigkeit[43] den ganzen Strand in Aufruhr zu bringen. Eines Tages nämlich hatte ihn im Wasser ein Taschenkrebs[44] in die Zehe gezwickt, und das antikische Heldenjammergeschrei,[45] das er ob dieser winzigen Unannehmlichkeit[46] erhob, war markerschütternd[47] und rief den Eindruck eines schrecklichen Unglücksfalls hervor. Offenbar glaubte er sich aufs giftigste verletzt. Ans Land gekrochen, wälzte er sich in scheinbar unerträglichen Qualen umher, brüllte Ohi! und Oimè! und wehrte, mit Armen und Beinen um sich stoßend, die tragischen Beschwörungen seiner Mutter, den Zuspruch Fernerstehender[48] ab. Die Szene

[28] handy
[29] legitimize
[30] contrary to all our previous experience
[31] obviously
[32] good appearance
[33] rag-tag
[34] with the mark of this climate
[35] hoarse and unmodulated
[36] uttered
[37] in a sort of mechanically habituated despair
[38] at least answer
[39] after the local fashion
[40] repulsive sunburn sore
[41] rudeness
[42] represent the extreme point within my experience
[43] hypochondria
[44] crab
[45] agonized heroic lament of Antiquity
[46] annoyance
[47] blood-curdling
[48] more remote bystanders

What is the narrator's view of Italy (compared to the North)?

[49] *drew a crowd*

[50] *integrity*

[51] *null and void*

[52] *pinch wound*

[53] *someone who has fallen to his death*

[54] *inadvertency*

[55] *which, though hard to define, was definitely in the air*
[56] *threatened to spoil . . . by making it seem vaguely disturbing*
[57] *made a show of*
[58] *alert and vigorous sense of honor*
[59] *on display*
[60] *political factors were involved*

[61] *vocabulary*

[62] *disappointments*

[63] *touchy and didactic*

[64] *dispute over national loyalties*
[65] *controversies*
[66] *precedence*
[67] *less as mediators than as judges and preservers of principle*
[68] *cheerless and kill-joy*
[69] *situation*

hatte Zulauf[49] von allen Seiten. Ein Arzt wurde herbeigeholt, es war derselbe, der unseren Keuchhusten so nüchtern beurteilt hatte, und wieder bewährte sich sein wissenschaftlicher Geradsinn.[50] Gutmütig tröstend erklärte er den Fall für null und nichtig[51] und empfahl einfach des Patienten Rückkehr ins Bad, zur Kühlung der kleinen Kniffwunde.[52] Statt dessen aber wurde Fuggièro, wie ein Abgestürzter[53] oder Ertrunkener, auf einer improvisierten Bahre mit großem Gefolge vom Strande getragen, — um schon am nächsten Morgen wieder, unter dem Scheine der Unabsichtlichkeit,[54] anderen Kindern die Sandbauten zu zerstören. Mit einem Worte, ein Greuel. 10

Dabei gehörte dieser Zwölfjährige zu den Hauptträgern einer öffentlichen Stimmung, die, schwer greifbar in der Luft liegend,[55] uns einen so lieben Aufenthalt als nicht geheuer verleiden wollte.[56] Auf irgendeine Weise fehlte es der Atmosphäre an Unschuld, an Zwanglosigkeit; dies Publikum „hielt auf sich" — man wußte zunächst nicht recht, in welchem 15 Sinn und Geist, es prästierte[57] Würde, stellte voreinander und vor dem Fremden Ernst und Haltung, wach aufgerichtete Ehrliebe[58] zur Schau —,[59] wieso? Man verstand bald, daß Politisches umging,[60] die Idee der Nation im Spiele war. Tatsächlich wimmelte es am Strande von patriotischen Kindern, — eine unnatürliche und niederschlagende Erscheinung. Kinder 20 bilden ja eine Menschenspezies und Gesellschaft für sich, sozusagen eine eigene Nation; leicht und notwendig finden sie sich, auch wenn ihr kleiner Wortschatz[61] verschiedenen Sprachen angehört, auf Grund gemeinsamer Lebensform in der Welt zusammen. Auch die unsrigen spielten bald mit einheimischen sowohl wie solchen wieder anderer Herkunft. Offenbar aber 25 erlitten sie rätselhafte Enttäuschungen.[62] Es gab Empfindlichkeiten, Äußerungen eines Selbstgefühls, das zu heikel und lehrhaft[63] schien, um seinen Namen ganz zu verdienen, einen Flaggenzwist,[64] Streitfragen[65] des Ansehens und Vorranges;[66] Erwachsene mischten sich weniger schlichtend als entscheidend und Grundsätze wahrend[67] ein, Redensarten von der 30 Größe und Würde Italiens fielen, unheiter-spielverderberische[68] Redensarten; wir sahen unsere beiden betroffen und ratlos sich zurückziehen und hatten Mühe, ihnen die Sachlage[69] einigermaßen verständlich zu machen: Diese Leute, erklärten wir ihnen, machten soeben etwas durch, so einen Zustand, etwas wie eine Krankheit, wenn sie wollten, nicht sehr angenehm, 35 aber wohl notwendig.

Es war unsere Schuld, wir hatten es unserer Lässigkeit zuzuschreiben,

---

If the episode with Fuggièro is to be understood as typical, what does it contribute?
The narrator's analysis of the prevailing mood turns suddenly to the political. Do you assume this will be central or incidental to the story? Why? How historically real does this consideration promise to be?

daß es zu einem Konflikt mit diesem von uns doch erkannten und gewür-
digten Zustande kam, — noch einem Konflikt; es schien, daß die voraus-
gegangenen nicht ganz ungemischte Zufallserzeugnisse gewesen waren.
Mit einem Worte, wir verletzten die öffentliche Moral. Unser Töchterchen,
5 achtjährig, aber nach ihrer körperlichen Entwicklung ein gutes Jahr jünger
zu schätzen und mager wie ein Spatz, die nach längerem Bad, wie es die
Wärme erlaubte, ihr Spiel an Land im nassen Kostüm wieder aufgenommen hatte, erhielt Erlaubnis, den von anklebendem Sande starrenden
Anzug noch einmal im Meere zu spülen, um ihn dann wieder anzulegen
10 und vor neuer Verunreinigung[70] zu schützen. Nackt läuft sie zum wenige
Meter entfernten Wasser, schwenkt ihr Trikot[71] und kehrt zurück. Hätten
wir die Welle von Hohn, Anstoß, Widerspruch voraussehen müssen, die ihr
Benehmen, unser Benehmen also, erregte? Ich halte Ihnen keinen Vortrag,[72]
aber in der ganzen Welt hat das Verhalten zum Körper und seiner Nackt-
15 heit sich während der letzen Jahrzehnte grundsätzlich und das Gefühl
bestimmend[73] gewandelt. Es gibt Dinge, bei denen man sich „nichts mehr
denkt“,[74] und zu ihnen gehörte die Freiheit, die wir diesem so gar nicht
herausfordernden Kinderleibe gewährt hatten. Sie wurde jedoch hierorts[75]
als Herausforderung empfunden. Die patriotischen Kinder johlten. Fug-
20 gièro pfiff auf den Fingern. Erregtes Gespräch unter Erwachsenen in
unserer Nähe wurde laut und verhieß nichts Gutes. Ein Herr in städti-
schem Schniepel, den wenig strandgerechten Melonenhut[76] im Nacken,
versichert seinen entrüsteten Damen, er sei zu korrigierenden Schritten
entschlossen; er tritt vor uns hin, und eine Philippika geht auf uns nieder,
25 in der alles Pathos[77] des sinnenfreudigen[78] Südens sich in den Dienst
spröder[79] Zucht und Sitte gestellt findet. Die Schamwidrigkeit,[80] die wir
uns hätten zuschulden kommen lassen,[81] hieß es, sei um so verurteilens-
werter,[82] als sie einem dankvergessenen[83] und beleidigenden Mißbrauch der
Gastfreundschaft Italiens gleichkomme.[84] Nicht allein Buchstabe und
30 Geist der öffentlichen Badevorschriften,[85] sondern zugleich auch die Ehre
seines Landes seien freventlich verletzt, und in Wahrung dieser Ehre
werde er, der Herr im Schniepel, Sorge tragen, daß unser Verstoß[86]
gegen die nationale Würde nicht ungeahndet[87] bleibe.
    Wir taten unser Bestes, diese Suade[88] mit nachdenklichem Kopfnicken
35 anzuhören. Dem erhitzten Menschen widersprechen hätte zweifellos
geheißen, von einem Fehler in den anderen fallen. Wir hatten dies und das
auf der Zunge, zum Beispiel, daß nicht alle Umstände zusammenträfen,

[70] *contamination*
[71] *swim suit*
[72] *I'm not going to deliver a lecture*
[73] *decisively as far as public taste goes*
[74] *to which one "doesn't give a second thought"*
[75] *locally*
[76] *a derby hat, not very appropriate to the beach*
[77] *pathos (i.e. self-conscious emotion)*
[78] *sensual*
[79] *prudish*
[80] *breach of modesty*
[81] *been guilty of*
[82] *even more worthy of condemnation (as it . . .)*
[83] *ungrateful*
[84] *amounted to*
[85] *public beach regulations*
[86] *offense*
[87] *unpunished*
[88] *oratory*

Why does Mann cause the narrator to link the sensitivity of the Italians with the episode of his daughter?

What ironic effects attach to the *Herr im Schniepel*? (Cue: disparity between appearance and reality.)

In a writer of Mann's ironic subtlety it is unwise to take things at face value. The narrator concedes a degree of responsibility (*Es war unsere Schuld*). Is his assessment full and accurate?

um das Wort Gastfreundschaft nach seiner reinsten Bedeutung ganz am Plazte erscheinen zu lassen, und daß wir, ohne Euphemismus gesprochen, [89] nicht sowohl[89] die Gäste Italiens, sondern der Signora Angiolieri seien, welche eben seit einigen Jahren den Beruf einer Vertrauten der Duse gegen den der Gastlichkeit eingetauscht[90] habe. Auch hatten wir Lust, zu 5 antworten, wie wir nicht wüßten, daß die moralische Verwahrlosung[91] in diesem schönen Lande je einen solchen Grad erreicht gehabt habe, daß ein solcher Rückschlag von Prüderie und Überempfindlichkeit begreiflich und notwendig erscheinen könne. Aber wir beschränkten uns darauf, zu versichern, daß jede Provokation und Respektlosigkeit uns ferngelegen habe,[92] 10 uns entschuldigend auf das zarte Alter, die leibliche Unbeträchtlichkeit[93] der kleinen Delinquentin hinzuweisen. Umsonst. Unsere Beteuerungen wurden als unglaubhaft, unsere Verteidigung als hinfällig zurückgewiesen und die Errichtung eines Exempels als notwendig behauptet. Telephonisch, wie ich glaube, wurde die Behörde[94] benachrichtigt, ihr Vertreter erschien 15 am Strande, er nannte den Fall sehr ernst, molto grave,[95] und wir hatten ihm hinauf zum „Platze", ins Municipio zu folgen, wo ein höherer Beamter das vorläufige Urteil „molto grave" bestätigte, sich in genau denselben, offenbar landläufigen didaktischen Redewendungen[96] über unsere Tat erging[97] wie der Herr im steifen Hut und uns ein Sühne- und Lösegeld[98] von 20 fünfzig Lire[99] auferlegte. Wir fanden, diesen Beitrag zum italienischen Staatshaushalt[1] müsse das Abenteuer uns wert sein, zahlten und gingen. Hätten wir nicht abreisen sollen?

Hätten wir es nur getan! Wir hätten dann diesen fatalen Cipolla vermieden; allein mehreres kam zusammen, den Entschluß zu einem Ortswechsel[2] 25 hintanzuhalten.[3] Ein Dichter hat gesagt, es sei Trägheit, was uns in peinlichen Zuständen festhalte — man könnte das Aperçu zur Erklärung unserer Beharrlichkeit[4] heranziehen. Auch räumt man nach solchem Vorkommnis[5] nicht gern unmittelbar das Feld; man zögert, zuzugeben, daß man sich unmöglich gemacht habe, besonders wenn Sympathiekundgebungen[6] von 30 außen den Trotz ermutigen. In der Villa Eleonora gab es nur eine Stimme über die Ungerechtigkeit unseres Schicksals. Italienische Nach-Tisch-Bekannte wollten finden, es sei dem Rufe des Landes keineswegs zuträglich, und äußerten den Vorsatz, den Herrn im Schniepel landsmannschaftlich zur Rede zu stellen. Aber dieser selbst war vom Strande 35 verschwunden, nebst seiner Gruppe, schon am nächsten Tag — nicht unseretwegen[7] natürlich, aber es mag sein, daß das Bewußtsein seiner dicht

Marginal glosses (left column):

[89] *so much*

[90] *exchanged*

[91] *degeneracy*

[92] *had been far from our minds*
[93] *inconsequential physique*

[94] *authorities*
[95] *(here and below: =sehr ernst)*

[96] *phrases*
[97] *expatiated*
[98] *fine and ransom*
[99] *50 Lire (before devaluation, a substantial sum)*
[1] *this contribution to the Italian national budget*
[2] *change of place*
[3] *postpone*

[4] *persistence*
[5] *incident*

[6] *expressions of sympathy*

[7] *because of us*

In one of its dimensions, the story is a compelling political allegory. Be prepared to list the factors of unrest or distortion in political and social life which Mann perceives in fascist Italy.

The concept of *Merkwürdigkeit* is important to Mann. What does it seem to mean?

bevorstehenden Abreise seiner Tatkraft[8] zuträglich gewesen war, und jedenfalls erleichterte uns seine Entfernung. Um alles zu sagen: Wir blieben auch deshalb, weil der Aufenthalt uns merkwürdig geworden war, und weil Merkwürdigkeit ja in sich selbst einen Wert bedeutet, unabhängig von Behagen und Unbehagen. Soll man die Segel streichen und dem Erlebnis ausweichen, sobald es nicht vollkommen danach angetan ist, Heiterkeit und Vertrauen zu erzeugen? Soll man „abreisen", wenn das Leben sich ein bißchen unheimlich, nicht ganz geheuer oder etwas peinlich und kränkelnd[9] anläßt?[10] Nein doch, man soll bleiben, soll sich das ansehen und sich dem aussetzen, gerade dabei gibt es vielleicht etwas zu lernen. Wir blieben also und erlebten als schrecklichen Lohn unserer Standhaftigkeit die eindrucksvoll-unselige Erscheinung Cipollas.

Daß fast in dem Augenblick unserer staatlichen Maßregelung[11] die Nachsaison einsetzte, habe ich nicht erwähnt. Jener Gestrenge[12] im steifen Hut, unser Angeber,[13] war nicht der einzige Gast, der das Bad jetzt verließ; es gab große Abreise, man sah viele Handkarren mit Gepäck[14] sich zur Station bewegen. Der Strand entnationalisierte sich,[15] das Leben in Torre, in den Cafés, auf den Wegen der Pineta wurde sowohl intimer wie europäischer; wahrscheinlich hätten wir jetzt sogar in der Glasveranda des Grand Hôtel speisen können, aber wir nahmen Abstand davon,[16] wir befanden uns am Tische der Signora Angiolieri vollkommen wohl, — das Wort Wohlbefinden[17] in der Abschattung[18] zu verstehen, die der Ortsdämon[19] ihm zuteil werden ließ. Gleichzeitig aber mit dieser als wohltätig empfundenen Veränderung schlug auch das Wetter um, es zeigte sich fast auf die Stunde im Einvernehmen[20] mit dem Ferienkalender[21] des großen Publikums. Der Himmel bedeckte sich, nicht daß es frischer geworden wäre, aber die offene Glut, die achtzehn Tage seit unserer Ankunft (und vorher wohl lange schon) geherrscht hatte, wich einer stickigen Sciroccoschwüle,[22] und ein schwächlicher Regen netzte[23] von Zeit zu Zeit den samtenen Schauplatz unserer Vormittage. Auch das; zwei Drittel unserer für Torre vorgesehenen[24] Zeit waren ohnehin abgelebt;[25] das schlaffe, entfärbte Meer, in dessen Flachheit[26] träge Quallen[27] trieben, war immerhin eine Neuigkeit; es wäre albern gewesen, nach einer Sonne zurückzuverlangen,[28] der, als sie übermütig waltete, so mancher Seufzer gegolten hatte.[29]

Zu diesem Zeitpunkt also zeigte Cipolla sich an. Cavaliere Cipolla, wie er auf Plakaten genannt war, die eines Tages überall, auch im Speise-

[8] *energetic behavior*
[9] *sickly*
[10] *begins to go*
[11] *official reprimand*
[12] *most respected gentleman (ironic, from gestrenger Herr, etc.)*
[13] *the one who turned us in*
[14] *baggage*
[15] *became denationalized*
[16] *refrained*
[17] *well-being*
[18] *nuance*
[19] *genius loci*
[20] *agreement*
[21] *vacation schedule*
[22] *sultriness of the sirocco air (sirocco being an oppressive Mediterranean wind)*
[23] *sprinkled*
[24] *allotted*
[25] *gone by*
[26] *shallows*
[27] *jellyfish*
[28] *wish ourselves back*
[29] *had been the object of*

The pathetic fallacy (moods and happenings of nature corresponding to those of the characters: storms at moments of passion, etc.) is more characteristic of Romantic writers (*v. Eckbert*) than of Realistic ironists. Is there any such feature present here?
What are the principal elements of the "exposition," that is, the background for the actual narration, established by the section preceding the paragraph *Zu diesem Zeitpunkt . . . ?*

saal der Pensione Eleonora, sich angeschlagen fanden, — ein fahrender Virtuose, ein Unterhaltungskünstler, Forzatore, Illusionista und Prestidigitatore[30] (so bezeichnete er sich), welcher dem hochansehnlichen[31] Publikum von Torre di Venere mit einigen außerordentlichen Phänomenen geheimnisvoller und verblüffender Art aufzuwarten beabsichtigte. Ein Zauberkünstler! Die Ankündigung genügte, unseren Kleinen den Kopf zu verdrehen. Sie hatten noch nie einer solchen Darbietung beigewohnt, diese Ferienreise[32] sollte ihnen die unbekannte Aufregung bescheren.[33] Von Stund an lagen sie uns in den Ohren,[34] für den Abend des Taschenspielers Eintrittskarten zu nehmen,[35] und obgleich uns die späte Anfangsstunde der Veranstaltung, neun Uhr, von vornherein Bedenken machte, gaben wir in der Erwägung nach, daß wir ja nach einiger Kenntnisnahme[36] von Cipollas wahrscheinlich bescheidenen Künsten nach Hause gehen, daß auch die Kinder am folgenden Morgen ausschlafen[37] könnten, und erstanden von Signora Angiolieri selbst, die eine Anzahl von Vorzugsplätzen[38] für ihre Gäste in Kommission[39] hatte, unsere vier Karten. Sie konnte für solide[40] Leistungen des Mannes nicht gutsagen,[41] und wir versahen uns solcher kaum; aber ein gewisses Zerstreuungsbedürfnis empfanden wir selbst, und die dringende Neugier der Kinder bewährte eine Art von Ansteckungskraft.

Das Lokal,[42] in dem der Cavaliere sich vorstellen sollte, war ein Saalbau,[43] der während der Hochsaison[44] zu wöchentlich wechselnden Cinema-[45] Vorführungen gedient hatte. Wir waren nie dort gewesen. Man gelangte dahin, indem man, vorbei am „Palazzo",[46] einem übrigens verkäuflichen kastellartigen Gemäuer[47] aus herrschaftlichen Zeiten, die Hauptstraße des Ortes verfolgte, an der auch die Apotheke, der Coiffeur,[48] die gebräuchlichsten Einkaufsläden zu finden waren, und die gleichsam vom Feudalen über das Bürgerliche ins Volkstümliche führte; denn sie lief zwischen ärmlichen Fischerwohnungen aus, vor deren Türen alte Weiber Netze flickten, und hier, schon im Populären,[49] lag die „Sala",[50] nichts Besseres eigentlich als eine allerdings geräumige Bretterbude,[51] deren torähnlicher[52] Eingang zu beiden Seiten mit buntfarbigen[53] und übereinandergeklebten Plakaten geschmückt war. Einige Zeit nach dem Diner also, am angesetzten Tage, pilgerten[54] wir im Dunklen dorthin, die Kinder in festlichem Kleidchen und Anzug, beglückt von so viel Ausnahme.[55] Es war schwül wie seit Tagen, es wetterleuchtete manchmal und regnete etwas. Wir gingen unter Schirmen.[56] Es war eine Viertelstunde Weges.

Glossary (margin):

[30] *entertainer, master of sleight of hand, illusions, and magic*
[31] *most honorable*
[32] *vacation trip*
[33] *present them with*
[34] *from that moment on they were after us*
[35] *buy tickets*
[36] *after taking brief cognizance*
[37] *sleep late*
[38] *seats in good locations*
[39] *on consignment*
[40] *substantial*
[41] *vouch for*
[42] *spot*
[43] *public hall*
[44] *main season*
[45] *(Italian: ch-)*
[46] *palazzo (Italian town house)*
[47] *castle-like ruin which was, incidentally, for sale*
[48] *hairdresser*
[49] *in the domain of the common people*
[50] *hall*
[51] *frame shed*
[52] *gate-like*
[53] *bright colored*
[54] *made our pilgrimage*
[55] *special treatment*
[56] *umbrellas*

The point of view in the latter paragraph is subtly but significantly different from that of the preceding. How? (Hint: narrator's frame of reference.)

Review the stages of the introduction of Cipolla.

The main street recapitulates the development of history, feudal to middle class to proletariat. The remark may be merely whimsical. Any other possibilities?

Im Durchgange kontrolliert,[57] hatten wir unsere Plätze selbst aufzusuchen. Sie fanden sich in der dritten Bank links, und indem wir uns niederließen, mußten wir bemerken, daß man die ohnedies bedenkliche Anfangsstunde auch noch lax[58] behandelte: nur sehr allmählich begann ein Publikum, das es darauf ankommen zu lassen schien,[59] zu spät zu kommen, das Parterre[60] zu besetzen, auf welches, da keine Logen vorhanden waren, der Zuschauerraum sich beschränkte. Diese Säumigkeit[61] machte uns etwas besorgt. Den Kindern färbte schon jetzt eine mit Erwartung hektisch gemischte Müdigkeit die Wangen. Einzig die Stehplätze in den Seitengängen und im Hintergrunde waren bei unserer Ankunft schon komplett.[62] Es[63] stand da, halbnackte Arme auf gestreifter Trikotbrust[64] verschränkt, allerlei autochthone Männlichkeit[65] von Torre di Venere, Fischervolk, unternehmend blickende junge Burschen; und wenn wir mit der Anwesenheit dieser eingesessenen Volkstümlichkeit,[66] die solchen Veranstaltungen erst Farbe und Humor verleiht, sehr einverstanden waren, so zeigten die Kinder sich entzückt davon. Denn sie hatten Freunde unter diesen Leuten, Bekanntschaften, die sie auf nachmittäglichen Spaziergängen am entfernteren Strande gemacht. Oft, um die Stunde, wenn die Sonne, müde ihrer gewaltigen Arbeit, ins Meer sank und den vordringenden[67] Schaum der Brandung rötlich vergoldete, waren wir heimkehrend auf bloßbeinige[68] Fischergruppen gestoßen, die in Reihen stemmend und ziehend, unter gedehnten Rufen ihre Netze eingeholt, ihren meist dürftigen Fang an Frutti di mare[69] in triefende Körbe geklaubt hatten; und die Kleinen hatten ihnen zugesehen, ihre italienischen Brocken an den Mann gebracht,[70] beim Strickziehen[71] geholfen, Kameradschaft[72] geschlossen. Jetzt tauschten sie Grüße mit der Sphäre der Stehplätze, da war Guiscardo, da war Antonio, sie kannten die Namen, riefen sie winkend mit halber Stimme hinüber und bekamen ein Kopfnicken, ein Lachen sehr gesunder Zähne zur Antwort. Sieh doch, da ist sogar Mario vom „Esquisito", Mario, der uns die Schokolade bringt! Auch er will den Zauberer sehen, und er muß früh gekommen sein, er steht fast vorn, aber er bemerkt uns nicht, er gibt nicht acht, das ist so seine Art, obgleich er ein Kellnerbursche ist. Dafür winken wir dem Manne zu, der am Strande die Paddelboote vermietet, und der auch da steht, ganz hinten.

Es wurde neun ein Viertel, es wurde beinahe halb zehn Uhr. Sie begreifen unsere Nervosität. Wann würden die Kinder ins Bett kommen? Es war ein Fehler gewesen, sie herzuführen, denn ihnen zuzumuten, den Genuß

[57] *our tickets having been checked in the corridor*

[58] *loosely*

[59] *seemed to make it a point*
[60] *main floor*
[61] *delay*

[62] *full*

[63] *(actual subject: Männlichkeit)*
[64] *T-shirts*
[65] *the varied autochthonous masculine population*
[66] *popular element*

[67] *advancing*

[68] *bare-legged*

[69] *Italian: "fruits of the sea"*

[70] *found people to listen to*
[71] *pulling in lines*
[72] *comradeship*

Pathetic fallacy again?
The question of point of view or modality of narration arises again with such phrases as *Sie begreifen unsere Nervosität*. Explain.

⁷³ *main floor*

abzubrechen, kaum daß er recht begonnen, würde sehr hart sein. Mit der
Zeit hatte das Parkett⁷³ sich gut gefüllt; ganz Torre war da, so konnte man
sagen, die Gäste des Grand Hôtel, die Gäste der Villa Eleonora und
anderer Pensionen, bekannte Gesichter vom Strande. Man hörte Englisch
und Deutsch. Man hörte das Französisch, das etwa Rumänen mit Italienern 5
sprechen. Madame Angiolieri selbst saß zwei Reihen hinter uns an der
⁷⁴ *bald-headed*
Seite ihres stillen und glatzköpfigen⁷⁴ Gatten, der mit zwei mittleren
Fingern seiner Rechten seinen Schnurrbart strich. Alle waren spät gekom-
⁷⁵ *made people wait*
men, aber niemand zu spät; Cipolla ließ auf sich warten.⁷⁵

Er ließ auf sich warten, das ist wohl der richtige Ausdruck. Er erhöhte 10
die Spannung durch die Verzögerung seines Auftretens. Auch hatte man
Sinn für diese Manier, aber nicht ohne Grenzen. Gegen halb zehn Uhr
begann das Publikum zu applaudieren, — eine liebenswürdige Form,
rechtmäßige Ungeduld zu äußern, da sie zugleich Beifallslust zum Ausdruck bringt. Für die Kleinen gehörte es schon zum Vergnügen, sich 15
daran zu beteiligen. Alle Kinder lieben es, Beifall zu klatschen. Aus der
⁷⁶ *"Hurry up!" and "Let's go!"*
⁷⁷ *whatever*
populären Sphäre rief es energisch: „Pronti!" und „Cominciamo!"⁷⁶
Und siehe, wie es zu gehen pflegt: Auf einmal war der Beginn, welche⁷⁷
Hindernisse ihm nun so lange entgegengestanden haben mochten, leicht zu
⁷⁸ *easily effectuated*
⁷⁹ *a chorus of Ah!*
ermöglichen.⁷⁸ Ein Gongschlag ertönte, der von den Stehplätzen mit 20
mehrstimmigem Ah!⁷⁹ beantwortet wurde, und die Gardine ging auseinander. Sie enthüllte ein Podium, das nach seiner Ausstattung eher einer
Schulstube als dem Wirkungsfeld⁸⁰ eines Taschenspielers glich, und zwar
⁸⁰ *sphere of activity*
⁸¹ *blackboard*
⁸² *easel*
⁸³ *foreground*
namentlich dank der schwarzen Wandtafel,⁸¹ die auf einer Staffelei⁸² links
im Vordergrunde⁸³ stand. Sonst waren noch ein gewöhnlicher gelber 25
Kleiderständer, ein paar landesübliche Strohstühle und, weiter im Hintergrunde, ein Rundtischchen zu sehen, auf dem eine Wasserflasche mit Glas
⁸⁴ *tray*
⁸⁵ *liquid*
und, auf besonderem Tablett,⁸⁴ ein Flakon voll hellgelber Flüssigkeit⁸⁵
nebst Likörgläschen standen. Man hatte noch zwei Sekunden Zeit, diese
⁸⁶ *implements*
Utensilien⁸⁶ ins Auge zu fassen. Dann, ohne daß das Haus sich verdunkelt 30
hätte, hielt Cavaliere Cipolla seinen Auftritt.
⁸⁷ *rapid pace*
Er kam in jenem Geschwindschritt⁸⁷ herein, in dem Erbötigkeit gegen
das Publikum sich ausdrückt und der die Täuschung erweckt, als habe
der Ankommende in diesem Tempo schon eine weite Strecke zurück-
gelegt, um vor das Angesicht der Menge zu gelangen, während er doch 35
⁸⁸ *backstage*
⁸⁹ *indeterminate*
eben noch in der Kulisse⁸⁸ stand. Der Anzug Cipollas unterstützte die
Fiktion des Von-außen-her-Eintreffens. Ein Mann schwer bestimmbaren⁸⁹

What does Cipolla's delay contribute to the mood?
Consider the stage setting and what it suggests as to the future course of events or the nature of
  Cipolla's performance.

Alters, aber keineswegs mehr jung, mit scharfem, zerrüttetem Gesicht, stechenden Augen, faltig verschlossenem Munde,[90] kleinem, schwarz gewichstem Schnurrbärtchen und einer sogenannten Fliege[91] in der Vertiefung zwischen Unterlippe und Kinn, war er in eine Art von komplizierter Abendstraßeneleganz[92] gekleidet. Er trug einen weiten schwarzen und ärmellosen Radmantel[93] mit Samtkragen und atlasgefütterter Pelerine,[94] den er mit den weiß behandschuhten[95] Händen bei behinderter Lage der Arme[96] vorn zusammenhielt, einen weißen Schal um den Hals und einen geschweiften, schief in die Stirne gerückten Zylinderhut.[97] Vielleicht mehr als irgendwo ist in Italien das achtzehnte Jahrhundert noch lebendig und mit ihm der Typus[98] des Scharlatans, des marktschreierischen Possenreißers,[99] der für diese Epoche so charakteristisch war, und dem man nur in Italien noch in ziemlich wohl erhaltenen Beispielen begegnen kann. Cipolla hatte in seinem Gesamthabitus[1] viel von diesem historischen Schlage, und der Eindruck reklamehafter und phantastischer Narretei,[2] die zum Bilde gehört, wurde schon dadurch erweckt, daß die anspruchsvolle Kleidung ihm sonderbar, hier falsch gestrafft[3] und dort in falschen Falten, am Leibe saß oder gleichsam daran aufgehängt war: Irgend etwas war mit seiner Figur nicht in Ordnung, vorn nicht und hinten nicht, — später wurde das deutlicher. Aber ich muß betonen, daß von persönlicher Scherzhaftigkeit oder gar Clownerie[4] in seiner Haltung, seinen Mienen, seinem Benehmen nicht im geringsten die Rede sein konnte; vielmehr sprachen strenge Ernsthaftigkeit, Ablehnung alles Humoristischen, ein gelegentlich[5] übellauniger[6] Stolz, auch jene gewisse Würde und Selbstgefälligkeit des Krüppels daraus, — was freilich nicht hinderte, daß sein Verhalten anfangs an mehreren Stellen des Saales Lachen hervorrief.

Dies Verhalten hatte nichts Dienstfertiges mehr; die Raschheit seiner Auftrittsschritte stellte sich als reine Energieäußerung heraus, an der Unterwürfigkeit keinen Teil gehabt hatte. An der Rampe stehend und sich mit lässigem Zupfen seiner Handschuhe entledigend, wobei er lange und gelbliche Hände entblößte, deren eine ein Siegelring mit hochragendem Lasurstein[7] schmückte, ließ er seine kleinen strengen Augen, mit schlaffen Säcken darunter, musternd durch den Saal schweifen, nicht rasch, sondern indem er hie und da auf einem Gesicht in überlegener Prüfung verweilte[8] — verkniffenen[9] Mundes, ohne ein Wort zu sprechen. Die zusammengerollten Handschuhe warf er mit ebenso erstaunlicher wie beiläufiger Geschicklichkeit über eine bedeutende Entfernung hin genau in das Was-

[90] *his mouth pursed and wrinkled*
[91] *"imperial" (part of beard; see text)*
[92] *elegantly complicated evening street cloth*
[93] *traveling coat*
[94] *satin-lined cape*
[95] *gloved*
[96] *with his arms in an awkward position*
[97] *top hat*
[98] *very type*
[99] *mountebank and impostor*
[1] *total appearance*
[2] *ostentatious and fanciful tomfoolery*
[3] *smoothed out*
[4] *clownishness*
[5] *occasionally*
[6] *ill-humored*
[7] *prominent lapis lazuli*
[8] *dwelt*
[9] *with lips pinched together*

Mann's art of exact but selective characterization, his penchant for physical detail as stenographic motif (Tonio Kröger's *seitwärts geneigter Kopf*, the Buddenbrook teeth) is evident here. What promises to be important about Cipolla?

serglas auf dem Rundtischchen und holte dann, immer stumm umher-
blickend, aus irgendwelcher inneren Tasche ein Päckchen Zigaretten
hervor, die billigste Sorte der Regie,[10] wie man am Karton[11] erkannte, zog
mit spitzen Fingern eine aus dem Bündel und entzündete sie, ohne hinzusehen, mit einem prompt funktionierenden Benzinfeuerzeug.[12] Den tief 5
eingeatmeten Rauch stieß er, arrogant grimassierend, beide Lippen zurück-
gezogen, dabei mit einem Fuße leise aufklopfend,[13] als grauen Sprudel[14]
zwischen seinen schadhaft abgenutzten,[15] spitzigen Zähnen hervor.

Das Publikum beobachtete ihn so scharf, wie es sich von ihm durch-
mustert sah. Bei den jungen Leuten auf den Stehplätzen sah man zusam- 10
mengezogene Brauen und bohrende, nach einer Blöße spähende Blicke,
die dieser allzu Sichere sich geben[16] würde. Er gab sich keine. Das Hervor-
holen und Wiederverwahren[17] des Zigarettenpäckchens und des Feuer-
zeuges war umständlich dank seiner Kleidung; er raffte dabei den Abendmantel zurück, und man sah, daß ihm über dem linken Unterarm an einer 15
Lederschlinge unpassenderweise[18] eine Reitpeitsche mit klauenartiger sil-
berner Krücke hing. Man bemerkte ferner, daß er keinen Frack, sondern
einen Gehrock trug, und da er auch diesen aufhob, erblickte man eine
mehrfarbige,[19] halb von der Weste verdeckte Schärpe, die Cipolla um den
Leib trug, und die hinter uns sitzende Zuschauer in halblautem Austausch 20
für das Abzeichen des Cavaliere hielten. Ich lasse das dahingestellt,[20] denn
ich habe nie gehört, daß mit dem Cavalieretitel ein derartiges Abzeichen
verbunden ist. Vielleicht war die Schärpe reiner Humbug, so gut wie das
wortlose Dastehen[21] des Gauklers, der immer noch nichts tat, als dem
Publikum lässig und wichtig seine Zigarette vorzurauchen.[22] 25

Man lachte, wie gesagt, und die Heiterkeit wurde fast allgemein, als eine
Stimme im Stehparterre[23] laut und trocken „Buona sera!"[24] sagte.

Cipolla horchte hoch auf.[25] „Wer war das?" fragte er gleichsam zugrei-
fend.[26] „Wer hat soeben gesprochen? Nun? Zuerst so keck und nun bange?
Paura,[27] eh?" Er sprach mit ziemlich hoher, etwas asthmatischer, aber 30
metallischer Stimme. Er wartete.

„Ich war's", sagte in die Stille hinein der junge Mann, der sich so
herausgefordert und bei der Ehre genommen[28] sah, — ein schöner Bursche
gleich neben uns, im Baumwollhemd, die Jacke über eine Schulter gehängt. Er trug sein schwarzes, starres Kraushaar hoch und wild, die 35
Modefrisur[29] des erweckten Vaterlandes, die ihn etwas entstellte und
afrikanisch anmutete. „Bè . . . Das war ich. Es wäre Ihre Sache gewesen,
aber ich zeigte Entgegenkommen."[30]

Cipolla's interrogation and subsequent treatment of the young man foreshadows the essential
relationship between the "magician" and his vis-à-vis (and contains the basic elements
of the political allegory). What are the principal points?

Margin glosses:
[10] state (tobacco) monopoly
[11] package
[12] lighter (= Feuerzeug below)
[13] tapping
[14] gusher
[15] decayed and worn down
[16] reveal
[17] putting back again
[18] inappropriately enough
[19] multicolored
[20] I shall not go into that
[21] stance
[22] smoking his cigarette at them
[23] standing-room section
[24] good evening
[25] pricked up his ears
[26] as if taking him up on it
[27] afraid
[28] challenged and his honor impugned
[29] fashionable hair style
[30] it should have been up to you, but I was being polite

Die Heiterkeit erneuerte sich. Der Junge war nicht auf den Mund gefallen.[31] „Ha sciolto lo scilinguagnolo",[32] äußerte man neben uns. Die
populäre Lektion[33] war schließlich am Platze gewesen.

„Ah, bravo!" antwortete Cipolla. „Du gefällst mir, Giovanotto. Willst
5 du glauben, daß ich dich längst gesehen habe? Solche Leute wie du haben
meine besondere Sympathie, ich kann sie brauchen. Offenbar bist du ein
ganzer Kerl. Du tust, was du willst. Oder hast du schon einmal nicht
getan, was du wolltest? Oder gar getan, was du nicht wolltest? Was nicht
du wolltest? Höre, mein Freund, es müßte bequem und lustig sein, nicht
10 immer so den ganzen Kerl spielen und für beides aufkommen zu müssen,
das Wollen und das Tun. Arbeitsteilung[34] müßte da einmal eintreten —
sistema americano, sa'.[35] Willst du zum Beispiel jetzt dieser gewählten und
verehrungswürdigen Gesellschaft hier die Zunge zeigen, und zwar die
ganze Zunge bis zur Wurzel?"

15 „Nein", sagte der Bursche feindselig. „Das will ich nicht. Es würde von
wenig Erziehung zeugen."[36]

„Es würde von gar nichts zeugen", erwiderte Cipolla, „denn du *tätest*
es ja nur. Deine Erziehung in Ehren,[37] aber meiner Meinung nach wirst
du jetzt, ehe ich bis drei zähle, eine Rechtswendung ausführen und der
20 Gesellschaft die Zunge herausstrecken, länger, als du gewußt hattest, daß
du sie herausstrecken könntest."

Er sah ihn an, wobei seine stechenden Augen tiefer in die Höhlen zu
sinken schienen. „Uno", sagte er und ließ seine Reitpeitsche, deren
Schlinge er vom Arme hatte gleiten lassen, einmal kurz durch die Luft
25 pfeifen. Der Bursche machte Front gegen das Publikum und streckte die
Zunge so angestrengt-überlang heraus, daß man sah, es war das Äußerste,
was er an Zungenlänge nur irgend zu bieten hatte. Dann nahm er mit
nichtssagendem Gesicht wieder seine frühere Stellung ein.

„Ich war's", parodierte Cipolla, indem er zwinkernd mit dem Kopf[38]
30 auf den Jungen deutete. „Bè . . . das war ich." Damit wandte er sich, das
Publikum seinen Eindrücken überlassend, zum Rundtischchen, goß sich
aus dem Flakon, das offenbar Kognak enthielt, ein Gläschen ein und
kippte es geübt.

Die Kinder lachten von Herzen. Von den gewechselten Worten hatten
35 sie fast nichts verstanden; daß aber zwischen dem kuriosen Mann dort
oben und jemandem aus dem Publikum gleich etwas so Drolliges vor sich
gegangen war, amüsierte sie höchlichst,[39] und da sie von den Darbietungen
eines Abends, wie er verheißen war, keine bestimmte Vorstellung hatten,

31 *the cat certainly hadn't got his tongue*
32 *he's got the gift of gab*
33 *lesson*

34 *division of labor*
35 *the American system, right?*

36 *it wouldn't show good manners (upbringing)*
37 *all respect to your upbringing*

38 *with a toss of his head*

39 *highly*

The glass of brandy becomes a motif in the story. What could it signify?
The reaction of the children runs as counterpoint to the increasingly unsettling performance.
What effect does this create? In summary, what levels of understanding are depicted?

waren sie bereit, diesen Anfang köstlich zu finden. Was uns betraf, so tauschten wir einen Blick, und ich erinnere mich, daß ich unwillkürlich mit den Lippen leise das Geräusch nachahmte, mit dem Cipolla seine Reitpeitsche hatte durch die Luft fahren lassen. Übrigens war klar, daß die Leute nicht wußten, was sie aus einer so ungereimten[40] Eröffnung einer Taschenspielersoiree[41] machen sollten, und nicht recht begriffen, was den Giovanotto, der doch sozusagen ihre Sache geführt hatte, plötzlich hatte bestimmen können, seine Keckheit gegen sie, das Publikum, zu wenden. Man fand sein Benehmen läppisch,[42] kümmerte sich nicht weiter um ihn und wandte seine Aufmerksamkeit dem Künstler zu, der, vom Stärkungs-tischchen[43] zurückkehrend, folgendermaßen[44] zu sprechen fortfuhr: „Meine Damen und Herren", sagte er mit seiner asthmatisch-metallischen Stimme, „Sie sahen mich soeben etwas empfindlich gegen die Belehrung, die dieser hoffnungsvolle junge Linguist („questo linguista di belle speranze", — man lachte über das Wortspiel[45]) mir erteilen zu sollen glaubte. Ich bin ein Mann von einiger Eigenliebe,[46] nehmen Sie das in Kauf![47] Ich finde keinen Geschmack daran, mir anders als ernsthaften und höflichen Sinnes guten Abend wünschen zu lassen, — es in entgegengesetztem Sinne zu tun, besteht wenig Anlaß. Indem man mir einen guten Abend wünscht, wünscht man sich selber einen, denn das Publikum wird nur in dem Falle einen guten Abend haben, daß ich einen habe, und darum tat dieser Liebling der Mädchen von Torre di Venere (er hörte nicht auf, gegen den Burschen zu sticheln[48]) sehr wohl daran, sogleich einen Beweis dafür zu geben, daß ich heute einen habe und also auf seine Wünsche verzichten[49] kann. Ich darf mich rühmen, fast lauter gute Abende zu haben. Ein schlechterer läuft wohl einmal mit unter,[50] doch ist das selten. Mein Beruf ist schwer und meine Gesundheit nicht die robusteste; ich habe einen kleinen Leibesschaden zu beklagen, der mich außerstand gesetzt[51] hat, am Kriege für die Größe des Vaterlandes teilzunehmen. Allein mit den Kräften meiner Seele und meines Geistes meistere ich das Leben, was ja immer nur heißt: sich selbst bemeistern,[52] und schmeichle mir, mit meiner Arbeit die achtungsvolle Anteilnahme[53] der gebildeten Öffentlichkeit[54] erregt zu haben. Die führende Presse hat diese Arbeit zu schätzen gewußt, der ‚Corriere della Sera'[55] erwies mir so viel Gerechtigkeit, mich ein Phänomen zu nennen, und in Rom hatte ich die Ehre, den Bruder des Duce[56] unter den Besuchern eines der Abende zu sehen, die ich dort veranstaltete. Kleiner Gewohnheiten,[57] die man mir an so glänzender und erhabener Stelle nachzusehen die Gewogenheit hatte,[58] glaubte ich mich an einem vergleichsweise[59] immerhin weniger bedeutenden Platz wie Torre di Venere" (man lachte auf Kosten des armen kleinen Torre) „nicht eigens[60] entschlagen und nicht dulden zu sollen, daß Personen, die durch die Gunst des weiblichen Geschlechtes etwas verwöhnt[61] scheinen, sie mir

5 verweisen." Jetzt hatte wieder der Bursche die Zeche zu zahlen,[62] den Cipolla nicht müde wurde in der Rolle des donnaiuolo und ländlichen Hahnes im Korbe[63] vorzuführen, — wobei die zähe Empfindlichkeit und Animosität, mit der er auf ihn zurückkam, in auffälligem Mißverhältnis[64] zu den Äußerungen seines Selbstgefühles und zu den mondänen[65] Erfolgen

10 stand, deren er sich rühmte. Gewiß mußte der Jüngling einfach als Belustigungsthema herhalten,[66] wie Cipolla sich jeden Abend eines herauszugreifen[67] und aufs Korn zu nehmen gewohnt sein mochte. Aber es sprach aus seinen Spitzen doch echte Gehässigkeit, über deren menschlichen Sinn ein Blick auf die Körperlichkeit beider belehrt haben würde,[68] auch wenn

15 der Verwachsene nicht beständig auf das ohne weiteres vorausgesetzte Glück des hübschen Jungen bei den Frauen angespielt hätte.

„Damit wir also unsere Unterhaltung beginnen", setzte er hinzu, „erlauben Sie, daß ich es mir bequemer mache!"

Und er ging zum Kleiderständer, um abzulegen.[69]

20 „Parla benissimo",[70] stellte man in unserer Nähe fest. Der Mann hatte noch nichts geleistet, aber sein Sprechen allein ward als Leistung gewürdigt, er hatte damit zu imponieren[71] gewußt. Unter Südländern ist die Sprache ein Ingredienz der Lebensfreude, dem man weit lebhaftere gesellschaftliche[72] Schätzung entgegenbringt, als der Norden sie kennt. Es sind

25 vorbildliche Ehren,[73] in denen das nationale Bindemittel[74] der Muttersprache[75] bei diesen Völkern steht, und etwas heiter Vorbildliches hat[76] die genußreiche[77] Ehrfurcht, mit der man ihre Formen und Lautgesetze betreut. Man spricht mit Vergnügen, man hört mit Vergnügen — und man hört mit Urteil. Denn es gilt als Maßstab[78] für den persönlichen Rang,

30 wie einer spricht; Nachlässigkeit, Stümperei[79] erregen Verachtung. Eleganz und Meisterschaft verschaffen menschliches Ansehen, weshalb auch der kleine Mann, sobald es ihm um seine Wirkung zu tun ist,[80] sich in gewählten Wendungen versucht und sie mit Sorgfalt gestaltet. In dieser Hinsicht[81] also wenigstens hatte Cipolla sichtlich für sich eingenommen,[82]

35 obgleich er keineswegs dem Menschenschlag angehörte, den der Italiener, in eigentümlicher Mischung moralischen und ästhetischen Urteils, als „Simpatico" anspricht.[83]

Nachdem er seinen Seidenhut, seinen Schal und Mantel abgetan, kam

---

[59] *comparatively*
[60] *particularly*

[61] *spoiled*
[62] *pay the tab*

[63] *ladies' man and rustic cock of the walk (i.e. Don Juan)*
[64] *disproportion*
[65] *worldly*

[66] *suffer being the subject for general amusement*
[67] *pick out*
[68] *as to the human meaning of which a glance . . . would have been instructive enough*

[69] *take off and hang up his things*
[70] *he speaks very well*

[71] *make an impression*

[72] *social*

[73] *particular place of honor*
[74] *bond*
[75] *mother tongue*
[76] *there is something pleasantly exemplary about*
[77] *delighted*
[78] *standard*
[79] *bungling*
[80] *when his effectiveness is at issue*

[81] *respect*
[82] *gained favor*

[83] *calls "simpatico" (=congenial, likeable)*

Distinguish, in Cipolla's long speech, the elements of possible special importance from those to be expected in such situations.

er, im Rock sich zurechtrückend, die mit großen Knöpfen verschlossenen
Manschetten[84] hervorziehend und an seiner Humbugschärpe ordnend,
wieder nach vorn. Er hatte sehr häßliches Haar, das heißt: sein oberer
Schädel war fast kahl, und nur eine schmale, schwarz gewichste Scheitel-
frisur[85] lief, wie angeklebt, vom Wirbel[86] nach vorn, während das Schläfen- 5
haar, ebenfalls geschwärzt, seitlich zu den Augenwinkeln[87] hingestrichen
war, — die Haartracht etwa eines altmodischen Zirkusdirektors, lächerlich,
aber durchaus zum ausgefallenen Persönlichkeitsstil[88] passend und mit so
viel Selbstsicherheit getragen, daß die öffentliche Empfindlichkeit gegen
ihre Komik verhalten und stumm blieb. Der „kleine Leibesschaden", 10
von dem er vorbeugend[89] gesprochen hatte, war jetzt nur allzu deutlich
sichtbar, wenn auch immer noch nicht ganz klar nach seiner Beschaffenheit: die Brust war zu hoch, wie gewohnt in solchen Fällen, aber der
Verdruß im Rücken schien nicht an der gewohnten Stelle, zwischen den
Schultern, zu sitzen, sondern tiefer, als eine Art Hüft- und Gesäßbuckel,[90] 15
der den Gang zwar nicht behinderte, aber ihn grotesk und bei jedem
Schritt sonderbar ausladend gestaltete.[91] Übrigens war der Unzuträglich-
keit durch ihre Erwähnung gleichsam die Spitze abgebrochen worden,[92]
und zivilisiertes Feingefühl[93] beherrschte angesichts ihrer spürbar[94] den
Saal. 20
„Zu Ihren Diensten!" sagte Cipolla. „Ihr Einverständnis vorausgesetzt,
werden wir unser Programm mit einigen arithmetischen Übungen beginnen."
Arithmetik? Das sah nicht nach Zauberkunststücken[95] aus. Die Vermutung regte sich schon, daß der Mann unter falscher Flagge segelte; nur 25
welches seine richtige war, blieb undeutlich. Die Kinder begannen mir
leid zu tun; aber für den Augenblick waren sie einfach glücklich, dabei zu
sein. Das Zahlenspiel, das Cipolla nun anstellte, war ebenso einfach wie
durch seine Pointe[96] verblüffend. Er fing damit an, ein Blatt Papier mit
einem Reißstift[97] an der oberen rechten Ecke der Tafel zu befestigen und, 30
indem er es hochhob, mit Kreide etwas aufs Holz zu schreiben. Er redete
unausgesetzt dabei, besorgt, seine Darbietungen durch immerwährende
sprachliche[98] Begleitung und Unterstützung vor Trockenheit zu bewahren,
wobei er sich selbst ein zungengewandter[99] und keinen Augenblick um
einen plauderhaften[1] Einfall verlegener Conférencier[2] war. Daß er sogleich 35
damit fortfuhr, die Kluft zwischen Podium und Zuschauerraum aufzuheben, die schon durch das sonderbare Geplänkel[3] mit dem Fischerbur-

---

The second, more detailed description of Cipolla's person adds to the uncomfortable impression.
In what respects? What avenues of future action and motivation are opened by the physical
peculiarities of Cipolla?
The story of Cipolla moves in a rhythm of description and episodic action. Show how this
pattern is established.

Marginal glosses:

[84] cuffs

[85] strand of hair
[86] crown of his head
[87] corners of his eyes

[88] odd style of person-
ality

[89] to prevent surprise

[90] hump on his hip and
the base of his
spine
[91] gave a strange dipping
effect
[92] actually, the mere
mention had, as it
were, taken the edge
off the unpleasant
shock effect
[93] refinement
[94] noticeably

[95] conjuring tricks

[96] sudden conclusion
[97] thumbtack

[98] verbal
[99] clever-tongued
[1] chatty
[2] public speaker
[3] skirmish

schen überbrückt[4] worden war; daß er also Vertreter des Publikums auf die Bühne nötigte und seinerseits über die hölzernen Stufen, die dort hinaufführten, herunterkam, um persönliche Berührung mit seinen Gästen zu suchen, gehörte zu seinem Arbeitsstil und gefiel den Kindern sehr. Ich
5 weiß nicht, wie weit die Tatsache, daß er dabei sofort wieder in Häkeleien[5] mit Einzelpersonen geriet, in seinen Absichten und seinem System lag, obgleich er sehr ernst und verdrießlich dabei blieb, — das Publikum, wenigstens in seinen volkstümlichen Elementen, schien jedenfalls der Meinung zu sein, daß dergleichen zur Sache gehöre.

10 Nachdem er nämlich ausgeschrieben[6] und das Geschriebene unter dem Blatt Papier verheimlicht hatte, drückte er den Wunsch aus, zwei Personen möchten aufs Podium kommen, um beim Ausführen der bevorstehenden Rechnung behilflich zu sein. Das biete keine Schwierigkeiten, auch rechnerisch weniger Begabte seien ohne weiteres geeignet dazu. Wie gewöhnlich
15 meldete sich niemand, und Cipolla hütete sich, den vornehmen Teil seines Publikums zu belästigen. Er hielt sich ans Volk und wandte sich an zwei lümmelstarke[7] Burschen auf Stehplätzen im Hintergrunde des Saales, forderte sie heraus, sprach ihnen Mut zu,[8] fand es tadelnswert,[9] daß sie nur müßig gaffen und der Gesellschaft sich nicht gefällig erweisen wollten,
20 und setzte sie wirklich in Bewegung. Mit plumpen Tritten kamen sie durch den Mittelgang nach vorn, erstiegen[10] die Stufen und stellten sich, linkisch grinsend,[11] unter den Bravi-Rufen ihrer Kameradschaft[12] vor der Tafel auf. Cipolla scherzte noch ein paar Augenblicke mit ihnen, lobte die heroische Festigkeit ihrer Gliedmaßen, die Größe ihrer Hände, die ganz
25 geschaffen seien, der Versammlung den erbetenen Dienst zu leisten, und gab dann dem einen den Kreidegriffel[13] in die Hand mit der Weisung, einfach die Zahlen nachzuschreiben, die ihm würden zugerufen werden. Aber der Mensch erklärte, nicht schreiben zu können. „Non so scrivere“,[14] sagte er mit grober Stimme, und sein Genosse fügte hinzu: „Ich auch
30 nicht.“

Gott weiß, ob sie die Wahrheit sprachen oder sich nur über Cipolla lustig machen wollten. Jedenfalls war dieser weit entfernt, die Heiterkeit zu teilen, die ihr Geständnis erregte. Er war beleidigt und angewidert.[15] Er saß in diesem Augenblick mit übergeschlagenem Bein[16] auf einem
35 Strohstuhl in der Mitte der Bühne und rauchte wieder eine Zigarette aus dem billigen Bündel, die ihm sichtlich desto besser mundete,[17] als er, während die Trottel[18] zum Podium stapften,[19] einen zweiten Kognak zu

[4] *bridged*

[5] *arguments*

[6] *finished writing*

[7] *loutishly strong*
[8] *encouraged them*
[9] *reprehensible*

[10] *climbed*
[11] *grinning awkwardly*
[12] *to shouts of bravo from their comrades*

[13] *chalk marker*

[14] *I can't write*

[15] *disgusted*
[16] *with his legs crossed*

[17] *tasted*
[18] *poor yokels*
[19] *plodded*

Why the disillusionment over the tricks with numbers?
What might be the symbolic implication of Cipolla's eliminating *die Kluft zwischen Podium und Zuschauerraum*?

[20] *seesawing with his foot*

[21] *past the two happily disgraceful fellows (like* ins Leere, *the complement of the verb* blickte)

[22] *indulge in an accusation*
[23] *degrade*

[24] *ignorance of the basic fields of knowledge*

[25] *is inferior to*

[26] *abdicated*
[27] *set himself up as*

[28] *he wasn't the one who founded it either*

[29] *really was a tough one*
[30] *dramatics*

[31] *their own lack of involvement*

[32] *previous agreement*
[33] *illiterate boors*
[34] *were half way cooperating*

sich genommen hatte. Wieder ließ er den tief eingezogenen Rauch zwischen den entblößten Zähnen ausströmen und blickte dabei, mit dem Fuße wippend,[20] in strenger Ablehnung, wie ein Mann, der sich vor einer durchaus verächtlichen Erscheinung auf sich selbst und seine Würde zurückzieht, an den beiden fröhlichen Ehrlosen vorbei[21] und auch über das Publikum hinweg ins Leere.

,,Skandalös", sagte er kalt und verbissen. ,,Geht an eure Plätze! Jedermann kann schreiben in Italien, dessen Größe der Unwissenheit und Finsternis keinen Raum bietet. Es ist ein schlechter Scherz, vor den Ohren dieser internationalen Gesellschaft eine Bezichtigung laut werden zu lassen,[22] mit der ihr nicht nur euch selbst erniedrigt,[23] sondern auch die Regierung und das Land dem Gerede aussetzt. Wenn wirklich Torre di Venere der letzte Winkel des Vaterlandes sein sollte, in den die Unkenntnis der Elementarwissenschaften[24] sich geflüchtet hat, so müßte ich bedauern, einen Ort aufgesucht zu haben, von dem mir allerdings bekannt sein mußte, daß er an Bedeutung hinter Rom in dieser und jener Beziehung zurücksteht . . .''[25]

Hier wurde er von dem Burschen mit der nubischen Haartracht und der Jacke über der Schulter unterbrochen, dessen Angriffslust, wie man nun sah, nur vorübergehend abgedankt[26] hatte, und der sich erhobenen Hauptes zum Ritter seines Heimatstädtchens aufwarf.[27]

,,Genug!" sagte er laut. ,,Genug der Witze über Torre. Wir alle sind von hier und werden nicht dulden, daß man die Stadt vor den Fremden verhöhnt. Auch diese beiden Leute sind unsere Freunde. Wenn sie keine Gelehrten sind, so sind sie dafür rechtschaffenere Jungen als vielleicht mancher andere im Saal, der mit Rom prahlt, obgleich er es auch nicht gegründet hat."[28]

Das war ja ausgezeichnet. Der junge Mensch hatte wahrhaftig Haare auf den Zähnen.[29] Man unterhielt sich bei dieser Art von Dramatik,[30] obgleich sie den Eintritt ins eigentliche Programm mehr und mehr verzögerte. Einem Wortwechsel zuzuhören, ist immer fesselnd. Gewisse Menschen belustigt das einfach, und sie genießen aus einer Art von Schadenfreude ihr Nichtbeteiligtsein;[31] andere empfinden Beklommenheit und Erregung, und ich verstehe sie sehr gut, wenn ich auch damals den Eindruck hatte, daß alles gewissermaßen auf Übereinkunft[32] beruhte, und daß sowohl die beiden analphabetischen Dickhäuter[33] wie auch der Giovanotto in der Jacke dem Künstler halb und halb zur Hand gingen,[34] um Theater

What is the significance of Cipolla's outburst about the greatness of Italy?

What is gained (or lost) by the obvious fact that the narrator is at least uncertain, if not in error, about Cipolla's operations?

zu produzieren. Die Kinder lauschten mit vollem Genuß. Sie verstanden nichts, aber die Akzente hielten sie in Atem. Das war also ein Zauberabend, zum mindesten ein italienischer. Sie fanden es ausdrücklich sehr schön.

Cipolla war aufgestanden und mit zwei aus der Hüfte ladenden[35] Schrit-
5 ten an die Rampe gekommen.

„Aber sieh ein bißchen!"[36] sagte er mit grimmiger Herzlichkeit.[37] „Ein alter Bekannter! Ein Jüngling, der das Herz auf der Zunge hat!" (Er sagte „sulla linguaccia", was belegte Zunge[38] heißt und große Heiterkeit hervorrief.) „Geht, meine Freunde!" wandte er sich an die beiden Tölpel.[39]
10 Genug von euch, ich habe es jetzt mit diesem Ehrenmann zu tun, con questo torregiano di Venere, diesem Türmer der Venus,[40] der sich zweifellos süßer Danksagungen versieht für seine Wachsamkeit . . ."

„Ah, non scherzamo![41] Reden wir ernst!" rief der Bursche. Seine Augen blitzten, und er machte wahrhaftig eine Bewegung, als wollte er die Jacke
15 abwerfen und zur direktesten Auseinandersetzung[42] übergehen.

Cipolla nahm das nicht tragisch. Anders als wir, die einander bedenklich ansahen, hatte der Cavaliere es mit einem Landsmann zu tun, hatte den Boden der Heimat unter den Füßen. Er blieb kalt, zeigte vollkommene Überlegenheit. Eine lächelnde Kopfbewegung seitlich gegen den Kampf-
20 hahn,[43] den Blick ins Publikum gerichtet, rief dieses[44] zum mitlächelnden[45] Zeugen einer Rauflust auf,[46] durch die der Gegner nur die Schlichtheit seiner Lebensform enthüllte. Und dann geschah abermals etwas Merkwürdiges, was jene Überlegenheit in ein unheimliches Licht setzte und die kriegerische Reizung, die von der Szene ausging, auf beschämende und
25 unerklärliche Art ins Lächerliche zog.

Cipolla näherte sich dem Burschen noch mehr, wobei er ihm eigentümlich in die Augen sah. Er kam sogar die Stufen, die dort, links von uns, ins Auditorium führten, halbwegs herab, so daß er, etwas erhöht, dicht vor dem Streitbaren[47] stand. Die Reitpeitsche hing an seinem Arm.

30 „Du bist nicht zu Scherzen aufgelegt, mein Sohn", sagte er. „Das ist nur zu begreiflich, denn jedermann sieht, daß du nicht wohl bist. Schon deine Zunge, deren Reinheit zu wünschen übrigließ,[48] deutete auf akute Unordnung des gastrischen Systems. Man sollte keine Abendunterhaltung besuchen, wenn man sich fühlt wie du, und du selbst, ich weiß es, hast
35 geschwankt, ob du nicht besser tätest, ins Bett zu gehen und dir einen Leibwickel[49] zu machen. Es war leichtsinnig, heute nachmittag so viel von diesem weißen Wein zu trinken, der schrecklich sauer war. Jetzt hast du

[35] *dipping from the hips*

[36] *just look at that*
[37] *heartiness*

[38] *coated tongue (involving a pun explained in the text)*
[39] *dolts*
[40] *watchman of Venus (Türmer from torregiano from Torre, i.e. Torre di Venere)*
[41] *(=reden wir ernst!) let's be serious*
[42] *confrontation*

[43] *gamecock (i.e. pugnacious fellow)*
[44] *(=Publikum)*
[45] *to join in the smile*
[46] *summoned them to join him as amused witnesses of a pugnacity*

[47] *belligerent fellow*

[48] *left something to be desired*

[49] *compress for your stomach*

What kind of impression evolves from the repeated references to success with women?
In suggesting to the youth that he has stomach cramps and is really ill, Cipolla emphasizes a special relief his "cure" will bring. Why is it so special? To what is it related, in the preceding pages?

die Kolik, daß du dich krümmen möchtest vor Schmerzen. Tu's nur unge-
scheut![50] Es ist eine gewisse Linderung verbunden mit dieser Nachgiebigkeit des Körpers gegen den Krampf der Eingeweide."[51]

Indem er dies Wort für Wort mit ruhiger Eindringlichkeit und einer
Art strenger Teilnahme sprach, schienen seine Augen, in die des jungen 5
Menschen getaucht, über ihren Tränensäcken[52] zugleich welk und brennend
zu werden, — es waren sehr sonderbare Augen, und man verstand, daß
sein Partner nicht nur aus Mannesstolz die seinen nicht von ihnen lösen
mochte. Auch war von solchem Hochmut[53] alsbald in seinem bronzierten
Gesicht nichts mehr zu bemerken. Er sah den Cavaliere mit offenem 10
Munde an, und dieser Mund lächelte in seiner Offenheit verstört und
kläglich.

„Krümme dich!" wiederholte Cipolla. „Was bleibt dir anderes übrig?
Bei solcher Kolik muß man sich krümmen. Du wirst dich doch gegen die
natürliche Reflexbewegung nicht sträuben, nur, weil man sie dir empfiehlt." 15

Der junge Mann hob langsam die Unterarme, und während er sie an-
pressend[54] über dem Leibe kreuzte, verbog sich[55] sein Körper, wandte sich
seitlich vornüber,[56] tiefer und tiefer, ging bei verstellten Füßen und gegen-
einandergekehrten Knien in die Beuge,[57] so daß er endlich, ein Bild
verrenkter[58] Pein, beinahe am Boden hockte. So ließ Cipolla ihn einige 20
Sekunden stehen, tat dann mit der Reitpeitsche einen kurzen Hieb durch
die Luft und kehrte ausladend zum Rundtischchen zurück, wo er einen
Kognak kippte.

„Il boit beaucoup",[59] stellte hinter uns eine Dame fest. War das alles,
was ihr auffiel? Es wollte uns nicht deutlich werden, wie weit das Publikum 25
schon im Bilde war. Der Bursche stand wieder aufrecht, etwas verlegen
lächelnd, als wüßte er nicht so recht, wie ihm geschehen. Man hatte die
Szene mit Spannung verfolgt und applaudierte ihr, als sie beendet war,
indem man sowohl „Bravo, Cipolla!" wie „Bravo, Giovanotto!" rief.
Offenbar faßte man den Ausgang des Streites nicht als persönliche Nieder- 30
lage des jungen Menschen auf, sondern ermunterte ihn wie einen Schauspieler, der eine kläglichε Rolle lobenswert[60] durchgeführt hat. Wirklich
war seine Art, sich vor Leibschmerzen zu krümmen, höchst ausdrucksvoll,
in ihrer Anschaulichkeit[61] gleichsam für die Galerie berechnet und sozusagen eine schauspielerische Leistung gewesen. Aber ich bin nicht sicher, 35
wieweit das Verhalten des Saales nur dem menschlichen Taktgefühl[62]
zuzuschreiben war, in dem der Süden uns überlegen ist, und wieweit es
auf eigentlicher Einsicht in das Wesen der Dinge beruhte.

What is the special significance of the movement Cipolla forces upon the youth—i.e. why not
falling over backward, or fleeing the stage?

Der Cavaliere, gestärkt, hatte sich eine frische Zigarette angezündet.
Der arithmetische Versuch konnte wieder in Angriff genommen werden.
Ohne Schwierigkeit fand sich ein junger Mann aus den hinteren Sitzreihen,
der bereit war, diktierte Ziffern auf die Tafel zu schreiben. Wir kannten
5 ihn auch; die ganze Unterhaltung gewann etwas Familiäres dadurch, daß
man so viele Gesichter kannte. Er war der Angestellte des Kolonialwaren-
und Obstladens[63] in der Hauptstraße und hatte uns mehrmals in guter
Form bedient. Er handhabte[64] die Kreide mit kaufmännischer[65] Gewandtheit, während Cipolla, zu unserer Ebene herabgestiegen, sich in seiner
10 verwachsenen Gangart durch das Publikum bewegte und Zahlen einsam-
melte, zwei-, drei- und vierstellige nach freier Wahl, die er den Befragten
von den Lippen nahm, um sie seinerseits dem jungen Krämer zuzurufen,
der sie untereinander reihte.[66] Dabei war alles, im wechselseitigen Einverständnis, auf Unterhaltung, Jux,[67] rednerische Abschweifung[68] berech-
15 net. Es konnte nicht fehlen, daß der Künstler auf Fremde stieß, die mit
der inländischen Zahlensprache nicht fertig wurden, und mit denen er
sich lange auf hervorgekehrt ritterliche Art bemühte,[69] unter der höflichen
Heiterkeit der Landeskinder,[70] die er dann wohl in Verlegenheit brachte,
indem er sie nötigte, englisch und französisch vorgebrachte Ziffern zu
20 verdolmetschen.[71] Einige nannten Zahlen, die große Jahre aus der italienischen Geschichte bezeichneten. Cipolla erfaßte sie sofort und knüpfte im
Weitergehen patriotische Betrachtungen daran. Jemand sagte „Zero!",
und der Cavaliere, streng beleidigt wie bei jedem Versuch, ihn zum
Narren zu halten, erwiderte über die Schulter, das sei eine weniger als
25 zweistellige Zahl, worauf ein anderer Spaßvogel[72] „Null, null" rief und
den Heiterkeitserfolg damit hatte, dessen die Anspielung auf natürliche
Dinge[73] unter Südländern gewiß sein kann. Der Cavaliere allein hielt sich
würdig ablehnend,[74] obgleich er die Anzüglichkeit geradezu herausgefordert hatte;[75] doch gab er achselzuckend auch diesen Rechnungsposten[76] dem
30 Schreiber zu Protokoll.[77]
  Als etwa fünfzehn Zahlen in verschieden langen Gliedern auf der Tafel
standen, verlangte Cipolla die gemeinsame Addition.[78] Geübte Rechner
möchten sie vor der Schrift im Kopf vornehmen,[79] aber es stand frei,
Crayon und Taschenbuch zu Rate zu ziehen.[80] Cipolla saß, während man
35 arbeitete, auf seinem Stuhl neben der Tafel und rauchte grimassierend,
mit dem selbstgefällig anspruchsvollen Gehaben des Krüppels. Die fünf-
stellige Summe war rasch bereit. Jemand teilte sie mit, ein anderer bestätigte
sie, das Ergebnis eines Dritten wich etwas ab, das des Vierten stimmte

[63] *grocery and fruit store*
[64] *handled*
[65] *entrepreneurial*

[66] *arranged*
[67] *joking*
[68] *digression*

[69] *to whom he devoted a great deal of effort, in a conspicuously chivalric manner*
[70] *natives*
[71] *interpret*

[72] *joker*
[73] *(because 00 is, i.q. the sign for a toilet)*
[74] *adopted an attitude of dignified disapproval*
[75] *although he had actually elicited the offensive remark*
[76] *item for addition*
[77] *to be recorded*
[78] *general totalling-up*
[79] *try it in their heads before it was done in writing*
[80] *avail oneself of pencil and notebook*

What shows the narrator's growing awareness of the true nature of Cipolla's performance?
How does Mann create a rhythmic increase and relaxation of tension in the description of the
  performance?

[81] *written it down*

wieder überein. Cipolla stand auf, klopfte sich etwas Asche vom Rock, lüftete das Blatt Papier an der oberen rechten Ecke der Tafel und ließ das dort von ihm Geschriebene sehen. Die richtige Summe, einer Million sich nähernd, stand schon da. Er hatte sie im voraus aufgezeichnet.[81]

Staunen und großer Beifall. Die Kinder waren überwältigt. Wie er das 5 gemacht habe, wollten sie wissen. Wir bedeuteten sie, das sei ein Trick, nicht ohne weiteres zu verstehen, der Mann sei eben ein Zauberkünstler. Nun wußten sie, was das war, die Soiree eines Taschenspielers. Wie erst der Fischer Leibschmerzen bekam und nun das fertige Resultat auf der Tafel stand, — es war herrlich, und wir sahen mit Besorgnis, daß es trotz 10 ihrer heißen Augen und trotzdem die Uhr schon jetzt fast halb elf war, sehr schwer sein würde, sie wegzubringen. Es würde Tränen geben. Und

[82] *was not performing magic*

doch war klar, daß dieser Bucklige nicht zauberte,[82] wenigstens nicht im Sinne der Geschicklichkeit, und daß dies gar nichts für Kinder war. Wiederum weiß ich nicht, was eigentlich das Publikum sich dachte; aber 15

[83] *numbers to be added*

[84] *a very dubious business*

um die „freie Wahl" bei Bestimmung der Summanden[83] war es offenbar recht zweifelhaft bestellt[84] gewesen; dieser und jener der Befragten mochte wohl aus sich selbst geantwortet haben, im ganzen aber war deutlich, daß Cipolla sich seine Leute ausgesucht, und daß der Prozeß, abzielend auf das

[85] *aimed at the predetermined result*

vorgezeichnete Ergebnis,[85] unter seinem Willen gestanden hatte, — wobei 20 immer noch sein rechnerischer Scharfsinn zu bewundern blieb, wenn das andere sich der Bewunderung seltsam entzog.[86] Dazu der Patriotismus und

[86] *even though the other (aspect) was strangely inappropriate as an object of admiration*

die reizbare Würde: — die Landsleute des Cavaliere mochten sich bei alldem harmlos in ihrem Elemente fühlen und zu Späßen aufgelegt bleiben; den von außen Kommenden mutete die Mischung beklemmend an. 25

Übrigens sorgte Cipolla selbst dafür, daß der Charakter seiner Künste jedem irgendwie Wissenden unzweifelhaft[87] wurde, freilich ohne daß ein

[87] *apparent to anyone even remotely knowledgeable*

[88] *technical term*

Name, ein Terminus[88] fiel. Er sprach wohl davon, denn er sprach immerwährend, aber nur in unbestimmten, anmaßenden und reklamehaften Ausdrücken. Er ging noch eine Weile auf dem eingeschlagenen experimentellen 30 Wege fort, machte die Rechnungen erst verwickelter, indem er zur Zu-

[89] *sums*

[90] *in other basic operations of arithmetic*

[91] *simplified*

sammenzählung[89] Übungen aus den anderen Spezies[90] fügte, und vereinfachte[91] sie dann aufs äußerste, um zu zeigen, wie es zuging. Er ließ einfach Zahlen „raten", die er vorher unter das Blatt Papier geschrieben hatte. Es gelang fast immer. Jemand gestand, daß er eigentlich einen anderen 35

[92] *amount*

Betrag[92] habe nennen wollen; da aber im selben Augenblick die Reitpeitsche des Cavaliere vor ihm durch die Luft gepfiffen sei, habe er sich die

---

The reader is prepared for more serious developments by the narrator's remark, *daß dieser Bucklige nicht zauberte.* What human faculties are most deeply involved? Why does Cipolla move to simpler rather than more complicated "tricks"?

Zahl entschlüpfen lassen, die sich dann auf der Tafel vorgefunden. Cipolla lachte mit den Schultern. Er heuchelte Bewunderung für das Ingenium[93] der Befragten; aber diese Komplimente hatten etwas Höhnisches und Entwürdigendes, ich glaube nicht, daß sie von den Versuchspersonen
5 angenehm empfunden wurden, obgleich sie dazu lächelten und den Beifall teilweise zu ihren Gunsten buchen[94] mochten. Auch hatte ich nicht den Eindruck, daß der Künstler bei seinem Publikum beliebt war. Eine gewisse Abneigung und Aufsässigkeit war durchzufühlen;[95] aber von der Höflichkeit zu schweigen,[96] die solche Regungen im Zaum hielt, verfehlten Cipollas
10 Können, seine strenge Sicherheit nicht, Eindruck zu machen, und selbst die Reitpeitsche trug, meine ich, etwas dazu bei,[97] daß die Revolte im Unterirdischen blieb.

Vom bloßen Zahlenversuch kam er zu dem mit Karten. Es waren zwei Spiele, die er aus der Tasche zog, und so viel weiß ich noch, daß das
15 Grund- und Musterbeispiel der Experimente, die er damit anstellte, dies war, daß er aus dem einen, ungesehen, drei Karten wählte, die er in der Innentasche seines Gehrocks verbarg, und daß dann die Versuchsperson aus dem vorgehaltenen[98] zweiten Spiel eben diese drei Karten zog, — nicht immer vollkommen die richtigen; es kam vor, daß nur zweie stimmten,
20 aber in der Mehrzahl[99] der Fälle triumphierte Cipolla, wenn er seine drei Blätter veröffentlichte, und dankte leicht für den Beifall, mit dem man wohl oder übel die Kräfte anerkannte, die er bewährte. Ein junger Herr in vorderster Reihe, rechts von uns, mit stolz geschnittenem Gesicht, Italiener, meldete sich und erklärte, er sei entschlossen, nach klarem Eigen-
25 willen[1] zu wählen und sich jeder wie immer gearteten Beeinflussung[2] bewußt entgegenzustemmen. Wie Cipolla sich unter diesen Umständen den Ausgang denke. — „Sie werden mir", antwortete der Cavaliere, „damit meine Aufgabe etwas erschweren.[3] An dem Ergebnis wird Ihr Widerstand nichts ändern. Die Freiheit existiert, und auch der Wille
30 existiert; aber die Willensfreiheit[4] existiert nicht, denn ein Wille, der sich auf seine Freiheit richtet, stößt ins Leere.[5] Sie sind frei, zu ziehen oder nicht zu ziehen. Ziehen Sie aber, so werden Sie richtig ziehen, — desto sicherer, je eigensinniger Sie zu handeln versuchen."

Man mußte zugeben, daß er seine Worte nicht besser hätte wählen
35 können, um die Wasser zu trüben und seelische Verwirrung anzurichten. Der Widerspenstige zögerte nervös, bevor er zugriff. Er zog eine Karte und verlangte sofort zu sehen, ob sie unter den verborgenen sei, „Aber wie?"

[93] *mental ability*

[94] *put them down to their own credit*

[95] *could be sensed*

[96] *quite apart from the courtesy (. . ., C's ability . . . also could not fail to . . .)*

[97] *contributed in some degree*

[98] *which was held out to him*

[99] *majority*

[1] *by his own free and independent will*
[2] *any influence of whatever nature*

[3] *make . . . somewhat more difficult*

[4] *free will*

[5] *a will which aims at its own freedom, enters only the void*

What is his attitude toward the public? Does Mann invite a political reading, and if so how? Why is the test with the drawn card of particular importance?
Cipolla's answer (*Sie werden mir* . . .) is of central importance. Explain, on the immediate and the extended level.

[6] *preliminary test*
[7] *at your service*
[8] *obsequious*
[9] *showed his trefoil of cards, fanned out*

[10] *legerdemain*

[11] *even assuming such a combination (i.e. of native gifts and legerdemain)*
[12] *unrestrained*
[13] *professional competence*
[14] *he does a good job*

verwunderte sich Cipolla. „Warum halbe Arbeit tun?" Da jedoch der Trotzige auf dieser Vorprobe[6] bestand: — „E servito",[7] sagte der Gaukler mit ungewohnt lakaienhafter[8] Gebärde und zeigte, ohne selbst hinzusehen, sein Dreiblatt fächerförmig vor.[9] Die links steckende Karte war die gezogene.

Der Freiheitskämpfer setzte sich zornig, unter dem Beifall des Saales. Wieweit Cipolla die mit ihm geborenen Gaben auch noch durch mechanische Tricks und Behendigkeitsmittelchen[10] unterstützte, mochte der Teufel wissen. Eine solche Verquickung angenommen,[11] vereinigte die ungebundene[12] Neugier aller sich jedenfalls im Genuß einer phänomenalen Unterhaltung und in der Anerkennung einer Berufstüchtigkeit,[13] die niemand leugnete. „Lavora bene!"[14] Wir hörten die Feststellung da und dort in unserer Nähe, und sie bedeutete den Sieg sachlicher Gerechtigkeit über Antipathie und stille Empörung.

Vor allem, nach seinem letzten, fragmentarischen, doch eben dadurch nur desto eindrucksvolleren Erfolge, hatte Cipolla sich wieder mit einem Kognak gestärkt. In der Tat, er „trank viel", und das war etwas schlimm zu sehen. Aber er brauchte Likör und Zigarette offenbar zur Erhaltung und Erneuerung seiner Spannkraft,[15] an die, er hatte es selbst angedeutet, in mehrfacher Beziehung starke Ansprüche gestellt wurden. Wirklich sah er schlecht aus zwischenein,[16] hohläugig und verfallen. Das Gläschen brachte das jeweils ins gleiche,[17] und seine Rede lief danach,[18] während der eingeatmete Rauch ihm grau aus der Lunge sprudelte, belebt und anmaßend. Ich weiß bestimmt, daß er von den Kartenkunststückchen[19] zu jener Art von Gesellschaftsspielen überging, die auf über- oder untervernünftigen[20] Fähigkeiten der menschlichen Natur, auf Intuition und „magnetischer" Übertragung,[21] kurzum auf einer niedrigen Form der Offenbarung beruhen. Nur die intimere Reihenfolge seiner Leistungen weiß ich nicht mehr. Auch langweile ich Sie nicht mit der Schilderung dieser Versuche; jeder kennt sie, jeder hat einmal daran teilgenommen, an diesem Auffinden versteckter Gegenstände, diesem blinden Ausführen zusammengesetzter[22] Handlungen, zu dem die Anweisung auf unerforschtem[23] Wege, von Organismus zu Organismus ergeht. Jeder hat auch dabei seine kleinen, neugierig-verächtlichen und kopfschüttelnden Einblicke[24] in den zweideutig-unsauberen und unentwirrbaren[25] Charakter des Okkulten getan, das in der Menschlichkeit seiner Träger immer dazu neigt, sich mit Humbug und nachhelfender Mogelei vexatorisch zu vermischen,[26] ohne daß dieser Einschlag etwas gegen die Echtheit anderer Bestandteile[27] des bedenklichen

[15] *nervous energy*
[16] *betweentimes*
[17] *restored his equilibrium*
[18] *his conversation would then flow again*
[19] *card tricks*
[20] *supra- or sub-rational*
[21] *hypnotic transfer*
[22] *composite*
[23] *scientifically as yet undetermined*
[24] *(has had his) moments of insight*
[25] *ambiguous and not clean-cut, indecipherable*
[26] *which, given the human nature of those who bear it (i.e. the gift of the occult), always tends to be vexatiously mixed up with humbug and the added assistance of trickery*
[27] *components*

The characterization of Cipolla becomes more intense. It cannot be understood as merely a portrait of the charlatan or the cripple, not even with the added dimension of the dictator. Recalling that Mann is preoccupied with the psychology of the artist and artistic creation, ask yourself if this dimension too is present. If so, to what degree is it possible to say explicitly "what the story is about"?

Amalgams bewiese. Ich sage nur, daß alle Verhältnisse natürlich sich verstärken, der Eindruck nach jener Seite an Tiefe gewinnt, wenn ein Cipolla
Leiter und Hauptakteur des dunkeln Spieles ist. Er saß, den Rücken gegen
das Publikum gekehrt, im Hintergrunde des Podiums und rauchte, während
5 irgendwo im Saale unterderhand die Vereinbarungen getroffen wurden,[28]
denen er gehorchen, der Gegenstand von Hand zu Hand ging, den er aus
seinem Versteck[29] ziehen und mit dem er Vorbestimmtes ausführen[30]
sollte. Es[31] war das typisch bald getrieben zustoßende, bald lauschend
stockende Vorwärtstasten, Fehltappen und sich mit jäh eingegebener
10 Wendung Verbessern, das er zu beobachten gab, wenn er an der Hand
eines wissenden Führers, der angewiesen war, sich körperlich rein folgsam
zu verhalten, aber seine Gedanken auf das Verabredete zu richten, sich
zurückgelegten Hauptes und mit vorgestreckter Hand im Zickzack durch
den Saal bewegte. Die Rollen schienen vertauscht, der Strom ging in
15 umgekehrter Richtung, und der Künstler wies in immer fließender Rede
ausdrücklich darauf hin. Der leidende, empfangende, der ausführende Teil,
dessen Wille ausgeschaltet[32] war, und der einen stummen in der Luft liegenden Gemeinschaftswillen[33] vollführte, war nur er, der so lange gewollt und
befohlen hatte; aber er betonte, daß es auf eins hinauslaufe.[34] Die Fähigkeit,
20 sagte er, sich seiner selbst zu entäußern,[35] zum Werkzeug[36] zu werden, im
unbedingtesten und vollkommensten Sinne zu gehorchen, sei nur die
Kehrseite[37] jener anderen, zu wollen und zu befehlen; es sei ein und
dieselbe Fähigkeit; Befehlen und Gehorchen, sie bildeten zusammen nur
ein Prinzip, eine unauflösliche Einheit;[38] wer zu gehorchen wisse, der
25 wisse auch zu befehlen, und ebenso umgekehrt; der eine Gedanke sei in
dem anderen einbegriffen,[39] wie Volk und Führer ineinander einbegriffen
seien, aber die Leistung, die äußerst strenge und aufreibende Leistung, sei
jedenfalls seine, des Führers und Veranstalters, in welchem der Wille
Gehorsam, der Gehorsam Wille werde, dessen Person die Geburtsstätte
30 beider sei, und der es also sehr schwer habe. Er betonte dies stark und oft,
daß er es außerordentlich schwer habe, wahrscheinlich um seine Stär-
kungsbedürftigkeit[40] und das häufige Greifen zum Gläschen zu erklären.
Er tappte seherisch[41] umher, geleitet und getragen vom öffentlichen,
geheimen Willen. Er zog eine steinbesetzte[42] Nadel aus dem Schuh einer
35 Engländerin, wo man sie verborgen hatte, trug sie stockend und getrieben
zu einer anderen Dame — es war Signora Angiolieri — und überreichte sie
ihr kniefällig[43] mit vorbestimmten und, wenn auch naheliegenden,[44] so

[28] arrangements were secretly made
[29] hiding place
[30] carry out previously agreed upon tasks
[31] (starting a sentence of considerable complexity, full of unique words, hence translated for you :) What we now observed in him (Cipolla) was typical of such situations: an impulsively forward-thrusting, at other times alertly hesitant pattern of groping, straying, and on sudden inspiration, changing of course, as he moved zig-zag through the room, head back and arms outstretched, on the guiding hand of a leader (from the audience), who was in on the secret but had been instructed to maintain strict physical passivity, while concentrating his thoughts on the prearranged objective.
[32] excluded
[33] communal will
[34] amounted to one and the same thing
[35] renounce
[36] implement
[37] reverse of the coin
[38] indissoluble unity
[39] mutually contained
[40] need for a restorative
[41] like a clairvoyant
[42] set with jewels
[43] on bended knee
[44] relatively obvious

The change to Cipolla as executor of the *Gemeinschaftswillen* explores new levels of what might be called the political parable. Cipolla himself theorizes on this. The ominous phrase *Volk und Führer* occurs. Interpret in terms of political allegory, historical validity, and psychopathology of the individual.

doch nicht leicht zu treffenden Worten; denn sie waren auf französisch verabredet worden. „Ich mache Ihnen ein Geschenk zum Zeichen meiner Verehrung!" hatte er zu sagen, und uns schien, als läge Bosheit in der Härte dieser Bedingung; ein Zwiespalt drückte sich darin aus zwischen dem Interesse am Gelingen des Wunderbaren und dem Wunsch, der an- 5 spruchsvolle Mann möchte eine Niederlage erleiden. Aber sehr merkwürdig war es, wie Cipolla, auf den Knien vor Madame Angiolieri, unter versuchenden Reden[45] um die Erkenntnis des ihm Aufgegebenen rang. „Ich muß etwas sagen", äußerte er, „und ich fühle deutlich, was es zu sagen gilt. Dennoch fühle ich zugleich, daß es falsch würde, wenn ich es 10 über die Lippen ließe. Hüten Sie sich, mir mit irgendeinem unwillkürlichen Zeichen zu Hilfe zu kommen!" rief er aus, obgleich oder weil zweifellos gerade dies es war, worauf er hoffte . . . „Pensez très fort!"[46] rief er auf einmal in schlechtem Französisch und sprudelte dann den befohlenen Satz zwar auf italienisch hervor, aber so, daß er das Schluß- und Hauptwort[47] 15 plötzlich in die ihm wahrscheinlich ganz ungeläufige[48] Schwestersprache fallen ließ und statt „venerazione" „vénération" mit einem unmöglichen Nasal am Ende sagte, — ein Teilerfolg,[49] der nach den schon vollendeten Leistungen, dem Auffinden der Nadel, dem Gang zur Empfängerin und dem Kniefall,[50] fast eindrucksvoller wirkte, als der restlose Sieg es getan 20 hätte, und bewunderungsvollen[51] Beifall hervorrief.

Cipolla trocknete sich aufstehend den Schweiß von der Stirn. Sie verstehen, daß ich nur ein Beispiel seiner Arbeit gab, indem ich von der Nadel erzählte, — es ist mir besonders im Gedächtnis geblieben. Aber er wandelte die Grundform mehrfach ab[52] und durchflocht diese Versuche, so 25 daß viel Zeit darüber verging, mit Improvisationen verwandter Art, zu denen die Berührung mit dem Publikum ihm auf Schritt und Tritt verhalf.[53] Namentlich von der Person unserer Wirtin schien Eingebung auf ihn auszugehen; sie entlockte[54] ihm verblüffende Wahrsagungen. „Es entgeht mir nicht, Signora", sagte er zu ihr, „daß es mit Ihnen eine besondere 30 und ehrenvolle Bewandtnis hat.[55] Wer zu sehen weiß, der erblickt um Ihre reizende Stirn einen Schein, der, wenn mich nicht alles täuscht, einst stärker war als heute, einen langsam verbleichenden Schein . . . Kein Wort! Helfen Sie mir nicht! An Ihrer Seite sitzt Ihr Gatte — nicht wahr", wandte er sich an den stillen Herrn Angiolieri, „Sie sind der Gatte dieser 35 Dame, und Ihr Glück ist vollkommen. Aber in dieses Glück hinein ragen Erinnerungen . . . fürstliche[56] Erinnerungen . . . Das Vergangene, Signora,

[45] with tentative and groping words

[46] think very hard

[47] concluding noun

[48] unfamiliar

[49] partial success

[50] genuflection

[51] admiring

[52] he produced several variations of the same basic theme
[53] helped him all along the way

[54] elicited

[55] that your case is a special and highly honored one

[56] royal

Why the obvious signs of exhaustion in Cipolla?
Why is it significant that Mrs. Angiolieri is so susceptible to Cipolla's power—and he so preoccupied with her? What does Eleanora Duse have to do with this affinity?

spielt in Ihrem gegenwärtigen Leben, wie mir scheint, eine bedeutende Rolle. Sie kannten einen König . . . hat nicht ein König in vergangenen Tagen Ihren Lebensweg gekreuzt?"

„Doch nicht", hauchte die Spenderin unserer Mittagssuppe,[57] und ihre
5 braungoldenen Augen schimmerten in der Edelblässe ihres Gesichtes.

„Doch nicht? Nein, kein König, ich sprach gleichsam nur im rohen und unreinen.[58] Kein König, kein Fürst, — aber dennoch ein Fürst, ein König höherer Reiche. Ein großer Künstler war es, an dessen Seite Sie einst . . . Sie wollen mir widersprechen, und doch können Sie es nicht mit
10 voller Entschiedenheit, können es nur zur Hälfte tun. Nun denn! es war eine große, eine weltberühmte *Künstlerin*, deren Freundschaft Sie in zarter Jugend genossen, und deren heiliges Gedächtnis Ihr ganzes Leben überschattet und verklärt[59] . . . Den Namen? Ist es nötig, Ihnen den Namen zu nennen, dessen Ruhm sich längst mit dem des Vaterlandes verbunden
15 hat und mit ihm unsterblich ist? Eleonora Duse", schloß er leise und feierlich.

Die kleine Frau nickte überwältigt in sich hinein. Der Applaus glich einer nationalen Kundgebung.[60] Fast jedermann im Saale wußte von Frau Angiolieris bedeutender Vergangenheit und vermochte also die Intuition
20 des Cavaliere zu würdigen, voran die anwesenden Gäste der Casa Eleonora.[61] Es fragte sich nur, wieviel er selbst davon gewußt, beim ersten berufsmäßigen Umhorchen[62] nach seiner Ankunft in Torre davon in Erfahrung gebracht haben mochte[63] . . . Aber ich habe gar keinen Grund, Fähigkeiten, die ihm vor unseren Augen zum Verhängnis wurden, rationa-
25 listisch zu verdächtigen . . .

Vor allem gab es nun eine Pause, und unser Gebieter zog sich zurück. Ich gestehe, daß ich mich vor diesem Punkte meines Berichtes gefürchtet habe, fast seit ich zu erzählen begann. Die Gedanken der Menschen zu lesen, ist meistens nicht schwer, und hier ist es sehr leicht. Unfehlbar
30 werden Sie mich fragen, warum wir nicht endlich weggegangen seien, — und ich muß Ihnen die Antwort schuldig bleiben. Ich verstehe es nicht und weiß mich tatsächlich nicht zu verantworten. Es muß damals bestimmt schon mehr als elf Uhr gewesen sein, wahrscheinlich noch später. Die Kinder schliefen. Die letzte Versuchsserie war für sie recht langweilig
35 gewesen, und so hatte die Natur es leicht, ihr Recht zu erkämpfen.[64] Sie schliefen auf unseren Knien, die Kleine auf den meinen, der Junge auf denen der Mutter. Das war einerseits[65] tröstlich, dann aber doch auch

[57] *dispenser of our noonday meal*

[58] *only in approximate terms*

[59] *transfigures*

[60] *demonstration of patriotic faith*

[61] *(name of her pension)*

[62] *professional reconnoitering*
[63] *or might have learned*

[64] *assert its power*

[65] *on the one hand*

Foreshadowings of the drastic end appear (*Fähigkeiten, die ihm . . . zum Verhängnis wurden*).
Effect? (Note that Cipolla has moved from success to success.)
The narrator–auditor fiction is extensively developed here. What is the effect of such "intrusions"?

wieder ein Grund zum Erbarmen und eine Mahnung, sie in ihre Betten zu bringen. Ich versichere, daß wir ihr gehorchen wollten, dieser rührenden Mahnung, es ernstlich wollten. Wir weckten die armen Dinger mit der Versicherung, nun sei es entschieden die höchste Zeit zur Heimkehr.[66] Aber ihr flehentlicher[67] Widerstand begann mit dem Augenblick ihrer [5] Selbstbesinnung,[68] und Sie wissen, daß der Abscheu von Kindern gegen das vorzeitige[69] Verlassen einer Unterhaltung nur zu brechen, nicht zu überwinden ist. Es sei herrlich beim Zauberer, klagten sie, wir wüßten nicht, was noch kommen solle, man müsse wenigstens abwarten, womit er nach der Pause beginnen werde, sie schliefen gern zwischendurch ein [10] bißchen, aber nur nicht nach Hause, nur nicht ins Bett, während der schöne Abend hier weitergehe!

Wir gaben nach, wenn auch, soviel wir wußten, nur für den Augenblick, für eine Weile noch, vorläufig. Zu entschuldigen ist es nicht, daß wir blieben, und es zu erklären fast ebenso schwer. Glaubten wir B sagen zu [15] müssen, nachdem wir A gesagt[70] und irrtümlicherweise[71] die Kinder überhaupt hierher gebracht hatten? Ich finde das ungenügend.[72] Unterhielten wir selbst uns denn? Ja und nein, unsere Gefühle für Cavaliere Cipolla waren höchst gemischter Natur, aber das waren, wenn ich nicht irre, die Gefühle des ganzen Saales, und dennoch ging niemand weg. [20] Unterlagen wir einer Faszination, die von diesem auf so sonderbare Weise sein Brot verdienenden Manne auch neben dem Programm, auch zwischen den Kunststücken ausging und unsere Entschlüsse lähmte? Ebensogut mag die bloße Neugier in Rechnung zu stellen sein. Man möchte wissen, wie ein Abend sich fortsetzen wird, der so begonnen hat, und übrigens hatte Ci- [25] polla seinen Abgang mit Ankündigungen begleitet, die darauf schließen ließen, daß er seinen Sack keineswegs ausgeleert habe und eine Steigerung der Effekte[73] zu erwarten sei.

Aber das alles ist es nicht, oder es ist nicht alles. Das richtigste wäre die Frage, warum wir jetzt nicht gingen, mit der anderen zu beantworten, [30] warum wir vorher Torre nicht verlassen hatten. Das ist meiner Meinung nach ein und dieselbe Frage, und um mich herauszuwinden,[74] könnte ich einfach sagen, ich hätte sie schon beantwortet. Es ging hier geradeso merkwürdig und spannend, geradeso unbehaglich, kränkend und bedrük- kend zu wie in Torre überhaupt, ja, mehr als geradeso: dieser Saal bildete [35] den Sammelpunkt aller Merkwürdigkeit, Nichtgeheuerlichkeit[75] und Gespanntheit, womit uns die Atmosphäre des Aufenthaltes geladen schien;

How does Mann create a feeling of hiatus and suspense before the beginning of the denouement?

In making the room a microcosm of the whole sea resort and its atmosphere, Mann invites another such analogy. Explain.

Footnotes (margin):

[66] *to return home*
[67] *imploring*
[68] *reawakening*
[69] *premature*
[70] *was it because we felt that we had to (be consistent and) take the second step, having once taken the first?*
[71] *mistakenly*
[72] *inadequate*
[73] *magic effects*
[74] *extricate*
[75] *the unsettling quality*

dieser Mann, dessen Rückkehr wir erwarteten, dünkte uns die Personi-
fikation von alldem; und da wir im großen[76] nicht „abgereist" waren,
wäre es unlogisch gewesen, es sozusagen im kleinen zu tun. Nehmen Sie
das als Erklärung unserer Seßhaftigkeit[77] an oder nicht! Etwas Besseres
5 weiß ich einfach nicht vorzubringen. —

Er gab also eine Pause von zehn Minuten, aus denen annähernd[78]
zwanzig wurden. Die Kinder, wach geblieben und entzückt von unserer
Nachgiebigkeit, wußten sie vergnüglich auszufüllen. Sie nahmen ihre
Beziehungen zur volkstümlichen Sphäre wieder auf, zu Antonio, zu
10 Guiscardo, zu dem Manne der Paddelboote. Sie riefen den Fischern
durch die hohlen Hände Wünsche zu, deren Wortlaut[79] sie von uns eingeholt hatten: „Morgen viele Fischchen!" „Ganz voll die Netze!" Sie
riefen zu Mario, dem Kellnerburschen vom „Esquisito", hinüber: „Mario,
una cioccolata e biscotti!"[80] Und er gab acht diesmal und antwortete
15 lächelnd: „Subito!"[81] Wir bekamen Gründe, dies freundliche und etwas
zerstreutmelancholische[82] Lächeln im Gedächtnis zu bewahren.

So ging die Pause herum,[83] der Gongschlag ertönte, das in Plauderei
gelöste Publikum sammelte sich, die Kinder rückten sich begierig auf ihren
Stühlen zurecht, die Hände im Schoß. Die Bühne war offen geblieben.
20 Cipolla betrat sie ausladenden Schrittes und begann sofort, die zweite
Folge seiner Darbietungen conférencemäßig[84] einzuleiten.

Lassen Sie mich zusammenfassen: Dieser selbstbewußte Verwachsene
war der stärkste Hypnotiseur, der mir in meinem Leben vorgekommen.
Wenn er der Öffentlichkeit über die Natur seiner Vorführungen Sand in
25 die Augen gestreut[85] und sich als Geschicklichkeitskünstler[86] angekündigt
hatte, so hatten damit offenbar nur polizeiliche Bestimmungen umgangen
werden sollen,[87] die eine gewerbsmäßige Ausübung[88] dieser Kräfte grundsätzlich verpönten.[89] Vielleicht ist die formale Verschleierung in solchen
Fällen landesüblich und amtlich geduldet oder halb geduldet. Jedenfalls
30 hatte der Gaukler praktisch aus dem wahren Charakter seiner Wirkungen
von Anfang an wenig Hehl gemacht,[90] und die zweite Hälfte seines
Programms nun war ganz offen und ausschließlich auf den Spezialversuch,
die Demonstration der Willensentziehung und -aufnötigung, gestellt,[91]
wenn auch rein rednerisch immer noch die Umschreibung[92] herrschte. In
35 einer langwierigen[93] Serie komischer, aufregender, erstaunlicher Versuche,
die um Mitternacht noch in vollem Gange waren, bekam man vom Unscheinbaren bis zum Ungeheuerlichen alles zu sehen, was dies natürlich-

[76] *in general (cf. below: in particular)*
[77] *immobility*
[78] *nearly*
[79] *text*
[80] *hot chocolate and rolls*
[81] *coming!*
[82] *distracted and melancholy*
[83] *ran its course*
[84] *lecture-style*
[85] *thrown dust in the eyes of the public*
[86] *sleight-of-hand artist*
[87] *this had obviously been meant only to circumvent . . .*
[88] *professional exercise*
[89] *proscribed*
[90] *had made little attempt to conceal*
[91] *was . . . directed to one special experiment, demonstrating the abrogation or imposition of the will*
[92] *circumlocution (i.e. that it was still magic)*
[93] *protracted*

Indicate the stages or "blocks" of narration that build toward the episode with Mrs. Angiolieri. What is the effect of the narrator's waiting until now to diagnose Cipolla's powers?

[94] details

unheimliche Feld an Phänomenen zu bieten hat, und den grotesken Einzelheiten[94] folgte ein lachendes, kopfschüttelndes, sich aufs Knie schlagendes, applaudierendes Publikum, das deutlich im Bann einer Persönlichkeit von strenger Selbstsicherheit stand, obgleich es, wie mir wenigstens schien, nicht ohne widerspenstiges Gefühl für das eigentümlich 5

[95] peculiar element of shame

Entehrende[95] war, das für den Einzelnen und für alle in Cipollas Triumphen lag.

[96] little glass of restorative
[97] refuel his demonic nature
[98] that might have created a feeling of human concern
[99] whip
[1] part in the proceedings
[2] defiant
[3] sympathy
[4] which encouraged the assumption of
[5] climax
[6] at his disposal
[7] being breathed upon

Zwei Dinge spielten die Hauptrolle bei diesen Triumphen: das Stärkungsgläschen[96] und die Reitpeitsche mit dem Klauengriff. Das eine mußte immer wieder dazu dienen, seiner Dämonie einzuheizen,[97] da sonst, wie es 10 schien, Erschöpfung gedroht hätte; und das hätte menschlich besorgt stimmen können[98] um den Mann, wenn nicht das andere, dies beleidigende Symbol seiner Herrschaft, gewesen wäre, diese pfeifende Fuchtel,[99] unter die seine Anmaßung uns alle stellte, und deren Mitwirkung[1] weichere Empfindungen als die einer verwunderten und vertrotzten[2] Unterwerfung 15 nicht aufkommen ließ. Vermißte er sie? Beanspruchte er auch noch unser Mitgefühl?[3] Wollte er alles haben? Eine Äußerung von ihm prägte sich mir ein, die auf solche Eifersucht schließen ließ.[4] Er tat sie, als er, auf dem Höhepunkt[5] seiner Experimente, einen jungen Menschen, der sich ihm zur Verfügung[6] gestellt und sich längst als besonders empfängliches Objekt 20 dieser Einflüsse erwiesen, durch Striche und Anhauch[7] vollkommen kataleptisch gemacht hatte, dergestalt, daß er den in Tiefschlaf Gebannten nicht nur mit Nacken und Füßen auf die Lehnen zweier Stühle legen, sondern sich ihm auch auf den Leib setzen konnte, ohne daß der brett-

[8] stiff as a board
[9] formal jacket
[10] stiffened
[11] repugnant
[12] pastime

starre[8] Körper nachgab. Der Anblick des Unholds im Salonrock,[9] hockend 25 auf der verholzten[10] Gestalt, war unglaubwürdig und scheußlich,[11] und das Publikum, in der Vorstellung, daß das Opfer dieser wissenschaftlichen Kurzweil[12] leiden müsse, äußerte Erbarmen. „Poveretto!" „Armer Kerl!"

[13] I'm the one who is the "poor fellow"
[14] we took the information for what it was worth
[15] conceivably

riefen gutmütige Stimmen. „Poveretto!" höhnte Cipolla erbittert. „Das ist falsch adressiert, meine Herrschaften! Sono io, il Poveretto![13] Ich bin 30 es, der das alles duldet." Man steckte die Lehre ein.[14] Gut, er selbst mochte es sein, der die Kosten der Unterhaltung trug und der vorstellungsweise[15] auch die Leibschmerzen auf sich genommen haben mochte, von denen der Giovanotto die erbärmliche Grimasse lieferte. Aber der Augenschein sprach dagegen, und man ist nicht aufgelegt, Poveretto zu 35 jemandem zu sagen, der für die Entwürdigung der anderen leidet.

Ich habe vorgegriffen und die Reihenfolge ganz beiseite geworfen. Mein

---

The *Novelle* prefers *Dingsymbole*. Mann explicitly focuses on two. What does each contribute to the story and to the characterization of Cipolla?

Assess carefully Cipolla's claim of surrogate suffering. In how many spheres can it have analogues?

Kopf ist noch heute voll von Erinnerungen an des Cavaliere Duldertaten,[16]   [16] *long-suffering acts*
nur weiß ich nicht mehr Ordnung darin zu halten, und es kommt auf sie
auch nicht an. So viel aber weiß ich, daß die großen und umständlichen,
die am meisten Beifall fanden, mir weniger Eindruck machten als gewisse
5 kleine und rasch vorübergehende. Das Phänomen des Jungen als Sitzbank[17]   [17] *bench*
kam mir soeben nur der daran geknüpften Zurechtweisung[18] wegen gleich   [18] *reprimand (viz. that he was the one to be pitied)*
in den Sinn . . . Daß aber eine ältere Dame, auf einem Strohstuhl schlafend,
von Cipolla in die Illusion gewiegt wurde, sie mache eine Reise nach
Indien, und aus der Trance sehr beweglich von ihren Abenteuern zu
10 Wasser und zu Lande kündete,[19] beschäftigte mich viel weniger, und ich   [19] *told*
fand es weniger toll, als daß, gleich nach der Pause, ein hoch und breit
gebauter Herr militärischen Ansehens den Arm nicht mehr heben konnte,
nur weil der Bucklige ihm ankündigte, er werde es nicht mehr tun können,
und einmal seine Reitpeitsche dazu durch die Luft pfeifen ließ. Ich sehe
15 noch immer das Gesicht dieses schnurrbärtig stattlichen Colonnello[20] vor   [20] *colonel*
mir, dies lächelnde Zähnezusammenbeißen[21] im Ringen nach einer einge-   [21] *clenching of the teeth*
büßten Verfügungsfreiheit.[22] Was für ein konfuser Vorgang! Er schien zu   [22] *freedom of self-control which he had forfeited*
wollen und nicht zu können; aber er konnte wohl nur nicht wollen, und es
waltete da jene die Freiheit lähmende Verstrickung des Willens in sich
20 selbst, die unser Bändiger[23] vorhin schon dem römischen Herrn höhnisch   [23] *master (lit. tamer)*
vorausgesagt hatte.

Noch weniger vergesse ich in ihrer rührenden und geisterhaften Komik
die Szene mit Frau Angiolieri, deren ätherische[24] Widerstandslosigkeit   [24] *ethereal*
gegen seine Macht der Cavaliere gewiß schon bei seiner ersten dreisten
25 Umschau[25] im Saale erspäht hatte. Er zog sie durch pure Behexung[26] buch-   [25] *survey (of the room)*
stäblich[27] von ihrem Stuhl empor, aus ihrer Reihe heraus mit sich fort,   [26] *sheer witchery*
    [27] *literally*
und dabei hatte er, um sein Licht besser leuchten zu lassen, Herrn Angiolieri aufgegeben, seine Frau mit Vornamen zu rufen, gleichsam um das
Gewicht seines Daseins und seiner Rechte in die Waagschale[28] zu werfen   [28] *scales*
30 und mit der Stimme des Gatten alles in der Seele der Gefährtin wach-
zurufen,[29] was ihre Tugend gegen den bösen Zauber zu schützen ver-   [29] *arouse*
mochte. Doch wie vergeblich geschah es! Cipolla, in einiger Entfernung von
dem Ehepaar, ließ einmal seine Peitsche pfeifen, mit der Wirkung, daß
unsere Wirtin heftig zusammenzuckte und ihm ihr Gesicht zuwandte.
35 „Sofronia!" rief Herr Angiolieri schon hier (wir hatten gar nicht gewußt,
daß Frau Angiolieri Sofronia mit Vornamen hieß), und mit Recht begann
er zu rufen, denn jedermann sah, daß Gefahr im Verzuge[30] war: seiner   [30] *in the offing*

The episodes of the paragraph *Ich habe vorgegriffen* . . . are apparently random, a sort of calm
   before the storm. Can they be interpreted more centrally?
How does the narrator imply that his story of Mrs. Angiolieri is not going to be the climactic
   one?

[31] *wrist*

[32] *step by step*

[33] *conjurer*

[34] *as if her feet were tied together*

[35] *behind the turned back of this lost soul*
[36] *bewitched*

[37] *confound it*

[38] *comic, clownish*

[39] *kindle*

[40] *magnanimity*

[41] *with inflated gravity*

Gattin Antlitz blieb unverwandt gegen den verfluchten Cavaliere gerichtet. Dieser nun, die Peitsche ans Handgelenk[31] gehängt, begann mit allen seinen zehn langen und gelben Fingern winkende und ziehende Bewegungen gegen sein Opfer zu vollführen und schrittweise[32] rückwärts zu gehen. Da stieg Frau Angiolieri in schimmernder Blässe von ihrem Sitze auf, wandte sich ganz nach der Seite des Beschwörers[33] und fing an, ihm nachzuschweben. Geisterhafter und fataler Anblick! Mondsüchtigen Ausdrucks, die Arme steif, die schönen Hände etwas aus dem Gelenk erhoben und wie mit geschlossenen Füßen[34] schien sie langsam aus ihrer Bank herauszugleiten, dem ziehenden Verführer nach . . . „Rufen Sie, mein Herr, rufen Sie doch!" mahnte der Schreckliche. Und Herr Angiolieri rief mit schwacher Stimme: „Sofronia!" Ach, mehrmals rief er es noch, hob sogar, da sein Weib sich mehr und mehr von ihm entfernte, eine hohle Hand zum Munde und winkte mit der andern beim Rufen. Aber ohnmächtig verhallte die arme Stimme der Liebe und Pflicht im Rücken einer Verlorenen,[35] und in mondsüchtigem Gleiten, berückt[36] und taub, schwebte Frau Angiolieri dahin, in den Mittelgang, ihn entlang, gegen den fingernden Bucklingen, auf die Ausgangstür zu. Der Eindruck war zwingend und vollkommen, daß sie ihrem Meister, wenn dieser gewollt hätte, so bis ans Ende der Welt gefolgt wäre.

„Accidente!"[37] rief Herr Angiolieri in wirklichem Schrecken und sprang auf, als die Saaltür erreicht war. Aber im selben Augenblick ließ der Cavaliere den Siegeskranz gleichsam fallen und brach ab. „Genug, Signora, ich danke Ihnen", sagte er und bot der aus Wolken zu sich Kommenden mit komödiantischer[38] Ritterlichkeit den Arm, um sie Herrn Angiolieri wieder zuzuführen. „Mein Herr", begrüßte er diesen, „hier ist Ihre Gemahlin! Unversehrt, nebst meinen Komplimenten, liefere ich sie in Ihre Hände zurück. Hüten Sie mit allen Kräften Ihrer Männlichkeit einen Schatz, der so ganz der Ihre ist, und befeuern[39] Sie Ihre Wachsamkeit durch die Einsicht, daß es Mächte gibt, die stärker als Vernunft und Tugend und nur ausnahmsweise mit der Hochherzigkeit[40] der Entsagung gepaart sind!"

Der arme Herr Angiolieri, still und kahl! Er sah nicht aus, als ob er sein Glück auch nur gegen minder dämonische Mächte zu schützen gewußt hätte, als diejenigen waren, die hier zum Schrecken auch noch den Hohn fügten. Gravitätisch und gebläht[41] kehrte der Cavaliere aufs Podium zurück unter einem Beifall, dem seine Beredsamkeit doppelte Fülle verliehen

---

What does Cipolla accomplish by in effect degrading Mrs. Angiolieri?
What elements of irony inhere in Cipolla's words to Mr. Angiolieri?

hatte. Namentlich durch diesen Sieg, wenn ich mich nicht irre, war seine Autorität auf einen Grad gestiegen, daß er sein Publikum tanzen lassen konnte, — ja, tanzen. Das ist ganz wörtlich zu verstehen, und es brachte eine gewisse Ausartung,[42] ein gewisses spätnächtliches Drunter und Drüber
5 der Gemüter,[43] eine trunkene Auflösung der kritischen Widerstände mit sich, die so lange dem Wirken des unangenehmen Mannes entgegengestanden waren. Freilich hatte er um die Vollendung seiner Herrschaft hart zu kämpfen, und zwar gegen die Aufsässigkeit des jungen römischen Herrn, dessen moralische Versteifung[44] ein dieser Herrschaft gefährliches
10 öffentliches Beispiel abzugeben drohte. Gerade auf die Wichtigkeit des Beispiels aber verstand sich der Cavaliere, und klug genug, den Ort des geringsten Widerstandes zum Angriffspunkt zu wählen, ließ er die Tanzorgie durch jenen schwächlichen und zur Entgeisterung geneigten Jüngling[45] einleiten, den er vorhin schon stocksteif[46] gemacht hatte. Dieser
15 hatte eine Art, sobald ihn der Meister nur mit dem Blicke anfuhr, wie vom Blitz getroffen den Oberkörper zurückzuwerfen und, Hände an der Hosennaht,[47] in einen Zustand von militärischem Somnambulismus zu verfallen, daß seine Erbötigkeit zu jedem Unsinn, den man ihm auferlegen würde, von vornherein in die Augen sprang. Auch schien er in der Hörig-
20 keit[48] sich ganz zu behagen und seine armselige Selbstbestimmung gern los zu sein; denn immer wieder bot er sich als Versuchsobjekt an und setzte sichtlich seine Ehre darein,[49] ein Musterbeispiel prompter Entseelung und Willenslosigkeit zu bieten. Auch jetzt stieg er aufs Podium, und nur eines Luftstreiches der Peitsche[50] bedurfte es, um ihn nach der Weisung des
25 Cavaliere dort oben „Step" tanzen[51] zu lassen, das heißt in einer Art von wohlgefälliger Ekstase mit geschlossenen Augen und wiegendem Kopf seine dürftigen Glieder nach allen Seiten zu schleudern.

Offenbar war das vergnüglich, und es dauerte nicht lange, bis er Zuzug fand und zwei weitere Personen, ein schlicht und ein gut gekleideter
30 Jüngling, zu seinen beiden Seiten den „Step" vollführten. Hier nun war es, daß der Herr aus Rom sich meldete und trotzig anfragte,[52] ob der Cavaliere sich anheischig mache,[53] ihn tanzen zu lehren, auch wenn er nicht wolle.

„Auch wenn Sie nicht wollen!" antwortete Cipolla in einem Ton, der mir unvergeßlich[54] ist. Ich habe dies fürchterliche „Anche se non vuole!"[55]
35 noch immer im Ohr. Und dann also begann der Kampf. Cipolla, nachdem er ein Gläschen genommen und sich eine frische Zigarette angezündet, stellte den Römer irgendwo im Mittelgang auf, das Gesicht der Ausgangs-

[42] *degeneration*

[43] *a certain chaotic and topsy-turvy quality of mind associated with the late hour*

[44] *rigidity*

[45] *that delicate youth with a tendency to trance-like states*
[46] *stiff as a board*
[47] *seam of his trousers*

[48] *bondage*

[49] *obviously set great store upon*

[50] *crack of the whip in the air*
[51] *("step," here and below, being actually a kind of dance; v. one-step, two-step) do a dance step*

[52] *inquired*
[53] *would propose*

[54] *unforgettable*
[55] *(=auch wenn Sie nicht wollen)*

What signs appear of approaching crisis? Is there any effect of hybris or nemesis? How can one judge the motivation of the defiant Roman?

⁵⁶ *dance*

⁵⁷ *snapped his whip*

⁵⁸ *outward*

⁵⁹ *such signs . . . were for a long time the extent of his reaction*

⁶⁰ *strike a blow for*

⁶¹ *fortress of the will*

⁶² *unremitting*

⁶³ *interest*

⁶⁴ *emotional*

⁶⁵ *negative nature of his combat position*
⁶⁶ *negative volition*
⁶⁷ *offers no content or goal for living*
⁶⁸ *those two (states) are perhaps so closely associated that the concept of freedom may well get squeezed out from between them*
⁶⁹ *blows of the whip*
⁷⁰ *effects*
⁷¹ *violence (to . . .)*
⁷² *little dance*
⁷³ *you feel a tugging and twitching*

tür zugewandt, nahm selbst in einiger Entfernung hinter ihm Aufstellung und ließ seine Peitsche pfeifen, indem er befahl: „Balla!"⁵⁶ Sein Gegner rührte sich nicht. „Balla!" wiederholte der Cavaliere mit Bestimmtheit und schnippte.⁵⁷ Man sah, wie der junge Mann den Hals im Kragen rückte und wie gleichzeitig eine seiner Hände sich aus dem Gelenke hob, eine seiner Fersen sich auswärts⁵⁸ kehrte. Bei solchen Anzeichen einer zuckenden Versuchung aber, Anzeichen, die jetzt sich verstärkten, jetzt wieder zur Ruhe gebracht wurden, blieb es lange Zeit.⁵⁹ Niemand verkannte, daß hier ein vorgefaßter Entschluß zum Widerstande, eine heroische Hartnäckigkeit zu besiegen waren; dieser Brave wollte die Ehre des Menschengeschlechtes heraushauen,⁶⁰ er zuckte, aber er tanzte nicht, und der Versuch zog sich so sehr in die Länge, daß der Cavaliere genötigt war, seine Aufmerksamkeit zu teilen; hier und da wandte er sich nach der Bühne und den dort Zappelnden um und ließ seine Peitsche gegen sie pfeifen, um sie in Zucht zu halten, nicht ohne, seitwärts sprechend, das Publikum darüber zu belehren, daß jene Ausgelassenen nachher keinerlei Ermüdung empfinden würden, so lange sie auch tanzten, denn nicht sie seien es eigentlich, die es täten, sondern er. Dann bohrte er wieder den Blick in den Nacken des Römers, die Willensfeste⁶¹ zu berennen, die sich seiner Herrschaft entgegenstellte.

Man sah sie unter seinen immer wiederholten Hieben und unentwegten⁶² Anrufen wanken, diese Feste, — sah es mit einer sachlichen Anteilnahme,⁶³ die von affekthaften⁶⁴ Einschlägen, von Bedauern und grausamer Genugtuung nicht frei war. Verstand ich den Vorgang recht, so unterlag dieser Herr der Negativität seiner Kampfposition.⁶⁵ Wahrscheinlich kann man vom Nichtwollen⁶⁶ seelisch nicht leben; eine Sache nicht tun wollen, das ist auf die Dauer kein Lebensinhalt;⁶⁷ etwas nicht wollen und überhaupt nicht mehr wollen, also das Geforderte dennoch tun, das liegt vielleicht zu benachbart, als daß nicht die Freiheitsidee dazwischen ins Gedränge geraten müßte,⁶⁸ und in dieser Richtung bewegten sich denn auch die Zureden, die der Cavaliere zwischen Peitschenhiebe⁶⁹ und Befehle einflocht, indem er Einwirkungen,⁷⁰ die sein Geheimnis waren, mit verwirrend psychologischen mischte. „Balla!" sagte er. „Wer wird sich so quälen? Nennst du es Freiheit — diese Vergewaltigung⁷¹ deiner selbst? Una ballatina!⁷² Es reißt dir ja⁷³ an allen Gliedern. Wie gut wird es sein, ihnen endlich den Willen zu lassen! Da, du tanzest ja schon! Das ist kein Kampf mehr, das ist bereits das Vergnügen!" — So war es, das Zucken und

---

The powers of Cipolla are portrayed as extreme. Does the issue of credibility arise? Actually, is it necessary that the actions depicted in a story be realistically credible? Are the demands in this respect the same as they are for example, in Tieck or Arnim—or Hofmannsthal? That is, is Mann under more (or less) obligation to be "plausible"?

Zerren im Körper des Widerspenstigen nahm überhand, er hob die Arme, die Knie, auf einmal lösten sich alle seine Gelenke, er warf die Glieder, er tanzte, und so führte der Cavaliere ihn, während die Leute klatschten, aufs Podium, um ihn den anderen Hampelmännern anzureihen.[74] Man sah nun

5 das Gesicht des Unterworfenen, es war dort oben veröffentlicht. Er lächelte breit, mit halbgeschlossenen Augen, während er sich „vergnügte.“ Es war eine Art von Trost, zu sehen, daß ihm offenbar wohler war jetzt als zur Zeit seines Stolzes . . .

Man kann sagen, daß sein „Fall“ Epoche machte.[75] Mit ihm war das

10 Eis gebrochen, Cipollas Triumph auf seiner Höhe; der Stab der Kirke,[76] diese pfeifende Ledergerte[77] mit Klauengriff, herrschte unumschränkt.[78] Zu dem Zeitpunkt, den ich im Sinne habe, und der ziemlich weit nach Mitternacht gelegen gewesen sein muß, tanzten auf der kleinen Bühne acht oder zehn Personen, aber auch im Saale selbst gab es allerlei Beweglichkeit, und

15 eine Angelsächsin[79] mit Zwicker und langen Zähnen war, ohne daß der Meister sich auch nur um sie gekümmert hätte, aus ihrer Reihe hervorgekommen, um im Mittelgang eine Tarantella aufzuführen.[80] Cipolla unterdesssen saß in lässiger Haltung auf einem Strohstuhl links auf dem Podium, verschlang den Rauch einer Zigarette und ließ ihn durch seine

20 häßlichen Zähne arrogant wieder ausströmen. Fußwippend[81] und zuweilen mit den Schultern lachend blickte er in die Gelöstheit[82] des Saales und ließ von Zeit zu Zeit, halb rückwärts, die Peitsche gegen einen Zappler pfeifen, der im Vergnügen nachlassen wollte. Die Kinder waren wach um diese Zeit. Ich erwähne sie mit Beschämung. Hier war nicht gut sein,[83] für

25 sie am wenigsten, und daß wir sie immer noch nicht fortgeschafft hatten, kann ich mir nur mit einer gewissen Ansteckung durch die allgemeine Fahrlässigkeit erklären, von der zu dieser Nachtstunde auch wir ergriffen waren. Es war nun schon alles einerlei. Übrigens und gottlob fehlte ihnen der Sinn für das Anrüchige[84] dieser Abendunterhaltung. Ihre Unschuld

30 entzückte sich immer aufs neue an der außerordentlichen Erlaubnis, einem solchen Spektakel, der Soiree des Zauberkünstlers, beizuwohnen. Immer wieder hatten sie viertelstundenweise[85] auf unseren Knien geschlafen und lachten nun mit roten Backen und trunkenen Augen von Herzen über die Sprünge, die der Herr des Abends die Leute machen ließ. Sie

35 hatten es sich so lustig nicht gedacht, sie beteiligten sich mit ungeschickten Händchen freudig an jedem Applaus. Aber vor Lust hüpften sie nach ihrer Art von den Stühlen empor, als Cipolla ihrem Freunde Mario, Mario vom

[74] *line him up with the other marionettes*

[75] *was epoch-making*

[76] *wand of Circe (sorceress in* Odyssey*)*

[77] *leather whip*

[78] *held absolute dominion*

[79] *Englishwoman*

[80] *perform*

[81] *swinging his foot*

[82] *abandoned atmosphere*

[83] *this was no place to be*

[84] *sinister side*

[85] *a quarter of an hour at a time*

Analyze and evaluate the narrator's (Mann's?) diagnosis of the weak spot in the young Roman's position. What are its political and social implications?

What is Cipolla's view of freedom? How far can one generalize from the Roman's new beatitude (*ihm war wohler jetzt*), i.e. from the individual toward larger entities?

How does Mann develop the sense of the sinister and nefarious as he approaches the climax?

„Esquisito", winkte, — ihm winkte, recht wie es im Buche steht, indem er die Hand vor die Nase hielt und abwechselnd den Zeigefinger lang aufrichtete und zum Haken krümmte. Mario gehorchte. Ich sehe ihn noch die Stufen hinauf zum Cavaliere steigen, der dabei immer fortfuhr, in jener grotesk-musterhaften Art mit dem Zeigefinger zu winken. Einen 5 Augenblick hatte der junge Mensch gezögert, auch daran erinnere ich mich genau. Er hatte während des Abends mit verschränkten Armen oder die Hände in den Taschen seiner Jacke im Seitengange an einem Holzpfeiler gelehnt, links von uns, dort, wo auch der Giovanotto mit der kriegerischen Haartracht stand, und war den Darbietungen, soviel wir gesehen hatten, 10 aufmerksam, aber ohne viel Heiterkeit und Gott weiß mit wieviel Verständnis gefolgt. Zu guter Letzt noch zur Mittätigkeit[86] angehalten zu werden, war ihm sichtlich nicht angenehm. Dennoch war es nur zu begreiflich, daß er dem Winken folgte. Das lag schon in seinem Beruf; und außerdem war es wohl eine seelische Unmöglichkeit, daß ein schlichter 15 Bursche wie er dem Zeichen eines so im Erfolg thronenden[87] Mannes, wie Cipolla es zu dieser Stunde war, hätte den Gehorsam verweigern sollen. Gern oder ungern, er löste sich also von seinem Pfeiler, dankte denen, die, vor ihm stehend und sich umschauend, ihm den Weg zum Podium freigaben,[88] und stieg hinauf, ein zweifelndes Lächeln um seine aufge- 20 worfenen[89] Lippen.

Stellen Sie ihn sich vor als einen untersetzt gebauten Jungen von zwanzig Jahren mit kurzgeschorenem Haar,[90] niedriger Stirn und zu schweren Lidern über Augen, deren Farbe ein unbestimmtes Grau mit grünen und gelben Einschlägen war. Das weiß ich genau, denn wir hatten oft mit ihm 25 gesprochen. Das Obergesicht mit der eingedrückten Nase, die einen Sattel[91] von Sommersprossen trug, trat zurück gegen das untere, von den dicken Lippen beherrschte, zwischen denen beim Sprechen die feuchten Zähne sichtbar wurden, und diese Wulstlippen[92] verliehen zusammen mit der Verhülltheit[93] der Augen seiner Physiognomie eine primitive Schwer- 30 mut, die gerade der Grund gewesen war, weshalb wir von jeher etwas übriggehabt hatten für Mario.[94] Von Brutalität des Ausdrucks konnte keine Rede sein; dem hätte schon die ungewöhnliche Schmalheit und Feinheit seiner Hände widersprochen, die selbst unter Südländern als nobel auffielen, und von denen man sich gern bedienen ließ. 35

Wir kannten ihn menschlich, ohne ihn persönlich zu kennen, wenn Sie mir die Unterscheidung erlauben wollen. Wir sahen ihn fast täglich und

---

[86] *participation*

[87] *on the pinnacle of success*

[88] *cleared*

[89] *open*

[90] *hair cut short*

[91] *bridge*

[92] *heavy lips*

[93] *veiled quality*

[94] *had always liked Mario*

Characterize the re-introduction of Mario. Why so "incidentally," without even a paragraph break?

How much individuality does Mario manifest?

The physical description of Mario comes very late in the story. Effect?

hatten eine gewisse Teilnahme gefaßt für seine träumerische, leicht in Geistesabwesenheit[95] sich verlierende Art, die er in hastigem Übergang durch eine besondere Dienstfertigkeit korrigierte; sie war ernst, höchstens durch die Kinder zum Lächeln zu bringen, nicht mürrisch, aber unschmeich-
5 lerisch,[96] ohne gewollte[97] Liebenswürdigkeit, oder vielmehr: sie verzichtete auf[98] Liebenswürdigkeit, sie machte sich offenbar keine Hoffnung, zu gefallen. Seine Figur wäre uns auf jeden Fall im Gedächtnis geblieben, eine der unscheinbaren Reiseerinnerungen, die man besser behält als manche erheblichere.[99] Von seinen Umständen aber wußten wir nichts
10 weiter, als daß sein Vater ein kleiner Schreiber im Municipio und seine Mutter Wäscherin[1] war.

Die weiße Jacke, in der er servierte, kleidete ihn besser als das verschossene Complet[2] aus dünnem, gestreiftem Stoff, in dem er jetzt da hinaufstieg, keinen Kragen um den Hals, sondern ein geflammtes[3] Seiden-
15 tuch, über dessen Enden die Jacke geschlossen war. Er trat an den Cavaliere heran, aber dieser hörte nicht auf, seinen Fingerhaken[4] vor der Nase zu bewegen, so daß Mario noch näher treten mußte, neben die Beine des Gewaltigen, unmittelbar an den Stuhlsitz heran, worauf Cipolla ihn mit gespreizten Ellbogen anfaßte und ihm eine Stellung gab, daß wir sein
20 Gesicht sehen konnten. Er musterte ihn lässig, herrscherlich[5] und heiter von oben bis unten.

„Was ist das, ragazzo mio?"[6] sagte er. „So spät machen wir Bekanntschaft? Dennoch kannst du mir glauben, daß ich die deine längst gemacht habe . . . Aber ja, ich habe dich längst ins Auge gefaßt und mich deiner
25 vortrefflichen Eigenschaften versichert. Wie konnte ich dich wieder vergessen? So viele Geschäfte, weißt du . . . Sag mir doch, wie nennst du dich? Nur den Vornamen will ich wissen."

„Mario heiße ich", antwortete der junge Mann leise.

„Ah, Mario, sehr gut. Doch, der Name kommt vor. Ein verbreiteter
30 Name. Ein antiker Name, einer von denen, die die heroischen Überlieferungen des Vaterlandes wach erhalten. Bravo. Salve!"[7] Und er streckte Arm und flache Hand aus seiner schiefen Schulter zum römischen Gruß[8] schräg aufwärts. Wenn er etwas betrunken war, so konnte das nicht wundernehmen;[9] aber er sprach nach wie vor sehr klar akzentuiert und
35 geläufig,[10] wenn auch um diese Zeit in sein ganzes Gehaben und auch in den Tonfall seiner Worte[11] etwas Sattes und Paschahaftes,[12] etwas von Räkelei[13] und Übermut eingetreten war.

---

[95] *absent-mindedness*

[96] *without flattery*
[97] *obviously intended*
[98] *made no pretense to*

[99] *more important*

[1] *laundress*

[2] *suit*

[3] *with a bright, wavy pattern*

[4] *crook of his finger*

[5] *imperiously*

[6] *my boy*

[7] *hail*
[8] *(i.e. the Fascist salute)*
[9] *be no cause of surprise*
[10] *fluently*
[11] *inflection of his voice*
[12] *like an Oriental potentate*
[13] *indolent coarseness*

What impression is one given of Mario's "interpersonal relationships"?
What factors contribute to the impression of impending disintegration? The combination of *Paschahaftes* and Mario's attractiveness to girls is worth noting.

„Also denn, mein Mario", fuhr er fort, „es ist schön, daß du heute abend gekommen bist und noch dazu ein so schmuckes Halstuch angelegt hast, das dir exzellent zu Gesichte steht und dir bei den Mädchen nicht wenig zustatten kommen[14] wird, den reizenden Mädchen von Torre di Venere ..."

[14] be of no little help

Von den Stehplätzen her, ungefähr von dort, wo auch Mario gestanden hatte, ertönte ein Lachen, — es war Giovanotto mit der Kriegsfrisur,[15] der es ausstieß, er stand dort mit seiner geschulterten[16] Jacke und lachte „Haha!" recht roh und höhnisch.

[15] war-like hairdo
[16] around his shoulders

Mario zuckte, glaube ich, die Achseln. Jedenfalls zuckte er. Vielleicht war es eigentlich ein Zusammenzucken und die Bewegung der Achseln nur eine halb nachträgliche Verkleidung dafür, mit der er bekunden wollte, daß das Halstuch sowohl wie das schöne Geschlecht ihm gleichgültig seien.

Der Cavaliere blickte flüchtig hinunter.

„Um den da kümmern wir uns nicht", sagte er, „er ist eifersüchtig, wahrscheinlich auf die Erfolge deines Tuches bei den Mädchen, vielleicht auch, weil wir uns hier oben so freundschaftlich unterhalten, du und ich ... Wenn er will, erinnere ich ihn an seine Kolik. Das kostet mich gar nichts. Sage ein bißchen, Mario: Du zerstreust dich heute abend ... Und am Tage bedienst du also in einem Kurzwarengeschäft?"

„In einem Café", verbesserte der Junge.

„Vielmehr in einem Café! Da hat der Cipolla einmal danebengehauen.[17] Ein Cameriere bist du, ein Schenke, ein Ganymed,[18] — das lasse ich mir gefallen, noch eine antike Erinnerung, — salvietta!"[19] Und dazu streckte der Cavaliere zum Gaudium[20] des Publikums aufs neue grüßend den Arm aus.

[17] (here and below) missed
[18] you are a waiter, a cup-bearer, a Ganymede (the latter being cup-bearer to the Greek gods)
[19] (a pun combining salve—hail with salvietta— waiter's napkin)
[20] loud delight
[21] in the interest of complete accuracy

Auch Mario lächelte. „Früher aber", flocht er dann rechtlicherweise[21] ein, „habe ich einige Zeit in Portoclemente in einem Laden bedient." Es war in seiner Bemerkung etwas von dem menschlichen Wunsch, einer Wahrsagung nachzuhelfen, ihr Zutreffendes abzugewinnen.

„Also, also! In einem Laden für Kurzwaren!"

„Es gab dort Kämme und Bürsten", erwiderte Mario ausweichend.

„Sagte ich's nicht, daß du nicht immer ein Ganymed warst, nicht immer mit der Serviette bedient hast? Noch wenn der Cipolla danebenhaut, tut er's auf vertrauenerweckende[22] Weise. Sage, hast du Vertrauen zu mir?"

[22] confidence-inspiring

Unbestimmte Bewegung.

„Eine halbe Antwort", stellte der Cavaliere fest. „Man gewinnt zwei-

---

Eifersüchtig, freundschaftlich ... du und ich? Implication of Mario's accommodating answers?

fellos schwer dein Vertrauen. Selbst mir, ich sehe es wohl, gelingt das nicht leicht. Ich bemerke in deinem Gesicht einen Zug von Verschlossenheit, von Traurigkeit, un tratto di malinconia[23] . . . Sage mir doch", und er ergriff zuredend Marios Hand, „hast du Kummer?"

5 „Nossignore!"[24] antwortete dieser rasch und bestimmt.

„Du hast Kummer", beharrte der Gaukler, diese Bestimmtheit autoritär überbietend. „Das sollte ich nicht sehen? Mach du dem Cipolla etwas weis! Selbstverständlich sind es die Mädchen, ein Mädchen ist es. Du hast Liebeskummer."[25]

10 Mario schüttelte lebhaft den Kopf. Gleichzeitig erklang neben uns wieder das brutale Lachen des Giovanotto. Der Cavaliere horchte hin. Seine Augen gingen irgendwo in der Luft umher, aber er hielt dem Lachen das Ohr hin und ließ dann, wie schon ein- oder zweimal während seiner Unterhaltung mit Mario, die Reitpeitsche halb rückwärts gegen sein

15 Zappelkorps[26] pfeifen, damit keiner im Eifer erlahme. Dabei aber wäre sein Partner ihm fast entschlüpft, denn in plötzlichem Aufzucken[27] wandte dieser sich von ihm ab und den Stufen zu. Er war rot um die Augen. Cipolla hielt ihn gerade noch fest.[28]

„Halt da!" sagte er. „Das wäre.[29] Du willst ausreißen, Ganymed, im

20 besten Augenblick oder dicht vor dem besten? Hier geblieben, ich verspreche dir schöne Dinge. Ich verspreche dir, dich von der Grundlosigkeit deines Kummers zu überzeugen. Dieses Mädchen, das du kennst und das auch andere kennen, diese — wie heißt sie gleich? Warte! Ich lese den Namen in deinen Augen, er schwebt mir auf der Zunge, und auch du bist,

25 sehe ich, im Begriffe, ihn auszusprechen . . ."

„Silvestra!" rief der Giovanotto von unten.

Der Cavaliere verzog keine Miene.

„Gibt es nicht vorlaute[30] Leute?" fragte er, ohne hinunterzublicken, vielmehr wie in ungestörter Zwiesprache mit Mario. „Gibt es nicht überaus

30 vorlaute Hähne, die zur Zeit und Unzeit[31] krähen? Da nimmt er uns den Namen von den Lippen, dir und mir, und glaubt wohl noch, der Eitle, ein besonderes Anrecht[32] auf ihn zu besitzen. Lassen wir ihn! Die Silvestra aber, deine Silvestra, ja, sage einmal, das ist ein Mädchen, was?! Ein wahrer Schatz! Das Herz steht einem still, wenn man sie gehen, atmen,

35 lachen sieht, so reizend ist sie. Und ihre runden Arme, wenn sie wäscht und dabei den Kopf in den Nacken wirft und das Haar aus der Stirn schüttelt! Ein Engel des Paradieses!"

Mario starrte ihn mit vorgeschobenem Kopfe an. Er schien seine Lage

---

[23] *a strain of melancholy*

[24] *no, sir*

[25] *you are unhappy in love*

[26] *corps of twitching marionettes*

[27] *sudden convulsive movement*

[28] *just managed to stop him*

[29] *that's a nice idea*

[30] *(here and below) presumptuous*

[31] *at the right time or the wrong*

[32] *right*

The fact that Cipolla still has his victims dancing on the stage lends what sort of color to the scene?

³³ *painted on*

und das Publikum vergessen zu haben. Die roten Flecken um seine Augen hatten sich vergrößert und wirkten wie aufgemalt.³³ Ich habe das selten gesehen. Seine dicken Lippen standen getrennt.

„Und er macht dir Kummer, dieser Engel", fuhr Cipolla fort, „oder vielmehr, du machst dir Kummer um ihn ... Das ist ein Unterschied, 5 mein Lieber, ein schwerwiegender³⁴ Unterschied, glaube mir! In der Liebe gibt es Mißverständnisse, — man kann sagen, daß das Mißverständnis nirgends so sehr zu Hause ist wie hier. Du wirst meinen, was versteht der Cipolla von der Liebe, er mit seinem kleinen Leibesschaden? Irrtum, er versteht gar viel davon, er versteht sich auf eine umfassende und 10 eindringliche Weise auf sie, es empfiehlt sich, ihm in ihren Angelegenheiten Gehör zu schenken!³⁵ Aber lassen wir den Cipolla, lassen wir ihn ganz aus dem Spiel, und denken wir nur an Silvestra, deine reizende Silvestra! Wie? Sie sollte irgendeinem krähenden Hahn vor dir den Vorzug geben, so daß er lachen kann und du weinen mußt? Den Vorzug 15 vor dir, einem so gefühlvollen und sympathischen Burschen? Das ist wenig wahrscheinlich, das ist unmöglich, wir wissen es besser, der Cipolla und sie. Wenn ich mich an ihre Stelle versetze, siehst du, und die Wahl habe zwischen so einem geteerten Lümmel,³⁶ so einem Salzfisch und Meeresobst³⁷ — und einem Mario, einem Ritter der Serviette, der sich 20 unter den Herrschaften bewegt, der den Fremden gewandt Erfrischungen³⁸ reicht und mich liebt mit wahrem, heißem Gefühl, — meiner Treu,³⁹ so ist die Entscheidung meinem Herzen nicht schwer gemacht, so weiß ich wohl, wem ich es schenken soll, wem ganz allein ich es längst schon errötend geschenkt habe. Es ist Zeit, daß er's sieht und begreift, mein 25 Erwählter!⁴⁰ Es ist Zeit, daß du mich siehst und erkennst, Mario, mein Liebster ... Sage, wer bin ich?"

Es war greulich, wie der Betrüger sich lieblich machte, die schiefen Schultern kokett verdrehte, die Beutelaugen⁴¹ schmachten ließ und in süßlichem⁴² Lächeln seine splittrigen⁴³ Zähne zeigte. Ach, aber was war 30 während seiner verblendenden⁴⁴ Worte aus unserem Mario geworden? Es wird mir schwer, es zu sagen, wie es mir schwer wurde, es zu sehen, denn das war eine Preisgabe⁴⁵ des Innigsten, die öffentliche Ausstellung verzagter und wahnhaft beseligter Leidenschaft.⁴⁶ Er hielt die Hände vorm Munde gefaltet, seine Schultern hoben und senkten sich in gewaltsamen 35 Atemzügen. Gewiß traute er vor Glück seinen Augen und Ohren nicht und vergaß eben nur das eine dabei, daß er ihnen wirklich nicht trauen durfte. „Silvestra!" hauchte er überwältigt, aus tiefster Brust.

³⁴ *definitive*

³⁵ *pay attention to him in such matters*

³⁶ *loutish jack-tar (v.i., 37)*
³⁷ *salted fish and fruit of the sea (because he is a fisherman)*
³⁸ *refreshments*
³⁹ *my word*

⁴⁰ *my chosen love*

⁴¹ *baggy eyes*
⁴² *sickly-sweet*
⁴³ *splintery*
⁴⁴ *entrancing*

⁴⁵ *exposing*
⁴⁶ *the public exhibition of a timorous and yet madly blissful passion*

The levels of pathology in Cipolla's disquisition on love are worth exploring.
Cipolla makes the transition to another identity. How are the stages marked in the story?
What precedent, in Cipolla's previous performance and attitude, exists for his present role-playing? Consider the concepts of will, freedom, *Dulden*, charlatanry, *poveretto*, etc. What has become of the political parable?

„Küsse mich!" sagte der Bucklige. „Glaube, daß du es darfst! Ich liebe dich. Küsse mich hierher", und er wies mit der Spitze des Zeigefingers, Hand, Arm und kleinen Finger wegspreizend,[47] an seine Wange, nahe dem Mund. Und Mario neigte sich und küßte ihn.

5 Es war recht still im Saale geworden. Der Augenblick war grotesk, ungeheuerlich und spannend, — der Augenblick von Marios Seligkeit. Was hörbar wurde in dieser argen Zeitspanne,[48] in der alle Beziehungen von Glück und Illusion sich dem Gefühle aufdrängten,[49] war, nicht gleich am Anfang, aber sogleich nach der traurigen und skurrilen[50] Vereinigung von 10 Marios Lippen mit dem abscheulichen Fleisch, das sich seiner Zärtlichkeit unterschob,[51] das Lachen des Giovanotto zu unserer Linken, das sich einzeln aus der Erwartung löste,[52] brutal, schadenfroh und dennoch, ich hätte mich sehr täuschen müssen,[53] nicht ohne einen Unterton und Einschlag von Erbarmen mit so viel verträumtem Nachteil,[54] nicht ganz 15 ohne das Mitklingen[55] jenes Rufes „Poveretto!", den der Zauberer vorhin für falsch gerichtet erklärt und für sich selbst in Anspruch genommen hatte.

Zugleich aber auch schon, während noch dies Lachen erklang, ließ der oben Geliebkoste unten, neben dem Stuhlbein, die Reitpeitsche pfeifen, 20 und Mario, geweckt, fuhr auf und zurück. Er stand und starrte, hintübergebogenen Leibes,[56] drückte die Hände an seine mißbrauchten Lippen, eine über der anderen, schlug sich dann mit den Knöcheln[57] beider mehrmals gegen die Schläfen, machte kehrt[58] und stürzte, während der Saal applaudierte und Cipolla, die Hände im Schoß gefaltet, mit den Schultern 25 lachte, die Stufen hinunter. Unten, in voller Fahrt, warf er sich mit auseinandergerissenen[59] Beinen herum, schleuderte den Arm empor, und zwei flach schmetternde Detonationen durchschlugen[60] Beifall und Gelächter.

Alsbald trat Lautlosigkeit ein. Selbst die Zappler kamen zur Ruhe und 30 glotzten verblüfft. Cipolla war mit einem Satz vom Stuhle aufgesprungen. Er stand da mit abwehrend seitwärtsgestreckten Armen,[61] als wollte er rufen: „Halt! Still! Alles weg von mir! Was ist das?!", sackte im nächsten Augenblick mit auf die Brust kugelndem Kopf auf den Sitz zurück[62] und fiel im übernächsten[63] seitlich davon herunter, zu Boden, wo er liegen blieb, 35 reglos, ein durcheinandergeworfenes[64] Bündel Kleider und schiefer Knochen.

Der Tumult war grenzenlos. Damen verbargen in Zuckungen[65] das Gesicht an der Brust ihrer Begleiter. Man rief nach einem Arzt, nach der

[47] *extending*
[48] *period of time*
[49] *forced themselves upon*
[50] *farcical*
[51] *foisted itself upon his tender feelings*
[52] *the only thing which constituted release from all this suspense*
[53] *unless I was badly mistaken*
[54] *(pity for) so much injury and loss sustained in this dream-like state*
[55] *echo*
[56] *bent over backward*
[57] *knuckles (of both hands)*
[58] *wheeled about*
[59] *flung apart*
[60] *cut through*
[61] *arms extended to one side in a gesture of warding something off*
[62] *collapsed*
[63] *in the succeeding one*
[64] *tossed in a heap*
[65] *trembling*

Is the dimension of the artist in any way present?
What becomes of Cipolla in this process?
What motivation are we to ascribe to Mario and his "assassination" of Cipolla?
How can one account for his having carried the pistol? (Is it important to raise this question?)

Polizei. Man stürmte das Podium. Man warf sich im Gedränge auf Mario, um ihn zu entwaffnen,[66] ihm die kleine, stumpfmetallne, kaum pistolenförmige Maschinerie[67] zu entwinden, die ihm in der Hand hing, und deren fast nicht vorhandenen Lauf das Schicksal in so unvorhergesehene[68] und fremde Richtung gelenkt hatte. Wir nahmen — nun also doch[69] — die Kinder und zogen sie an dem einschreitenden Carabinierepaar[70] vorüber gegen den Ausgang. „War das auch das Ende?" wollten sie wissen, um sicher zu gehen . . . „Ja, das war das Ende", bestätigten wir ihnen. Ein Ende mit Schrecken, ein höchst fatales Ende. Und ein befreiendes Ende dennoch, — ich konnte und kann nicht umhin, es so zu empfinden!

[66] disarm
[67] blunt metal gadget, barely pistol-shaped
[68] unforeseen
[69] finally
[70] two carabinieri (Italian police)

Is Mario or Cipolla the protagonist of this story—or someone else?

What is the effect of the continued unawareness of the children?

In terms of the political allegory, what interpretation can be placed upon the narrator's repeated statement, before and after Cipolla's appearance, that they should have left long ago?

In what sense is the end *befreiend*?

Consider *Mario* in terms of the *Novelle* as genre. For example, is there a *Wendepunkt*?

Recapitulate the planes of meaning: pathology of the "marked" individual (Mann's *Gezeichneter*), the creative (or destructive) will of the artist as charlatan, the social and political parable. Can the planes be separated or ordered as to validity?

Questions concerning more than one work

(Most of these questions involve a sufficient number of stories so that the student who has not yet read the whole book can still profit from discussing the topic presented. Other matter for broader inquiry can be drawn from the major points considered in the Introduction.)

Love is a nearly universal theme in literature, and this anthology is no exception. Yet the manifestations of the theme (and of the emotion itself) are highly diverse—consider only the difference between Thiel–Lene and Olivier–Madelon. Compare or contrast systematically any two stories, in terms of the love relationship portrayed, its essential nature, and its function in the story.

To what degree does the protagonist seem to possess what is commonly understood as "free will": to what degree is his behavior "determined"? Choose and defend two polar instances and place the other stories (where the issue is relevant) on the spectrum between them.

In which stories is the nature and role of society (as government, occupational group, class, Establishment, nation, etc.) a significant element in the fictional world?

Young children figure more or less prominently in the majority of our stories (the minority in this case consisting of *Scuderi, Taugenichts, Reitergeschichte,* and *Portugiesin*). Are there any common denominators in nature and function? In which *Novellen* are children of central importance? Are there any instances where the appearance of children is largely coincidental?

Distinctly pathological behavior is evidenced in the stories by Tieck, Arnim, Hoffmann, and Mann. Contrast the various patterns of behavior involved and their magnitude as determinants of the developing action.

In the *Novellen* with tragic outcome, the dangers or destructive forces which ultimately engulf the protagonists are, early in the story, perceptible as latent—or are explicitly foreshadowed. Give examples. Is a second reading necessary to the appreciation of this phenomenon as a feature of narration?

An explicitly or implicitly happy outcome characterizes the *Invalide, Scuderi,* the *Taugenichts, Bergkristall,* and the *Portugiesin*. The logic of "comedy" is often harder to account for or describe than is that of tragedy. Try to assess the depiction of personality, the patterning of events, and the view of humanity or fate by which the writer lends conviction to the ending of each of these stories.

In many of our stories, notably those with tragic endings, there are idyllic interludes of such intensity and duration as to constitute small "utopias." Compare, in this sense, the *Novellen* by Tieck, Kleist, Arnim, Eichendorff, Stifter, Keller, Hauptmann, and Storm.

Animal symbolism is one of the most extensive manifestations of the general tendency of *Novellen* to use *Dingsymbole*. Consider the function of the bird and dog in *Eckbert*, the horse and other animals in the *Schimmelreiter*, the various creatures in *Reitergeschichte* and *Thiel*, the cat and the wolf in Musil's story.

In what story does the author seem, as you see it, most distinctly and overtly to "take sides"? How is this manifested? Are there any cases in which the author manages to achieve almost total "distance" from the characters and events of his narration?

QUESTIONS CONCERNING MORE THAN ONE WORK

The following questions are offered as representative of the many interesting links that join *any* two of our *Novellen*. These are based on Storm's *Schimmelreiter*.

In the stories by Kleist and Storm natural disasters exert a powerful, even decisive, influence upon the course of events. Compare their intensity and effect, and consider the relationship to human factors in each case. To what extent does the author depict these natural disasters as inevitable or fated (something which they could hardly be in the "real world")?

Hauke Haien and the Lord of Ketten are both reduced from vigor and mastery to precarious control or impotence, and in each case an external force (swamp fever, the fly) triggers the change. Is the force portrayed as real or nominal, essential to the action or coincidental, isolated fact or symbol?

Neglect of responsibility gives rise, at least in part, to the downfall of Hauke Haien, Thiel, and Anton Lerch (in *Reitergeschichte*). Compare their situations and the nature or importance of their dereliction of duty.

Models and prototypes: Compare Shakespeare and Keller, Storm and Sophocles.

Vocabulary

This vocabulary differs somewhat, in rationale and arrangement, from the usual. Despite the inclusion of even the most frequent words or stems, it is remarkably compact for a book so long. Economy is not, however, the principal consideration. The arrangement reduces redundant information and unnecessary motion, but also assures that whatever words the reader has to look up will be worth remembering, and further that he has to look them up in a way which reflects his knowledge of the basic characteristics of the German lexicon. The purpose is to offer association and reinforcement in the acquisition of words—without trivial assistance—making the vocabulary somewhat less of a mechanical "word finder" and more an instrument of learning. The innovations are in themselves modest.

1. Strict alphabetical order is, within narrow tolerances, subordinate to etymological grouping. Thus **schneien** follows directly upon, and is grouped with, **Schnee** and **Schneeberg**, without the intervention of **schneiden**. The practice is more familiar in dictionaries than in textbooks. It would seem, if anything, more appropriate to the latter, both because their smaller lexicon reduces the possibility of confusion and because they serve more distinctly pedagogical purposes.

When the alphabetical distance between words of the same etymological origin is more than an intervening item or two, cross references link the entries. Thus: **der Flug** *v.* **fliegen**; and under **fliegen**: **der Flug** *flight; haste.*

2. Only words used more than once in the text appear in the vocabulary. Unique words are translated on the page. Therefore, if the student finds that he has to turn to the vocabulary to look up any word, he may be assured that he will save a measurable amount of time by remembering it, because it will occur again. In brief, what has to be looked up should be learned. Efficiency and accuracy in this respect, if it has been attained, is a function largely of the computer-oriented concordance on which the vocabulary rests. (The same policy obtains with proper names and other special items: if they occur only once, they are glossed on their respective page; if more than once, in the vocabulary.)

This policy is subject to minor compromise when pedagogical considerations indicate. **ab-gehen** is present in several "standard" meanings, all listed in the vocabulary, but Hauptmann's **ihrem Gesicht ging die Seele ab** is so far removed from the others (and represents, in this special meaning, a unique case) that it warrants a footnote. **Krebs** occurs once as *crab* and once as *cancer.* Despite the etymological identity, the relative disparity of meaning (at least in terms of the learning process) leads to the footnoting of both. Although **Regierung** occurs only once, its "parent" word **regieren** is frequent enough for a vocabulary listing—and transparent **-ung** derivatives have no separate listing anyway; *v.i.* — hence the former appears with the latter in its vocabulary entry.

3. No separate listing appears for compound nouns whose meanings are reasonably evident from their constituent parts, e.g. **Handbewegung**, where *hand* and *motion, movement* give an adequate indication of the meaning of the compound. (Literal translatability is not implied.) In a compound the first part of which is obvious, but the second not, it will therefore pay to look up the second element first, for example, in **Telegraphenstange**. (**Telegraph**, to be sure, is given among the cognates.)

4. Separable verb prefixes (so-called) are noted as such, with their basic meanings. No separate entry appears for a compound verb consisting of one of these prefixes, in a listed meaning, and a simple verb listed elsewhere (with a serviceable translation). For example, the vocabulary contains **herein** *in* and **kommen** *come*, but not **herein-kommen** *to come in*. If any special meaning is present, in either prefix or verb, the compound is listed. This exception does not extend to Latin alternatives for Anglo-Saxon forms. Thus, **hervor-bringen** does not receive a separate listing merely to provide the translation *produce* as an alternative to *bring forth*.

5. Easily translatable derivatives in **-er** *-er*, etc., **-bar** *-able*, **-los** *-less, without* . . ., **-ung** *-ing, -tion*, etc., **-heit**, **-keit**, **-igkeit** *-ness*, etc., **-voll** *-ful, full of* . . . appear with their parent word, but without translation, e.g. **enthüllen** *to reveal, uncover* (**die Enthüllung**); **die Farbe, -n** *color* (**farblos**).

6. A few derivational forms of more special nature are separately given in the vocabulary. Nominally at least, if a compound with such a suffix has to be looked up, it must be looked up under both elements. However, this applies only to the following forms, and they can be learned.

-artig	-like	**-mal**	. . . times
-äugig	-eyed	**-wangig**	-cheeked
-fach	-fold	**-wärts**	-ward(s)
-jährig	. . . year old	**-weise**	-ly, in a . . . fashion
-köpfig	-headed		

A number of routine points:

For masculine nouns, the genitive singular is given only if it is not **-(e)s**.

Stress is marked only if it is not on the first syllable—or the syllable after an inseparable prefix. Unless a hyphen separates the parts of a compound verb, the verb is inseparable. This statement covers the so-called ambiguous prefixes **über-**, **unter-**, etc. The suffix **-ieren (-ierung)** always bears the stress, and it seems unnecessary to mark it.

Obvious negatives are ignored.

Principal parts of strong and irregular verbs, in the simple form only, appear in a separate section, avoiding repetitiveness and ambiguity. In the vocabulary, an asterisk after a verb (simple *or* compound) refers to this list.

Obvious derivatives in **-chen, -lein-** and **-in**, as well as substantivized infinitives in normal meanings are easily guessable and are not listed at all.

Numbers (ordinal and cardinal) are not given, nor are names of months and days.

Dashes may refer back to the first word of the entry, e.g.

der **Ausdruck**, ⁼e expression; **zum — bringen** to express

A

ab (*as adverb*) off; on; — **und zu**
now and then, occasionally; (*as verb
complement*) off, away, down

sich **ab-arbeiten** to work away, labor

ab-biegen* to turn off, go in a new
direction

ab-brechen* to break off; to cease,
put an end (to something),
terminate

der **Abend, -e** evening, night; West; **der
heilige —** Christmas Eve; **das
Abendbrot, -e** supper; **die
Abenddämmerung** dusk; **die
Abendglut, -en** glow of sunset;
das Abendgold golden light of
evening; **der Abendhauch, -e**
evening breeze; **abendländisch**
Occidental, Western; **das
Abendlied, -er** evening song,
serenade; **der Abendmantel, ∵**
evening (formal) coat; **der
Abendpurpur** crimson of evening;
das Abendrot sunset, sunset glow;
die Abendröte sunset glow;
abends in the evening, at night;
abends vorher′ the night before;
der Abendsegen, - evening
blessing, prayer; **der Abendtisch, -e**
supper table

das **Abenteuer, -** adventure;
abenteuerlich exotic, fantastic,
strange

aber but; however; another, again

der **Aberglaube, -ns, -n** superstition;
abergläubig, abergläubisch
superstitious

abermals (once) again

ab-fahren* to depart; **die Abfahrt**
departure

der **Abfall, ∵e** (downward) slope;
ab-fallen* to slope, slant

ab-feuern to fire

der **Abgang, ∵e** exit

ab-geben* to give off; to put; to
deposit; to produce; to deliver; to
represent; to engage (in), traffic (in),
have to do with; to devote

abgehärmt wretched, care-worn,
haggard

ab-gehen* to leave, start out; to
go, come off; to turn off

abgelegen remote, isolated **(die
Abgelegenheit)**

ab-gewinnen* to win away; to gain,
extract

der **Abglanz** reflection, image

ab-gleiten* to slide off; to glance off

der **Abgott, ∵er** idol; **abgöttisch**
worshipping

ab-grenzen to delimit

der **Abgrund, ∵e** abyss, gulf, precipice

ab-halten* to hold, conduct **(die
Abhaltung)**; to hold off; to deter

ab-handeln to purchase, buy from

der **Abhang, ∵e** slope

ab-hängen* to depend; **abhängig**
dependent

sich **ab-härmen** to pine (away)

ab-holen (to come and) get, pick up

ab-laden* to unload

ab-lassen* to cease, desist

der **Ablauf** course; conclusion;
ab-laufen* to wear out (by
walking)

die **Ablehnung** rejection, refusal

ab-leiten to divert **(der Ableiter)**

ab-liefern to deliver

ab-lösen to relieve; to replace; to
detach; to take over from; **die
Ablösung** relief, replacement

ab-nehmen* to take off; to lose
(weight, *etc.*), decrease; to purchase

die **Abneigung** aversion

sich **ab-quälen** to worry oneself, go to the
trouble of, go into torments over

die **Abreise** departure, leaving;
ab-reisen to depart, leave

der **Abscheu** horror, revulsion, detesta-
tion, abhorrence; **abscheulich**
horrible, horrifying, detestable,
revolting

der **Abschied** departure, leave, farewell

ab-schlagen* to knock off; to refuse

ab-schließen* to close, conclude,
decide; **abgeschlossen** (*p.p.*)
reserved, secluded, isolated,
uncommunicative; **der Abschluß, ∵e**
conclusion, decision, agreement

ab-sehen* to refrain; to see (ahead
to); **das Absehen** reasonable
limit

abseits apart, to the side

ab-setzen to stop; to dismiss, let off

die **Absicht, -en** intent(ion); **absichtlich** intentional

ab-sitzen* to dismount

absonderlich curious, peculiar

ab-spiegeln to be reflected, be
mirrored

ab-stäuben to dust off

ab-stecken to lay out, trace

ab-steigen* to dismount

ab-stellen to avert, change

der **Absturz, ∵e** declivity, steep drop;
ab-stürzen to fall, crash

die **Abteilung, -en** division, detachment

die **Äbtis′sin, -nen** abbess

ab-warten to wait (and see); to await

abwärts down(ward); *also* **nach —** *occas. verb complement*

ab-wechseln to alternate; **abwechselnd** by turns, alternating; **die Abwechslung, -en** variation, variety, change

ab-weichen* to deviate, differ

ab-wenden* to turn away, off, *etc.*; to avert

ab-werfen* to throw down; to dump

abwesend away, absent; lost in thought **(die Abwesenheit)**

das **Abzeichen, -** insignia

ab-zeichnen to draw, trace, outline

der **Abzug** departure, retreat

ach oh, *etc.* **ach so** I see; **ach was** nonsense

die **Achsel, -n** shoulder; **das Achselzucken** shrug of the shoulders; **achselzuckend** shrugging one's shoulders

acht: in — Tagen in a week

die **Acht: acht geben (haben)** to pay attention; **sich in — nehmen** to watch out, take care; **achten** to attend to, pay attention to; to regard, respect; **achtlos** heedless, unheeding; **die Achtung** respect; attention **(achtungsvoll)**

ächzen to moan, groan

der **Acker,** " field; **das Ackerland** farmland

ade′ farewell, good-bye

der **Adel** aristocracy, nobility; **adelig** aristocratic

die **Ader, -n** vein; **das Äderchen** streak, vein(let)

der **Adler, -** eagle; **die Adlernase, -n** hooked (aquiline) nose

ahnen to suspect, imagine, sense; **die Ahnung, -en** suspicion, presentiment, idea

ähnlich similar, (a)like **(die Ähnlichkeit)**

der **Akkord′, -e** chord; tone

der **Akt, -e** act; „Akt" = dike-path

der **Akzent′** accent, tone of voice; **akzentuieren** to accentuate, enunciate

albern silly, foolish

all, alles all, everything; everyone; *pl.* every, everyone, *etc.*; **alldem** (*or* **alledem**) all that (*dat.*); **alle beide** both; **vor allem** above all

die **Allee′, -n** avenue

allein′ alone; only; yet, but

allemal always, every time

aller- *intensifier with superl.* . . . of all, very . . .; **allerart** of all

kinds; **allerdings** to be sure, certainly; **allerhand** all kinds of; **(das) Allerheiligen = Allerheiligentag;** All Saints' Day (Nov. 1)

allerlei all kinds of, various; various things, all kinds of things; **allezeit** always, at all times

allgemach gradually

allgemein general

die **Allmacht** omnipotence; **allmächtig** omnipotent, almighty

allmäh′lich gradual

allsonntäglich every Sunday; **allweg** always, any time; **allzeit** always, all the time; **allzu** all too

die **Alpe, -n** alp; mountain meadow; **Alpen-** (*as compounding form*) Alpine, alpen-; **die Alphütte, -n** mountain (meadow) hut

als when, as; as if; than, but; as, like; **als ob, als wenn** as if; **alsbald** at once, presently; **alsdann** then, therefore

also therefore, thus, so; (well) then; **alsobald** directly

alt old; **der (die) Alte** old man, *etc.*; **altbekannt** (old) familiar; **auf(s) Altenteil** into retirement; **das Alter, -** age; old age; **altersschwach** weak with age; **ältlich** elderly, oldish; **altmodisch** old-fashioned

das **Amt,** "er office, position; **amtlich** official; **der Amtmann,** "er magistrate; **Amts-** (*comp. form*) official . . .; **die Amtsarbeit** office work, job: **die Amtsstube, -n** office

an to, at, by, *etc.*; on; **an mir** my turn; (*as verb complement*) to, at; on

an-bieten* to offer

an-binden* to hitch, tie up, moor

der **Anblick, -e** sight, appearance, view

an-brechen* to dawn, break **(der Anbruch)**

an-bringen* to fasten; to bring forward; to apply

die **Andacht** devotion(s), prayer(s); **andächtig** devout, pious, contemplative; edifying; **das Andenken, -** memory, remembrance, souvenir

ander other; different; next; **andermal** another time, some other time; **(sich) ändern** to change **(die Änderung); anders** otherwise, different(ly), other; **nicht — als** just like, just as if; **anderswo (hin)** elsewhere, somewhere else

an-deuten to indicate

aneinan′der (*as verb complement*) together, against one another

an-erkennen* to recognize, acknowledge (die Anerkennung)

an-fachen to fan; to rouse

an-fahren* to drive up; to bring in; to rebuke, attack (das Anfahren)

der Anfall, ⁝e attack; an-fallen* to attack

der Anfang, ⁝e beginning; an-fangen* to begin; to do; anfänglich, anfangs in the beginning, at first; die Anfangsstunde, -n starting time

an-fassen to take hold, seize

an-fechten*: ich ließ mich nichts (das nicht) — I did not let anything (that) bother me

an-flehen to implore

an-fühlen to touch, feel

an-füllen to fill (up)

an-gaffen to stare at

an-geben* to give, tell, state

angeboren inborn, innate

an-gehen* to matter, concern; to come over; to request, petition

an-gehören to belong to, be related to, pertain to

die Angel, -n hinge

an-gelangen to arrive

die Angelegenheit, -en matter, affair

an-geloben to vow, swear

angeln to fish; die Angelrute, -n fishing pole; der Angler, - fisherman

der Angemeldete applicant, person applying

angenehm pleasant

das Angesicht, -er face; angesichts in (the) face of

angetan calculated

der Ango'rakater, - angora (tom-) cat; der Ango'rer, - angora (cat)

an-greifen* to attack; der Angriff, -e attack; in Angriff nehmen to attack; die Angriffslust aggressiveness, belligerence; angriffslustig aggressive; der Angriffspunkt, -e point of attack

die Angst, ⁝e fear, anxiety, fright; — werden to be afraid, worried; angst und bange worried and upset; (sich) ängsten to worry, harass, be anxious; ängstigen to worry, cause anxiety; sich ängstigen to worry, be anxious; ängstlich anxious; frightening; angstvoll anxious

an-halten* to stop; to hold (on, to, etc.); to continue; to compel, force

der Anhang, ⁝e party, hangers-on

an-heben* to begin

anheim'-fallen* to fall to, fall victim to

die Anhöhe, -n hill, high ground

an-hören to listen to; to tell by listening

die Anklage, -n accusation; charge; an-klagen to accuse (der Angeklagte)

sich an-klammern to grab hold, cling

an-kleben to stick on

an-kleiden to dress; sich — to get dressed

an-klopfen to knock; (to knock and) ask

an-knüpfen to start, enter into, establish

an-kommen* to arrive, reach; to get (through) to; to come over; to depend; auf ... — to be the point, a matter, a question of; die Ankunft arrival

an-kündigen to announce, declare (die Ankündigung)

an-langen to arrive, get

der Anlaß, ⁝e cause, occasion, inducement

an-legen to put on; to construct, set up; to aim at, take aim; to land, moor; to invest

an-lehnen to leave (partly) open; to lean (against); angelehnt (p.p.) ajar

anmaßend arrogant, pretentious; die Anmaßung arrogance

die Anmut charm; an-muten to give an impression, seem; to please; anmutig charming, graceful, gracious

an-nehmen* to take on; to accept; to assume; to adopt, assume responsibility for; die Annahme acceptance

(de) Annern = die Anderen others

an-ordnen to order, arrange (die Anordnung)

an-packen to grab hold of, seize

an-pflanzen to plant (die Anpflanzung)

an-pochen to knock

an-richten to cause, make, fix

der Anruf, -e shout; an-rufen* to call to; to implore

an-rühren to touch

an-sagen to declare, speak out

der Anschein appearance; an-scheinen* to seem; anscheinend seeming

an-schlagen* to strike; to knock, post, rate; to bark; to ring

sich an-schließen* to attach oneself to, join

an-schwellen* to swell (up)

an-sehen* to look at; to watch; to regard, consider; es einem — to tell by looking; das Ansehen appearance; reputation; ansehnlich considerable, noteworthy; conspicuous;

die **Ansicht, -en** view; **ansichtig werden** to catch sight of

an-setzen to determine, establish, create

an-spannen to hitch up

an-spielen to allude **(die Anspielung)**

die **Ansprache** speech, address; **an-sprechen*** to address; to solicit; **der Anspruch, ⸚e** claim; **in Anspruch nehmen** to claim; **anspruchsvoll** pretentious, presumptuous

an-springen* to jump up on

die **Anstalt, -en** institution; preparation, measure

der **Anstand** decorum, decency, grace, manners; **anständig** proper, decent; handsome, considerable

anstatt' instead of

an-stecken to infect; to catch the imagination; **die Ansteckung** infection, contagion; **die Ansteckungskraft** contagious force

an-stehen* to be fitting

an-stellen to employ; to start, do; to undertake

an-stimmen to strike up

der **Anstoß** bump, collision; offense; **an-stoßen*** to bump into; **anstoßend** adjacent

an-streichen* to paint

(sich) **an-strengen** to strain, make an effort, (*p.p.*) strenuous; **die Anstrengung** exertion

der **Anteil** share; interest; **der Anteilbesitzer** shareowner

antik', anti'kisch antique, from antiquity, classical

das **Antlitz, -e** face

der **Antrag, ⸚e** proposal

an-treffen* to encounter, find

an-treten* to enter into, take over, set out on; to step up

an-treiben* to drive, urge (on), push; to float up

an-tun* to put on, do to; to dress; (*p.p.*) calculated

die **Antwort, -en** answer **(antworten)**

an-wachsen* to grow, increase, swell

an-wandeln to come over; **die Anwandlung** access, attack

an-weisen* to assign, instruct, direct **(die Anweisung)**; **angewiesen auf** dependent on

anwesend present; **die Anwesenheit** presence

die **Anzahl** number

die **Anzeige, -n** report; **an-zeigen** to announce, notify, tell, intimate, indicate

an-zetteln to incite, instigate, stir up

an-ziehen* to dress, put on; to pull; **sich —** to get dressed; **die Anziehungskraft** attraction; **der Anzug, ⸚e** suit, apparel, dress, costume

an-zünden to light, turn on

der **Apfel, ⸚** apple

die **Apothe'ke, -n** pharmacist's; drug store **(der Apothe'ker)**

die **Arbeit, -en** work, piece of work, task, job; **arbeiten** to work; to make; **der Arbeiter, - (die Arbeiterin, -nen)** worker, workman; **arbeitsam** industrious

arg bad, awful; **der Ärger** annoyance, irritation; **ärgerlich** annoyed, irritated, angry; **ärgern** to annoy; **sich ärgern** to be annoyed; **das Ärgernis** annoyance

der **Argwohn** suspicion

Argenson: Comte d' — of prominent family, lieutenant-general of Paris police

arm poor; **ärmlich** poor, shabby; **armselig** poor, miserable; **die Armut** poverty, wretchedness

der **Arm, -e** arm; **das Armband, ⸚er** bracelet; **die Armbrust, -e** cross-bow; **der Ärmel, -** sleeve **(ärmellos)**

die **Art, -en** sort, kind, type; pattern; way, fashion, manner; **-artig** (*suffix*) -like

artig nice, good, clever; "pretty"; well-behaved; **die Artigkeit** politeness

die **Arznei'** medicine **(= das Arzneimittel, -)**; **der Arzt, ⸚e** doctor, physician

der **Ast, ⸚e** branch, limb

der **Atem** breath **(atemlos); in — halten** to keep in suspense; **der Atemzug, ⸚e** breath, breathing; **atmen** to breathe

auch too, also; even; . . . ever

die **Aue, -n** meadow

auf on *etc.*; up, open, on; (*as verb complement*) up, open; **von klein —** from childhood; **— das bitterste** most bitterly; **— und ab** up and down; **— und nieder** up and down; **— . . . zu** to, up to, toward

auf-atmen to breathe a sigh of relief, draw a deep breath

auf-bewahren to keep, store, preserve

auf-bieten* to exert, make an effort, summon up; **die Aufbietung** summoning, exertion

auf-blähen to puff up

auf-blitzen to flash

auf-blühen to blossom, bloom
auf-brechen* to open; to break up, leave, start (out), rise; **der Aufbruch** departure
auf-drücken to (im)press (upon)
aufeinan'der on one another
der **Aufenthalt** stay, spot, place (to stay); stop(-ping)
auf-erlegen to impose (upon)
auf-fahren* to drive up; to start, jump up; to rise; to burst out
auf-fallen* to strike (as unusual), surprise; **auffallend** surprising; **auffällig** surprising, conspicuous
auf-fangen* to catch, capture, pick up
auf-fassen to interpret; to conceive
auf-finden* to discover, find
auf-flackern to flare, flicker up
auf-flammen to flare up
auf-fordern to summon
die **Aufführung** performance, conduct
die **Aufgabe, -n** task; lesson
auf-geben* to give (up); to assign
auf-gehen* to rise; to open (up); **der Aufgang** (upward) approach, rise
aufgelegt inclined, disposed
aufgeräumt cheerful, in good spirits
aufgeregt excited, aroused
aufgeschossen lanky
auf-greifen* to pick up, take up
auf-halten* to hold up, detain, hold back; **sich —** to stay, stop
auf-heben* to lift up; to pick up; place in safekeeping (custody, escrow), keep; to eliminate, remove
auf-hören to cease, stop
auf-jauchzen to shout with joy
auf-keimen to bud; **im Aufkeimen** in the bud
auf-klären to explain (die **Aufklärung**)
auf-kommen* to come (get) up; to come to the surface; to arise, ensue; to be responsible for; **— lassen** to develop; **nicht—lassen** to suppress
auf-lachen to laugh, break into laughter
auf-legen to place on
auf-lesen* to gather up, pick up
auf-lösen to loosen, dissolve, disintegrate (die **Auflösung**)
auf-machen to open (up)
auf-merken to pay attention, take note; **aufmerksam** attentive, alert; die **Aufmerksamkeit** attention, attentiveness
die **Aufnahme** acceptance; **auf-nehmen*** to take up, pick up; to receive; to take in (to one's house)
auf-passen to pay attention, watch (out), look (out)

auf-pflanzen to plant
auf-raffen to pick up, pull up, pull together
aufrecht upright, erect; **— (er)halten** to maintain, support, hold upright
sich **auf-regen** to (a)rise; **aufregend** exciting; die **Aufregung** excitement
auf-reiben* to destroy, ruin; to exhaust
auf-reißen* to open; to pull up; to pull together
auf-richten to erect, lift up, draw up; **aufrichtig** sincere
auf-rufen* to summon (up)
der **Aufruhr** uproar, tumult, riot; **auf-rühren** to stir up
die **Aufsässigkeit** rebelliousness
auf-schlagen* to open; to set up; to lift up; to break, flash; to break open; to break out in
auf-schließen* to open; to reveal; der **Aufschluß** revelation
auf-schrecken to rouse, startle, arouse
der **Aufschrei** cry, scream; **auf-schreien*** to cry out
der **Aufschub** postponement
das **Aufsehen** stir, attention (= **Aufsehn**); der **Aufseher, -** attendant, overseer, foreman
auf-setzen to put on (top); **sich —** to sit up
auf-seufzen to heave a sigh
auf-sitzen* to mount
auf-sperren to open wide
auf-spielen to play, start playing
auf-stehen* to rise, get up
auf-steigen* to rise (up); to mount
auf-stellen to set up; to lay down; to advance; to present; **sich —** to station oneself (= **Aufstellung nehmen**)
auf-suchen to look for (and find), search (out)
auf-tauchen to appear, rise (up)
der **Auftrag, ⸚e** commission, order; **auf-tragen*** to assign, order, tell
auf-treten* to appear, put in an appearance (das **Auftreten**); der **Auftritt** entrance; scene
auf-tun* to open (up); to put on; **sich —** to set oneself up
auf-warten to serve, wait on; to entertain; die **Aufwärterin, -nen** attendant, guardian, serving woman
aufwärts (*as adverb and verb complement*) upward(s), up
auf-ziehen* to pull up; to raise
das **Auge, -n** eye(s); **Auge(n)** sight (field of vision); **im — haben** to

have one's eye on; **ins — fassen**
to catch sight of, have one's eye on;
kein — von ... lassen not let ...
out of one's sight; **in die Augen
fallen** to be visible, be obvious;
der Augenblick, -e moment,
instant; **augenblicklich**
momentary; instantly, immediately;
at the moment; **die Augenbraue, -n**
eyebrow; **der Augenschein**
appearance, evidence; **in —
nehmen** to inspect, survey; **-äugig**
(*suffix*) -eyed

aus out of, from *etc.*; over, finished;
out; off; (*as verb complement*) out;
von ... — from

aus-arbeiten to prepare, work out

aus-bessern to repair

aus-bilden to form, develop

aus-bitten* to request

aus-bleiben* to stay away; to fail to
appear, be missing; **das Ausbleiben**
absence

der **Ausblick, -e** view

aus-breiten to spread out, extend

die **Ausdauer** endurance; **ausdauernd**
persistent

der **Ausdruck, ̈e** expression; **zum —
bringen** to express; **aus-drücken**
to express; **ausdrücklich**
expressly, emphatically; **ausdrucksvoll** expressive

auseinan'der (*as verb complement*)
apart, asunder, away from one
another

auseinan'der-gehen* to part

auseinan'der-schlagen* to unfold

auseinan'der-setzen to explain

der **Ausflug, ̈e** picnic, outing

aus-fragen to interrogate, ask
questions

aus-führen to carry out, execute
(die Ausführung)

aus-füllen to fill (out)

ausgedehnt extended, extensive

aus-gehen* to go out; to proceed,
emanate; to end; **der Ausgang,
̈e** exit, way out, conclusion

ausgelassen boisterous, riotous,
unrestrained **(die Ausgelassenheit)**

ausgenommen except (for)

ausgespreizt outspread

ausgezeichnet excellent;
distinguished

aus-halten* to endure, survive,
stand, hold out; **aushaltend**
tenacious

aus-heilen to heal, cure thoroughly

aus-kundschaften to spy out

aus-lachen to mock, make fun of

ausladend dipping, limping

aus-lassen* to let out, release, let go
(escape); **es — an** to find release in

aus-leeren to empty

aus-löschen to put out, extinguish;
to erase; **—*** to go out

aus-machen to decide; to make a
difference; to constitute

aus-mitteln to ascertain; **die
Ausmittelung, -en** discovery

die **Ausnahme, -n** exception;
ausnahmsweise by exception;
ausnehmend exceptional

aus-packen to unpack

aus-reißen* to pull out, pull off;
to run off, escape

aus-richten to accomplish, do,
manage

der **Ausruf, -e** cry

aus-ruhen to rest

die **Aussage, -n** statement, testimony;
aus-sagen to declare

aus-schauen to look out; to look

die **Ausscheidung** exclusion

aus-schlagen* to refuse, decline

aus-schließen* to exclude;
ausschließlich exclusive, entire

aus-sehen* to look; **nach ... —**
to look like; **das Aussehen**
appearance; **die Aussicht** view,
prospect

außen outside; **von — her** from
outside, from without; **die
Außenseite, -n** outward side;
Außen- (*compounding form*) outer;
außer except (for), beyond,
beside(s), outside (of), out of;
außerdem beside(s); **außerdem
daß** beside the fact that; **äußer-**
outer, external; **das Äußere**
exterior; **außergewöhnlich**
extraordinary; **außerhalb** beyond;
äußerlich external, outward;
äußern to express, utter, speak
(die Äußerung); **außerordentlich**
extraordinary; **äußerst** extreme,
utmost, outermost

aus-setzen to expose; to cease

die **Aussicht** *v.* **aus-sehen**

aus-singen* to sing to the end

aus-sinnen* to figure out, devise

aus-sprechen* to express, say, utter,
return a verdict of

aus-statten to endow; **die
Ausstattung** trousseau; dowry;
set-up

aus-stecken to put out; to display;
to mark out

aus-stehen* to stand, bear

aus-sterben* to die (out)

die **Aussteuer** dowry

aus-stoßen* to utter; to expel, cast
out

aus-suchen to pick out, seek out, choose

der **Austausch** exchange

aus-teilen to deal (out), hand out

aus-treiben* to drive out, exercise

aus-trinken* to drain, drink all of

aus-wandern to emigrate

auswärtig foreign

der **Ausweg, -e** escape, way out

aus-weichen* to evade, avoid, dodge, escape, give way

aus-ziehen* to go out; to move out; to take off; **sich —** to undress

B

der **Bach, ⸚e** brook, stream **(das Bächlein)**

die **Backe, -n** cheek

backen* to bake, cook **(der Bäcker); das Backwerk** pastry

das **Bad, ⸚er** bath, swimming; spa, resort; **baden** to bathe, swim

die **Bahn, -en** path, way; railway; **der Bahndamm, ⸚e** embankment (of RR), right of way; **bahnen** to clear (the way for); to travel; **das Bahngeleise, -** railroad track; **der Bahnmeister, -** track superintendent; **die Bahnschiene, -n** rail; **der Bahnübergang, ⸚e** (railway) crossing; **der Bahnwärter, -** crossing guard, signalman; **der Bahnzug, ⸚e** train

die **Bahre, -n** stretcher

bald soon; **— ... —** now ... now ..., sometimes ... sometimes ..., first ... then ...; **nicht so —, als** no sooner ... than

der **Balken, -** beam

der **Balkon', -e** balcony

der **Ball, ⸚e** ball; **ballen** to clench

das **Band, ⸚er** ribbon, string

das **Band, -e** bond

die **Bande, -n** band, gang

bang(e) anxious, fearful; **— sein** to be afraid; to be troubled; **die Bangigkeit** fear, anxiety

die **Bank, ⸚e** bench, seat

der **Bann** spell; **bannen** to banish; to entrance, enchant

bar (in) cash

barbieren to shave; **das Barbiermesser, -** razor

barmherzig merciful; **die Barmherzigkeit** mercy, compassion

die **Barrie're, -n** (crossing) gate

der **Bart, ⸚e** beard

das **Basi'likum, -ka** basil (plant)

die **Bastille** Bastille (Paris prison)

der **Bau, -ten** building; **die Bauart, -en** (style of) architecture; **bauen** to build; to cultivate, raise; **der Bauer, -s** or **-n, -n** farmer, peasant **(die Bäuerin); Bauern-** (compounding form) farm-; farmer's ...; **der Bauernbursch, -en** farmhand, young farmer; **der Bauersmann, -leute** farmer, peasant

der **Bauch, ⸚e** stomach, belly

der **Baum, ⸚e** tree **(baumlos); baumwollen, Baumwoll-** cotton

baumeln to dangle

sich **bäumen** to rear (up)

beabsichtigen to intend, have in mind

beachten to pay attention to, notice, consider **(die Beachtung)**

der **Beamte, -n,** official, officer

beängstigen to frighten

beanspruchen to lay claim to

beantworten to answer

beäugeln to eye

bebauen to till, cultivate, plant **(die Bebauung)**

beben to tremble

der **Becher, -** cup, goblet

das **Becken, -** basin, bowl

bedächtig deliberate, thoughtful

der **Bedarf** need(s), requirement(s), demand

bedauern to regret; to pity

bedecken to cover; **die Bedeckung** cover, covering; escort

(sich) **bedenken*** to consider, reflect (on); **das Bedenken, -** doubt, hesitation; **bedenklich** doubtful, dubious; grave; **die Bedenklichkeit** doubt, scruple, gravity

bedeuten to mean; to direct; to indicate

bedeutend considerable, significant; **die Bedeutung, -en** meaning, significance

bedienen to serve, tend; **sich —** to use, make use of; **der Bediente, -n, -n** servant **(die Bedienung)**

bedingen to require; to imply; to effect; **die Bedingung, -en** condition, stipulation

bedrängen to press hard, oppress, treat harshly

bedrohen to threaten; **bedrohlich** threatening

bedrücken to oppress

bedürfen* to need, require; **das Bedürfnis, -se** need; v. **Bedarf**

beenden (beendigen) to end

das **Beet, -e** (flower-) bed

befallen* to strike; to come over

der **Befehl, -e** order, command; **befehlen*** to order, command; to commend

befestigen to fasten

befinden* to find; **sich befinden*** to be (located), find oneself

beflissen occupied with, intent upon

befolgen to follow

befragen to ask; **der Befragte, -n, -** person questioned, respondent

befreien to free, liberate **(der Befreier, die Befreiung)**

befriedigt contented, satisfied

befühlen to feel

befürchten to fear

begabt endowed, gifted

sich **begeben*** to go, betake oneself; to set about; to happen; **die Begebenheit, -en** incident, occurrence, affair

begegnen to meet, encounter, be met by; to occur, happen; **die Begegnung, -en** encounter

begehen* to commit, do; to celebrate

begehren to desire

begeistert enthusiastic; **die Begeisterung** enthusiasm

die **Begier(de), -n** desire; **begierig** greedy, eager

der **Beginn** beginning; **beginnen*** to begin; to do; **das Beginnen** action, undertaking

begleiten to accompany; **der Begleiter, -** companion; **die Begleitung** accompaniment

beglückt delighted

begnadigen to pardon **(die Begnadigung)**

sich **begnügen** to be satisfied with, content oneself with

begraben* to bury; **das Begräbnis** burial

begreifen* to understand; **begreiflich** understandable, comprehensible; **im Begriff(e) sein (stehen)** to be about to; **begriffen auf** engaged in, in the process of

begrüßen to welcome, greet **(die Begrüßung)**

begünstigen to favor

behagen to suit, favor; **sich —** to feel comfortable, be pleased; **das Behagen** comfort, pleasant feeling; **behaglich** comfortable, pleasant, relaxed; **die Behaglichkeit** comfort, well-being

behalten* to keep, maintain

behandeln to treat, handle **(die Behandlung)**

behängt covered, hung, draped

beharren to insist

behaupten to hold, maintain, claim, assert **(die Behauptung)**

sich **behelfen*** to get along, manage, make do

behende nimble, agile, active

beherrschen to reign over, dominate

behilflich (behülflich) of assistance

behindern to impede, obstruct

behüten to protect, save **(Gott behüte)**

behutsam careful, cautious **(die Behutsamkeit)**

bei with, at, near, by, at the house of, in (the) case of; while . . .ing

die **Beichte, -n** confession; **beichten** to confess

beide both, the two; either; **alle beide** both; **beiderseitig** mutual

der **Beifall** applause, approval

bei-fügen to add, include

beiläufig incidental, casual

das **Bein, -e** leg; bone; **auf die Beine** on one's feet, in motion; **die Beinkleider** (*pl.*) trousers

beinah'(e) almost

beisam'men together (*also verb complement*); gathered together

beiseit'(e) aside (*also verb complement*), apart

das **Beispiel, -e** example

bei-springen* to spring to one's side

beißen to bite

bei-stehen* to stand by, support, help

bei-wohnen to attend

beizei'ten soon, in good time

bejahen to answer in the affirmative

bekämpfen to fight against

bekannt known, familiar; **der Bekannte, -n, -n** acquaintance **(die Bekanntin); die Bekanntschaft, -en** acquaintance(ship)

bekennen* to confess; **das Bekenntnis, -se** confession

beklagen to lament, deplore, pity, complain of

bekleiden to dress, clothe, cover; to occupy

beklemmen to oppress; **die Beklemmung** oppression, anguish; **beklommen** anxious, uneasy; **die Beklommenheit** anxiety, oppression

bekommen* to get, acquire

sich **bekümmern** to worry, concern oneself

bekunden to proclaim, announce

belasten to burden, weigh down, encumber; **belästigen** to trouble, annoy, incommode

belauschen to eavesdrop on, spy on, listen in on

beleben to rouse (to life), animate, endow with life, enliven; **sich —** to come to life

belegen situated

belegen to cover; to reserve

belehren to instruct, inform, advise; to correct **(die Belehrung)**

beleibt stout, heavy, fat

beleidigen to insult, offend

beleuchten to light, illuminate, cast light in *or* on

beliebt favorite, popular

bellen to bark

beloben to praise

belohnen to reward, pay, repay **(die Belohnung)**

belustigen to amuse, entertain

sich **bemächtigen** to take possession of

bemalen to paint

bemerken to notice, observe, remark, note; **die Bemerkung, -en** remark

das **Bemühen** effort, attentiveness; **sich bemühen** to endeavor; **bemüht** occupied, making an effort; **die Bemühung** effort

benachbart neighboring, close by

benachrichtigen to inform

das **Benehmen** behavior; **sich benehmen*** to behave, act

der **Bengel, -** rascal, fellow

benutzen, benützen to use, make use of

beobachten to watch, observe **(die Beobachtung)**

beordern to order

bepflanzen to plant

bequem comfortable, easy, pleasant

(sich) **beraten*** to take counsel; **die Beratung** consultation, deliberation

berauben to rob; **die Beraubung** robbery, theft

berechnen to calculate

die **Beredsamkeit** eloquence

bereift frost-covered

bereit ready, prepared; **bereiten** to arrange, prepare **(die Bereitung); bereits** already; **bereit-stehen*** to stand ready

berennen* to attack, assault

bereuen to repent, regret

der **Berg, -e** mountain, hill; **bergab'** downhill; **bergan'** uphill; **die Bergkoppe, -n** peak; **der Bergmann, -leute** miner

bergen* to hide, conceal, shelter; **sich —** to seek safety

berichten to report, tell **(der Bericht, -e)**

Berli'ner Berlin

bersten* to burst

berüchtigt notorious

der **Beruf, -e** profession, vocation; **berufen*** to summon

beruhen to rest, be based on; **auf sich — lassen** to let . . . rest; **beruhigen** to calm, quiet; **sich —** to calm down, be calm; **beruhigt** peaceful, calm

berühmt famous

berühren to touch, move; **die Berührung** touch, contact

die **Besatzung, -en** garrison

beschaffen to do, manage

beschaffen (*p.p.*) constituted; **die Beschaffenheit** constitution, nature, structure, build

beschäftigen to occupy, busy; **die Beschäftigung** occupation, job

beschämen to shame, embarrass; **beschämt** ashamed, shy; **die Beschämung** shame

beschatten to shade

beschauen to look at, inspect

der **Bescheid** decision; answer; **— wissen** to know what's going on; **— tun** to drink one's health

bescheiden modest, quiet; **die Bescheidenheit** modesty

bescheinen* to shine on (over) (upon)

beschleichen* to creep up on, come over

(sich) **beschließen*** to decide (on), conclude; **der Beschluß, ⁻e** decision, decree

beschränken to restrict, confine

beschreiben* to describe **(die Beschreibung)**

beschweren to burden, weight

beschwören* to implore, beseech; to exorcize; **die Beschwörung** exorcism; adjuration, plea

besehen* to inspect

besetzen to occupy; set

besichtigen to inspect **(die Besichtigung)**

besiegen to overcome, conquer

sich **besinnen*** to reflect, consider, think; to remember; **die Besinnung** consciousness; **besinnungslos** unconscious

der **Besitz** possession, property; **besitzen*** to possess, own **(der Besitzer)**

besonder- particular, special; **besonders** particularly, (e)specially

besorgen to take care of, see to;
besorglich anxious, worrisome;
die Besorgnis, -se anxiety,
concern; **besorgt** anxious,
worried, concerned

bespannen to harness, hitch (up);
to string

bespritzen to spatter

besser better; **bessern** to fix,
improve; **best-** best; **zum besten
geben*** to offer, relate

beständig constant, continual

bestätigen to confirm (**die
Bestätigung**)

bestehen* to consist; to insist; to
exist; to endure, survive, undergo

besteigen* to climb (**der Besteiger,
die Besteigung**); to mount

bestellen to order, arrange, attend
to, appoint, send for; to summon;
aufs best (zum Besten) bestellen
to arrange (things) for the best;
schlimm bestellt sein um to be
badly off; **der Besteller, -** buyer,
customer; **die Bestellung, -en**
order, assignment, commission

besticken to grass over, cover with
straw (**die Bestickung**)

bestimmen to define, destine,
design; to induce; **bestimmt**
definite, certain; **die Bestimmtheit**
certainty, definiteness; **die
Bestimmung, -en** destination,
destiny, determination, assignment,
function; ordinance

bestrafen to punish (**die
Bestrafung**)

bestreiten* to deny

bestürmen to lay siege to

bestürzt dismayed; **die Bestürzung**
dismay

der **Besuch** visit; **besuchen** to visit,
go to see, attend (**der Besucher**)

betasten to touch, feel

betäuben to deaden, deafen, daze,
benumb (**die Betäubung**)

sich **beteiligen** to participate, take part

beten to pray

beteuern to assure, assert, protest
(**die Beteuerung**)

betonen to emphasize (**die
Betonung**)

betören to delude

betrachten to contemplate, look at;
to consider, regard; **die
Betrachtung** contemplation,
consideration, meditation

das **Betragen** behavior, action; **sich
betragen*** to behave, act

betreffen* to strike, take aback; to
concern; **was ... betrifft** as far
as ... is concerned

betreiben* to carry on, carry out

betreten* to enter; to step onto,
into

betreuen to care for, attend to

betrüben to trouble, sadden;
betrüblich sad; **die Betrübnis**
sadness; **betrübt** sad, troubled

betrügen* to deceive (**der
Betrüger**)

betrunken drunk, intoxicated

das **Bett, -en** bed; **das Bettchen, -**
coverlet; **das Bette = Bett;**
die Bettkante, -n edge (rail) of a
bed; **die Bettstatt, ̈e** bed; **die
Bettstelle, -n** bed(stead)

betteln to beg (**der Bettler**)

(sich) **beugen** to bend (down), bow
(down), lean

beunruhigen to disturb

beurteilen to judge

die **Beute** booty; **das Beutepferd, -e**
horse taken as loot

der **Beutel, -** purse

bevor'-stehen* to lie ahead,
impend, threaten

bewachen to guard, watch over

bewachsen grown over, overgrown,
planted

bewaffnen to arm

bewahren to preserve, keep

(sich) **bewähren** to prove (oneself),
confirm (be confirmed), evidence

(sich) **bewegen** to move; **bewegen*** to
cause; **beweglich** moving;
movable; lively; **die Beweglichkeit**
animation; **die Bewegung, -en**
motion, movement, emotion,
agitation

der **Beweis, -e** proof; **beweisen*** to
prove, show

bewenden*: es bei ... — lassen
to let it go (pass) at (with) ...

bewohnen to inhabit, live in,
occupy; **der Bewohner, -**
inhabitant, occupant, dweller

bewundern to admire (**die
Bewunderung**)

bewußt conscious, aware;
bewußtlos unconscious (**die
Bewußtlosigkeit**); **das
Bewußtsein** consciousness,
awareness

bezahlen to pay (for)

bezaubern to enchant

bezeichnen to designate, indicate

beziehen* to move into; to cover;
to obtain, get; **sich —** to concern,
be connected; **die Beziehung, -en**
connection

bezwingen* to control, seize hold
of

biegen* to bend, turn, curve

die **Biene, -n** bee

bieten to offer; to bid

das **Bild, -er** picture, image; **bilden** to form, constitute; **die Bildsäule, -n** statue

billig cheap, inexpensive; suitable, reasonable; **um ein Billiges** at a cheap price

binden* to tie, bind

binnen- (*compounding form*) inner

die **Birke, -n** birch

der **Birnbaum, ⸚e** pear tree; **die Birne, -n** pear

bis (up) to, until, as far as; until, till; **— auf** up to; except for

der **Bischof, ⸚e** bishop; **bischöflich** bishop's

bisher' up to now, previously, hitherto; **bishe'rig** previous

bißchen bit

bisweilen occasionally

die **Bitte, -n** request; **bitten*** to ask; **bittend** imploring

bitterlich bitter, bitterly

sich **blähen** to swell

blank shiny, shining, glistening

blasen* to blow, play (wind instrument) **(der Bläser); das blasende Instrument'** = **das Blasinstrument,' -e** wind instrument

blaß pale; **die Blässe** paleness, pallor

das **Blatt, ⸚er** sheet (of paper), leaf **(blätterlos)**; card

die **Bläue** blue(ness); **bläulich** bluish

das **Blei** lead; **der Bleistift, -e** pencil

bleiben* to stay, remain, be

bleich pale

die **Blende, -n** niche

blendend dazzling, shining

der **Blick, -e** glance; sight; **blicken** to see, look, glance

blinken to shine, glisten

blinzeln to blink

der **Blitz, -e** lightning; **blitzen** to flash, glitter, glisten, shine; to lighten (lightning); **blitzschnell** fast as lightning, lightning-like

der **Block, ⸚e** log; boulder

blöd stupid; vacant; insane; feeble-minded, witless; **der Blödsinn** stupidity, madness; **blödsinnig** mad

bloß simple, mere, only; bare, naked; **die Blöße, -n** weakness, weak spot; **bloß-legen** to (lay) bare, unearth

blühen to bloom, blossom, prosper; **die Blume, -n** flower; **die Blüte** blossom; flower(ing); **Blüten treiben** to flower

das **Blut** blood **(blutlos)**; thing(s), person(s); (*compounding form*) blood, bloody; **bluten** to bleed; **das Blutgericht** bloody court, death court; **blutig** bloody; **die Blutschuld** blood guilt

der **Bock, ⸚e** buck; box (coach seat)

der **Boden, -** or **⸚** ground; floor; bottom; attic, loft; **zu —** to the ground, down; **zu — schlagen** to demolish

die **Böe, -n** gust, squall

der **Bogen, -** curve, arc; arch; bow

die **Bohne, -n** bean

bohren to bore; to pierce, grind

Boileau-Despréaux French critic, satirist, wit (1636–1711)

der **Böller, -** (small) mortar

das **Boot, -e (Böte** *dialect and colloq.*) boat

der **Bord, -e** edge, side

bös(e) angry; bad, evil, wicked; hard; **der Böse** the Evil One; **bösartig** evil, malicious; **der Bösewicht, -er** villain, scoundrel; **boshaft** malicious, wicked; **die Bosheit** malice, wickedness

der **Bote, -n, -n** messenger; **die Botschaft, -en** message, announcement

der **Brand, ⸚e** fire; **in — stecken** to light; **brandmarken** to brand; **branden** to surge; **die Brandung** surf

der **Branntwein** brandy

der **Braten, -** roast

der **Brauch, ⸚e** custom; **brauchen** to need; to use

die **Braue, -n** (eye)brow

braun brown; tanned; **— und blau** black and blue; **der Braun(e)** bay (horse); **bräunlich** brownish, tanned, dark

brausen to roar, rush, storm; **das Brausen** roar(ing), tumult

die **Braut, ⸚e** fiancée, betrothed; bride; **der Bräutigam, -e** fiancé, bridegroom; **das Brautpaar, -e** bridal couple

brav good

brechen* to break **(der Bruch, ⸚e)**

breit broad, wide, extensive; heavy-set; **die Breite** breadth, area, extent; **sich in die Breite dehnen** to extend, spread out; **(sich) breiten** to spread, extend

die **Bremse, -n** brake; **bremsen** to (put on) brake(s)

brennen* to burn

das **Brett, -er** board

der **Brief, -e** letter

die **Brille, -n** glasses, spectacles
bringen* to bring, take, get, offer;
  es zu . . . — to accomplish, make it
  to; **zu . . . —** to cause; **an sich —**
  to lay hands on, take possession of;
  — um to rob of
Brinvillier *v.* **Glaser**
der **Brocken, -** crumb, scrap(s)
das **Brot, -e** (loaf of) bread; living;
  das Brötchen roll, bun
der **Bruch** (*v.* **brechen**)
die **Brücke, -n** bridge
der **Bruder, ∶** brother
brüllen to roar
brummen to grumble, growl,
  mumble
der **Brunnen, -** spring, well, fountain;
  der Brunnenstrahl, -en water
  jet (of fountain)
die **Brust, ∶e** breast, chest; **die**
  Brüstung window sill(s), ledge(s)
brüten to brood
der **Bub(e), -(e)n, -(e)n** boy
das **Buch, ∶er** book
der **Buchsbaum, ∶e** box tree, boxwood
der **Buchstabe, -ns, -n** letter
bucklig (bucklicht) humpbacked,
  hunchbacked
sich **bücken** to bow, bend (over)
die **Bude, -n** booth, shed, shack
die **Bühne, -n** stage
der **Bund** union, league, bond
das **Bündel, -** bundle, pack, bunch, sheaf
das **Bündnis, -se** league, alliance, bond
der **Bundschuh, -e** sandal
bunt colorful, colored, gay; all over,
  topsy-turvy, mixed up; **es —**
  machen carry on wildly
die **Burg, -en** castle
der **Bürger, -** citizen; commoner;
  bürgerlich middle-class
der **Bursch(e), -(e)n, -(e)n** fellow, boy,
  lad; student
die **Bürste, -n** brush (**bürsten**)
der **Busch, ∶e** bush, shrub
das **Büschel, -** tuft, wisp, cluster, bunch
der **Busen, -** bosom
die **Buße** penance; **büßen** to do
  penance, atone
die **Butterschnitte, -n** slice of bread
  and butter

C

die **Capan'ne, -n** (beach) cabana
Cardillac (taken, like certain other
  names in the story, more or less at
  random from Voltaire's *Siècle de*
  Louis XIV)
der **Cavalie're, -, -** "cavalier,"
  gentleman

chambre ardente a black-hung,
  torchlit courtroom; (*use the French*
  term, untranslated)
der **Chemiker, -** chemist
der **Chirurg', -en, -en** surgeon
der **Chor, ∶e** chorus, choir; **der**
  Chorherr, -n, -en canon
  (churchman)
Christ Christ; **der Heilige Christ**
  the Lord Jesus; **der Christ, -en,**
  -en Christian; **Christ-** (*compound-*
  ing form) Christmas; **Christen-**
  (*compounding form*) Christian; **das**
  Christentum Christianity;
  christlich Christian; **Christus**
  Christ
Cipolla (Ital. *č*) proper name, but
  also "onion"—and a slightly
  fraudulent character in Boccaccio
die **Conciergerie'** Conciergerie (Paris
  prison)
die **Coura'ge** spirit, courage; **couragiös'**
  courageous, spirited

D

d.h.: das heißt that is
da there, here (*also verb complement*);
  then; since, as, because; when;
  da(r)- (*with preposition*) there-,
  . . . it, that; (*with following infinitive*
  or **daß,** "anticipatory" and not
  translated; sometimes like **wo-**
  compounds, used as conjunction)
dabei' in so doing, in the process;
  at the same time, as he did so, *etc.*;
  there (*also verb complement*),
  present; at that, with that, *etc.*
das **Dach, ∶er** roof; **der Dachboden, ∶**
  loft, attic
dafür' for it; in compensation for
  that, in exchange, in return, on the
  other hand
dage'gen against it; however, on
  the other hand
daheim' at home
daher' therefore, so; from that, it;
  (*as verb complement*) along
dahin' there, to that point, in that
  direction; (*as verb complement*)
  along, away, there, to the point of;
  bald —, bald dorthin first this
  way then that; **bis —** until then,
  until this point
damalig of that time, then,
  previous; **damals** then, at that
  time
die **Dame, -n** lady
damit' with it; so that
dämmen to dam (**der Damm, ∶e**)

der **Dämmer** twilight; **dämmerig** dusky, dim; **dämmern** to dawn; to shine dimly; **dämmernd** dim; **die Dämmerung** twilight, half-light, dusk; dawn

der **Dampf, ⸚e** steam, smoke, vapor; **dampfen** to steam

dämpfen to lower, muffle

d'Andilly (name taken more or less at random from Voltaire)

der **Dank** thanks, gratitude; **Gott sei —** thank the Lord; **dank** thanks to; **dankbar** grateful; **(die Dankbarkeit); danken** to thank; to express thanks; to owe; **dankend** with thanks; **die Danksagung, -en** thanks, expression of gratitude

dann then; **— und wann** now and then

dannen: von — thence, away

daran'-setzen to risk

darauf' on it (that), *etc.*; thereupon; (*also used as verb complement*)

dar-bieten* to offer, present, proffer; **die Darbietung, -en** performance, entertainment, program

darein' in it (that); in the bargain; **hinter ... d(a)rein** after, along behind

darin'nen = darin in there, inside

dar-legen to expose, display; to expound on

dar-stellen to represent **(die Darstellung)**

dar-tun* to prove

darü'ber over it (that); in the meantime

darum' about it (that); therefore; that is why

das **Dasein** existence

daselbst' there, in that (very) place

daß that; so that; **es sei denn —** unless (it be that); **ohne —** without . . .-ing

die **Dauer: auf die —** in the long run; **dauerhaft** lasting, durable; **dauern** to last, continue, be

davon' from it (that); some (of it, *etc.*); (*as verb complement*) off, away; some of it

dazu' to it (that); **(noch) —** in addition, besides; **dazugehörig** appropriate

dazwi'schen between them; mixed in; between times, (in the) meantime, at the same time; (*also verb complement*)

das **Deckbett, -en** featherbed, bedspread, coverlet; **die Decke, -n** spread, cover, blanket, cloth; ceiling; **decken** to cover; to meet; to set

der **Degen, -** sword

(sich) **dehnen** to stretch (out)

der **Deich, -e** dike **(deichlos); der Deichbau** dike building, dike construction; **deichen** to dike (in); **der Deichgevollmächtigte** dike commissioner; **der Deichgraf, -en, -en** dikemaster, dikegrave; **deichgräflich** of the dikemaster (dikegrave)

dein your; **deinetwegen** for your sake

das **Demat** measure of land area; (*transl.* acre)

demzufolge consequently

denken* to think; **sich —** to imagine; **— zu ...** to think, plan, intend to; **wo — Sie hin**? what are you thinking of (doing)?; **noch ... —** to remember; **das Denkmal, ⸚er** monument

denn for; anyway, then; than

dennoch yet, though, still, nevertheless, however

der the; he; that (one); who, which, that

derart; derartig that sort of, of that sort

derb rough

dergestalt, daß with the result that, to the extent that

derglei'chen the like, such, things of that kind

derje'nige that, that one

dersel'be the same; he

derzeit at the time, then, meanwhile

deshalb therefore, for that reason; **— weil** because

dessenungeachtet; deßohngeachtet; deßungeachtet in spite of that; nonetheless

desto so much the, all the

deswe'gen for that reason

deuten to interpret, point

deutlich clear, distinct

deutsch German; **(das) Deutschland** Germany

dicht close, near; thick, dense

der **Dichter, -** poet, writer; **dichterisch** poetic; **die Dichtkunst** poetry

dick thick, fat, heavy, dense

der **Dieb, -e** thief; **der Diebstahl** theft

dienen to serve; **der Diener, -** servant; **dienlich** useful, serviceable; **der Dienst, -e** service; job, work; duty; favor; **in (im) Dienst** employed; on the job; **dienstfertig** ready for duty, helpful, obliging; obsequious **(die Dienstfertigkeit); der Dienstjunge, -n, -n** servant (boy); **die Dienstleute** servants;

die **Dienstmagd, ⸚e** maid; **der Dienstrock, ⸚e** uniform (coat); **das Dienstverhältnis, -se** service (relationship); **die Dienstzeit** (time of) employment
dieser this; this one; the latter; he; **diesmal** this time
das **Ding, -e** thing (**Dinger** = "things" in human sense); **froher (guter) Dinge** of good cheer
Dionys St. Denis (patron saint of Paris and of France in general)
die **Dirne, -n** girl; wench
diskurrieren to discourse; **der Diskurs', -e** discourse, conversation
die **Distel, -n** thistle
doch yet, though, however, but, still, surely, after all
die **Dohle, -n** jackdaw, crow
der **Dolch, -e** dagger; **der Dolchstich, -e**; **der Dolchstoß, ⸚e** dagger blow
der **Dom, -e** cathedral
der **Don** Don (Spanish title); **die Donna** Donna
die **Donau** Danube
der **Donner** thunder (**donnern**)
doppelt double
das **Dorf, ⸚er** village; **der Dörfler, -** villager
dort there; **dorthin'** there, over there; **dortig** there, at that spot
dösig dumb(-looking)
der **Drache, -n, -n** dragon; hag
dran = **daran**
der **Drang** urge, impulse; **(sich) drängen** to push, crowd, force, urge, compel; **drängen in** to urge; **es drängt ihn** he feels the urge
dräuend = **drohend** threatening
drauf = **darauf**
draus = **daraus**
draußen outside, in the open, outdoors, out
(sich) **drehen** to turn, twist
das **Dreieck, -e** triangle
drein: hinter ... — (along) behind, after
ein **Dreißiger** man in his thirties
dreist bold, straight out, arrogant
der **Dreistutzer, -** three-cornered hat
drin = **darin**
dringen* to penetrate, force one's way, press; **— in** to press, urge; **dringend** urgent, pressing, importunate
drinnen inside, in (there), within, indoors
droben up there, up, above
drohen to threaten; **(die Drohung)**

dröhnen to rumble, boom, (re)sound, roll
drollig comical
drüben over (there), on the other side
der **Druck** pressure; **drücken** to press, push, slip, squeeze, pinch; to oppress; to bother; **drückend** oppressive; **drucken** to print
drum = **darum**
drunten down (there), below
ducken to duck, lower, drop, slip
der **Duft, ⸚e** smell, fragrance; emanation; mist; **duften** to smell sweet, be fragrant; **duftend** fragrant; **duftig** misty; light, airy
dulden to wait, be patient; to tolerate, stand for, accept; **duldsam** patient, long-suffering; **die Duldung** patience, endurance
dumm stupid, dumb, silly; **die Dummheit, -en** foolish action; **der Dummkopf, ⸚e** dumbbell, blockhead
dumpf dull; heavy; gloomy; rumbling
dunkel dark, dim; **das Dunkel, die Dunkelheit** darkness; **dunkeln** to darken, grow dark
dünken (impersonal: **mich dünkt,** etc.; reflexive: **er dünkt sich,** etc.) to seem
dünn thin
der **Dunst** vapor, steam, mist; reek
durch through, by, etc.; (as verb complement) through; **durchaus'** completely, absolutely, ... at all
durchbohren to pierce, stab
durchbrechen* to pierce, break through
durchdringen* to penetrate, permeate, fill
durcheinan'der through one another; in confusion, confusedly, all together, all at once, all over, all around (also verb complement)
durchfahren* to go through, pass through, shoot through
durchflechten* to intertwine, intermix
durchkreuzen to cross
durchlaufen* to review, run through
durchleben to experience, pass through
durch-machen to go through
durchmustern to inspect, look through
durchschimmern to shine through, suffuse
durchschneiden* to cut through, intersect

durchsichtig transparent; **die Durchsichtigkeit** transparency, clearness

durchstechen* to pierce, cut **(der Durchstich)**

durchstreifen to pass (through), rove

durchsuchen to inspect, search

durchwalken to thrash, beat

dürfen* to be allowed, may, can, *etc.*

dürftig poor, scanty, lean, sparse, skinny; **die Dürftigkeit** poverty

dürr dry, withered, parched; **der Durst** thirst; **dürsten** to thirst, long; **durstig** thirsty

düster sad, gloomy

das **Dutzend, -e** dozen; **dutzendweise** by the dozen

E

die **Ebbe; die Ebb(e)zeit** ebb (tide)

eben even, level; just, just then, precisely; **— erst** only recently; **die Ebene, -n** plain, level; **ebenfalls** likewise, similarly; **ebenso** likewise, similarly, equally, just as; (*compounding form*) just as . . .; **ebnen** to even out, level off

echt real, genuine **(die Echtheit)**

die **Ecke, -n** corner; spot (of land); **an (in) allen Ecken (und Enden)** everywhere

edel noble; precious; **das Edelstein, -e** jewel

eh(e) before; **eher** earlier, before; rather; **nicht eher, als bis** not until; **ehemalig** previous, former; **ehemals** formerly

die **Ehe, -n** marriage; **die Eheleute** married couple; **der Ehemann, ̈er** husband; **das Ehepaar, -e** (married) couple; **das Eheweib, -er** wife

ehrbar honorable, dignified; **ehren** to honor **(die Ehre, -n)**; **der Ehrenmann, ̈er** man of honor, gentleman; **ehrerbietig** respectful; **die Ehrerbietigkeit; die Ehrerbietung** respect; **die Ehrfurcht** respect, veneration, awe **(ehrfurchtsvoll); ehrlich** honest, honorable; **ehrwürdig** respectable, venerable

ei ah, why; **ei was** nonsense

die **Eiche, -n** oak

das **Eichhorn, ̈er, das Eichhörnchen, -** squirrel

der **Eidam, -e** son-in-law

die **Eidechse, -n** lizard

der **Eierkuchen, -** omelet, pancake

der **Eifer** eagerness, zeal, ardor; **die Eifersucht** jealousy; **eifersüchtig** jealous; **eifrig** busy, eager, zealous, hasty, hurried

eigen own; peculiar (to); special; in bondage to; **eigenartig** peculiar; **die Eigenschaft, -en** quality, characteristic; **der Eigensinn** stubbornness; **eigensinnig** stubborn; **eigentlich** real, actual, true, proper; **das Eigentum, ̈er** property; **der Eigentümer, -** owner; **eigentümlich** peculiar, particular

die **Eile** hurry, haste; **— haben** to be in a hurry; **eilen** to hurry; **eilfertig** hasty, speedy **(die Eilfertigkeit); eilig** hasty, hurried

eilf = elf

der **Eimer, -** pail

ein a, an; one; (*as verb complement*) in

einan'der each other, one another (*often compounded with preposition*)

sich **ein-bilden** to imagine **(die Einbildung); die Einbildungskraft** imagination

ein-binden* to bind

ein-brechen* to break in, fall (upon); to approach

ein-deichen to dike in, enclose (with a dike); **die Eindeichung** diking in, dike enclosure

ein-dringen* to penetrate, press (in), put pressure on; **eindringlich** urgent, penetrating **(die Eindringlichkeit)**

der **Eindruck, ̈e** impression; **ein-drücken** to impress; **eindrucksvoll** impressive

einemmal: mit — suddenly

einerlei (all) the same

einfach simple

der **Einfall, ̈e** idea, notion, fancy; **ein-fallen*** to come over, occur to; to interject, interrupt

die **Einfalt** simplicity, naiveté; **einfältig** simple-minded, naive

sich **ein-finden*** to appear, show up, turn up

ein-flechten* to interpose, insert

ein-flößen to instill

der **Einfluß, ̈e** influence

einförmig uniform, monotonous

ein-fügen to insert, introduce

ein-führen to introduce; to set in

die **Eingabe, -n** petition, application

der **Eingang, ̈e** entry, entrance; beginning

der **Eingeborene, -n, -n** native

ein-geben* to inspire (die Eingebung)

ein-gehen* to agree (to); to enter

eingelegt inlaid

eingesessen native

ein-gießen* to pour (out; in)

Einhalt tun* to put a stop to

ein-händigen to hand over, deliver (die Einhändigung)

ein-hauen* to strike (out) at

einheimisch native, local, at home

die Einheit unity

einher' (*as verb complement*) along

ein-holen to catch (up with); to pull in

einig agreed, in agreement

einige some, several, a few; einigemal a few times, several times; einigermaßen to some extent

der Einkauf, -̈e purchase; shopping; ein-kaufen to buy (up), shop for

ein-kehren to stop, drop in, stay

die Einkerkerung imprisonment

ein-laden* to invite (die Einladung)

ein-laufen* to come in, enter

ein-leiten to introduce

einmal once, occasionally, just; auf — suddenly; at one time; nicht — not even; noch — once more, once again; schon — already

sich ein-mischen to intervene

ein-nehmen* to take, take up, assume, occupy; to eat; der Einnehmer, - collector

die Einöde desert, wasteland

sich ein-prägen to stamp itself (on one's memory)

ein-räumen to clear, provide

ein-richten to arrange, furnish, fix (up), establish; die Einrichtung arrangement

einsam lonely; die Einsamkeit, -en loneliness, solitude

ein-schiffen to embark

ein-schlafen* to fall asleep

der Einschlag, -̈e touch, admixture; ein-schlagen* to strike (in), break in, down; to drive in; to set off in, start out on; to wrap

ein-schließen* to close (shut) in, enclose

ein-schlummern to fall asleep

ein-schüchtern to intimidate, frighten

ein-sehen* to see (why), understand; die Einsicht, -en insight; inspection

ein-setzen to start; to apply, exert

einspännig one horse

ein-sperren to lock up, shut up, imprison (die Einsperrung)

die Einsprache, -n objection

einst once, before, some day; einstig former, one-time; einstmals once; einstweilen for the present, for the time being

ein-stecken to put away, store away; to pocket, swallow

ein-stürzen to collapse (der Einsturz)

eintönig monotonous

ein-tragen* to bring (in); to enter

ein-treffen* to come in, arrive

ein-treten* to step in, enter; to set in, ensue; to kick in; der Eintritt entry, entrance

einverstanden in agreement; das Einverständnis agreement, collusion

der Einwand, -̈e objection; ein-wenden* to object (die Einwendung)

der Einwohner, - inhabitant, resident, dweller

einzeln single, individual, isolated

ein-ziehen* to come, move in; to gather; to collect, take in; der Einzug entry

einzig only, sole, single

das Eis ice; das Eisboseln (ice) curling; der Eisbosler curler (approx. equiv.; the German game involves throwing of weighted ball along course, sometimes miles long)

das Eisen, - iron, steel; horseshoe; der Eisenschimmel, - iron-grey (horse); eisern iron, steel

eitel vain, frivolous

der Ekel disgust; ekelerregend loathsome, repulsive; ekeln to disgust, repel

das Elend misery, wretchedness, shame; elend miserable, wretched (= elendiglich)

der Ellbogen, - elbow

ellenhoch a yard in the air (high); three feet tall

die Eltern parents

empfangen* to receive; der Empfänger, - recipient; empfänglich receptive

empfehlen* to recommend; sich — to take one's leave; to be advisable

empfinden* to feel; empfindlich sensitive; die Empfindlichkeit, -en sensitivity, sensitive point; die Empfindung, -en feeling, sensation

empor' (*as verb complement*) up(ward)

empören to outrage, shock **(die Empörung)**

emsig busy, diligent **(die Emsigkeit)**

das **Ende, -n** end; result; point, place, direction; **zu —** over, to an end; **zu — bringen** to finish (off); **ein — nehmen** to come to an end, be done; **enden** to end, finish; **endlich** final(ly), at last; **endlos** endless, infinite

eng narrow, small, confining, close

der **Engel, -** angel; **Engels-** (*compounding form*) angelic

der **Enkel, -** grandson, grandchild

entartet degenerate

entbehren to get along without; **entbehrlich** superfluous, unnecessary, to be spared

entblößen to (lay) bare, strip

entdecken to discover, reveal **(die Entdeckung)**

die **Ente, -n** duck

entfalten to unfold, develop

entfärben to drain of color, turn pale

entfernen to remove, put aside; **sich —** to leave, go away; **entfernt** distant, away, remote; **(weit) entfernt** far from; **die Entfernung, -en** distance, removal

entflammen to inflame

entfliehen* to flee, escape

entgegen (*as verb complement*) toward, to (meet), against; (*as prep.*) contrary to, against

entgegengesetzt opposite

das **Entgegenkommen** approach; kindness, courtesy

entgegen-stehen* to oppose

entgegen-stellen to oppose; to present

entgegnen to reply

entgehen* to escape

enthalten* to contain

enthaupten to behead **(die Enthauptung)**

enthüllen to reveal, uncover **(die Enthüllung)**

entkleiden to undress, uncover

entladen* to unload, discharge

entlang along

entlassen* to release, dismiss

entlaufen* to run away, escape

entledigen to unburden, get rid of, remove

entleeren to empty

entreißen* to snatch (away) from, draw from, remove

entrinnen* to escape

entrüsten to anger, provoke **(die Entrüstung)**

entsagen to renounce **(die Entsagung)**

entscheiden* to decide **(die Entscheidung); entscheidend** decisive; **entschieden** decided, definite, certain; **die Entschiedenheit** determination

entschlafen* to fall asleep; to die

entschlagen* to give up, dismiss

entschließen* to decide, resolve; **entschlossen** determined; **der Entschluß, ⸚e** decision

entschlüpfen to escape

entschuldigen to excuse, pardon; **entschuldigend** apologetic

entschwinden* to disappear

entseelt lifeless **(die Entseelung)**

das **Entsetzen** horror, fright; **entsetzen** to horrify; **entsetzlich** horrible, terrible

entspinnen* to unfold, develop

entsprechen* to correspond

entspringen* to run away

entstehen* to arise

entstellen to disfigure, distort

entströmen to run out, pour from

entweder either

entwerten to devalue, depreciate

(sich) **entwickeln** to develop, unfold **(die Entwicklung)**

entwinden* to disengage, wrest

entwürdigen to degrade **(die Entwürdigung)**

(sich) **entziehen*** to pull away, take away, deprive, withdraw, elude

entzücken to delight **(das Entzücken, die Entzückung)**

entzünden to inflame, kindle, light

entzwei apart, in two; **(sich) entzweien** to disagree, be estranged

er he; it; **Er** you

das **Erbarmen** mercy, pity; **erbärmlich** miserable, wretched, pitiful

erbauen to build **(der Erbauer)**

das **Erbe** inheritance; **der Erbe, -n, -n** heir

erbeben to tremble

erbeuten to take as booty, seize

erbitten* to request

erbittern to embitter **(die Erbitterung)**

erblassen; erbleichen* to (turn) pale

erblicken to see, catch sight of

erblühen to bloom, dawn

erbosen to anger, be angry

die **Erbötigkeit** readiness, deference

erbrechen* to break in; to vomit

die **Erbschaft, -en** inheritance

die **Erbse, -n** pea
das **Erdbeben, -** earthquake; **der
Erdboden** earth, ground; **die
Erde, -n** earth, world, soil, dirt,
ground; **Erden-** (*as compounding
form*) earthly, earth-, ground; **die
Erderschütterung, -en** tremor;
das Erdgeschoß ground floor;
die Erdwelle, -n rise (of ground)
sich **ereignen** to happen, occur; **das
Ereignis, -se** event, occurrence
erfahren* to find out (about),
discover, learn; to experience;
erfahren experienced; **die
Erfahrung, -en** experience; **in
Erfahrung bringen** to experience
erfassen to take, seize (upon)
erfinden* to invent; **die Erfindung,
-en** invention
erflehen to beg, implore, ask
der **Erfolg, -e** success **(erfolglos)**
erfolgen to ensue
erfreuen to delight, please, give
pleasure; **sich —** to rejoice in, enjoy; **erfreulich** pleasant, pleasing
erfrieren* to freeze
erfüllen to fill, fulfil; **die Erfüllung**
fulfilment
ergeben* to produce; **sich ergeben***
to develop, evolve; to devote; **die
Ergebenheit** devotion; **das
Ergebnis, -se** result
ergehen* to go, pass, fare
ergrauen to (turn) grey
ergreifen* to seize
erhaben sublime, elevated
erhalten* to receive; maintain,
preserve; **die Erhaltung**
maintenance, support
erhaschen to catch
erheben* to lift, raise; **sich —**
to rise, get up
(sich) **erhellen** to illuminate, light (up)
erhitzen to warm, heat; to excite,
arouse, anger; **sich —** to get hot
erhöhen to heighten, raise; **die
Erhöhung, -en** height, rise
sich **erholen** to recover
erinnern to remind; **sich —** to
remember; **die Erinnerung, -en**
memory
erkaufen to purchase
erkennen* to recognize, see,
distinguish **(erkennbar)**; to
admit; **sich —** to understand, find
oneself; **die Erkenntnis**
recognition, acknowledgment
erklären to explain, declare **(die
Erklärung)**
erklecklich substantial
erklimmen* to climb
erklingen* to echo, (re)sound

sich **erkundigen** to ask, inquire **(die
Erkundigung)**
erlahmen to relax, become lifeless
erlangen to attain, gain
erlauben to allow, permit; **die
Erlaubnis** permission; **erlaubt**
allowed, permissible, all right
erleben to experience, witness, see;
das Erlebnis, -se experience
erleichtern to relieve, lighten,
simplify
erleiden* to suffer, endure
erleuchten to light, illuminate **(die
Erleuchtung)**
erlöschen* to die (out), extinguish
erlösen to release, free, save,
redeem **(der Erlöser, die
Erlösung)**
ermahnen to warn, remind **(die
Ermahnung)**
sich **ermannen** to get hold of oneself,
(re)gain control
die **Ermattung** exhaustion
ermorden to murder, kill **(die
Ermordung)**
ermüden to tire, exhaust **(die
Ermüdung)**
ermuntern to cheer up; to wake up
ermutigen to encourage
ernähren to support
ernennen* to name
erneuern to renew, repair; **die
Erneuerung** renewal
der **Ernst** seriousness; **das ist mein —**
I'm serious; **ernst** serious;
ernsthaft (die Ernsthaftigkeit); =
ernstlich serious(ly)
die **Ernte, -n** harvest
erobern to conquer, capture
eröffnen to open, reveal **(die
Eröffnung)**
erpressen to extort, force from
erquicken to refresh, please **(die
Erquickung)**
erraten* to guess
erregen to arouse, excite **(die
Erregung)**
erreichen to reach, attain
(erreichbar)
erretten to rescue **(die Errettung)**
errichten to erect; **die Errichtung**
establishment
erringen* to gain, win, attain
erröten to blush, become red
erschallen* to sound out, be
heard, resound
erschauen to see, perceive
erscheinen* to appear, look, seem;
die Erscheinung, -en
phenomenon; appearance; vision,
apparition; **in (die) Erscheinung
treten** to appear

erschlaffen to enervate, relax

erschlagen* to kill

erschöpfen to exhaust **(die Erschöpfung)**

erschrecken to frighten, startle; **erschrecken*** to take fright, be startled; **das Erschrecken** fear; **erschrecklich** fearful

erschüttern to shake, shock, move (emotionally); **die Erschütterung, -en** shock

ersehnt desired

ersetzen to replace; to take the place of

ersichtlich visible

erspähen to see (into), spot

erst (at) first; second (floor of house); only, not until; — **recht** really; **der erste beste** the first available

erstarrt stiff, petrified

erstatten to report, deliver (a report)

erstaunen to be astonished; **das Erstaunen** astonishment; **erstaunlich** astonishing; **erstaunt** astonished

erstehen* to buy, get; to rise

(zum) **erstenmal** for the first time; **erster-** former, first

ersticken to choke, stifle

sich **erstrecken** to stretch (out)

erteilen to give (out)

ertönen to sound (out), ring

ertragen* to bear

ertrinken* to drown

erübrigen to save

erwachen to awake

erwachsen* to grow, develop, accumulate; **der Erwachsene, -n, -n** adult

erwägen* to consider, think over; **die Erwägung, -en** consideration

erwähnen to mention **(die Erwähnung)**

erwärmen to warm (up)

erwarten to await, expect **(die Erwartung, -en);** to wait; **erwartungsvoll** expectant

erwecken to awaken, arouse

sich **erwehren** to avoid, suppress

erweisen* to show, reveal, render

erwerben* to acquire, get **(die Erwerbung)**

erwidern to reply (to); to requite

erwischen to catch (hold of)

erzählen to tell, narrate **(der Erzähler); die Erzählung, -en** story, narration

der **Erzbischof, ⁒e** archbishop

erzeigen to show

der **Erzengel, -** archangel

erzeugen to produce, engender; **das Erzeugnis, -se** product

erziehen* to raise, bring up, educate **(die Erziehung)**

die **Esche, -n** ash

die **Eskadron′, -en** squadron

essen* to eat; **das Essen** meal, food

der **Estrich, -e** floor, dance-floor

etwa about, perhaps, approximately, say

Euklid′ Euclid (father of geometry)

ewig forever, eternal, everlasting; **die Ewigkeit, -en** eternity; **ewiglich** eternal

exerzieren to drill, practice

Exili *v.* **Glaser**

die **Extrapost** special mail (coach)

F

-fach (*suffix*) -fold

die **Fackel, -n** torch

der **Faden, ⁒** thread, strand

das **Fagott′, -e** bassoon

fähig capable, able **(die Fähigkeit)**

fahl pale, light; **fahlblond** light blond

die **Fahne, -n** flag

fahren* to travel, go, ride, fare, get, turn, leap; to drive, transport, run; **in den Grund —** to run down; **fahrlässig** careless, negligent **(die Fahrlässigkeit); die Fahrt, -en** trip, journey, course; **der Fahrweg, -e** carriage road, wagon path

der **Fall, ⁒e** fall; case; **fallen*** to fall, drop; to be spoken; to be, seem; **fallen auf** to think of; **falls** in case

falsch wrong, incorrect, false, off-key

die **Falte, -n** fold, wrinkle, furrow; **falten** to fold

der **Fang** catch; **fangen*** to catch, capture

die **Farbe, -n** color **(farblos); färben** to color; **der Färber, -** dyer; **die Färberei** dyer's shop; **farbig** colorful

das **Farnkraut, ⁒er** fern

das **Faß** cask, keg, barrel; **dem — den Boden ausschlagen (austreten)** to finish, be the end of, give the final blow to

fassen to seize, grasp, reach, take, take hold; to set; to get; **sich —** to control oneself; **ins Auge —** to fix one's eyes on; **die Fassung** control, composure; setting

fast almost

fatal´ annoying, confounded, miserable

faul lazy, slow; foul, rotten; worthless; **nicht (zu) —** quickly (enough); **der Faulen´zer, -** idler, lazy person; **die Faulheit** indolence, laziness

die **Faust, ¨e** fist, hand
fechten* to fight; to gesticulate

die **Feder, -n** pen; feather, plume
fegen to sweep
fehlen to be wrong, be missing, be lacking, fail, lack; **mir fehlt** I lack, miss, *etc.*; **der Fehler, -** mistake, error, shortcoming; **der Fehlschlag** failure; **fehl-schlagen*** to fail, go wrong

die **Feier, -n** celebration, festival, holiday; **der Feierabend, -e** resting (quitting) time, leisure, time off; **feierlich** solemn, dignified; festive **(die Feierlich-keit)**; **feiern** to celebrate; to take one's time, be idle; **der Feiertag, -e** holiday
feig(e) cowardly **(die Feigheit)**; **der Feigling** coward
feil (*as verb complement*) for sale
fein fine, refined, subtle, delicate **(die Feinheit)**; nice and . . .

der **Feind, -e** enemy; **feindlich** hostile, enemy; **die Feindschaft** enmity, hostility; **feindselig** hostile

das **Feld, -er** field; **der Feldhaupt-mann** field commander; **das Feldmessen** surveying; **der Feldmesser, -** surveyor

das **Fell, -e** skin, fur, pelt
der **Fels, -ens, -en** rock, stone, cliff, crag
die **Fenne, -n** marshland field, fen
das **Fenster, -** window; **der Fensterladen, -** *or* **¨** shutter
fern(e) distant, far, remote, afar, away (*also verb complement*); **die Ferne, -n** distance; **ferner** farther, further; **fern´her´** from afar; **das Fernrohr, -e** telescope

die **Ferse, -n** heel
fertig finished, done; ready; finish . . .-ing; **— werden** to take care of; to deal with; **fertig-bringen*** to finish, manage; **fertigen** to make, fashion
fesseln to tie up, fetter, chain; to fascinate
fest fast, firm, solid, tight (*also verb complement*); **(die Festigkeit)**

das **Fest, -e** festival, celebration, holiday; **festlich** festive; **(die Festlichkeit); der Festtag, -e** holiday, birthday, festive day

fest-bannen to hold fast, immobilize
das **Festland** solid ground, mainland
fest-stellen to determine, affirm, observe, decide, state **(die Feststellung)**
das **Fett** fat, grease; **fett** fat, thick
der **Fetzen, -** piece, fragment, scrap
feucht moist, wet **(die Feuchtig-keit)**
das **Feuer** fire, flame(s); (*compounding form*) fire, fiery; **feuerig** fiery, ardent
die **Fichte, -n** fir (tree)
das **Fieber, -** fever; **fiebern** to be in a fever
die **Figur´, -en** figure, shape
der **Filz, -e** felt (hat)
finden* to find; **sich —** to be, find oneself, find one's way, appear
fingern to finger; to play, motion, beckon
finster dark, somber, gloomy, morose; **die Finsternis** darkness
der **Firn, -e** glacial snow (last year's snow)
der **Fittich, -e** wing, pinion
fix quick, smart
flach flat, open; shallow, flat of (hand, sword); **die Fläche, -n** surface, expanse, plain
die **Flagge, -n** flag, colors
das **Flakon´, -e** (small) bottle
die **Flamme, -n** flame(s); **flammen** to burn
die **Flasche, -n** bottle
flattern to flutter
der **Flaum** fluff, down, fuzz
die **Flechse, -n** tendon
flechten* to weave, braid, plait
der **Fleck, -en** spot
flehen to plead, beg
das **Fleisch** flesh **(fleischlos)**; meat
der **Fleiß** industriousness; **fleißig** industrious, busy; hard, a lot
flicken to mend, repair, patch
fliegen* to fly; **die Fliege, -n** fly; **der Flug** flight; haste; **der Flügel, -** wing; **die Flügeltür, -en** French door
fliehen* to flee; **die Flucht** flight; **flüchtig** fleeting, momen-tary; hasty, quick; **flüchten** to flee
fließen* to flow; **der Fluß, ¨e** stream, river
flimmern to shimmer
flirren to flicker
die **Flocke, -n** flake
der **Fluch, ¨e** curse **(fluchen)**
die **Flucht, flüchtig, flüchten** *v.* **fliehen**

der **Flug, der Flügel, die Flügeltür,** *v.* **fliegen**
der **Flur, -en** hall, corridor, entryway
die **Flur, -en** field
der **Fluß** *v.* **fließen**
flüstern to whisper
die **Flut, -en** flood, tide; water(s)
die **Folge, -n** result, consequence; series; obedience; **folgen** to follow, succeed
fordern to demand, ask; to challenge **(die Forderung)**
fördern to encourage, advance **(die Förderung)**
die **Forel′le, -n** trout
formen to form, shape, create
förmlich actual; truly, really
forschen to investigate, inquire
der **Forst, ⁻e** forest **(der Förster)**
fort away, gone; forth; **in einem —** uninterruptedly; *(as verb complement)* away, on; **fortan′** from then on
fort-kommen* to go away; to leave; to get ahead, get along
fort-nehmen* to take away, *etc.*; to take, capture
fort-setzen to continue **(die Fortsetzung)**
fortwährend continually, constantly, keep . . .
der **Frack, -s** (dress-) coat
die **Frage, -n** question; **fragen** *(sometimes*)* to ask
der **Franzo′se, -n, -n** Frenchman; **franzö′sisch** French
die **Frau, -en** woman, lady, Mrs., wife; **das Frauentaschenbuch, ⁻er** (women's) almanac; **das Frauenzimmer, -** woman, female; **das Fräulein, -** young lady, young woman, girl, miss, Miss
frech fresh, impudent **(die Frechheit)**
frei free, open *(also verb complement)*; **— stehen** to be all right, permissible; **— lassen** to vent, give free rein to; **das Freie** open, outside, outdoors; **die Freiheit** freedom; **freilich** truly, to be sure, of course; **freiwillig** voluntary, spontaneous
fremd; fremdartig strange, alien, foreign; **fremdes Gut** others' property; **der Fremde, -n, -n** stranger, foreigner; **die Fremde** foreign land(s), parts; abroad; **der Fremdling, -e** stranger
fressen* to eat (like an animal); to consume
die **Freude, -n** joy, pleasure, delight; **freudig** happy, joyous, joyful;

freuen to please; *(reflexive or impersonal)* to be happy
der **Freund, -e** friend; **freundlich** friendly **(die Freundlichkeit)**; die **Freundschaft, -en** friendship; **freundschaftlich** friendly
der **Frevel, -** crime, sacrilege; **frevelig** criminal, sacrilegious; **freveln** to sin; **frevel(nd), freventlich** criminal, evil, wicked
der **Friede, -ns, -n** peace; **friedlich** peaceful
frieren* to freeze, be cold
der **Friese, -n, -n** Frisian; **friesisch** Frisian; **(das) Friesland** Frisia (N Frisia being the west coast of Schleswig-Holstein)
frisch fresh, lively, quick, swift, gay; **— zu** to get to work; **von frischem** anew
froh happy, glad; **fröhlich** happy, gay, merry **(die Fröhlichkeit)**
fromm good, upstanding, pious, devout; **die Frömmigkeit** devotion, piety; goodness
die **Front, -en** front; **— machen** to face
der **Frost** frost, freeze, cold; **frösteln** to shiver
die **Frucht, ⁻e** fruit **(fruchtlos, Fruchtlosigkeit)**; **fruchten** to avail
früh early, soon, (in the) morning; **früher** earlier, before, previous, former; **das Frühjahr, der Frühling** Spring; **frühmorgens** early in the morning; **das Frühstück** breakfast **(frühstücken)**; **frühzeitig** early
das **Fuder, -** cartload
fügen to add; **sich —** to submit; **die Fügung** disposition, dispensation
fühlen to feel
die **Fuhre, -n** cart(load)
führen to lead, guide, carry, direct, bring; to carry out (on), hold; **im Schilde —** to have in mind, be up to; **der Führer, -** leader, guide
das **Fuhrwerk, -e** cart, wagon, carriage
die **Fülle** fullness, abundance, quantity; **füllen** to fill
funkeln to sparkle, glisten, shine; **der Funke(n), -(n)s, -(n)** spark
für for
fürbaß *(as verb complement)* past, on
die **Furche, -n** furrow; rut
die **Furcht** fear; **furchtbar** fearful, frightening; **fürchten** to fear; **sich —** to be afraid; **fürchterlich** fearful, frightening; **furchtsam** timid

die **Furke, -n** (hay)fork
der **Fürst, -en, -en** prince
der **Fuß, ⸚e** foot; **auf großem —** on a grand scale; **die Fußbekleidung, -en** footwear; **der Fußboden, -** or ⸚ floor; **füßeln** to move one's feet; **die Fußstapfe, -n** footstep, footprint; **der Fußsteig, -e** footpath; **der Fußtritt, -e** footstep, kick
das **Futteral, -e** case
füttern to feed **(die Fütterung)**

G

die **Gabe, -n** gift
die **Gabel, -n** fork
gackern to cackle, gabble
gaffen to gape, stand idly around; **der Gaffer, -** idle onlooker
der **Galgen, -** gallows
der **Gang, ⸚e** walk, gait; corridor, hall; course; entry, trip; **im —** under way; **die Gangart** gait
die **Gans, ⸚e** goose; **der Gansbraten, -** roast goose
ganz whole, entire, complete, all (the way); quite, very; **— und gar** entirely, totally; **gänzlich** complete
gar very, quite, entirely; even; . . . at all
die **Garbe, -n** sheaf, cone
die **Gardi'ne, -n** curtain, canopy
gären* to ferment, brew, bubble, boil
die **Garnison', -en** garrison
garstig bad, ugly
die **Gasse, -n** lane, street
der **Gast, ⸚e** guest; **der Gastfreund, -e** host; **die Gastfreundschaft** hospitality; **das Gasthaus, ⸚er, der Gasthof, ⸚e** inn; **gastlich** hospitable **(die Gastlichkeit); die Gaststube, -n** main room (of inn); **der Gastwirt, -e** host, innkeeper
der **Gatte, -n, -n** husband, spouse
gaukeln to flutter, juggle; **der Gaukler, -** conjurer, magician
der **Gauner, -** thief, scoundrel
die **Gebärde, -n** gesture, motion; **sich gebärden** to act, behave
gebären* to bear, give birth to
das **Gebäude, -** building
das **Gebauer, -** cage
das **Gebein, -e** bones
das **Gebell** barking
geben* to give; to put; to make; to result in, produce; **es gibt** there is; **verloren —** to give up for lost

das **Gebet, -e** prayer
das **Gebiet, -e** region, area
gebieten* to command, order, ask; **der Gebieter, -** master; **gebieterisch** peremptory
das **Gebirge, -** mountain
geboren né(e), by maiden name; born
Gebot: zu Gebote stehen to be at one's disposal
gebrauchen to use **(der Gebrauch); gebräuchlich** customary, usual
das **Gebrüll** lowing
gebühren to be fitting, be suitable
die **Geburt, -en** birth
das **Gebüsch** bushes, thicket
das **Gedächtnis** memory
der **Gedanke, -ns, -n** thought **(gedankenvoll); gedankenlos** without a thought, absent (-minded)
das **Gedeck, -e** (table) setting, place
gedehnt extended, continuous
gedeihen* to thrive, prosper, advance, develop, work out well
gedenken* to intend, think; to mention
das **Gedicht, -e** poem
das **Gedränge** throng, crowd; **gedrängt** compact, tight
die **Geduld** patience; **geduldig** patient
geeignet suited, suitable
die **Geest** (dry)land, "Geest"
die **Gefahr, -en** danger **(gefahrlos); gefährden** to endanger; **gefährlich** dangerous **(die Gefährlichkeit)**
der **Gefährte, -n, -n** companion
gefallen* to please, like; **sich — lassen** to like, not mind, accept; **der Gefallen, -** favor; **gefällig** obliging, pleasant, pleasing; **die Gefälligkeit, -en** favor
gefangen captive; **der Gefangene, -n, -n** prisoner; **die Gefangenschaft** imprisonment; **das Gefängnis, -se** prison
das **Gefäß, -e** vessel, container
gefaßt calm
das **Gefecht, -e** battle, skirmish
geflügelt winged
das **Gefolge** retinue, retainers
der **Gefreite, -n, -n** private first class
das **Gefühl, -e** feeling, emotion; **gefühlvoll** sensitive, emotional
gegen against, toward; about; (as comp. form) counter-, opposing
die **Gegend, -en** region, area, territory, country, district; landscape
der **Gegensatz, ⸚e** contrast
gegenseitig mutual; each other

der	**Gegenstand, ⸚e** object, subject	
das	**Gegenteil** opposite, contrary	
	gegenüber opposite, across from, in face of (*also verb complement*)	
die	**Gegenwart** presence; **gegenwärtig** present	
der	**Gegner, -** opponent	
das	**Gehaben** behavior, attitude, manner	

gehässig ugly, repugnant, nasty **(die Gehässigkeit)**

geheim secret; **das Geheimnis, -se** secret, mystery; **geheimnisvoll** mysterious

gehen* to go, come; to walk; to get along, be, be all right; to happen; **vor sich —** to take place; to work; to open; **in sich —** to look into one's heart, examine one's conscience

geheuer: nicht — not quite right

das **Geheul** howl(ing)

das **Gehirn, -e** brain

das **Gehölz** wood(s)

gehorchen to obey; **der Gehorsam** obedience; **gehorsam** obedient

gehören to belong (to), be among, be a part of, be one of; **gehörig** appropriate, proper

der **Gehrock, ⸚e** frock coat

die **Geige, -n** violin, fiddle; **geigen** to fiddle, play (violin); **der Geiger, -** fiddler

der **Geist, -er** mind, spirit, ghost; **geisterhaft** ghostly; **geistes-, Geistes-** (*compounding form*) mental; **geistig** mental, spiritual; **geistlich** religious; **der Geistliche, -n, -n** cleric, priest, *etc.*; **geistreich, geistvoll** witty

das **Geklirr** clatter

das **Gekrach** crash

das **Gelächter** laughter

gelangen to get, reach, arrive

gelassen calm

das **Geläute** ringing (of bells)

gelb yellow; **gelblich** yellowish

das **Geld, -er** money

gelegen situated, located; **— sein** to be of importance

die **Gelegenheit, -en** opportunity, occasion

gelehrt learned, educated; **der Gelehrte, -n, -n** scholar

das **Geleise, -** rail

geleiten to accompany

das **Gelenk, -e** joint

der **Geliebte, -n, -n** beloved, lover, sweetheart, favorite

gelind gentle, mild

gelingen* to be successful, succeed

gellen to shrill, scream; **gellend** shrill, piercing

geloben to vow

gelt (= nicht wahr) right?

gelten* to pass for, be considered, be supposed to be, be (meant) for, be a matter of; to count; **geltend machen** to assert . . . power

das **Gemach, ⸚er** room

der **Gemahl, -e** husband; **die Gemahlin, -nen** wife

das **Gemäuer** walls, ruined walls

gemein common; **die Gemeinde, -n** community; **der Gemeine, -n, -n** private; **gemeinsam** (in) common, together; **gemeinschaftlich** together, joint, common

das **Gemüse** vegetable

das **Gemüt, -er** spirit; **zu — führen** to impress on one's mind

gen = gegen

genau exact, accurate, strict; **— nehmen** to take seriously

genesen* to recover **(die Genesung)**

Genf Geneva

das **Genie′, -s** genius

genieren (*impersonal or reflexive*) (to be) embarrass(ed)

genießen* to enjoy, have, partake of; **der Genuß, ⸚e** pleasure, enjoyment

der **Genosse, -n, -n** companion

genug enough, sufficient; **genügen** to satisfy, suffice; **die Genugtuung** satisfaction

der **Genuß** *v.* **genießen**

das **Geplauder** talk, chatter, gossip

das **Gepolter** racket

gerade straight, direct, even; just (then), precisely, right; **geradeso** precisely, just as; **geradezu** actually, really, precisely, straight

das **Gerät, -e** equipment, implement, utensils, gear, "things"; **die Gerätschaft** tool, utensil, "thing"

geraten* to get, fall into; **an . . . geraten** to acquire

geraten advisable

geraum ample, considerable; **geräumig** spacious **(die Geräumigkeit)**

das **Geräusch, -e** noise, sound **(geräuschvoll)**

gerecht just **(die Gerechtigkeit)**

das **Gerede** talk, rumor, gossip

gereuen to (cause to) regret, repent

das **Gericht, -e** court; **gerichtlich** legal; **der Gerichtshof, ⸚e** court

gering slight, small, light; **um ein Geringes** for a small sum; **geringfügig** slight, inconsequential

das **Gerippe, -** skeleton
gern(e) gladly, like to . . . , by custom, frequently
das **Geröll** loose rock
die **Gerte, -n** rod, switch
das **Gerücht, -e** rumor
das **Gerüst** framework, scaffold(ing)
der **Gesang, ⁓e** song, singing
das **Geschäft, -e** (piece of) business, job, occupation, thing to do; **geschäftig** busy
geschehen* to happen; **— um** to be finished; **wie geschah mir** imagine how I felt; **die Geschichte, -n** story; history, business, thing, state of affairs
gescheit clever, sensible, in possession of one's wits
das **Geschenk, -e** gift
die **Geschichte** v. geschehen
das **Geschick** fate; skill; **die Geschicklichkeit** skill, cleverness; **geschickt** clever, smart, adept
das **Geschirr** dish, dishes
das **Geschlecht, -er** race, family; sex; generation
der **Geschmack** taste
das **Geschmeide** jewelry, jewels
das **Geschmeiß** filth, vermin
das **Geschöpf, -e** creature
das **Geschrei** cry, outcry
das **Geschütz, -e** gun
das **Geschwätz** talk; **geschwätzig** talkative
geschwind quick, swift; **die Geschwindigkeit** speed, haste
der **Gesell(e), -(e)n, -(e)n** fellow, associate, apprentice; **die Gesellschaft, -en** company, society, (social) gathering, party; **der Gesellschafter, -** companion; **sich gesellen** to join
das **Gesetz, -e** law; **gesetzlich** legal
das **Gesicht, -er, (-e)** face; vision; **zu — stehen** to be becoming; **zu — bekommen** to catch sight of; **Gesichts-** (compounding form) facial
das **Gesimse** sill; cornice
das **Gesinde** household, servants; **das Gesindel** rabble, riff-raff
die **Gesinnung** mind, disposition
das **Gespann, -e** team
gespannt tense, expectant; **die Gespanntheit** tension
das **Gespenst, -er** ghost, (evil) spirit; **gespensterhaft, gespenstig, gespenstisch** ghostly
der **Gespiele, -n, -n** companion, (boy-)friend
das **Gespräch, -e** conversation, talk
das **Gestade, -** bank

die **Gestalt, -en** form, figure, shape; **gestalten** to (give) shape, fashion; **sich gestalten** to take shape
das **Geständnis, -se** confession; **gestehen*** to confess, admit
gestatten to permit
gestern yesterday; **gestrig** yesterday's, of yesterday
das **Gestirn, -e** star, constellation, heavenly body
das **Gesträuch, -e** bush, thicket
gestreift striped
gestrig v. gestern
gesund healthy, well; **gesunden** to recover **(die Gesundung); die Gesundheit** health
das **Getöse** din, uproar, noise
das **Getränk, -e** drink
sich **getrauen** to dare; to be sure of
das **Getreide, -** grain
getreu faithful, loyal
getrost confidently; just go ahead and . . .
das **Getümmel** crowd; uproar
der **Gevollmächtigte, -n, -n** member of the dike committee; supervisor, selectman
das **Gewächs** growth; vintage, produce
gewahr aware; **gewahren** to observe, perceive, see, become aware (of); **gewähren** to grant, offer; **gewähren lassen** to tolerate, let be
die **Gewalt, -en** force, power, might; **gewaltig** powerful, mighty; **gewaltsam** forcible, violent
das **Gewand, ⁓er** dress, (piece of) clothing, garb, garment
gewandt skillful, dextrous, clever **(die Gewandtheit)**
das **Gewehr, -e** gun, rifle
das **Gewerbe, -** trade
gewichst waxed; touched up
das **Gewicht, -e** weight, force
der **Gewinn** gain, profit; **gewinnen*** to gain, win, take on
das **Gewirr(e)** maze, tangle, confusion
gewiß certain, sure, of course; **gewissermaßen** to a certain degree, to some extent, in a way, so to speak: **die Gewißheit** certainty
das **Gewissen** conscience; **gewissenhaft** conscientious; **der Gewissensbiß, -e** remorse, pang of conscience
das **Gewitter, -** storm
gewogen: ich bin dir — I like you
(sich) **gewöhnen** to get used to; **die Gewohnheit, -en** habit, custom; **gewöhnlich** usual, customary, ordinary; **gewohnt, gewöhnt** used (to), accustomed (to), customary

das **Gewölbe, -** vault, arch, dome; shop, store; **gewölbt** arched, vaulted

das **Gewühl** crowd, turmoil, tumult

geziert affected, studied

der **Giebel, -** gable

die **Gier** rapacity, avidity; **gierig** eager, greedy, rapacious

das **Gift, -e** poison; **giftig** poisonous, malicious

der **giovanotto** (*Ital.*) youth, young fellow, boy

der **Gipfel, -** (mountain) peak

die **Gitar're, -n** guitar

das **Gitter, -** fence, grating; (*as compounding form*) iron *or* lattice; **das Gitterwerk, -e** iron railing

der **Glanz** brightness, glow(ing), gleam(ing), splendor; **glänzen** to shine, glisten, scintillate

Glaser Court apothecary; with Exili and Brinvilliers, Sainte Croix and his valet La Chaussée, center of criminal intrigue as elaborate as Hoffmann implies

glatt smooth; level; slippery

der **Glaube(n), -(n)s, -n** belief, faith; **glauben** to believe, think

gleich equal, same, similar; indifferent; like (*also compounding form*); immediately, just, right (away), even; **wenn . . . —, ob . . . —** even though; (*as verb complement*) even with, up to; **gleichen*** to resemble, (be) equal (to); **gleichfalls** likewise, similarly; **gleichgültig** indifferent **(die Gleichgültigkeit); gleich- kommen* = gleichen; gleich- mäßig** equal, even, uniform; **gleichmütig** calm; **gleichsam** so to speak, as it were; **gleichwohl** nevertheless, still; **gleichzeitig** at the same time, simultaneous

gleißen* to glisten

gleiten* to glide, slide, slip

das **Glied, -er** limb, member; generation; rank(s); **die Gliedmaßen** (*pl.*) limbs, arms and legs

glimme(r)n to glimmer; **glimmen*** to glow

glitzern to glisten

die **Glocke, -n** bell

glotzen to stare, gape

das **Glück** happiness, luck, (good) fortune; fortunate thing; **auf gut —** with no plan in mind; **zum —** fortunately; **glücklich** fortunate, happy; **glücklicherweise** fortunately; **glückselig** happy, blissful **(die Glückseligkeit); der Glücksfall, -̈e** fortunate circumstances

glühen to glow, shine, burn; **die Glut** glow(ing), fire, warmth, blaze

die **Gnade, -n** mercy, grace, favor; **Euer Gnaden** Your Grace; **gnädig** merciful; gracious (also form of address: **gnädige Frau,** *etc.*)

Godin de Sainte Croix *v.* **Glaser**

die **Goldammer, -n** gold finch; **der Goldarbeiter, -; der Gold- macher, -; der Goldschmied, -e** goldsmith; **der Goldfinger, -** ring finger; **der Goldschnitt** gilt, gilt edge

der **Gongschlag, -̈e** stroke of the gong

gönnen to give, grant, allow, permit; **nicht —** to refuse; **der Gönner, -** benefactor, patron

der **Gott, -̈er** god, God **(gottlos)**; Lord; **göttlich** divine; **gottlob** thank the Lord, thank goodness; **gottvergessen, gottverlassen** godforsaken

das **Grab, -̈er** grave; **der Graben, -̈** ditch, trench; **graben*** to dig; to burrow; to engrave; **die Grabstätte** burial ground, burial place; *v.* **Grube**

der **Grad, -e** degree

gradaus straight ahead; **grad(e) = gerade; grad machen** to straighten out

der **Graf, -en, -en** count **(die Gräfin)**

der **Gram** grief, sorrow; **sich grämen** to grieve, feel miserable; **grämlich** morose, sullen, ill-tempered

Gras- (*compounding form*) grass(y)-; **die Grasnarbe, -n** turf

gräßlich horrible, terrible, awful

der **Grat, -e** ridge

grau grey; **grauen** to dawn

grau(s)en to be afraid, be terrified; **das Grausen** terror, fear, horror; **grauenvoll** fearful; **grausam** cruel, terrible **(die Grausamkeit); grausig** awful, gruesome; **grauslich** awful, frightening

greifen* to reach, seize, grab; to aspire; **um sich —** to spread; **der Griff, -e** handle; grasp, touch, hold

der **Greis, -e** old man; **greis** grey, grizzled

grell shrill, loud, glaring, gaudy, bright **(die Grellheit)**

die **Grenze, -n** border, boundary, bound **(grenzenlos)**

das **Greuel, -** horror, terror; **greulich** terrible, awful

der **Greveplatz** Place de la Grève (square of public execution) der **Griff** *v.* **greifen**

die **Grille, -n** whim, fancy

der **Grimm** anger; **grimm, grimmig** angry, furious, grim

grob coarse, rough; **aus dem gröbsten** roughly, in the roughest outline

der **Groll** resentment, anger; rumble; **grollen** to be angry, be hostile; to rumble

der **Groschen, -** penny

groß large, big, great; tall; (*as compounding form*) large, grand, major; **im Großen** in bulk, on a large scale; **die Größe, -n** size, greatness, magnitude; stature; **der Großknecht, -e** headman, foreman

die **Grube, -n** trench, ditch, hole, pit, abyss

grübeln to brood, ponder

der **Grund, ¨e** ground(s); reason, basis, base **(die Grundlosigkeit)**; depth(s); bottom **(grundlos)**; valley; **in den —** down, to the bottom; **— und Boden** (own) property; **von — aus** from top to bottom; **der Grundsatz, ¨e** principle; **grundsätzlich** fundamental, legal; **der Grundstein, -e** foundation stone

grünlich greenish

der **Gruß, ¨e** greeting; **grüßen** to greet, welcome, say hello (to); **Gott grüß dich** my greetings to you

gucken to look, peek

der **Gulden, -** (old coin) florin, guilder

die **Gunst** favor; **günstig** favorable

das **Gut, ¨er** goods, property; **gut** good, kind, well disposed; advisable; **ich hatte gut** (+ *inf.*) it was in vain; **guter Dinge** cheerful; **in guter Hoffnung** expecting; **zu guter letzt** finally, to top it all; **ich hatte gut beteuern** it did no good to protest; **die Güte** kindness, goodness, quality; **gütig** kind(ly); **gutmütig** friendly, kindly **(die Gutmütigkeit)**

H

der **Haar, -e** hair; **die Haartracht** hair style, hairdo

haben* to have; **auf sich —** to be the story; **Eile —** to be in a hurry; **gern —** to like; **nötig —** to need; **Recht (Unrecht) —** to be right (wrong); **was hast du** what's wrong

der **Hacken, -** heel

hacken to chop, hack

das **Haf** (= **das Meer**) sea

der **Hafen, ¨** harbor

der **Hafer** oats

haften to fix, stick

der **Hagel** hail; sleet

hager gaunt, thin

der **Hahn, ¨e** rooster, cock

der **Haken, -** hook; snag

halb half, half way (up, *etc.*); **halblaut** subdued; **halbwegs** halfway; partial; **die Hälfte, -n** half

halber (*postposition*) because of

der **Halfter, -** halter; holster

hallen to echo, reverberate, peal, sound

die **Hallig, -en** (undiked) island

der **Hals, ¨e** neck, throat; saddle (between two peaks); **vom — schaffen** to get rid of; **das Halsband, ¨er** necklace; **die Halsbinde, -n** necktie; **der Halsschmuck** necklace; **das Halstuch, ¨er** neckerchief, scarf

halt just, simply

der **Halt** stop; **halten*** to hold, keep; to think, consider; to do; to treat; to stop, halt; **es halten mit** to stick to, be interested in; **sich halten** to hold back, contain oneself; **große Stücke halten** to think highly; **auf sich halten** to think well of oneself, be sensitive; **haltlos** unsteady, rootless; **halt-machen** to stop; **die Haltung** posture, bearing, attitude

hämisch malicious, spiteful

der **Hammer, -** hammer; **hämmern** to hammer, pound

die **Hand, ¨e** hand; **auf der — liegen** to be obvious; **auf eigene —** on one's own; **von der — gehen** to work, go easily; **von der — weisen** to reject; **zur — gehen** to help; **der Händedruck** clasp, squeeze of the hand, handshake; **das Handpferd, -e** riderless (led) horse, pack horse; **der Handschuh, -e** glove; **das Handwerk, -e** trade; **der Handwerker, -** workman, artisan

der **Handel** trade, business; **handeln** to act; **sich — um** to be a matter of; **das Handeln** action(s); **die Handlung, -en** act(ion)

hängen* to hang; to depend (on); to be attached (to); **sich — an** to attach oneself to; **— bleiben*** to stick, get caught

hantieren to work, manage; to
fuss, fiddle
harmlos innocent, harmless, simple
der **Harnisch** harness
harren to (a)wait
hart hard, harsh, severe; close;
die Härte hardness, harshness;
hartnäckig stubborn **(die
Hartnäckigkeit)**
haschen to catch; **der Häscher, -**
constable, police
der **Hase, -n, -n** rabbit
der **Haselnußstrauch, ̈-er** hazelbush
der **Haß** hate, hatred; **hassen** to hate;
häßlich ugly, hateful **(die
Häßlichkeit)**
die **Hast** haste, hurry, rush; **hastig**
quick, hasty, rapid **(die
Hastigkeit)**
hätscheln to fondle
die **Haube, -n** cap, hood
die **Haubitze, -n** howitzer
der **Hauch** breath; whisper; **hauchen**
to breathe; to whisper
hauen* to strike, hit, cut
häufen to pile (up); **der Haufen, -**
heap, pile; crowd, group; **häufig**
frequent, numerous
das **Haupt, ̈-er** head; (*as compounding
form*) main, chief, head; **das
Haupthaar, -e** hair; **der Hauptmann, -leute** captain; **das Haupt′-
quartier′, -e** headquarter(s);
die Hauptstadt, ̈-e capital
das **Haus, ̈-er** house, home; **hausen**
to house, live, dwell; **der Hausflur,
-en** hall, entry(way); **die
Haushaltung** housekeeping,
management of the household; **der
Hausherr, -n, -en** master (of the
house); **die Hausleute** servants;
häuslich domestic **(die Häuslichkeit); der Hausschuh, -e**
slipper; **der Hauswirt, -e** landlord
die **Haut, ̈-e** skin
heben* to lift, raise; to remove;
to improve
die **Hecke, -n** hedge
heften to fix, attach
heftig violent, wild, vigorous **(die
Heftigkeit)**
hegen to hold, keep, cherish, feel
die **Heide, -n** meadow, heath;
das Heidekraut, ̈-er heather
das **Heil** salvation; **heilig** sacred,
divine, holy, Lord; **der heilige
Abend** Christmas Eve; **die heilige
Jungfrau** the Virgin; **der
Heilige, -n, -n** saint; **heiligen**
to consecrate, bless, celebrate; **das
Heiligenbild, -er** saint's picture;
der Heiligenschein, -e halo

heim home **(heimwärts); die
Heimat** home(land), (native)
country, **(heimatlos);** (*as
compounding form* **Heimat(s)-)**
home; **heimatlich** native; **der
Heimweg** way home; **das
Heimweh** homesickness
heimlich secret; comfortable;
heimtückisch treacherous,
malicious
die **Heirat** marriage; **heiraten** to
marry
heiser hoarse, rasping
heiß hot, warm, ardent
heißen* to be called, be named; to
mean; to bid; to ask; **das heißt**
that is; **heißt es** people say, the
word is
heiter cheerful, merry, gay, happy,
bright **(die Heiterkeit)**
die **Helbart(e), -(e)n** halberd (old
sword)
der **Held, -en, -en** hero; **der
Heldenmut** heroism;
heldenmütig heroic
helfen* to help **(der Helfer);** *v.*
Hilfe
hell bright, light, clear, serene;
loud, ringing; **die Helle**
brightness
der **Heller, -** farthing
das **Hemd, -en** shirt
hemmen to obstruct, block,
frustrate **(die Hemmung)**
der **Henker, -** executioner, hangman;
weiß der — the devil knows
Henriette von England Henrietta,
daughter of King Charles I of
England and wife of Louis XIV's
brother, the Duke of Orleans
her ago; here (*often untranslated*);
(*as verb complement*) here, up,
from (there); along, (*often
untranslated*); **wo . . . —** from
where
herab′ (*as verb complement, etc.*)
down(ward), from above
heran′ (*as verb complement*) up,
near
heran′-ziehen* to draw up; to cite
herauf′ (*as verb complement, etc.*)
up, upward(s)
heraus′ (*as verb complement, etc.*)
out; **aus . . . —** out of
heraus′-fordern to challenge **(die
Herausforderung)**
heraus′-geben* to deliver
(sich) **heraus′-putzen** to dress up, adorn
sich **heraus′-stellen** to turn out,
develop; to reveal oneself
herbei′ (*as verb complement*) up,
over

der **Herbst, -e** autumn, fall; **herbstlich** autumnal; **die Herbstschau** fall inspection

der **Herd, -e** hearth; stove

die **Herde, -n** herd

herein' (*as verb complement, etc.*) in

herein'-brechen to break in, crash in; to set in, fall

her-fallen* über to fall upon

her-geben to give (up), produce, deliver

her-gehen* to go (along), be (that way), be the way it is

die **Herkunft** origin

sich **her-machen über** to fall upon

hernach' afterward(s)

hernie'der (*as verb complement*) down

der **Herr, -n, -en** gentleman, man, Mr., Sir, lord, Lord, master; **herrenlos** ownerless; **der Herrgott** Lord (God); **die Herrin, -nen** mistress; **herrlich** fine, splendid, grand, magnificent; **die Herrlichkeit** splendor, wonderful thing; **die Herrschaft, -en** master and/or mistress; lord and/or lady; authorities, government; power, dominion, rule; (*plural*) gentlemen, (high-class) people; **herrschaftlich** (*adjective*) of the lord and lady, of the authorities, government, royal, *etc.*; elegant; **herrschen** to prevail

her-stellen to establish, make, fix, repair, set up; to restore **(die Herstellung)**

herü'ber (*as verb complement*) over, across; **— und hinüber** over and back

herum' (*as verb complement, etc.*) around, **um . . . —** around

sich **herum'-schlagen*** to struggle, fight

sich **herum'-treiben*** to wander around, travel around

herun'ter (*as verb complement, etc.*) down

hervor' (*as verb complement*) out, forth

hervor'-gehen* to go out, proceed, originate

(sich) **hervor'-heben*** to stand out from, contrast with; to emphasize

hervor'-kommen* to come out; to appear

das **Herz, -ens, -en** heart **(herzlos);** **die Herzensangst** heartache, anguish; **der Herzensgrund** bottom of one's heart; **herzig** dear, sweet; **das Herzklopfen** heart-beat, pounding of one's heart; **herzlich** hearty, affectionate; extreme, great

der **Herzog, -e** duke

herzu' (*as verb complement*) up

das **Heu** hay; **das Heuschiff, -e** hay-barge

die **Heuchelei'** hypocrisy; **heucheln** to feign; **heuchlerisch** hypocritical

heulen to howl, yell, roar, cry, scream

heut(e) today; this (morning, *etc.*); **heutig** today's, present, this . . .

die **Hexe, -n** witch

hie (*in compounds, etc.*) = **hier;** **hie(r) und da (dort)** here and there; now and then

der **Hieb, -e** blow, stroke

hier here; *also with prepositions,* e.g. **hierbei'** herewith, with this; **hierauf'** hereupon; then; **hierher'** here, to here, now, *etc.* (*also verb complement*); **hierhin und dorthin** here and there

die **Hilfe** help, assistance **(hilflos);** **zu(r) —** to one's assistance; **zur — nehmen** to use; **hilfreich** helpful; **das Hilfsmittel, -** resource, recourse

der **Himmel, -** sky, heaven(s), Heaven; canopy; (*as compounding form*) heavenly, of the sky; **die Himmelsgegend, -en** directions (quarter) of the sky; **himmlisch** heavenly, divine

hin (over) there; gone (*often untranslated*); (*as verb complement*) up, up to, to, there, along (*often untranslated*); **wo . . . —** where . . . to; **vor sich —** ahead, on, to one self; **— und her** back and forth; **— und wi(e)der** now and again; **— und zurück** back and forth; **der Hin- und Herweg** the way there and back

hinab' (*as verb complement, etc.*) down (ward)

hinan' (*as verb complement*) up (to), upward

hinauf' (*as verb complement, etc.*) up

hinaus' (*as verb complement, etc.*) out; **aus . . . (zu . . .) —** out of; **über . . . —** beyond

hin-bringen* to spend; to bring to

hin-denken*: wo denken Sie hin? what are you thinking of (doing)?

hindern to hinder, prevent; **das Hindernis, -se** obstacle, hindrance

hindurch' through, throughout; (*as verb complement*) through; **durch . . . —** through; **zwischen . . . —** (from) between

hinein' (*as verb complement, etc.*) in; **in ... —** in(to); **wo ... —** into which

hin-fallen* to fall down; **hinfällig** infirm; void

die **Hingabe** sacrifice, dedication; **sich hin-geben*** to give oneself up (to), surrender; **hingebend** devoted; **die Hingebung** dedication

hinge'gen on the other hand

hin-gehen* to go (over to, along, *etc.*); to pass

hin-halten* to hold out to; to delay, put off

hinlänglich adequate, sufficient, considerable

hin-legen to lay, place; **sich —** to lie down

hin-reichen to suffice; **hinreichend** sufficient

hin-reißen* to carry away

die **Hinrichtung, -en** execution; **der Hinrichtungszug, ⁻e** procession to the gallows

hin-setzen to put (down); **sich —** to sit down

hin-sterben* to die off

hinten (in) behind, (in) back, to the rear; **hintennach'** after (them, *etc.*)

hinter behind, (in) back (of), beyond, after; (*as compounding form*) rear, hind-, back; **hinter-** rear, ... in the back; **hinterdrein'** after it (them, *etc.*); afterward; **der Hintergrund** background, back; **hinterlassen*** to leave (behind)

hinü'ber (*as verb complement, etc.*) over; **über ... —** over

hinun'ter (*as verb complement, etc.*) down

hinweg' (*as verb complement*) away, off

hin-weisen* to refer, point to

hinzu' (*as verb complement, etc.*) besides, in addition; over to ... , there; **hinzu'-fügen** to add; **hinzu'-setzen** to add

das **Hirn, -e** brain, mind, head

der **Hirt, -en, -en** shepherd; **das Hirtenhorn, ⁻er** shepherd's horn

die **Hitze** heat, fever; anger; **hitzig** heated, hot

hoch high; tall; noble; advanced; **— aufatmen** to draw a deep breath; to breathe deeply; (*as verb complement*) up, up high; **die Hochflut, -en** high tide; **hochgeachtet** (highly)

respected; **höchst** highly; **höchste Zeit** high time; **höchstens** at most, at best; **hochverehrt** (most) esteemed; **(das) Hochwasser** flood(ing); **die Hochzeit, -en** marriage, wedding; **der Hochzeiter** bridegroom; *v.* **Höhe**

hocken to sit, squat, perch

der **Hof, ⁻e** yard, court(yard); court; farm; **Haus und —** (*approx.*) house and home

hoffen to hope (for); **die Hoffnung, -en** hope (**hoffnungslos, die Hoffnungslosigkeit**)

höflich courteous (**die Höflichkeit**)

die **Hofstatt, ⁻e** farm; **die Hofstelle, -n** homestead, farm

die **Höhe, -n** height(s); highland, high point; **in die —** (*also verb complement*) up (high)

hohl hollow; **hohle Hand** cupped hand, hollow of hand; **die Höhle, -n** cave; **die Höhlung, -en** hollow, cavity

der **Hohn** mockery, scorn; **höhnen** to sneer; to mock; **höhnisch** scornful

hold sweet, gracious, charming

holen to get, fetch, bring, take, draw

holländisch Dutch

die **Hölle, -n** hell; **höllisch** hellish, fiendish

der **Holun'der** elder

das **Holz, ⁻er** wood(s), forest; log, piece of wood; (*as compounding form*) wood(en), forest; **hölzern** wooden

der **Honig** honey

hörbar audible; **horchen** to listen; **hören** to hear, listen

das **Horn, ⁻er** horn; peak

hübsch pretty, nice, handsome

das **Hudelvölkchen** riff-raff

der **Huf, -e** hoof

die **Hüfte, -n** hip

der **Hügel, -** hill

das **Huhn, ⁻er** chicken

die **Huld** favor; **huldvoll** gracious

die **Hülfe = Hilfe**

die **Hülle, -n** covering; **— und Fülle** plenty, enough of everything; **hüllen** to cover, envelop

der **Hund, -e** dog; **die Hündin, -nen** bitch

hungern (= **Hunger haben**) to be hungry, starve

hüpfen to hop, jump, leap, skip

hurtig quick, swift

huschen to hustle, scurry

husten to cough

der **Hut, ⁻e** hat, cap

hüten to guard, keep; to stay (there);
sich — to avoid, guard against,
watch out, take care not to
die **Hütte, -n** hut, cottage
die **Hutweide, -n** pasture (field)

I

ich I
der **Igel, -** hedgehog
das **ihrige** hers; her best; theirs; their
best
der **Imbiß, -e** (light) meal, snack
immer always, ever, all the time;
keep . . .; (*with comparative*) more
and more . . .; **— noch** still;
immerfort' always, constantly,
all the time; **immerhin'** still, in
any case; **immerwährend**
constant, continual; **immerzu'**
continually; keep . . .
imstan'de able, in a position,
capable
in in, *etc.*
die **Inbrunst** fervor; **inbrünstig**
fervent
indem' as, while; (by) . . .-ing;
meanwhile
indes', indes'sen however;
meanwhile; while
ineinan'der = in + einander;
(*as verb complement*) together
infol'ge because of, as a result of
inglei'chen further(more)
der **Inhalt** content(s)
inländisch local, national
inmit'telst meanwhile; **inmit'ten**
in the midst
inne-halten* to stop
innen inside, within; **inner-**
inner, inside; **das Innere**
interior; inner being; **innerst-**
innermost; **innerhalb** within;
innerlich inward, inner; on the
inside
innig intimate, cordial; fervent,
deep; **die Innigkeit** intimacy;
fervor
insbeson'dere in particular
die **Insel, -n** island
insgeheim' secretly
inson'ders particularly
der **Interessent', -en, -en** interested
party
der **Invali'de, -n, -n** disabled soldier,
invalid
inzwi'schen (in the) meanwhile
irdisch earthly
irgend any, at all; **— etwas**
something, anything; **irgendein**
any, some (. . . or other);
irgend einmal some time;

irgendwelch- some; **irgendwo**
somewhere, anywhere;
irgendwoher' from
somewhere
(sich) **irren** to be mistaken, err; to
confuse; to get lost, wander; **der
Irrtum, ¨er** error, mistake;
wrong

J

ja yes; indeed, to be sure, after all;
intensifier, often untranslated
die **Jacke, -n,** jacket
die **Jagd, -en** hunt(ing); **jagen** to
hunt, chase, drive, hurry, rush;
der Jäger, - hunter, huntsman
jäh (jählings) sudden, quick
das **Jahr, -e** year; **— und Tag** a long
time, a year and a day, many years;
jahrelang for years, years long;
die Jahr(e)szeit, -en season;
das Jahrhun'dert, -e century;
-jährig (*suffix*) -year(-old);
jährlich yearly; **das Jahrzehnt',
-e** decade
der **Jähzorn** (sudden) anger, irascibility
die **Jalousie', -n** shutters
der **Jammer** distress, misery, despair;
jämmerlich wretched, miserable;
jammern to wail, complain,
weep; to make miserable;
jammervoll miserable, wretched,
pitiable
jauchzen to shout, cheer; to rejoice;
das Jauchzen shout (of joy);
jauchzend loudly, triumphantly,
with abandon
je ever; each; at a time; (*with
comparative*) the . . . (the . . .);
— nach(dem) according to
(whether), depending
jedenfalls in any case, anyway;
jeder each, every, any;
jedermann everyone, anyone;
jederzeit at any time; **jedesmal**
everytime
jedoch' however
jeher: von — from the beginning,
always
jemals ever
jemand anyone, someone
jener that (one); the former;
jenseitig opposite; **jenseits** on
the other side (of), beyond
jetzig present; **jetzt** now
jeweilig, jeweils for the time
being
johlen to yell, bawl
jubilieren to celebrate, rejoice,
shout, exult
jucken to itch, have an itch

die **Jugend** youth; (*as compounding form*) youthful, of one's youth; **jugendlich** youthful; **jung** young; **junges Blut** young thing; **der Junge, -n, -n** boy, youngster, youth; **ein halber Junge** a mere boy; **die Jungfer** Miss, young lady; **die Jungfrau** Virgin; maiden; **das Jungholz** sapwood, thicket; **der Jüngling, -e** youth, young man

just just, exactly, precisely

K

die **Kachel, -n** tile
die **Kadenz', -en** cadence, cadenza
der **Käfig, -e** cage
kahl bald, bare, barren
der **Kahn, ⸚e** boat
der **Kaiser, -** emperor; **kaiserlich** imperial
das **Kalb, ⸚er** calf; dolt
kalt cold; **die Kälte** cold (weather)
der **Kamin', -e** hearth, fireplace
das **Kamisol'** jacket, blouse, camisole
der **Kamm, ⸚e** comb
die **Kammer, -n** room; bedroom; storeroom; **der Kammerdiener, -** valet; **die Kammerfrau, -en** lady in waiting; **die Kammerjungfer, -n; das Kammermädchen, -** maid (in waiting), lady's maid
der **Kampf, ⸚e** battle, struggle; **kämpfen** to fight, struggle
der **Kana'rienvogel, ⸚** canary
die **Kanne, -n** pitcher, jug
die **Kanzel, -n** pulpit
die **Kanzlei', -en** office, town office
die **Kapel'le, -n** chapel
das **Kapi'tel, -** chapter
der **Kaplan', -e** chaplain
die **Kappe, -n** cap, hood
die **Kaprio'le, -n** caper (**kaprio'len**)
der **Kaputrock, ⸚e** (hooded) cape
der **Karren, -** wagon(load), wheelbarrow (load); **karren** to cart
die **Karrio'le, -n** carriage
die **Karte, -n** map; card
die **Kartof'fel, -n** potato
die **Kasse** treasury; cash
der **Kasta'nienbaum, ⸚e** chestnut tree
das **Kästchen, -** (little) casket, jewel-box; **der Kasten, -** *or* ⸚ box; cupboard; wardrobe
die **Kate, -n** hut, cottage
der **Kater, -** tom-cat; **die Katze, -n** cat
kauen to chew, ruminate; **der Kau'ta'bak** chewing tobacco
kauern to crouch

kaufen to buy; **der Käufer, -** purchaser
kaum hardly, barely, scarcely, just (now)
keck bold, impertinent (**die Keckheit**)
die **Kehle, -n** throat
kehren to turn, return, come, go; **sich — an** to pay attention to
der **Keim, -e** seed, germ; **keimend** growing, budding
kein no, not a, not any; **keiner** none; **keinerlei** no (kind of); **keineswegs** by no means, not at all
der **Keller** cellar
der **Kellner, -** waiter; **der Kellnerbursche, -n, -n** waiter, bar-boy
kennen* to know, be familiar with, recognize (**kennbar**); **kennenlernen** to meet, learn to know, get acquainted with; **der Kenner, -** connoisseur; **die Kenntnis, -se** knowledge; **in Kenntnis setzen** to inform
der **Kerl, -e** *or* **-s** fellow; **ein ganzer —** a real fellow
die **Kerze, -n** candle; **kerzengerade** bolt upright, straight as an arrow
die **Kette, -n** chain
keuchen to pant, puff; **der Keuchhusten** whooping-cough
die **Keule, -n** club
kichern to giggle
die **Kiefer, -n** pine
der **Kies** gravel; **der Kiesel, -** pebble
das **Kind, -er** child; **Kinder-** (*compounding form*) child's, children's; **der Kinderwagen, -** (*dimin.* **das Kinderwägelchen**) perambulator, baby carriage; **die Kinderzeit** childhood; **Kindes-** (*compounding form*) child's; **von Kindesbeinen an** from childhood; **die Kindheit** childhood; **kindisch** childish; **kindlich** child-like
das **Kinn, -e** chin
kippen to toss down
das **Kirchdorf, ⸚er** parish town; **die Kirche, -n** church (*compounding form* **Kirch-** *or* **Kirchen-**); **der Kirchgang** churchgoing; **das Kirchspiel, -e** parish; **die Kirchweih** parish fair, country fair; church dedication
das **Kissen, -** pillow, cushion
die **Kiste, -n** box, chest
der **Kittel, -** overalls, smock, coat
die **Klafter, -n** fathom
die **Klage, -n** complaint, lament; **klagen** to complain, lament, weep; to tell one's troubles; **kläglich** lamentable, sad, miserable

die **Klammer, -n** clasp, bracket, pin; **(sich) klammern** to grasp, clutch, attach, cling

der **Klang, ⁻e** sound, ringing, note

klappen to click

klappern to rattle

klar clear (**die Klarheit**); — **stellen, klären** to clear up, clarify (**die Klarstellung**)

klatschen to clap, slap, splash, crack, hit; **Beifall —** to applaud

die **Klatschrose, -n** poppy

klauben to pick, pack

die **Klaue, -n** claw

kleben to stick, adhere, be attached, cling

der **Klee** clover

der **Klei** clay, loam

das **Kleid, -er** dress; (*pl.*) clothing, clothes; **kleiden** to clothe, dress; become; **der Kleiderständer, -** clothes-rack; **die Kleidung** clothing, dress; **das Kleidungs- stück, -e** piece of clothing

die **Kleie** bran, husks (stuffing)

die **Kleierde** loam

klein little, small, short; **der Kleine** little one, little fellow; **die Kleinigkeit, -en** small matter, little thing, detail; **der Kleinknecht, -e** farm-hand, hand, (stable-)boy

das **Kleinod, -ien** treasure

klettern to climb

klimpern to strum

die **Klinge, -n** sword; **flache —** flat of a sword

klingen* to sound, ring, resound

klirren to clatter, rattle, tinkle

klopfen to beat, strike, knock, pound, tap

das **Kloster, ⁻** cloister, monastery; **die Klosterfrau, -en** nun; **der Klosterherr, -n, -en** monk

die **Kluft, ⁻e** gap, cleft

klug smart, wise, clever (**die Klugheit**)

der **Knabe, -n, -n** boy; **die Knabenzeit** boyhood

knacken to crack, creak

knallen to crack (a whip)

knapp tight, close; meager, bare, scanty

knarren to creak, squeak

der **Knecht, -e** servant, (farm)hand, boy

die **Kneipe, -n** tavern, bar

kneten to knead, twist

der **Knicks** curtsy

das **Knie, -** knee; **in (auf) die —** to one's knees; **knien** to kneel

knirschen to crunch, gnash (one's teeth)

knistern to crackle

der **Knochen, -** bone; **knöchern, knochig** bony

der **Knollfink, -e** boor(ish fellow)

der **Knopf, ⁻e** button; **knüpfen** to connect, attach, tie

der **Koch, ⁻e** cook; **kochen** to cook; to boil

der **Kohl** cabbage

die **Kohle, -n** coal

die **Kolonie', -n** colony, settlement

die **Komik** comedy, comic quality; **komisch** funny, comical

kommen* to come, go, get; to come about, happen; — **um** to lose; **zu sich —** to come to, regain consciousness

der **Kommissar', ⁻e** commissioner

das **Kompliment', -e** greetings; bow; compliment

konfus' confusing, puzzling

der **König, -e** king; **das Königreich, -e** kingdom

können* can, to be able

der **Konven'tikel, -** conventicle (secret religious assembly); **das Konventikelwesen** conventicle activity

die **Konzession', -en** permission, license

der **Koog, -e** polder, reclaimed land, diked land

der **Kopf, ⁻e** head; mind; **wo mir der — steht** whether I'm coming or going; **nicht in den — wollen** not make sense; **-köpfig** -headed; **der Kopfkissen, -** pillow; **das Kopfnicken** nod (of the head); **kopfnickend** nodding one's head; **das Kopfschütteln** shaking of the head; **kopfschüttelnd** head shaking

sich **kopulie'ren lassen** to get married

der **Korb, ⁻e** basket

das **Korn, ⁻er** grain; corn; **aufs — nehmen** to take aim at, put under fire

der **Körper, -** body; substance; mass; **körperlich** bodily, physical; **die Körperlichkeit** corporeality; physical make-up

korrigieren to correct

kostbar precious, valuable (**die Kostbarkeit**); **kosten** to cost; to taste; **die Kosten** (*pl.*) expense(s), cost; **köstlich** costly, expensive; delightful

krachen to crack, crash

die **Kraft, ⁻e** strength, power, force (**kraftlos**); **nach Kräften** with all one's might; **kräftig** powerful, vigorous, strong, substantial

der **Kragen, -** collar
die **Krähe, -n** crow; **krähen** to crow
die **Kralle, -n** claw
der **Krämer, -** shopkeeper, grocer
der **Krampf, ⁀e** cramp, spasm;
　　krampfen to clench; **krampfhaft**
　　convulsive, spasmodic
　　krank sick, ill; **der Kranke, -n,**
　　-n sick man, patient; **kränken**
　　to hurt, injure, insult, vex;
　　krankhaft morbid; **die Krank-**
　　heit, -en sickness, illness, disease;
　　kränklich sickly; **die Kränkung,**
　　-en insult, offense
der **Kranz, ⁀e** wreath, garland
　　kratzen to scratch, scrape
　　kraus curly; ruffled; **(sich)**
　　kräuseln to curl, become ruffled,
　　become wavy; **das Kraushaar**
　　(Kräuselhaar), -e curly hair
das **Kraut, ⁀er** plant; weed; herb;
　　cabbage
die **Kreide** chalk; **kreidig** chalky,
　　chalk-white
der **Kreis, -e** circle **(kreisen)**
　　kreischen* to shriek; **kreischend**
　　screaming, shrieking, piercing, shrill
der **Kretler, -** spokesman (for a team)
das **Kreuz, -e** cross **(kreuzen); übers**
　　— criss-cross; **ans — schlagen**
　　to crucify
　　kriechen* to creep, crawl
der **Krieg, -e** war; (*compounding form*)
　　Kriegs- war, military; **kriegerisch**
　　warlike, martial, militant
　　kriegen to get, have a chance to
　　kritisch critical, crucial
die **Krone, -n** crown; (tree-)top;
　　krönen to crown; **der**
　　Kronleuchter, - chandelier
die **Krücke, -n** crutch; crook; **der**
　　Krück(en)stock, ⁀e cane
der **Krug, ⁀e** inn, tavern
　　krumm crooked; **(sich) krümmen**
　　to bend (down) (over), cringe; **die**
　　Krümmung, -en bend, curve
der **Krüppel, -** cripple **(krüppelhaft)**
die **Küche, -n** kitchen; cuisine; **der**
　　Kuchen, - cake
die **Kugel, -n** ball; cannon-ball, bullet;
　　kugeln to roll
die **Kuh, ⁀e** cow
　　kühl cool; **die Kühle** cool(ness);
　　kühlen to cool **(die Kühlung)**
die **Kuhmagd, ⁀e** dairy maid
　　kühn bold, fearless **(die Kühnheit)**
der **Kummer** worry, anxiety; **— haben**
　　to be unhappy, be worried;
　　kümmerlich poor, in poor shape,
　　scanty; **kümmern** to bother,
　　worry; **sich kümmern** to care
　　(for), worry, be concerned with

　　kund: kund geben* to reveal;
　　— werden, sich — tun to
　　become known, reveal itself; **die**
　　Kunde, -n news, word; tale;
　　kündigen to announce, proclaim;
　　to quit, give notice, cancel
die **Kundschaft, -en** clientele
　　künftig (in) future
die **Kunst, ⁀e** art; skill; trick; **der**
　　Künstler, - artist; **künstlich**
　　artful; artistic; **das Kunststück, -e**
　　trick, ruse; clever device; **kunstvoll**
　　artistic
die **Kuppe, -n** hilltop, knob; **die**
　　Kuppel, -n dome
der **Küraß', -e** cuirass; **der**
　　Kürassier', -e cuirassier (from
　　steel or leather breastplate armor
　　= cuirass)
　　kurfürstlich electoral, princely
　　kurios' strange, curious
　　kurz short, brief, quick; in short;
　　in kurzem shortly, soon; **nach**
　　kurzem after a short time;
　　kurzum' in brief; **Kurzwaren**
　　dry goods
der **Kuß, ⁀e** kiss **(küssen)**
die **Küste, -n** coast, shore
die **Kutsche. -n** coach, carriage; **der**
　　Kutscher, - coachman

L

La Chaussee *v.* **Glaser**
La Regnie head of Paris police in
　　Louis XIV's France
La Vallière one of Louis XIV's
　　noble mistresses
La Voisin with le Sage and le
　　Vigoureux, real figures of 17th
　　century, traders in poison and black
　　magic
lächeln to smile
lachen to laugh; **das Lachen**
　　laugh(ter); **lächerlich** laughable,
　　ridiculous
laden* to invite; to load, pile
der **Laden, ⁀** *or* **-** shutter; store, shop
die **Lage, -n** situation, position
das **Lager, -** bed; **das Lagerfeuer, -**
　　campfire; **(sich) lagern** to lie, lie
　　down, take position, encamp, be
　　located; to stack
　　lähmen to paralyze
die **Lahnung, -en** hedgerow
　　lamentieren to wail, lament,
　　mourn
das **Lamm, ⁀er** lamb
die **Lampe, -n** lamp, light
das **Land, ⁀er** land, country; **ins —**
　　gehen to disappear; to pass by;

die **Länderei'**, **-en** plot (of
land); **landesüblich** locally
accepted; **das Landhaus,** **˙er**
country house, villa; **die Landkarte,**
-n map; **landläufig** customary,
local; **die Landleute** country
people, farmers; **ländlich** rural;
national; **der Landmann,** **˙er**
farmer, villager; **die Landschaft,**
-en landscape; **der Landsmann,**
-leute (fellow) countryman;
fellow; **landsmännisch, lands-**
mannschaftlich fraternal, as a
fellow countryman; **die**
Landstraße, -n highway, main
road; **der Landstreicher, -**
vagrant, tramp; **die Landwirt-**
schaft farm(ing)

lang long; tall; for a long time;
... **lang** for ..., ... through;
längere Zeit for quite a time;
(schon) lange (for) a long time;
auf lange for a long while (to
come); **die Länge, -n** length;
der Länge nach lengthwise; full
length; **in die Länge ziehen** to
extend, be protracted; **aus (vor)**
Langerweile from boredom;
langgestreckt elongated;
langhin over a long period; **die**
Langmut patience; **längs** along;
langsam slow; **längst** for a long
time, long ago, long since; **langwei-**
len to bore; **langweilig** boring
langen to reach, pull; to be enough

der **Lärm** noise, turmoil, racket;
lärmen to shout, make loud
noises, make a racket; **das Lärmen**
noise-making; **lärmend** noisy,
loud

die **Larve, -n** mask
lassen* to leave; to let; to have;
to stop; to keep from, fail to do; to
let ... be; **— von** to leave; **auf**
sich warten — to make people
wait, take one's time; **läßt sich**
can be
lässig lazy, idle, careless, **(die**
Lässigkeit)

die **Last, -en** burden, load; **zur —**
fallen to be one's burden
(responsibility), be burdensome;
lasten to weigh

das **Laster, -** vice

das **Latein'** Latin; **latein'isch** (in)
Latin

die **Later'ne, -n** lantern, lamp
lau mild

das **Laub** foliage, leaves **(laublos)**; **der**
Laubwald, **˙er** (deciduous) forest

die **Laube, -n** garden-house, arbor,
bower

lauern to lurk; to lie in wait for

der **Lauf,** **˙e** course, way; barrel;
laufen* to run; to walk

die **Laune, -n** mood, fancy; **üble —**
ill humor
lauschen to listen (to); to eavesdrop
laut loud, aloud; **— werden** to
be heard, get around; **der Laut, -e**
sound; **läuten** to ring; **lautlos**
without a sound, silent **(die**
Lautlosigkeit)
lauter nothing but; pure and simple
le Sage, le Vigoureux v. **la Voisin**
leben to live; **das Leben** life;
leben'dig living, alive, lively **(die**
Leben'digkeit); **Lebens-**
(compounding form) ... of life, ...
of living; **die Lebensart** way of
life; good breeding; **die Lebens-**
form way of life; **das Lebens-**
mittel, - food supplies; **der**
Lebensweg life's path; **lebhaft**
lively, vivid **(die Lebhaftigkeit)**;
lebig living; livable; **leblos**
lifeless

der **Leckerbissen, -** good things (to
eat), goodies

das **Leder** leather
ledig free; open
lediglich mere
leer empty **(die Leerheit)**; **ins**
Leere into the void; **die Leere**
emptiness; **leeren** to empty, clear
legen to lay, put, place, set; **sich**
— to lie down; to abate
lehnen to lean; **der Lehnsessel,**
-; **der Lehnstuhl,** **˙e** arm-chair

die **Lehre, -n** teaching, lesson, piece
of advice, doctrine; apprenticeship;
lehren to teach **(der Lehrer)**

der **Leib, -er** body; **das Herz ... im**
Leibe one's heart within one;
aus Leibeskräften with all one's
strength (might); **der Leibes-**
schaden, - physical defect;
leiblich physical; of one's own
body; **die Leibschmerzen** (pl.)
stomach-ache (-pains)

die **Leiche, -n** corpse, body; funeral;
das Leichenmahl, -e funeral
repast; **der Leichnam, -e**
corpse, body
leicht easy, light, slight **(die**
Leichtigkeit); **der Leichtsinn**
frivolity; **leichtsinnig** frivolous,
irresponsible

das **Leid** suffering, sorrow, pain; **leid**
tun to be sorry, be (make) sad;
leiden* to suffer **(das Leiden)**;
to endure, stand (for); **leiden**
mögen to like; **leidend**
suffering; passive; **die Leiden-**

schaft, -en passion; **leiden-schaftlich** passionate (**die Leidenschaftlichkeit**); **leider** unfortunately; **leidlich** fairly, tolerably, after a fashion; **ein leids tun** to hurt, do harm
leihen* to lend, borrow
leinen linen; **die Leinwand** linen
leis(e) soft, gentle, quiet, slight, light
leisten to do, accomplish, carry out; **Folge (Gehorsam) —** to obey; **die Leistung, -en** accomplishment, performance; obligation
leiten to lead, guide, supervise (**der Leiter**); **die Leitung** management; supervision
lenken to lead, control, direct, head
die **Lerche, -n** lark
lernen to learn, study
lesen* to read; to gather
letzt last; **zu guter Letzt** at the last moment, on top of everything; **letzter-** latter
die **Leuchte, -n** lantern, light; **leuchten** to glow, shine, gleam, shine a light; **der Leuchter, -** candlestick, candle-holder; **die Leuchtkugel, -n** flare
leugnen to deny
die **Leutchen** little folks, youngsters, young people; **die Leute** people, persons, folk
der **Leutnant, -s** lieutenant
das **Licht, -er** light; **licht** bright, light; **der Lichtschein, -e** glow, gleam, light
das **Lid, -er** (eye)lid
lieb welcome; kind; dear, beloved; **— haben** to like, love; **das Liebchen, -** sweetheart; **lieben** to love (**die Liebe, liebevoll**); **der Liebende, -n, -n** lover; **liebenswürdig** charming, amiable; **die Liebenswürdigkeit** kindness; **lieber** preferable; rather; **lieber haben** to prefer; **Liebes-** (*compounding form*) love, of love; **der Liebeshandel, -** love affair; **lieb-gewinnen*** to come to love, get to like; **lieb-haben*** to love; **der Liebhaber, -** lover, sweetheart; **liebkosen** to caress, embrace, pat; **liebkosend** tenderly, affectionately; **die Liebkosung, -en** caress, embrace, sign of affection; **lieblich** lovely, charming, sweet; **der Liebling, -e** sweetheart, darling; **die Liebschaft, -en** love affair; **liebst-** dearest;

favorite; **die (der) Liebste** sweetheart; **am liebsten** like ... most of all, like best ...
das **Lied, -er** song
liederlich slovenly, careless
liefern to deliver, provide
liegen* to lie, lie down, be (situated); **— an** to be important; to be due to; **— in** to be connected with; to be in the process of; **auf der Hand —** to be obvious; **liegen-bleiben*** to remain (lying), lie, be dropped
der **Likör', -e** liqueur; drink
die **Lilie, -n** lily
die **Linde, -n** linden(-tree)
lind (e) gentle, soft; **lindern** to relieve (**die Linderung**)
link left; **die Linke** left hand; **links** (to the) (on the) left
lispeln to whisper
die **List, -en** cunning; **listig** clever, sly
das **Lob** praise (**loben**)
das **Loch, ⸚er** hole
die **Locke, -n** lock (of hair), curly hair, curls
locken to lure, entice (**die Lockung**)
sich **lockern** to dissolve, break up, break down
der **Löffel, -** spoon
der **Lohn** reward; pay; **sich lohnen** to pay, be worthwhile
der **Lorbeer** laurel
die **Lore, -n** (freight-)car
das **Los, -e** lot, chance
los (*as verb complement, etc.*) loose, untied; away, off; rid of; **auf ... —** toward, at, over to, after; **lose** loose; frivolous, dissolute; **lösen** to loosen, undo, untie, let go, release; **(sich) lösen** to dissolve, free (detach) oneself; **los-gehen*** to go after; **los-lassen*** to let go; **los-machen** to free, release; **sich los-sagen** to declare oneself free, renounce
löschen to extinguish, quench
der **Louis** louis (d'or) (old French coin)
Louvois War Minister and adviser to Louis XIV
der **Louvre** Louvre (famous Paris building; **das Louvre** the museum therein)
der **Löwe, -n, -n** lion
die **Lücke, -n** gap, opening
Ludwig Louis XIV (1638–1715), "The Sun King," ruler of France for 72 years, model of the absolute monarch, builder of French economy, persecutor of the Huguenots, patron of literature

die **Luft, ⸚e** air; breath; breeze; **(sich) — machen** to vent itself, give vent to, bring relief to, get air to breathe; **(sich) lüften** to air; to take the air; to lift; to remove

die **Lüge, -n** lie, lying; **lügen*** to lie; **der Lügner, -** liar

die **Luke, -n** storm-shutter; dormer

der **Lümmel, -** bum, lout

der **Lump, -en, -en** rascal; **der Lumpen, -** rag(s); **der Lumpenhund, -e** dog, rascal; **lumpig** ragged

die **Lunge, -n** lung

die **Lust, ⸚e** pleasure, joy, desire; **— haben** to want to; **die Lustbarkeit, -en** festivity, pleasure(s), amusement; **das Lusthaus, ⸚er** garden house; **lustig** cheerful, merry, gay, happy **(die Lustigkeit); sich über ... lustig machen** to make fun of ...

M

machen to make, do, cause; to go; to play; to see to it; **sich dran —** to try, go at it; **sich —** to make one's way, come, go; **das macht** the reason is; **es macht nichts** it makes no difference

die **Macht, ⸚e** force, power **(die Machtlosigkeit); mächtig** capable of; mighty, powerful, massive

das **Mädchen, -** girl; maid(en); **die Magd, ⸚e** maid

der **Magen, -** stomach

mager skinny, thin, gaunt

das **Mahl, -e** meal, dinner; **die Mahlzeit, -en** meal, repast

die **Mähne, -n** mane

mahnen to warn, admonish, give the word for; **die Mahnung, -en** admonishment

(das) **Mailand** Milan; **Mailänder** Milanese

Maintenon Marquise de Maintenon, wife of a poet, governess to the children of Louis (and another mistress), then his mistress, finally by secret marriage his wife

der **Mais** corn

mal just, now

das **Mal, -e** time; **mit einem —** suddenly; **alle Male** every time, always; **-mal** ... time(s)

malen to paint **(der Maler); sich —** to be delineated, reveal itself; **malerisch** picturesque; artist's

die **Mamsell', -en** mademoiselle

man one, we, you, they, people; *with verb, often equivalent to passive*

manch- many a; (*pl.*) some, many; **mancherlei** of various kinds; various things; **manchmal** occasionally, sometimes

die **Mandel, -n** almond; **der Mandelkern, -e** almond nut (kernel)

der **Mangel, ⸚** lack, want, need, shortcoming; **mangeln** to lack; **mangels** for lack of

der **Mann, ⸚er** (*or*, in crews, troops, *etc.* **Mann**) man; husband; **an den — bringen** to sell, get rid of; (*compounding forms*) **Mannes**man's, of a man; **Männer**men's, of men; **männlich** masculine, manly **(die Männlichkeit)**

der **Mantel, ⸚** coat, cape, cloak

das **Märchen, -** tale, story, fairy-tale

die **Marechaußee'** (mounted) police

der **Mari'neoffizier', -e** navy officer

das **Mark** marrow; **durch — und Bein** to the bone, through and through

märkisch of the Mark (Brandenburg)

der **Markt, ⸚e** market (place); **der Marktflecken, -** market town

der **Marsch, ⸚e** march, line of march

die **Marsch, -en** marsh, lowland

Marseille Marseilles, French city on the Mediterranean

der **Marti'ni** Martinmas, St. Martin's Day (Nov. 11)

die **Maschi'ne, -n** machine, engine

das **Maß** measure; measurement(s); **mäßig** modest, moderate; **die Maßregel, -n** measure

matt dull, faint, exhausted, weak **(die Mattigkeit)**

die **Matte, -n** meadow

die **Mauer, -n** wall **(mauerlos); das Mauerwerk** masonry

das **Maul, ⸚er** mouth **(das Maulvoll); — halten** to shut up

die **Maus, ⸚e** mouse

mauzen to miaow

das **Meer, -e** sea, ocean; seaside

das **Mehl** flour

mehr more; **nicht —** no longer; **nie —** never again; **nur —** only; **mehren** to increase; **mehrere** several, a number; **mehreres** a number of things; **mehrfach** several times, repeated(ly); **mehrmals** several times, again and again

mein my; **meinethalb, meinetwegen** as far as I'm concerned; **der meinige** mine

meinen to think; to mean; to say;
die Meinung, -en opinion

meist most(ly), for the most part;
meistens mostly, for the most
part

der **Meister, -** master **(meistern)**;
die Meisterschaft mastery; **das
Meisterwerk, -e** masterpiece

(sich) **melden** to report, announce,
present, show (up); **die Meldung,
-en** report

die **Menge, -n** (large) number, (large)
quantity, crowd, mass

der **Mensch, -en, -en** person, human
being, man; **kein —** nobody; (*as
compounding form*) human, of
people; **das Mensch, -er** wench;
der Menschenschlag human
type, race of men; **menschlich**
human(e), as a person, personal

merken to notice, tell, be able to
tell; **merkwürdig** remarkable,
striking, peculiar; **die Merkwürdigkeit** strangeness,
peculiarity; (special) attraction

die **Messe, -n** mass

messen* to measure; **sich — mit**
to compare with, match

das **Messer, -** knife

das **Metier', -s** occupation, business

der **Meuchelmord** assassination **(der
Meuchelmörder)**

das **Mieder, -** bodice, brassiere

die **Miene, -n** expression, feature, trait

mieten to hire, rent **(der Mieter)**

die **Milch** milk **(milchig)**

mild gentle; **(sich) mildern** to
quiet, soften, mitigate

minder less; **mindern** to lessen;
mindest- least; **mindestens,
zum Mindesten** at least; **im
mindesten** in the least

Miossens *v.* **d'Andilly**

mischen to mix, blend **(die
Mischung)**

miß- (*compounding form and
inseparable prefix*) mis-; **der
Mißbrauch** misuse; **mißbrau'-
chen** to abuse, misuse;
mißfal'len* to displease; **mißtö'-
nend** discordant

missen to miss, not find

mit with, by; (*as verb complement*)
along, with . . ., along with others,
also

mit-geben* to send along with,
give (to take along)

das **Mitglied, -er** member

mithin' thus

das **Mitleid(en)** sympathy, compassion;
mitleidig sympathetic, pitying

mit-machen to join in (on)

mitsamt' together with

der **Mittag** noon, mid-day **(mittäglich)**;
south; **das Mittagbrot, das
Mittagessen, -** lunch, noon(day)
meal; **mittags** noon; **das
Mittagsmahl, -e** lunch, dinner

die **Mitte** middle, midst; **das Mittel, -**
means, way; **ins Mittel legen** to
intervene, intercede; (*as compounding
form*) central, middle; **mittel-
mäßig** mediocre; **der Mittelpunkt, -e** center; **mitten** in the
middle (of), in the midst (of),
right, straight; **die Mitternacht**
midnight **(mitternächtlich)**;
north; **mittler-** (*also* **mittl-**)
medium, middle, central;
mittlerweile meanwhile

mit-teilen to share; to tell, reveal,
communicate **(die Mitteilung)**;
mitteilsam communicative

mitun'ter now and then, sometimes,
occasionally

die **Möbel** (*pl.*) furniture

die **Mode, -n** fashion

mögen* to like, may, should like;
perhaps . . .

möglich possible **(die Möglichkeit)**; **möglichst** all possible,
as . . . as possible

die **Mohnblume, -n** poppy

der **Monat, -e** month

der **Mönch -e** monk

der **Mond, -e** moon; month; **mondhell**
moonlit; **mondsüchtig** somnam-
bulistic, moonstruck

das **Moos, -e** moss

die **Moral'** morality; **mora'lisch**
moral, upstanding

der **Mord** murder; (*as compounding
form*) of murder(ers); **der
Mordbube, -n, -n** murderer;
morden to kill, murder **(der
Mörder)**; **mörderisch**
murderous, lethal; **der Mordknecht, -e** murderer; **die
Mordlust** homicidal impulse, lust
for murder

morgen tomorrow; **der Morgen**
morning; east; **der Morgenanzug, ⸚e** morning gown, dressing
gown; **das Morgenbrot** morning
snack; **die Morgendämmerung**
dawn; **das Morgenrot, die Morgenröte** dawn; **morgens** in the
morning

morsch rotten, decayed

der **Mörser, -** mortar

das **Motiv', -e** (common) theme

die **Möwe, -n** gull

müd(e) tired, weary; **die
Müdigkeit** weariness, exhaustion

die **Mühe** trouble(s), difficulty, effort;
sich die — geben to take the
trouble, make the effort; **mühsam,
mühselig** hard, with difficulty,
with painful effort

die **Mühle, -n** mill

die **Mulde, -n** hollow, valley

der **Mund, -e** or **˙er** mouth; **nicht
auf den — gefallen sein** to have
nothing wrong with one's mouth,
be a good talker; **in den —
nehmen** to utter; **vom —
fahren (kommen)** to come from
. . . lips; . . . **zu Munde sprechen**
to speak with (someone else's) words;
das Mundwerk gift of gab; mouth

das **Munici'pio** (Italian; $c = č$) town
office

munter cheerful, happy, lively **(die
Munterkeit)**; awake

die **Münze, -n** coin

murmeln to murmur, mutter

murren to grumble

mürrisch sullen, cross, morose

der **Musikant', -en, -en** musician;
musizieren to make music, play

der **Muskel** (or **die —**), **-n** muscle

müssen* to have to, must

müßig idle; **der Müßiggang**
idleness; **der Müßiggänger** idler

das **Muster, -** paragon; pattern; **das
Musterbeispiel, -e** exemplary
instance, example

mustern to inspect

der **Mut** spirit, courage; **guten — zu
. . . haben** to be really determined;
guten Mutes sein to be of good
cheer; **mutig** brave, spirited;
mutlos despondent **(die
Mutlosigkeit); mutwillig** playful,
mischievous; arbitrary

die **Mutter, ˙** mother; **mütterlich**
maternal; **mut'terseelenallein'**
totally alone

die **Mütze, -n** cap

N

na well

nach to, toward; after; according
to; (as verb complement) after
(. . .); **— und —** gradually;
— wie vor as always

nach-ahmen to imitate **(die
Nachahmung)**

der **Nachbar, -s** or **-n, -n** neighbor;
(as compounding form) neighboring;
die Nachbarschaft, -en
neighborhood; **die Nachbarsleute**
neighbors

nachdem' after

nach-denken* to reflect; **nachdenklich** thoughtful, pensive

der **Nachdruck** emphasis; **nachdrücklich** emphatic, explicit

der **Nachen, -** boat

der **Nachfolger, -** successor

nach-forschen to search, investigate **(die Nachforschung)**

nach-fragen to inquire

nach-geben* to yield, give in,
give way; **nachgiebig** yielding,
easy-going; **die Nachgiebigkeit**
yielding, compliance

nach-halten* to last; **nachhaltig**
persistent, lasting

nach-helfen* to assist, help out; to
compensate

nachher' afterward

nach-holen to go back and get,
bring back, recover

nach-kommen* to follow, come up

nach-lassen* to slow down,
subside; to desist, give up, stop;
to leave; **nachlässig** careless,
negligent **(die Nachlässigkeit)**

nach-machen to imitate

der **Nachmittag, -e** afternoon
(nachmittäglich); nachmittags
in the afternoon(s)

die **Nachricht, -en** news, report

die **Nach'saison'** late season

nach-schreiben* to copy

nach-sehen* to follow with one's
eyes, check; to overlook

nach-sinnen* to think over, reflect
(on)

nach-spüren to track down, seek
out

nächst- nearest, next; **nächstens**
soon; next time

die **Nacht, ˙e** night, evening; **die
Nachtigall, -en** nightingale;
nächtlich nocturnal, night; **die
Nacht'musik'** serenade; **die
Nachtruh** night's rest; **nachts**
at night; **der Nachtwanderer,
der Nachtwandler, -** sleepwalker,
somnambulist

nachträglich in restrospect, in
afterthought; supplementary

der **Nacken, -** (back of the) neck;
Kopf im — head thrown back

nackt naked, bare **(die Nacktheit)**

die **Nadel, -n** pin

der **Nagel, ˙** nail

nagen to gnaw

nah(e) near, close; **näher** nearer,
closer, better, in more detail; **die
Nähe** nearness, proximity,
vicinity; **in der Nähe** near(by);
in die Nähe close to; **(sich)
nahen, sich nähern** to approach

nähen to sew

nähren to nourish, support, foster; **die Nahrung** food, nourishment

der **Name, -ns, -n** name; **mit Namen** by name; **namenlos** inexpressible; **namens** by the name of **namentlich** especially

nämlich same; that is, you see, namely

der **Narr, -en, -en** fool; **für einen Narren haben, zum Narren halten** to mock, make a fool of; **närrisch** foolish, silly

die **Nase, -n** nose; **die Nasenspitze** tip of the nose

naß wet, moist; **die Nässe** wetness, moisture

die **Natur', -en** nature; character; spirit; constitution; **natürlich** natural **(die Natürlichkeit)**

'ne = eine

der **Nebel, -** mist, fog; **der Nebelstreif, -e** misty cloud, streak of mist; **neblicht (neblig)** misty, foggy

neben beside, next to, near; along with; **die Nebenstube, -n** adjoining room, next room

nebst together with

necken to tease, play tricks on

nehmen* to take, get; **ein Ende —** to end; **zu sich —** to take, hire

der **Neid** envy, jealousy; (*archaic*) hatred

(sich) **neigen** to bend, bend down, bow, incline; **die Neigung, -en** inclination, tendency, affection

nein no

die **Nelke, -n** carnation

nennen* to name, call

das **Nest, -er** nest; hole, wretched little town

das **Netz, -e** net

neu new, newly; **aufs neue, von neuem** anew, (once) again; **die Neugier(de), -n** curiosity; **neugierig** curious; **die Neuigkeit, -en** news, new thing; **neulich** recent

Nicaise old Paris street, no longer in existence

nicht not

nichts nothing; **das Nichts** nothing(ness); **nichtsdestominder, nichtsdestoweniger** nonetheless; **nichtsnutzig** useless; **nichtssagend** meaningless; noncommittal; **das Nichtstun** idleness; **nichtswürdig** base, worthless **(die Nichtswürdigkeit)**

nicken to nod

nie never

nieder low; (*as verb complement*) down; *v.* **niedrig**

der **nieder-fallen*** to fall down, fall, descend

nieder-gehen* to go down, descend

der **Niedergeworfene, -n, -n** victim, person who was knocked down

die **Niederlage, -n** defeat

sich **nieder-lassen*** to sit down, settle down, lower oneself, drop

niederschlagend depressing

niedlich pretty, neat

niedrig low

niemals never; **niemand** no one, nobody

nimmer, nimmermehr never

nippen to (take a) sip

nirgend(s) nowhere

noch still, yet, more, in addition, again, another, else; nor; **nochmalig** repeated; **nochmals** again

der **Nord(en)** north (**nordwärts**); **nördlich** north(ern); **die Nordsee** North Sea

die **Not** difficulty, trouble, need, necessity; **zur —** in case of need; **— tun** to be necessary; **not** needed, necessary; **notdürftig** bare(ly), in a makeshift fashion; **nötig** necessary; **nötig haben** to need; **nötigen** to compel, force, urge, press; **notwendig** necessary **(die Notwendigkeit)**

das **Notenpult, -e** music stand; **notieren** to note down, take notes

nu = nun

nüchtern sober

die **Null, -en** zero, nothing

nun now; well; **nunmehr** now, by this time

nur only, just, except

die **Nuß, -̈e** nut; **der Nußbaum** walnut

die **Nüster, -n** nostril

nützen, nutzen to use; to be of use; **der Nutzen** use, advantage; **nützlich** useful **(die Nützlichkeit)**

O

ob whether, if, I wonder if; on account of, because of; **(ob ... gleich = obgleich)**

das **Obdach** shelter

oben above, up (there), on top, upstairs; **von — bis unten** from top to bottom, from head to toe; **Ober-** upper; **der Oberbeamte, -n, -n** (high) official; **der Oberdeichgraf, -en, -en** head

dikemaster; **oberflächlich**
superficial; **oberhalb** above,
over

der **Oberst, -en, -en** colonel
obgleich' (al)though

die **Obhut** protection

der **Obmann, ⸚er** umpire
obschon' (al)though

das **Obst** fruit
obwohl' (al)though

der **Ochse, -n, -n** ox
öde empty, desolate, bleak; **die
Öde** emptiness; solitude
oder or; **— auch** or, or rather

der **Ofen, ⸚** stove **(das Öfchen)**
offen open **(die Offenheit)**;
offenbar obvious; **die Offenbarung, -en** revelation; **öffent-
lich** public; **die Öffentlichkeit**
public; **öffnen** to open **(die
Öffnung)**
oft often, frequently; **öfter** more
often, (more) frequent(ly); **des
öfteren** frequently; **öfter(s)**
often; sometimes; **oftmals**
frequently

der **Ohm** uncle
ohne without; **ohnedem',
ohnedies', ohnehin'** anyhow,
in any event; **ohngefähr =
ungefähr; die Ohnmacht** faint,
unconsciousness; **ohnmächtig**
unconscious; powerless

das **Ohr, -en** ear; **die Ohrfeige, -n** slap

der **Onkel, -** uncle

das **Opfer, -** sacrifice, victim; **opfern**
to sacrifice
ordentlich neat, proper, regular;
really, pretty (much), literally,
considerably, good and . . .
ordnen to (set in) order, arrange;
die Ordnung, -en order

die **Orgel, -n,** organ

der **Ort, -e** place, town; **an — und
Stelle** on the spot; **an
höherem —** at higher levels; **die
Ortschaft, -en** place, town, spot

der **Ost(en)** east **(ostwärts)**; to the
east of
Ostern Easter

(das) **Österreich** Austria

P

das **Paar, -e** pair, couple; **ein paar** a
few, a couple of; **die paar** the
few; **paaren** to couple, link, be
together; **ein paarmal** a few
times, a couple of times

die **Pacht, -en** lease, rent

das **Päckchen, -** package; **packen** to
seize; to pack, pile; **der
Packmeister, -** baggage master;
das Paket', -e package, parcel

der **Pantof'fel, -n** slipper, sandal

der **Papagei', -en** parrot

die **Pappel, -n** poplar

der **Papst, ⸚e** pope; **päpstlich** papal

das **Parasol', -e** parasol, sunshade
parieren to rein in, pull in

der **Parlaments' advokat', -en -en**
(chief) parliamentary justice

die **Partei', -en** party, side, team
passa'tim gehen to (go) stroll(ing)
passen to fit, suit; to pay attention,
watch
passieren to happen; to pass (by)

der **Pastor, -en** pastor, minister; **die
Pasto'rin, -nen** pastor's wife

der **Pate, -n, -n** godfather

die **Patro'nentasche, -n** flare case

die **Patrouil'le, -n** (military) patrol

die **Pauke, -n** (kettle)drum; **pauken**
to beat (drums)

die **Pausbacken** (*pl.*) chubby cheeks
(pausbäckig)

die **Pause, -n** intermission

das **Pech** pitch

die **Pein** pain; **peinigen** to torment
(der Peiniger); to embarrass;
peinlich painful; embarrassing;
meticulous

die **Peitsche, -n** whip **(peitschen)**

der **Pelz, -e** pelt, fur

die **Pension', -en** (*Ital. pensione*)
pension, guest house

die **Perle, -n** pearl

die **Person', -en** person; referring to a
woman, sometimes derogatory;
female, old lady; **der Perso'nen-
zug, ⸚e** passenger (or local) train;
persön'lich personal; **die
Persön'lichkeit, -en** personality

der **Pesel, -** parlor

der **Pfad, -e** path

der **Pfaffe, -n, -n** priest

der **Pfahl, ⸚e** pile

der **Pfarrer, -** parson, priest

die **Pfeife, -n** pipe; whistle; **pfeifen*** to
whistle; **der Pfiff, -e** whistle, toot

der **Pfeil, -e** arrow

der **Pfeiler, -** pillar, post, column

der **Pfennig, -e** penny, pfennig

das **Pferd, -e** horse (*compounding forms*
Pferds-, Pferde-); **das Pferdegetrappel** trotting of horses,
hoofbeats

der **Pfiff** *v.* **pfeifen**
pfiffig sly
Pfingst(en) Pentecost (Whitsun)

die **Pflanze, -n** plant **(pflanzenlos;
pflanzen)**

das **Pflaster,** - pavement; adhesive plaster

die **Pflege** care; **Pflege-** (*compounding form*) foster; **pflegen** to take care of, care for; to carry on, conduct, be accustomed to; generally ...

die **Pflicht, -en** duty

der **Pflug,** ⸚e plow **(pflügen); der Pflüger,** - plowman, plower

die **Pforte, -n** gate

pfui pooh, nonsense, rats

die **Phantasie', -n** imagination, imagining

das **Phlegma** phlegmatic nature, sluggishness

die **Photographie', -n** photograph

picken to peck

piemonte'sisch Piedmontese

die **Pike, -n** pike(staff); pique

die **Pine'ta** (*Ital.*) pine(grove); **die Pinie, -n** pine

plagen to torment, plague

das **Plakat', -e** placard, poster

die **Plata'ne, -n** plane-tree, sycamore

plätschern to splash

die **Platte, -n** stone slab; tabletop; bald pate

der **Platz,** ⸚e place; seat; square; open spot; **— machen** to make way, go away; **— nehmen** to sit down; **am Platze** in place, in order; **der Platzschuster,** - town shoemaker

die **Plauderei', -en** chatting, gossip, small talk; **plaudern** to talk, chat

plötzlich sudden

plump coarse, awkward, clumsy

der **Plunder** stuff, junk, miscellaneous things

plüsch(en) plush

das **Pöbel** mob, populace

pochen to beat, knock

polieren to polish

poltern to bluster, rattle, rumble, bump, move noisily

die **Pomeran'ze, -n** orange

der **Pontneuf** Pontneuf (oldest Paris bridge)

populär popular, of the common people

der **Portier', -e** gatekeeper

Porteclemen'te fictitious name, perhaps suggested by Porto Clementino

der **Portuguie'se, -n, -n** Portuguese (man)

das **Porzellan'** china

die **Positur'** posture, position

die **Post** mail, post

der **Posten,** - post

poveret'to, poveri'no (*Ital.*) poor fellow

die **Pracht** splendor; **prächtig** splendid, magnificent, fine, great; **prachtvoll** splendid

Prag Prague; **Prager** Prague, of Prague

prägen to coin, mint, stamp, impress, invent

prahlen to boast, brag; **— mit** to boast about

prallen to fall, step suddenly

predigen to preach; **der Prediger,** - preacher, minister; **die Predigt, -en** sermon

der **Preis, -e** prize; price; praise

preis-geben* to sacrifice, expose

pressen to press, squeeze

der **Priel,** - streambed, watercourse, "priel"

der **Priester,** - priest **(priesterlich)**

die **Probe, -n** test, trial

profitieren to profit, gain

der **Prozess', -e** legal action, suit, case; process

prüfen to test, examine, inspect, scrutinize **(die Prüfung)**

der **Prügel,** - stick; thrashing

das **Publikum** audience, public

das **Pulver,** - powder; **der Pulverturm,** ⸚e (tower) powder magazine

der **Punkt, -e** point, dot; on the stroke of, exactly at

die **Puppe, -n** doll

der **Purpur** purple, crimson, scarlet

pusten to puff, blow

der **Puter,** - turkey

der **Putz** ornament; dress, finery; **putzen** to polish, shine, clean; to dress up

Q

die **Qual, -en** pain, torture, torment; **quälen** to torture, torment; **sich — ** to work (too) hard, struggle

der **Qualm** (thick) smoke; **qualmen** to smoke, puff, waft, billow

das **Quartier', -e** quarter(s), lodging

die **Quelle, -n** spring; source; **quellen*** to well, swell (up), pour

quer across, crosswise, slanting, diagonally, right; **querfeldein** (a)cross country

quietschen to squeak, squeal

R

die **Rache** revenge, vengeance; **rächen** to take vengeance; **der Rächer,** - avenger

Racine famous French dramatist (1639–99)

das **Rad,** ⸚er wheel

raffen to snatch, sweep, pull
ragen to protrude, extend, loom, tower
der **Rahmen, -** frame(work)
die **Rampe, -n** platform
der **Rand, ̈er** edge, border, side
der **Rang, ̈e** rank
ranken to climb, twine
das **Ränzchen, -** knapsack, bag
rasch quick, swift **(die Raschheit)**
rascheln to rustle; to rummage
rasen to rush, race, hurry; **rasend** rushing; mad, furious, raging
der **Rasen, -** lawn, turf, grass; **der Rasenplatz, ̈e** lawn
rasieren to shave; **rasiert** clean shaven
rasseln to rattle
die **Rast** rest **(rasten)**
der **Rat** council; **der Rat, Ratschläge** advice, piece of advice; **kein —** nothing to do about it, no help; **zu Rate gehen** *or* **(ziehen)** to consult, take council; **zu Rate halten** to manage; **raten*** to advise; to guess; **ratlos** perplexed, helpless
das **Rätsel, -** puzzle, mystery **(rätselhaft)**
der **Raub** theft; prey; **rauben** to rob, steal **(der Räuber); die Räuberhöhle, -n** robbers' den; **die Raubgier** rapacity; **das Raubtier, -e** predatory animal
der **Rauch** smoke; **rauchen** to smoke, steam
rauh coarse, rough **(die Rauheit)**
der **Raum, ̈e** room, space; **— geben** to give way to; **räumen** to clear, clean; to leave
raunen to whisper
der **Rausch** (feeling of) intoxication, transport, ecstasy
rauschen to rustle, murmur, ripple; to roar; to rush
sich **räuspern** to clear one's throat
Rechen- (*compounding form, v.* **rechnen**) arithmetic; **(die) Rechenschaft geben** to take account of, give an accounting of; **rechnen** to count, reckon, figure; **der Rechner** reckoner, arithmetician; **die Rechnerei'** figuring; **rechnerisch** arithmetical, mathematical; **die Rechnung, -en** computation; account; **in Rechnung stellen** to take account of; to take into account; **das Rechnungsbuch, ̈er** account book
recht right, accurate, all right, good, real, good and . . ., very, quite, really; **erst —** really; **— haben**

to be right; **— sein** to be OK, feel right; **— viel** a great deal; **das Recht, -e** right(s); **mit Recht** rightly, fairly; **zu Recht bestehend** valid; **von Rechts wegen** by rights; **die Rechte** right hand; **rechtfertigen** to justify; **rechtlich** lawful, proper, just; **rechtmäßig** legitimate **(die Rechtmäßigkeit); rechts** to the right; **rechtschaffen** honest **(die Rechtschaffenheit); rechtzeitig** in due course, at the proper time
recken to stretch, twist
die **Rede, -n** speech, talk, conversation **von . . . die — sein** to be the point, be in question, be a question of; **zur — stellen** to call to account, call on the carpet; **reden** to speak, talk; **die Redensart, -en** phrase, expression; **der Redner, -** speaker, orator; **rednerisch** rhetorical; **redselig** talkative, voluble
die **Regel, -n** rule; **regelmäßig** regular
sich **regen** to move, stir; **reglos** motionless; **regsam** active; **die Regung** impulse, stirring; **regungslos** motionless
der **Regen** rain **(regenlos, die Regenlosigkeit, regnen)**
regieren to rule, administer, direct; **die Regierung, -en** government
das **Reh, -e** deer, doe
reiben* to rub
reich rich; **das Reich** realm, kingdom, empire; **reichlich** rich, abundant, ample; richly; fully, easily, a good . . .; **der Reichtum, ̈er** wealth, richness; (*pl.*) riches
reichen to pass, give, hand, serve, reach, extend; to suffice, be adequate
der **Reif** (hoar-) frost
reif ripe; **reifen** to ripen, mature, grow
der **Reifen, -** ring, hoop
die **Reihe, -n** row; series, sequence; rank; **an der — sein** to be up, be one's turn; **der — nach** one after the other; **die Reihenfolge, -n** sequence, order
rein pure, clear, complete; **— machen** to settle, finish (off); **ins Reine kommen** to finish things, settle things; **im Reinen** in the clear; sure; **die Reinheit** purity, clearness; **reinigen** to wash, clean (up) (off); **reinlich** clean(ly), neat

die   **Reise, -n** journey, trip, travel(ing);
    reisen to travel, go; **der**
    Reisende, -n, -n traveler,
    passenger

    reißaus nehmen to escape, take off

das   **Reißbrett, -er** drawing board; **die**
    Reißfeder, -n drawing-pen

    reißen* to tear, pull, snatch, break,
    crack

    reiten* to ride; **reitend** riding,
    mounted; **der Reiter, -** rider,
    horseman, cavalryman; **die**
    Reitgerte, -n; die Reit-
    peitsche, -n riding whip

der   **Reiz** charm; **reizbar** irritable,
    sensitive; **reizen** to charm; to
    irritate, provoke **(die Reizung)**

    rekla'mehaft propagandistic

    rennen* to run; **um und um —**
    to run down, knock over

    repetieren to repeat, review;
    to strike the hour

der   **Respekt'** awe, respect **(die**
    Respektlosigkeit, respektvoll)

der   **Rest** remainder, remains, rest; **das**
    Restchen small remainder,
    remnant; **restlos** total

    retten to save, rescue; **sich —** to
    save oneself, take refuge; **die**
    Rettung rescue

die   **Reue** regret, repentance; **reuen**
    (*impersonal*) to regret, repent;
    reuig repenting, penitent

    Reuter = Reiter

    revidieren to inspect, check up on

das   **Revier', -e** district, section

    richten to direct, turn; to judge,
    sentence; to execute; **der Richter,-**
    judge; **richtig** right, correct,
    proper, adequate; **richtiger**
    rather; **der Richtplatz, ⁻e** place
    of execution; **die Richtung, -en**
    direction

    riechen* to smell

der   **Riemen, -** strap

    rieseln to trickle, drip, sift

der   **Riese, -n, -n** giant; (*as compounding
    form*) giant, gigantic; **riesengroß,**
    riesenhaft, riesig gigantic

das   **Rind, -er** ox

die   **Rinde** outer surface, bark

sich   **ringeln** to curl, coil
    ringen* to struggle
    rings, rings um, rings'herum',
    ringsum', rings'umher' (all)
    around

die   **Rinne, -n** channel, furrow, groove;
    rinnen* to run, flow

die   **Rippe, -n** rib

der   **Riß, -e** tear, jerk, crack; sketch,
    design, plan

der   **Ritt, -e** ride, gallop; **der Ritter, -**

    knight; horseman; **ritterlich**
    chivalrous, chivalric, gallant **(die**
    Ritterlichkeit); der Rittmeister, -
    (cavalry) captain

der   **Ritz, -e** cranny, crack

    röcheln to (make a death) rattle

der   **Rock, ⁻e** coat, jacket; gown;
    skirt; **der Rockschoß, ⁻e**
    coat-tail

    roh coarse, rude, rough, crude

das   **Rohr, ⁻e** pipe, tube; cane, reed,
    thatch

    rollen to roll, rumble

    Rom (Ital. *Roma*) Rome **(der**
    Römer, römisch)

der   **Roman', -e** novel

die   **Rosi'ne, -n** plum

das   **Roß, -e** horse, steed

der   **Rost** rust **(rostig)**

    rot red; **— werden** to get red,
    blush; **das Rot** red; blush; **die**
    Röte redness, red; flush;
    rötlich reddish

die   **Rotte, -n** band, troop, pack

die   **Rübe, -n** carrot; beet; turnip

der   **Ruck** jerk, jolt; **rücken** to move,
    set, place, push, pull

der   **Rücken, -** back; ridge; **im —**
    behind; (*compounding form*)
    rück-, Rück- back-; **rückhaltlos**
    unreserved, without reserve; **die**
    Rückkehr, die Rückkunft
    return; **der Rückschlag** rever-
    sion, (sudden) reaction; **die**
    Rücksicht, -en regard, con-
    sideration; **der Rückweg, -e**
    way back; **der Rückzug, ⁻e**
    retreat, withdrawal

der   **Ruf, -e** call, shout, cry; reputation;
    rufen* to call, summon, cry;
    wie gerufen just what . . . wanted

die   **Ruhe** rest, peace, quiet **(ruhelos);**
    sich zur — begeben to go to
    bed; **zur — bringen** to quiet;
    zur — stellen to retire; **ruhen**
    to rest; **ruhevoll** calm; **ruhig**
    peaceful, calm, quiet; perfectly
    well

der   **Ruhm** fame, glory; **rühmen** to
    praise, give credit; **sich —** to
    boast

(sich) **rühren** to move, touch; **daher —**
    to stem from the fact; **rührend**
    touching, moving, pathetic; **die**
    Rührung emotion

der   **Rumor'** noise, racket; **rumo'ren**
    to bustle, make noise, resound

    rund round **(die Rundheit); die**
    Runde surroundings, circuit;
    company; **in die — gehen** to
    make the rounds; **runden** to
    round (off)

rüsten to prepare, set up, get ready, equip, arm; **rüstig** vigorous, robust

die **Rute, -n** rod (also as unit of length); switch

rütteln (an) to shake

S

der **Saal, Säle** hall, room
die **Saat, -en** seed; crop
der **Säbel, -** saber
die **Sache, -n** thing, matter, affair(s), business, cause; **zur — gehören** to be part of a thing, be relevant; **sachlich** impartial, impersonal, matter of fact

sacht(e) softly, gently

der **Sack, ⸚e** sack, bag
säen to sow
der **Saft** juice, fluid, humor
sagen to say, tell, speak; **— wollen** to mean; **wie gesagt** as (I) said, as was mentioned

die **Saite, -n** string
(sich) **sammeln** to gather, collect
der **Samt, Sammet,** velvet **(samten)**
samt together with, along with; **sämtlich** all, various
sanft gentle, soft
die **Sängerin, -nen** singer
der **Sarg, ⸚e** coffin
satt enough, out, one's fill, full, sated; **sättigen** to fill, sate, satiate
der **Satz, ⸚e** sentence; leap, bound
sauber clean, neat, fine, workmanlike; **säuberlich** neat, (nice and) proper, discreet, careful
saufen* to drink, swill
saugen* to suck; to absorb; to draw; **der Säugling, -e** infant, baby

die **Säule, -n** column, pillar, post
der **Saum, ⸚e** edge, rim, fringe, border
säumen to delay, hesitate, linger
säuseln to rustle, whisper; **sausen** to rush, whistle, whirr, hum
schäbig ragged
die **Schachtel, -n** box, case, can
schad(e) too bad, a pity; **schaden** to hurt; **der Schaden, -** damage; **Schaden nehmen** to incur damage; **Schaden zufügen** to hurt, injure; **die Schadenfreude** malice; **schadenfroh** malicious
der **Schädel, -** skull
das **Schaf, -e** sheep; docile fellow, simpleton; **der Schäfer, -** shepherd; **die Schafweide, -n** sheep-run; **die Schafzucht** sheep raising

schaffen* to create
schaffen to make, do, work, get, take, bring; **Ordnung —** to put things in order; **sich zu — machen** to busy oneself; **zu — haben** to have things to do; **vom Halse —** to get rid of
der **Schaft, ⸚e** trunk
der **Schal, -e** scarf
die **Schale, -n** plate, dish; shell; **schälen** to peel
der **Schall, -e** sound, noise; **schallen(*)** to sound, resound, echo
die **Schalmei', -en** shawm (musical instrument)
die **Scham** shame, modesty, embarrassment; **sich schämen** to be ashamed, be embarrassed; **schamhaft** modest; **schamlos** shameless **(die Schamlosigkeit)**; **die Schande** shame, dishonor, shameful actions
die **Schar, -en** flock
scharf sharp; **es ging — her** the going was close; **die Schärfe, -n** sharp edge; **der Scharfsinn** acumen, ingenuity; **scharfsinnig** ingenious, sagacious
scharmant' charming
die **Schärpe, -n** scarf, sash
scharren to scrape, scratch, dig
der **Schatten, -** shade, shadow **(schattig)**; spirit
die **Schatul'le, -n** safe, cash box
der **Schatz, ⸚e** treasure, treasury; sweetheart, darling; **schätzen** to appreciate **(die Schätzung)**; to estimate
der **Schauder** shudder; terror, fright; **schaudern** to shudder, shiver (also impersonal)
schauen to see, look; v. **Schauplatz**
der **Schauer, -** shudder, tremor, chill; terror, dread **(schauervoll)**; **schauerlich** dreadful, frightening
die **Schaufel, -n** shovel **(schaufeln)**
schaukeln to rock, sway
der **Schaum, ⸚e** foam **(schäumen)**
der **Schauplatz, ⸚e** scene; **das Schauspiel, -e** drama, play, spectacle; **der Schauspieler, -** actor **(schauspielerisch)**
die **Scheibe, -n** pane; disc; **das Scheibengewehr, -e** target rifle
scheiden* to leave, part, separate, divorce
der **Schein, -e** light, glow, shine; certificate; **zum —** for appearances; **scheinbar** seemingly; **scheinen*** to shine; to seem
der **Scheitel** part, top of head; **scheiteln** to part

der **Schelm, -e** rascal, rogue
(schelmisch)
schelten* to scold, curse, complain;
to call (someone names)
der **Schemel, -** stool
die **Schenke, -n** tavern; **schenken** to
give, grant; to pour, serve
scheren* to shave, cut
sich **scheren** to get (oneself), be off; to
care, give a hang for (*also impersonal*)
der **Scherz, -e** joke, joking, merriment,
fun, jest; **scherzen** to joke, jest;
scherzhaft playful, humorous
(die Scherzhaftigkeit)
scheu shy, timid, fearful; **die
Scheu** timidity, reticence, shyness;
scheuchen to shoo, scatter;
(sich) scheuen to shun, spare,
avoid; to fear, be afraid; to shy
die **Scheuer, -n; die Scheune, -n**
barn, shed
schicken, to send, give; **sich —**
to be proper; **das Schicksal, -e**
fate, destiny
schieben* to shove, push, put; to
blame
schief slanting, slantwise, oblique,
crooked, askance, wry
schier completely, absolutely,
virtually; clearly
schießen* to shoot, dart; **den
Zügel — lassen** to give free rein
to
das **Schiff, -e** ship, vessel; **der Schiffer,
-** boatman, sailor; captain
schildern to depict, portray,
describe **(die Schilderung)**
das **Schilf** reed(s), rush(es)
schillern to glitter, shine; **das
Schillern** iridescence
der **Schimmel, -** white horse
der **Schimmer** shimmer, glow, gleam
(schimmern)
der **Schimpf** affront, disgrace;
schimpfen to scold, grumble,
curse, swear; **das Schimpfwort, -e**
(word of) abuse; curse
die **Schindel, -n** shingle, clapboard
das **Schlachtopfer, -** victim
schlafen* to sleep **(der Schlaf,
schlaflos, die Schlaflosigkeit);**
(*compounding form*) **Schlaf-**
sleeping-, bed-; **die Schlafmütze, -n** nightcap; **schläfrig**
sleepy; **der Schlafrock, -̈e**
dressing gown, robe; **schlaftrunken** drowsy, overcome with
sleep
die **Schläfe, -n** temple, side of head
schlaff limp, slack, loose
der **Schlag** blow, beat; stroke; kick;
(coach) door; type, stamp;

schlagen* to hit, strike, cut, dig,
beat, drive, throw, cast; to defeat; to
turn (out); to fold; to place; to rise;
to fall; to sing, warble; **in ... —**
to have to do with; **in den
Wind —** to forget, disregard
die **Schlange, -n** serpent, snake;
schlängeln to snake, twist, turn,
meander
schlank slim, slender
schlau sly, tricky; **die Schlauigkeit**
cunning
schlecht bad, poor
(sich) **schleichen*** to creep, sneak
der **Schleier, -** veil
die **Schleife, -n** bow
schleifen* to polish, rub, smooth,
burnish
schlendern to saunter; **der
Schlendrian** humdrum, lazy
routine
schlenkern to swing, dangle
die **Schleppe, -n** train (of garment);
schleppen to drag; **schleppend**
shuffling, slow, drawling
schleudern to hurl, throw, knock
schleunig rapid, quick, prompt
die **Schleuse, -n** sluice(way)
schlicht simple, plain, naive **(die
Schlichtheit);** smooth; **schlichten**
to settle, arbitrate, mediate
der **Schlick** mud, soft clay
schließen* to close, enclose; to
pull close; to lock; to conclude;
sich — an to join, adjoin; **auf
... — lassen** to cause one to
assume; **schließlich** final(ly), at
last, after all
schlimm bad; **— bestellt** in a
bad way; **schlimme Ahnung**
evil forebodings
die **Schlinge, -n** loop; trap; **schlingen***
to sling, twist, entwine, coil; to
gulp, swallow
der **Schlitten, -** sleigh, sled
das **Schloß, -̈er** castle; lock
schlottern to shake, dangle, hang
loosely
die **Schlucht, -en** gorge, gully, gulf,
abyss
schluchzen to sob
der **Schluck, -e** sip, drink, swallow
der **Schlummer** sleep, slumber
schlüpfen to slip **(schlüpfrig);
der Schlupfwinkel, -** hiding
place
schlürfen to shuffle
der **Schluß, -̈e** conclusion, end, finale
der **Schlüssel, -** key
schmachten to languish, pine;
schmachtend languishing;
famished

schmachvoll disgraceful, shameful

schmal narrow, thin, slim **(die Schmalheit)**

schmecken to taste (good); to be enjoyable

die **Schmeichelei'** flattery, adulation; **schmeicheln** to flatter, fawn, caress

der **Schmerz, -en** pain **(schmerzhaft); schmerzlich** painful, sad

der **Schmetterling, -e** butterfly

schmettern to smash, crash, strike, blast; to hurl

schmiegen to press

schmierig dirty, greasy

schmollen to pout, sulk, be angry

schmuck pretty; **der Schmuck** (piece of) jewelry, jewels; adornment; **schmücken** to adorn, deck (out), dress (up)

schmunzeln to smile, smirk

der **Schmutz** dirt **(schmutzig)**

der **Schnabel, ·** beak, bill; nose

schnallen to buckle

schnalzen to snap, click

schnappen to snap, grab

schnarchen to snore **(der Schnarcher)**

schnarren to grate, jar

schnattern to cackle, gabble

schnauben(*) to snort

die **Schnecke, -n** snail; coil, curl

der **Schnee** snow **(schneeig);** (compounding form) snow-, snowy, snow covered; **der Schneeberg, -e** snowcovered mountain; **schneien** to snow

schneiden* to cut, operate, chisel; **Gesichter —** to make faces; **schneidend** cutting, sharp; **der Schnitt, -e** cut; (book-)edge

schnell fast, rapid, quick, swift **(die Schnelligkeit) ; der Schnellzug, ·e** express (train)

der **Schniepel, -** dress coat

schnippisch saucy, snippy

der **Schnitt** v. **schneiden**

der **Schnörkel, -** prong; curlicue, flourish, fancy twist

das **Schnupftuch, ·er** handkerchief

schnuppern to sniff

die **Schnur, ·e** string, rope

der **Schnurrbart, ·e** mustache

schnurrbärtig mustached

schnurren to whir, buzz

die **Scholle, -n** (frozen) lump, clod

schon already, as early as; certainly, all right; yet, ever (sometimes no English equivalent)

schön beautiful, lovely, handsome, fine, nice; **in dem Garten war — leben** the garden was a nice place to live; **die Schönheit** beauty

schonen to spare, save; **die Schonung** good treatment, consideration

die **Schonung, -en** plantation of young trees

schöpfen to draw, catch; **Argwohn —** to become suspicious

das **Schöppchen, -** mug, carafe

der **Schornstein, -e** chimney

der **Schoß, ·e** lap

schräg diagonally, slantwise

der **Schrank, ·e** cabinet

die **Schraube, -n** screw; **der Schraubschlüssel, -** wrench

der **Schreck(en)** fear, terror; **schrecken(s)voll** terrified; **schreckhaft** frightening, fearful; **schrecklich** terrible, awful; **das Schrecknis, -se** terror, fear, anxiety

der **Schrei, -e** cry; **schreien*** to cry, scream, yell, shout

schreiben* to write; **das Schreiben** note, document; **der Schreiber, -** clerk, writer; **der Schreiberknecht, -e** farmhand who thinks he's a clerk, scribbling farmhand, pencil pusher; **der Schreibtisch, -e** writing table, desk; v. **Schrift**

schreiten* to step, stride, walk; **der Schritt, -e** step, walk, pace; **auf Schritt und Tritt** at every step

die **Schrift, -en** writing; document, paper; **schriftlich** in writing; **das Schriftstück, -e** document

der **Schubkasten, -; die Schublade, -n** drawer

schüchtern shy, timid

der **Schuft, -e** scoundrel

schuld at fault, responsible; **die Schuld, -en** fault, guilt **(schuldlos);** debt; **schuldig** guilty; owing; **— sein** to owe; **eine Antwort — bleiben** to be at a loss for an answer

die **Schule, -n** school; **der Schüler, -** student, pupil

die **Schulter, -n** shoulder

die **Schürze, -n** apron, pinafore

der **Schuß, ·e** shot

die **Schüssel, -n** dish, pan, basin

der **Schuster, -** shoemaker; **die Schusterin, -nen** shoemaker's wife

der **Schutt** rubble

schütteln to shake; **schütten** to shake, throw, pour

der **Schutz** protection, defense **(schutzlos); schützen** to protect **(der Schützer); der Schützling, -e** protégé

schwach weak, sparse, slight, faint;
die Schwäche, -n weakness;
schwächen to weaken;
schwächlich weak, delicate,
slight; **schwachsinnig** feeble-
minded

der **Schwall** flood

Schwang: im Schwang in
fashion

schwanken to sway, rock; to walk
unsteadily; to hesitate; **schwankend** swaying, undulating,
tottering; uncertain, vague

der **Schwanz, ̈-e** tail

der **Schwarm, ̈-e** swarm, skirmish;
schwärmen to swarm, wander;
to move ecstatically; **schwärmend**
in crowds, in groups

schwarz black, dark; **schwärzen**
to blacken, darken; **schwärzlich**
blackish

schwatzen to talk, chatter, gossip

schweben to float, be suspended

der **Schweif, -e** tail

schweifen to roam, wander, pass,
travel; to turn, curve

schweigen* to be silent, be quiet,
say nothing; **das Schweigen**
silence; **schweigend** saying
nothing, silent(ly), quiet(ly)

das **Schwein, -e** pig; pork

der **Schweiß** sweat, perspiration

schwelgen to luxuriate; to relax

die **Schwelle, -n** threshold, doorstep

schwenken to swing, wave

schwer heavy, hard, difficult,
serious, with difficulty; **— fallen**
to be hard; **die Schwere**
heaviness; **die Schwermut**
melancholy **(schwermütig)**

das **Schwert, -er** sword

die **Schwester, -n** sister **(schwester-
lich)**

der **Schwiegersohn, ̈-e** son-in-law;
der Schwiegervater, ̈
father-in-law

schwierig difficult **(die
Schwierigkeit)**

schwimmen* to swim, float

schwinden* to disappear, shrink

schwindeln to be dizzy

schwirren to whirr, buzz, fly

schwören* to swear, pledge

schwül sultry

Scuderi Mlle de Scudéry (1607–
1701), poetess and novelist, central
figure of an aristocratic literary
circle, favorite of the court

der **See, -n** lake; **die See, -n** sea, ocean

die **Seele, -n** soul **(seelenvoll)**,
spirit, mind; **seelenvergnügt**
totally happy; **seelisch** spiritual

die **Segel, -n** sail; **segeln** to sail, run,
head

der **Segen** blessing; benefit(s);
happiness; **segnen** to bless **(die
Segnung)**

sehen* to see, look, watch; v.
sichtbar

die **Sehne, -n** tendon, sinew **(sehnig)**;
bowstring

sich **sehnen** to long, yearn; **die Sehnsucht** longing, yearning;
sehnsüchtig, sehnsuchtsvoll
longing, ardent

sehr very, very much, greatly

seicht shallow

die **Seide** silk; **seiden** silk(en)

das **Seil, -e** rope

sein* to be, exist; *auxiliary of
perfect*; **das Sein** existence

die **Seine** Seine (river, Paris)

seinerseits in his turn, for his
part; **die Seine** his partner, his
girl; **der Seinige** his

seit since, for; **seitdem'** since,
since then

seitab' to the side; **die Seite, -n**
side, part; page; **seitlich** to the
side, aside; **-seits** for . . . part,
in . . . turn; **seitwärts** sideward(s),
to the side, aside

selb- same, very **(selbig); selber**
oneself, personally, in person; **von
selber** of one's own accord;
selbst oneself, personally, in
person; even; **von selbst** of
one's own accord; *(as compounding
form)* self-; **selbstgefällig**
complacent, self-satisfied **(die
Selbstgefälligkeit); das Selbst-
gefühl** pride, self-confidence;
der Selbstmord suicide
**(selbstmörderisch); selbst-
vergessen** oblivious **(die
Selbstvergessenheit); selbstverständlich** obvious, natural
(die Selbstverständlichkeit)

Seldwyl(a) Keller's imaginary
Swiss town

selig happy, blissful, blessed;
capable of salvation, "Christian";
late, deceased; **die Seligkeit**
bliss, happiness; salvation

selten seldom, rare; **seltsam**
strange **(die Seltsamkeit)**

senken to lower, bend; **sich —**
to sink, go down, lower, fall, bend

die **Serviet'te, -n** napkin, waiter's towel

der **Sessel, -** chair

setzen to set, place, put; to
establish, settle; to leap; **in
Erstaunen —** to astonish; **sich
— ** to sit (down)

seufzen to sigh, languish; **der Seufzer, -** sigh

si (*Ital.*) yes

sich oneself, *etc.*

sicher certain, sure, secure, safe, firm, reliable, confident; **— gehen** to be sure; **die Sicherheit** security, certainty, assurance, safety; **sichern** to secure

sichtbar visible; **sichtlich** visible, obvious

Sider- place name

sie she, it; they; **Sie** you

siech sickly, ailing

der **Sieg, -e** victory (**der Sieger**)

das **Siegel, -** seal; **unter — nehmen** to impound

das **Siel, -e** sluice

Signor(e) (*Ital.*) gentleman, Sir; **Signora** Mrs., Mme., Madam

sinken* to sink, fall, lower, be lowered

der **Sinn, -e** mind, head, thought(s); feeling, disposition; understanding; sense, meaning; **recht bei Sinne** in one's right mind; **von Sinnen kommen** to lose one's mind; **andern Sinnes werden** to change one's mind; **sinnen*** to think, reflect, meditate, wonder; to plan; **sinnend** thinking; reflective, pensive; **sinnlos** senseless; out of one's mind, having lost one's senses; **sinnreich** ingenious, clever

die **Sitte, -n** custom, way, tradition; **sittig** well-bred, proper; **sittlich** moral, ethical; **sittsam** modest (**die Sittsamkeit**)

der **Sitz, -e** seat; **sitzen*** to sit; to fit; to lie; to be; **sitzen bleiben** to remain seated, keep one's seat

so so, thus, such, which; **so . . ., so . . .** no matter how . . .,

sobald' as soon as

sodann' then, after that

die **Sode, -n** sod

soe'ben just (then)

sofern' in so far as, to the extent that

sofort' immediately, at once

sogar' even

sogenannt so-called

sogleich' immediately, at once

der **Sohn, -̈e** son

die **Soiree** (evening) performance

solang'(e) as long as, so long

solch such (a); **solchergestalt, solcherweise** in such fashion

der **Soldat', -en, -en** soldier

sollen* shall, should, be said to, be supposed to

somit' thus, so, with this

die **Sommersprossen** (*pl.*) freckles (**sommersprossig**)

sonderbar strange; **sonderlich** remarkable; **der Sonderling, -e** eccentric; **sondern** but (rather)

sonst otherwise, else, besides, formerly, before; **sonstig** other; usual

sooft' as often as

die **Sorge, -n** worry, grief, care, responsibility; **— tragen** to see to (it); **sorgen** to care (for), take care, see to it, provide (for); to worry; **sorgenfrei, sorgenlos** untroubled; **die Sorgfalt** care, solicitude; **sorgfältig** careful, solicitous; **sorglich** careful, solicitous; anxious; **sorglos** carefree; **die Sorglosigkeit** unconcern; **sorgsam** careful, solicitous; **sorgvoll** anxious

die **Sorte, -n** sort, brand

soviel' so much, as much as, as far as

soweit' as far as, in so far as; **— gut** so far so good

sowie' as well as; as soon as

sowieso' anyway, anyhow

sowohl' as well (as), both (and)

sozusagen so to speak

spähen to spy, peer, espy, watch, search

die **Spalte, -n** crevice, fissure; column; **spalten** to split

der **Span, -̈e** chip (of wood), shaving

(sich) **spannen** to stretch; to bend; to extend oneself; to tense; to arouse, excite; **spannend** exciting, intense; **gespannt** tense; expectant; **die Spannung** tension, excitement

sparen to save, spare; **spärlich** sparse, meager

der **Spaß, -̈e** fun, joke; **— machen** to be fun, be enjoyable; **spaßen** to joke; **spaßhaft** funny, ludicrous

spät late

der **Spaten, -** spade

der **Spatz, -en, -en** sparrow; young bird

spazieren to walk, stroll; **der Spaziergang, -̈e** walk, stroll (**der Spaziergänger**); **spazieren gehen** to go for a walk (trip), go out

der **Specht, -e** woodpecker

speien* to spit

die **Speise, -n** food, dish; **speisen** to eat, dine; to feed; **der Speisesaal, -säle** dining room

das **Spekta'kel** (*or der —*) noise, uproar, spectacle, performance die **Spelun'ke, -n** dive, gin-shop, gin-mill

der **Spenser, -** spencer (short coat or jacket)

sperren to lock, block, shut; to open

die **Sphäre, -n** sphere, domain, realm

der **Spiegel, -** mirror

das **Spiel, -e** game, contest, play; deck (of cards); **sein — treiben** to play, do as one wishes, trifle; **im — ** going on, involved; **spielen** to play; to shine; **spielend leicht,** ridiculously easy; **der Spiel-kamerad', -en, -en** playmate

der **Spießgeselle, -n, -n** accomplice

die **Spinne, -n** spider; **das Spinn-gewebe, -** spider web; **das Spinnrad, ¨er** spinning wheel

der **Spitzbube, -n, -n** rogue, crook, thief

spitz pointed, tapered; **die Spitze, -n** point, tip, top, head, bow (of ship); lace; **Spitzen (und Schärfen)** sharp words, sharp edges; **spitzig** pointed, sharp

der **Splitter, -** splinter

der **Sporn, Sporen** spur

der **Spott** mockery; **spotten** to mock, trifle with; **spöttisch** mocking

die **Sprache, -n** language, tongue, speech **(sprachlos); das Sprach-rohr, ¨e** megaphone; **zur — kommen** to be discussed; **sprechen*** to speak, talk, speak to, say **(der Sprecher); sprechend** eloquent; **der Spruch, ¨e** motto, saying

die **Spree** Spree (river, tributary of Havel, now E. Germany)

spreizen to spread, place akimbo

sprengen to blow up, burst; to gallop, dash

der **Sprenkel, -n** speckle; **sprenkeln** to sprinkle

der **Springbrunnen, -** fountain; **springen*** to spring, leap, jump, run; to break; **der Sprung, ¨e** leap, bound, jump

die **Springflut, -en** spring tide

spritzen to spray, sprinkle, spurt

der **Spruch** *v.* **Sprache (sprechen)**

sprudeln to bubble, sparkle, gush, sputter

sprühen to flash, sparkle, sprinkle

der **Sprung** *v.* **springen**

der **Spuk, -e** apparition, ghost, specter

spülen to rinse, wash

die **Spur, -en** trace, track, mark, trail **(spurlos); spüren** to detect, feel

sich **sputen** to hasten, hurry

St. Honoré famous street in Paris on the right bank of Seine

St. Iago = Santiago

der **Staat, -en** finery; state

der **Stab, ¨e** staff, rod, stick, crook, baton

die **Stadt, ¨e** city, town; **städtisch** city, town, urban

der **Stahl** steel; **stählern** steely, steel

der **Stall, ¨e** stall, shed, stable, coop

der **Stamm, ¨e** stalk, stem, (tree) trunk

stammeln to stammer, speak falteringly

stämmig burly, husky, square-built

der **Stand** condition, state, position, level, status, rank, class; **stand-halten*** to hold one's own, hold firm; **der Ständer, -** post; **standhaft** steadfast, firm, resolute **(die Standhaftigkeit); v. stehen**

die **Stange, -n** bar, pole, post

stark strong, heavy, powerful, considerable, sharp, loud, large, numerous, hard; **die Stärke** strength; **stärken** to strengthen, restore

starr rigid, stiff; fixed, staring, with a stare; **starren** to stare; to be stiff, stand stiff, jut; **der Starrkopf** stubborn fool

statt instead of; **die Stätte, -n** place, scene; **statt-finden*** to take place, occur

stattlich imposing, handsome, impressive, elegant

der **Staub** dust, powder; **— geben** to make the dust fly

die **Staude, -n** bush

das **Staunen** astonishment, amazement; **staunen** to be astonished

stechen* to sting, pierce; to strike

stecken* to be, stick; **stecken** to stick, put; to plant; to be; to be located; **zu sich —** to take, pick up; **stecken-bleiben*** to stick

der **Steg, -e** footbridge

stehen* to stand, be; to stop; to be written; **dafür —** to guarantee; **— zu** to go (well) with; **wie steht es um . . . ?** how is . . . (getting along)?; **stehen- bleiben*** to remain standing, stand still, stop, stay; **der Stehplatz, ¨e** standing-place, standing-room

stehlen* to steal

steif rigid, stiff, firm, reserved; **steifer Hut** derby hat, bowler; **steifen** to stiffen

das **Steigeisen, -** crampon (climbing irons); **steigen*** to climb **(der Steiger),** rise, mount; **steigern** to increase, intensify **(die Steigerung)**

steil steep; **die Steilheit, -en** steep spot; **steilrecht** vertical

der **Stein, -e** stone, rock; jewel; — **der Weisen** philosopher's stone (to turn all things into gold); (*as compounding form*) stone, of stone, stony; **das Steinbild, -er** statue; **steinern** stone, rock, stony, rock-hard; **steinicht, steinig** stony, rocky; **steinigen** to stone; **die Steinmasse, -n** stonepile; **der Steinwurf, ⁀e** rock throwing; stone's throw

die **Stelle, -n** place, spot, position, job; **auf der —** immediately; **an —** in place of; **zur —** on hand, on the spot; **stellen** to place, put, set, cast; **sich stellen** to place oneself, take one's stand (place); to act; to give oneself up; **-stellig ...** place, ... digit; **die Stellung, -en** position, posture, job

stemmen to brace, prop, lift; **die Arme in die Seiten (auf-) (unter-) —** to set one's arms akimbo, put one's hands on one's hips

der **Stengel, -** stalk

sterben* to die; **am (im) Sterben** about to die, dying; **zum Sterben** to (the point of) death; (*compounding form*) **Sterbe-** death

der **Stern, -e** star; pupil (of eye); **das Sternbild, -er** constellation

stet, stetig steady, constant; **stets** always, ever

steuern to prevent, check; to steer

stickend, stickig suffocating

der **Stiefel, -** boot

die **Stiefmutter, ⁀** stepmother

die **Stiege, -n** stair(s)

der **Stier, -e** bull; **stiernackig** bull-necked

stieren to stare

stiften to establish, create, set, do, cause; **die Stiftung, -en** foundation, charitable institution, creation, establishment

still still, quiet, motionless, peaceful; **still(e)-stehen*** to stand still, stop; **die Stille** silence, calm; **stillen** to quiet, still; **still-halten*** to stop, stand still; **stillschweigend** silent

die **Stimme, -n** voice; **stimmen** to correspond, be correct; to tune; to make one feel; **die Stimmung, -en** mood

die **Stirn(e), -(e)n** forehead, brow; **in die —** down over the forehead

stöbern to poke

der **Stock, ⁀e** stick, cane; floor, story; **über — und Stein** up hill and down dale; over sticks and stones

stocken to falter, hesitate

das **Stockwerk, -e** floor, story

der **Stoff, -e** subject, material, substance

stöhnen to moan, groan

stolpern to stumble

stolz proud; **der Stolz** pride

stopfen to stuff, fill, block

stoppen to stop short, rein in

der **Storch, ⁀e** stork

stören to disturb, annoy, interrupt **(die Störung)**

der **Stoß, ⁀e** blow, burst; pile; **stoßen*** to push, shove, stick, hit, bump, touch, strike, knock; to come (upon) join, encounter; to blow; **ans Land (Ufer) stoßen** to land; **stoßweise** intermittent, in bursts

die **Strafe, -n** punishment; **strafen** to punish; **strafen an** to accuse of

der **Strahl, -en** beam, ray, light; **strahlen** to shine, radiate, beam

stramm tight, vigorous

strampeln to kick, stomp

der **Strand, -e** shore, beach; **der Strandläufer, -** sandpiper

die **Straße, -n** street, road

sträuben to bristle, ruffle; **sich —** to oppose, resist; to brace oneself

der **Strauch, ⁀er** shrub, bush, shrubbery

straucheln to stumble

der **Strauß, ⁀e** bouquet, bunch of flowers

streben to try, push, struggle

die **Strecke, -n** stretch, route, section, distance; **strecken** to stretch, stick, extend; **zu Boden strecken** to strike down

der **Streich, -e** trick, stroke, coup; **streicheln** to stroke; **streichen*** to stroke, play; to strike, lower; to stroll, pass; to wander

der **Streifen, -** streak, strip; **streifen** to graze, touch (lightly), border; to take off; to wander; **das Streif'komman'do** scouting party, raiding party

der **Streit, -e** struggle, fight(ing), argument; conflict; **streiten*** to conflict, struggle, fight; **der Streitende, -n, -n** contestant; **streitig** contested, in dispute; **die Streitigkeit, -en** argument, difference

streng strict, severe, exacting, harsh; **die Strenge** severity, stringency

der **Strich, -e** line, mark; stroke, pass; playing

der **Strick, -e** rope

das **Stroh** straw; **die Strohbestickung, die Strohdecke** straw cover; **der Strohstuhl, ⁀e** straw-bottomed chair

der **Strom, ⁓e** stream, river, current, tide, flood; **strömen** to flow, stream

die **Strophe, -n** stanza, strophe

der **Strumpf, ⁓e** stocking

die **Stube, -n** room

das **Stück, -e** piece; **ein (gut) —** a (good) way, a (good) distance **studiert** educated; studied

die **Stufe, -n** step, stage

der **Stuhl, ⁓e** chair **stumm** silent **stumpf** dull; soggy; **der Stumpfsinn** dullness, stupidity; **stumpfsinnig** stupid

die **Stunde, -n** hour, moment; **stundenlang** for hours (at a time); hours long

der **Sturm, ⁓e** storm; attack; **stürmen** to storm; to attack; to rush, race; **die Sturmflut, -en** storm tide, unusually high tide; **stürmisch** stormy, violent

der **Sturz** collapse, fall; **stürzen** to plunge, dash, throw, cast, fall; **der Sturzkarren, -** dump cart

die **Stute, -n** mare **stutzen** to hesitate **stützen** to support, base, rest **suchen** to look for, hunt, seek, try

der **Süd(en)** south **(südlich); der Südländer, -** southerner, Mediterranean person (people) **summen, sumsen** to buzz, hum

die **Sünde, -n** sin **(der Sünder) (sündhaft)**

die **Suppe, -n** soup

die **Supplik', -en** petition **süß** sweet, tender; **die Süßigkeit, -en** sweetness, sweet **sympa'thisch** likable, congenial

T

der **Tadel** reproach, reprimand, blame **(tadellos); tadeln** to blame, criticize

die **Tafel, -n** table; tablet; slab; blackboard; **die Tafelstube, -n** dining room

der **Tag, -e** day; **an den —** to light; **an den — bringen** to reveal; **acht Tage** a week; **tags darauf** the day after; **tags zuvor** the day before; **der Tagdienst** daytime duty; **tag(e)lang** for days (at a time); **der Tagelöhner, -** day laborer; **das Tagewerk** day's work; **täglich** daily, every day

der **Takt, -e** beat

das **Tal, ⁓er** valley; **zu Tal** downriver

der **Taler, -** Taler (monetary unit)

das **Talglicht, -er** tallow candle **tändeln** to play, fondle

die **Tanne, -n** fir(tree) **(tannen)**

der **Tanz, ⁓e** dance; **tänzeln** to prance; **tanzen** to dance **(der Tanzende, -n, -n); der Tänzer, -** dancer

die **Tape'te, -n** wallpaper; tapestry; **die Tape'tentür, -en** secret door, door blending with wall **tapfer** brave, valiant **(die Tapferkeit)** **tappen** to grope

die **Tasche, -n** pocket; bag, satchel; **der Taschenspieler, -** conjurer, magician

die **Tasse, -n** cup **tasten** to feel, grope

die **Tat, -en** deed, act(ion); **in der —** indeed, in fact; **der Täter, -** culprit; **tätig** active **(die Tätigkeit); die Tatsache, -n** fact; **tatsächlich** really, in truth; *v.* **tun**

die **Tatze, -n** paw **taub** deaf **(die Taubheit);** unfeeling

die **Taube, -n** dove, pigeon **tauchen** to dip, plunge, immerse, dive; to rise

die **Taufe** baptism; **taufen** to christen, baptize; (*compounding form*) **Tauf-** baptismal **taugen** to be suited, be good; **der Taugenichts** good-for-nothing **taumeln** to tumble, stumble

der **Tausch, -e** exchange **(tauschen)** **täuschen** to deceive, delude, disillusion, cheat; **die Täuschung, -en** delusion

der **Teich, -e** pond

der **Teil, -e** part, share; **zum größten —** for the most part; **teilen** to share, divide **(die Teilung); die Teilnahme, -n** sympathy, interest **(teilnahmlos); teilnehmen*** to take part, share, participate **(der Teilnehmer); teils** partly; **teilweise** partial, partly

der **Teller, -** plate

das **Tempo** tempo, rate, speed

der **Teppich, -e** rug, carpet; tapestry **teuer** expensive, dear

der **Teufel, -** devil; **zum —** what the devil!; **wer (wo) zum —** who (where) the devil; (*compounding form*) **Teufels-** devil's, devilish; **teuflisch** devilish, fiendish **teutsch = deutsch** **tief** deep, low, down, far; **die Tiefe, -n** depth(s); **in der —** far below, in the depths; **tiefliegend** deep-set; **tiefsinnig** pensive, thoughtful das **Tier, -e** animal, beast, horse

der **Tisch, -e** table; **bei (nach, vor) —** at (after, before) dinner, *etc.*

toben to rave, rage, storm (around), roar, bluster; **tobend** raving, *etc.*; boisterous

die **Tochter, ⁝** daughter

der **Tod, -e** death; **auf den —** to the point of death, mortally; **den — finden** to die; **(sich) den — geben** to kill (oneself); **am Tode** dying; (*compounding forms*) **Todes-** death, mortal; **tod-** dead, deathly; **die Todesangst** fear of death, mortal fear

toll mad, insane, wild

tollen to gambol, rush (around)

der **Ton, ⁝e** sound, tone (of voice), note; **tönen** to make a sound, sound, resound, ring, echo

die **Tonne, -n** barrel

der **Topf, ⁝e** pot, jug, crock

das **Tor, -e** gate

der **Tor, -en, -en** fool; **die Torheit, -en** foolish thing, folly; **töricht** foolish

Torre di Venere (the name is Mann's but its "etymology" may be significant: Tower of Venus; a town of Portovenere exists, near Genoa; **Torregiano** is an inhabitant of Torre but also gatekeeper, watchman)

tosen to roar, rage

toska'nisch Tuscan (of Tuscany)

tot dead; **der Tote, -n, -n** dead man, corpse, fatality, (*pl.*) dead; (*compounding form*) **toten-** deathly; **töten** to kill; **tötend** fatal, killing; **tot-schlagen*** to kill

der **Trab** trot; **in — bringen** to get going; **traben** to trot

die **Tracht, -en** costume, dress

trachten to try (for), aim (at) (for), head (for), (make an) attempt

träge lazy, sluggish, indolent **(die Trägheit)**

tragen* to carry, bear, wear **(der Träger); tragbar** portable

die **Träne, -n** tear; **tränenfeucht, tränenüberströmt** tear-stained

tränken to water; to nurse

die **Traube, -n** grape

trauen to trust, believe; **sich —** to dare; **traulich** familiar, intimate

die **Trauer** sorrow, grief, mourning; **trauern** to mourn; **traurig** sad **(die Traurigkeit)**

der **Traum, ⁝e; träumen** to dream **(der Träumer); die Träumerei', -en** revery; **träumerisch** dreamy

die **Trauung** wedding, marriage ceremony

treffen* to strike, hit (upon); to meet; to arrange, make; to concern: **sich —** to happen; **— auf** to encounter; **trefflich** excellent **(die Trefflichkeit)**

treiben* to drive, propel, force, urge, impel, carry, push forth; to carry on, do; to blossom; to float, drift; **es arg —** to behave badly; **das Treiben** activity; **der Trieb, -e** impulse, instinct

(sich) **trennen** to separate, part **(die Trennung)**

die **Treppe, -n** stair(s), stairway

treten* to step, come, enter; to kick; **an ... Stelle —** to take the place of; **der Tritt, -e** step, (foot)steps

treu loyal, true, faithful; **die Treue** loyalty, faithfulness; **treuherzig** true-hearted, sincere

der **Trieb** *v.* treiben

triefen* to drip

Trient Trent or Trento (N.E. Italy)

der **Triller, -** trill, quaver; **trillerieren, trillern** to trill, whistle

trinken* to drink; *v.* **Trunk**

trippeln to trip, traipse

der **Tritt** *v.* treten

trocken, trocknen to dry **(die Trockenheit)**

die **Trommel, -n** drum **(trommeln)**

der **Tropf, ⁝e** wretch, dope, simpleton

tröpfeln, tropfen to drip; **der Tropfen, -** drop

der **Trost** comfort, solace; **trösten** to comfort, help, console **(der Tröster); sich trösten** to take comfort; **tröstlich** comforting; **trostlos** disconsolate, hopeless **(die Trostlosigkeit)**

der **Trotz** defiance; **zum —** despite; **trotz** in spite of, despite; **trotzdem'** although, in spite of the fact that; notwithstanding, in spite of this; **trotzen** to defy, be defiant, be obstinate; **trotzig** defiant, stubborn

trübe dull, gloomy, turbid, cloudy, overcast; **trüben** to disturb, ruffle, trouble; to darken; **trübselig** sad, gloomy, wretched

die **Trümmer** (*pl.*) ruins, debris

der **Trunk, ⁝e** drink; **trunken** drunk(en), intoxicated

der **Trupp, -s** troupe

die **Truppe, -n** troop

das **Tuch, ⁝er** (piece of) cloth; handkerchief; scarf, rags; bandage

tüchtig capable, vigorous, considerable, solid, strong, sturdy; soundly, roundly, well

die **Tücke** malice; **tückisch** malicious, treacherous

die **Tugend, -en** virtue **(tugendhaft)**

(sich) **tummeln** to tumble

tun* to do, act, make, put, take, get, draw; to feel; **es tut nichts** it doesn't make any difference; **das Tun** acting, action, activity

tunken to dip

die **Tür(e), -(e)n** door; **vor der —** before the door; around the corner, imminent; **der Türpfosten, -** doorpost; **die Türschwelle, -n** threshold

der **Turm, ˝e** tower; **türmen** to pile (up)

U

übel bad; **— dran** in trouble, badly off; **das Übel** trouble; disease, malady; evil

üben to practice, exert; **geübt** skillful

über over, above, on top of; across; about; **— und —** all over; (*as compounding form and verb complement—on stress, see introduction to vocabulary*) over, over-; **überall', überallhin'** everywhere; **überaus** extremely, exceedingly

überbieten* to outbid, outdo, surpass

überbringen* to convey, deliver

überdenken* to reflect (upon)

überdies' besides, moreover

der **Überdruß: bis zum —** to the point of boredom (excess)

sich **übereilen** to rush, be hurried; to act rashly **(die Übereilung)**

überein'-stimmen to correspond, agree

überfahren* to run over

der **Überfall, ˝e** attack; **überfallen*** to attack, seize, come over

überfliegen* to scan, glance at; to pass quickly over

der **Überfluß: zum Überfluß** unnecessarily; on top of that; **überflüssig** unnecessary, superfluous

überfluten to flood, inundate

der **Übergang, ˝e** transition; crossing

übergeben* to hand over; to consign

über-gehen* to go over, be transferred, pass (on); to change; to overflow

überhand'-nehmen* to gain control, spread

der **Überhang, ˝e** overhang, ledge; **überhängend** overhanging

überhaupt' altogether, in general, at all, anyhow

überholen to surpass, overtake

überhören to fail to hear, miss

überirdisch supernatural, heavenly

überkommen* to come over; to receive

überlassen* to leave, give over, entrust, yield, resign

überlaufen* to besiege, to overcome, seize

überleben to survive

überlegen superior **(die Überlegenheit)**

überlegen to think over, consider **(die Überlegung)**

überliefern to transmit; **die Überlieferung, -en** tradition

die **Übermacht** superior force

übermannen to overcome

das **Übermaß** excess, superfluity

übermorgen day after tomorrow

der **Übermut** haughtiness; **übermütig** in high spirits; too proud

übernachten to stay overnight

übernehmen* to undertake

überragen to excel, exceed, tower over

überraschen to surprise **(die Überraschung)**

überreichen to present

der **Überrock, ˝e** top-coat, overcoat

überschatten to shadow, shade, overshadow

überschreiten* to step over, cross

überschütten to shower

überschwemmen to flood **(die Überschwemmung)**

übersehen* to look out over, survey; to overlook

über-setzen to cross, ferry over

übersetzen to translate

über-siedeln to move

überstehen* to survive

überströmen to stream down on, flood **(die Überströmung)**

übertragen* to convey, assign, confer

übertreffen* to excel, surpass

übervorteilen to take advantage of

überwachsen overgrown; taller

überwältigen to overpower, overcome

überwinden* to overcome, conquer; **sich —** to bring oneself to

überzeugen to convince; **die Überzeugung, -en** conviction; **sich zur Überzeugung bringen**

to convince oneself that something
is . . .

überziehen* to cover; to make (a
bed)

übrig remaining, left, over, other,
rest; **— bleiben** to be left; **im
übrigen** for the rest; **übrigens**
besides, otherwise, incidentally

die **Übung, -en** exercise

das **Ufer, -** shore, bank, beach

die **Uhr, -en** watch, clock; o'clock

um around, about; upon, after;
for; in order (to); (*as verb complement—on stress, see introduction to
vocabulary*) around, about; **— so**
(*plus comparative*) all the . . ., so
much the . . .

umarmen to embrace, hug

um-fallen* to fall over, collapse

der **Umfang** scope, size

umfassen to embrace, throw one's
arms around; **umfassend**
embracing, extensive

der **Umgang** *v.* **um-gehen**

umgeben* to surround; **die
Umgebung** surroundings,
vicinity; company

um-gehen* to circulate, be in
circulation, go around; to associate;
to treat; **der Umgang** company,
society

umgekehrt vice versa, opposite

um-graben* to break (ground),
turn over

umgrenzen to limit

umhalsen to throw one's arms
around . . .'s neck

umher' (*as verb complement, etc.*)
around, about

umhin'-können: nicht — not be
able to help

um-kehren to turn around; to
reverse, turn

umklammern to clasp, cling to

um-kommen* to die

der **Umkreis** circle, radius; **umkreisen**
to circle

der **Umlauf** circulation; **um-laufen***
to circulate, be talked about

umreiten* to ride around, circle
(on horseback)

umringen to surround

der **Umschlag, ̈-e** envelope, cover;
compress; **um-schlagen*** to
change; to wrap around, turn down

umschlingen* to embrace, throw
one's arms about

um-sinken* to fall down, collapse

umsonst' in vain; free

um-springen* to shift

der **Umstand, ̈-e** circumstance, matter,
aspect, fact, formality; **umständ-**

lich complicated, involved, in
detail, detailed; **umstehen*** to
surround

umstellen to surround, encircle

der **Umsturz** reversal, overturn;
um-stürzen to fall down,
overturn

um-tun* to put on; **sich —** to
look around

um-wandeln to transform

der **Umweg, -e** roundabout way,
detour

um-werfen* to throw over (around
one's shoulders); to upset, knock
over, knock down; to turn (plow)
over

**un amant qui craint les voleurs
n'est point digne d'amour** a
lover who fears thieves is not worthy
of love

un- (*The stress of words, especially
adjectives, formed with the negative
prefix may vary. The more conscious
the negation of a positive, the more
likely is initial stress. Note: Obvious
negatives are not listed; see the
positive form.*)

unabhängig independent (**die
Unabhängigkeit**)

unablässig constant, uninterrupted,
incessant (**die Unablässigkeit**)

unabsehbar immense, vast, limit-
less

unaufhaltsam continual, uninterrupted

unaufhörlich incessant, continual

unausgesetzt uninterrupted

unaussprechlich unspeakable,
inexpressible

unbändig uncontrollable

unbeachtet unnoticed

unbedacht, unbedachtsam
thoughtless

unbedingt complete, absolute

unbeholfen awkward

unbekümmert unconcerned

unbeschädigt undamaged, unhurt

unbeschreiblich indescribable

unbesonnen rash

unbestimmt indefinite, vague

unbeweglich motionless

unbewußt unconscious, unknown

unbezwingbar, unbezwinglich
unconquerable

und and

undurchdringlich impenetrable

undurchsichtig opaque

die **Unebenheit, -en** uneven spot

unecht false, counterfeit

unend'lich endless, eternal,
infinite

unerachtet despite (the fact that)

unergründlich unfathomable, incomprehensible **(die Unergründlichkeit)**

unerhört' unprecedented, unheard of, unparalleled

unerklärlich inexplicable

unermes'sen, unermeß'lich immeasurable, vast

unermüd'lich tireless, inexhaustible

unerschrocken unafraid, fearless **(die Unerschrockenheit)**

unerträglich unbearable, intolerable

unfehlbar without fail, surely

unfern not far from, close to, near(by)

der **Unfug** mischief

ungefähr about

das **Ungeheuer, -** monster; **ungeheuer** monstrous, prodigious, enormous; **ungeheuerlich** monstrous

ungehörig improper, undue; **die Ungehörigkeit** impropriety

ungern unwillingly, reluctantly

ungeschickt awkward, clumsy, poor

ungeschlacht rude, crude

ungeschoren unshaven

ungesehen unnoticed, without looking

ungestüm violent, impetuous

das **Ungetüm, -e** monster

ungewohnt unaccustomed

unglaubhaft, unglaubwürdig incredible

das **Unglück (Unglücksfälle)** misfortune, accident; **unglücklich** unhappy, miserable, unfortunate; **der Unglücksfall, ˙e** accident; **die Unglückssäule** memorial shrine (on a wooden post)

ungut: nicht(s) für ungut not meaning to be unkind, no offense

das **Unheil** disaster, harm, damage, mischief, trouble

unheimlich strange, mysterious, sinister, uncomfortable

der **Unhold** fiend, monster

unhörbar inaudible

unkenntlich unrecognizable

das **Unkraut, ˙er** weed(s)

unmäßig immoderate, extreme

unmerklich imperceptible, unnoticed

unmittelbar direct, immediate

unmöglich impossible, not . . . possibly **(die Unmöglichkeit)**

der **Unmut** displeasure, annoyance, ill humor; **unmutig** angry, annoyed, unhappy

unnütz useless, unnecessary

unordentlich careless, in disorder; **die Unordnung** disorder

unrecht wrong; **— haben** to be wrong; **das Unrecht** wrong, injustice

die **Unruhe** restlessness, unrest, uneasiness; **unruhig** restless, uneasy

unsag'bar, unsäg'lich unspeakable, inexpressible, ineffable

unscheinbar insignificant

die **Unschlittkerze, -n** tallow candle

unschlüssig undecided, indecisive

die **Unschuld** innocence; **unschuldig, unschuldsvoll** innocent

unselig fatal, accursed

unser our

der **Unsinn** nonsense; **unsinnig** mad, crazy

der **Unsrige** our(s)

unsterb'lich immortal

untadelhaft, untadelig irreproachable

die **Untat, -en** misdeed, crime

unten below, underneath, downstairs, at the bottom (foot); **der Untenstehende, -n, -n** person below

unter under, below; among; (*as verb complement—on stress, see introduction to vocabulary*) down; **Unter-** lower; (*as compounding form*) lower, under

unterbrechen* to interrupt **(die Unterbrechung)**

unter-bringen* to find lodging for; to lodge, house, put, place

unterdes(sen) meanwhile, in the meantime

unterdrücken to suppress **(die Unterdrückung)**

der **Untergang** destruction, decline, set(ting); **unter-gehen*** to set; sink, perish

unterhalb beneath

unterhalten* to converse, talk; to entertain, amuse; to maintain; **die Unterhaltung, -en** entertainment; conversation; sustaining, maintenance

unterirdisch subterranean, underground

das **Unterkommen** place to stay, lodging, quarters; **unter-kommen*** to get a place to stay

unterlassen* to help, keep from; to refrain from, omit, fail, stop, leave off; **das Unterlassen, die Unterlassung** omission

unterliegen* to succumb, be defeated

unternehmen* to undertake; **unternehmend** enterprising; **das Unternehmen, -** undertaking

die **Unterredung, -en** conversation, conference
unterrichten to instruct; to inform
unterscheiden* to distinguish, differentiate **(die Unterscheidung); der Unterschied, -e** difference, differentiation
untersetzt squat, thick-set
sich **unterstehen*** to dare
unterstützen to support **(die Unterstützung)**
untersuchen to investigate, examine **(die Untersuchung)**
unterwegs on the way, en route
unterwerfen* to subject; **sich —** to submit; **die Unterwerfung** submission; **der Unterworfene, -n, -n** victim, defeated man; **unterwürfig** submissive, obsequious **(die Unterwürfigkeit)**
untreu disloyal, untrue
unüberseh'bar endless
unumgänglich inevitable
unverhangen unshaded, uncurtained
unverhofft unexpected, unforeseen
unverkennbar unmistakable
unvermeidbar, unvermeidlich unavoidable, inevitable
die **Unvernunft** unreason; **unvernünftig** irrational, unreasonable, foolish
unversehens unexpectedly, by surprise
unversehrt unhurt, uninjured, intact, safe
unverständlich incomprehensible
unverwandt direct, fixed, steadfast
unverweilt immediately, forthwith
unverwüstlich indestructible
unwahrscheinlich unlikely, improbable
das **Unwesen** disorder, mischief; monster
das **Unwetter** storm, stormy weather
unwiderstehlich irresistible
der **Unwille, -ns** indignation; **unwillig** indignant, angry, impatient
unwillkürlich involuntary, instinctive
unwissend not knowing, unknowing, ignorant **(die Unwissenheit)**
unzählbar, unzählig innumerable
üppig voluptuous, sensual
uralt ancient
Ur- (*as compounding form in relationship forms*) great . . .
der **Urheber, -** originator, cause
die **Ursache, -n** cause, reason
der **Ursprung, ̈e** origin; **ursprüng'lich** original
das **Urteil, -e** judgment, sentence; **urteilen** to judge

V

die **Vakanz'** vacation; **vakieren** to vacation, be on holiday
der **Vater, ̈** father; (*as compounding form*) father('s), paternal; **väterlich** father's, paternal
veilchenblau violet (blue)
(sich) **verabreden** to agree (upon), arrange
verabschieden to dismiss, say goodbye to; **sich —** to (take) leave; to say good-bye
verachten to scorn, disdain, despise; **verächtlich** contemptuous, scornful; contemptible; **die Verachtung** contempt, scorn
verändern to change, alter **(die Veränderung)**
veranlassen to cause, occasion **(die Veranlassung)**
veranstalten to arrange, organize **(der Veranstalter); die Veranstaltung, -en** entertainment, performance
verantworten to account for, vouch for, be responsible for; **verantwortlich** responsible
verarmen to become impoverished; **die Verarmung** impoverishment
der **Verband, ̈e** bandage, dressing, wrapping; *v.* **verbinden**
(sich) **verbergen*** to hide, conceal (oneself)
verbessern to correct, adjust
verbinden* to bind, tie, join, connect, combine; to bandage; **verbunden mit** together with; **die Verbindung, -en** alliance, relationship, connection
verbissen obstinate, sour
verblassen to (grow) pale
verbleichen* to (grow) pale, fade
verblüffend amazing, puzzling; **verblüfft** startled, amazed, stunned, taken aback
verboten forbidden
verbrauchen to use up, exhaust
das **Verbrechen, -** crime; **verbrechen*** to commit crimes **(der Verbrecher, verbrecherisch)**
(sich) **verbreiten** to spread (out, around), extend; **verbreitet** extended; widespread, common
verbrennen* to burn
verbringen* to spend
der **Verdacht** suspicion; **verdächtig** suspicious, suspect; **verdächtigen** to cast suspicion upon
die **Verdammnis** damnation, evil fate; **verdammt** damnable, damned; **der Verdammte, -n, -n** condemned soul

verdanken to owe

verdecken to cover, block, conceal

verderben* to destroy, spoil, (go to) ruin, corrupt, waste; **das Verderben** ruin, destruction; **verderbend** destroying, destructive; **verderblich** ruinous, destructive

verdienen to deserve; to earn

verdingen to hire oneself out, contract for

verdoppeln to double

verdorren to dry (up)

verdrehen to turn, twist (off)

verdrießen* to annoy, vex; **verdrießlich** annoyed, ill-tempered, morose; **der Verdruß** annoyance, irritation, spite, trouble

(sich) **verdunkeln** to darken, grow dark

verdutzt puzzled, taken aback, dumbfounded

verehren to respect, honor; **die Verehrung** admiration; **verehrungswürdig** admirable

sich **vereinigen** to join, unite; **die Vereinigung** union

verfahren* to proceed; **das Verfahren** procedure, methods

der **Verfall** ruin, decay; **verfallen*** to fall, lapse; to fall victim to; to come upon; **verfallen** ruined, decayed, sunken

verfangen* to catch (up in); **verfänglich** captious; indecent, embarrassing

verfehlen to miss; to fail; **verfehlt** unsuccessful

verfließen* to flow, blend; to pass

verfluchen to curse

verfolgen to follow; to persecute; **der Verfolger, -** pursuer; **der Verfolgte, -n, -n** persecuted person; **die Verfolgung, -en** prosecution; persecution

verfügen über to have at one's disposal; **sich verfügen** to make one's way, go, betake oneself

verführend seductive; **der Verführer, -** seducer

vergangen past; last; **die Vergangenheit** past

vergebens in vain; **vergeblich** in vain; futile

vergehen* to pass (away), go by, leave

das **Vergehen, -** trespass, offense

vergessen* to forget, neglect; **vergessen** (*p.p.*) forgotten,

absorbed; **die Vergessenheit** oblivion, obliviousness; **vergeßlich** forgetful

vergießen* to shed; to spill

vergiften to poison

vergleichen* to compare (**vergleichbar**)

das **Vergnügen, -** pleasure, joy, amusement; **vergnügen** to please; **sich vergnügen** to enjoy oneself; **vergnüglich** pleasant, pleasurable; **vergnügt** happy, pleased; **die Vergnügung, -en** pleasure

vergolden to gild, turn to gold

vergönnen to grant

(sich) **vergrößern** to enlarge, grow larger, increase (**die Vergrößerung**)

verhaften to arrest, imprison

verhallen to echo, die away, fade

sich **verhalten*** to act, behave, keep; to hold back; to be the case, be; **das Verhalten** attitude, behavior, conduct; **verhalten** (*p.p.*) suppressed, muffled, tense; **das Verhältnis, -se** relation(ship), situation, circumstance; affair

verhandeln to negotiate (**die Verhandlung**)

verhängen* to cover; to proclaim, decree

das **Verhängnis** fate; disaster; **verhängnishaft, verhängnisvoll** fateful

verhaßt hateful, odious

verhehlen to conceal

verheimlichen to conceal

sich **verheiraten** to marry (**die Verheiratung**)

verheißen* to promise

verhöhnen to mock, scoff at

verhüllen to cover, veil, envelop, mask

verhungern to starve

verhüten to prevent (**die Verhütung**)

sich **verirren** to lose one's way, get lost, wander off

verkappt disguised, masked

verkaufen to sell (**der Verkäufer**)

der **Verkehr** traffic, (social) intercourse, connection, communication; **verkehren** to associate; **sich verkehren** to turn

verkehrt upside-down; absurd

verkennen* to fail to recognize, mistake

verkleben to stick (together)

verkleiden to disguise (**die Verkleidung**)

verklommen (*p.p.*) numb

verkommen* to go to ruin, be ruined; — (*p.p.*) ruined; disreputable; **die Verkommenheit** ruin, depravity

sich **verkriechen*** to crawl (away), hide

verkrümmt crooked, bent

verkümmern to stunt, waste away

verkünden to proclaim, prophesy

verlangen to ask, request, demand; to long (for), yearn for; **das Verlangen** desire

verlassen* to leave, desert; — (*p.p.*) deserted, lonely, alone; **sich —** to depend, count; **die Verlassenheit** loneliness, abandonment

der **Verlauf** course, passage, course of events; **verlaufen*** to pass, run; **sich —** to leave, run off

verlegen embarrassed, shy; **— um** at a loss for; **die Verlegenheit** embarrassment

verleihen* to lend, grant

verleiten to mislead, talk into, lead (astray)

verletzen to violate; to injure, wound; **die Verletzung, -en** injury

verleumden to slander, calumniate, defame **(der Verleumder, die Verleumdung)**

sich **verlieben** to fall (be) in love; **verliebt** in love, amorous; **der Verliebte, -n, -n** lover, person in love

verlieren* to lose; **sich —** to lose oneself, disappear; **verloren geben** to give up for lost; **verloren** lost, lonely, forlorn; **der Verlust** loss

verlobt engaged

verlocken to entice, lure

verlöschen to extinguish, put out; **verlöschen*** to go out

verlumpt ragged

der **Verlust** *v.* verlieren

vermählen to marry, wed

vermehren to increase, augment, add to; **die Vermehrung** increase

vermeiden* to avoid

vermieten to rent

vermischen to mix, join

vermissen to miss

vermitteln to obtain, secure, bring about; to reconcile, mediate; **die Vermitt(e)lung, -en** mediation, help

vermögen* to be able, can; to induce, influence

das **Vermögen, -** fortune, property

vermuten to suspect, expect; **vermutlich** presumably, probably; **die Vermutung, -en** suspicion, assumption

vernachlässigen to neglect

vernehmen* to hear **(vernehmbar); sich — lassen** to be heard from, express an opinion; **vernehmlich** audible

sich **verneigen** to bow

verneinen to deny, say no

vernichten to destroy, ruin **(die Vernichtung)**

die **Vernunft** reason; sanity; **vernunftgemäß, vernünftig** reasonable, rational, sensible

veröden to devastate, desolate

veröffentlichen to reveal

der **Verrat** treachery; **verraten*** to betray; **sich —** to reveal oneself

verräuchert smoky, smoke-filled

verrichten to take care of, do, accomplish

sich **verringern** to lessen

verrucht infamous, wicked, villainous **(die Verruchtheit)**

verrückt mad, crazy, insane

versagen to refuse, deny; to fail; **sich —** to forego

versammeln to gather; **die Versammlung, -en** gathering, meeting, assembly

versäumen to neglect, fail; to lose, miss

verschaffen to procure, gain

verschämt bashful

verscheiden* to expire, die

verschieben* to postpone; to shift, displace

verschieden different, various, differing

verschlafen (*p.p.*) sleepy, drowsy

verschleiern to veil, camouflage **(die Verschleierung)**

verschließen* to close (up), lock, seal (off), enclose; **die Verschlossenheit** reserve, taciturnity

verschlingen* to swallow (up), entwine, interlace; to (en)tangle **(die Verschlingung)**

verschmähen to scorn, disdain

verschmelzen* to melt, blend

verschonen to spare

verschossen (*p.p.*) faded

verschränken to fold

verschreiben* to prescribe; **sich — ** to sell oneself

verschulden (to be the) cause (of), do wrong; **das Verschulden** fault

verschütten to flood, bury (alive)

verschweigen* to conceal, keep secret; **verschwiegen** secret; **die Verschwiegenheit** secrecy

verschwimmen* to dissolve, blend, blur

verschwinden* to disappear, be lost

versehen* to provide, furnish; to overlook; **sich —** to expect, anticipate; **ehe er es sich versah** before he knew it, suddenly, unexpectedly; **das Versehen, -** mistake, error

versenken to sink, lower, plunge; **sich —** to be absorbed

versetzen to add, reply, say; to put, place; **in Schrecken —** to terrify

versichern to (re)assure, declare **(die Versicherung)**

versiegeln to seal, wrap, secure

versilbern to (turn) silver

versinken* to sink, fall

(sich) **versöhnen** to placate, reconcile, make up **(die Versöhnung)**

versorgen to take care of, supply; to put away

verspätet delayed, postponed, late

verspotten to mock, make fun of, ridicule

versprechen* to promise

der **Verstand** (good) sense, reason, mind, understanding; **verständig** sensible, reasonable, intelligent; **verständlich** comprehensible, understandable; **das Verständnis** understanding **(verständnisvoll)**; *v.* **verstehen**

verstärken to strengthen, intensify, increase, reinforce **(die Verstärkung)**

verstecken to hide, conceal; **versteckt** secretly

verstehen* to understand, know how; **es versteht sich (von selbst)** (it is a matter) of course

die **Versteigerung** public sale

versteinert petrified

verstellen to misplace, displace; to disguise, feign; **sich —** to dissemble

versterben* to die; **verstorben** dead, deceased, late

verstohlen secret, furtive

verstopfen to stuff, fill

verstören to disturb, disrupt; **verstört** confused, bewildered, distraught, wild

verstoßen* to banish, repudiate, reject, cast out

verstricken to involve, entangle **(die Verstrickung)**

verstummen to fall silent

der **Versuch, -e** attempt; experiment; **versuchen** to try, attempt, test; to tempt, entice; **sich versuchen** to try one's success; **das Versuchs'objekt', -e; die Versuchs'person', -en** (experimental) subject; **die Versuchung, -en** temptation

vertauschen to exchange, trade, interchange

verteidigen to defend **(die Verteidigung)**

verteilen to distribute **(die Verteilung)**; to diffuse, spread (out)

sich **vertiefen** to be absorbed; **die Vertiefung, -en** depression, hole

vertilgen to destroy **(die Vertilgung)**; **vom Erdboden —** to sweep from the face of the earth

vertragen* to stand; **sich —** to get along, be friends, make up

vertrauen to (en)trust, rely; to confide; **das Vertrauen** trust, confidence, faith **(vertrauensvoll)**; **vertraulich** intimate, familiar, confidential **(die Vertraulichkeit)**; **vertraut** familiar, intimate **(die Vertrautheit)**; **der Vertraute, -n, -n** confidant(e); confidential agent

vertreiben* to send away, drive away, drive off, dispel

der **Vertreter, -** representative

vertrocknet dried (up), dry

verüben to commit

verunglückt injured; killed; victim of an accident or disaster

verurteilen to condemn

verwachsen (*p.p.*) crippled, deformed; **der Verwachsene, -n, -n** cripple

verwahren to preserve, protect, secure

der **Verwalter, -** supervisor, administrator, keeper; **die Verwaltung** administration, management

verwandeln to transform, change **(die Verwandlung)**

verwandt related; **der Verwandte, -n, -n** relative

verwaschen (*p.p.*) faded; blurred, indistinct

verwegen audacious, bold

verweigern to refuse

verweisen* to reproach

verwelkt withered, faded

verwerfen* to reject

verwickeln to involve, (en)tangle; **sich —** to tangle, get tangled, get caught (up); **verwickelt** complicated

verwildert wild, distraught, neglected, snarled, tangled, degenerate **(die Verwilderung)**

verwirren to confuse, puzzle; to tangle; **die Verwirrung** confusion

verwischen to blur, obscure

verwittert weathered, weather-beaten

verworfen depraved **(die Verworfenheit)**

verworren confused

verwunden to wound, injure **(die Verwundung)**

verwunderlich surprising, strange; **sich verwundern** to wonder, be astonished, be surprised **(die Verwunderung); verwundert** surprised, astonished

verwünschen to curse **(die Verwünschung)**

die **Verwüstung** devastation

verzagt discouraged, timid

verzaubert enchanted

verzehren to eat, consume; to spend; **der Verzehrer, -** consumer

verzeihen* to forgive **(die Verzeihung)**

verzerren to distort

verziehen* to twist, distort, change expression, screw up; **keine Miene —** not to change expression; **sich —** to move (away)

verzieren to adorn, decorate **(die Verzierung); verziert** ornate

verzögern to delay, postpone **(die Verzögerung)**

verzückt entranced

verzweifeln to despair **(die Verzweiflung); verzweifelt, verzweiflungsvoll** desperate, in despair

der **Vetter, -n** cousin

das **Vieh** cattle; beast

viel much, a lot, a great deal; **viele** many; **vielfältig** various, in various ways, in many places, in many cases; **vieljährig** of many years, long lasting

vielleicht' perhaps, possibly, maybe

vielmehr' rather, much more (so); **vielschön'** lovely

das **Viertel, -** quarter

das **Vivat** vivat, salute, cheer(s), long live . . .

der **Vizekönig, -e** viceroy, vice-regent

der **Vogel, ∵** bird

das **Volk, ∵er** people, crowd, folk; **volkstümlich** popular

voll full (of), complete; **vollauf** fully, in full measure

vollbrin'gen* to finish, complete, execute, accomplish

vollen'den to complete, finish, accomplish **(die Vollendung); vollends** completely, totally, all the way

voller full of

vollfüh'ren to execute, carry out

völlig complete, fully; **vollkom'men** perfect, complete; **vollständig** complete

vollziehen* to execute, carry out, conduct, accomplish; **sich —** to take place, transpire

von of, by, from; some of

vor before, in front of; of, with; ago; (as verb complement, etc.) in front of (oneself, etc.), ahead, forward, forth; **— sich hin** to oneself (away), (straight) ahead (also used as verb complement)

voran' (as adverb and verb complement) ahead, first (of all), foremost

voran'-gehen* to precede

voraus' (as adverb and verb complement) (on) ahead, in advance; **im —** beforehand, in advance

voraus'-gehen* to precede, go on ahead

voraus'-sagen to say so before, predict

voraus'-setzen to assume, presume **(die Voraussetzung)**

vor-behalten* to reserve

vorbei' (as adverb and verb complement) past, by, (all) over; **an . . . —** past

vorbei'-gehen* to go past; **im Vorbeigehen** in passing

(sich) **vor-bereiten** to prepare **(die Vorbereitung);** to be in the making

vorbestimmt predetermined

das **Vorbild, -er** model

die **Vorbitte, -n** request, intercession

der **Vorbote, -n, -n** harbinger, precursor

vor-bringen* to put forward, bring up, say, allege, urge

vordem' before, previously

vorder- front, forward (also compounding form); **vorderst-** foremost, front

der **Vorfall, ∵e** event, incident; **vor-fallen*** to occur

vor-finden* to find; **sich —** to appear, be met with, be encountered

vor-führen to (re)present; **die Vorführung, -en** performance, show

der **Vorgang, ∵e** process, incident; v. **vor-gehen**

der **Vorgänger, -** predecessor

vorgefaßt prepared, preconceived

vor-gehen* to go on, happen

vorgestern day before yesterday
vorgezeichnet preordained, predictable
vor-greifen* to anticipate, rush
vor-haben to plan, have in mind
vorhan'den present, there, available, existing; **nicht —** non-existent
der **Vorhang, ⁓e** curtain
vorher' previously, before(hand)
vorhin' before, just now, a while ago
vorig- previous, last
vor-kommen* to happen, occur; to seem, appear
das **Vorland** foreland (in front of dike)
vorläufig provisional, preliminary, preparatory; for the present, in the meantime
vor-legen to place before, serve, present
vor-lesen* to read (aloud)
vormals before, previously **(vormalig)**
der **Vormittag, -e** forenoon, morning; **vormittags** in the morning
vorn(e) (in) front, forward
der **Vorname, -ns, -n** first name
vornehm aristocratic, high-class, distinguished, proud, elegant
vor-nehmen* to try, undertake, resolve; to make; to take out, take up
vornherein': von — from the outset
der **Vorplatz, ⁓e** square (in front of a building)
der **Vorposten, -** outpost
vor-quellen* to protrude, ooze out
der **Vorrat** supply, supplies
der **Vorsatz, ⁓e** resolve, premeditation
der **Vorschein: zum — kommen** to come to light, appear; **zum — bringen** to produce, bring to light
der **Vorschlag, ⁓e** suggestion, proposal; **in — kommen** to be proposed; **vor-schlagen*** to suggest, propose
die **Vorsicht** (pre)caution, foresight; **vorsichtig** careful, cautious
die **Vorsorge** care, foresight, aid; **vorsorglich** careful
die **Vorspiegelung, -en** pretence
der **Vorsprung** lead; projection
die **Vorstadt, ⁓e** suburb
vor-stehen* to protrude; to manage, operate, be in charge of
vor-stellen to represent; to present, introduce; **sich —** to imagine; **die Vorstellung, -en** notion, imagining, conception, belief, picture

der **Vorteil, -e** advantage; **im —** ahead; **vorteilhaft** advantageous, profitable
vor-tragen* to carry in front of; to present; to recite
vortrefflich excellent
vorü'ber (*as adverb and verb complement*) past, by, over; **an ... —** past, by
vorü'ber-gehen* to go past, pass (by); **im Vorübergehen** in passing; **vorübergehend** temporary
der **Vorwand, ⁓e** pretext, excuse
vorwärts (*as adverb and verb complement*) forward, ahead
vor-werfen* to reproach ... for; to throw to; **der Vorwurf, ⁓e** reproach
das **Vorzimmer, -** anteroom, front room
der **Vorzug, ⁓e** preference, advantage; **vorzüglich** particularly; exquisite, excellent

W

wach awake; alive, brisk; **— werden** to awake, wake up; **die Wache, -n** guard, watch; **wachen** to wake, be awake; to watch; **die Wachsamkeit** vigilance, attentiveness
wachsen* to grow; **im Wachsen** building up; **gewachsen** up to, equal to
die **Wachskerze, -n** (wax) candle
die **Wacht** watch, guard
die **Wachtel, -n** quail
der **Wächter, -** guard; **der Wachtmeister, -** sergeant-major
wacker brave; bold; decent, good, sturdy
die **Waffe, -n** weapon, arms; **sich waffnen** to arm oneself
das **Wägelchen** *diminutive of* **Wagen**
wagen to dare (to do), try, risk; **sich —** to venture
der **Wagen, -** car, coach, carriage, wagon, cart
die **Wahl** choice; **vor die — stellen** to face with the choice; **wählen** to elect, choose, choose well, select
der **Wahn** delusion; **(sich) wähnen** to think, imagine; **der Wahnsinn** (act of) madness, insanity; **wahnsinnig** mad, insane
wahr true, real; **nicht —?** right? isn't it?; **wahrhaft(ig)** true, genuine, real, actual; **die Wahrheit** truth; **wahrlich** truly; **wahrsagen** to prophesy; **der Wahrsager, -** fortune teller; **die**

Wahrsagung prophecy, prediction; revelation; **wahrscheinlich** probable

wahren to preserve, keep, maintain **(die Wahrung)**

währen to last, endure, take, continue; **während** while, during; **währenddes(sen)** meanwhile

wahr-nehmen* to see, perceive, be able to tell, be aware of; to take advantage of

die **Waise, -n** orphan

der **Wald, ¨er** wood(s), forest; **die Waldeinsamkeit** forest solitude; **der Wald(es)grund, ¨e** forest floor; **das Waldhorn** (French) horn; bugle; **der Waldhornist', -en, -en** French horn player; **die Waldung, -en** woods

der **Wall, ¨e** wall, embankment

der **Wallach, -e** gelding

wallen to wave, flow, undulate, surge, heave; to travel

walten to rule, prevail

(sich) **wälzen** to roll, toss

der **Walzer, -** waltz **(walzen)**

die **Wand, ¨e** wall

der **Wandel** change; way of life; **wandeln** to change; to wander, move, walk

der **Wanderer, -** traveler, wanderer; **wandern** to travel, wander, hike, walk, roam, move; **die Wanderung, -en** trip, hike; **auf Wanderung gehen** to go on one's travels

der **Wandschrank, ¨e** cupboard

die **Wange, -n** cheek; **-wangig** (suffix) -cheeked

wanken to waver, stagger, shake

wann when

die **Ware, -n** good, wares, article, product

warm warm, eager; **— heizen** to heat up; **die Wärme** warmth; **wärmen** to warm

warten to wait; to await; to tend; to attend (to); **auf sich — lassen** to take one's time; **der Wärter, -** crossing guard (on railroad), signalman; **die Wärterin, -nen** nurse

-wärts -ward(s)

warum' why

was what; (that) which, that; = **etwas**; why; **— für** what (sort of)

die **Wäsche** wash, laundry; clothes

das **Wasser, -** or **¨** water, body of water; **die Wasserfrau, -en** mermaid; **die Wasserkunst, ¨e** fountain; **wässern** to water; **das Wasserweib, -er** mermaid

waten to wade, plow

das **Watt, -en** flat(s), shallow(s); **das Wattenmeer** shoal water; shallows; **der Wattstrom, ¨e** shoal current

weben(*) to weave; to float

der **Wechsel** change; **wechseln** to change, exchange, alternate

wechselseitig mutual

wecken to waken, wake up, (a)rouse

weder neither

der **Weert = Wirt; uns Weert** Sir

der **Weg, -e** way, path, road; distance; **sich auf den — machen** to set out; **weg** (as adverb and verb complement) off, out of the way, away; gone; **über ... weg** across

wegen because of, for (the sake of), over, about

weg-schaffen to get rid of, eliminate

der **Wegweiser, -** guide; sign post

weg-zehren to consume, eat away

weh(e) sore; **— tun** to hurt

wehen to blow; to fly, float, wave

die **Wehle, -n** "Wehle," pool

die **Wehmut** sadness; **wehmütig** sad, wistful

wehren to restrain, hinder, fend (off), ward (off); **sich wehren** to defend oneself, (put up a) struggle, fight

das **Weib, -er** wife; woman; **weiblich** feminine **(die Weiblichkeit)**

weich soft, tender; **die Weiche, -n** flank, side

weichen* to yield, leave, draw (back); to disappear

die **Weide, -n** willow; pasture; **die Weidefläche, -n** pasture-land

sich **weigern** to refuse

der **Weiher, -** pond

die **Weihnacht(en)** Christmas eve

weil because, since; (archaic) while

die **Weile, -n** while; **weilen** to tarry, linger, dwell

der **Weinberg, -e; der Weingarten, ¨** vineyard

weinen to cry, weep

weis(e) wise; **— machen** to fool, trick; **die Weisheit** wisdom

die **Weise, -n** manner, way, fashion

weisen* to point, direct, send, turn; to show; **von der Hand —** to reject; **von der Tür —** to show the door

weiß white; **das Weiße** whiteness; **weißen** to whiten, whitewash

weissagen to prophesy

weißgestiefelt white-booted, white-stockinged (of a horse with white lower legs); **weißhaarig** white-haired

die **Weisung, -en** instruction(s)

weit wide, broad, far, remote, far to go; **von weitem** from afar, from a distance; **die Weite** expanse; **in die — (ins —)** far away, far in the distance; **weiten** to stretch, widen; **weiter** farther, wider; more; **das Weitere** the rest; **jedes Weitere** everything else; **ohne weiteres** without further ado, immediately, naturally, readily; (*as adverb and verb complement*) farther, further, on, forth, continue to . . .; **weitergehen*** to go on; to continue; **weiterhin′** further(more); farther; continue to . . .; **weither′** from far away, from afar; **weithin′** far, far off, from a great distance; **weitläufig** extensive, detailed

welch- which, what, who; some; any

welk withered, dry, faded

die **Welle, -n** wave

welsch foreign, Italian; **das Welsch** foreign tongue, Italian; **(das) Welschland** Italy

die **Welt, -en** world

(sich) **wenden*** to turn, direct, shift; **die Wendung, -en** turn (of events); turn (of speech), phrase

wenig little, (a) bit; few; **wenige** (a) few, some; **weniger** less; **nichts — als** anything but; **am wenigsten** at least

wenn if, when, whenever; **auch —, — . . . auch** even if; **wenngleich (wenn . . . gleich)** although, even though

wer who, whoever, he who, anyone

werben* to court, sue for the hand of

werden* to become, get, grow, turn, happen; to fall to one's lot; *auxiliary of future and passive*

werfen* to throw, cast, drop, toss; **der Werfer, -** thrower (in a game); *v.* **Wurf**

die **Werft(e), -(e)n** earth mound (raised spot in diked land, for houses)

das **Werk, -e** (piece of) work, task, job; factory, plant; **die Werkstatt, ″e (die Werkstätte, -n)** workshop, plant

wert worth, worthy, of value; **der Wert, -e** value, worth **(wertlos)**

das **Wesen, -** being, thing; existence; personality, attitude, nature; activity, behavior, (way of) life; business, goings on; **viel Wesens machen** to make much (of); **wesentlich** important

weshalb why, for what reason, for which reason

der **West(en)** West **(westlich, westwärts)**

weswegen = weshalb

die **Wette: um die —** (*with verb*) to vie with . . . in . . .; **wetten** to bet; **der Wettkampf, der Wettstreit** competition

das **Wetter, -** weather; storm; **wetterleuchten** to flash (heat) lightning; **der Wetterstrahl, -en** lightning flash; **wetterstrahlen** to strike (down) like lightning

wichtig important **(die Wichtigkeit)**

wickeln to wrap

wider against, contrary to; **= gegen**

widerfahren* to happen, befall

der **Widerhall** echo **(widerhallen)**

der **Widersacher, -** opponent

der **Widerschein, -e** reflection; **wider-scheinen*** to reflect

widerspenstig stubborn, contrary, obstinate **(die Widerspenstigkeit)**

widersprechen* to contradict, oppose; **der Widerspruch, ″e** objection

der **Widerstand, ″e** resistance, opposition, opposing force **(die Widerstandslosigkeit)**

widerstehen* to resist, oppose

widerstreben to oppose, struggle against; **das Widerstreben** opposition

widerwärtig repugnant, odious

der **Widerwille, -ns** aversion, reluctance; **widerwillig** reluctant

widrig ugly, repugnant

wie how, like, as, such as, the like of, as if, what; **— gesagt** as was mentioned, as has been said; **— (sehr) auch** no matter how (much)

wieder again, once more; back; in return; *also verb complement*; (*as compounding form*) re-

wiederholen to repeat **(die Wiederholung)**

die **Wiederkehr** return **(wiederkehren)**

wiederum again, on the other hand

die **Wiege, -n** cradle; **wiegen** to move back and forth, rock, sway, lull

wiegen* to weigh

wiehern to neigh

Wien Vienna; **Wiener** Viennese, from Vienna

die **Wiese, -n** meadow, field

wieso′ why (so)

wieviel′ how much, how many

wieweit′ to what extent

wiewohl′ although

das **Wild** (wild) game, (game) animal(s); **wild** wild, violent, fierce, rough, uncultivated, coarse; **wilde Jagd** wild chase, mad hunt (Wotan's ride as emblematic of storms); **die Wildheit** fierceness; **die Wildnis, -se** wilderness

der **Wille, -ns, -n** will; **zu Willen sein** to comply with one's wishes, cooperate; **um ... willen** for the sake of, in the name of; **willenlos** without conscious will, unintentional, involuntary, unsure; **die Willenslosigkeit** absence of will; **willig** willing, ready; **willigen** to agree

willkomm(en) welcome

wimmeln to swarm, throng, crowd

wimmern to whimper

die **Wimper, -n** eyelash

der **Wind, -e** wind, breeze; **kein — geht** no wind is blowing; **in den — schlagen** to throw over, forget; **das Windlicht, -er** torch; **das Windspiel, -e** whippet; **der Windstoß, ̈-e** gust (of wind)

die **Winde, -n** bindweed; **(sich) winden*** to wind, twist (and turn), curve; to braid, weave; **die Windung** bend, turn

der **Wink, -e** sign, hint, suggestion; **winken** to wave, beckon, signal

der **Winkel, -** corner, spot

winseln to whimper

winterlich winter, winter's

der **Winzer, -** wine-grower, vineyard worker

winzig tiny

der **Wipfel, -** top (of tree), treetop, tip

wir we

wirbeln to whirl; **der Wirbelwind, -e** whirlwind

wirken to effect, have an effect; **das Wirken** effect; **wirklich** real, actual; **wirksam** active **(die Wirksamkeit)**; **die Wirkung, -en** effect

wirr confused, chaotic; **das Wirrsal** confusion, chaos

der **Wirt, -e** innkeeper, tavern-keeper; host; employer, master; **die Wirtschaft** household; farm (operation); management; domestic economy; activity, goings-on, operation; **wirtschaften** to run things, manage; to rummage, bustle around; **die Wirtschafterin, -nen** housekeeper; **das Wirtshaus, ̈-er** inn, tavern; **die Wirtsstube, -n** parlor (of inn), coffee-room

wischen to wipe

wissen* to know, know how to, be able; **(noch) —** to remember;

nichts von sich — to be out of one's mind; **nicht aus noch ein —** to be at a complete loss; **das Wissen** knowledge; **nach bestem Wissen** to the best of my knowledge; **wissend** knowing, aware, cognizant; **die Wissenschaft, -en** science, knowledge; **wissenschaftlich** scientific

wittern to suspect

die **Witterung** weather

die **Witwe, -n** widow

der **Witz, -e** joke; clever saying; **witzig** witty

wo where, when, in which, somewhere; **— nicht** if not; **wo-** (*with prepositions*) where-, ... which, ... what

die **Woche, -n** week; **das Wochenbett, -en** childbirth, childbed; **wochenlang** for weeks at a time; **wöchentlich** weekly, every week

wogen to wave, ripple, surge, billow, flow

woher' from which, from where, where ... from

wohin' to which, where (... to), wherever

wohl well, good, pleasant, comfortable; certainly, probably, perhaps, no doubt, to be sure, all right; **es sich — sein lassen** to enjoy oneself; **— oder übel** willy-nilly, willingly or not; **das Wohl** weal, welfare, health; **wohlbekannt** familiar; **wohlerzogen** well-bred; **wohlfeil** inexpensive; **wohlgeborgen** safe, secure; **das Wohlgefallen** pleasure; **wohlgefällig** happy, pleased; **wohlgemut** cheerful, gay; **wohlhabend** prosperous **(die Wohlhabenheit)**; **der Wohlstand** prosperity, well-being; **die Wohltat, -en** kindness, boon; **wohltätig** beneficent, salutary; **wohl-tun*** to make one feel good, be comforting, be pleasant; **das Wohlwollen** good will, benevolence; **wohlwollend** benevolent

wohnen to live, dwell; **das Wohngelaß, -e; das Wohngemach, ̈-er; die Wohnstube, -n** parlor, living room; **die Wohnung, -en** residence, dwelling; house, room; **das Wohnzimmer, -** living room

die **Wölbung, -en** vault, arch

die **Wolke, -n** cloud **(wolkenlos)**; **die Wolkenschicht, -en** cloud layer; **der Wolkenstreifen, -** cloud banner

wollen* to want to, wish, be willing to, intend, be about to, claim to
wollen woolen; (*compounding form*) **Woll(en)-** wool(en)

die **Wonne, -n** delight, joy

das **Wort, ⸚er** *or* **-e** word(s); **— halten** to keep one's word; **das — nehmen** to take the floor; **das — abschneiden, ins — fallen** to interrupt; **zu Worte kommen** to speak, have a word; **(des) Wortes mächtig** able to speak; **wörtlich** literally, in words; **wortlos** without a word, silent, speechless; **der Wortwechsel, -** exchange (of words)

wühlen to dig; to stir; to gnaw; **sich —** to wallow around, dig

die **Wunde, -n** wound

das **Wunder, -** miracle, wonder; **wunder wie gut** how incredibly; **wunder was für** no telling what; **wunderbar** wonderful, remarkable, miraculous; strange; **wunderlich** strange; **wundern** (*impersonal or reflexive*) to be surprised, be amazed, wonder; to amaze, surprise; **wundersam** wonderful, wondrous, strange; **wunderschön** beautiful, handsome; **wundervoll** wonderful, marvelous

der **Wunsch, ⸚e** wish, desire **(wünschen)**

die **Würde, -n** dignity, honor; **würdevoll** dignified; **würdig** worthy; dignified; (*with terms of address*) dear; **würdigen** to assess, evaluate, respect, honor; to confer on; **eines Blickes —** to deign to glance at, vouchsafe a glance

der **Wurf, ⸚e** throw; **am —** (to have) one's turn to throw; *v.* **werfen**

würgen to choke

der **Wurm, ⸚er** worm; little thing

die **Wurzel, -n** root; **wurzeln** to be rooted

wüst desolate, deserted, barren, uncultivated; **die Wüste** desert, desolate space, waste; **die Wüstenei', -en** waste

die **Wut** rage, anger, fury; **wüten** to rage, be angry; **wütend** angry, enraged, furious, raging

Z

die **Zacke, -n** peak, spike, prong, pinnacle

zagen to hesitate; **zagend** hesitant, fearful; **zaghaft** timid, hesitant; **zäh(e)** tenacious, tough, sticky

die **Zahl, -en** number **(zahllos)**, figure; (*compounding form*) **Zahlen-** of numbers; **zählen** to count **(der Zähler); zahlen** to pay (for); **zahlreich** numerous

der **Zahn, ⸚e** tooth **(zahnlos)**

der **Zank** quarrel(ing), discord; **zanken** to quarrel, fight, argue

zappeln to sprawl, flounder, jerk, twitch, fidget; **der Zappler, -** jerking figure

zart delicate, tender, soft; **zärtlich** affectionate, tender, loving **(die Zärtlichkeit)**

der **Zauber** magic **(zauberisch);** die **Zauberei', -en** magic, sorcery, sorcerer's trick; **der Zauberer, -** magician; **die Zauberfrau, die Zauberin** enchantress; **der Zauberkünstler, -** conjurer

zaudern to hesitate

der **Zaum, ⸚e** rein, check

der **Zaun, ⸚e** fence

die **Zehe, -n** toe

das **Zeichen, -** sign, signal, call, mark; **zeichnen** to draw, mark, sign, outline; **die Zeichnung, -en** drawing, sketch

der **Zeigefinger, -** index finger; **zeigen** to show, point, reveal; **sich zeigen** to show up, show oneself, reveal oneself; to turn out, develop

zeihen* to accuse

die **Zeit, -en** time; **höchste —** high time; **zeitig** early; **eine Zeitlang** (for) a while; **zeitlebens** (for) all one's life; **der Zeitpunkt, -e** point (of time); **die Zeitung, -en** newspaper

zerbersten* to burst, split
zerbrechen* to break (to pieces)
zerdrücken to crush
zerfallen* to fall (to pieces), be ruined, collapse
zerfetzt ragged
zerreißen* to tear (up), tear to pieces, tear apart, rend, split
zerren to tug, pull, drag
zerrütten to ruin, shatter, unsettle, ravage
zerschlagen* to beat, batter
zerschmettern to crush, smash
zerspringen* to burst, crack
zerstören to destroy, ruin **(die Zerstörung)**
(sich) **zerstreuen** to scatter; to distract; to amuse; **zerstreut** scattered, *etc.*; absent-minded; **die Zerstreuung, -en** distraction, amusement
zertrümmert ruined, wrecked
zerzaust disheveled
zetern to cry out, scream

der **Zettel, -** slip of paper, note

das **Zeug** stuff, material, things

der **Zeuge, -n, -n** witness; **zeugen** to bear witness, testify; **das Zeugnis** testimony, right to testify

der **Zickzack** zig-zag

der **Ziegel, -** (roof) tile, brick

die **Ziege, -n** she-goat; **der Ziegenbock, ّe** he-goat

ziehen* to pull, draw, take; to go, pass, move; to tend; to raise; to ache, hurt; **sich —** to extend, be drawn out; *v.* **Zug**

das **Ziel, -e** goal, destination

ziemen to be fitting, be proper

ziemlich fairly, rather, quite (a); **so —** about, roughly

zieren to adorn, decorate; **zierlich** elegant, ornate; pretty, graceful; **die Zierlichkeit** elegance, grace

die **Ziffer, -n** figure, number

das **Zimmer, -** room

der **Zipfel, -** edge, end, corner, tassel; **die Zipfelkappe, -n; die Zipfelmütze, -n** tassel cap

zirka about

zischen to hiss, bubble; to hush

zittern to tremble

zögern to hesitate; **zögernd** hesitant

der **Zoll** duty, tribute, toll; **der Zolleinnehmer, -** toll collector; **das Zollhaus, ّer** toll house

der **Zopf, ّe** pigtail, braid(s)

der **Zorn** anger; **zornig** angry; **zornrot** flushed with anger; **die Zornröte** angry flush

zu at, to, up to, along with, to go with; *sign of infinitive*; *(as adverb)* too; *(as adverb and verb complement)* closed, shut; to, toward; **auf . . . —** up to; **nach . . . —** toward

zu-bringen* to spend; to bring along

die **Zucht** propriety; discipline; **in — halten** to keep in hand; **züchtigen** to punish (**die Züchtigung)**

zucken to tremble, quiver, quaver; to tug, shrug; to struggle

der **Zucker** sugar; **das Zuckerwerk, das Zuckerzeug** candy, sweets

zudem' besides, moreover; especially (as)

zudringlich importunate, forward, impertinent (**die Zudringlichkeit)**

zuerst' first, at first

der **Zufall, ّe** coincidence, chance, accident; **zufällig** (by) chance, by accident, accidental

die **Zuflucht** refuge

zufrie'den content(ed), satisfied, satisfying, satisfactory; **die**

Zufriedenheit satisfaction, contentment; **zufriedenstellend** satisfactory, satisfying

zu-fügen to inflict

der **Zug, ّe** train; procession; pull; feature, trait, expression; draft, draught; platoon; **der Zugführer, -** conductor; **der Zugvogel, ّ:** migrating bird; *v.* **ziehen**

zu-geben* to admit, permit

zuge'gen present, here

zu-gehen* to go forward; to go on, happen; **auf . . . —** to go toward or up to; **es geht . . . zu** things are . . .

der **Zügel, -** rein, check; **den — schießen lassen** to give free rein to

der **Zugführer** *v.* **Zug**

zugleich' at the same time, simultaneously, along (with)

zu-greifen* to reach for; to grasp out, reach out; to help oneself

zugrun'de to ruin; **— gehen** to be ruined, fail, be destroyed; **— richten** to destroy

zugut'-kommen* to do . . . good

sich **zugu'te-geben*** to contain oneself

der **Zugvogel** *v.* **Zug**

zu-hören to listen to; **der Zuhörer, -** auditor, listener

zu-kommen* to come toward; to be appropriate to, be one's share, be coming to; to be given

die **Zukunft** future (time); **zukünftig** future

zu-lachen to laugh in the direction of, look at with a laugh

zu-lassen* to permit, allow

zuletzt' finally, at last, last, in the end

zulieb'(e) for (. . . sake)

zu-machen to close, shut, fasten

zumal' especially (as)

zumut'(e) sein to feel; **— werden** to begin to feel

zu-muten to expect of, force oneself

zunächst' first (of all), at first

zünden to kindle, light

zu-nehmen* to increase, grow

die **Zuneigung** affection

die **Zunge, -n** tongue; **sein Herz auf der — haben** to wear one's heart on one's sleeve, say everything one feels; **auf der — haben** to be about to say, have on one's lips

zupfen to tug, pull (off)

zurecht'-machen to arrange

sich **zurecht'-rücken** to straighten oneself (out)

zu-reden to coax; **das Zureden** admonition, coaxing

zürnen to be angry

zurück′ (*as adverb and verb complement*) back, behind; **hin und —** back and forth
zurück′-halten* to hold back, restrain, repress
zurück′-kehren to return
zurück′-legen to cover, travel; to lay back
zurück′-schrecken* to draw back in fear or horror, shrink back
zurück′-weisen* to turn back, reject
zurück′-ziehen* to draw back, pull back; to withdraw
zusam′men (*as adverb and verb complement*) together, up
zusam′men-brechen* to collapse
zusam′men-bringen* to gather (together), bring together, put together; to prepare, fix, make
zusam′men-drängen to compress, shove together
zusam′men-fahren* to start, shrink, wince
zusam′men-fallen* to collapse
zusam′men-fassen to pull together, summarize
zusam′men-geben* to join in marriage
zusam′men-halten* to hold together, hold up; to stick together
der **Zusam′menhang,** ⁝e connection, state; **zusammen-hängen*** to be connected; **zusammen-hängend** coherent
die **Zusam′menkunft,** ⁝e meeting, rendezvous
das **Zusam′menleben** life together
zusam′men-richten to fix up
zusam′men-schau(d)ern to shrink, shudder
der **Zusam′menschlag** collapse; **zusammen-schlagen*** to put together; to strike together, clap; to close, fold up
zusam′men-schmelzen* to shrink, shrivel up
zusam′men-stoßen* to abut, join; **der Zusammenstoß,** ⁝e encounter
zusam′men-stürzen to collapse
zusam′men-suchen to gather together, select
zusam′men-tragen* to put together
zusam′men-treffen* to meet, join
zusam′men-ziehen* to draw together; to contract, clench
zusam′men-zucken to shudder
zu-schauen to watch; **der Zuschauer, -** spectator, witness; **der Zuschauerraum,** ⁝e auditorium

zu-schlagen* to slam, close
zu-schließen* to shut, lock up
zu-schreiben* to ascribe
zu-sehen* to watch, look
der **Zuspruch** consolation; praise
der **Zustand,** ⁝e condition, state, circumstance
zu-stimmen to agree; **die Zustimmung** agreement, assent
zu-stoßen* to happen; to lunge
zuteil′-werden* to fall to (one's share); to be given, be allotted, be granted
zu-tragen* to carry to; **sich —** to happen, occur; **zuträglich** advantageous, conducive; wholesome
zu-trauen to credit with, believe of; **das Zutrauen** confidence; **zutraulich** confiding, trusting, trustful, friendly
zutreffend right, perfect, correct
zu-tun* to shut; **das Zutun** help; **zutu(n)lich** friendly
zuviel′ too much
zuvor′ before(hand)
zuwe′ge bringen* to accomplish, bring about
zuwei′len at times, sometimes, now and then
zu-werfen* to slam, shut; to throw to
zuwi′der unpleasant, repugnant
der **Zuzug** influx, reinforcements
der **Zwang** compulsion; **zwanglos** free; **die Zwanglosigkeit** freedom, ease, informality
zwar indeed, to be sure, (it is) true, namely, that is, in fact
der **Zweifel, -** doubt (**zweifellos**); **zweifelhaft** dubious, doubtful; **zweifeln** to doubt, doubt one's ability (to)
der **Zweig, -e** branch; **auf einen grünen — kommen** to prosper, get anywhere
zweimal twice, two times
der **Zwergobstbaum,** ⁝e dwarf fruit tree
zwicken to tweak, pinch, poke; **der Zwicker, -** poke, pinch; pince-nez
das **Zwiegespräch, -e; die Zwiesprache, -n** dialogue, conversation; **das Zwielicht** twilight; **der Zwiespalt** split, division
zwingen* to force, compel
zwinkern to twinkle; to wink
zwischen between, among; **zwischendurch′** between times, in the midst of (it, *etc.*)
der **Zwischenraum,** ⁝e space (between), interval
zwitschern to twitter, chirp

Principal Parts of Strong and Irregular Verbs

INFINITIVE	PAST INDICATIVE	PAST PARTICIPLE	PRESENT INDICATIVE
backen	buk (backte)	gebacken	bäckt
befehlen	befahl	befohlen	befiehlt
beginnen	begann	begonnen	beginnt
beißen	biß	gebissen	beißt
bergen	barg	geborgen	birgt
bersten	barst	geborsten	birst (berstet)
betrügen	betrog	betrogen	betrügt
bewegen	bewog	bewogen	bewegt
biegen	bog	gebogen	biegt
bieten	bot	geboten	bietet
binden	band	gebunden	bindet
bitten	bat	gebeten	bittet
blasen	blies	geblasen	bläst
bleiben	blieb	geblieben	bleibt
brechen	brach	gebrochen	bricht
brennen	brannte	gebrannt	brennt
bringen	brachte	gebracht	bringt
denken	dachte	gedacht	denkt
dringen	drang	gedrungen	dringt
dürfen	durfte	gedurft	darf
empfehlen	empfahl	empfohlen	empfiehlt
erbleichen	erblich	erblichen	erbleicht
	(erbleichte)	(erbleicht)	
erschrecken	erschrak	erschrocken	erschrickt
essen	aß	gegessen	ißt
fahren	fuhr	gefahren	fährt
fallen	fiel	gefallen	fällt
fangen	fing	gefangen	fängt
fechten	focht	gefochten	ficht
finden	fand	gefunden	findet
flechten	flocht	geflochten	flicht
fliegen	flog	geflogen	fliegt
fliehen	floh	geflohen	flieht
fließen	floß	geflossen	fließt
fragen	fragte (frug)	gefragt	fragt (frägt)
fressen	fraß	gefressen	frißt
frieren	fror	gefroren	friert
gären	gor (gärte)	gegoren (gegärt)	gärt
gebären	gebar	geboren	gebiert
geben	gab	gegeben	gibt
gedeihen	gedieh	gediehen	gedeiht
gehen	ging	gegangen	geht
gelingen	gelang	gelungen	gelingt
gelten	galt	gegolten	gilt
genesen	genas	genesen	genest
genießen	genoß	genossen	genießt
geschehen	geschah	geschehen	geschieht
gewinnen	gewann	gewonnen	gewinnt
gießen	goß	gegossen	gießt
gleichen	glich	geglichen	gleicht
gleißen	gliß (gleißte)	geglissen	gleißt
		(gegleißt)	
gleiten	glitt	geglitten	gleitet

INFINITIVE	PAST INDICATIVE	PAST PARTICIPLE	PRESENT INDICATIVE
glimmen	glomm (glimmte)	geglommen (geglimmt)	glimmt
graben	grub	gegraben	gräbt
greifen	griff	gegriffen	greift
haben	hatte	gehabt	hat
halten	hielt	gehalten	hält
hängen (hangen)	hing	gehangen (gehängt)	hängt
hauen	hieb	gehauen	haut
heben	hob (hub)	gehoben	hebt
heißen	hieß	geheißen	heißt
helfen	half	geholfen	hilft
kennen	kannte	gekannt	kennt
klimmen	klomm	geklommen	klimmt
klingen	klang	geklungen	klingt
kommen	kam	gekommen	kommt (kömmt)
können	konnte	gekonnt	kann
kreischen	krisch (kreischte)	gekrischen (gekreischt)	kreischt
kriechen	kroch	gekrochen	kriecht
laden	lud	geladen	lädt
lassen	ließ	gelassen	läßt
laufen	lief	gelaufen	läuft
leiden	litt	gelitten	leidet
leihen	lieh	geliehen	leiht
lesen	las	gelesen	liest
liegen	lag	gelegen	liegt
löschen	losch	geloschen	löscht
lügen	log	gelogen	lügt
meiden	mied	gemieden	meidet
messen	maß	gemessen	mißt
mögen	mochte	gemocht	mag
müssen	mußte	gemußt	muß
nehmen	nahm	genommen	nimmt
nennen	nannte	genannt	nennt
pfeifen	pfiff	gepfiffen	pfeift
quellen	quoll	gequollen	quillt
raten	riet	geraten	rät
reiben	rieb	gerieben	reibt
reißen	riß	gerissen	reißt
reiten	ritt	geritten	reitet
rennen	rannte	gerannt	rennt
riechen	roch	gerochen	riecht
ringen	rang	gerungen	ringt
rinnen	rann	geronnen	rinnt
rufen	rief	gerufen	ruft
saufen	soff	gesoffen	säuft
saugen	sog (saugte)	gesogen (gesaugt)	saugt
schaffen	schuf	geschaffen	schafft
schallen	scholl (schallte)	geschollen (geschallt)	schallt

INFINITIVE	PAST INDICATIVE	PAST PARTICIPLE	PRESENT INDICATIVE
scheiden	schied	geschieden	scheidet
scheinen	schien	geschienen	scheint
schelten	schalt	gescholten	schilt
scheren	schor	geschoren	schiert
	(scherte)	(geschert)	(schert)
schieben	schob	geschoben	schiebt
schießen	schoß	geschossen	schießt
schlafen	schlief	geschlafen	schläft
schlagen	schlug	geschlagen	schlägt
schleichen	schlich	geschlichen	schleicht
schleifen	schliff	geschliffen	schleift
schließen	schloß	geschlossen	schließt
schlingen	schlang	geschlungen	schlingt
schmelzen	schmolz	geschmolzen	schmilzt
schnauben	schnob	geschnoben	schnaubt
	(schnaubte)	(geschnaubt)	
schneiden	schnitt	geschnitten	schneidet
schrecken	schrak	geschrocken	schrickt
schreiben	schrieb	geschrieben	schreibt
schreien	schrie	geschrieen	schreit
schreiten	schritt	geschritten	schreitet
schweigen	schwieg	geschwiegen	schweigt
schwellen	schwoll	geschwollen	schwillt
schwimmen	schwamm	geschwommen	schwimmt
schwinden	schwand	geschwunden	schwindet
schwingen	schwang	geschwungen	schwingt
schwören	schwur (schwor)	geschworen	schwört
sehen	sah	gesehen	sieht
sein	war	gewesen	ist
senden	sandte	gesandt	sendet
	(sendete)	(gesendet)	
singen	sang	gesungen	singt
sinken	sank	gesunken	sinkt
sinnen	sann	gesonnen	sinnt
sitzen	saß	gesessen	sitzt
sollen	sollte	gesollt	soll
speien	spie	gespieen	speit
spinnen	spann	gesponnen	spinnt
sprechen	sprach	gesprochen	spricht
springen	sprang	gesprungen	springt
stechen	stach	gestochen	sticht
stecken	stak (steckte)	gesteckt	steckt
stehen	stand	gestanden	steht
stehlen	stahl	gestohlen	stiehlt
steigen	stieg	gestiegen	steigt
sterben	starb	gestorben	stirbt
stoßen	stieß	gestoßen	stößt
streichen	strich	gestrichen	streicht
streiten	stritt	gestritten	streitet
tragen	trug	getragen	trägt *to carry, wear*
treffen	traf	getroffen	trifft *to strike, to meet*
treiben	trieb	getrieben	treibt *to drive; to carry*
treten	trat	getreten	tritt *to step; to kick*
triefen	troff	getroffen	trieft *to drip*
	(triefte)	(getrieft)	
trinken	trank	getrunken	trinkt *to drink*
trügen	trog	getrogen	trügt *to deceive*
tun	tat	getan	tut *to do*
verbleichen	verblich	verblichen	verbleicht *to (grow) pale*

INFINITIVE	PAST INDICATIVE	PAST PARTICIPLE	PRESENT INDICATIVE	
verderben	verdarb	verdorben	verdirbt	*to destroy*
verdrießen	verdroß	verdrossen	verdrießt	*to annoy*
vergessen	vergaß	vergessen	vergißt	*to forget*
verlieren	verlor	verloren	verliert	*to lose*
wachsen	wuchs	gewachsen	wächst	*to grow*
wägen	wog	gewogen	wägt	*to weigh*
waschen	wusch	gewaschen	wäscht	*to wash*
weben	wob (webte)	gewoben (gewebt)	webt	*to weave*
weichen	wich	gewichen	weicht	*to yield*
weisen	wies	gewiesen	weist	*to point; to show*
wenden	wandte (wendete)	gewandt (gewendet)	wendet	*to turn*
werben	warb	geworben	wirbt	*to court*
werden	wurde (ward)	geworden	wird	*to become*
werfen	warf	geworfen	wirft	*to throw*
wiegen	wog	gewogen	wiegt	*to weigh*
winden	wand	gewunden	windet	*to wind*
wissen	wußte	gewußt	weiß	*to know*
wollen	wollte	gewollt	will	*to want to*
zeihen	zieh	geziehen	zeiht	*to accuse*
ziehen	zog	gezogen	zieht	*to pull*
zwingen	zwang	gezwungen	zwingt	*to force*

Cognates and Foreign Words

addieren to add

die Adres'se, -n address

adressieren to address

afrika'nisch African

akkompagnieren to accompany

der Akteur', -s or -e actor

akus'tisch acoustic

akut' acute

akzeptieren to accept

alchimis'tisch alchemist's

der Altar', -e altar

das Amal'gam amalgam

amen amen

das Amulett', -e amulet

amüsieren to amuse

die Anekdo'te, -n anecdote

die Animosität' animosity

der Anker, - anchor

die Antipathie' antipathy

das Aperçu, -s (Fr.) aperçu

der Appetit' appetite

applaudieren to applaud

der Applaus' applause

der Äquinoktial'sturm, ⸚e equinoctial storm

der Ara'ber, - Arabian (horse)

die Arie, -n aria

die Arithme'tik arithmetic

arithme'tisch arithmetical

die Arka'de, -n arcade

(die) Arka'die Arcadia

die Armee', -n army

der Arrest' arrest

arrogant' arrogant

das Arsenal', -e arsenal

der Artillerist', -en, -en artilleryman

die Asche, -n ash(es)

die Aster, -n aster

ästhe'tisch (a)esthetic

asthma'tisch asthmatic

die Atmosphä're atmosphere

atmosphä'risch atmospheric

die Attac'ke, -n attack

attackieren to attack

das Audito'rium auditorium

der August' August

autochthon' autochthonous (local)

autoritär' authoritarian

die Avant'garde avant garde

azur' azure

die Baga'ge, -n baggage

das Bandelier', -e bandoleer

der Bär, -en, -en bear

der Barbar', -en, -en barbarian

barba'risch barbarian

das Barome'ter, - barometer

der Baron', -e baron

der Basilisk' basilisk (legendary animal whose glance could kill)

der Baß bass

der Bastard, -e bastard

die Bastion', -en bastion

die Batterie', -n battery (mil.)

bestia'lisch bestial

bevor' before

die Bibel Bible

bitter bitter

blau blue

blind blind (die Blindheit)

blond blond

bravo (bravissimo) bravo (bravissimo)

bronzieren bronze

brutal' brutal

die Brutalität' brutality

die Butter butter

das Café, -s café

der Charak'ter character (charakterlos)

charakteris'tisch characteristic

chine'sisch Chinese

der Choral' chorale

die Coura'ge courage

der Dachshund, -e dachshund

das Dämon', -e demon

dämo'nisch demonic

die Delinquen'tin, -nen delinquent

die Demonstration', -en demonstration

desperat' desperate

der Detail'plan, ⸚e detailed plan

die Detonation', -en detonation

der Dialekt', -e dialect

der Diamant', -en, -en diamond

didak'tisch didactic

diktieren to dictate

das Diner', -s dinner

direkt' direct

der Direk'tor, -s, -en director

der Doktor, -s, -en doctor

das Dokument', -e document

der Dominika'ner Dominican

die Eksta'se ecstasy

elegant' elegant

die Eleganz' elegance

das Element', -s, -en element

das Emblem', -e emblem

embrassieren to embrace

die Energie', -n energy

ener'gisch energetic

(das) England England

der Engländer, - Englishman

englisch English

der Enthusias'mus enthusiasm

die Epo'che, -n epoch

die **Eskor′te, -n** escort
das **Etablissement′, -s** establishment
der **Euphemis′mus, -men** euphemism
(das) **Euro′pa** Europe
    europä′isch European
das **Exem′pel, -** example
die **Existenz′, -en** existence
    existieren to exist
    exorzieren to exorcise
das **Experiment′, -e** experiment
    experimentell′ experimental
das **Extrem′, -e** extreme
    exzellent′ excellent

    familiär′ familiar
die **Fami′lie, -n** family
    fana′tisch fanatical
    fasten to fast
die **Faszination′** fascination
der **Februar** February
    feudal′ feudal
das **Fez** fez
die **Fiber, -n** fiber
die **Figur′, -en** figure
die **Fiktion′, -en** fiction
der **Finger, -** finger
das **Firmament′** firmament
der **Fisch, -e** fish
    fischen to fish **(der Fischer)**
    fixieren to fix
    flankieren to flank
    florenti′nisch Florentine
(das) **Florenz′** Florence
die **Fontä′ne** fountain
die **Form, -en** form
    formal′ formal
    formieren to form
das **Fort, -s** fort
    fragmenta′risch fragmentary
    funktionieren to function

    galant′ gallant
die **Galanterie′, -n** gallantry
die **Galerie′, -n** gallery
der **Galopp′** gallop
    galoppieren to gallop
die **Garde, -n** guard
der **Garten, ⸚** garden
der **Gärtner, -** gardener
die **Gärtnerei′** gardening
    gastrisch gastric
der **General′, -e** general
die **Gestikulation′, -en** gesticulation
das **Glas, ⸚er** glass
    glasig glassy
der **Globus, Globen** globe
das **Gold** gold
    golden golden
der **Granit′** granite
das **Gras, ⸚er** grass
    grasen to graze
die **Gratifikation′** gratification

die **Grimas′se** grimace
    grimassierend grimacing
der **Grog** grog
    grotesk′ grotesque
    grün green
die **Gruppe, -n** group
    gurgeln to gurgle

die **Halle, -n** hall
    harmo′nisch harmonious
    hektisch hectic
die **Henne, -n** hen
    herku′lisch Herculean
    hero′isch heroic
    hippokra′tisch Hippocratic
    histo′risch historic
der **Horizont′, -e** horizon
das **Horoskop′, -e** horoscope
das **Hotel′, -s** hotel
der **Humanist′, -en, -en** humanist
der **Humbug** humbug
der **Humor′** humor
    humoris′tisch humorous
der **Hunger** hunger
    hungrig hungry
der **Hypnotiseur′, -e** hypnotist

die **Idee′, -n** idea
das **Idyll′, -e** idyll
die **Illusion′, -en** illusion
die **Improvisation′, -en** improvisation
    improvisieren to improvise
(das) **Indien** India
    indigoblau indigo blue
die **Ingredienz′** (or **das —**), **-ien**
    ingredient
    installieren to install
der **Instinkt′, -e** instinct
das **Instrument′, -e** instrument
die **Insubordination′** insubordination
    interessant′ interesting
das **Interes′se, -n** interest
das **Interim** interim
    international′ international
    intim′ intime, intimate
die **Intuition′, -en** intuition
das **Inventa′rium, -ien** inventory
    irregulär′ irregular
    isoliert′ isolated
(das) **Ita′lien** Italy
der **Italie′ner, -** Italian
    italie′nisch Italian

die **Justiz′** justice
das **Juwel′, -en** jewel

das **Kabinett′, -e** cabine
der **Kaffee** coffee
die **Kalkulation′, -en** calculation
der **Kamerad′, -en, -en** comrade
die **Kano′ne, -n** cannon
der **Kapitän′, -e** captain

der	**Kapuzi′ner, -** Capuchin			**majestä′tisch** majestic
der	**Kardinal′, ∹e** cardinal		der	**Manager, -s** manager
der	**Karmeli′ter, -** Carmelite		die	**Manier′, -en** manner
die	**Kasemat′te, -n** casemate		das	**Manuskript′, -e** manuscript
die	**Kastagnet′te, -n** castanet		der	**Marquis′, -** Marquis
	katalep′tisch cataleptic		die	**Marqui′se, -n** Marquise
die	**Katastro′phe, -n** catastrophe		der	**Marschall, -e** marshal
der	**Katechis′mus, -en** catechism			**marschieren** to march
die	**Kathedra′le, -n** cathedral			**martia′lisch** martial
	katho′lisch Catholic		das	**Marty′rium** martyrdom
der	**Kavalier′, -e** cavalier		die	**Maske, -n** mask
der	**Kilome′ter** (*or* **das** —)**, -** kilometer		die	**Maskera′de, -n** masquerade
die	**Klarinet′te, -n** clarinet			**maskieren** to mask
	klassisch classical		die	**Masse, -n** mass
der	**Kleriker, -** cleric			**massiv′** massive
der	**Klient′, -en, -en** client, customer		das	**Material′, -ien** material
die	**Kliente′le, -n** clientele		die	**Mathema′tik(′)** mathematics
das	**Klima** climate			**mathema′tisch** mathematical
der	**Kognak, -s** cognac		die	**Matro′ne** matron
	kokett′ coquettish			**mecha′nisch** mechanical
die	**Kolik** colic		die	**Mediokrität′** mediocrity
die	**Kollation′, -en** collation			**meditieren** to meditate
der	**Kolle′ge, -n, -n** colleague			**medizi′nisch** medical
die	**Kolonna′de, -n** colonnade		die	**Meile, -n** mile
der	**Kommandant′, -en, -en** commandant		die	**Melancholie′** melancholy
	kommandieren to command			**melancho′lisch** melancholy
das	**Komman′do, -s** command		die	**Melodie′, -n** melody
	konfirmieren to confirm		die	**Melo′ne, -n** melon
der	**Konflikt′, -e** conflict		die	**Meri′te, -n** merit
die	**Konfusion′, -en** confusion		das	**Metall′, -e** metal
die	**Konstruktion′, -en** construction			**metal′lisch, metal′len** metallic
der	**Kontakt′, -e** contact			**meteo′risch** meteoric
die	**Kooperation′** cooperation		das	**Meter** (*or* **der** —)**, -** meter
die	**Koral′le, -n** coral			**militä′risch** military
der	**Kork, -e** cork		der	**Minis′ter, -** minister
der	**Korporal′, -e** corporal		die	**Minu′te, -n** minute
	korpulent′ corpulent			**mißhan′deln** to mishandle **(die Mißhandlung)**
die	**Korruption′** corruption			
das	**Kostüm′, -e** costume		das	**Modell′, -e** model
die	**Krabbe, -n** crab		der	**Moment′, -e** moment
die	**Kreatur′, -en** creature		die	**Musik′** music
der	**Kristall′, -e** crystal			**musika′lisch** musical
die	**Kruste, -n** crust			**mystisch** mystic(al)
das	**Kruzifix′, -e** crucifix			**mytholo′gisch** mythological
der	**Kult, -e** cult			
	kurieren to cure			**naiv′** naive
			die	**Naivität′** naivete
das	**Labyrinth′, -e** labyrinth		der	**Nasal′, -e** nasal (sound)
	landen to land		die	**Nation′, -en** nation
die	**Legen′de, -n** legend			**national′** national
die	**Legion′, -en** legion			**neapolita′nisch** Neapolitan (of Naples)
die	**Linie, -n** line			
das	**Linnen** linen		der	**Nerv, -en** nerve
die	**Lippe, -n** lip			**nervös′** nervous
die	**Liste, -n** list		die	**Nervosität′** nervousness
die	**Loge, -n** loge			**neutral′** neutral
	logisch logical			**nobel** noble
die	**Lotterie′, -n** lottery		die	**Nonne, -n** nun
				nordisch Nordic
	magisch magic			**norwe′gisch** Norwegian
das	**Mahago′ni** mahogany		die	**Note, -n** note
die	**Majestät′** majesty		die	**Novi′ze, -n** novice

	nubisch Nubian	das	**Prinzip', -ien** principle
die	**Nummer, -n** number		**privat'** private
die	**Nymphe, -n** nymph		**produzieren** to produce
		die	**Profession', -en** profession
das	**Objekt', -e** object	der	**Profes'sor, -so'ren** professor
die	**Obo'e, -n** oboe	das	**Profil', -e** profile
der	**Offizier', -e** officer	das	**Programm', -e** program
	okkult' occult	die	**Promena'de, -n** promenade
der	**Olean'der** oleander		**prompt** prompt
die	**Oli've, -n** olive	der	**Prophet', -en, -en** prophet
die	**Operation', -en** operation	die	**Prosa** prose
	ordinär' ordinary	der	**Protest', -e** protest
	organisieren to organize		**protestieren** to protest
der	**Organis'mus, -men** organism	die	**Provokation', -en** provocation
die	**Orgie', -n** orgy	die	**Prozession', -en** procession
die	**Otter, -n** otter	die	**Prüderie'** prudery
			psycholo'gisch psychological
das	**Paddelboot, -e** paddleboat	der	**Pudel, -** poodle
der	**Palast', ⸚e** palace	der	**Puls, -e** pulse
der	**Panegy'rikus** panegyric	die	**Punschbowle, -n** punch bowl
die	**Päo'nie, -n** peony	die	**Pupil'le, -n** pupil
das	**Papier', -e** paper	der	**Pyja'ma** pyjamas
das	**Paradies'** Paradise	die	**Pyrami'de, -n** pyramid
	parallel' parallel		
der	**Pari'ser, -** Parisian	die	**Rake'te, -n** rocket
	parodieren to parody		**rar** rare
der	**Partner, -** partner		**rationalis'tisch** rationalistic
	passa'bel passable	die	**Ratte, -n** rat
die	**Passa'ge, -n** passage	der	**Reflex', -e** reflex
der	**Patient', -en, -en** patient	das	**Regiment', -e** regiment
	patrio'tisch patriotic		**regulär'** regular
der	**Patriotis'mus** patriotism		**reimen** to rhyme
	perfektionieren to perfect	der	**Reis** rice
die	**Perio'de, -n** period		**rekommandieren** to recommend
	perio'disch periodic		**reparieren** to repair
das	**Personal'** personnel	die	**Reputation', -en** reputation
die	**Personifikation', -en** personification	das	**Resultat', -e** result
das	**Phänomen', -e** phenomenon	die	**Revol'te, -n** revolt
	phänomenal' phenomenal		**rhythmisch** rhythmic
die	**Philip'pika** philippic (= tirade)	der	**Ring, -e** ring
	philosophieren philosophize	die	**Robe,- n** robe
	philoso'phisch philosophical		**robust'** robust
die	**Physiognomie'** physiognomy	die	**Rolle, -n** role, roll
die	**Pisto'le, -n** pistol	die	**Rose, -n** rose
der	**Plan, ⸚e** plan	die	**Rui'ne, -n** ruin
die	**Plattform, -en** platform	der	**Rumä'ne, -n, -n** Rumanian
	plündern to plunder		
das	**Podium, -ien** podium	die	**Saison', -en** season
	poli'tisch political	die	**Sakristei', -en** sacristy
die	**Polizei'** police **(polizei'lich)**	der	**Salat', -e** salad
die	**Pore, -n** pore	der	**Sand** sand **(sandig)**
das	**Portal', -e** portal	der	**Satan(as)** Satan
das	**Porträt', -e** portrait		**sata'nisch** satanic
die	**Position', -en** position	der	**Sattel, ⸚** saddle
der	**Postillion', -e** postillion		**satteln** to saddle
	praktisch practical	der	**Satyr** satyr
der	**Prälat', -en, -en** prelate		**sauer** sour
der	**Präsident', -en, -en** president	der	**Scharlatan, -e** charlatan
	primitiv' primitive	die	**Schokola'de** chocolate
der	**Prinz, -en, -en** prince		**scholas'tisch** scholastic
die	**Prinzess' (= Prinzessin)**		**schrill** shrill
die	**Prinzes'sin, -nen** princess	der	**Schuh, -e** shoe

die	Schwadron', -en squadron		der	Tender, - tender
der	Schwan, ⁔e swan		die	Terras'se, -n terrace
	schwellen* to swell		das	Thea'ter, - theater
	schwingen* to swing		die	Theologie' theology
der	Sekretär', -e secretary		der	Thron, -e throne
die	Sekun'de, -n second			ticken to tick
	senden* to send		der	Tiger, - tiger
die	Serena'de, -n serenade		die	Tortur', -en torture
der	Sergeant', -en, -en sergeant		die	Tour, -en tour
die	Serie, -n series			tragisch tragic
der	Sermon', -e sermon		die	Trance, -n trance
	servieren to serve			transportieren to transport
	servil' servile		der	Triangel, - triangle
das	Signal', -e signal		das	Tribunal', -e tribunal
das	Silber silver (silbern)		der	Trick, -s trick
	singen* to sing		der	Triumph', -e triumph
die	Situation', -en situation			triumphieren to triumph
der	Skandal', -e scandal		die	Trompe'te, -n trumpet
	skandalös' scandalous		der	Trompe'ter, - trumpeter
der	Skrupel, - scruple		der	Trumpf, ⁔e trump
	slawisch Slavic		der	Tumult' tumult
das	Sofa, -s sofa			türkisch Turkish
die	Sohle, -n sole		der	Typ, -e type
der	Sommer, - summer			typisch typical
der	Somnambulis'mus somnambulism		die	Tyrannei' tyranny
die	Sonne, -n sun (sonnig; sonnen)			
(das)	Spanien Spain		die	Uniform', -en uniform
der	Spanier, - Spaniard		der	Vagabund', -en, -en vagabond
	spanisch Spanish		die	Variation', -en variation
der	Speer, -e spear		die	Vehemenz' vehemence
	spekulieren to speculate		die	Veran'da, -en veranda
die	Spezies, - species		der	Vers, -e verse
	spinnen* to spin		die	Vesper vesper(s)
die	Station', -en station			vibrieren to vibrate
die	Statue, -n statue		die	Villa, -en villa
	stereotyp' stereotyped			violett' violet
der	Stil style		die	Violi'ne, -n violin
das	Stilett', -e stiletto		der	Virtuo'se, -n, -n virtuoso
	stockstill stock-still		die	Vision', -en vision
der	Student, -en, -en student			
	studieren to study			warnen to warn
	sublimieren to sublimate			waschen* to wash
die	Summe, -n sum		der	Wein, -e wine
das	Symbol', -e symbol		die	Weste, -n vest
die	Symmetrie' symmetry		das	Wiesel, - weasel
die	Sympathie' sympathy		der	Winter, - winter
das	System', -e system			wispern to whisper
die	Szene, -n scene		der	Wolf, ⁔e wolf
			der	Zenit' zenith
der	Tabak tobacco		der	Zepter, - scepter
das	Tableau', -s tableau		die	Zeremonie', -n ceremony
der	Talisman, -e talisman			zeremoniös' ceremonious
das	Tamburin', -e tambourine		die	Zero zero
die	Taran'tel, -n tarantula		die	Zigaret'te, -n cigarette
die	Tarantel'la tarantelle (dance)		die	Zimbel, -n cymbal
die	Taver'ne, -n tavern			zirkulieren to circulate
der	Tee tea		der	Zirkusdirek'tor, -to'ren circus director
der	Telegraph' telegraph			zirpen to chirp
	telepho'nisch by telephone		die	Zither, -n zither
das	Teleskop', -e telescope			zivilisieren to civilize
der	Tempel, - temple		die	Zypres'se, -n cypress
die	Temperatur' temperature			